물리학 I

679제

완자 기출 PICK 차례

I 역학적 에너지

II 물질과 전자기장

Ⅲ 파동과 정보 통신

1 파동의 성질과 이용

2 빛과 물질의 이중성

완자 기출 PICK 구성 - 기출 문제를 분석하여 핵심을 빠짐 없이 담았다!

PICK 1 핵심 정리

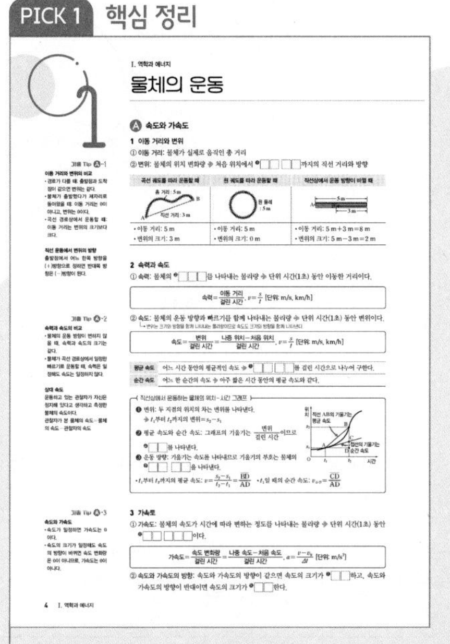

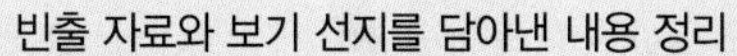

빈출 자료와 보기 선지를 담아낸 내용 정리

PICK 2 필수 기출

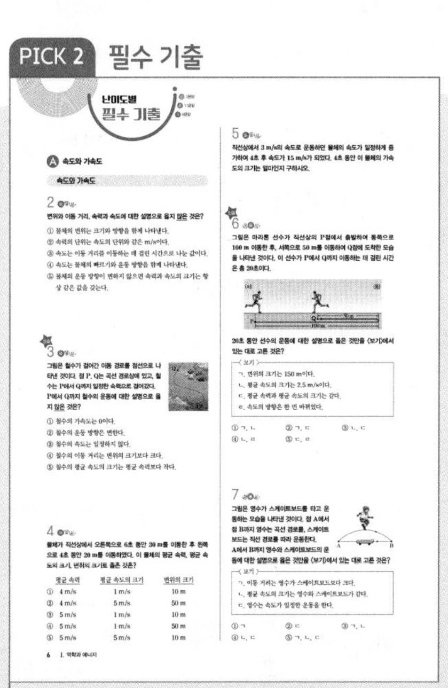

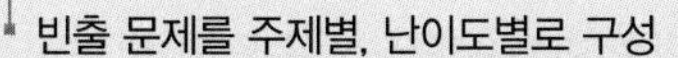

빈출 문제를 주제별, 난이도별로 구성

PICK 3 도전 기출

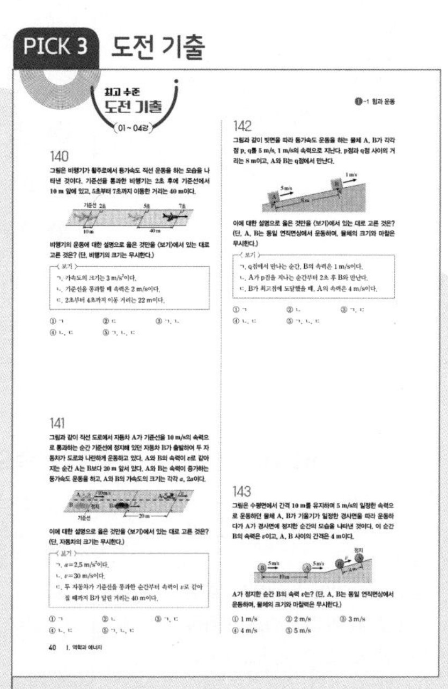

1등급 달성을 위해 꼭 풀어봐야 하는 도전 문제

물체의 운동

Ⓐ 속도와 가속도

1 이동 거리와 변위

① 이동 거리: 물체가 실제로 움직인 총 거리

② 변위: 물체의 위치 변화량 ➔ 처음 위치에서 ❶□□ □□까지의 직선 거리와 방향

곡선 궤도를 따라 운동할 때	원 궤도를 따라 운동할 때	직선상에서 운동 방향이 바뀔 때
총 거리 : 5 m A, B 직선 거리 : 3 m	원 둘레 : 5 m	A, B 5 m 3 m
• 이동 거리: 5 m • 변위의 크기: 3 m	• 이동 거리: 5 m • 변위의 크기: 0 m	• 이동 거리: 5 m+3 m=8 m • 변위의 크기: 5 m−3 m=2 m

기출 Tip Ⓐ-1

이동 거리와 변위의 비교
- 경로가 다를 때: 출발점과 도착점이 같으면 변위는 같다.
- 물체가 출발했다가 제자리로 돌아왔을 때: 이동 거리는 0이 아니고, 변위는 0이다.
- 곡선 경로상에서 운동할 때: 이동 거리는 변위의 크기보다 크다.

직선 운동에서 변위의 방향
출발점에서 어느 한쪽 방향을 (+)방향으로 정하면 반대쪽 방향은 (−)방향이 된다.

2 속력과 속도

① 속력: 물체의 ❷□□□를 나타내는 물리량 ➔ 단위 시간(1초) 동안 이동한 거리이다.

$$\text{속력}=\frac{\text{이동 거리}}{\text{걸린 시간}},\ v=\frac{s}{t}\ [\text{단위: m/s, km/h}]$$

② 속도: 물체의 운동 방향과 빠르기를 함께 나타내는 물리량 ➔ 단위 시간(1초) 동안 변위이다.
└• 변위는 크기와 방향을 함께 나타내는 물리량이므로 속도도 크기와 방향을 함께 나타낸다.

$$\text{속도}=\frac{\text{변위}}{\text{걸린 시간}}=\frac{\text{나중 위치}-\text{처음 위치}}{\text{걸린 시간}},\ v=\frac{s}{t}\ [\text{단위: m/s, km/h}]$$

평균 속도	어느 시간 동안의 평균적인 속도 ➔ ❸□□ □□를 걸린 시간으로 나누어 구한다.
순간 속도	어느 한 순간의 속도 ➔ 아주 짧은 시간 동안의 평균 속도와 같다.

기출 Tip Ⓐ-2

속력과 속도의 비교
- 물체의 운동 방향이 변하지 않을 때, 속력과 속도의 크기는 같다.
- 물체가 곡선 경로상에서 일정한 빠르기로 운동할 때, 속력은 일정해도 속도는 일정하지 않다.

상대 속도
운동하고 있는 관찰자가 자신은 정지해 있다고 생각하고 측정한 물체의 속도이다.
관찰자가 본 물체의 속도=물체의 속도−관찰자의 속도

(직선상에서 운동하는 물체의 위치-시간 그래프)

❶ 변위: 두 지점의 위치의 차는 변위를 나타낸다.
➔ t_1부터 t_2까지의 변위$=s_2-s_1$

❷ 평균 속도와 순간 속도: 그래프의 기울기는 $\frac{\text{변위}}{\text{걸린 시간}}$이므로 ❹□□를 나타낸다.

❸ 운동 방향: 기울기는 속도를 나타내므로 기울기의 부호는 물체의 ❺□□ □□을 나타낸다.

위치, 시간, 0, s_1, s_2, t_1, t_2, A, B, C, D
직선 AB의 기울기는 평균 속도
접선의 기울기는 순간 속도

• t_1부터 t_2까지의 평균 속도: $v=\frac{s_2-s_1}{t_2-t_1}=\frac{\overline{BD}}{\overline{AD}}$ • t_1일 때의 순간 속도: $v_{순간}=\frac{\overline{CD}}{\overline{AD}}$

3 가속도

① 가속도: 물체의 속도가 시간에 따라 변하는 정도를 나타내는 물리량 ➔ 단위 시간(1초) 동안 ❻□□ □□□이다.

$$\text{가속도}=\frac{\text{속도 변화량}}{\text{걸린 시간}}=\frac{\text{나중 속도}-\text{처음 속도}}{\text{걸린 시간}},\ a=\frac{v-v_0}{\Delta t}\ [\text{단위: m/s}^2]$$

② 속도와 가속도의 방향: 속도와 가속도의 방향이 같으면 속도의 크기가 ❼□□하고, 속도와 가속도의 방향이 반대이면 속도의 크기가 ❽□□한다.

기출 Tip Ⓐ-3

속도와 가속도
- 속도가 일정하면 가속도는 0이다.
- 속도의 크기가 일정해도 속도의 방향이 바뀌면 속도 변화량은 0이 아니므로, 가속도는 0이 아니다.

Ⓑ 여러 가지 운동

구분	특징	예
속력과 운동 방향이 모두 일정한 운동	• 등속 직선 운동: 속도가 ⑨ □□□ 운동 • 속도가 일정하므로 가속도가 0이다.	에스컬레이터, 무빙워크, 컨베이어 벨트 등
속력만 변하는 운동	• 등가속도 직선 운동: 가속도의 크기와 방향이 일정한 운동 • 운동 방향이 일정하므로 직선 운동을 한다. • 속도가 일정하게 증가하거나 감소한다.	자유 낙하 운동, 빗면을 미끄러져 내려오는 물체의 운동, 연직 위로 던져 올린 물체의 운동 등
운동 방향만 변하는 운동	• 등속 원운동: 일정한 속력으로 원 궤도를 따라 도는 운동 • 운동 방향은 원 궤도의 ⑩ □□ □□이다. • 운동 방향이 변하므로 가속도 운동이다.	대관람차, 회전그네, 인공위성 등
속력과 운동 방향이 모두 변하는 운동	• 진자 운동: 실에 매단 물체가 같은 경로를 왕복하는 운동 • 속력은 양 끝에서 0이고, 진동의 중심에서 가장 빠르다. • 운동 방향은 진자가 그리는 궤도의 각 위치에서 접선 방향이다.	바이킹, 그네 등
	• 포물선 운동: 물체가 포물선을 그리며 움직이는 운동 • 수평 방향 속력은 ⑪ □□하고, 연직 방향 속력은 계속 변한다. • 운동 방향은 포물선 궤도의 각 위치에서 접선 방향이다.	수평으로 던진 물체의 운동, 비스듬히 위로 던진 물체의 운동 등

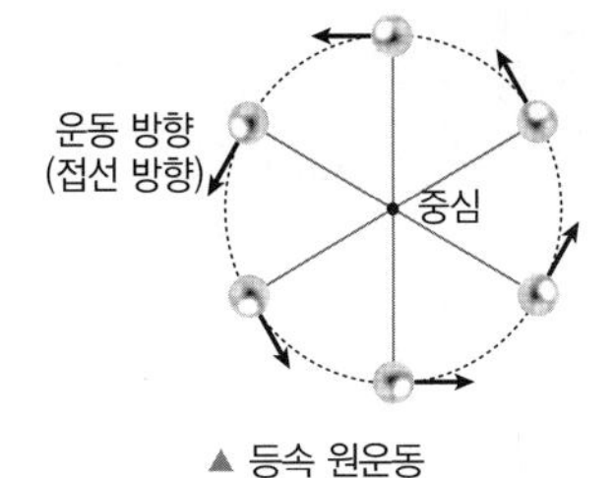

▲ 등속 원운동

▲ 진자 운동

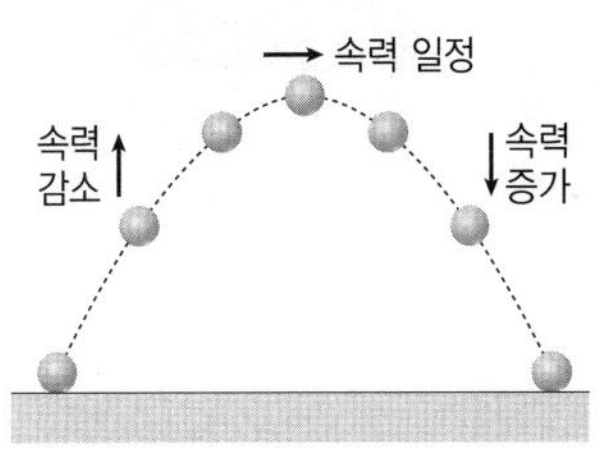

▲ 비스듬히 던져 올린 물체의 운동

기출 Tip Ⓑ

등속 원운동 하는 물체의 속도
등속 원운동 하는 물체는 속력은 일정해도 운동 방향이 변하므로 속도가 변한다.

등속 원운동 하는 물체의 운동 방향
실에 매달려 등속 원운동 하는 물체의 실이 갑자기 끊어지면 물체는 접선 방향으로 날아간다.

포물선 운동을 하는 물체의 이동 거리와 변위
포물선 운동을 하는 물체의 운동 경로는 곡선 경로이므로 이동 거리는 변위의 크기보다 크다.

답 ❶ 나중 위치 ❷ 빠르기 ❸ 전체 변위 ❹ 속도 ❺ 운동 방향 ❻ 속도 변화량 ❼ 증가 ❽ 감소 ❾ 일정한 ❿ 접선 방향 ⓫ 일정

빈출 자료 보기

정답과 해설 2쪽

1 그림은 직선상에서 운동하는 물체의 위치를 시간에 따라 나타낸 것이다.

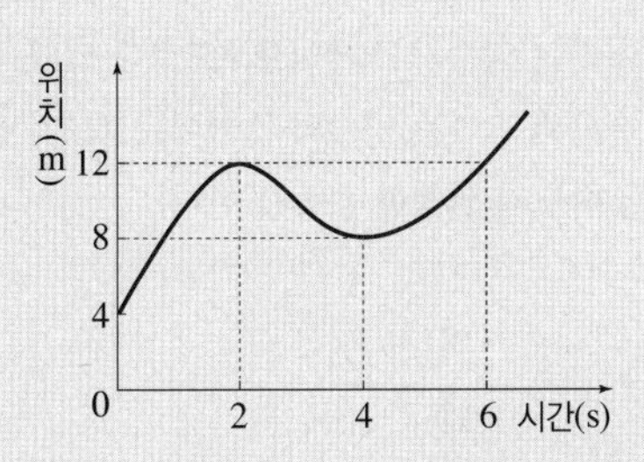

이에 대한 설명으로 옳은 것은 ○, 옳지 않은 것은 ×로 표시하시오.

(1) 0초부터 4초까지 변위의 크기는 4 m이다. ( )

(2) 0초부터 6초까지 이동 거리는 16 m이다. ( )

(3) 0초부터 4초까지 평균 속력은 1 m/s이다. ( )

(4) 0초부터 6초까지 평균 속도의 크기는 $\frac{10}{3}$ m/s이다. ( )

(5) 2초일 때 물체의 운동 방향이 바뀌었다. ( )

A 속도와 가속도

속도와 가속도

2 하 중 상

변위와 이동 거리, 속력과 속도에 대한 설명으로 옳지 <u>않은</u> 것은?

① 물체의 변위는 크기와 방향을 함께 나타낸다.
② 속력의 단위는 속도의 단위와 같은 m/s이다.
③ 속도는 이동 거리를 이동하는 데 걸린 시간으로 나눈 값이다.
④ 속도는 물체의 빠르기와 운동 방향을 함께 나타낸다.
⑤ 물체의 운동 방향이 변하지 않으면 속력과 속도의 크기는 항상 같은 값을 갖는다.

3 하 중 상

그림은 철수가 걸어간 이동 경로를 점선으로 나타낸 것이다. 점 P, Q는 곡선 경로상에 있고, 철수는 P에서 Q까지 일정한 속력으로 걸어갔다. P에서 Q까지 철수의 운동에 대한 설명으로 옳지 <u>않은</u> 것은?

① 철수의 가속도는 0이다.
② 철수의 운동 방향은 변한다.
③ 철수의 속도는 일정하지 않다.
④ 철수의 이동 거리는 변위의 크기보다 크다.
⑤ 철수의 평균 속도의 크기는 평균 속력보다 작다.

4 하 중 상

물체가 직선상에서 오른쪽으로 6초 동안 30 m를 이동한 후 왼쪽으로 4초 동안 20 m를 이동하였다. 이 물체의 평균 속력, 평균 속도의 크기, 변위의 크기로 옳은 것은?

	평균 속력	평균 속도의 크기	변위의 크기
①	4 m/s	1 m/s	10 m
②	4 m/s	5 m/s	50 m
③	5 m/s	1 m/s	10 m
④	5 m/s	1 m/s	50 m
⑤	5 m/s	5 m/s	10 m

5 하 중 상

직선상에서 3 m/s의 속도로 운동하던 물체의 속도가 일정하게 증가하여 4초 후 속도가 15 m/s가 되었다. 4초 동안 이 물체의 가속도의 크기는 얼마인지 구하시오.

6 하 중 상

그림은 마라톤 선수가 직선상의 P점에서 출발하여 동쪽으로 100 m 이동한 후, 서쪽으로 50 m를 이동하여 Q점에 도착한 모습을 나타낸 것이다. 이 선수가 P에서 Q까지 이동하는 데 걸린 시간은 총 20초이다.

20초 동안 선수의 운동에 대한 설명으로 옳은 것만을 〈보기〉에서 있는 대로 고른 것은?

〈 보기 〉
ㄱ. 변위의 크기는 150 m이다.
ㄴ. 평균 속도의 크기는 2.5 m/s이다.
ㄷ. 평균 속력과 평균 속도의 크기는 같다.
ㄹ. 속도의 방향은 한 번 바뀌었다.

① ㄱ, ㄴ ② ㄱ, ㄷ ③ ㄴ, ㄷ
④ ㄴ, ㄹ ⑤ ㄷ, ㄹ

7 하 중 상

그림은 영수가 스케이트보드를 타고 운동하는 모습을 나타낸 것이다. 점 A에서 점 B까지 영수는 곡선 경로를, 스케이트보드는 직선 경로를 따라 운동한다. A에서 B까지 영수와 스케이트보드의 운동에 대한 설명으로 옳은 것만을 〈보기〉에서 있는 대로 고른 것은?

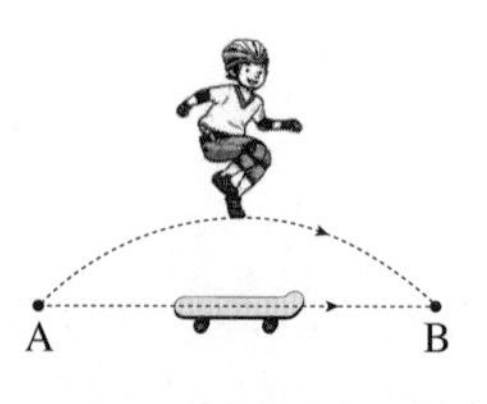

〈 보기 〉
ㄱ. 이동 거리는 영수가 스케이트보드보다 크다.
ㄴ. 평균 속도의 크기는 영수와 스케이트보드가 같다.
ㄷ. 영수는 속도가 일정한 운동을 한다.

① ㄱ ② ㄷ ③ ㄱ, ㄴ
④ ㄴ, ㄷ ⑤ ㄱ, ㄴ, ㄷ

I

8 하중상

그림은 수지가 학교에서 출발하여 약국을 거쳐 집으로 가는 경로를 나타낸 것이다. 이동하는 데 걸린 시간은 총 100초이다.

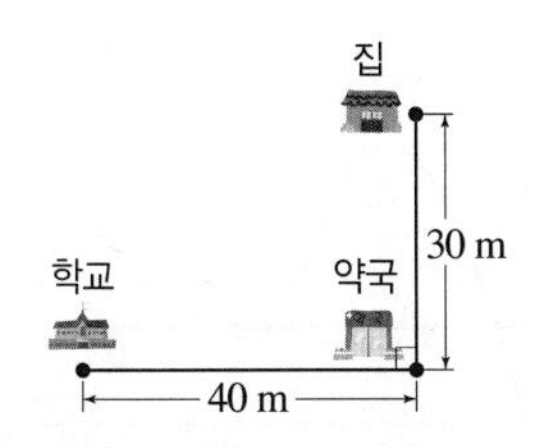

수지의 운동에 대한 설명으로 옳은 것만을 〈보기〉에서 있는 대로 고른 것은?

〈 보기 〉
ㄱ. 이동 거리는 70 m이다.
ㄴ. 변위의 크기는 50 m이다.
ㄷ. 평균 속력은 0.4 m/s이다.
ㄹ. 평균 속도의 크기는 0.5 m/s이다.

① ㄱ, ㄷ ② ㄴ, ㄹ ③ ㄷ, ㄹ
④ ㄱ, ㄴ, ㄷ ⑤ ㄱ, ㄴ, ㄹ

9 하중상

多 보기

속도와 가속도에 대한 설명으로 옳은 것을 모두 고르면?(2개)

① 가속도는 단위 시간 동안 물체의 위치 변화량이다.
② 속도가 일정하면 가속도는 0이다.
③ 속도와 가속도의 방향은 항상 같다.
④ 속도의 크기가 증가하면 가속도는 항상 증가한다.
⑤ 속도의 크기가 증가하는 경우 가속도의 방향은 속도의 방향과 같다.
⑥ 가속도는 물체의 빠르기와 운동 방향을 함께 표시하는 물리량이다.

10 하중상

자동차가 동쪽으로 20 m/s의 일정한 속력으로 달리고 있다가 5초일 때 서쪽으로 5 m/s의 속력으로 달리고 있다. 0초부터 5초까지 자동차의 평균 가속도의 크기와 방향으로 옳은 것은?

	평균 가속도의 크기	방향
①	$3 m/s^2$	동쪽
②	$3 m/s^2$	서쪽
③	$5 m/s^2$	동쪽
④	$5 m/s^2$	서쪽
⑤	$5 m/s^2$	남쪽

11 하중상

••서술형

그림은 정지해 있는 영희가 각각 일정한 속도로 직선상에서 달리고 있는 장난감 자동차 A, B, C를 바라보는 모습을 나타낸 것이다. 영희가 보는 A, B, C의 속도의 크기는 각각 5 m/s, 10 m/s, 20 m/s이다.

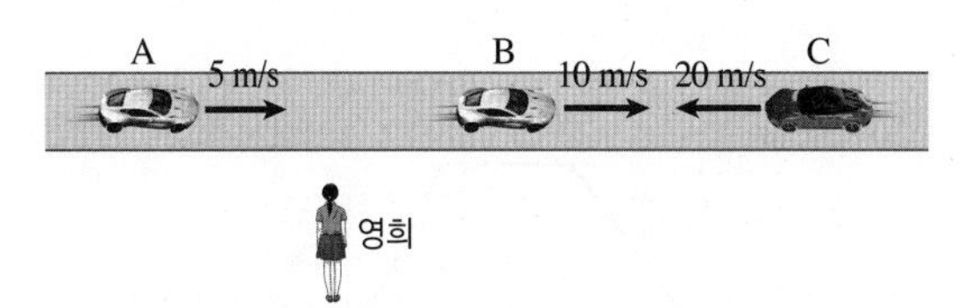

(1) A가 보는 C의 속도의 크기를 풀이 과정과 함께 구하시오.

(2) B가 보는 A의 속도의 크기를 풀이 과정과 함께 구하시오.

12 하중상

그림과 같이 쇼트트랙 선수 A, B가 각각 점 O를 중심으로 원 궤도를 한 바퀴 돌아 출발점으로 돌아왔다. 원 궤도의 반지름은 A가 B의 2배이고, 한 바퀴 도는 데 걸린 시간은 A가 B의 2배이다.
A와 B의 운동에 대한 설명으로 옳은 것만을 〈보기〉에서 있는 대로 고른 것은?

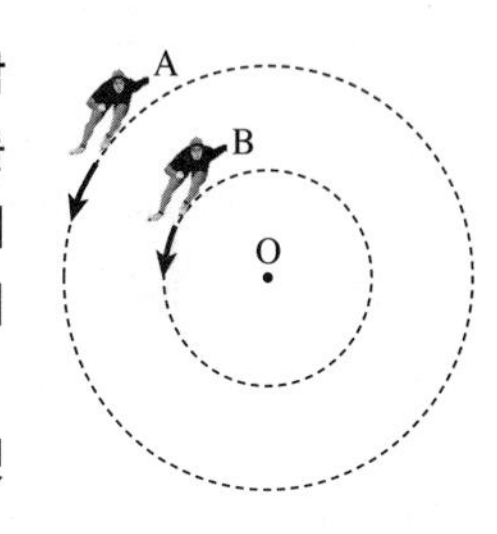

〈 보기 〉
ㄱ. 이동 거리는 A와 B가 같다.
ㄴ. 평균 속력은 A와 B가 같다.
ㄷ. 평균 속도의 크기는 A가 B보다 크다.

① ㄱ ② ㄴ ③ ㄱ, ㄷ
④ ㄴ, ㄷ ⑤ ㄱ, ㄴ, ㄷ

13 하중상

표는 직선상에서 일정한 가속도로 운동하는 물체의 속도를 시간에 따라 나타낸 것이다.

시간(s)	0	0.1	0.2	0.3	…	t_1	…	t_2
속도 (m/s)	0	0.98	1.96	2.94	…	5.88	…	8.82

이 물체의 운동에 대한 설명으로 옳은 것만을 〈보기〉에서 있는 대로 고른 것은?

〈 보기 〉
ㄱ. 가속도의 방향은 운동 방향과 같다.
ㄴ. 가속도의 크기는 $0.98 m/s^2$이다.
ㄷ. $t_2-t_1=0.3$초이다.

① ㄱ ② ㄴ ③ ㄱ, ㄷ
④ ㄴ, ㄷ ⑤ ㄱ, ㄴ, ㄷ

직선상에서 운동하는 물체의 위치-시간 그래프

빈출

14 하 중 상

그림은 직선상에서 운동하고 있는 어떤 물체의 위치를 시간에 따라 나타낸 것이다.

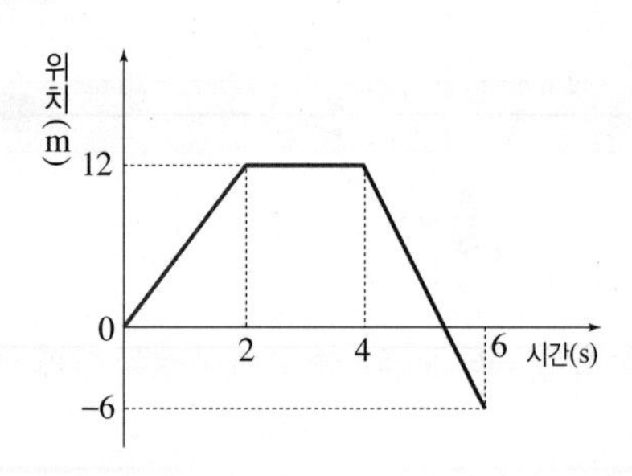

이에 대한 설명으로 옳은 것만을 〈보기〉에서 있는 대로 고른 것은?

〈 보기 〉

ㄱ. 0초부터 2초까지 물체의 속력은 12 m/s이다.

ㄴ. 0초부터 6초까지 물체의 평균 속도의 크기는 5 m/s이다.

ㄷ. 1초일 때와 5초일 때의 운동 방향은 서로 반대이다.

ㄹ. 4초부터 6초까지 물체의 평균 속도의 크기는 9 m/s이다.

① ㄱ, ㄴ ② ㄱ, ㄷ ③ ㄴ, ㄷ
④ ㄴ, ㄹ ⑤ ㄷ, ㄹ

15 하 중 상

그림은 직선 경로를 따라 운동하는 어떤 물체의 위치를 시간에 따라 나타낸 것이다.

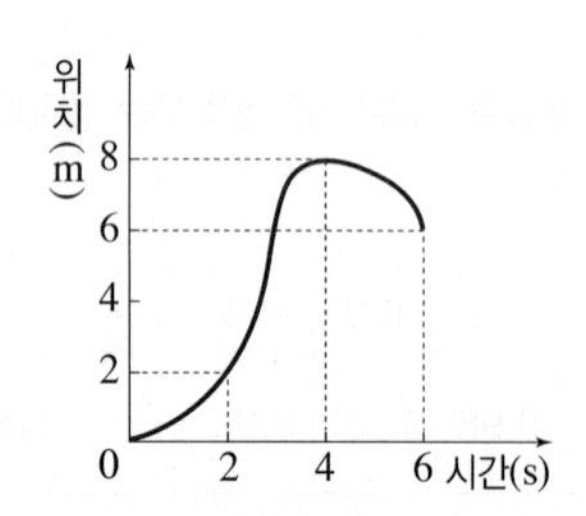

이 물체의 운동에 대한 설명으로 옳은 것만을 〈보기〉에서 있는 대로 고른 것은?

〈 보기 〉

ㄱ. 0초부터 6초까지 변위는 6 m이다.

ㄴ. 0초부터 6초까지 평균 속도는 1 m/s이다.

ㄷ. 운동 방향이 한 번 바뀐다.

① ㄱ ② ㄴ ③ ㄱ, ㄷ
④ ㄴ, ㄷ ⑤ ㄱ, ㄴ, ㄷ

16 하 중 상

그림은 동일한 직선상에서 운동하는 물체 A, B의 위치를 시간에 따라 나타낸 것이다.

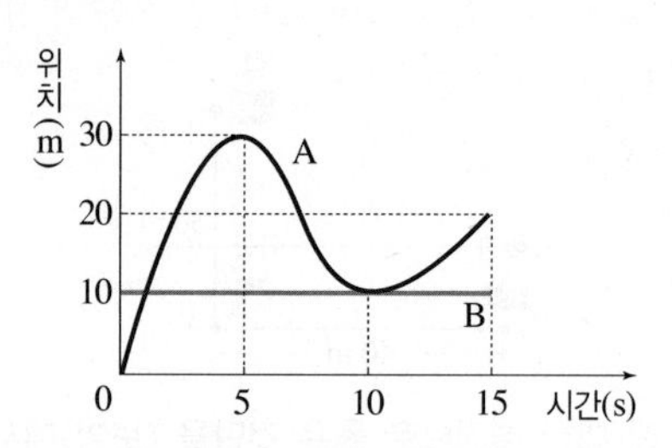

이에 대한 설명으로 옳지 않은 것은?

① 0초부터 5초까지 A의 순간 속력은 점점 느려진다.
② 0초부터 10초까지 A의 평균 속력은 평균 속도의 크기보다 크다.
③ 0초부터 10초까지 A와 B의 변위의 크기는 같다.
④ 0초부터 15초까지 A의 운동 방향은 두 번 바뀐다.
⑤ 0초부터 15초까지 B는 정지해 있다.

17 하 중 상

그림은 직선상에서 운동하는 자동차 A, B의 위치를 시간에 따라 나타낸 것이다.

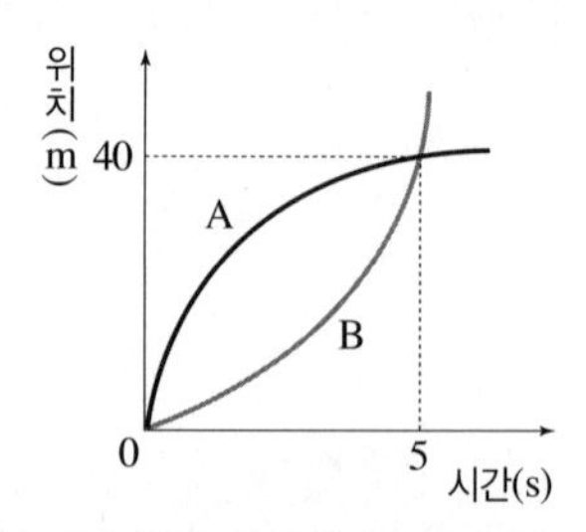

A, B의 운동에 대한 설명으로 옳은 것만을 〈보기〉에서 있는 대로 고른 것은?

〈 보기 〉

ㄱ. 0초일 때 순간 속력은 A와 B가 같다.

ㄴ. A의 순간 속력은 점점 빨라진다.

ㄷ. 0초부터 5초까지 A와 B의 평균 속력은 8 m/s로 같다.

① ㄱ ② ㄷ ③ ㄱ, ㄴ
④ ㄴ, ㄷ ⑤ ㄱ, ㄴ, ㄷ

B 여러 가지 운동

18 하중상

속력은 일정하고 운동 방향이 변하는 운동을 하는 예로 옳은 것만을 〈보기〉에서 있는 대로 고른 것은?

〈 보기 〉
ㄱ. 회전하는 대관람차
ㄴ. 운행 중인 에스컬레이터
ㄷ. 연직 아래로 낙하하는 다이빙 선수

① ㄱ ② ㄴ ③ ㄱ, ㄷ
④ ㄴ, ㄷ ⑤ ㄱ, ㄴ, ㄷ

19 하중상

다음은 주변에서 볼 수 있는 여러 물체의 운동을 설명한 것이다.

- 스키점프: 마찰이 없는 경사면을 따라 내려온다.
- 인공위성: 지구 주위를 공전하고 있다.
- 컨베이어 벨트: 직선 레일을 따라 물건을 이동시킨다.

위의 운동을 표와 같이 구분할 때 (가)와 (나)에 해당하는 물체를 쓰시오.

구분	속도가 일정한 운동	속도가 변하는 운동
	(가)	(나)

20 하중상

그림과 같이 수평면상의 점 p에서 비스듬히 던져진 공이 곡선 경로를 따라 운동하여 점 q를 통과하였다.

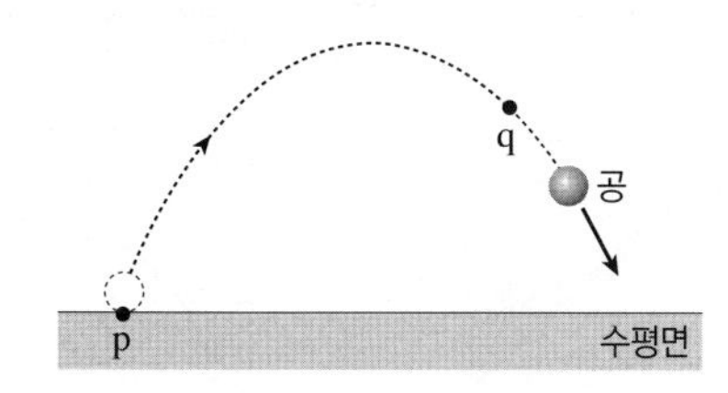

p에서 q까지 공의 운동에 대한 설명으로 옳은 것만을 〈보기〉에서 있는 대로 고른 것은?

〈 보기 〉
ㄱ. 속력은 일정하다.
ㄴ. 운동 방향이 변하는 운동이다.
ㄷ. 변위의 크기는 이동 거리보다 크다.

① ㄱ ② ㄴ ③ ㄱ, ㄷ
④ ㄴ, ㄷ ⑤ ㄱ, ㄴ, ㄷ

21 하중상

그림은 실 끝에 물체를 매달고 일정한 속력으로 원운동을 시키는 모습을 나타낸 것이다.

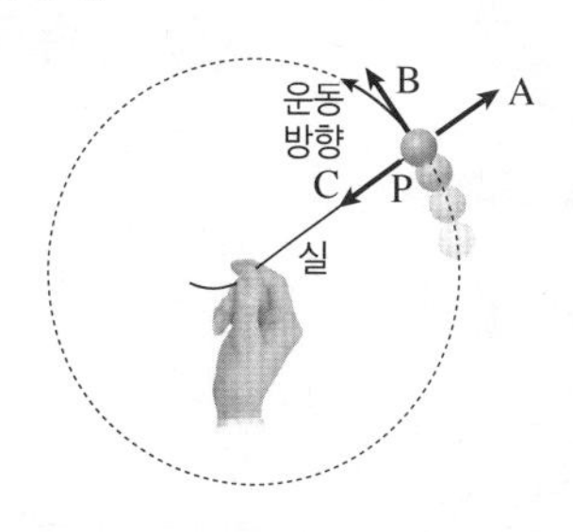

이에 대한 설명으로 옳은 것만을 〈보기〉에서 있는 대로 고른 것은?

〈 보기 〉
ㄱ. 물체의 속도는 일정하다.
ㄴ. 물체의 운동 방향은 계속 변한다.
ㄷ. P점에서 실이 끊어지면 물체는 A 방향으로 날아간다.

① ㄱ ② ㄴ ③ ㄱ, ㄷ
④ ㄴ, ㄷ ⑤ ㄱ, ㄴ, ㄷ

22 하중상

그림은 놀이동산에서 여러 가지 운동을 하는 놀이기구를 나타낸 것이다.

회전목마

바이킹

리프트

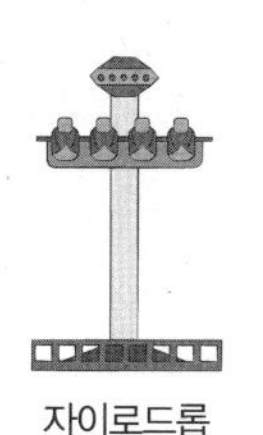
자이로드롭

이에 대한 설명으로 옳은 것만을 〈보기〉에서 있는 대로 고른 것은?

〈 보기 〉
ㄱ. 회전목마는 운동 방향이 일정한 운동을 한다.
ㄴ. 회전목마와 리프트는 속력이 일정한 운동을 한다.
ㄷ. 자이로드롭은 운동 방향이 일정하지만 속력이 변하는 운동을 한다.
ㄹ. 바이킹은 속력과 운동 방향이 모두 변하는 운동을 한다.

① ㄱ, ㄴ ② ㄱ, ㄷ ③ ㄴ, ㄹ
④ ㄱ, ㄷ, ㄹ ⑤ ㄴ, ㄷ, ㄹ

등가속도 직선 운동

Ⓐ 등속 직선 운동과 등가속도 직선 운동

1 등속 직선 운동 ❶ ☐☐가 일정한 운동 → 가속도가 0이다.

① 등속 직선 운동의 식

$$v=\frac{s}{t}=\text{일정} \Rightarrow s=vt$$

(v: 속력, s: 이동 거리, t: 시간)

② 등속 직선 운동의 그래프

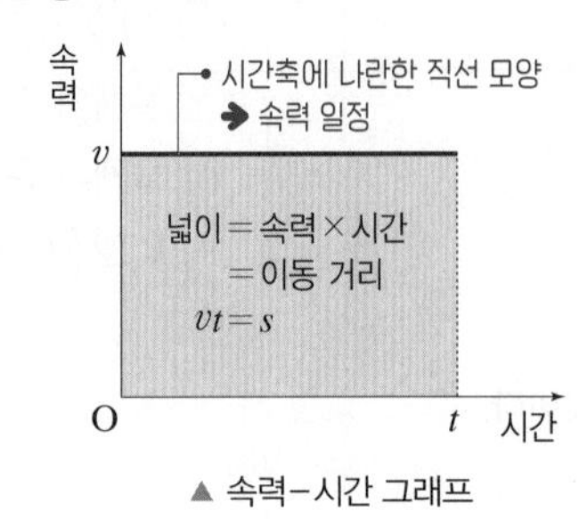

▲ 속력-시간 그래프

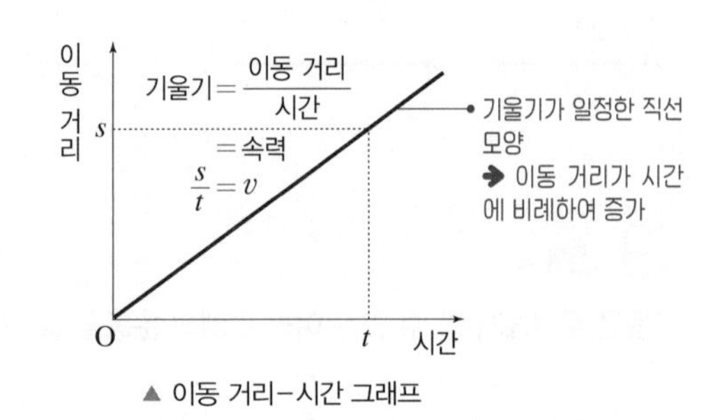

▲ 이동 거리-시간 그래프

기출 Tip Ⓐ-1

등속 직선 운동의 조건
물체에 힘이 작용하지 않거나 물체에 작용하는 알짜힘이 0이어야 한다.

2 등가속도 직선 운동 ❷ ☐☐☐의 크기와 운동 방향이 일정한 직선 운동

① 등가속도 직선 운동의 식

$$a=\frac{v-v_0}{t}=\text{일정} \Rightarrow v=v_0+at,\ s=v_0t+\frac{1}{2}at^2,\ 2as=v^2-v_0^2$$

(v: 나중 속도, v_0: 처음 속도, a: 가속도, t: 시간, s: 변위)

② 등가속도 직선 운동의 그래프

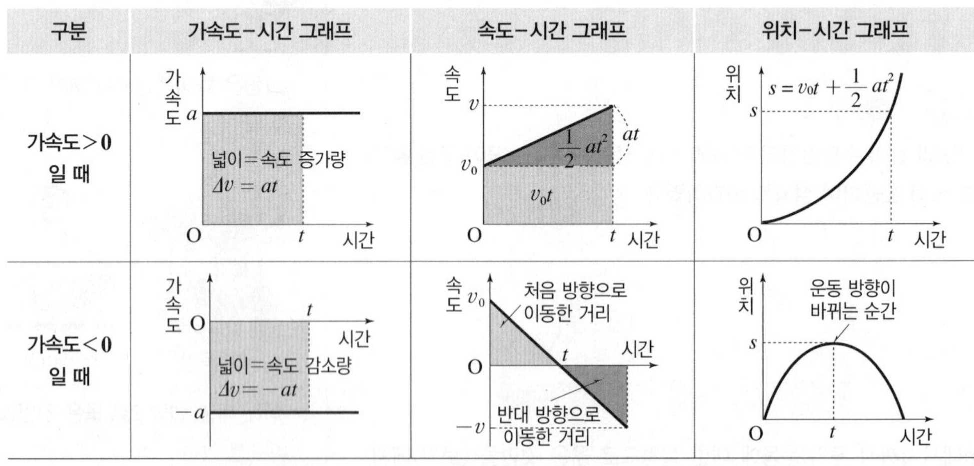

구분	가속도-시간 그래프	속도-시간 그래프	위치-시간 그래프
가속도>0 일 때	가속도, a, 넓이=속도 증가량 $\Delta v=at$, O, t, 시간	속도, v, v_0, $\frac{1}{2}at^2$, at, v_0t, O, t, 시간	위치, $s=v_0t+\frac{1}{2}at^2$, s, O, t, 시간
가속도<0 일 때	가속도, O, t, 시간, 넓이=속도 감소량 $\Delta v=-at$, $-a$	속도, v_0, 처음 방향으로 이동한 거리, O, t, 시간, 반대 방향으로 이동한 거리, $-v$	위치, 운동 방향이 바뀌는 순간, s, O, t, 시간

③ 평균 속도: 등가속도 직선 운동을 하는 물체의 ❸ ☐☐ ☐☐는 처음 속도와 나중 속도의 중간값과 같다. → 시간 t까지 평균 속도는 $\frac{1}{2}t$일 때의 속도와 같다.

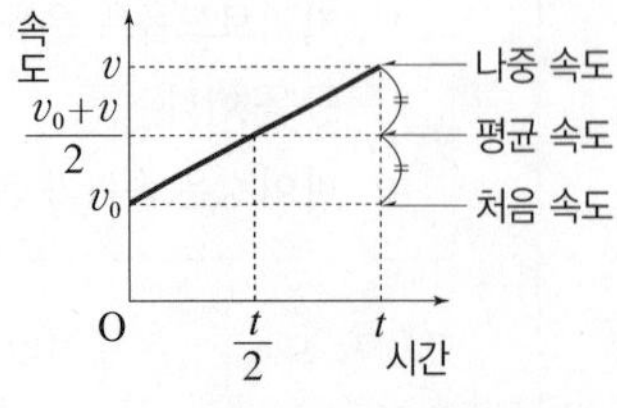

▲ 속도-시간 그래프에서 평균 속도

$$\text{평균 속도}=\frac{\text{처음 속도}+\text{나중 속도}}{2}$$

$$\bar{v}=\frac{v_0+v}{2}$$

기출 Tip Ⓐ-2

등가속도 직선 운동과 알짜힘
등가속도 직선 운동을 하는 물체에는 일정한 크기의 알짜힘이 작용하고, 가속도의 방향은 알짜힘의 방향과 같다.

평균 속도와 이동 거리
- 등가속도 직선 운동을 하는 물체의 이동 거리 s는 평균 속도와 시간 t의 곱으로 구할 수 있다.

$$s=\frac{v_0+v}{2}t$$

(v_0: 처음 속도, v: 나중 속도)

- 같은 시간 동안 다른 가속도로 운동하는 두 물체의 처음 위치와 나중 위치가 같으면 두 물체의 평균 속도는 같다.

Ⓑ 등가속도 직선 운동의 분석

1 자유 낙하 운동 (공기 저항을 무시할 때 물체가 정지 상태에서 중력만 받아 낙하하는 운동) 연직 아래 방향으로 처음 속력이 ❹☐이고, 가속도의 크기가 중력 가속도(g)인 ❺☐☐☐☐ ☐☐ ☐☐을 한다.

$$a=g,\ v_0=0 \Rightarrow v=gt,\ s=\frac{1}{2}gt^2,\ 2gs=v^2$$

(v: 나중 속도, v_0: 처음 속도, a: 가속도, t: 시간, s: 변위)

2 연직 방향으로 던진 물체의 운동 물체를 던진 속력이 처음 속력이고, 가속도의 크기가 중력 가속도(g)인 등가속도 직선 운동을 한다.

3 빗면을 미끄러져 내려오는 물체의 운동 마찰이 없는 빗면 위에서 운동하는 물체는 가속도가 ❻☐☐☐ 등가속도 직선 운동을 한다.

(빗면을 미끄러져 내려오는 물체의 가속도 구하기)

그림과 같이 기울기가 일정한 빗면 위의 점 A에 물체를 가만히 놓았더니 물체가 미끄러지며 점 B, C를 통과하였다. 물체가 B, C를 차례로 지나는 데 걸린 시간은 각각 2초로 같다.

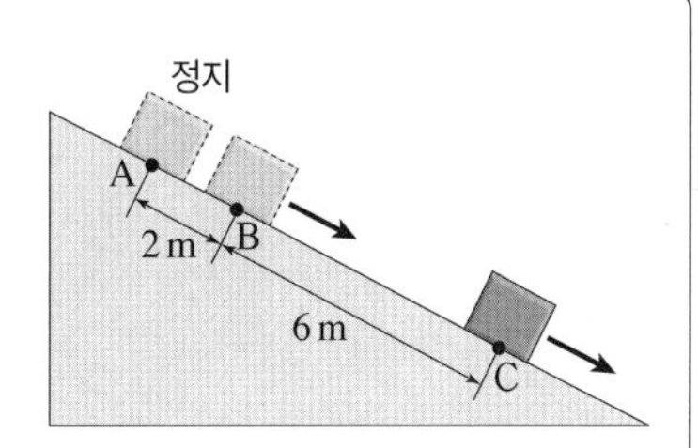

❶ A에서 B까지 이동한 거리는 2 m이고, 걸린 시간은 2초이므로 평균 속도는 $\frac{2\ \text{m}}{2\ \text{s}}=1\ \text{m/s}$이다.

- 0초부터 2초까지 평균 속도는 ❼☐초일 때 속도이므로 1초일 때 속도는 1 m/s이다.

❷ B에서 C까지 평균 속도는 $\frac{6\ \text{m}}{2\ \text{s}}=3\ \text{m/s}$이다.

- 2초부터 4초까지 평균 속도는 ❽☐초일 때 속도이므로 3초일 때 속도는 3 m/s이다.

❸ 가속도의 크기는 $\frac{3\ \text{m/s}-1\ \text{m/s}}{3\ \text{s}-1\ \text{s}}=1\ \text{m/s}^2$이다.

기출 Tip Ⓑ-1

질량이 다른 물체의 자유 낙하 운동

자유 낙하 운동을 하는 물체의 가속도는 질량과 관계없이 중력 가속도로 일정하므로 동시에 낙하하는 물체는 질량이 달라도 속력과 이동 거리, 걸린 시간이 모두 같다.

기출 Tip Ⓑ-2

연직 방향으로 던진 물체의 처음 속도와 가속도의 방향

연직 아래 방향으로 던진 물체는 처음 속도와 가속도의 방향이 같으므로 속도와 가속도의 부호가 같고, 연직 위 방향으로 던진 물체는 처음 속도와 가속도의 방향이 반대이므로 속도와 가속도의 부호가 반대이다.

기출 Tip Ⓑ-3

빗면 위에서 운동하는 물체의 가속도와 질량

빗면 위에서 운동하는 물체의 가속도는 중력 가속도와 빗면의 작용으로 생기는 가속도이므로 질량과 관계없다.

답 ❶ 속도 ❷ 가속도 ❸ 평균 속도 ❹ 0 ❺ 등가속도 직선 운동 ❻ 일정한 ❼ 1 ❽ 3

빈출 자료 보기

정답과 해설 4쪽

23 그림은 직선상에서 운동하는 물체의 속도를 시간에 따라 나타낸 것이다. 0초일 때와 10초일 때 물체의 위치는 같다.

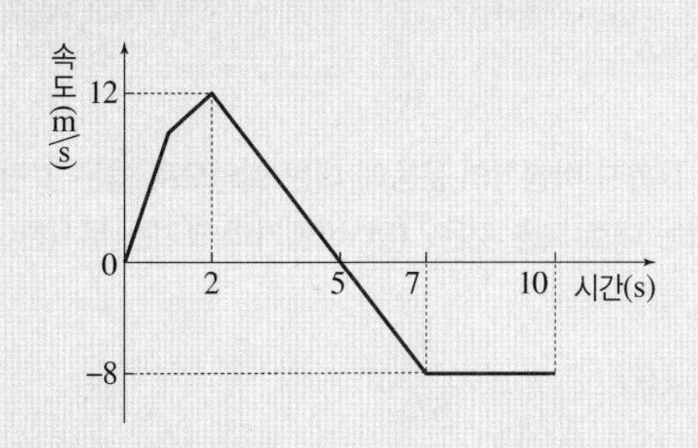

이에 대한 설명으로 옳은 것은 ○, 옳지 않은 것은 ×로 표시하시오.

(1) 0초부터 2초까지 물체는 등속 직선 운동을 한다. ( )

(2) 0초부터 5초까지 물체가 이동한 거리는 32 m이다. ( )

(3) 1초일 때와 3초일 때 물체의 운동 방향은 반대이다. ( )

(4) 4초일 때 가속도의 크기는 3 m/s^{2}이다. ( )

(5) 5초일 때 물체의 운동 방향이 바뀐다. ( )

24 그림과 같이 직선 도로에서 자동차 A, B가 나란하게 각각 v, $4v$의 속력으로 기준선 (가)를 동시에 통과한 후, 각각 등가속도 운동을 하여 기준선 (나)에 동시에 도달하였다. 가속도의 크기는 A가 B의 2배이며 방향은 서로 반대이다. (가)와 (나) 사이의 거리는 L이다.

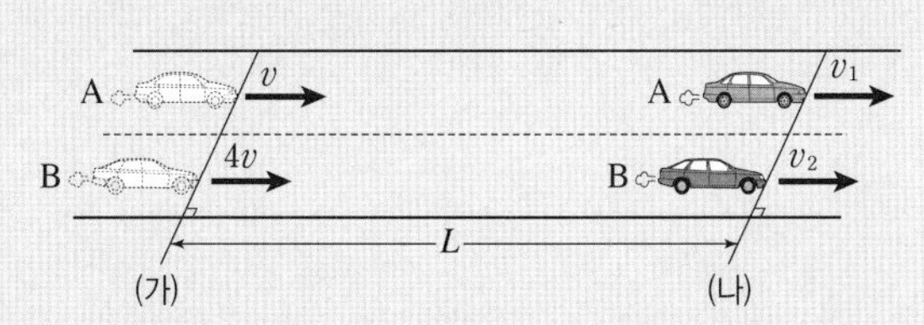

이에 대한 설명으로 옳은 것은 ○, 옳지 않은 것은 ×로 표시하시오.

(1) (가)에서 (나)까지 A와 B의 평균 속력은 같다. ( )

(2) B는 운동 방향과 가속도의 방향이 같다. ( )

(3) A가 (가)를 통과한 순간부터 A와 B의 속력이 같아질 때까지 걸린 시간은 $\frac{L}{6v}$이다. ( )

(4) (나)에 도달하는 순간 A의 속력은 $5v$이다. ( )

A 등속 직선 운동과 등가속도 직선 운동

직선상에서의 운동

25 하 중 상

그림과 같이 동일 직선상에서 A와 B가 마주 보고 일정한 속력으로 운동을 하고 있다. A의 속력은 10 m/s, B의 속력은 4 m/s이며, A와 B는 4초 후 만난다.

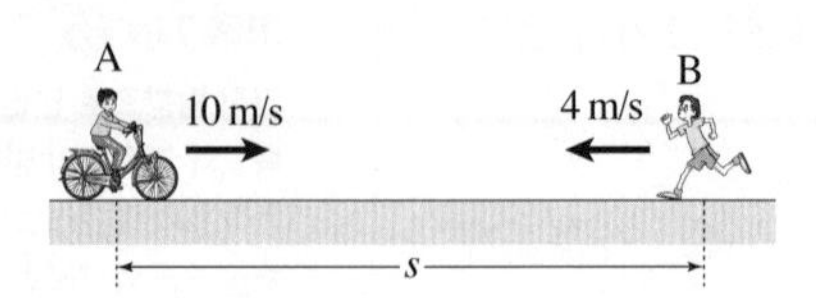

처음 A와 B 사이의 거리 s는 얼마인지 구하시오. (단, 물체의 크기는 무시한다.)

26 하 중 상

그림은 직선 도로에서 등가속도 운동을 하는 오토바이의 모습을 나타낸 것이다. 오토바이의 속력은 O에서 8 m/s, P에서 16 m/s이고, O와 P 사이의 거리는 120 m이다. (단, 물체의 크기는 무시한다.)

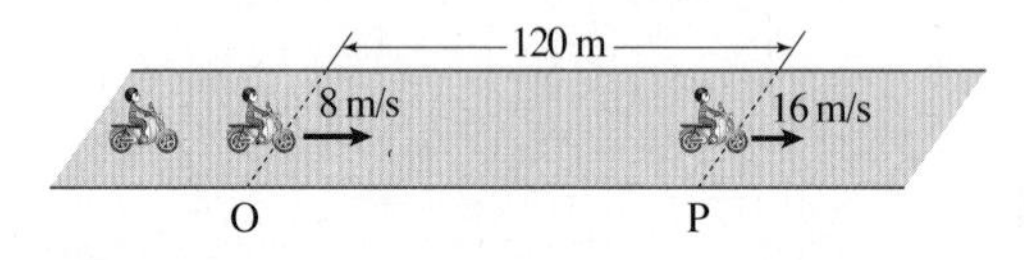

(1) 오토바이가 O에서 P까지 이동하는 데 걸린 시간을 구하시오.

(2) 오토바이의 가속도의 크기를 구하시오.

27 하 중 상

직선 도로상에서 자동차가 30 m/s의 일정한 속도로 운동하고 있다. 이 자동차가 브레이크를 밟은 후 등가속도 운동을 하여 10초 후 정지하였다. 브레이크를 밟은 후 정지할 때까지 자동차가 이동한 거리를 구하시오.

빈출

28 하 중 상

그림은 등가속도 직선 운동을 하며 터널을 통과하는 자동차의 모습을 나타낸 것이다. 자동차가 터널에 들어가는 순간의 속력은 20 m/s이고, 터널을 나오는 순간의 속력은 30 m/s이다. 자동차가 터널을 통과하는 데 걸린 시간은 20초이다.

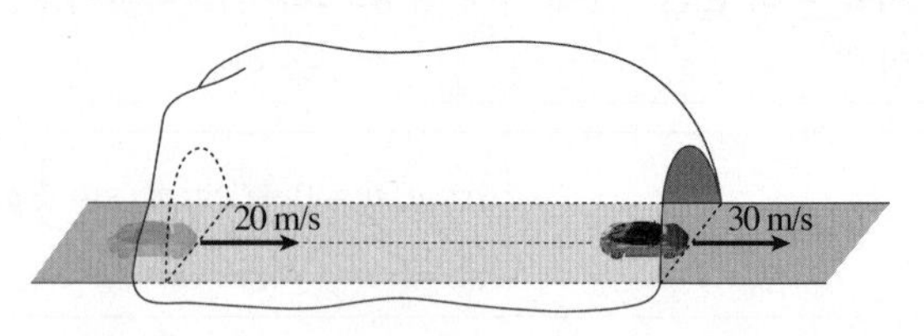

이에 대한 설명으로 옳은 것만을 〈보기〉에서 있는 대로 고른 것은? (단, 자동차의 크기는 무시한다.)

〈 보기 〉

ㄱ. 자동차의 속도와 가속도의 방향은 같다.
ㄴ. 터널을 지나는 동안 자동차의 평균 속력은 25 m/s이다.
ㄷ. 터널의 길이는 600 m이다.

① ㄱ ② ㄷ ③ ㄱ, ㄴ
④ ㄴ, ㄷ ⑤ ㄱ, ㄴ, ㄷ

29 하 중 상

그림은 비행기가 기준선 A에서부터 등가속도 직선 운동을 하여 기준선 D에 정지하는 모습을 나타낸 것이다. 비행기가 기준선 A를 통과하는 속력은 v이고, A, B, C, D 사이의 간격은 L로 같다.

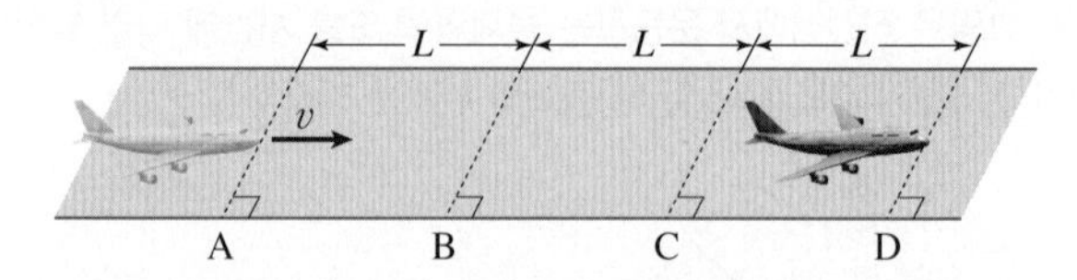

A에서 D까지 비행기의 운동에 대한 설명으로 옳은 것만을 〈보기〉에서 있는 대로 고른 것은? (단, 비행기의 크기는 무시한다.)

〈 보기 〉

ㄱ. 가속도의 크기는 $\frac{v^2}{6L}$이다.
ㄴ. C에서 속력은 $\frac{v}{3}$이다.
ㄷ. A에서 D까지 이동하는 데 걸린 시간은 $\frac{6L}{v}$이다.

① ㄱ ② ㄴ ③ ㄱ, ㄷ
④ ㄴ, ㄷ ⑤ ㄱ, ㄴ, ㄷ

30 하 중 상

그림은 자동차 A와 B가 각각 10 m/s, 5 m/s의 속력으로 동시에 터널로 들어가서 A는 등속 직선 운동을 하고, B는 등가속도 직선 운동을 하여 동시에 터널을 빠져 나오는 모습을 나타낸 것이다. 터널의 길이는 200 m이다.

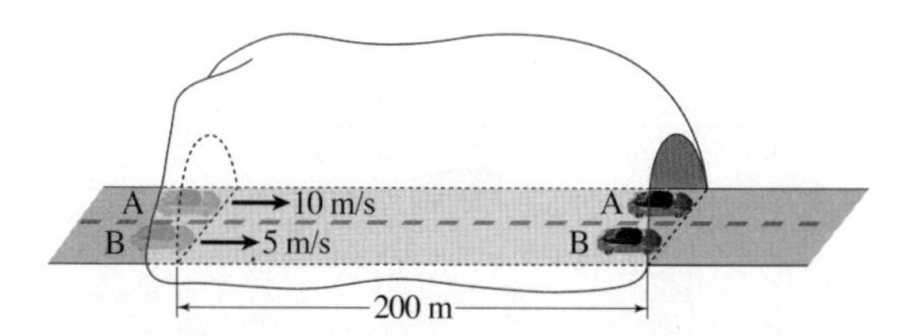

이에 대한 설명으로 옳은 것만을 〈보기〉에서 있는 대로 고른 것은? (단, A와 B의 크기는 무시한다.)

〈 보기 〉
ㄱ. B가 터널을 빠져 나오는 순간의 속력은 15 m/s이다.
ㄴ. B의 가속도의 크기는 0.5 m/s^2이다.
ㄷ. A, B가 터널에 들어간 후 10초 동안 이동한 거리는 A가 B의 2배이다.

① ㄱ ② ㄷ ③ ㄱ, ㄴ
④ ㄴ, ㄷ ⑤ ㄱ, ㄴ, ㄷ

31 하 중 상

그림은 활주로에 내린 비행기의 위치를 착륙하는 순간부터 2초 간격으로 6초까지만 나타낸 것이다. 비행기는 착륙하는 순간부터 정지할 때까지 등가속도 직선 운동을 한다.

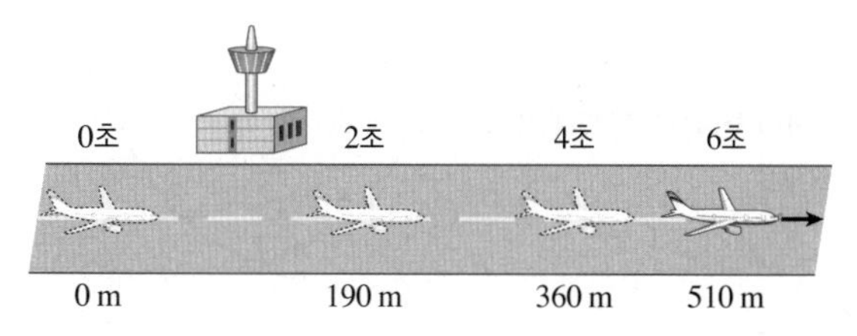

착륙하는 순간부터 정지할 때까지 비행기의 운동에 대한 설명으로 옳은 것만을 〈보기〉에서 있는 대로 고른 것은? (단, 비행기의 크기는 무시한다.)

〈 보기 〉
ㄱ. 가속도의 크기는 10 m/s^2이다.
ㄴ. 착륙하는 순간의 속력은 100 m/s이다.
ㄷ. 정지할 때까지 걸린 시간은 20초이다.

① ㄱ ② ㄴ ③ ㄱ, ㄷ
④ ㄴ, ㄷ ⑤ ㄱ, ㄴ, ㄷ

[32~33] 그림과 같이 기준선에 정지해 있던 자동차가 출발하여 직선 경로를 따라 운동한다. 자동차는 구간 A에서 등가속도 직선 운동을, 구간 B에서 등속 직선 운동을, 구간 C에서 등가속도 직선 운동을 한다. 구간 A, B, C의 길이는 모두 같고, 자동차가 구간을 지나는 데 걸린 시간은 A에서가 C에서의 3배이다. (단, 자동차의 크기는 무시한다.)

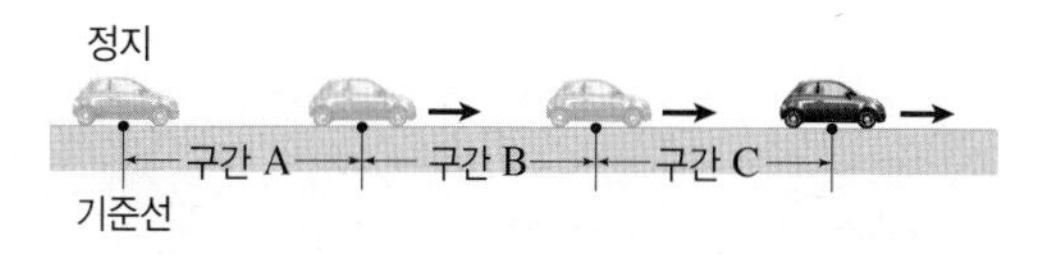

32 하 중 상

자동차의 운동에 대한 설명으로 옳은 것만을 〈보기〉에서 있는 대로 고른 것은?

〈 보기 〉
ㄱ. 평균 속력은 B에서가 A에서의 2배이다.
ㄴ. A와 C에서 가속도의 방향은 반대이다.
ㄷ. 가속도의 크기는 C에서가 A에서의 3배이다.

① ㄱ ② ㄴ ③ ㄱ, ㄷ
④ ㄴ, ㄷ ⑤ ㄱ, ㄴ, ㄷ

33 하 중 상 ••서술형

자동차의 시간에 따른 속력을 그래프로 표현하시오. (단, 구간 B에서 자동차의 평균 속력은 v_B, B에 들어선 시각은 $3t$로 표시한다.)

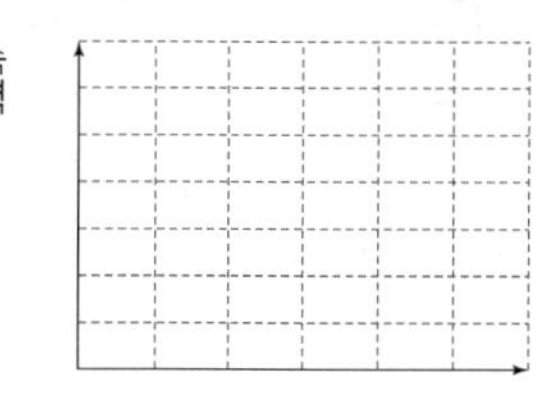

34 하 중 상

두 물체 A, B가 직선상의 P점에 정지해 있다가 A는 시간 $2t$, B는 t 동안 각각 등가속도 운동을 하여 Q점에 도달하였다. 이에 대한 설명으로 옳은 것만을 〈보기〉에서 있는 대로 고른 것은?

〈 보기 〉
ㄱ. 가속도의 크기는 B가 A의 2배이다.
ㄴ. Q점을 지날 때 속력은 B가 A의 2배이다.
ㄷ. P에서 Q까지의 평균 속력은 A와 B가 같다.

① ㄱ ② ㄴ ③ ㄱ, ㄷ
④ ㄴ, ㄷ ⑤ ㄱ, ㄴ, ㄷ

35 하/중/상

그림은 직선 도로에서 등속 직선 운동을 하는 자동차 A가 기준선 P를 속력 v로 통과하는 순간, 기준선 Q에 정지해 있던 자동차 B가 A의 운동 방향과 같은 방향으로 등가속도 직선 운동을 하여 기준선 R를 A, B가 동시에 통과하는 모습을 나타낸 것이다. P와 Q 사이의 거리는 L, Q와 R 사이의 거리는 $3L$이다.

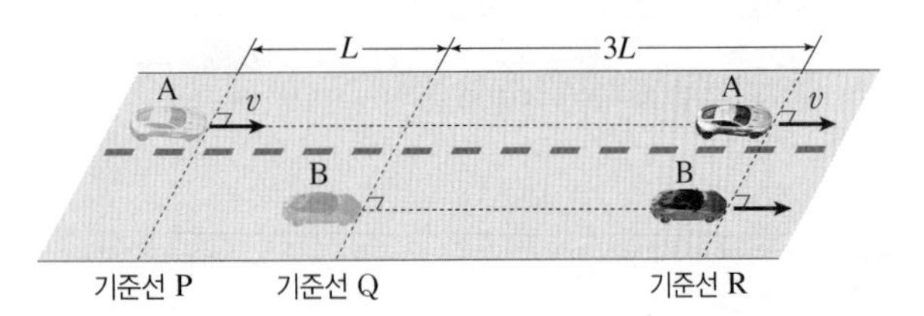

이에 대한 설명으로 옳지 않은 것은? (단, A, B의 크기는 무시한다.)

① A의 이동 거리가 B의 3배일 때 B의 속력은 $\frac{2}{3}v$이다.

② A가 R를 지나는 데 걸린 시간은 $\frac{4L}{v}$이다.

③ B의 가속도의 크기는 $\frac{3v^2}{8L}$이다.

④ A와 B의 속도가 같아지는 데 걸린 시간은 $\frac{8L}{3v}$이다.

⑤ A가 Q를 지나는 순간 A와 B 사이의 거리는 $\frac{3}{8}L$이다.

36 하/중/상

••서술형

그림은 직선 도로에서 자동차 A, B가 기준선 P를 동시에 통과한 후, 도로에 나란하게 운동하여 기준선 R에 동시에 도달하는 모습을 나타낸 것이다. A는 P에서 기준선 Q까지 20 m/s의 속력으로 등속 직선 운동을 한 후, Q에서 R까지 가속도의 크기가 a_A인 등가속도 직선 운동을 한다. B는 P에서 Q까지 10 m/s의 속력으로 등속 직선 운동을 한 후, Q에서 R까지 가속도의 크기가 a_B인 등가속도 직선 운동을 한다. R에 도달하는 순간 A는 정지하고, B의 속력은 v_B이다. P와 Q 사이, Q와 R 사이의 거리는 각각 40 m, 60 m이다. (단, A, B의 크기는 무시한다.)

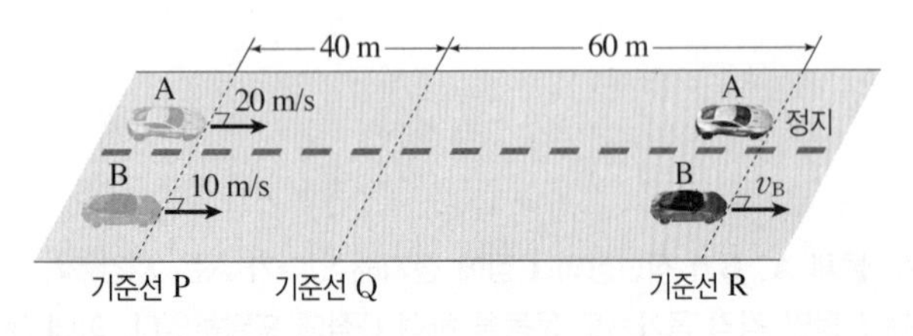

(1) A가 P에서 R에 도달하는 데 걸린 시간을 풀이 과정과 함께 구하시오.

(2) B가 R에 도달하는 순간의 속력 v_B를 풀이 과정과 함께 구하시오.

(3) $a_A : a_B$를 구하시오.

37 하/중/상

그림과 같이 직선 도로에서 트럭 A가 속력 v_0으로 기준선 P를 통과하는 순간, 기준선 Q에 정지해 있던 자동차 B가 출발한다. A와 B는 각각 P, Q에서부터 등가속도 운동을 하여 속력이 같은 순간 스쳐 지나간다. A와 B의 가속도의 크기는 같고, P에서 Q까지의 거리는 L이다.

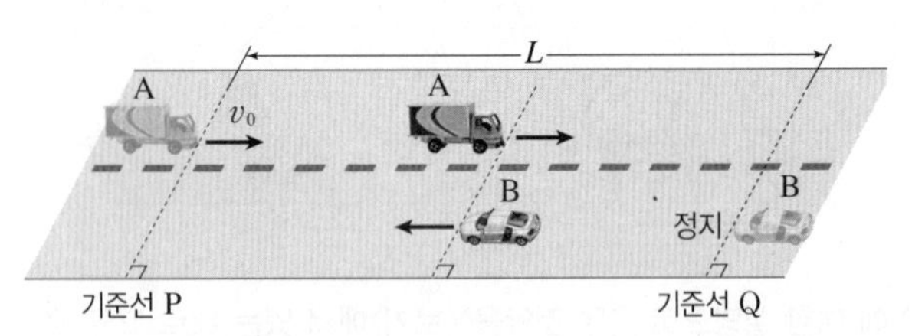

B가 Q에서 P까지 가는 데 걸린 시간은? (단, A, B는 도로와 평행한 직선 경로를 따라 운동하며, A, B의 크기는 무시한다.)

① $\frac{L}{4v_0}$ ② $\frac{L}{2v_0}$ ③ $\frac{L}{v_0}$ ④ $\frac{2L}{v_0}$ ⑤ $\frac{4L}{v_0}$

그래프로 본 직선상에서 운동하는 물체

빈출

38 하/중/상

그림은 동일 직선상에서 운동을 하는 두 물체 A, B의 위치를 시간에 따라 나타낸 것이다.

이에 대한 설명으로 옳은 것만을 〈보기〉에서 있는 대로 고른 것은?

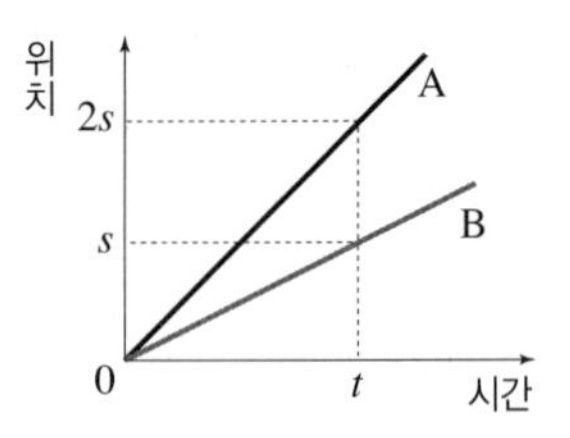

〈 보기 〉

ㄱ. A와 B는 등속 직선 운동을 한다.

ㄴ. A의 가속도는 B의 2배이다.

ㄷ. A와 B의 속력 차이는 일정하다.

① ㄱ ② ㄴ ③ ㄱ, ㄷ ④ ㄴ, ㄷ ⑤ ㄱ, ㄴ, ㄷ

[39~40] 그림은 직선 운동을 하는 물체의 변위를 시간에 따라 나타낸 것이다.

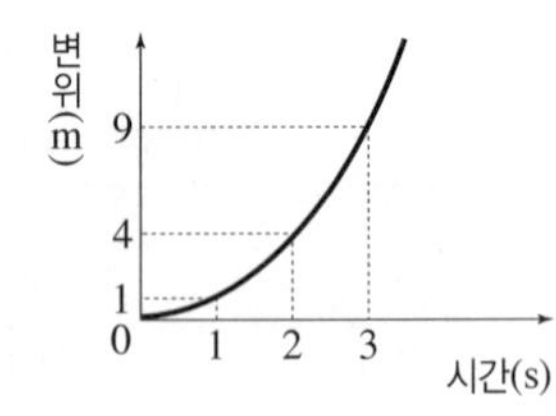

39 하/중/상

0초부터 3초까지 이 물체의 평균 속도는?

① 1 m/s ② 2 m/s ③ 3 m/s
④ 4 m/s ⑤ 5 m/s

40 하/중/상

이 물체의 가속도는?

① 1 m/s^2 ② 2 m/s^2 ③ 3 m/s^2
④ 4 m/s^2 ⑤ 5 m/s^2

빈출

41 하중상

그림은 동일 직선상에서 운동하는 물체 A, B의 위치를 시간에 따라 나타낸 것이다.
이에 대한 설명으로 옳지 않은 것은?

① 1초일 때 A의 가속도 방향과 운동 방향은 같다.
② 2초 동안 A가 이동한 거리는 20 m이다.
③ 2초 동안 B에 작용한 알짜힘은 0이다.
④ 2초 동안 A와 B의 평균 속력은 같다.
⑤ 2초일 때 A와 B의 순간 속력은 같다.

42 하중상

그림 (가), (나)는 각각 직선상에서 운동하는 물체 A의 위치와 B의 속도를 시간에 따라 나타낸 것이다.

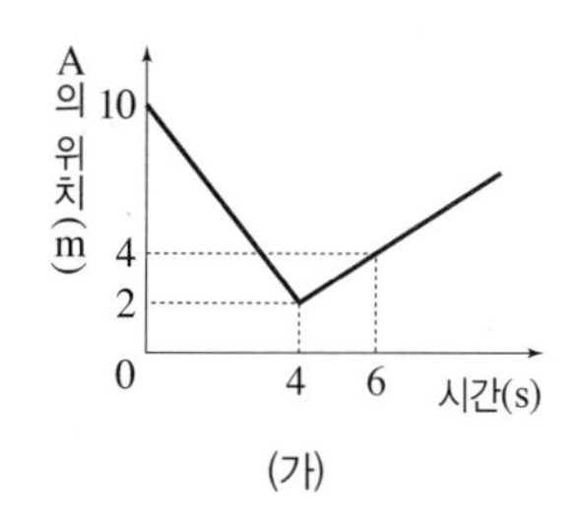

(가)

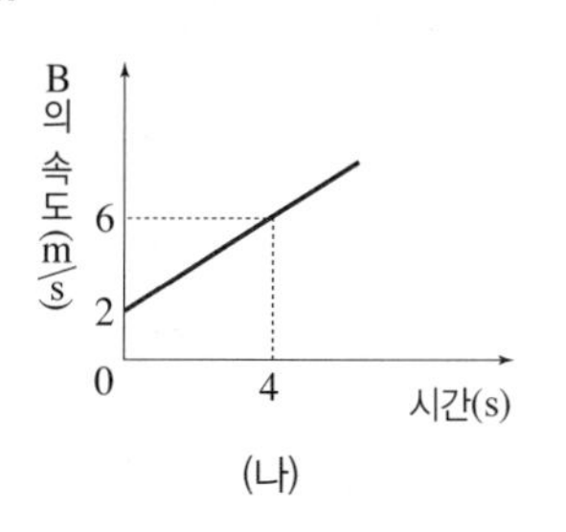

(나)

(1) 0초부터 4초까지 평균 속력은 B가 A의 몇 배인지 구하시오.

(2) 0초부터 6초까지 A의 운동 방향이 바뀌는 시간을 구하시오.

(3) 5초일 때 A와 B의 가속도의 크기를 각각 구하시오.

빈출

43 하중상

그림은 직선상에서 운동하는 물체의 속도를 시간에 따라 나타낸 것이다. 이 물체의 운동에 대한 설명으로 옳은 것만을 〈보기〉에서 있는 대로 고른 것은?

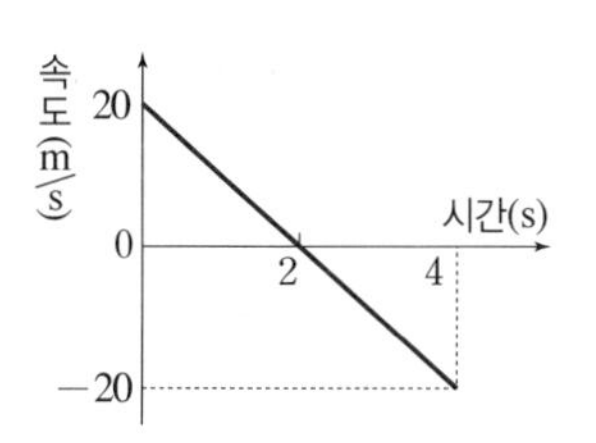

〈 보기 〉
ㄱ. 0초부터 4초까지 가속도의 크기는 5 m/s^{2}이다.
ㄴ. 0초부터 2초까지 알짜힘의 방향은 운동 방향과 같다.
ㄷ. 0초부터 2초까지 평균 속도의 크기는 10 m/s이다.
ㄹ. 0초부터 4초까지 변위는 0이다.

① ㄱ, ㄷ ② ㄴ, ㄹ ③ ㄷ, ㄹ
④ ㄱ, ㄴ, ㄷ ⑤ ㄱ, ㄴ, ㄹ

빈출

44 하중상

多 보기

그림은 직선상에서 운동하는 물체의 속도를 시간에 따라 나타낸 것이다.

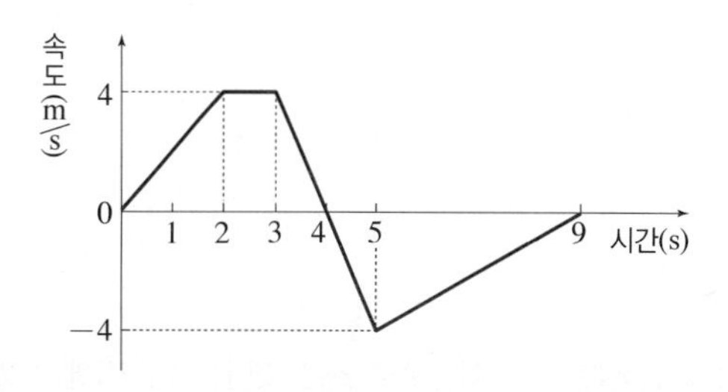

이 물체의 운동에 대한 설명으로 옳지 않은 것을 모두 고르면?(3개)

① 1초일 때 가속도의 크기는 2 m/s^{2}이다.
② 0초부터 2초까지 이동 거리와 변위의 크기가 같다.
③ 0초부터 3초까지 이동 거리는 8 m이다.
④ 0초부터 4초까지 변위는 계속 증가한다.
⑤ 2초부터 3초까지 등가속도 직선 운동을 한다.
⑥ 2초부터 3초까지 일정한 크기의 알짜힘이 작용한다.
⑦ 0초부터 9초까지 평균 속도는 0이다.
⑧ 5초일 때 운동 방향이 바뀐다.

45 하중상

서술형

그림은 직선상에서 운동하는 물체의 가속도를 시간에 따라 나타낸 것이다. 물체는 0초일 때 정지해 있었다.

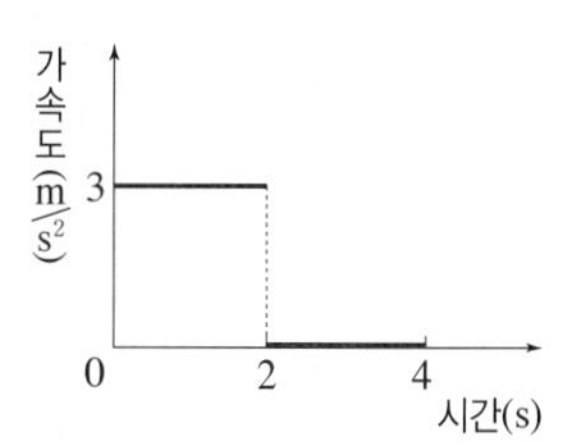

이 물체의 시간에 따른 속도를 그래프로 표현하시오. (단, 2초일 때와 4초일 때 물체의 속도를 그래프에 표시해야 한다.)

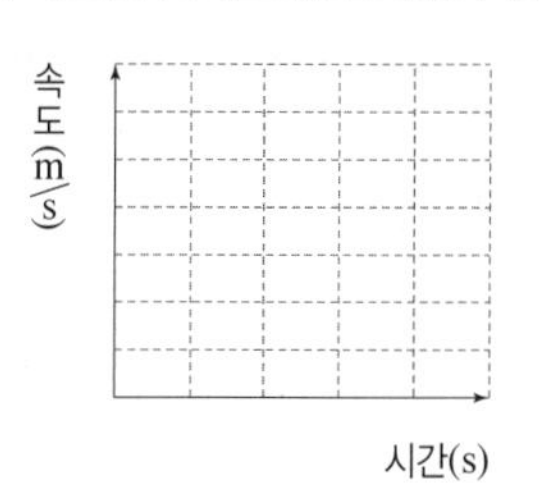

46 하 중 상

그림은 정지 상태에 있던 물체가 직선상에서 운동하는 동안 물체의 가속도를 시간에 따라 나타낸 것이다.

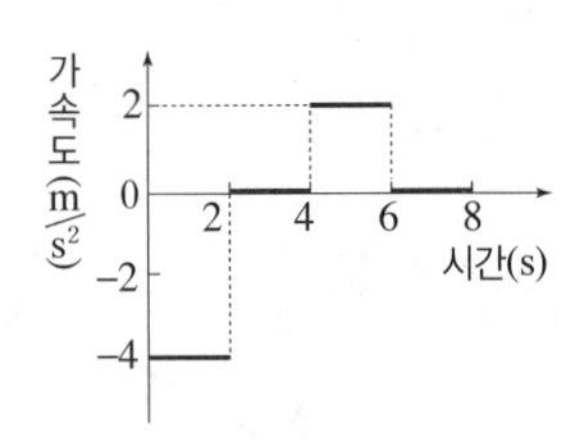

이 물체의 운동에 대한 설명으로 옳은 것만을 〈보기〉에서 있는 대로 고른 것은?

〈 보기 〉

ㄱ. 4초일 때 속력은 4 m/s이다.

ㄴ. 4초부터 6초까지 속력은 감소한다.

ㄷ. 5초일 때 운동 방향은 출발할 때의 운동 방향과 반대이다.

ㄹ. 7초일 때 변위의 크기는 40 m이다.

① ㄱ, ㄷ　② ㄴ, ㄹ　③ ㄷ, ㄹ　④ ㄱ, ㄴ, ㄷ　⑤ ㄱ, ㄴ, ㄹ

47 하 중 상

그림 (가)는 L만큼 떨어진 두 기준선에서 정지 상태인 자동차 A, B가 서로 반대 방향으로 도로와 나란하게 출발하는 모습을, (나)는 A, B의 속력을 시간에 따라 나타낸 것이다. A와 B는 각각 운동하여 속력이 같을 때 서로 스쳐 지나간다.

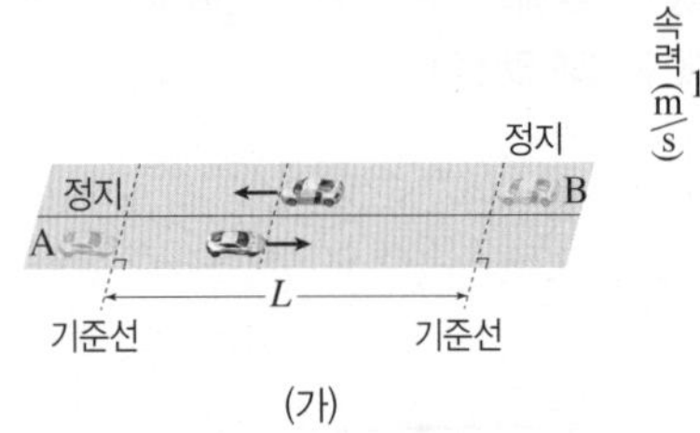

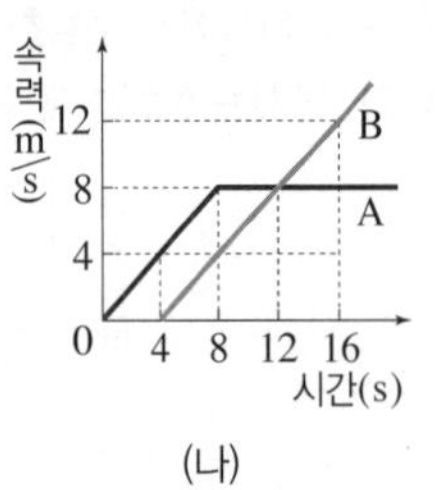

(가)　(나)

A와 B의 운동에 대한 설명으로 옳은 것만을 〈보기〉에서 있는 대로 고른 것은? (단, A, B의 크기는 무시한다.)

〈 보기 〉

ㄱ. 0초부터 12초까지 A의 평균 속력은 4 m/s이다.

ㄴ. 4초부터 8초까지 가속도의 크기는 A가 B보다 크다.

ㄷ. L은 96 m이다.

① ㄱ　② ㄷ　③ ㄱ, ㄴ　④ ㄴ, ㄷ　⑤ ㄱ, ㄴ, ㄷ

빈출

48 하 중 상

그림 (가)는 수평면상에서 직선 운동을 하는 자동차의 모습을, (나)는 자동차가 P점을 지나는 순간부터 시간에 따른 자동차의 가속도를 나타낸 것이다. 0초일 때 P점에서 자동차의 속력은 6 m/s이고, 4초일 때 Q점에서 자동차의 속력은 4 m/s이다.

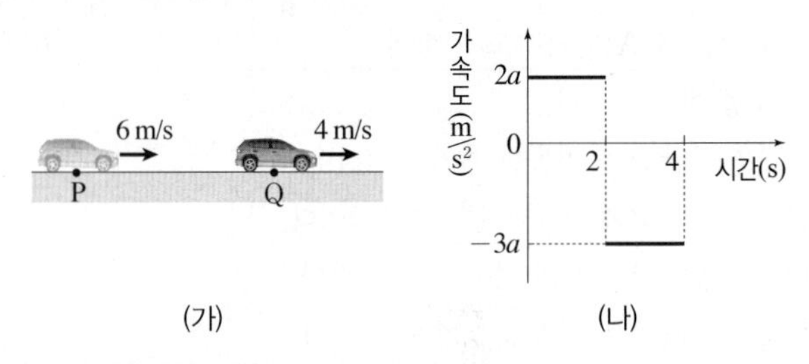

(가)　(나)

이에 대한 설명으로 옳은 것만을 〈보기〉에서 있는 대로 고른 것은? (단, 자동차의 크기는 무시한다.)

〈 보기 〉

ㄱ. 1초일 때 자동차의 가속도의 크기는 2 m/s^{2}이다.

ㄴ. 2초일 때 자동차의 속력은 10 m/s이다.

ㄷ. 0초부터 4초까지 자동차가 이동한 거리는 30 m이다.

① ㄱ　② ㄷ　③ ㄱ, ㄴ　④ ㄴ, ㄷ　⑤ ㄱ, ㄴ, ㄷ

B 등가속도 직선 운동의 분석

낙하 운동

49 하 중 상

지면으로부터 500 m 상공에서 빗방울이 떨어질 때, 빗방울이 지면에 도달하는 속력을 구하시오. (단, 중력 가속도는 10 m/s^{2}이고 공기 저항은 무시한다.)

50 하 중 상

그림은 질량이 2 kg인 물체 A를 높이가 4 m인 지점에서 가만히 놓고, 잠시 후 질량이 3 kg인 물체 B를 높이가 1 m인 지점에서 가만히 놓아 자유 낙하 시키는 모습을 나타낸 것이다. A, B는 동시에 지면에 닿았다.

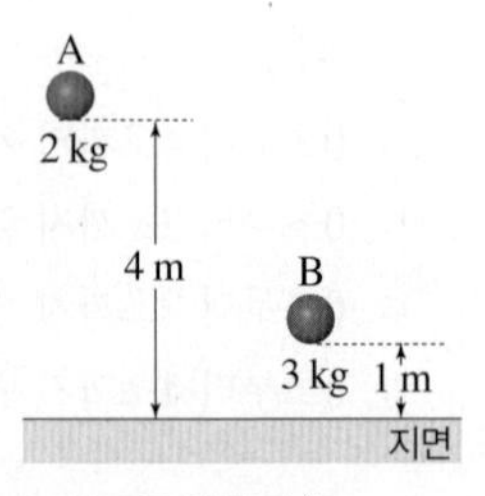

B를 놓는 순간 A의 높이는? (단, 물체의 크기는 무시한다.)

① 4 m　② 3 m　③ 2.5 m　④ 2 m　⑤ 1 m

51 하 중 상

多 보기

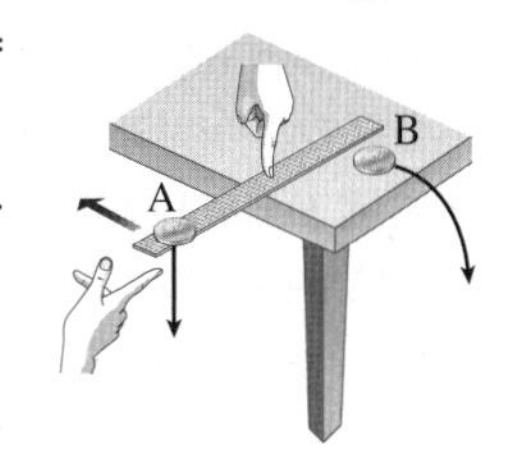

그림은 책상 위에 놓인 자를 화살표 방향으로 빠르게 쳐서 동전 A는 아래로 떨어지고, 동전 B는 수평 방향으로 튀어 나가도록 하는 모습을 나타낸 것이다.
운동을 시작한 직후부터 A, B의 운동에 대한 설명으로 옳은 것을 모두 고르면? (단, 공기 저항은 무시한다.)(2개)

① A, B는 모두 속력만 변한다.
② A, B는 바닥에 동시에 도달한다.
③ A, B는 모두 운동 방향만 변한다.
④ A, B에 작용하는 힘의 방향은 같다.
⑤ A, B의 가속도의 방향은 서로 다르다.
⑥ A는 속력만 변하고, B는 운동 방향만 변한다.

52 하 중 상

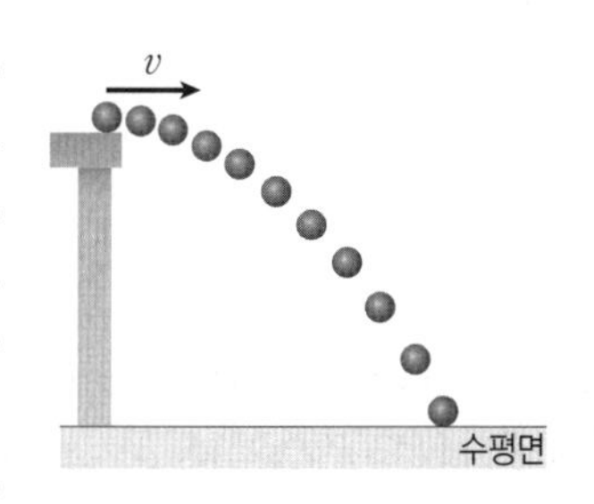

그림은 수평면으로부터 일정한 높이에서 수평 방향으로 v의 속력으로 던진 물체의 운동 경로를 나타낸 것이다. 물체는 던져진 순간부터 시간 t 후 수평면에 도달하였다.
이에 대한 설명으로 옳은 것만을 〈보기〉에서 있는 대로 고른 것은? (단, 물체의 크기와 공기 저항은 무시한다.)

〈 보기 〉
ㄱ. 공의 가속도 방향은 연직 아래 방향이다.
ㄴ. 던져진 순간부터 t까지 물체의 평균 속력과 평균 속도의 크기는 같다.
ㄷ. 물체는 수평 방향으로는 속력이 일정한 운동을 하고, 연직 방향으로는 등가속도 운동을 한다.

① ㄱ ② ㄴ ③ ㄱ, ㄷ ④ ㄴ, ㄷ ⑤ ㄱ, ㄴ, ㄷ

53 하 중 상

지면에서 연직 위로 20 m/s의 속력으로 던진 공의 운동에 대한 설명으로 옳지 않은 것은? (단, 중력 가속도는 10 m/s^{2}이고, 공기 저항은 무시한다.)

① 최고점에 도달했을 때 공의 속력은 0이다.
② 최고점에 도달했을 때 공의 높이는 20 m이다.
③ 공이 지면에 도달할 때까지 걸린 시간은 4초이다.
④ 공이 지면에 도달하는 동안 속력과 운동 방향이 바뀐다.
⑤ 공이 최고점에서 지면에 내려오는 동안 가속도가 증가한다.

54 하 중 상

그림 (가)는 서로 다른 높이에서 가만히 놓은 물체 A, B가 각각 기준선 P, Q를 속력 $3v$, v로 통과하는 모습을, (나)는 (가)의 순간부터 시간 t 후 A가 Q를 속력 $5v$로 통과하는 모습을 나타낸 것이다. P와 Q 사이의 거리는 L이다.

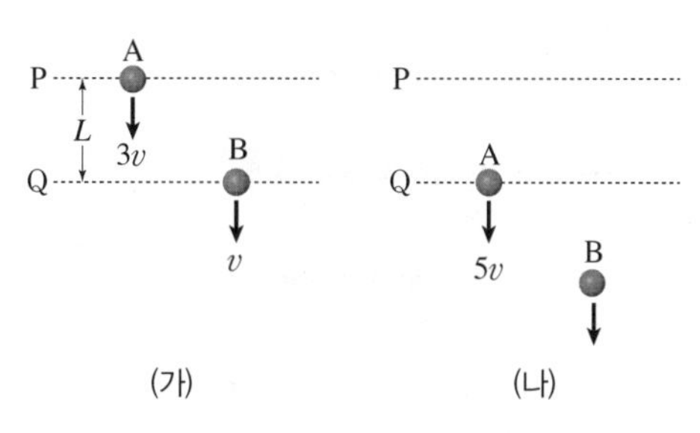

이에 대한 설명으로 옳은 것만을 〈보기〉에서 있는 대로 고른 것은? (단, 공기 저항은 무시한다.)

〈 보기 〉
ㄱ. $t=\dfrac{L}{2v}$이다.
ㄴ. A의 가속도의 크기는 $\dfrac{8v^2}{L}$이다.
ㄷ. (나)의 순간 A와 B의 높이 차는 $\dfrac{L}{2}$이다.

① ㄱ ② ㄴ ③ ㄱ, ㄷ
④ ㄴ, ㄷ ⑤ ㄱ, ㄴ, ㄷ

55 하 중 상

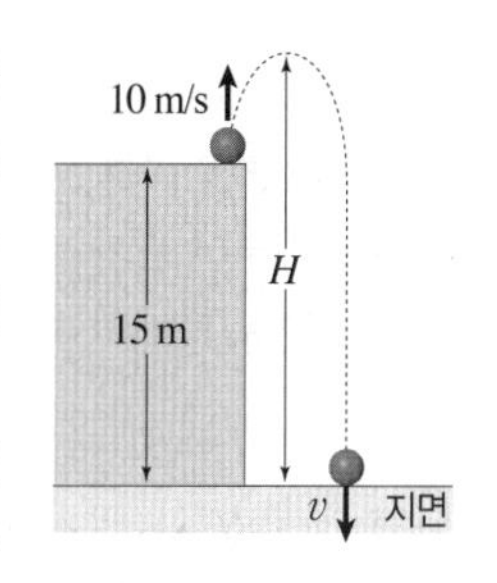

그림은 지면으로부터 15 m 높이에서 공을 연직 위로 10 m/s의 속력으로 던졌을 때 공이 운동하는 모습을 나타낸 것이다. 공이 올라간 최고점의 높이는 H이고, 지면에 도달했을 때의 속력은 v이다.
이에 대한 설명으로 옳은 것만을 〈보기〉에서 있는 대로 고른 것은? (단, 중력 가속도는 10 m/s^{2}이고, 물체의 크기, 공기 저항은 무시한다.)

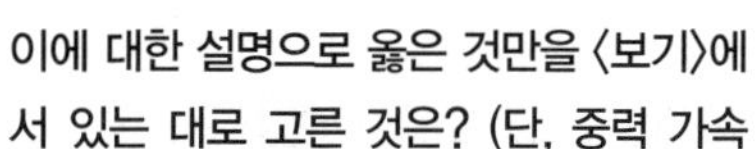

〈 보기 〉
ㄱ. $H=20$ m이다.
ㄴ. 공이 지면에 도달할 때까지 걸린 시간은 3초이다.
ㄷ. $v=20$ m/s이다.

① ㄱ ② ㄴ ③ ㄱ, ㄷ
④ ㄴ, ㄷ ⑤ ㄱ, ㄴ, ㄷ

56 하 중 상 ••서술형

그림과 같이 지면으로부터 20 m 높이에서 물체 A를 가만히 놓는 순간에 지면으로부터 H 높이에서 물체 B를 연직 아래로 1 m/s의 속력으로 던졌다. (단, 중력 가속도는 10 m/s^{2}이고, 물체의 크기, 공기 저항은 무시한다.)

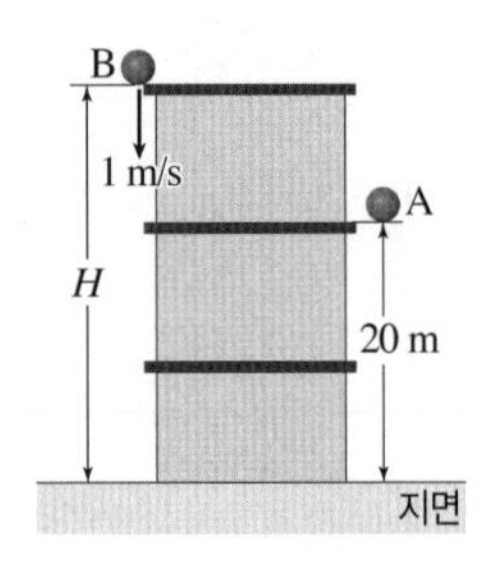

(1) A가 지면에 닿을 때까지 걸린 시간을 풀이 과정과 함께 구하시오.

(2) A와 B가 지면에 동시에 도달하였다면, H를 풀이 과정과 함께 구하시오.

빗면상에서의 운동

57 하 중 상

그림은 빗면을 따라 운동하던 물체가 점 a를 9 m/s의 속력으로 통과한 순간부터 등가속도 직선 운동을 하는 모습을 나타낸 것이다. 물체가 점 a, b, c, d, e를 차례로 지나는 데 걸린 시간은 각각 0.5초로 같다.

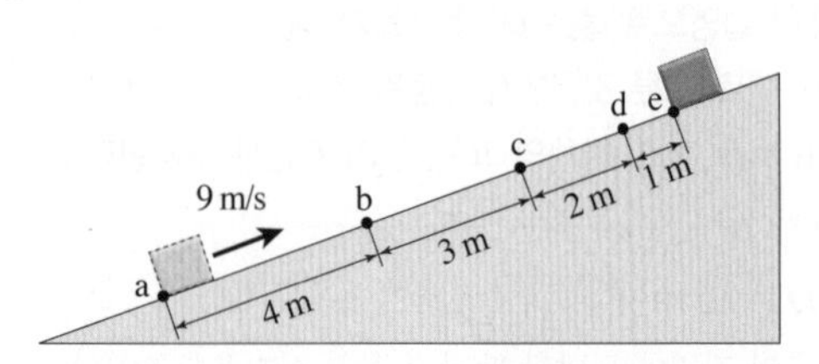

이 물체의 가속도의 크기는? (단, 물체의 크기, 모든 마찰과 공기 저항은 무시한다.)

① 1 m/s^2 ② 2 m/s^2 ③ 3 m/s^2
④ 4 m/s^2 ⑤ 5 m/s^2

58 하 중 상

그림과 같이 왼쪽 빗면에 A를 가만히 놓고 잠시 후 오른쪽 빗면에 B를 가만히 놓았더니, A, B는 점 P, Q를 동시에 통과하여 수평면의 점 O에서 만났다. A, B는 빗면에서 각각 시간 t_A, t_B 동안 등가속도 운동을 하여 거리 L만큼 이동하였고, 수평면에서 등속 직선 운동을 하여 각각 $2s$, $3s$만큼 이동하였다. (단, 물체의 크기, 모든 마찰과 공기 저항은 무시한다.)

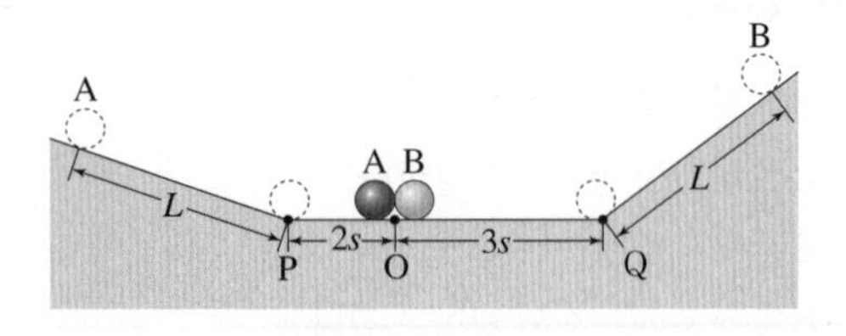

(1) 충돌 직전의 A와 B의 속력을 각각 v_A, v_B라고 할 때 속력의 비(v_A : v_B)를 구하시오.

(2) t_A와 t_B의 비(t_A : t_B)를 구하시오.

59 하 중 상

다음은 빗면에서 운동하는 수레의 운동을 분석하기 위한 실험을 나타낸 것이다.

[실험 과정]

(가) 그림과 같이 빗면 위에서 수레를 가만히 놓은 다음, 디지털 카메라로 동영상을 촬영한다.

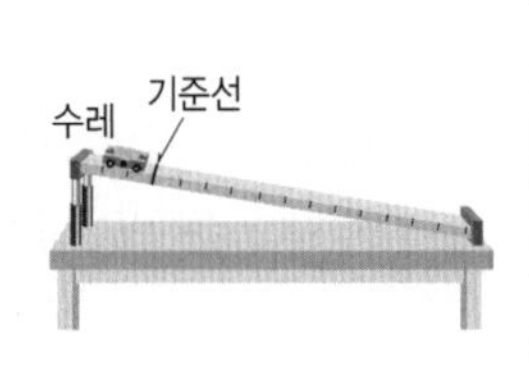

(나) 동영상을 분석하여 시간에 따른 수레의 위치를 기록한다.

[실험 결과]

시간(s)	0	0.1	0.2	0.3	0.4	0.5
위치(cm)	0	8	18	30	㉠	60

이에 대한 설명으로 옳지 않은 것을 모두 고르면?(2개)

① ㉠은 45이다.
② 수레는 등가속도 직선 운동을 한다.
③ 수레의 평균 가속도는 2 m/s^{2}이다.
④ 0.3초인 순간 수레의 속력은 1.3 m/s이다.
⑤ 0초인 순간 수레의 속력은 0.8 m/s이다.
⑥ 0.5초 동안 수레의 평균 속력은 1.2 m/s이다.

60 하 중 상

그림은 기울기가 일정한 빗면 위의 P점에 물체를 가만히 놓았을 때 물체가 미끄러지며 Q점과 R점을 통과하는 모습을 나타낸 것이다. P점에서 Q점 사이의 거리는 3 m이고, Q점에서 R점 사이의 거리는 9 m이다. 물체는 P점에서 R점까지 등가속도 직선 운동을 하며 Q점에서 속력은 6 m/s이다.

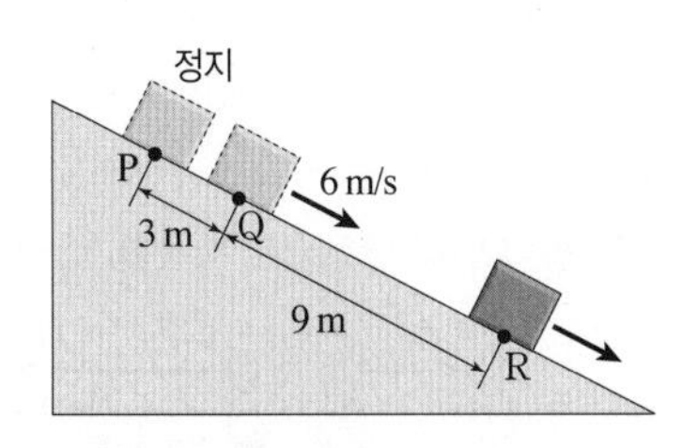

이 물체의 운동에 대한 설명으로 옳은 것만을 〈보기〉에서 있는 대로 고른 것은? (단, 물체의 크기, 모든 마찰과 공기 저항은 무시한다.)

〈 보기 〉

ㄱ. 가속도의 크기는 6 m/s^{2}이다.
ㄴ. P점에서 R점까지의 평균 속력은 6 m/s이다.
ㄷ. Q점에서 R점까지 이동하는 데 걸린 시간은 2초이다.

① ㄱ ② ㄷ ③ ㄱ, ㄴ
④ ㄴ, ㄷ ⑤ ㄱ, ㄴ, ㄷ

61 하 중 상

그림은 물체가 빗면을 따라 등가속도 운동을 하여 점 P를 v의 속력으로 지나 최고점 R에서 멈춘 순간의 모습을 나타낸 것이다. P점에서 R점까지의 거리는 s이고 Q점은 선분 PR의 중점이다.

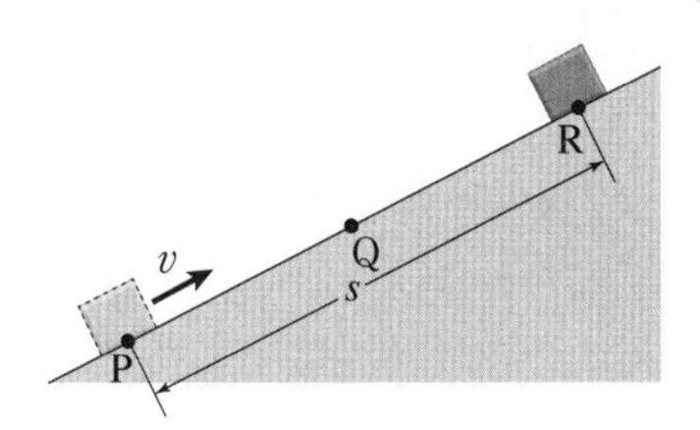

이 물체의 운동에 대한 설명으로 옳은 것만을 〈보기〉에서 있는 대로 고른 것은? (단, 물체의 크기, 모든 마찰과 공기 저항은 무시한다.)

〈 보기 〉

ㄱ. 빗면에서 운동하는 동안 가속도의 크기는 $\frac{v^2}{2s}$이다.
ㄴ. P점에서 R점까지 운동하는 데 걸린 시간은 $\frac{2s}{v}$이다.
ㄷ. Q점을 지나는 순간의 속력은 $\frac{v}{2}$이다.

① ㄱ ② ㄷ ③ ㄱ, ㄴ
④ ㄴ, ㄷ ⑤ ㄱ, ㄴ, ㄷ

62 하 중 상

그림과 같이 빗면 위에서 물체 P가 기준선 a를 지나는 순간 기준선 b에 있던 물체 Q를 가만히 놓았더니 P, Q가 등가속도 직선 운동을 하여 기준선 c를 각각 v_P, v_Q의 속력으로 동시에 통과하였다. P의 질량은 $2m$이고, Q의 질량은 m이며 기준선 a, b, c 사이의 간격은 각각 L로 같다.

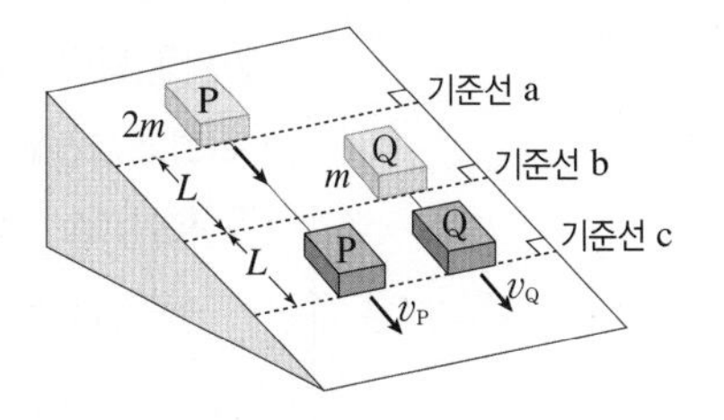

이에 대한 설명으로 옳은 것만을 〈보기〉에서 있는 대로 고른 것은? (단, 물체의 크기, 모든 마찰과 공기 저항은 무시한다.)

〈 보기 〉

ㄱ. 가속도의 크기는 P가 Q의 2배이다.
ㄴ. a에서 c까지 P의 평균 속력은 v_Q이다.
ㄷ. $\frac{v_Q}{v_P} = \frac{3}{2}$이다.

① ㄱ ② ㄴ ③ ㄱ, ㄷ
④ ㄴ, ㄷ ⑤ ㄱ, ㄴ, ㄷ

63 하 중 상

그림은 출발선에 정지해 있던 눈썰매가 등가속도 직선 운동을 하는 모습을 나타낸 것이다. 눈썰매의 평균 속력은 P점에서 Q점까지와 Q점에서 R점까지 이동하는 동안 각각 10 m/s, 15 m/s이다. (단, 눈썰매의 크기, 모든 마찰과 공기 저항은 무시한다.)

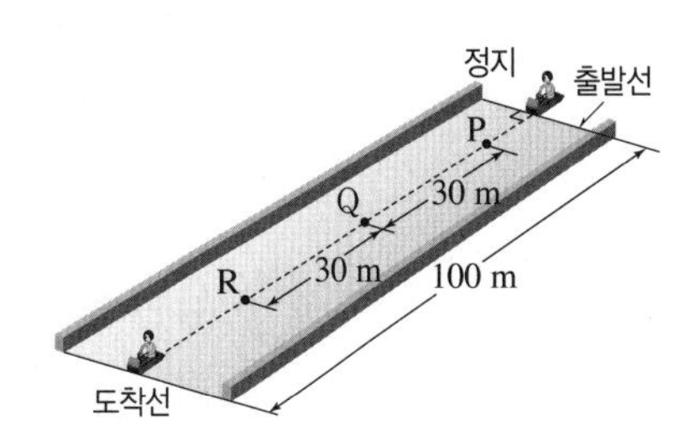

(1) 눈썰매의 가속도의 크기를 구하시오.

(2) 눈썰매가 도착선에 도달했을 때의 속력을 구하시오.

(3) 출발선에서 도착선까지 눈썰매가 운동하는 데 걸린 시간을 구하시오.

(4) 출발선에서 P점까지 이동하는 데 걸린 시간을 구하시오.

뉴턴 운동 법칙

Ⓐ 뉴턴 운동 제1법칙

1 힘 물체의 모양이나 운동 상태를 변화시키는 원인

① 힘의 단위: N(뉴턴) → 1 N은 1 kg의 질량을 1 m/s^{2}으로 가속시키는 힘

② 알짜힘(합력): 한 물체에 여러 힘이 작용할 때 모든 힘을 합한 것

힘의 합성과 알짜힘

• 두 힘이 같은 방향으로 작용할 때 알짜힘

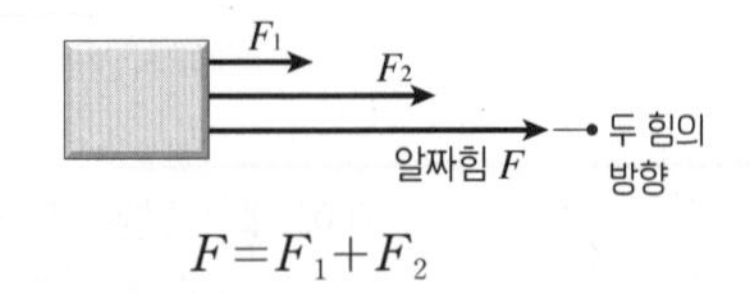

$F=F_1+F_2$

• 두 힘이 반대 방향으로 작용할 때 알짜힘

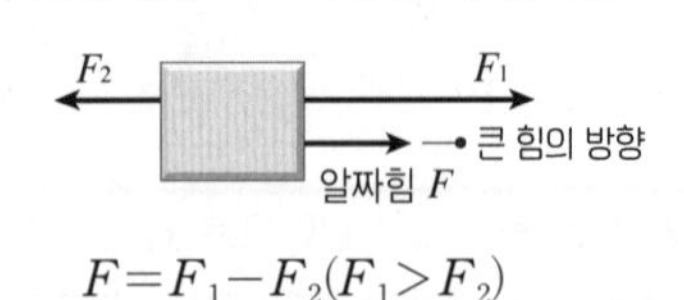

$F=F_1-F_2(F_1>F_2)$

③ 힘의 평형: 일직선상에서 한 물체에 크기가 같고, 방향이 ❶ ☐☐인 힘이 작용하여 알짜힘이 0인 상태

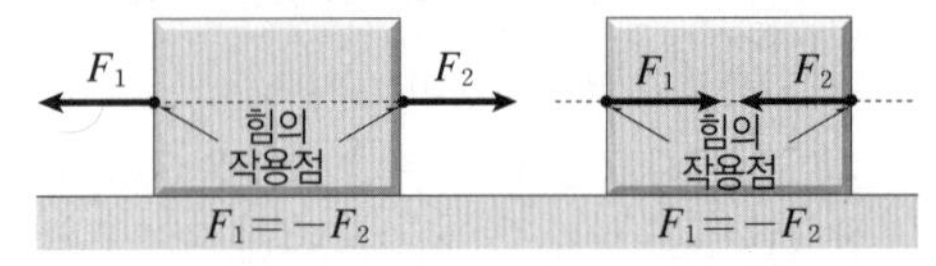

기출 Tip Ⓐ-2

실에 매단 추를 당길 때 관성에 의해 나타나는 현상

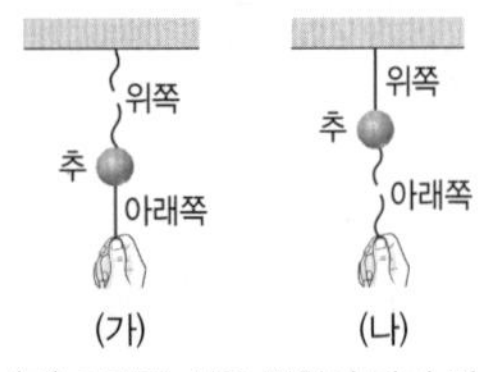

(가) 아래쪽 실을 천천히 당길 때: 당기는 힘에 추의 무게가 더해져 위쪽 실이 끊어진다.

(나) 실을 빠르게 당길 때: 추는 관성에 의해 정지해 있고, 아래쪽 실만 당기는 힘을 받아 아래쪽 실이 끊어진다.

2 관성 물체가 원래의 운동 상태를 계속 ❷ ☐☐하려는 성질

① 관성의 크기: 물체의 질량이 클수록 관성이 ❸ ☐다.

② 관성에 의한 현상

* 관성을 나타내는 물체

정지 관성	운동 관성
정지 상태인 물체는 계속 ❹ ☐☐해 있으려고 한다.	운동하는 물체는 운동 상태를 계속 유지하려고 한다.
• 버스가 갑자기 출발하면 승객이 뒤로 넘어진다. • 동전을 올려놓은 종이를 컵 위에 놓고 종이를 튕기면 종이만 튕겨나가고 동전은 아래로 떨어진다. • 이불을 막대기로 두드리면 이불에 있던 먼지가 떨어진다. • 두루마리 화장지를 빠르게 잡아당기면 풀리지 않고 끊어진다.	• 달리던 버스가 갑자기 정지하면 승객이 앞으로 넘어진다. • 달리던 사람이 돌부리에 걸려 앞으로 넘어진다. • 날개가 빠르게 회전하는 선풍기를 꺼도 날개의 회전이 즉시 멈추지 않는다. • 중력이 없는 우주 공간에서 물체가 등속 직선 운동을 한다.

3 뉴턴 운동 제1법칙(관성 법칙) 물체에 작용하는 알짜힘이 ❺ ☐이면 정지해 있는 물체는 계속 정지해 있고, 운동 중인 물체는 등속 직선 운동을 계속한다.

Ⓑ 뉴턴 운동 제2법칙

1 가속도, 알짜힘, 질량의 관계

가속도와 알짜힘의 관계	가속도와 질량의 관계
물체의 질량이 일정하면 가속도는 작용한 알짜힘에 비례한다. → 알짜힘이 0이 아니면 물체는 알짜힘의 방향으로 가속도 운동을 한다.	물체에 작용하는 알짜힘이 일정하면 가속도는 물체의 질량에 ❻ ☐☐☐한다.
속도–시간 그래프(F, $2F$, $3F$) ➡ 가속도–힘 그래프(a, $2a$, $3a$ / F, $2F$, $3F$)	속도–시간 그래프(m, $2m$, $3m$) ➡ 가속도–질량 그래프(a, $\frac{1}{2}a$, $\frac{1}{3}a$ / m, $2m$, $3m$)

2 뉴턴 운동 제2법칙(가속도 법칙) 물체의 가속도 a(m/s^2)는 물체에 작용한 알짜힘 F(N)에 ❼ ☐☐하고, 물체의 질량 m(kg)에 반비례한다.

$$가속도=\frac{알짜힘}{질량},\ a=\frac{F}{m} \Rightarrow F=ma$$ → 운동 방정식이라고도 한다.

Ⓒ 뉴턴 운동 제3법칙

1 뉴턴 운동 제3법칙(작용 반작용 법칙) 한 물체가 다른 물체에 힘을 가하면 힘을 받은 물체도 힘을 가한 물체에 크기가 같고 방향이 ❽ ☐☐인 힘을 동시에 가한다.

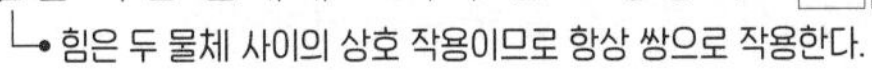

힘은 두 물체 사이의 상호 작용이므로 항상 쌍으로 작용한다.

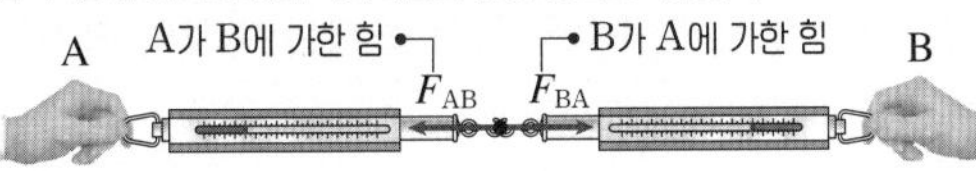

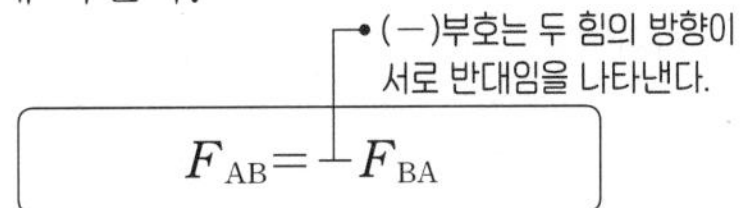

(−)부호는 두 힘의 방향이 서로 반대임을 나타낸다.
$F_{AB}=-F_{BA}$

① 작용 반작용 관계에 있는 두 힘: 작용과 반작용은 크기가 같고 방향이 반대이며, 같은 작용선상에서 서로 다른 물체에 작용한다.

② 작용 반작용의 예

- 로켓이 가스를 내뿜는 힘의 반작용으로 가스가 로켓을 밀어준다.
- 발이 공에 가하는 힘의 반작용으로 공도 발에 힘을 가한다.
- 수영 선수가 발로 벽을 차면 그 반작용으로 벽도 발을 밀어주므로 선수가 앞으로 나아간다.
- 노로 물을 뒤로 밀면 그 반작용으로 물이 노를 밀어 배가 나아간다.

2 작용 반작용과 힘의 평형 비교

구분	작용 반작용	두 힘의 평형
공통점	두 힘의 크기가 같고 방향이 반대이며, 같은 작용선상에 있다.	
차이점	두 물체 사이에 작용하는 힘으로, 힘의 ❾ ☐☐☐이 상대방 물체에 있다. 작용점 작용 / 작용점 반작용	한 물체에 작용하는 두 힘으로, 두 힘의 작용점이 한 물체에 있다. 작용점 힘 / 작용점 힘
예	F_1: 지구가 책을 잡아당기는 힘 F_3: 책상면이 책을 떠받치는 힘 F_2: 책이 지구를 잡아당기는 힘 F_4: 책이 책상면을 누르는 힘 • 작용 반작용 관계인 두 힘: F_1과 F_2, F_3과 F_4 • 평형 관계인 두 힘: F_1과 ❿ ☐	

기출 Tip Ⓑ-2

운동 방정식을 이용한 운동 분석

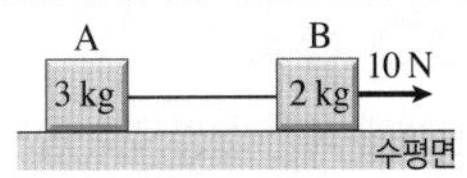

❶ 전체 물체에 작용하는 알짜힘을 확인한다. ➔ 10 N

❷ 전체 질량을 구한다.
➔ 3 kg+2 kg=5 kg

❸ 운동 방정식 $F=ma$에 대입하여 가속도를 구한다.
10 N=5 kg×a ➔ a=2 m/s^2

❹ 각 물체에 작용하는 알짜힘을 구한다.
A의 알짜힘=3 kg×2 m/s^2=6 N
B의 알짜힘=2 kg×2 m/s^2=4 N

❺ 두 물체 사이에 작용하는 힘을 구한다.
A가 B를 당기는 힘=10 N−4 N=6 N
B가 A를 당기는 힘=6 N

기출 Tip Ⓒ-1

작용 반작용과 가속도

두 물체가 작용 반작용에 의해 운동하면 두 힘의 크기가 같으므로 각 물체의 가속도의 크기는 각 물체의 질량에 반비례한다.

자석 위에 떠있는 자석에 작용하는 힘의 평형

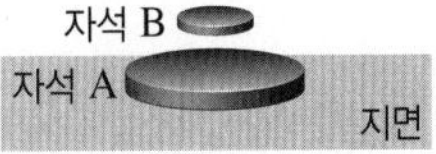

자석 B가 자석 A 위에 떠서 정지해 있다. 이때 자석 B의 중력과 자석 A가 자석 B를 밀어내는 자기력은 힘의 평형 관계이다.

답 ❶ 반대 ❷ 유지 ❸ 크 ❹ 정지 ❺ 0 ❻ 반비례 ❼ 비례 ❽ 반대 ❾ 작용점 ❿ F_3

빈출 자료 보기

정답과 해설 10쪽

64 그림은 질량이 각각 1 kg, 2 kg인 물체 A와 B가 수평면 위에 접촉하여 정지 상태에 있는 모습을 나타낸 것이다. 물체 A에 수평면과 나란한 방향으로 9 N의 힘을 작용하였다.

9 N → [A 1 kg][B 2 kg] 수평면

이에 대한 설명으로 옳은 것은 ○, 옳지 않은 것은 ×로 표시하시오. (단, 모든 마찰과 공기 저항은 무시한다.)

(1) A와 B의 가속도는 3 m/s^{2}이다. ( )

(2) A와 B가 4초 동안 이동한 거리는 22 m이다. ( )

(3) A에 작용하는 알짜힘의 크기는 9 N이다. ( )

(4) B에 작용하는 알짜힘의 크기는 3 N이다. ( )

(5) A가 B에 작용하는 힘의 크기는 6 N이다. ( )

(6) B가 A에 작용하는 힘의 크기는 3 N이다. ( )

상 8문항
중 19문항
하 8문항

A 뉴턴 운동 제1법칙

65 하중상

多 보기

관성에 대한 설명으로 옳지 않은 것을 모두 고르면?(3개)

① 질량이 클수록 관성이 크다.
② 관성은 물체의 온도가 높을수록 크다.
③ 관성이 큰 물체는 가속시키기 어렵다.
④ 물체가 정지해 있을 때는 관성이 없다.
⑤ 일정한 속력을 유지하려면 일정한 힘이 필요하다.
⑥ 관성은 물체가 원래의 운동 상태를 계속 유지하려는 성질이다.
⑦ 운동하던 물체에 작용하는 알짜힘이 0이면 물체는 등속 직선 운동을 한다.
⑧ 정지한 물체는 외부에서 힘을 가하지 않으면 계속 정지 상태를 유지하려고 한다.

66 하중상

多 보기

일상생활에서 일어나는 여러 가지 현상 중 관성에 의해 나타나는 현상이 아닌 것을 모두 고르면?(3개)

① 달리는 사람이 돌에 걸려 앞으로 넘어진다.
② 이불을 막대기로 두드리면 먼지가 떨어진다.
③ 선풍기를 꺼도 날개의 회전이 즉시 멈추지 않는다.
④ 운동장 위를 굴러가는 축구공의 속력이 점점 줄어든다.
⑤ 노를 저으면 물이 뒤로 밀려나고 배가 앞으로 나아간다.
⑥ 화장실 두루마리 휴지를 한 손으로 재빨리 당겨 끊어낸다.
⑦ 망치 자루를 바닥에 내리치면 망치 머리가 망치 자루에 단단히 박힌다.
⑧ 수영 선수가 손과 발로 물을 뒤로 밀면 수영 선수의 속력이 빨라진다.

67 하중상

그림은 정지해 있다가 갑자기 출발하는 버스에 서 있던 사람의 몸이 버스 뒤쪽으로 쏠리는 모습을 나타낸 것이다.

이에 대한 설명으로 옳은 것만을 〈보기〉에서 있는 대로 고른 것은?

〈 보기 〉
ㄱ. 뉴턴 운동 제3법칙으로 설명할 수 있는 현상이다.
ㄴ. 사람의 질량이 작을수록 몸이 느끼는 관성의 크기는 더 커진다.
ㄷ. 중력이 작용하지 않는 우주 공간에서 운동하는 물체가 등속 직선 운동을 하는 것과 같은 원리로 설명할 수 있다.

① ㄱ　② ㄷ　③ ㄱ, ㄴ
④ ㄴ, ㄷ　⑤ ㄱ, ㄴ, ㄷ

68 하중상

**그림은 질량이 큰 추를 실 A에 묶어 매달고 추의 아래에도 실 B를 묶어 아래쪽으로 당기는 모습을 나타낸 것이다.
이에 대한 설명으로 옳은 것만을 〈보기〉에서 있는 대로 고른 것은?**

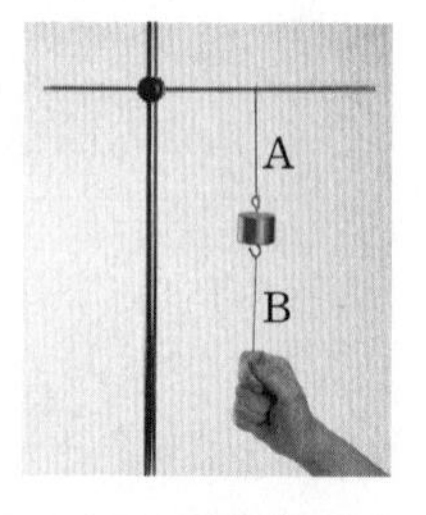

〈 보기 〉
ㄱ. 실을 빠르게 당기면 실 B가 끊어진다.
ㄴ. 실을 천천히 당기면 실 A가 끊어진다.
ㄷ. 실을 빠르게 당길 때 일어나는 현상은 로켓이 가스를 분출하며 날아가는 현상과 같은 원리로 설명된다.

① ㄱ　② ㄷ　③ ㄱ, ㄴ
④ ㄴ, ㄷ　⑤ ㄱ, ㄴ, ㄷ

69 (하)(중)(상) ••서술형

그림은 컵 위에 종이와 동전을 올려놓고 종이를 손가락으로 튕길 때, 종이만 날아가고 동전은 컵 속으로 빠지는 모습을 나타낸 것이다.

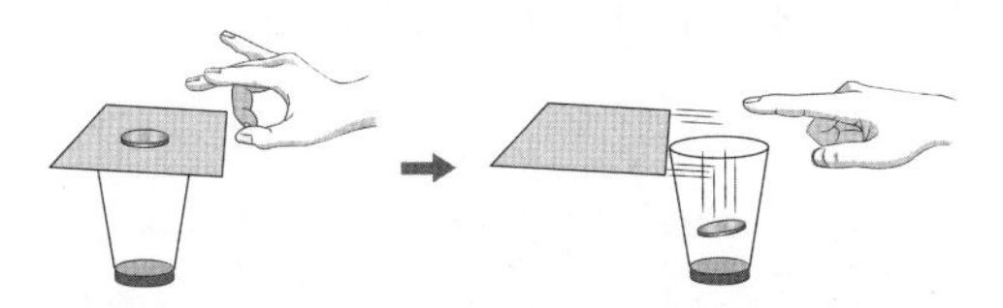

이와 같은 원리로 설명되는 현상을 한 가지만 서술하시오.

70 (하)(중)(상)

다음은 물체의 운동에 대해 설명한 것이다.

> 마찰을 무시할 때, 빗면에 가만히 놓은 물체는 빗면에서 속력이 증가하는 ㉠ 등가속도 직선 운동을 하지만 수평면에서는 속력이 일정한 ㉡ 등속 직선 운동을 한다. 그 까닭은 ㉢ 물체가 운동 상태를 유지하려는 성질이 있기 때문이다.
>
> 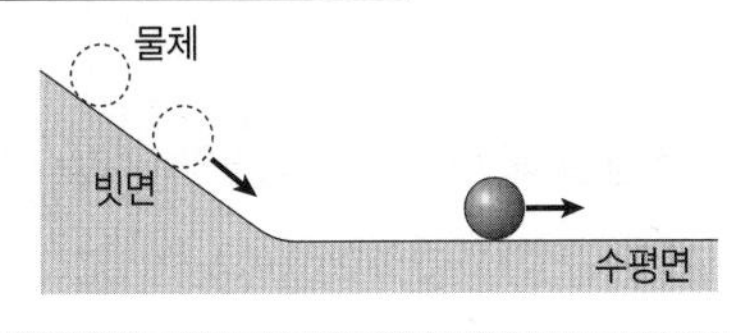
>

이에 대한 설명으로 옳은 것만을 〈보기〉에서 있는 대로 고른 것은?

〈 보기 〉
- ㄱ. ㉠에서 물체에 작용하는 알짜힘의 방향은 물체의 운동 방향과 반대 방향이다.
- ㄴ. ㉡에서 물체에 작용하는 알짜힘은 0이다.
- ㄷ. ㉢에 해당하는 성질은 뉴턴 운동 제1법칙으로 설명할 수 있다.

① ㄱ ② ㄴ ③ ㄱ, ㄷ
④ ㄴ, ㄷ ⑤ ㄱ, ㄴ, ㄷ

B 뉴턴 운동 제2법칙

힘과 가속도

71 (하)(중)(상)

마찰이 없는 수평면 위에 정지해 있는 질량이 5 kg인 장난감 자동차에 4초 동안 10 N의 일정한 힘이 오른쪽으로 작용하였다. 4초 후 장난감 자동차의 이동 거리와 속도로 옳은 것은?

	이동 거리	속도		이동 거리	속도
①	4 m	4 m/s	②	8 m	8 m/s
③	8 m	16 m/s	④	16 m	4 m/s
⑤	16 m	8 m/s			

72 (하)(중)(상)

그림 (가)와 (나)는 수평면 위에 놓여 있는 물체 A와 B에 각각 크기가 F인 힘이 수평 방향으로 작용하는 모습을, (다)는 A와 B를 함께 붙인 물체에 크기가 $5F$인 힘이 수평 방향으로 작용하는 모습을 나타낸 것이다. (가)와 (나)에서 A와 B는 각각 $3\ m/s^2$, $2\ m/s^2$의 가속도로 등가속도 직선 운동을 한다. (단, 모든 마찰과 공기 저항은 무시한다.)

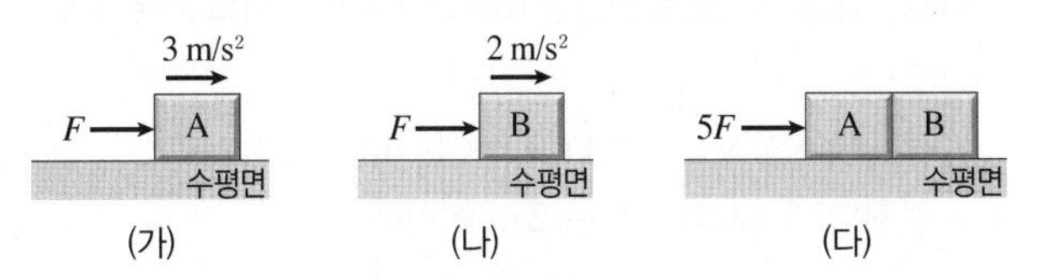

(1) A와 B의 질량을 m_A, m_B라고 할 때 $\frac{m_A}{m_B}$를 구하시오.

(2) (다)에서 A, B의 가속도의 크기를 구하시오.

[73~74] 그림은 마찰이 없는 수평면 위에 물체 A, B, C가 서로 접촉한 상태에서 수평 방향으로 20 N의 힘이 작용하는 모습을 나타낸 것이다. A, B, C의 질량은 각각 3 kg, 2 kg, 5 kg이다.

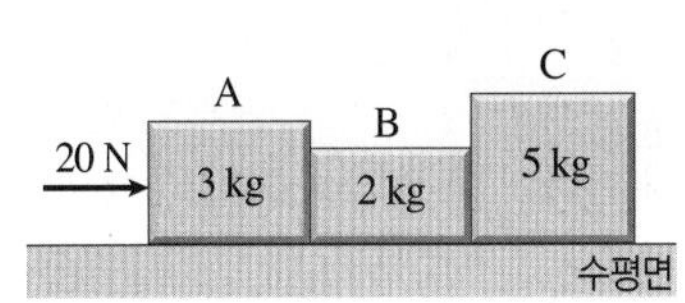

73 (하)(중)(상)

B에 작용하는 알짜힘의 크기는?

① 1 N ② 2 N ③ 4 N
④ 8 N ⑤ 10 N

74 (하)(중)(상)

C가 B를 미는 힘의 크기는?

① 1 N ② 2 N ③ 4 N
④ 8 N ⑤ 10 N

75 하중상

그림은 마찰이 없는 수평면 위에 정지해 있는 질량이 5 kg인 물체에 작용하는 힘을 나타낸 것이다.

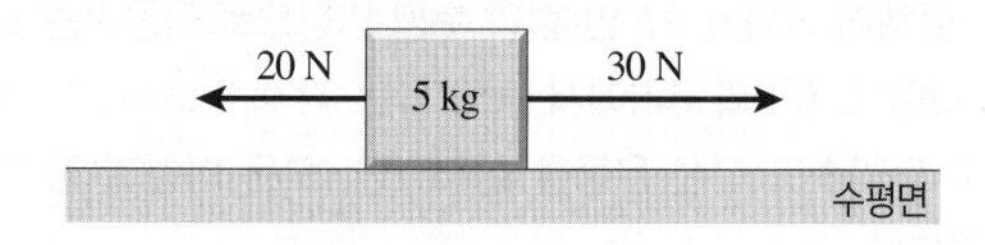

이에 대한 설명으로 옳은 것만을 〈보기〉에서 있는 대로 고른 것은?

〈 보기 〉

ㄱ. 물체에 작용하는 알짜힘의 크기는 50 N이다.
ㄴ. 물체의 가속도의 크기는 $2\ m/s^2$이다.
ㄷ. 3초 후 물체의 속력은 6 m/s이다.

① ㄱ ② ㄷ ③ ㄱ, ㄴ
④ ㄴ, ㄷ ⑤ ㄱ, ㄴ, ㄷ

76 하중상

그림은 물체 A, B가 실로 연결되어 등가속도 직선 운동을 하는 모습을 나타낸 것이다. A, B의 질량은 각각 3 kg, 4 kg이고, B에 수평 방향으로 35 N의 힘이 작용하고 있다.

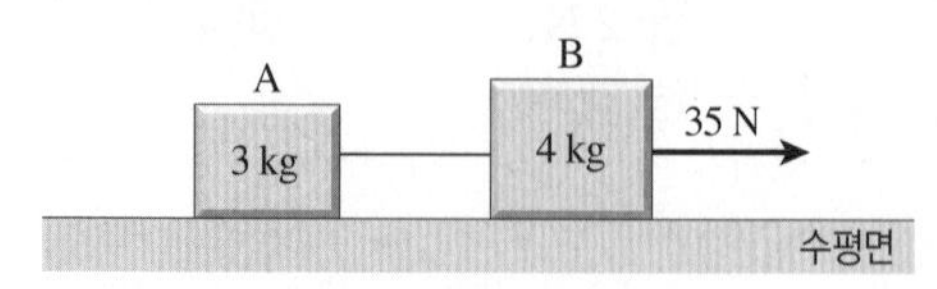

이에 대한 설명으로 옳은 것만을 〈보기〉에서 있는 대로 고른 것은? (단, 실의 질량, 모든 마찰과 공기 저항은 무시한다.)

〈 보기 〉

ㄱ. A의 가속도의 크기는 $5\ m/s^2$이다.
ㄴ. B에 작용하는 알짜힘의 크기는 35 N이다.
ㄷ. 실이 B를 당기는 힘의 크기는 15 N이다.
ㄹ. 운동하는 동안 실이 끊어지면 A는 정지한다.

① ㄱ, ㄷ ② ㄴ, ㄹ ③ ㄷ, ㄹ
④ ㄱ, ㄴ, ㄷ ⑤ ㄱ, ㄴ, ㄹ

77 하중상

그림은 마찰이 없는 수평면 위에 3개의 나무 도막 A, B, C를 용수철저울로 연결하고 12 N의 힘으로 당기는 모습을 나타낸 것이다. A, B, C의 질량은 각각 1 kg, 2 kg, 1 kg이다.

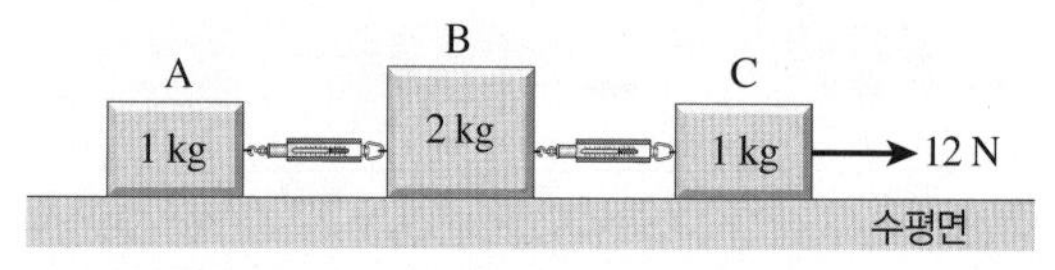

(가) A와 B 사이 용수철저울이 가리키는 값과, (나) B와 C 사이 용수철저울이 가리키는 값으로 옳은 것은? (단, 용수철저울의 질량은 무시한다.)

	(가)	(나)		(가)	(나)
①	3 N	6 N	②	3 N	9 N
③	3 N	12 N	④	4 N	8 N
⑤	4 N	12 N			

78 하중상

다음은 알짜힘이 작용할 때 수레의 운동을 알아보는 실험이다.

[실험 과정]

(가) 그림과 같이 매끄러운 수평면에 놓인 수레에 10 N의 힘을 수평 방향으로 계속 작용시키면서 동영상을 촬영한다.
(나) (가)에서 수레에 작용하는 힘의 크기만 2배로 증가시켜 동영상을 촬영한다.
(다) (가)에서 추를 이용하여 수레의 전체 질량만 2배로 증가시켜 동영상을 촬영한다.

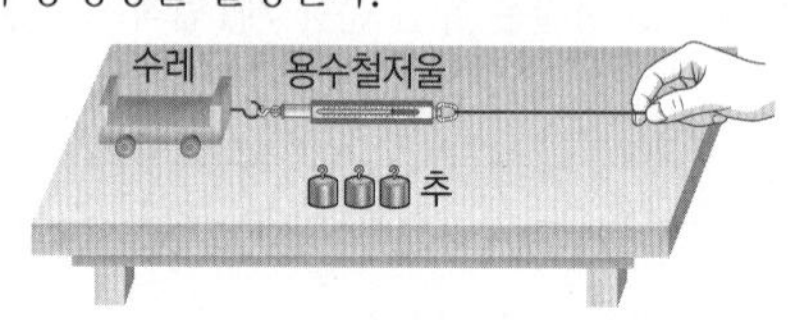

[실험 결과]

촬영한 동영상을 분석하여 구한 가속도의 크기이다.

실험	(가)	(나)	(다)
가속도의 크기 (m/s^2)	2	㉠	㉡

이에 대한 설명으로 옳은 것만을 〈보기〉에서 있는 대로 고른 것은?

〈 보기 〉

ㄱ. 수레의 질량은 5 kg이다.
ㄴ. ㉠은 4이고, ㉡은 1이다.
ㄷ. 질량이 일정할 때 물체의 가속도는 물체에 작용하는 힘에 반비례한다.

① ㄱ ② ㄷ ③ ㄱ, ㄴ
④ ㄴ, ㄷ ⑤ ㄱ, ㄴ, ㄷ

79 하/중/상

그림은 수평면에 정지해 있던 질량이 **1 kg**인 물체에 연직 방향으로 **30 N**의 힘이 일정하게 작용하여 물체가 이동하는 모습을 나타낸 것이다.

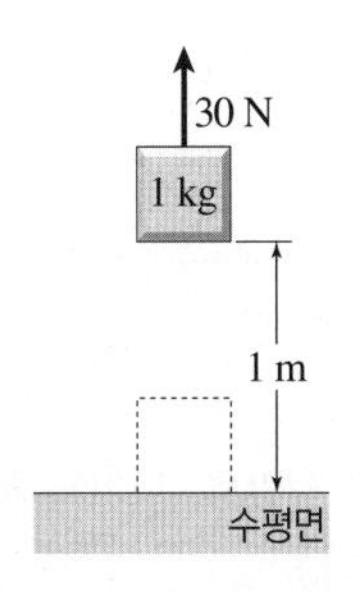

물체가 **1 m** 높이를 지나는 순간의 속력은? (단, 중력 가속도는 **10 m/s²**이고, 모든 마찰과 공기 저항은 무시한다.)

① $\sqrt{2}$ m/s ② $\sqrt{5}$ m/s ③ $\sqrt{10}$ m/s
④ $2\sqrt{5}$ m/s ⑤ $2\sqrt{10}$ m/s

80 하/중/상 ••서술형

그림 (가)는 마찰이 없는 수평면에 질량이 각각 $2m$, m인 물체 A, B를 놓고 수평 방향으로 크기가 $3F$인 힘을 A에 작용한 모습을, (나)는 (가)에서와 같은 크기의 힘 $3F$를 B에 작용하는 모습을 나타낸 것이다. (단, 공기 저항은 무시하고, (가)와 (나)에서 A와 B는 한 물체처럼 운동한다.)

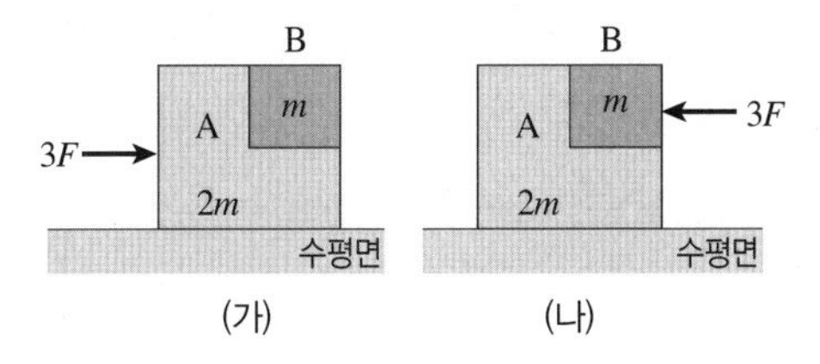

(가) (나)

(1) (가)에서 B에 작용하는 알짜힘의 크기를 풀이 과정과 함께 구하시오.

(2) B가 A를 미는 힘의 크기는 (나)에서가 (가)에서의 몇 배인지 풀이 과정과 함께 구하시오.

81 하/중/상

그림 (가), (나)와 같이 용수철저울로 연결된 물체 A와 B를 마찰이 없는 수평면에 놓은 후 크기가 F인 힘을 각각 A, B에 수평 방향으로 작용하였더니, 용수철저울에 나타난 힘의 크기가 각각 **2 N**, **4 N**이었다.

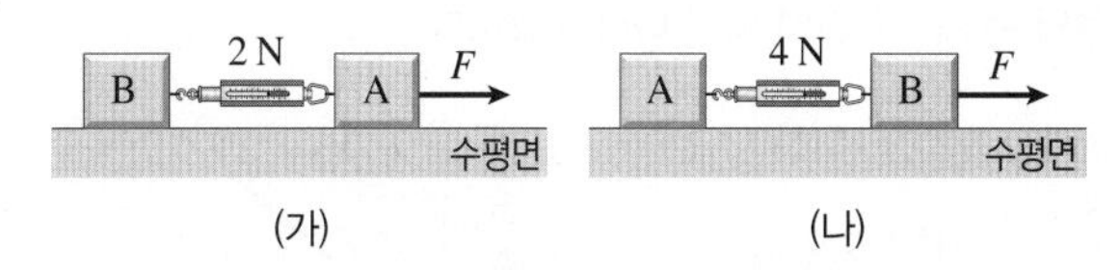

(가) (나)

이에 대한 설명으로 옳은 것만을 〈보기〉에서 있는 대로 고른 것은?

〈 보기 〉
ㄱ. A에 작용하는 알짜힘의 크기는 (나)에서가 (가)에서보다 크다.
ㄴ. 질량은 B가 A의 2배이다.
ㄷ. F는 6 N이다.

① ㄱ ② ㄷ ③ ㄱ, ㄴ
④ ㄴ, ㄷ ⑤ ㄱ, ㄴ, ㄷ

82 하/중/상

재질이 같은 물체 A, B의 질량이 각각 **2 kg**, **4 kg**이다. 마찰이 있는 같은 수평면에서 A, B에 각각 크기가 **3 N**, F인 힘을 수평 방향으로 작용하면 A, B는 등가속도 직선 운동을 한다. A, B의 가속도의 크기는 **1 m/s²**으로 같다.
이에 대한 설명으로 옳은 것만을 〈보기〉에서 있는 대로 고른 것은?

〈 보기 〉
ㄱ. A에 작용하는 마찰력의 크기는 1 N이다.
ㄴ. F=5 N이다.
ㄷ. 같은 수평면에서 A, B를 접촉시키고 F의 힘을 작용할 때 가속도의 크기는 $\frac{1}{3}$ m/s²이다.

① ㄱ ② ㄷ ③ ㄱ, ㄴ
④ ㄴ, ㄷ ⑤ ㄱ, ㄴ, ㄷ

그래프로 본 뉴턴 운동 제2법칙

빈출

83 하 중 상

그림 (가)는 마찰이 없는 수평면에서 질량이 6 kg인 물체에 수평 방향으로 크기가 F인 힘이 작용하는 것을 나타낸 것이고, (나)는 물체의 속도를 시간에 따라 나타낸 것이다.

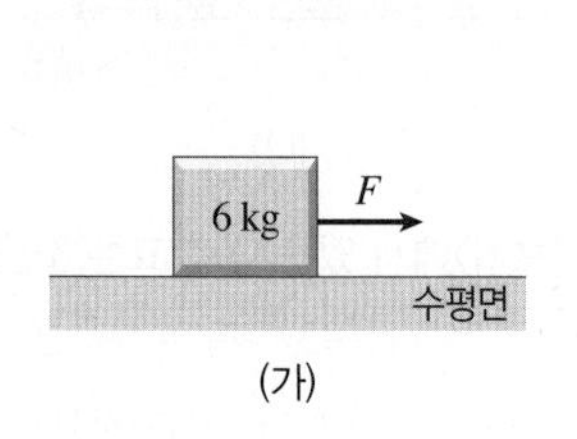

(가)

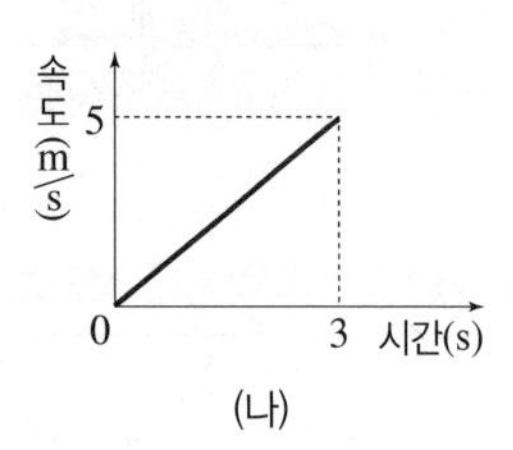

(나)

물체의 가속도의 크기와 F로 옳은 것은?

	가속도의 크기	F
①	$\frac{3}{5}$ m/s^2	6 N
②	$\frac{3}{5}$ m/s^2	10 N
③	$\frac{5}{3}$ m/s^2	6 N
④	$\frac{5}{3}$ m/s^2	10 N
⑤	5 m/s^2	6 N

84 하 중 상

그림은 직선상에서 0초부터 4초까지, 4초부터 8초까지 각각 등가속도 직선 운동을 하는 물체의 속도를 시간에 따라 나타낸 것이다. 물체의 질량은 5 kg이다.

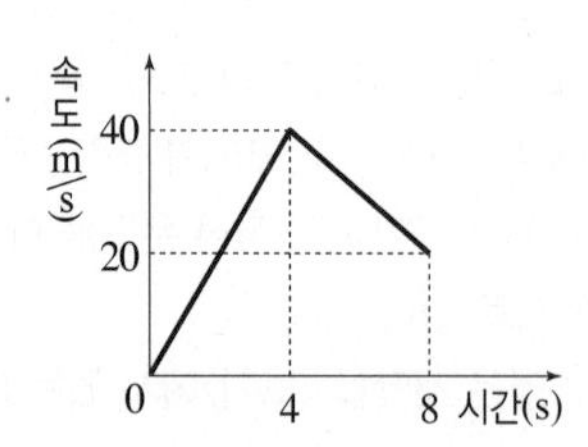

이에 대한 설명으로 옳은 것만을 〈보기〉에서 있는 대로 고른 것은?

〈 보기 〉

ㄱ. 1초일 때 물체의 가속도의 크기는 4 m/s^{2}이다.
ㄴ. 3초일 때 물체가 받은 알짜힘의 크기는 50 N이다.
ㄷ. 0초부터 8초까지 평균 속도의 크기는 25 m/s이다.

① ㄱ ② ㄷ ③ ㄱ, ㄴ
④ ㄴ, ㄷ ⑤ ㄱ, ㄴ, ㄷ

빈출

85 하 중 상

그림은 동일 직선상에서 질량이 다른 수레 A, B에 일정한 크기의 힘을 작용할 때 수레의 속도를 시간에 따라 나타낸 것이다. A, B의 처음 위치는 같고, A, B의 질량은 각각 m_A, m_B이다.

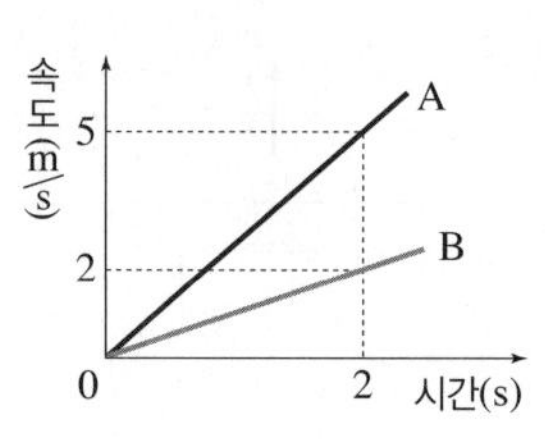

이에 대한 설명으로 옳은 것만을 〈보기〉에서 있는 대로 고른 것은? (단, 모든 마찰은 무시한다.)

〈 보기 〉

ㄱ. A와 B 사이의 거리는 일정하다.
ㄴ. A와 B의 가속도 크기의 차는 3 m/s^{2}이다.
ㄷ. m_A : m_B는 2 : 5이다.

① ㄱ ② ㄷ ③ ㄱ, ㄴ
④ ㄴ, ㄷ ⑤ ㄱ, ㄴ, ㄷ

빈출

86 하 중 상

그림 (가)는 마찰이 없는 수평면에 정지해 있던 물체 A, B에 수평 방향으로 크기가 F인 힘을 작용하는 모습을 나타낸 것이고, (나)는 A의 가속도를 시간에 따라 나타낸 것이다. A의 질량은 3 kg이고, B의 질량은 4 kg이다.

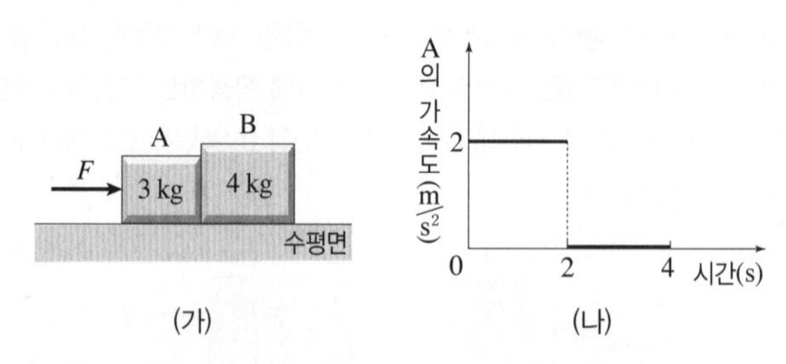

(가) (나)

이에 대한 설명으로 옳은 것만을 〈보기〉에서 있는 대로 고른 것은?

〈 보기 〉

ㄱ. 1초일 때 F는 14 N이다.
ㄴ. 1초일 때 A가 B에 작용하는 힘의 크기는 6 N이다.
ㄷ. 0초부터 2초까지 A가 이동한 거리는 4 m이다.
ㄹ. 0초부터 4초까지 B의 평균 속도의 크기는 3 m/s이다.

① ㄱ, ㄴ ② ㄴ, ㄹ ③ ㄷ, ㄹ
④ ㄱ, ㄴ, ㄷ ⑤ ㄱ, ㄷ, ㄹ

87 하/중/상

그림 (가)는 저울 위에 고정된 수직 봉을 따라 연직 방향으로 운동할 수 있는 로봇을 수직 봉에 매달고 로봇이 정지한 상태에서 저울의 측정값을 0으로 맞춘 모습을 나타낸 것이다. 그림 (나)는 (가)의 로봇이 운동하는 동안 저울에서 측정한 힘을 시간에 따라 나타낸 것이다. 로봇의 질량은 0.1 kg이고, t_1일 때 정지해 있다.

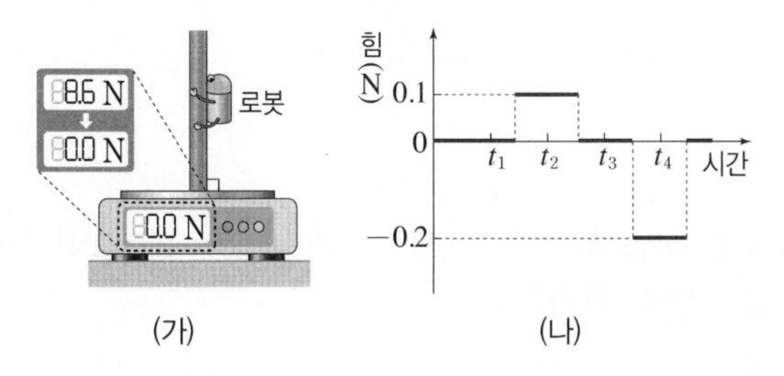

이에 대한 설명으로 옳은 것만을 〈보기〉에서 있는 대로 고른 것은?

〈 보기 〉

ㄱ. t_2일 때, 로봇의 가속도의 크기는 $1\ \mathrm{m/s^2}$이다.

ㄴ. t_3일 때, 로봇은 정지해 있다.

ㄷ. t_4일 때, 로봇에 작용하는 알짜힘의 방향은 연직 아래 방향이다.

① ㄱ ② ㄴ ③ ㄱ, ㄷ
④ ㄴ, ㄷ ⑤ ㄱ, ㄴ, ㄷ

C 뉴턴 운동 제3법칙

88 하/중/상

다음은 지면에 정지해 있는 바위에 작용하는 중력 mg를 화살표로 나타내고, 작용 반작용 관계에 대해 설명한 것이다.

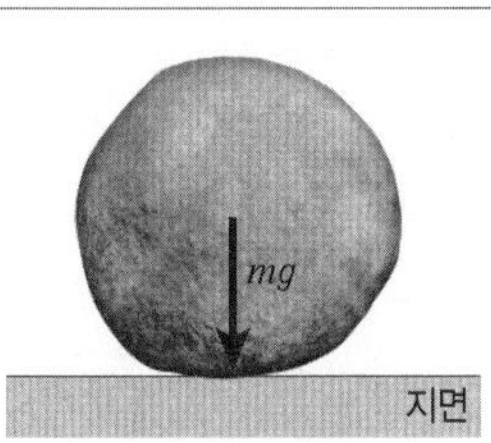

힘은 주기만 하거나 받기만 하는 것이 불가능하며 항상 두 물체 사이에서 주고받는 형태로 작용한다. 따라서 지구와 바위 사이에 주고받는 힘을 작용 반작용 관계에 있다고 하고, 두 힘은 방향이 (㉠)(이)고, 크기는 (㉡).

㉠, ㉡에 들어갈 말로 옳은 것은?

	㉠	㉡
①	같	같다
②	같	다르다
③	같	비교할 수 없다
④	반대	같다
⑤	반대	다르다

89 하/중/상

그림은 지구, 책상, 화분 사이에 작용하는 힘을 나타낸 것이다.

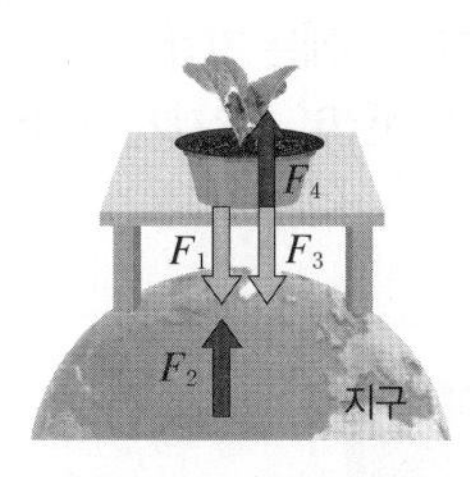

F_1 : 지구가 화분을 당기는 힘
F_2 : 화분이 지구를 당기는 힘
F_3 : 화분이 책상을 누르는 힘
F_4 : 책상이 화분을 떠받치는 힘

작용 반작용 관계와 힘의 평형 관계인 힘으로 옳은 것은?

	작용 반작용 관계	힘의 평형
①	F_1, F_2	F_1, F_4
②	F_1, F_3	F_2, F_4
③	F_1, F_3	F_1, F_4
④	F_2, F_3	F_3, F_4
⑤	F_2, F_4	F_1, F_3

90 하/중/상

그림은 수평인 책상 위에 책이 있고, 책 위에 사과가 올려져 정지해 있는 모습을 나타낸 것이다. 사과의 질량은 300 g이다. (단, 중력 가속도는 $10\ \mathrm{m/s^2}$이다.)

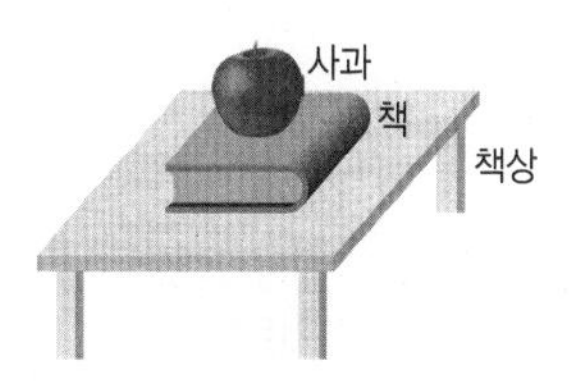

(1) 지구가 사과를 당기는 힘과 평형을 이루는 힘을 쓰시오.

(2) 지구가 사과를 당기는 힘과 작용 반작용 관계에 있는 힘의 크기를 구하시오.

(3) 사과에 작용하는 알짜힘의 크기를 구하시오.

91 하 중 상

그림은 탁자 위에 텔레비전이 있고 텔레비전 위에 액자가 있는 모습을 나타낸 것이다. 액자와 텔레비전의 무게는 각각 W_1, W_2이고 텔레비전이 액자를 떠받치는 힘의 크기는 W_3, 탁자가 텔레비전을 떠받치는 힘의 크기는 W_4이다.

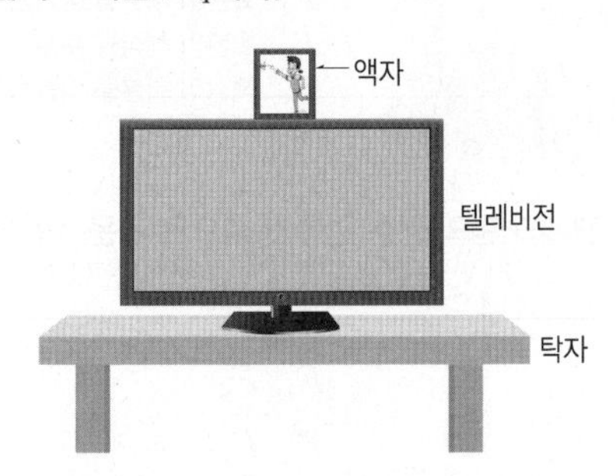

이에 대한 설명으로 옳은 것만을 〈보기〉에서 있는 대로 고른 것은?

〈 보기 〉
ㄱ. $W_1=W_3$이다.
ㄴ. $W_2=W_4$이다.
ㄷ. W_1과 W_3은 작용 반작용의 관계이다.

① ㄱ ② ㄴ ③ ㄱ, ㄷ
④ ㄴ, ㄷ ⑤ ㄱ, ㄴ, ㄷ

92 하 중 상

다음은 지면에 놓여 있는 자석 A 위에 초전도체 B가 뜬 상태로 정지해 있는 모습에 대해 설명한 것이다.

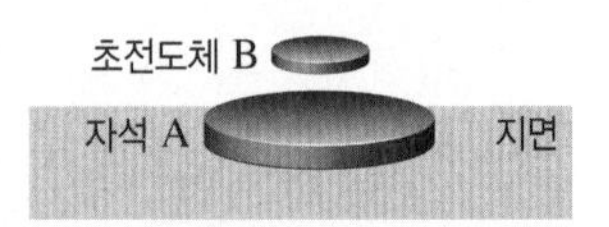

• A가 B에 작용하는 힘과 B에 작용하는 중력은 (㉠)관계이다.
• A가 B에 작용하는 힘과 B가 A에 작용하는 힘은 (㉡) 관계이다.
• 지면이 A를 떠받치는 힘은 A에 작용하는 중력과 B에 작용하는 중력의 합(㉢).

㉠, ㉡, ㉢에 들어갈 말로 옳은 것은?

	㉠	㉡	㉢
①	작용 반작용	힘의 평형	과 같다
②	작용 반작용	힘의 평형	보다 크다
③	힘의 평형	작용 반작용	과 같다
④	힘의 평형	작용 반작용	보다 크다
⑤	힘의 평형	힘의 평형	과 같다

93 하 중 상

그림은 물체 A, B가 실 p, q에 연결되어 천장에 매달려 정지해 있는 모습을 나타낸 것이다.

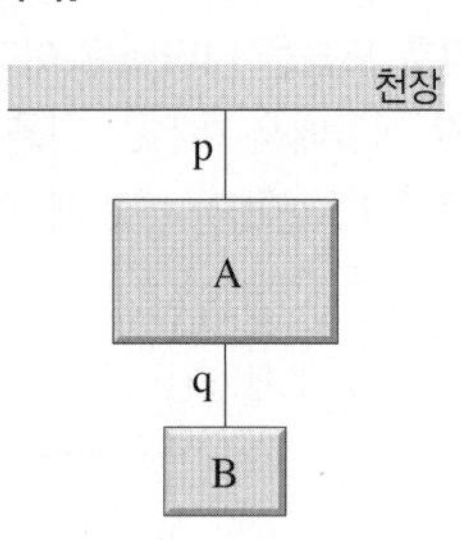

이에 대한 설명으로 옳은 것만을 〈보기〉에서 있는 대로 고른 것은? (단, 실의 질량은 무시한다.)

〈 보기 〉
ㄱ. p가 A를 당기는 힘의 크기와 q가 B를 당기는 힘의 크기는 같다.
ㄴ. q가 B를 당기는 힘의 크기와 B가 q를 당기는 힘의 크기는 같다.
ㄷ. A가 q를 당기는 힘과 B가 q를 당기는 힘은 평형 관계이다.

① ㄱ ② ㄴ ③ ㄱ, ㄷ
④ ㄴ, ㄷ ⑤ ㄱ, ㄴ, ㄷ

94 하 중 상

그림과 같이 수평면에서 스케이트보드를 타는 철수가 등속 직선 운동을 하고 있다.

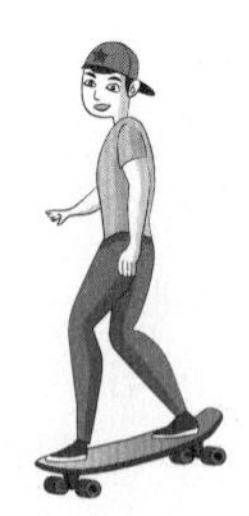

이에 대한 설명으로 옳은 것만을 〈보기〉에서 있는 대로 고른 것은?

〈 보기 〉
ㄱ. 철수에게 작용하는 알짜힘은 0이다.
ㄴ. 철수에게 작용하는 중력과 스케이트보드가 철수를 떠받치는 힘은 작용 반작용 관계이다.
ㄷ. 수평면이 스케이트보드를 떠받치는 힘의 크기는 철수가 스케이트보드를 누르는 힘의 크기와 같다.

① ㄱ ② ㄴ ③ ㄱ, ㄷ
④ ㄴ, ㄷ ⑤ ㄱ, ㄴ, ㄷ

95 하 중 상

그림은 마찰이 없는 수평면 위에 자석 A, B가 벽과 연결된 실 p, q에 의해 정지해 있는 모습을 나타낸 것이다. 질량은 A가 B보다 크다.

이에 대한 설명으로 옳은 것만을 〈보기〉에서 있는 대로 고른 것은? (단, 자기력은 A와 B 사이에서만 작용하고, 실의 질량은 무시한다.)

〈 보기 〉
ㄱ. A에 작용하는 알짜힘은 B에 작용하는 알짜힘보다 크다.
ㄴ. A가 B를 당기는 힘의 반작용은 B가 A를 당기는 힘이다.
ㄷ. p가 A를 당기는 힘의 크기는 q가 B를 당기는 힘의 크기보다 작다.

① ㄱ ② ㄴ ③ ㄱ, ㄷ
④ ㄴ, ㄷ ⑤ ㄱ, ㄴ, ㄷ

빈출

96 하 중 상

그림은 마찰이 없는 얼음판 위에서 영희와 철수가 마주 보고 서 있다가 서로 밀었을 때 두 사람의 속도를 시간에 따라 나타낸 것이다.

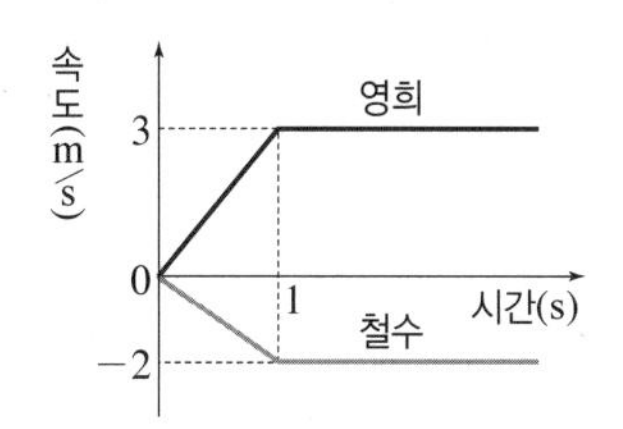

이에 대한 설명으로 옳은 것만을 〈보기〉에서 있는 대로 고른 것은?

〈 보기 〉
ㄱ. 0초부터 1초까지 철수보다 영희에게 더 큰 힘이 작용하였다.
ㄴ. 철수의 질량은 영희의 $\frac{3}{2}$배이다.
ㄷ. 1초 이후에는 두 사람에게 일정한 크기의 알짜힘이 작용한다.

① ㄱ ② ㄴ ③ ㄱ, ㄷ
④ ㄴ, ㄷ ⑤ ㄱ, ㄴ, ㄷ

97 하 중 상

그림 (가)는 저울 위에 놓인 나무 막대에 자석 A와 B를 다른 극끼리 마주 보게 하여 놓은 것을, (나)는 A와 B를 같은 극끼리 마주 보게 하였을 때 A가 정지한 상태로 떠 있는 모습을 나타낸 것이다. (가), (나)에서 저울로 측정한 무게는 w_1, w_2이다.

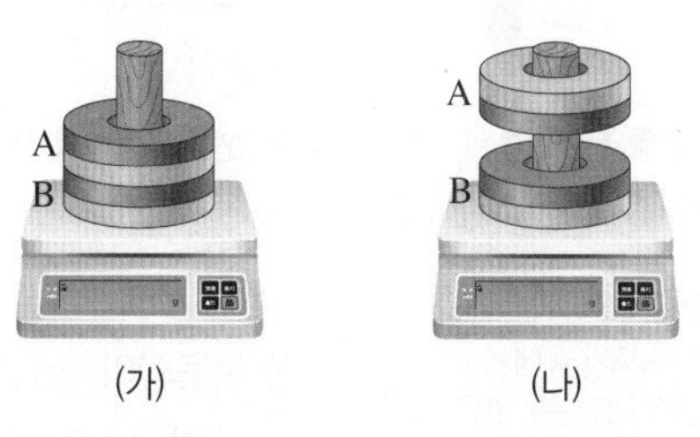

(가) (나)

이에 대한 설명으로 옳은 것만을 〈보기〉에서 있는 대로 고른 것은? (단, 자기력은 A와 B 사이에만 작용하며, 나무 막대와 자석 사이의 마찰은 무시한다.)

〈 보기 〉
ㄱ. (가)에서 B가 A를 떠받치는 힘의 크기는 A에 작용하는 중력과 자기력의 합과 같다.
ㄴ. (나)에서 A에 작용하는 중력과 B가 A에 작용하는 자기력은 작용 반작용 관계이다.
ㄷ. w_2는 w_1보다 크다.

① ㄱ ② ㄴ ③ ㄱ, ㄷ
④ ㄴ, ㄷ ⑤ ㄱ, ㄴ, ㄷ

98 하 중 상

그림은 질량이 같은 자석 A와 B가 수평면에 놓인 플라스틱 컵의 바닥면을 사이에 두고 정지해 있는 모습을 나타낸 것이다.
이에 대한 설명으로 옳은 것만을 〈보기〉에서 있는 대로 고른 것은?

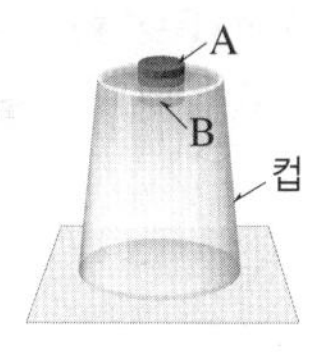

〈 보기 〉
ㄱ. A가 B에 작용하는 자기력과 B가 A에 작용하는 자기력은 힘의 평형 관계이다.
ㄴ. A가 컵을 누르는 힘의 크기는 B에 작용하는 중력의 크기보다 크다.
ㄷ. B를 제거하면 A가 컵을 누르는 힘의 크기는 A의 무게와 같다.

① ㄱ ② ㄴ ③ ㄱ, ㄷ
④ ㄴ, ㄷ ⑤ ㄱ, ㄴ, ㄷ

99 하 중 상

••서술형

작용 반작용 관계에 있는 힘과 힘의 평형 관계에 있는 힘의 차이점을 작용점을 중심으로 서술하시오.

운동량과 충격량

Ⓐ 운동량

1 운동량(p) 운동하는 물체의 운동 효과를 나타내는 양으로, ❶ ☐☐와 ❷ ☐☐을 가진 물리량이다.

① **운동량의 크기:** 물체의 질량과 속도에 ❸ ☐☐한다. → 질량이 클수록, 속도가 빠를수록 운동량이 크다.

운동량＝질량×속도, $p=mv$ [단위: kg·m/s]

② **운동량의 방향:** 속도의 방향과 같다. ➜ 직선상에서 어느 한쪽 방향의 운동량을 (＋)값으로 하면, 반대 방향의 운동량은 (－)값이 된다.

③ **운동량의 변화량(Δp):** '나중 운동량－처음 운동량'으로, 운동량이 변화한 정도이다.

④ **운동량-시간 그래프:** 그래프의 기울기는 $\frac{\text{운동량의 변화량}}{\text{시간}}=\frac{m\Delta v}{t}=ma=F$이므로 물체가 받은 ❹ ☐☐☐을 나타낸다.

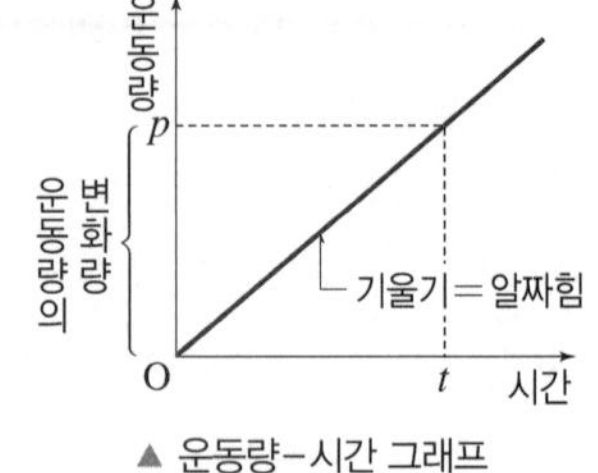

▲ 운동량-시간 그래프

기출 Tip Ⓐ-1

운동량 변화량(Δp)과 속도 변화량(Δv)

운동량 변화량이 Δp인 물체의 질량이 m이고, 속도가 v_0에서 v로 변할 때 물체의 운동량 변화량 $\Delta p=mv-mv_0=m(v-v_0)=m\Delta v$이므로 속도 변화량은 운동량 변화량에 비례한다.

2 운동량 보존 법칙 두 물체가 충돌할 때 두 물체 사이의 상호 작용 외의 외력이 작용하지 않으면 충돌 전과 충돌 후 운동량의 총합은 항상 ❺ ☐☐.

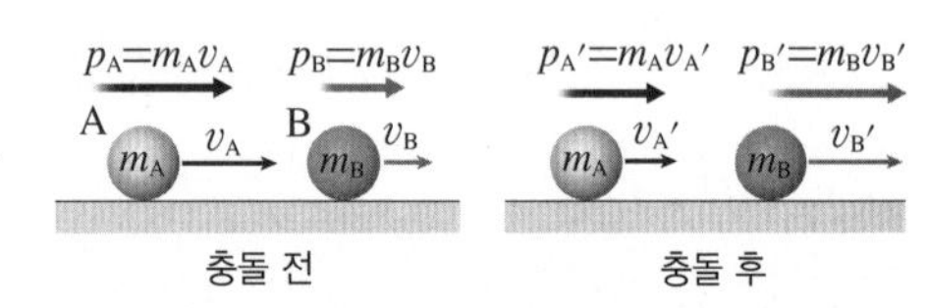

충돌 전 운동량의 합＝충돌 후 운동량의 합, $m_Av_A+m_Bv_B=m_Av_A'+m_Bv_B'$

(운동량 보존 법칙의 성립)

• 압축된 용수철을 사이에 두고 정지해 있다가 분리되어 각각 v_1, v_2의 속도로 운동하는 경우

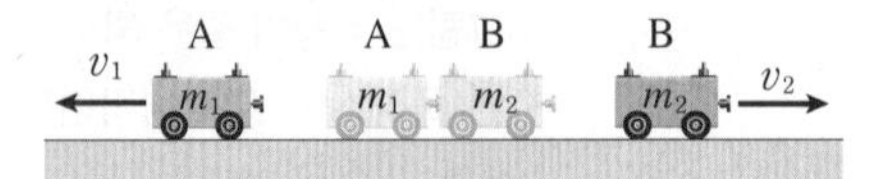

분리 전 A, B의 운동량의 합은 ❻ ☐이므로 분리 후 A, B의 운동량의 합도 0이다.

$$m_1v_1+m_2v_2=0 \Rightarrow m_1v_1=-m_2v_2$$

• 각각 v_1, v_2의 속도로 운동하다가 하나로 합쳐져 v의 속도로 운동하는 경우

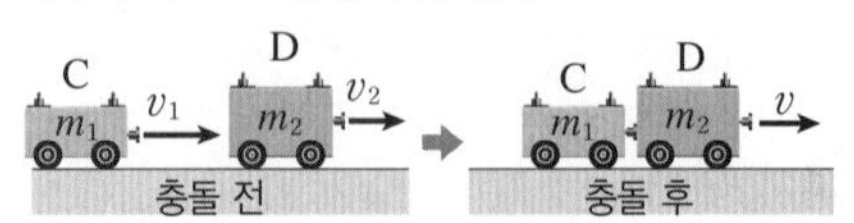

충돌 후 합쳐진 C, D의 질량은 m_1+m_2이다.

$$m_1v_1+m_2v_2=(m_1+m_2)v$$

$$\Rightarrow v=\frac{m_1v_1+m_2v_2}{m_1+m_2}$$

기출 Tip Ⓐ-2

완전 탄성 충돌

운동량과 운동 에너지가 보존되는 충돌로, 두 물체의 질량이 같으면 충돌 전과 후에 속도가 서로 교환된다.

비탄성 충돌

운동량은 보존되고, 운동 에너지는 보존되지 않는다.

완전 비탄성 충돌

충돌 후 물체가 붙어서 함께 운동하는 경우로, 운동량은 보존되고, 운동 에너지는 보존되지 않는다.

Ⓑ 충격량

1 충격량(I) 물체가 받은 충격의 정도를 나타내는 양으로, 크기와 방향을 가진 물리량이다.

① **충격량의 크기:** 충돌하는 동안 물체에 작용한 ❼ ☐의 크기와 힘이 작용한 시간에 비례한다.

충격량＝힘×시간, $I=F\Delta t$ [단위: N·s, kg·m/s]

② **충격량의 방향:** ❽ ☐의 방향과 같다.

③ **힘-시간 그래프:** 힘-시간 그래프와 시간축 사이의 넓이는 힘×시간이므로 충격량의 크기를 나타낸다.

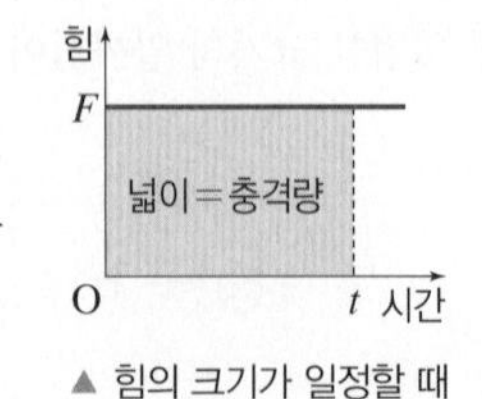

▲ 힘의 크기가 일정할 때

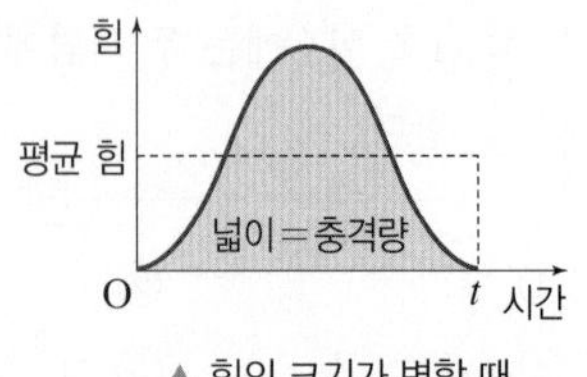

▲ 힘의 크기가 변할 때

기출 Tip Ⓑ-1

질량이 다른 두 물체가 서로 충돌했을 때 충격량

작용 반작용 법칙에 따라 두 물체가 서로 충돌할 때 주고받는 힘의 크기와 힘이 작용한 시간은 서로 같다. 따라서 질량이 다른 두 물체가 서로 충돌할 때도 두 물체가 받는 충격량의 크기는 같다.

2 운동량과 충격량의 관계 물체가 받은 충격량은 물체의 운동량의 ❾☐☐☐과 같다.

충격량=운동량의 변화량=나중 운동량−처음 운동량, $I=F\Delta t$

(운동량과 충격량의 관계)

질량이 m인 물체가 속도 v_1로 운동하고 있을 때 일정한 크기의 힘 F가 시간 Δt 동안 운동 방향으로 작용하여 물체의 속도가 v_2로 변하였다.

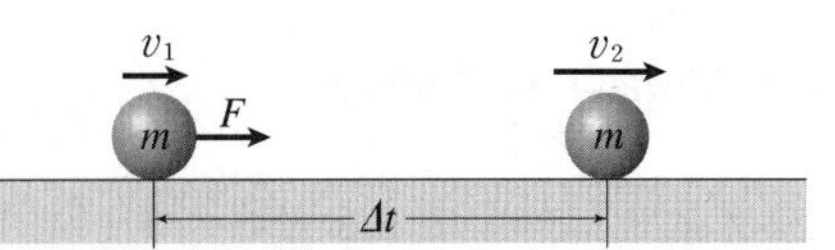

물체에 작용한 힘 $F=ma=m\frac{v_2-v_1}{\Delta t}=m\frac{\Delta v}{\Delta t}$이므로, 충격량 $I=F\Delta t=m\Delta v=\Delta p$이다.

기출 Tip B-2

운동량−시간 그래프와 충격량

충격량은 운동량의 변화량이므로 운동량−시간 그래프에서 y축 변화량(운동량의 변화량)은 충격량을 나타낸다.

C 충돌과 충격 완화

1 충격력 물체가 충돌할 때 받는 ❿☐☐ ☐

① 충격력의 크기: 물체가 받은 충격량에 비례하고, 힘을 받은 시간에 반비례한다. ─ 단위 시간 동안 운동량의 변화량

$$충격력=\frac{충격량}{충돌\ 시간}=\frac{운동량의\ 변화량}{충돌\ 시간},\ F=\frac{I}{\Delta t}=\frac{\Delta p}{\Delta t}$$

② 충격력과 충돌 시간: 충격량이 같을 때 충돌 시간이 짧을수록 충격력이 커지고, 충돌 시간이 길수록 충격력이 ⓫☐☐진다.

(충격력과 충돌 시간의 관계)

다음은 동일한 두 달걀을 같은 높이에서 A와 B에 각각 떨어뜨린 모습과 이때 달걀이 받은 힘의 변화를 시간에 따라 나타낸 것이다.

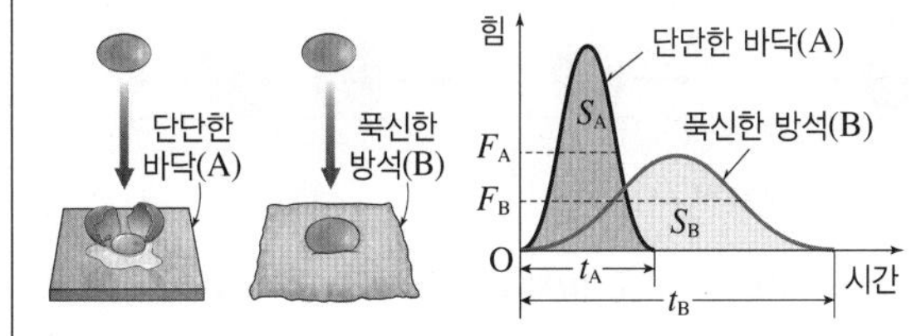

- 충격량(운동량의 변화량): A=B
- 그래프 아랫부분의 넓이: A=B($S_A=S_B$)
- 힘(충격력)을 받는 시간: A<B($t_A<t_B$)
- 충격력(평균 힘): A>B($F_A>F_B$)

➡ 힘을 받는 시간이 길수록 충격이 완화된다.

2 충돌 시간을 길게 해서 충격력을 줄이는 예 사람의 안전과 물체의 보전을 위해서 힘을 받는 시간을 ⓬☐☐ 해서 충격력을 줄인다.

- 자전거를 탈 때 안전모를 착용한다.
- 자동차에 에어백을 설치한다.
- 번지 점프를 할 때 잘 늘어나는 줄을 사용한다.
- 자동차의 범퍼는 쉽게 찌그러지도록 만든다.

기출 Tip C-1

충돌 시간을 길게 해서 충격량을 늘리는 예

- 대포의 포신을 길게 만든다.
- 야구공을 멀리 보내기 위해 야구 방망이를 끝까지 휘두른다.

기출 Tip C-2

충돌 시간을 길게 해서 충격력을 줄이는 예

- 야구 선수가 공을 받을 때 손을 뒤로 빼면서 받는다.
- 배의 몸체에 타이어를 붙인다.

답 ❶ 크기 ❷ 방향 ❸ 비례 ❹ 알짜힘 ❺ 같다 ❻ 0 ❼ 힘 ❽ 힘 ❾ 변화량 ❿ 평균 힘 ⓫ 작아 ⓬ 길게

빈출 자료 보기

정답과 해설 14쪽

100 그림 (가)는 수평면에서 물체 A가 정지해 있는 물체 B를 향해 등속 직선 운동을 하는 모습을 나타낸 것이고, (나)는 A와 B의 위치 x를 시간에 따라 나타낸 것이다. A, B의 질량은 각각 m_A, m_B이다.

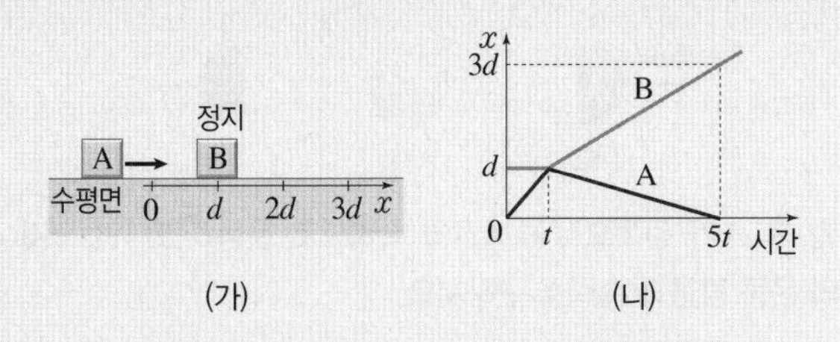

(가) (나)

이에 대한 설명으로 옳은 것은 ○, 옳지 않은 것은 ×로 표시하시오.

(1) 충돌 전 A의 운동량은 $m_A\frac{d}{t}$이다. ( )

(2) 충돌하는 동안 B가 받은 충격량은 $\frac{d}{2t}$이다. ( )

(3) 충돌 후 A와 B의 운동량의 합은 $m_A\frac{d}{t}$이다. ( )

(4) 충돌 전 A의 운동량은 충돌 후 A의 운동량과 크기가 같다. ( )

A 운동량

운동량

101 하 중 상

질량이 200 g인 물체가 5 m/s의 속력으로 운동한다. 이 물체의 운동량의 크기는?

① 0.7 kg·m/s ② 1 kg·m/s ③ 5 kg·m/s
④ 200 kg·m/s ⑤ 1000 kg·m/s

102 하 중 상

그림은 직선상에서 운동하는 질량이 2 kg인 물체의 운동량을 시간에 따라 나타낸 것이다.

이에 대한 설명으로 옳은 것만을 〈보기〉에서 있는 대로 고른 것은?

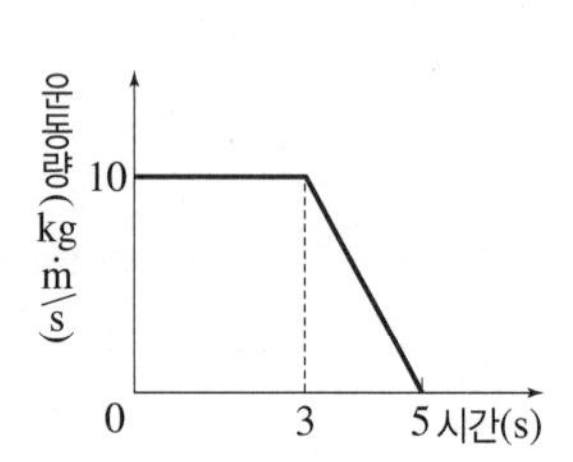

〈 보기 〉
ㄱ. 0초부터 3초까지 물체에 알짜힘이 작용한다.
ㄴ. 0초부터 5초까지 물체가 이동한 거리는 20 m이다.
ㄷ. 3초부터 5초까지 물체에 작용한 알짜힘의 크기는 5 N이다.

① ㄱ ② ㄷ ③ ㄱ, ㄴ
④ ㄴ, ㄷ ⑤ ㄱ, ㄴ, ㄷ

103 하 중 상

그림 (가)는 마찰이 없는 수평면에 놓인 물체 A, B가 서로 접촉한 상태에서 크기가 F인 힘을 A에 수평 방향으로 작용하는 모습을 나타낸 것이고, (나)는 A에 힘이 작용한 순간부터 A의 운동량을 시간에 따라 나타낸 것이다. A, B의 질량은 각각 2 kg, 1 kg이다.

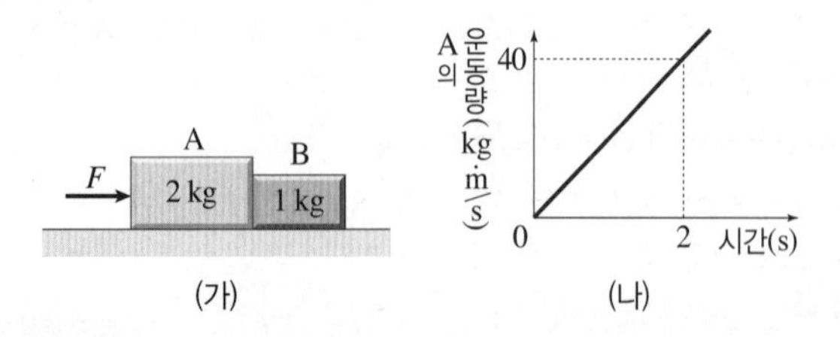

0초부터 2초까지 A, B의 운동에 대한 설명으로 옳은 것만을 〈보기〉에서 있는 대로 고른 것은?

〈 보기 〉
ㄱ. A의 가속도의 크기는 10 m/s^{2}이다.
ㄴ. B에 작용한 알짜힘의 크기는 10 N이다.
ㄷ. F=20 N이다.

① ㄱ ② ㄷ ③ ㄱ, ㄴ
④ ㄴ, ㄷ ⑤ ㄱ, ㄴ, ㄷ

운동량 보존 법칙

104 하 중 상

다음은 정지 상태에서 사격을 할 때의 설명이다. 총에서 총알이 발사될 때에 대한 설명으로 옳지 않은 것은?

총알이 발사되기 전 총과 총알의 ① 운동량의 합은 0이다. 총알이 발사되기 전 운동량의 합이 0이므로 총알이 발사된 후에도 ② 운동량의 합이 0이다. 따라서 총알이 발사되는 방향과 ③ 같은 방향으로 총이 움직인다. 이때 ④ 총의 질량이 총알의 질량보다 훨씬 크기 때문에 총알에 비해 ⑤ 총은 느리게 움직인다.

105 하 중 상

그림은 질량이 3 kg인 공 A와 질량이 4 kg인 공 B가 서로 반대 방향으로 운동하여 충돌하는 모습을 나타낸 것이다. 충돌 전 A, B의 속력은 각각 10 m/s, 5 m/s이다.

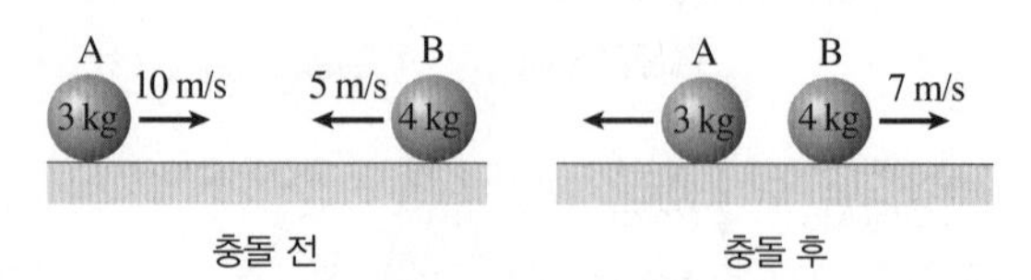

충돌 후 B가 오른쪽으로 7 m/s의 속력으로 운동하였다면, 충돌 후 A의 속력을 구하시오.

106 하 중 상

그림은 정지해 있던 질량이 5 kg인 물체가 폭발하여 질량이 각각 2 kg, 3 kg인 A와 B로 분리되는 모습을 나타낸 것이다.

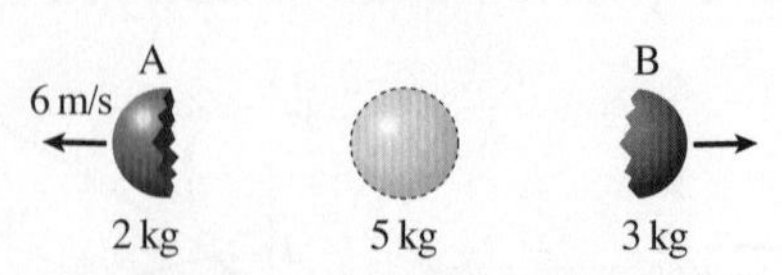

폭발 후 A가 왼쪽으로 6 m/s의 속력으로 운동하였다면, 폭발 후 B의 운동 방향과 속력을 구하시오.

107 하 중 상

그림은 수평한 실험대에 놓여 있는 수레 A와 B 사이의 용수철을 압축시키고 실을 연결한 뒤 실을 끊어 두 수레가 분리되는 순간의 모습을 나타낸 것이다. 실을 끊은 후 A, B는 양쪽 수레 멈춤대에 동시에 도달하였다. A, B가 수레 멈춤대까지 이동한 거리는 각각 $2d$, d이다.

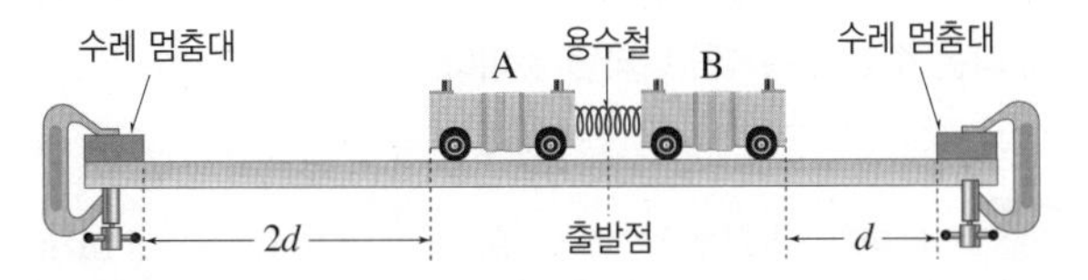

이에 대한 설명으로 옳은 것만을 〈보기〉에서 있는 대로 고른 것은? (단, 용수철과 실의 질량, 공기 저항과 모든 마찰은 무시한다.)

〈 보기 〉
ㄱ. 용수철이 A에 작용하는 힘의 크기는 용수철이 B에 작용하는 힘의 크기와 같다.
ㄴ. A와 B의 질량의 비는 1 : 2이다.
ㄷ. 분리된 후 A와 B의 속력의 비는 1 : 2이다.
ㄹ. 수레 멈춤대에 도달하기 직전 운동량의 크기는 A가 B보다 크다.

① ㄱ, ㄴ ② ㄴ, ㄹ ③ ㄷ, ㄹ
④ ㄱ, ㄴ, ㄷ ⑤ ㄱ, ㄷ, ㄹ

108 하 중 상

그림은 마찰이 없는 수평면 위에서 물체 A가 정지해 있는 물체 B를 향해 운동하여 충돌하기 전과 후의 모습을 나타낸 것이다. A, B의 질량은 같고, 충돌 전 A의 속력은 8 m/s이다. A는 충돌 후 정지하였다.

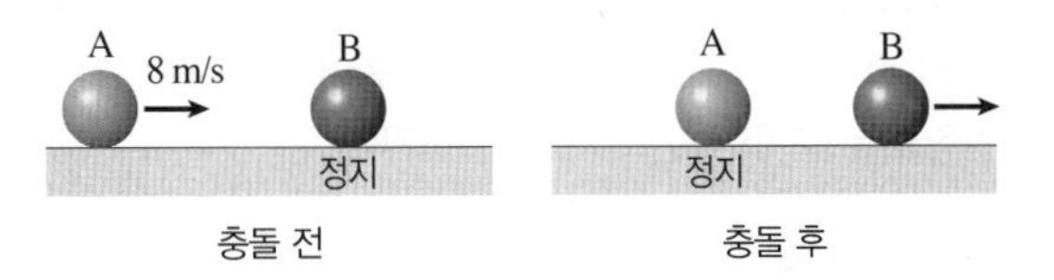

이에 대한 설명으로 옳은 것만을 〈보기〉에서 있는 대로 고른 것은? (단, 충돌 전후 동일 직선상에 있고, 물체의 크기와 공기 저항은 무시한다.)

〈 보기 〉
ㄱ. 충돌 후 B의 속력은 4 m/s이다.
ㄴ. 충돌 전 A, B의 운동량의 합은 충돌 후 A, B의 운동량의 합과 같다.
ㄷ. 충돌하는 동안 A가 B에 작용한 힘의 크기는 B가 A에 작용한 힘의 크기와 같다.

① ㄱ ② ㄷ ③ ㄱ, ㄴ
④ ㄴ, ㄷ ⑤ ㄱ, ㄴ, ㄷ

109 하 중 상

그림은 질량이 1 kg인 찰흙이 3 m/s의 속력으로 날아와 정지해 있는 질량이 2 kg인 수레와 한 덩어리가 되어 운동하는 모습을 나타낸 것이다.

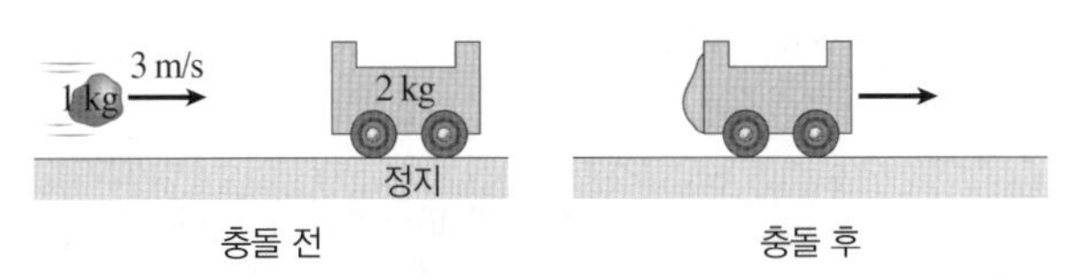

이에 대한 설명으로 옳은 것만을 〈보기〉에서 있는 대로 고른 것은? (단, 모든 마찰과 공기 저항은 무시한다.)

〈 보기 〉
ㄱ. 충돌 전 찰흙의 운동량은 2 kg·m/s이다.
ㄴ. 충돌 후 찰흙과 수레의 속력은 1 m/s이다.
ㄷ. 충돌 전후에 두 물체의 운동 에너지의 합은 보존되지 않는다.

① ㄱ ② ㄷ ③ ㄱ, ㄴ
④ ㄴ, ㄷ ⑤ ㄱ, ㄴ, ㄷ

110 하 중 상

그림 (가)는 수평면에서 물체 A, B가 같은 방향으로 등속 직선 운동을 하는 모습을 나타낸 것이고, (나)는 A와 B 사이의 거리 x를 시간에 따라 나타낸 것이다. A와 B의 질량은 각각 1 kg, 2 kg이고, A와 B가 충돌하기 전 A의 속력은 4 m/s이다.

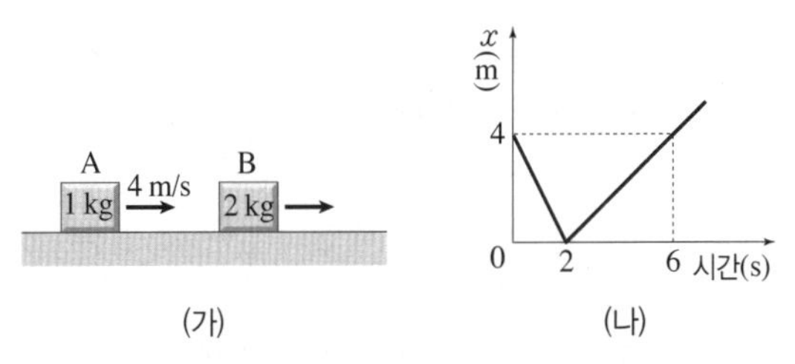

4초일 때 B의 속력은? (단, A, B는 충돌 전후 동일 직선상에 있으며, 물체의 크기는 무시한다.)

① 2 m/s ② 3 m/s ③ 4 m/s
④ 6 m/s ⑤ 8 m/s

111 하/중/상 ••서술형

그림 (가)는 물체 A가 3 m/s의 속력으로 정지해 있는 물체 B, C를 향해 운동하는 모습을 나타낸 것이고, (나)는 충돌 전후 물체 A, B, C의 위치를 시간에 따라 나타낸 것이다. 충돌 전 질량이 2 kg인 C는 B에 접촉하여 정지해 있었다.

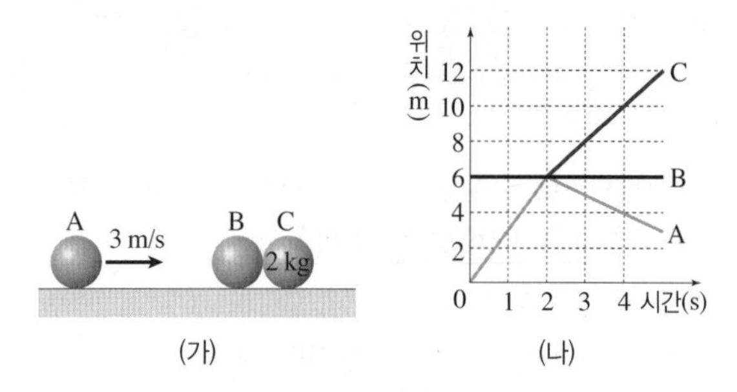

(가) (나)

A의 질량을 풀이 과정과 함께 구하시오.

112 하/중/상

그림 (가)는 일직선상에서 물체 A가 물체 B를 향해 운동하는 모습을 나타낸 것이고, (나)는 A와 B의 위치를 시간에 따라 나타낸 것이다.

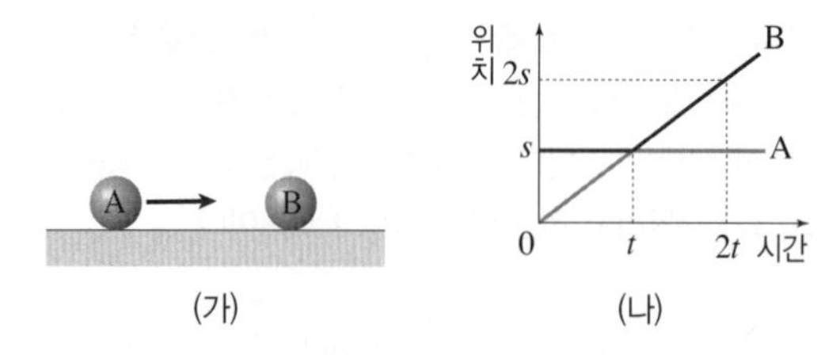

(가) (나)

이에 대한 설명으로 옳은 것만을 〈보기〉에서 있는 대로 고른 것은?

〈 보기 〉

ㄱ. 충돌 전 A의 운동량은 충돌 후 B의 운동량과 같다.

ㄴ. A와 B의 질량은 같다.

ㄷ. 충돌 전 A의 운동 에너지와 충돌 후 B의 운동 에너지는 같다.

① ㄱ ② ㄷ ③ ㄱ, ㄴ

④ ㄴ, ㄷ ⑤ ㄱ, ㄴ, ㄷ

B 충격량

운동량과 충격량

113 하/중/상

그림은 빨대 속에 정지해 있는 발사체를 불어서 발사시키는 모습을 나타낸 것이고, 표는 발사체 A, B, C의 질량과 각 발사체가 빨대를 빠져 나온 순간의 속력을 나타낸 것이다.

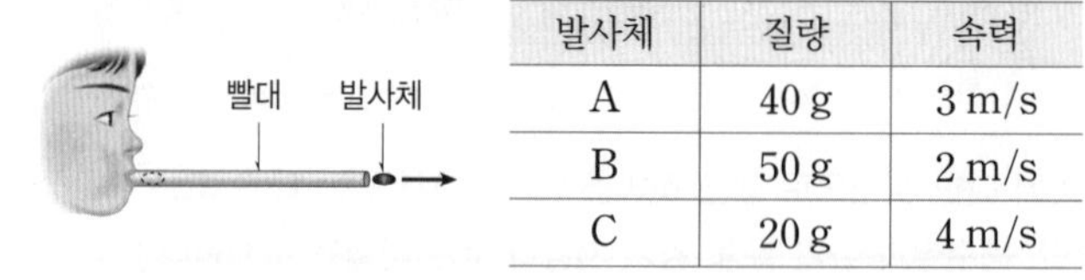

발사체	질량	속력
A	40 g	3 m/s
B	50 g	2 m/s
C	20 g	4 m/s

A, B, C가 빨대 속에서 받은 충격량의 크기 I_A, I_B, I_C를 각각 구하시오.

114 하/중/상 (빈출)

그림과 같이 중력이 없는 우주 공간에서 정지해 있던 A가 정지해 있는 B를 향해 오른쪽으로 질량이 20 kg인 물체를 던지자 물체는 20 m를 일정한 속도로 날아가 5초 후 B에게 도달하였다.

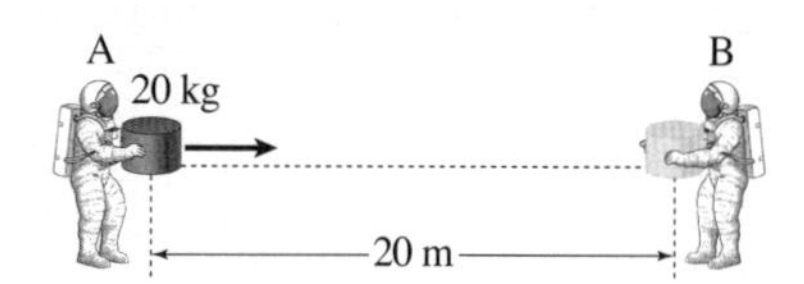

물체를 던지는 동안 A가 물체로부터 받은 충격량의 방향과 크기를 구하시오.

115 하/중/상 (빈출)

그림은 투수가 던진 질량이 0.2 kg인 야구공을 타자가 방망이로 치는 모습을 나타낸 것이다. 투수가 던진 야구공은 수평 방향으로 35 m/s의 속력으로 날아갔고, 타자가 방망이로 친 직후 야구공은 반대 방향으로 50 m/s의 속력으로 날아간다.

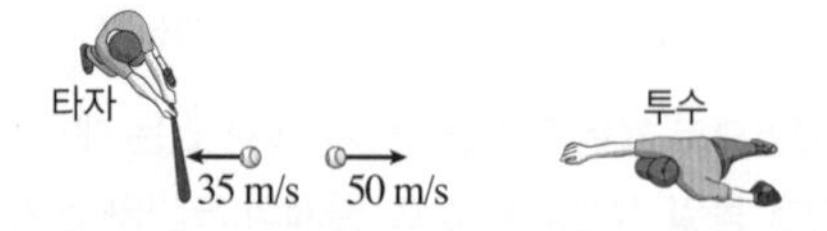

이에 대한 설명으로 옳은 것만을 〈보기〉에서 있는 대로 고른 것은?

〈 보기 〉

ㄱ. 투수가 야구공을 빠르게 던질수록 공의 운동량은 커진다.

ㄴ. 야구공의 운동량 변화량은 야구공이 받은 충격량의 크기보다 크다.

ㄷ. 방망이로 친 야구공이 방망이로부터 받은 충격량의 크기는 17 N·s이다.

① ㄱ ② ㄴ ③ ㄱ, ㄷ

④ ㄴ, ㄷ ⑤ ㄱ, ㄴ, ㄷ

116 하중상

그림은 마찰이 없는 수평면 위에 놓인 질량이 3 kg인 공에 크기가 F인 일정한 힘이 작용하여 공의 속도가 0초일 때 2 m/s에서 2초일 때 4 m/s로 증가한 모습을 나타낸 것이다.

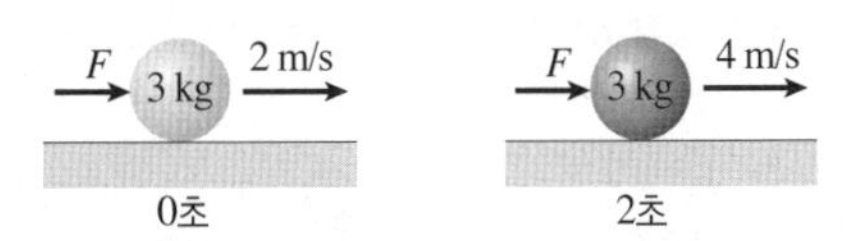

이에 대한 설명으로 옳은 것만을 〈보기〉에서 있는 대로 고른 것은?

〈 보기 〉
ㄱ. 0초일 때 공의 운동량의 크기는 6 kg·m/s이다.
ㄴ. $F=3$ N이다.
ㄷ. 0초부터 2초까지 공에 작용한 충격량의 크기는 12 N·s이다.
ㄹ. 운동량은 충격량과 단위가 같다.

① ㄱ, ㄷ ② ㄴ, ㄹ ③ ㄷ, ㄹ
④ ㄱ, ㄴ, ㄷ ⑤ ㄱ, ㄴ, ㄹ

117 하중상

그림은 마찰이 없는 직선상에서 질량이 1 kg인 물체 A는 오른쪽으로 3 m/s의 속력으로 움직이고, 질량이 2 kg인 물체 B는 왼쪽으로 2 m/s의 속력으로 움직이다가 정면 충돌하는 모습을 나타낸 것이다. 충돌 후 A는 왼쪽으로 3 m/s의 속력으로 움직이고, B는 오른쪽으로 v의 속력으로 움직인다.

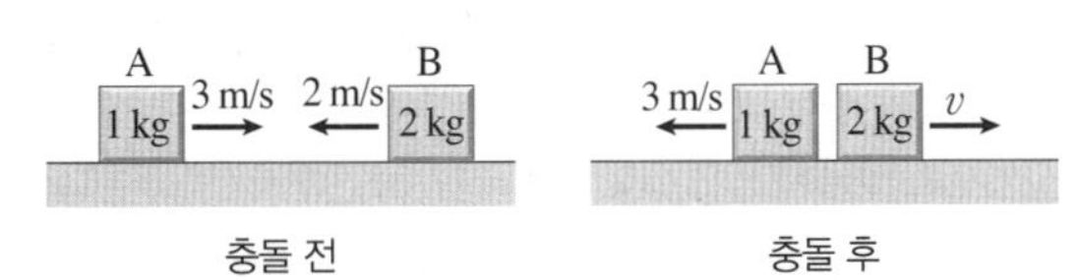

이에 대한 설명으로 옳은 것만을 〈보기〉에서 있는 대로 고른 것은?

〈 보기 〉
ㄱ. $v=1$ m/s이다.
ㄴ. 충돌 후 A, B의 운동량 합의 크기는 5 kg·m/s이다.
ㄷ. A가 B로부터 받은 충격량의 크기는 3 N·s이다.

① ㄱ ② ㄷ ③ ㄱ, ㄴ
④ ㄴ, ㄷ ⑤ ㄱ, ㄴ, ㄷ

118 하중상

그림은 질량이 2 kg인 공을 80 m 높이에서 가만히 놓아 지면으로 떨어뜨렸더니 지면에 충돌한 직후 15 m/s의 속력으로 튀어오르는 모습을 나타낸 것이다.

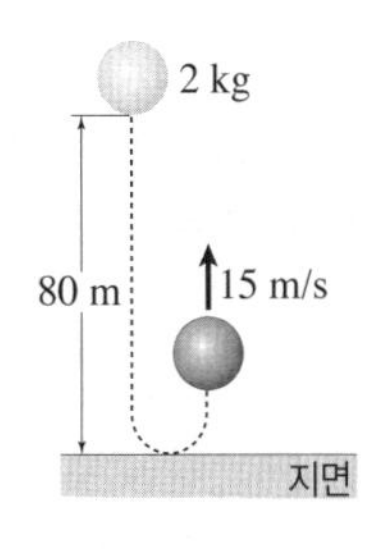

이에 대한 설명으로 옳지 않은 것은? (단, 중력 가속도는 10 m/s^{2}이고, 공기 저항은 무시한다.)

① 지면에 충돌하기 직전 공의 속력은 40 m/s이다.
② 지면에 충돌하기 직전 공의 운동량의 크기는 80 kg·m/s이다.
③ 지면과 충돌한 직후 공의 운동량의 크기는 30 kg·m/s이다.
④ 지면이 공으로부터 받은 충격량의 크기는 50 N·s이다.
⑤ 공이 지면으로부터 받은 충격량의 방향과 공에 작용하는 중력의 방향은 서로 반대이다.

그래프로 본 운동량과 충격량

119 하중상

그림은 수평면에서 정지해 있던 질량이 2 kg인 물체에 수평 방향으로 작용하는 힘을 시간에 따라 나타낸 것이다.

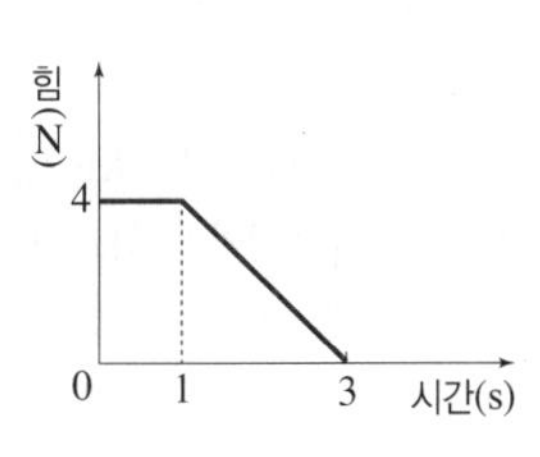

3초 동안 물체가 받은 충격량의 크기를 구하시오.

120 하중상

그림은 질량이 1 kg인 물체의 운동량을 시간에 따라 나타낸 것이다. 이에 대한 설명으로 옳지 않은 것은?

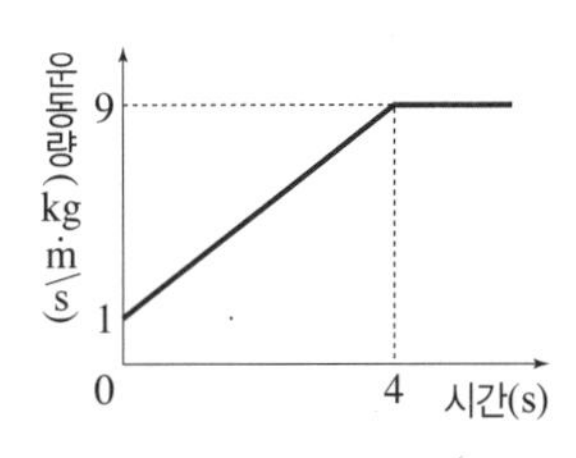

① 0초부터 4초까지 물체가 이동한 거리는 20 m이다.
② 0초부터 4초까지 물체의 가속도의 크기는 2 m/s^{2}이다.
③ 0초부터 4초까지 물체가 받은 충격량의 크기는 8 N·s이다.
④ 4초일 때 물체의 속력은 9 m/s이다.
⑤ 4초 이후에는 물체에 일정한 크기의 힘이 작용한다.

121 (하)(중)(상)

그림 (가)는 철수가 점 P에 있던 공을 차서 공이 벽에 부딪쳐 되돌아오는 모습을 나타낸 것이고, (나)는 공이 운동하기 시작한 순간부터 공의 속도를 시간에 따라 나타낸 것이다. 공의 질량은 m이다.

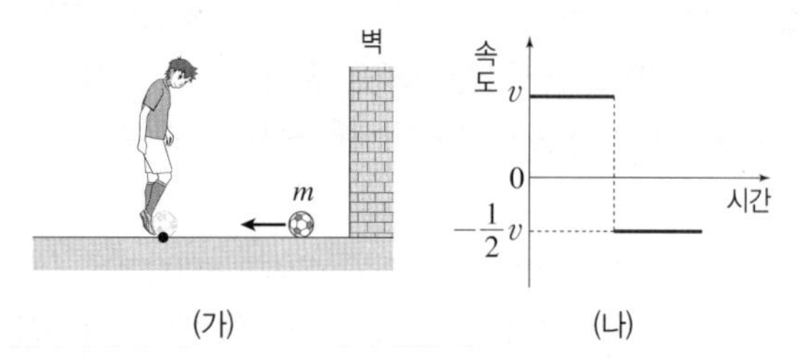

이에 대한 설명으로 옳은 것만을 〈보기〉에서 있는 대로 고른 것은? (단, 공은 벽과 수직인 동일 직선상에서 운동하며, 공의 크기는 무시한다.)

〈 보기 〉

ㄱ. 공의 운동량의 크기는 충돌 전이 충돌 후보다 크다.
ㄴ. 공의 운동량 변화량은 공이 받은 충격량과 같다.
ㄷ. 공이 벽으로부터 받은 충격량의 크기는 $\frac{1}{2}mv$이다.

① ㄱ ② ㄷ ③ ㄱ, ㄴ
④ ㄴ, ㄷ ⑤ ㄱ, ㄴ, ㄷ

122 (하)(중)(상)

그림 (가)는 질량이 2 kg인 물체가 마찰이 없는 빗면을 내려와 마찰이 없는 수평면을 통과한 후 마찰이 있는 수평면을 지나다 정지하는 모습을 나타낸 것이고, (나)는 물체를 빗면 위에 놓는 순간부터 물체의 속도를 시간에 따라 나타낸 것이다.

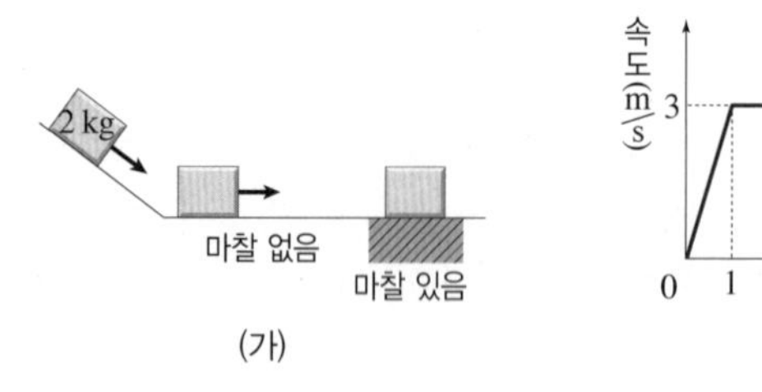

물체의 운동에 대한 설명으로 옳은 것만을 〈보기〉에서 있는 대로 고른 것은?

〈 보기 〉

ㄱ. 2초일 때 운동량의 크기는 6 kg·m/s이다.
ㄴ. 3초부터 5초까지 물체가 받은 충격량의 크기는 6 N·s이다.
ㄷ. 0초부터 1초까지 물체가 받은 충격량의 크기는 3초부터 5초까지 물체가 받은 충격량의 크기의 $\frac{1}{3}$배이다.
ㄹ. 마찰력의 크기는 3 N이다.

① ㄱ, ㄷ ② ㄴ, ㄹ ③ ㄷ, ㄹ
④ ㄱ, ㄴ, ㄷ ⑤ ㄱ, ㄴ, ㄹ

빈출 123 (하)(중)(상)

그림 (가)는 마찰이 없는 수평면에서 물체 A가 정지해 있는 B를 향해 $4v$의 속력으로 운동하는 모습을 나타낸 것이고, (나)는 A와 B가 충돌할 때 A에 작용하는 힘의 크기를 시간에 따라 나타낸 것이다. A와 B의 질량은 각각 m, $3m$이고, 그래프와 시간축 사이의 넓이는 $6mv$이다.

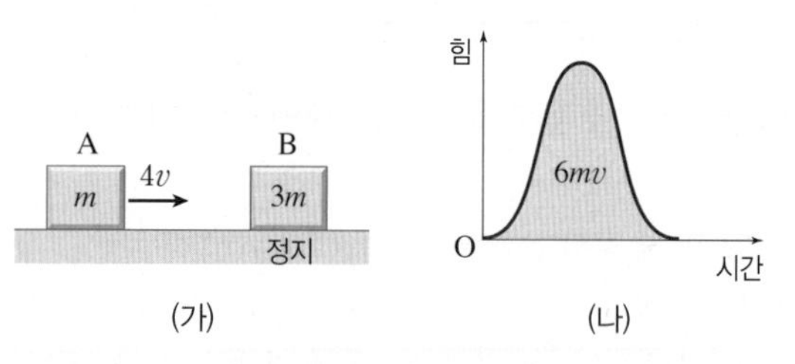

이에 대한 설명으로 옳은 것만을 〈보기〉에서 있는 대로 고른 것은? (단, A와 B는 충돌 전후 동일 직선상에 있다.)

〈 보기 〉

ㄱ. 충돌 전 A의 운동량은 $4mv$이다.
ㄴ. 충돌 과정에서 B가 받은 충격량의 크기는 $10mv$이다.
ㄷ. 충돌 후 A의 운동 방향은 충돌 전과 반대 방향이다.
ㄹ. 충돌 후 B의 속력은 $2v$이다.

① ㄱ, ㄴ ② ㄴ, ㄹ ③ ㄷ, ㄹ
④ ㄱ, ㄴ, ㄷ ⑤ ㄱ, ㄷ, ㄹ

124 (하)(중)(상)

그림 (가)는 마찰이 없는 수평면에서 물체 A와 B가 서로 반대 방향으로 등속 직선 운동을 하는 모습을 나타낸 것이고, (나)는 A와 B의 운동량을 시간에 따라 나타낸 것이다. A와 B의 질량 비는 1 : 2이고, A와 B는 시간 t일 때 서로 정면 충돌을 한다.

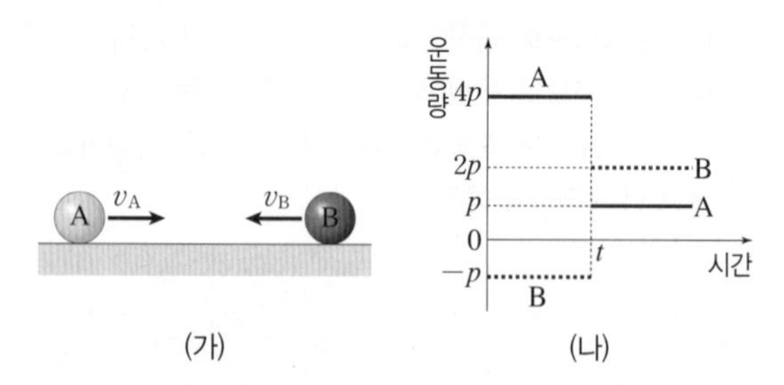

이에 대한 설명으로 옳은 것만을 〈보기〉에서 있는 대로 고른 것은?

〈 보기 〉

ㄱ. 충돌 전 속력은 A가 B의 2배이다.
ㄴ. 충돌 후 A와 B는 한 덩어리가 되어 운동한다.
ㄷ. 충돌하는 동안 A가 받은 충격량의 크기는 B가 받은 충격량의 크기의 2배이다.

① ㄱ ② ㄴ ③ ㄱ, ㄷ
④ ㄴ, ㄷ ⑤ ㄱ, ㄴ, ㄷ

125 하 중 상

그림 (가)는 동일 직선상에서 같은 방향으로 운동하는 A와 B의 모습을 나타낸 것이고, (나)는 A와 B의 위치를 시간에 따라 나타낸 것이다.

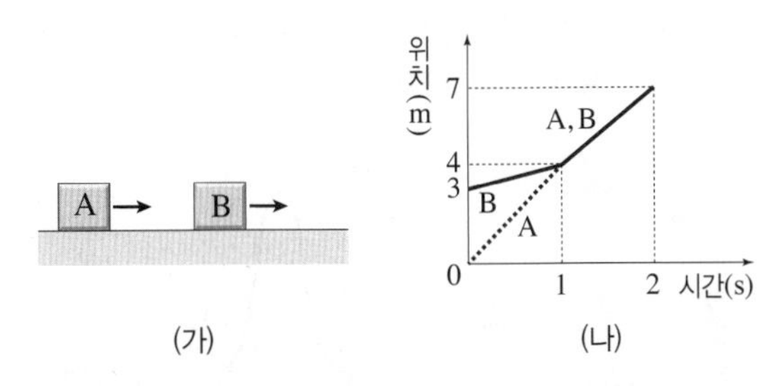

(가) (나)

이에 대한 설명으로 옳은 것만을 <보기>에서 있는 대로 고른 것은? (단, 물체의 크기, 마찰과 공기 저항은 무시한다.)

<보기>
ㄱ. 질량은 A가 B의 2배이다.
ㄴ. 충돌 전 운동량의 크기는 A가 B의 2배이다.
ㄷ. 충돌하는 동안 A가 받은 충격량의 크기는 B가 받은 충격량의 크기보다 크다.

① ㄱ ② ㄷ ③ ㄱ, ㄴ
④ ㄴ, ㄷ ⑤ ㄱ, ㄴ, ㄷ

126 하 중 상

그림 (가)는 마찰이 없는 수평면에 정지해 있던 질량이 $2m$, m인 물체 A, B에 각각 힘 F_A, F_B를 수평 방향으로 작용하는 모습을 나타낸 것이고, (나)는 A, B에 작용하는 힘의 크기를 시간에 따라 나타낸 것이다.

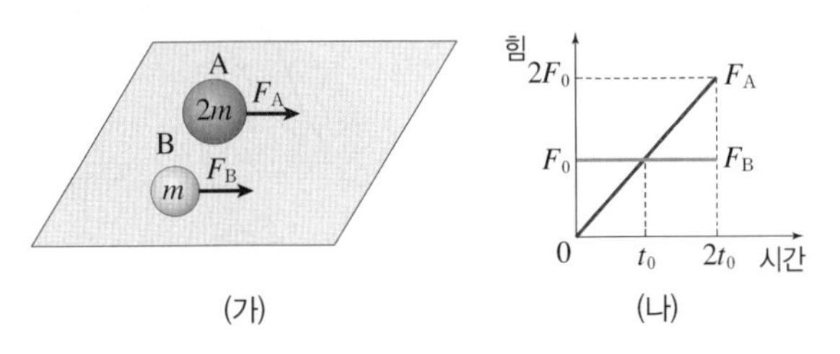

(가) (나)

이에 대한 설명으로 옳은 것만을 <보기>에서 있는 대로 고른 것은?

<보기>
ㄱ. 0부터 t_0까지 물체가 받은 충격량의 크기는 A와 B가 같다.
ㄴ. t_0일 때 A의 속력은 $\frac{F_0 t_0}{4m}$이다.
ㄷ. 0부터 $2t_0$까지 A와 B의 속도 변화량은 같다.

① ㄱ ② ㄴ ③ ㄱ, ㄷ
④ ㄴ, ㄷ ⑤ ㄱ, ㄴ, ㄷ

C 충돌과 충격 완화

충격력

127 하 중 상

多 보기

충격량과 충격력에 대한 설명으로 옳지 않은 것은?

① 충격량의 단위는 N·s이다.
② 충격량의 방향은 충격력의 방향과 같다.
③ 두 물체가 충돌할 때 주고받는 충격량의 크기는 같다.
④ 충격량이 같을 때 충돌 시간을 길게 하면 충격력이 작아진다.
⑤ 물체가 받은 충격량의 크기를 힘을 받은 시간으로 나누면 물체가 받은 평균 힘의 크기를 구할 수 있다.
⑥ 테니스 선수가 테니스채를 길게 휘두르는 까닭은 공의 충돌 시간을 늘려 충격력을 감소시키기 위해서이다.

128 하 중 상

질량이 3 g인 탁구공이 50 m/s의 속력으로 날아오는 것을 탁구채로 쳐서 반대 방향으로 70 m/s의 속력으로 날아가게 하였다. 탁구채가 탁구공에 힘을 작용한 시간이 0.06초라고 할 때, 공이 받은 평균 힘의 크기를 구하시오.

129 하 중 상

그림은 오른쪽으로 4 m/s의 속력으로 굴러오는 질량이 450 g인 축구공을 발로 차는 모습을 나타낸 것이다. 발로 찬 축구공은 왼쪽으로 6 m/s의 속력으로 날아갔다. 발과 축구공 사이에 접촉한 시간은 0.1초이다.

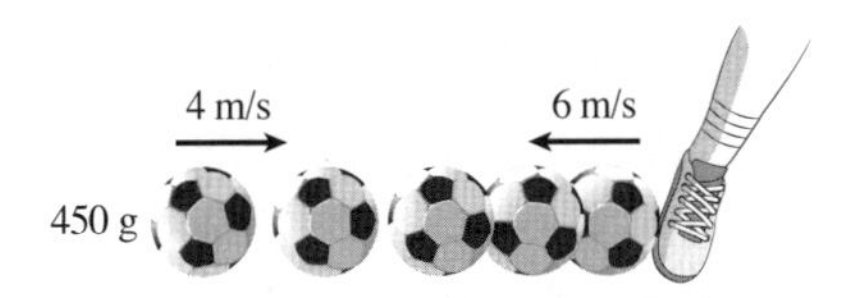

이에 대한 설명으로 옳은 것만을 <보기>에서 있는 대로 고른 것은?

<보기>
ㄱ. 발이 축구공에 가한 충격량의 크기는 4.5 N·s이다.
ㄴ. 발이 축구공에 가한 충격력의 방향은 왼쪽이다.
ㄷ. 발이 축구공에 가한 평균 힘의 크기는 45 N이다.

① ㄱ ② ㄴ ③ ㄱ, ㄷ
④ ㄴ, ㄷ ⑤ ㄱ, ㄴ, ㄷ

130 하중상

그림 (가)와 (나)는 마찰이 없는 수평면에서 각각 속력 $3v$, $2v$로 운동하던 공 A, B가 벽에 수직으로 충돌한 후 각각 $2v$, v의 속력으로 반대 방향으로 튀어나오는 모습을 나타낸 것이다. 공 A, B의 질량은 각각 $2m$, m이고, 벽과 충돌하는 시간은 A가 B의 2배이다.

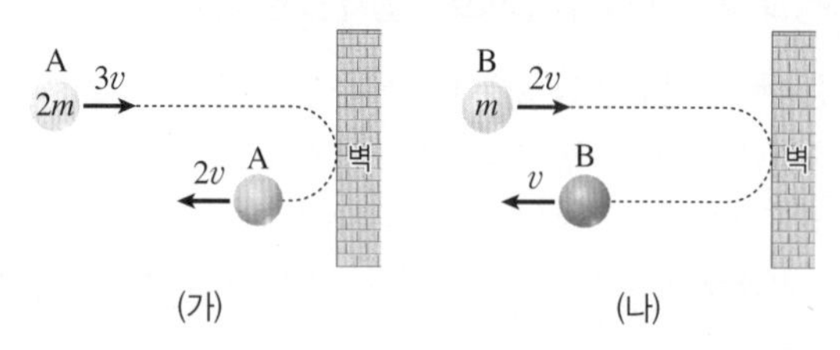

(가) (나)

이에 대한 설명으로 옳은 것만을 〈보기〉에서 있는 대로 고른 것은? (단, 공기 저항은 무시한다.)

〈 보기 〉
ㄱ. 벽과 충돌 전후 B가 받은 충격량의 크기는 mv이다.
ㄴ. 충돌하는 동안 B가 벽에 작용한 힘의 방향은 벽이 B에 작용한 힘의 방향과 반대이다.
ㄷ. 충돌하는 동안 벽이 공으로부터 받은 평균 힘의 크기는 (가)에서가 (나)에서의 $\frac{5}{3}$배이다.

① ㄱ ② ㄴ ③ ㄱ, ㄷ
④ ㄴ, ㄷ ⑤ ㄱ, ㄴ, ㄷ

131 하중상

그림 (가)는 마찰이 없는 수평면에 정지해 있던 물체 A를 망치로 쳤더니 A가 벽에 충돌한 후 튀어나오는 모습을 나타낸 것이고, (나)는 A의 속도를 시간에 따라 나타낸 것이다. 망치는 A에게 t_0 동안 힘을 작용하였고, 벽은 A에게 $2t_0$ 동안 힘을 작용하였다.

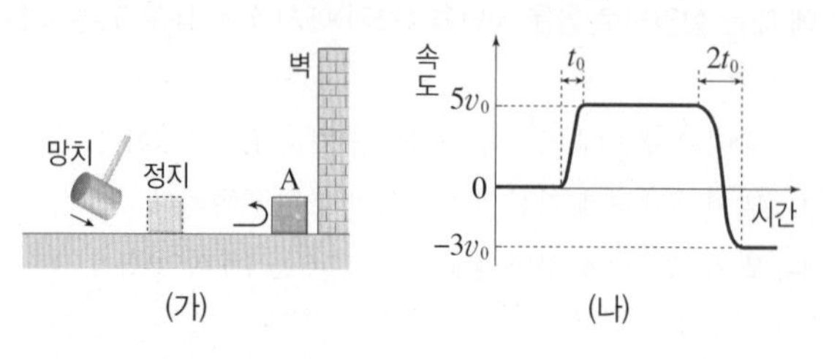

(가) (나)

A가 망치와 벽에게 받은 평균 힘의 크기를 각각 F_1, F_2라고 할 때, F_1은 F_2의 몇 배인지 구하시오.

132 하중상

그림 (가)는 수평면에 정지해 있는 질량이 다른 공 A, B를 각각 발로 찼더니 A, B가 각각 수평면을 따라 속력 v로 등속 직선 운동을 하는 모습을 나타낸 것이고, (나)는 A, B가 받은 힘의 크기를 시간에 따라 나타낸 것이다. A의 그래프 아랫부분의 넓이 S_1은 B의 그래프 아랫부분의 넓이 S_2의 2배이다.

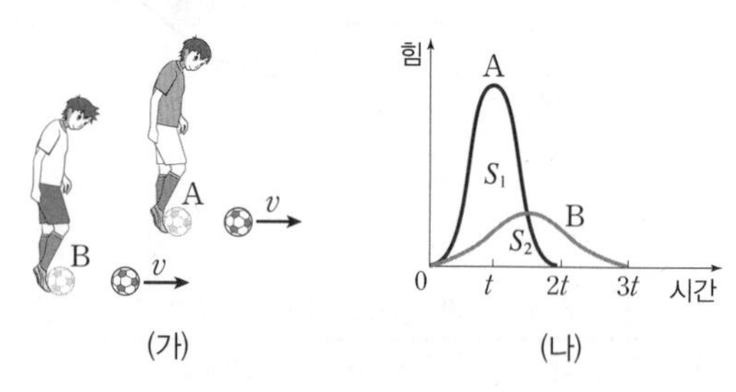

(가) (나)

이에 대한 설명으로 옳은 것만을 〈보기〉에서 있는 대로 고른 것은? (단, 공기 저항은 무시한다.)

〈 보기 〉
ㄱ. S_1, S_2는 각각 등속 직선 운동을 하는 동안 A, B의 운동량의 크기와 같다.
ㄴ. 질량은 A가 B의 2배이다.
ㄷ. A가 받은 평균 힘은 B가 받은 평균 힘의 3배이다.

① ㄱ ② ㄴ ③ ㄱ, ㄷ
④ ㄴ, ㄷ ⑤ ㄱ, ㄴ, ㄷ

133 하중상

그림 (가)는 수평면 위에 정지해 있던 물체 A, B를 스틱으로 각각 수평 방향으로 쳤더니 A, B가 등속 직선 운동을 하는 모습을 나타낸 것이고, (나)는 물체 A, B를 스틱으로 치는 순간부터 수평면에서 운동하는 A, B의 운동량을 시간에 따라 나타낸 것이다. A, B의 질량은 각각 m, $2m$이다.

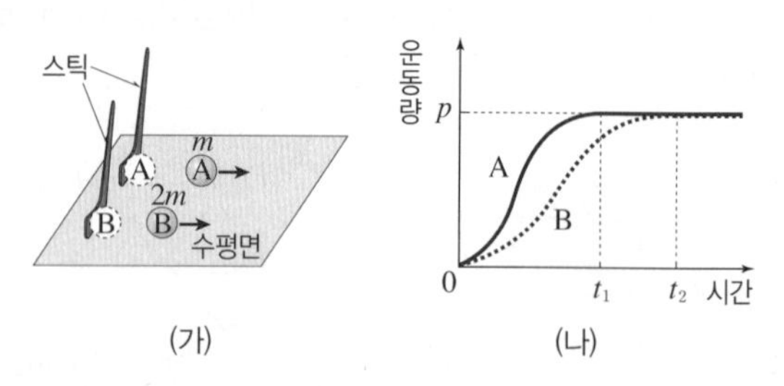

(가) (나)

이에 대한 설명으로 옳은 것만을 〈보기〉에서 있는 대로 고른 것은? (단, A, B의 크기는 무시한다.)

〈 보기 〉
ㄱ. 0부터 t_1까지 운동량 변화량의 크기는 A와 B가 같다.
ㄴ. t_2일 때 속력은 A가 B보다 크다.
ㄷ. 0부터 t_1까지 A가 받은 평균 힘의 크기는 0부터 t_2까지 B가 받은 평균 힘의 크기보다 작다.

① ㄱ ② ㄴ ③ ㄱ, ㄷ
④ ㄴ, ㄷ ⑤ ㄱ, ㄴ, ㄷ

134 하/중/상

그림 (가)는 수평면의 일직선상에 동전 A, B, C가 정지해 있을 때 동전 B를 향해 동전 A를 손가락으로 튕기는 모습을 나타낸 것이고, (나)는 이때 A, B, C의 운동량을 시간에 따라 나타낸 것이다. B의 질량은 C의 2배이고, A와 B의 충돌 시간은 $3T$, B와 C의 충돌 시간은 $2T$이다.

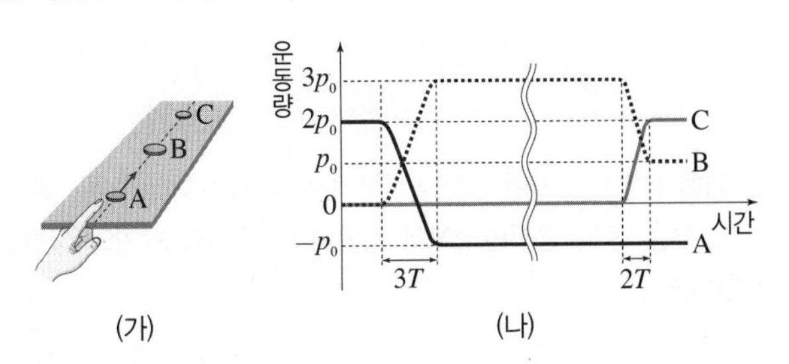

이에 대한 설명으로 옳은 것만을 〈보기〉에서 있는 대로 고른 것은? (단, A, B, C의 크기는 무시한다.)

〈 보기 〉
- ㄱ. A는 B와 충돌 후 충돌 전과 반대 방향으로 운동한다.
- ㄴ. B와 C는 충돌한 후 같은 속력으로 함께 운동한다.
- ㄷ. B가 A로부터 받은 평균 힘의 크기를 F_1, B가 C로부터 받은 평균 힘의 크기를 F_2라고 하면 $F_1 : F_2 = 2 : 3$이다.

① ㄱ ② ㄴ ③ ㄱ, ㄷ ④ ㄴ, ㄷ ⑤ ㄱ, ㄴ, ㄷ

충격 완화

135 하/중/상 多 보기

물풍선을 터뜨리지 않고 받으려면 손을 뒤로 빼면서 받아야 한다. 이러한 원리를 이용한 예가 아닌 것을 모두 고르면?(2개)

① 대포의 포신을 길게 만든다.
② 배의 몸체에 타이어를 붙인다.
③ 자전거를 탈 때 안전모를 착용한다.
④ 번지 점프를 할 때 잘 늘어나는 줄을 사용한다.
⑤ 높은 곳에서 뛰어내릴 때는 무릎을 구부려 착지한다.
⑥ 공을 멀리 보내기 위해 방망이를 끝까지 휘둘러 공을 친다.

136 하/중/상

충돌과 안전장치에 대한 설명으로 옳은 것만을 〈보기〉에서 있는 대로 고른 것은?

〈 보기 〉
- ㄱ. 충돌할 때 받는 충격량이 일정할 때 충격을 받는 시간을 길게 하면 충격력이 작아진다.
- ㄴ. 자동차의 범퍼가 찌그러지는 것을 방지하기 위해 범퍼 앞에 딱딱한 바를 설치하면 더 안전하다.
- ㄷ. 두 물체가 충돌할 때 질량이 작은 물체가 받는 충격량이 질량이 큰 물체가 받는 충격량보다 크다.

① ㄱ ② ㄴ ③ ㄱ, ㄷ ④ ㄴ, ㄷ ⑤ ㄱ, ㄴ, ㄷ

빈출

137 하/중/상

그림은 야구 선수가 야구공을 받는 모습을 나타낸 것이다. 이에 대한 설명으로 옳은 것만을 〈보기〉에서 있는 대로 고른 것은?

〈 보기 〉
- ㄱ. 두꺼운 글러브를 사용하면 손이 받는 충격량을 줄일 수 있다.
- ㄴ. 야구공이 글러브에 충돌할 때 글러브가 받은 충격량은 야구공의 운동량 변화량과 같다.
- ㄷ. 야구공과 글러브의 충돌 시간을 길게 하면 글러브에 작용하는 충격력의 크기를 줄일 수 있다.

① ㄱ ② ㄴ ③ ㄱ, ㄷ ④ ㄴ, ㄷ ⑤ ㄱ, ㄴ, ㄷ

빈출

138 하/중/상

그림 (가)는 질량이 같은 달걀이 같은 높이에서 각각 단단한 바닥과 푹신한 방석 위에 떨어진 모습을 나타낸 것이고, (나)는 (가)의 충돌 과정에서 달걀이 받은 힘의 크기를 시간에 따라 나타낸 것이다.

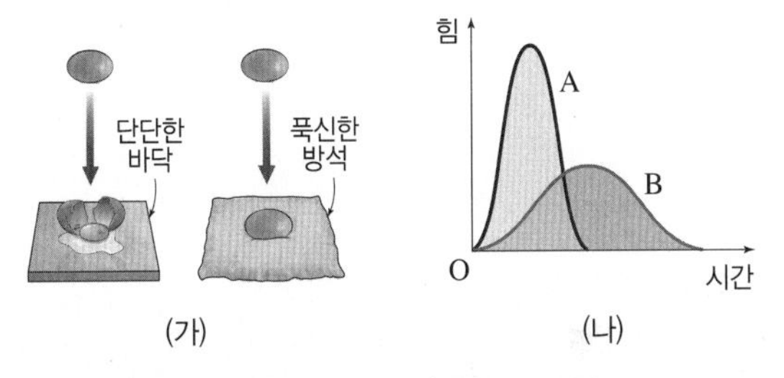

이에 대한 설명으로 옳은 것만을 〈보기〉에서 있는 대로 고른 것은? (단, 공기 저항과 방석 높이는 무시하고, 달걀은 충돌 후 정지한다.)

〈 보기 〉
- ㄱ. 충돌하기 직전의 속력은 두 달걀이 같다.
- ㄴ. A와 B의 그래프와 시간축 사이의 넓이는 같다.
- ㄷ. 방석에 떨어진 달걀이 받은 힘을 나타낸 것은 B이다.

① ㄱ ② ㄴ ③ ㄱ, ㄷ ④ ㄴ, ㄷ ⑤ ㄱ, ㄴ, ㄷ

139 하/중/상 ••서술형

질량이 큰 트럭과 질량이 작은 승용차가 마주 보며 달려와 정면으로 충돌한 후 정지하였다. 이때 에어백이 작동하면 탑승자를 보호할 수 있다.

(1) 트럭과 승용차가 받는 충격량의 크기를 비교하여 쓰고, 그 까닭을 서술하시오.

(2) 에어백이 작동하면 탑승자를 보호할 수 있는 까닭을 충격력과 연관지어 서술하시오.

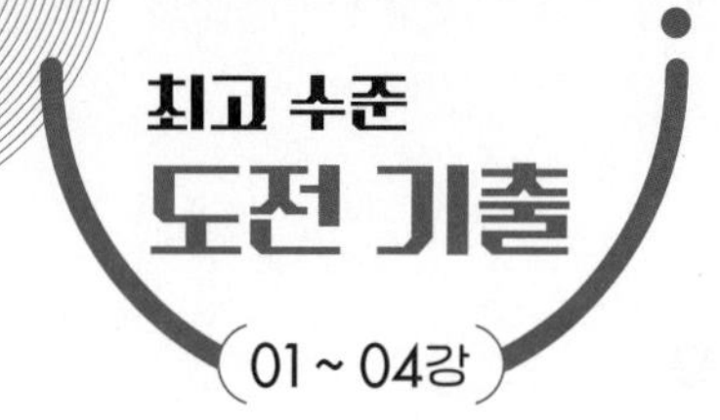

140

그림은 비행기가 활주로에서 등가속도 직선 운동을 하는 모습을 나타낸 것이다. 기준선을 통과한 비행기는 2초 후에 기준선에서 10 m 앞에 있고, 5초부터 7초까지 이동한 거리는 40 m이다.

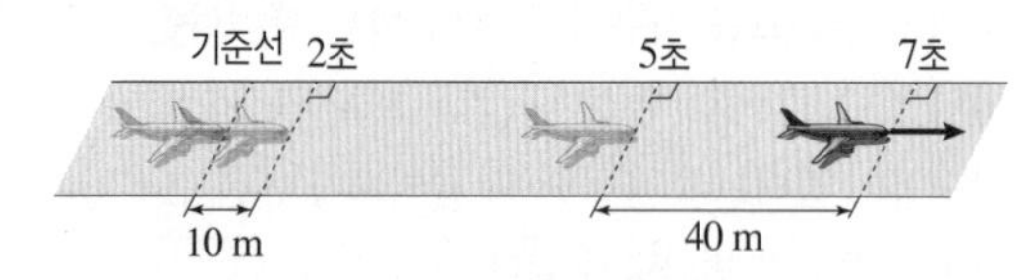

비행기의 운동에 대한 설명으로 옳은 것만을 〈보기〉에서 있는 대로 고른 것은? (단, 비행기의 크기는 무시한다.)

〈 보기 〉
- ㄱ. 가속도의 크기는 3 m/s^2이다.
- ㄴ. 기준선을 통과할 때 속력은 2 m/s이다.
- ㄷ. 2초부터 4초까지 이동 거리는 22 m이다.

① ㄱ ② ㄷ ③ ㄱ, ㄴ
④ ㄴ, ㄷ ⑤ ㄱ, ㄴ, ㄷ

141

그림과 같이 직선 도로에서 자동차 A가 기준선을 10 m/s의 속력으로 통과하는 순간 기준선에 정지해 있던 자동차 B가 출발하여 두 자동차가 도로와 나란하게 운동하고 있다. A와 B의 속력이 v로 같아지는 순간 A는 B보다 20 m 앞서 있다. A와 B는 속력이 증가하는 등가속도 운동을 하고, A와 B의 가속도의 크기는 각각 a, $2a$이다.

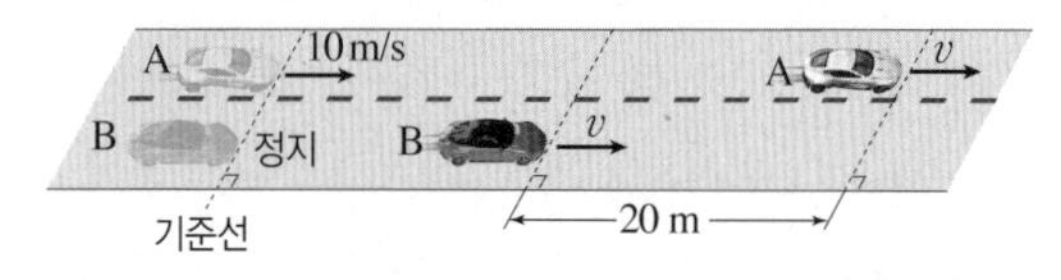

이에 대한 설명으로 옳은 것만을 〈보기〉에서 있는 대로 고른 것은? (단, 자동차의 크기는 무시한다.)

〈 보기 〉
- ㄱ. a=2.5 m/s^2이다.
- ㄴ. v=30 m/s이다.
- ㄷ. 두 자동차가 기준선을 통과한 순간부터 속력이 v로 같아질 때까지 B가 달린 거리는 40 m이다.

① ㄱ ② ㄴ ③ ㄱ, ㄷ
④ ㄴ, ㄷ ⑤ ㄱ, ㄴ, ㄷ

142

그림과 같이 빗면을 따라 등가속도 운동을 하는 물체 A, B가 각각 점 p, q를 5 m/s, 1 m/s의 속력으로 지난다. p점과 q점 사이의 거리는 8 m이고, A와 B는 q점에서 만난다.

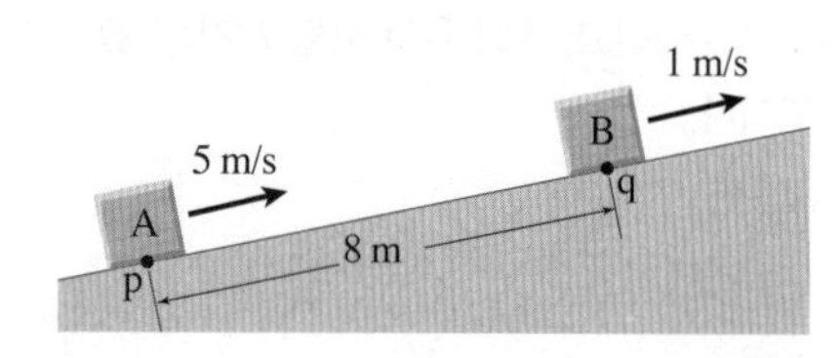

이에 대한 설명으로 옳은 것만을 〈보기〉에서 있는 대로 고른 것은? (단, A, B는 동일 연직면상에서 운동하며, 물체의 크기와 마찰은 무시한다.)

〈 보기 〉
- ㄱ. q점에서 만나는 순간, B의 속력은 1 m/s이다.
- ㄴ. A가 p점을 지나는 순간부터 2초 후 B와 만난다.
- ㄷ. B가 최고점에 도달했을 때, A의 속력은 4 m/s이다.

① ㄱ ② ㄴ ③ ㄱ, ㄷ
④ ㄴ, ㄷ ⑤ ㄱ, ㄴ, ㄷ

143

그림은 수평면에서 간격 10 m를 유지하며 5 m/s의 일정한 속력으로 운동하던 물체 A, B가 기울기가 일정한 경사면을 따라 운동하다가 A가 경사면에 정지한 순간의 모습을 나타낸 것이다. 이 순간 B의 속력은 v이고, A, B 사이의 간격은 4 m이다.

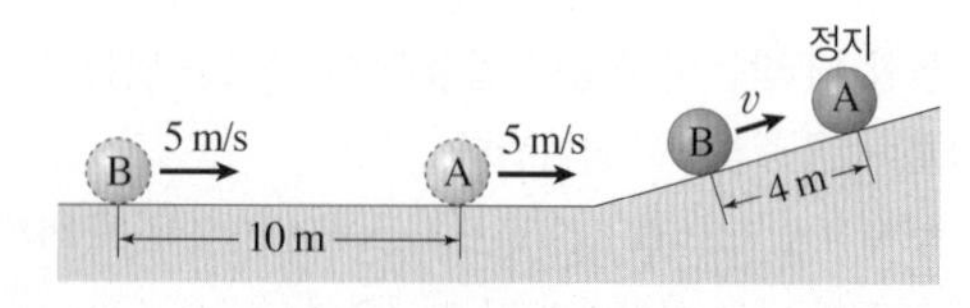

A가 정지한 순간 B의 속력 v는? (단, A, B는 동일 연직면상에서 운동하며, 물체의 크기와 마찰력은 무시한다.)

① 1 m/s ② 2 m/s ③ 3 m/s
④ 4 m/s ⑤ 5 m/s

I

144

그림과 같이 인공위성이 지구 주위를 일정한 속력 v로 반지름이 r인 원 궤도를 따라 등속 원운동을 하고 있다.
이에 대한 설명으로 옳은 것만을 〈보기〉에서 있는 대로 고른 것은? (단, 지구와 인공위성 사이에는 중력만 작용한다.)

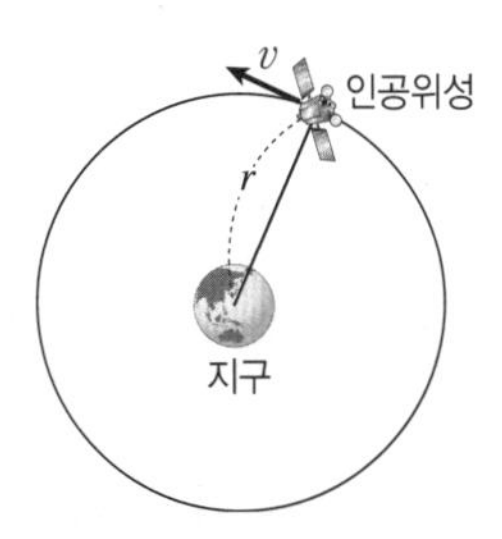

〈 보기 〉

ㄱ. 인공위성이 지구를 한 바퀴 돌았을 때 변위는 $2\pi r$이다.

ㄴ. 인공위성이 지구를 한 바퀴 도는 데 걸리는 시간은 $\frac{2\pi r}{v}$이다.

ㄷ. 지구가 인공위성을 당기는 힘의 크기는 인공위성이 지구를 당기는 힘의 크기보다 크다.

① ㄱ ② ㄴ ③ ㄱ, ㄷ
④ ㄴ, ㄷ ⑤ ㄱ, ㄴ, ㄷ

145

그림은 수평인 얼음판 위에서 질량이 각각 60 kg, 70 kg인 A, B가 질량이 40 kg인 상자의 양쪽을 줄 p, q로 연결하고 수평 방향으로 일정한 크기의 힘을 작용하여 서로 당기는 모습을 나타낸 것이다. A는 오른쪽으로 3 m/s^{2}의 가속도로 운동하고, 상자는 왼쪽으로 1 m/s^{2}의 가속도로 운동하고 있다.

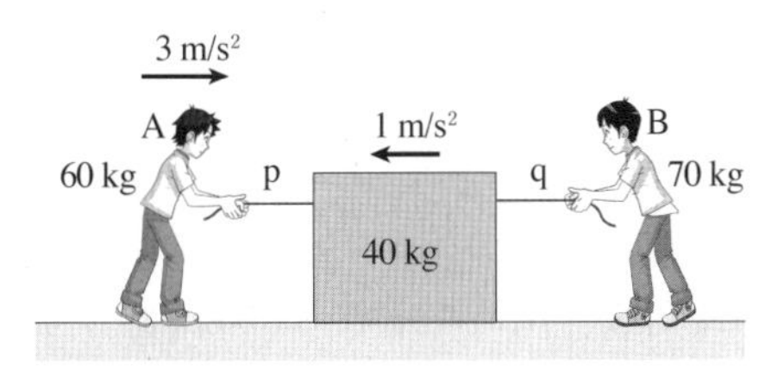

이에 대한 설명으로 옳은 것만을 〈보기〉에서 있는 대로 고른 것은? (단, 모든 마찰과 줄의 질량은 무시한다.)

〈 보기 〉

ㄱ. p가 상자를 당기는 힘의 크기는 q가 상자를 당기는 힘의 크기의 $\frac{9}{7}$배이다.

ㄴ. B는 왼쪽으로 2 m/s^{2}의 가속도로 운동하고 있다.

ㄷ. A와 B가 각각 p와 q를 이용하여 상자를 당기는 힘은 평형 관계에 있다.

① ㄱ ② ㄷ ③ ㄱ, ㄴ
④ ㄴ, ㄷ ⑤ ㄱ, ㄴ, ㄷ

146

그림 (가)는 물체 A, B를 실은 상자를 전동기로 이동시키는 모습을, (나)는 상자를 연직 위 방향으로 이동시키는 동안 상자의 가속도를 시간에 따라 나타낸 것이다. A, B의 질량은 각각 4 kg, m이고, 1초일 때 전동기가 상자에 작용한 힘의 크기는 70 N이다. 상자의 처음 속력은 0이고, 가속도의 방향은 연직 위 방향일 때 (+)방향이다.

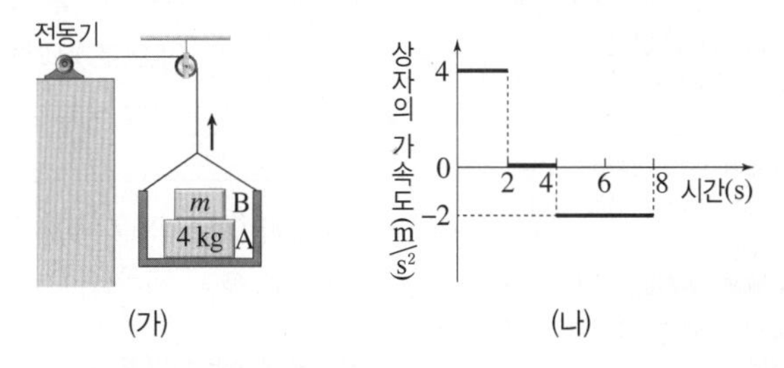

(가) (나)

이에 대한 설명으로 옳은 것만을 〈보기〉에서 있는 대로 고른 것은? (단, 중력 가속도는 10 m/s^{2}이고, 공기 저항과 상자의 질량은 무시한다.)

〈 보기 〉

ㄱ. 상자의 속력은 1초일 때가 7초일 때보다 크다.

ㄴ. m=2 kg이다.

ㄷ. 상자가 A를 떠받치는 힘의 크기는 3초일 때가 6초일 때의 $\frac{5}{3}$배이다.

① ㄱ ② ㄴ ③ ㄱ, ㄷ
④ ㄴ, ㄷ ⑤ ㄱ, ㄴ, ㄷ

147

그림은 마찰이 없는 수평면상에서 물체 A와 C는 각각 $2v$, v의 속도로 운동하고 있고, 물체 B는 정지해 있는 모습을 나타낸 것이다. A와 B가 충돌한 직후 A에 대한 B의 속도는 v이고, B와 C는 충돌한 직후 한 덩어리가 된다. B와 C는 질량이 같고, A의 질량은 B의 2배이다.

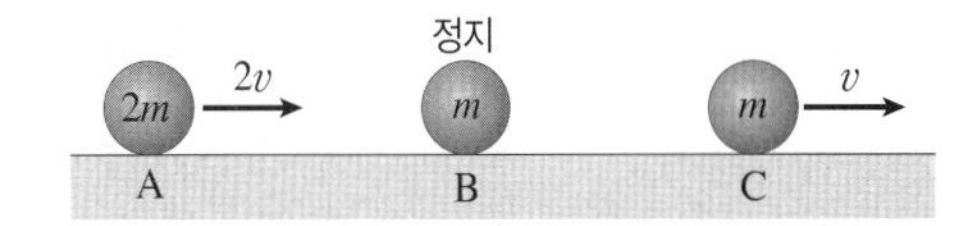

한 덩어리가 된 B와 C의 속도는? (단, 물체의 크기와 공기 저항은 무시한다.)

① $\frac{1}{2}v$ ② v ③ $\frac{3}{2}v$
④ $2v$ ⑤ $\frac{5}{2}v$

역학적 에너지 보존

A 일과 운동 에너지

1 일(W) 물체에 ❶ ☐ 을 작용하여 물체가 힘의 방향으로 ❷ ☐☐ 하였을 때 힘이 일을 하였다고 한다.

① 일의 양: 힘이 한 일 W는 힘의 크기 F와 힘의 방향으로 이동한 거리 s의 곱으로 나타낸다.

이동 방향 F s

일=힘×이동 거리, $W=Fs$ [단위: J]

② 일과 에너지: 물체에 일을 하면, 한 일의 양만큼 물체의 에너지가 변한다. ➡ 일과 에너지는 서로 ❸ ☐☐ 된다.
(에너지 → 일을 할 수 있는 능력)

2 운동 에너지(E_k) 운동하는 물체가 가지는 에너지

① 운동 에너지의 공식: 질량이 m인 물체가 v의 속력으로 운동할 때 운동 에너지 E_k는 다음과 같다.

$$E_k=\frac{1}{2}mv^2 \text{ [단위: J]}$$

② 일·운동 에너지 정리: 물체에 작용하는 ❹ ☐☐☐ 이 한 일(W)은 물체의 운동 에너지 변화량(ΔE_k)과 같다.

(일과 운동 에너지)

수평면에서 속도 v_0으로 운동하는 질량 m인 물체에 운동 방향으로 알짜힘 F를 작용하여 거리 s만큼 이동시켰을 때 물체의 속도가 v가 되었다면 F가 수레에 한 일 W는 다음과 같다. → 물체는 등가속도 직선 운동을 한다.

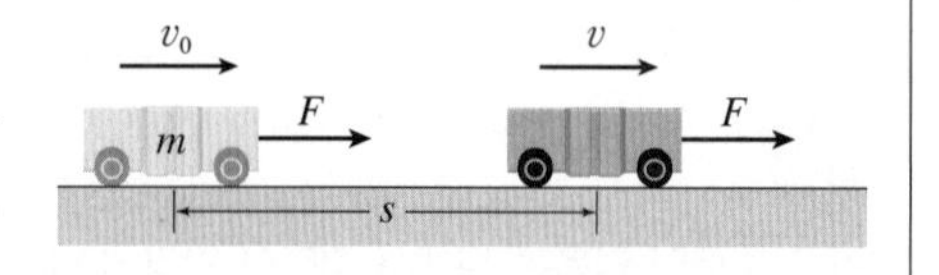

$$W=Fs=mas=\frac{1}{2}m(v^2-v_0^2)=\frac{1}{2}mv^2-\frac{1}{2}mv_0^2=\Delta E_k$$ ➡ 알짜힘이 한 일 $W=\Delta E_k$

기출 Tip A-1

힘이 한 일이 0인 경우
- 물체에 작용하는 힘이 0인 경우
- 물체에 힘을 작용하였으나 움직이지 않아서 이동 거리가 0인 경우
- 물체에 작용하는 힘의 방향과 물체의 이동 방향이 수직인 경우

힘-이동 거리 그래프와 일
힘-이동 거리 그래프에서 그래프 아랫부분의 넓이는 힘이 한 일을 나타낸다.

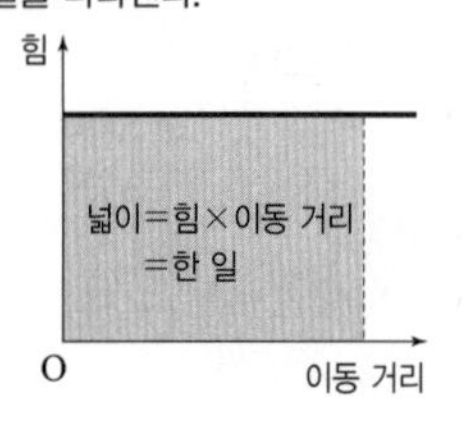

기출 Tip A-2

마찰력이 한 일과 운동 에너지
물체의 운동 방향과 반대 방향으로 마찰력이 작용하면 마찰력이 한 일만큼 물체의 운동 에너지가 감소한다.

비탄성 충돌
운동하는 물체가 충돌할 때, 비탄성 충돌일 경우 운동 에너지의 총합은 감소한다.

B 역학적 에너지 보존

1 역학적 에너지 보존

① 역학적 에너지: 물체의 ❺ ☐☐ ☐☐☐ 와 퍼텐셜 에너지의 합 → $E=E_k+E_p$

② 역학적 에너지 보존 법칙: 마찰이나 공기 저항이 없을 때 운동 에너지와 퍼텐셜 에너지의 합은 항상 일정하게 ❻ ☐☐ 된다. → 물체의 퍼텐셜 에너지가 증가하면 운동 에너지는 감소하고, 운동 에너지가 증가하면 퍼텐셜 에너지는 감소한다.

2 중력 퍼텐셜 에너지(E_p)

① 중력 퍼텐셜 에너지: 중력이 작용하는 공간에서 물체가 기준면으로부터 다른 ❼ ☐☐ 에 있을 때 가지는 에너지

- 중력 퍼텐셜 에너지의 공식: 질량이 m인 물체가 ❽ ☐☐☐ 으로부터 높이 h에서 가지는 중력 퍼텐셜 에너지 E_p는 다음과 같다.

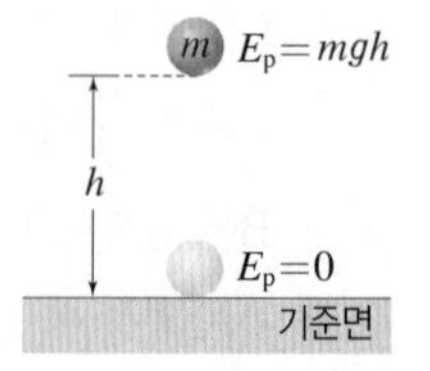

$$E_p=mgh \text{ [단위: J]}$$

- 일과 중력 퍼텐셜 에너지: 물체를 들어 올리는 일을 하면 중력 퍼텐셜 에너지가 ❾ ☐☐ 하고, 물체가 낙하하면 중력 퍼텐셜 에너지가 ❿ ☐☐ 한다.

기출 Tip B-2

자유 낙하 운동을 하는 물체의 속력
자유 낙하 운동을 하는 물체가 h만큼 낙하하였을 때, 감소한 중력 퍼텐셜 에너지만큼 운동 에너지가 증가하므로 $\frac{1}{2}mv^2=mgh$이다. 따라서 물체가 h만큼 낙하하였을 때의 속력 $v=\sqrt{2gh}$이다.

② 중력 퍼텐셜 에너지를 포함한 역학적 에너지 보존: 마찰과 공기 저항이 없을 때 중력만 받아 운동하는 물체의 역학적 에너지는 높이에 관계없이 일정하게 보존된다.

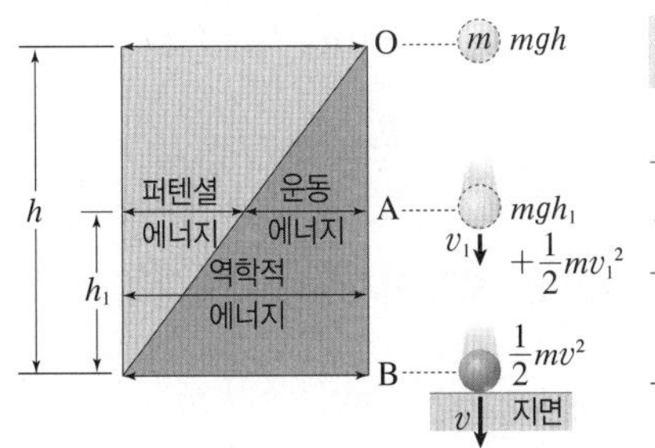

위치	퍼텐셜 에너지	운동 에너지	역학적 에너지
O	mgh(최대)	0(최소)	mgh(일정)
A	mgh_1	$\frac{1}{2}mv_1^2=mg(h-h_1)$	
B	0(최소)	$\frac{1}{2}mv^2$(최대)$=mgh$	

기출 Tip Ⓑ-2

빗면에서 미끄러지는 물체의 중력 퍼텐셜 에너지

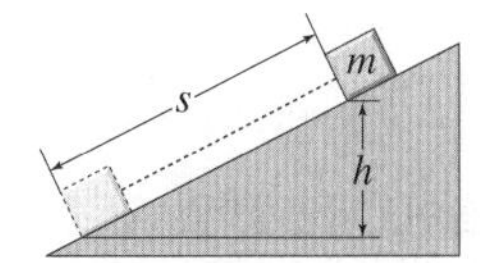

빗면에서 질량이 m인 물체가 s만큼 미끄러져 내려와서 높이가 h만큼 감소하였다. 이때 물체의 중력 퍼텐셜 에너지 감소량은 물체의 중력×연직 방향 높이=mgh(중력 가속도: g)이다.

3 탄성 퍼텐셜 에너지(E_p)

① 탄성 퍼텐셜 에너지: 늘어나거나 압축된 용수철과 같이 변형된 탄성체가 가지는 에너지

• 탄성 퍼텐셜 에너지의 공식: 용수철 상수가 k인 용수철의 길이가 x만큼 변형되었을 때 가지는 탄성 퍼텐셜 에너지 E_p는 다음과 같다.

$$E_p=\frac{1}{2}kx^2 \text{ [단위: J]}$$

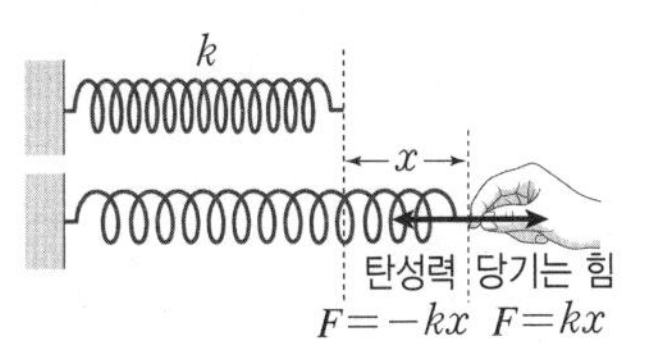

• 일과 탄성 퍼텐셜 에너지: 용수철의 평형 위치에서 용수철을 늘이거나 압축시키면 퍼텐셜 에너지가 ⓫☐☐하고, 용수철이 평형 위치로 돌아가면 퍼텐셜 에너지가 ⓬☐☐한다.

② 탄성 퍼텐셜 에너지를 포함한 역학적 에너지 보존: 마찰과 공기 저항이 없을 때 평형 위치에서 A만큼 당겼다가 놓은 물체의 위치가 x_1로 변하는 동안 속력이 v_1로 변하였다면 탄성 퍼텐셜 에너지가 감소한 만큼 물체의 ⓭☐☐ 에너지가 증가하므로 역학적 에너지는 보존된다.

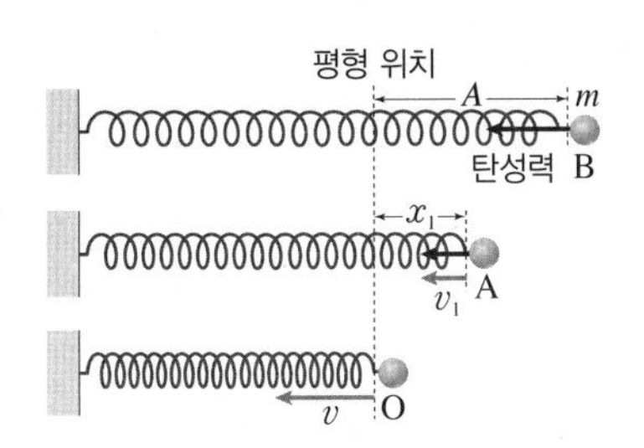

위치	퍼텐셜 에너지	운동 에너지	역학적 에너지
B	$\frac{1}{2}kA^2$(최대)	0(최소)	$\frac{1}{2}kA^2$ (일정)
A	$\frac{1}{2}kx_1^2$	$\frac{1}{2}mv_1^2$	
O	0(최소)	$\frac{1}{2}mv^2$(최대)	

기출 Tip Ⓑ-4

역학적 에너지가 보존되지 않는 운동

감소한 역학적 에너지는 열에너지 등으로 전환된다. 이때 역학적 에너지와 열에너지 등을 합한 전체 에너지는 항상 일정하게 보존된다.

4 역학적 에너지가 보존되지 않는 운동

물체가 마찰이나 공기 저항을 받으며 운동하는 경우 역학적 에너지가 ⓮☐☐한다. 예 미끄럼틀 타기, 그네 타기, 스카이다이빙 하기 등

답 ❶ 힘 ❷ 이동 ❸ 전환 ❹ 알짜힘 ❺ 운동 에너지 ❻ 보존 ❼ 위치 ❽ 기준면 ❾ 증가 ❿ 감소 ⓫ 증가 ⓬ 감소 ⓭ 운동 ⓮ 감소

빈출 자료 보기

정답과 해설 21쪽

148 그림과 같이 질량이 3 kg인 물체를 높이 5 m인 빗면에서 가만히 놓았더니 빗면을 따라 내려가 용수철을 최대로 압축시켰다. 용수철 상수는 300 N/m이다.

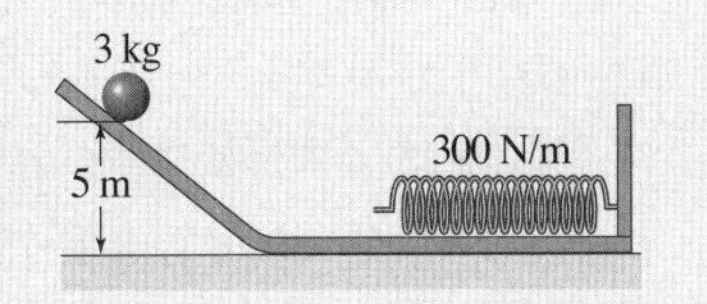

이에 대한 설명으로 옳은 것은 ○, 옳지 않은 것은 ×로 표시하시오. (단, 중력 가속도는 10 m/s^{2}이고, 모든 마찰과 공기 저항은 무시한다.)

(1) 물체를 높이가 5 m인 빗면 위에 놓은 직후 물체의 중력 퍼텐셜 에너지는 150 J이다. (　　)

(2) 용수철에 충돌하기 직전 물체의 속력은 $10\sqrt{3}$ m/s이다. (　　)

(3) 용수철에 충돌하기 직전 물체의 운동 에너지는 최대로 압축된 용수철의 탄성 퍼텐셜 에너지와 같다. (　　)

(4) 용수철에 충돌한 직후부터 정지할 때까지 물체는 등속 직선 운동을 한다. (　　)

(5) 용수철이 최대로 압축된 길이는 1 m이다. (　　)

A 일과 운동 에너지

일 · 운동 에너지 정리

149 하 중 상 多 보기

힘이 한 일이 0인 경우는?(2개)

① 농구공이 자유 낙하 할 때 중력이 한 일
② 로켓이 우주로 날아갈 때 로켓의 추진력이 한 일
③ 움직이지 않는 벽을 밀 때 벽에 작용한 힘이 한 일
④ 달리던 버스가 브레이크를 밟고 멈출 때 마찰력이 한 일
⑤ 정지해 있던 유모차를 밀고 갈 때 유모차에 작용한 힘이 한 일
⑥ 책을 지면에 나란하게 들고 걸어갈 때 책을 드는 힘이 한 일

150 하 중 상 多 보기

일과 에너지에 대한 설명으로 옳은 것은?(3개)

① 일과 에너지는 전환될 수 없다.
② 일과 에너지의 단위는 J(줄)이다.
③ 한 일은 작용한 힘의 크기와 힘의 방향으로 이동한 거리의 곱이다.
④ 운동 에너지는 물체의 속력에 비례한다.
⑤ 알짜힘이 한 일은 운동 에너지 변화량과 같다.
⑥ 운동 에너지와 열에너지를 합한 것을 역학적 에너지라고 한다.
⑦ 역학적 에너지는 마찰력이나 공기 저항이 있어도 항상 보존된다.

151 하 중 상

마찰이 없는 수평면에서 질량이 3 kg인 물체에 일정한 크기의 힘을 작용하였더니 물체의 속력이 4 m/s에서 6 m/s가 되었다. 물체에 작용한 힘이 한 일을 구하시오.

152 하 중 상 ••서술형

정지해 있던 질량이 m인 자동차가 속력이 v가 될 때까지 자동차가 한 일을 E_A라고 한다. 이 자동차가 정지 상태에서 속력이 $3v$가 될 때까지 한 일 E_B는 E_A의 몇 배인지 풀이 과정과 함께 구하시오.

153 하 중 상

그림은 마찰이 있는 수평면에서 운동하던 질량이 2 kg인 물체가 운동 방향과 반대 방향으로 일정한 크기의 마찰력을 받으며 이동하여 정지한 모습을 나타낸 것이다. 물체가 점 p를 지날 때 속력은 4 m/s이고, 점 q에서 정지하였다. p와 q 사이의 거리는 16 m이다.

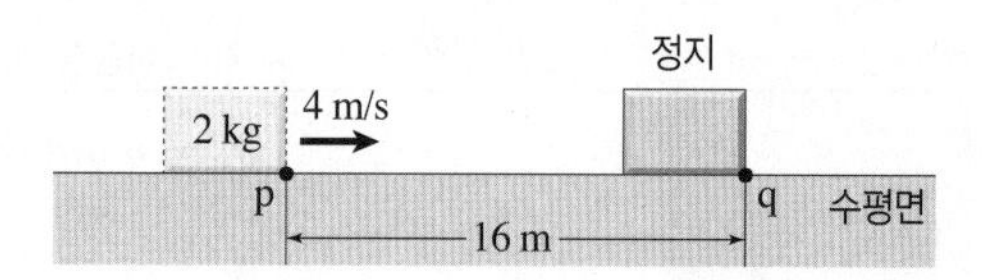

이에 대한 설명으로 옳은 것만을 〈보기〉에서 있는 대로 고른 것은?

〈 보기 〉
ㄱ. 물체는 등속 직선 운동을 한다.
ㄴ. 물체에 작용하는 마찰력의 크기는 1 N이다.
ㄷ. 물체가 16 m를 이동하는 동안 운동량 변화량의 크기는 8 kg·m/s이다.
ㄹ. 물체가 정지할 때까지 걸린 시간은 8초이다.

① ㄱ, ㄴ ② ㄱ, ㄹ ③ ㄷ, ㄹ
④ ㄱ, ㄴ, ㄷ ⑤ ㄴ, ㄷ, ㄹ

154 하 중 상

그림은 수평면에서 1 m/s의 속력으로 운동하던 질량이 2 kg인 수레에 운동 방향과 같은 방향으로 3 N의 일정한 힘을 2초 동안 작용한 모습을 나타낸 것이다.

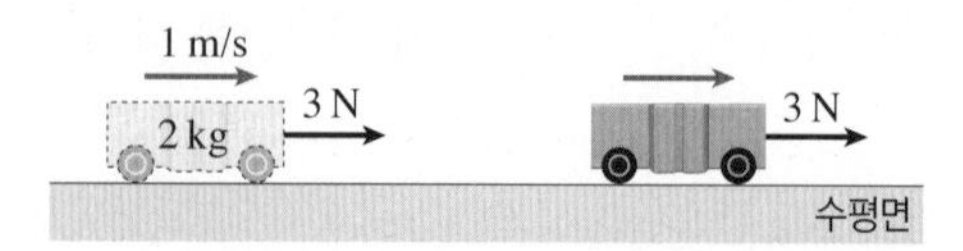

이에 대한 설명으로 옳은 것만을 〈보기〉에서 있는 대로 고른 것은? (단, 모든 마찰은 무시한다.)

〈 보기 〉
ㄱ. 2초 후 수레의 속력은 5 m/s이다.
ㄴ. 2초 동안 수레에 한 일은 15 J이다.
ㄷ. 2초 동안 수레가 이동한 거리는 5 m이다.

① ㄱ ② ㄷ ③ ㄱ, ㄴ
④ ㄴ, ㄷ ⑤ ㄱ, ㄴ, ㄷ

155 하/중/상

그림은 수평면에서 물체가 전동기로부터 일정한 힘을 받아 등가속도 직선 운동을 하는 모습을 나타낸 것이다. $x=0$, $x=2L$에서 물체의 속력은 각각 v, $2v$이고, $x=0$에서 물체의 운동 에너지는 E_0이다.

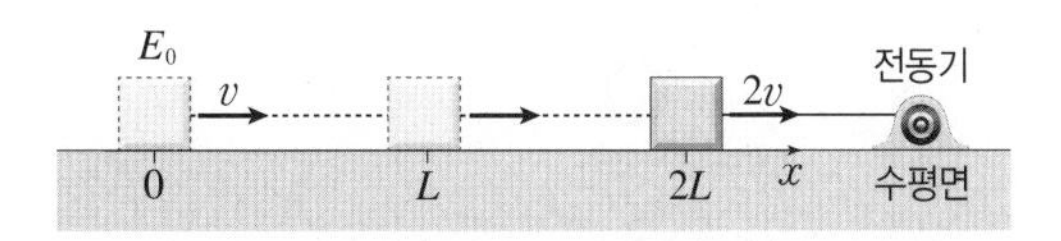

이에 대한 설명으로 옳은 것만을 〈보기〉에서 있는 대로 고른 것은? (단, 모든 마찰은 무시한다.)

〈 보기 〉

ㄱ. $x=0$에서 $x=2L$까지 알짜힘이 물체에 한 일은 $4E_0$이다.

ㄴ. $x=L$에서 물체의 속력은 $\sqrt{\frac{5}{2}}v$이다.

ㄷ. $x=L$에서 물체의 운동 에너지는 $2E_0$이다.

① ㄱ ② ㄴ ③ ㄱ, ㄷ ④ ㄴ, ㄷ ⑤ ㄱ, ㄴ, ㄷ

그래프로 본 일과 운동 에너지

156 하/중/상

그림은 마찰이 없는 수평면에 정지해 있는 질량이 1 kg인 물체에 작용한 힘을 이동 거리에 따라 나타낸 것이다.

힘
6
4
0
2 3
이동 거리(m)

이에 대한 설명으로 옳은 것만을 〈보기〉에서 있는 대로 고른 것은?

〈 보기 〉

ㄱ. 물체가 1 m 이동했을 때 물체의 가속도의 크기는 6 m/s^2이다.

ㄴ. 물체가 3 m 이동하는 동안 물체에 작용한 힘이 한 일은 18 J이다.

ㄷ. 물체가 3 m 이동한 순간 물체의 속력은 3 m/s이다.

① ㄱ ② ㄷ ③ ㄱ, ㄴ ④ ㄴ, ㄷ ⑤ ㄱ, ㄴ, ㄷ

빈출

157 하/중/상

그림 (가)는 마찰이 없는 수평면에서 질량이 1 kg인 물체 A가 정지해 있는 질량이 3 kg인 물체 B를 향해 운동하는 모습을 나타낸 것이고, (나)는 A의 위치를 시간에 따라 나타낸 것이다.

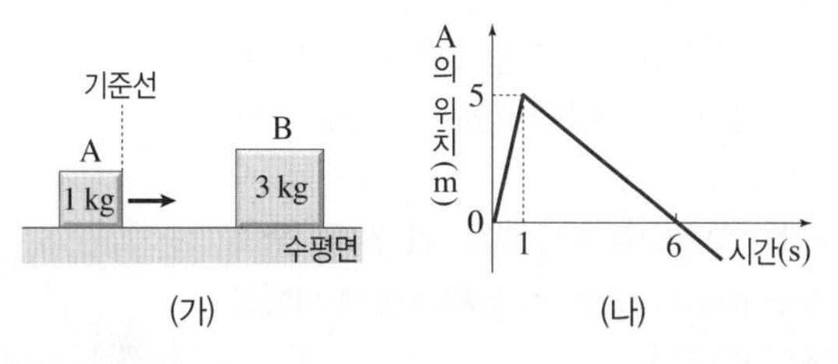

(가) (나)

이에 대한 설명으로 옳은 것만을 〈보기〉에서 있는 대로 고른 것은?

〈 보기 〉

ㄱ. 충돌 후 B의 운동 에너지는 6 J이다.

ㄴ. 충돌 후 A와 B의 운동 에너지 총합은 감소한다.

ㄷ. 충돌하는 과정에서 A가 B로부터 받은 충격량의 크기는 6 N·s이다.

① ㄱ ② ㄷ ③ ㄱ, ㄴ ④ ㄴ, ㄷ ⑤ ㄱ, ㄴ, ㄷ

158 하/중/상

그림 (가)는 마찰이 있는 수평면에서 질량이 1 kg인 물체에 수평 방향으로 일정한 힘 F가 작용하는 모습을 나타낸 것이고, (나)는 (가)에서 물체의 속도를 시간에 따라 나타낸 것이다.

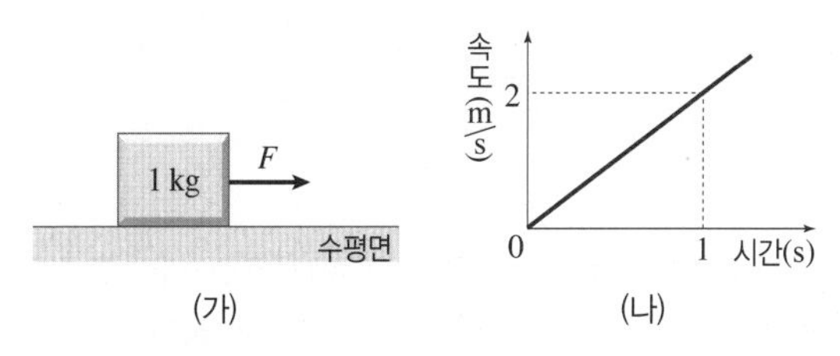

(가) (나)

이에 대한 설명으로 옳은 것만을 〈보기〉에서 있는 대로 고른 것은?

〈 보기 〉

ㄱ. 중력이 물체에 한 일은 0이다.

ㄴ. 0초부터 1초까지 F가 물체에 한 일은 2 J이다.

ㄷ. 0초부터 1초까지 F의 크기는 2 N이다.

① ㄱ ② ㄷ ③ ㄱ, ㄴ ④ ㄴ, ㄷ ⑤ ㄱ, ㄴ, ㄷ

B 역학적 에너지 보존

일과 중력 퍼텐셜 에너지

159 하 중 상

그림은 질량이 m인 물체를 일정한 속력으로 지면에서 높이 h만큼 들어 올리는 모습을 나타낸 것이다.

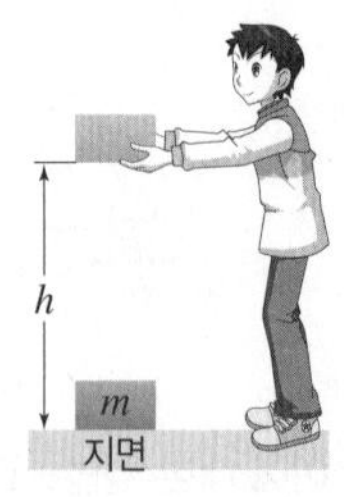

이에 대한 설명으로 옳지 않은 것은? (단, 중력 가속도는 g이고, 지면에서 물체의 중력 퍼텐셜 에너지는 0이다.)

① 물체를 들어 올리는 힘의 크기는 mg이다.
② 물체를 h만큼 들어 올리는 동안 한 일은 mgh이다.
③ 높이 h에서 물체의 중력 퍼텐셜 에너지는 mgh이다.
④ 높이 h에서 정지한 물체의 역학적 에너지는 mgh이다.
⑤ 물체를 더 높이 들어 올리면 물체의 역학적 에너지는 감소한다.

160 하 중 상

그림 (가)와 (나)는 수평면에 정지해 있던 질량이 1 kg인 물체에 각각 수평 방향과 연직 방향으로 20 N의 힘이 작용하여 물체가 1 m 이동한 순간의 모습을 나타낸 것이다.

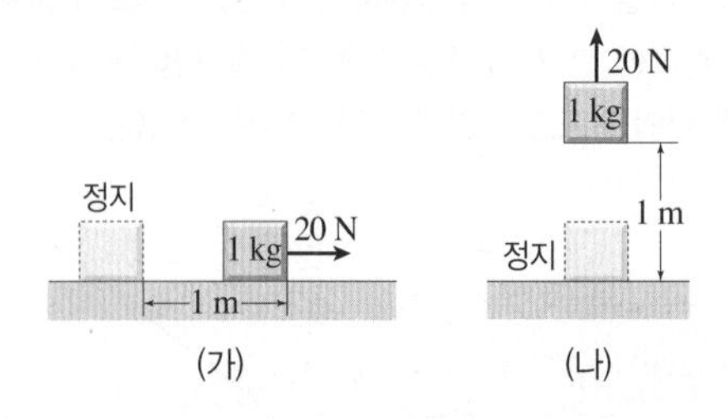

(가) (나)

이에 대한 설명으로 옳은 것만을 〈보기〉에서 있는 대로 고른 것은? (단, 중력 가속도는 10 m/s^{2}이고, 모든 마찰과 공기 저항은 무시한다.)

〈 보기 〉
ㄱ. (가)에서 물체가 받은 일은 20 J이다.
ㄴ. (나)에서 물체의 중력 퍼텐셜 에너지 변화량은 20 J이다.
ㄷ. (가)와 (나)에서 물체의 역학적 에너지 변화량은 같다.

① ㄱ ② ㄴ ③ ㄱ, ㄷ
④ ㄴ, ㄷ ⑤ ㄱ, ㄴ, ㄷ

161 하 중 상

그림은 줄과 도르래를 이용하여 지면에 정지해 있는 질량이 10 kg인 물체를 전동기와 연결한 후 전동기가 일정한 힘으로 당겨 물체를 들어 올리는 모습을 나타낸 것이다. 전동기가 물체에 작용한 힘의 크기는 120 N이고, 물체를 들어 올린 높이는 3 m이다.

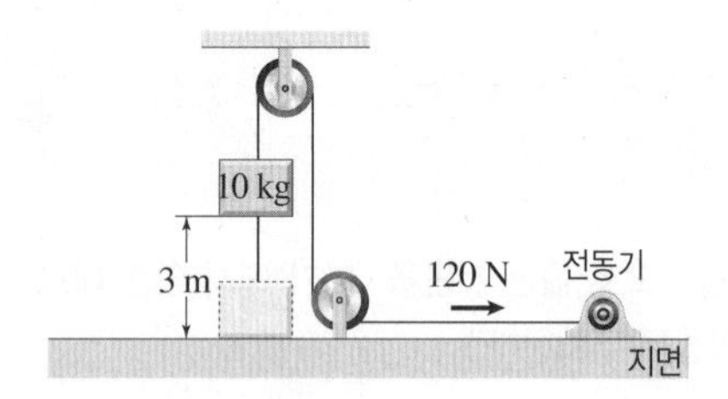

이에 대한 설명으로 옳은 것만을 〈보기〉에서 있는 대로 고른 것은? (단, 중력 가속도는 10 m/s^{2}이고, 모든 마찰과 공기 저항, 줄의 질량은 무시한다.)

〈 보기 〉
ㄱ. 전동기가 물체에 한 일은 360 J이다.
ㄴ. 물체의 중력 퍼텐셜 에너지 증가량은 300 J이다.
ㄷ. 물체가 3 m 이동했을 때 속력은 6 m/s이다.

① ㄱ ② ㄷ ③ ㄱ, ㄴ
④ ㄴ, ㄷ ⑤ ㄱ, ㄴ, ㄷ

162 하 중 상

그림 (가)는 지면에 정지해 있던 질량이 3 kg인 물체를 도르래와 전동기를 이용하여 F의 힘으로 연직 위로 들어 올리는 모습을 나타낸 것이고, (나)는 (가)에서 물체의 속력을 시간에 따라 나타낸 것이다.

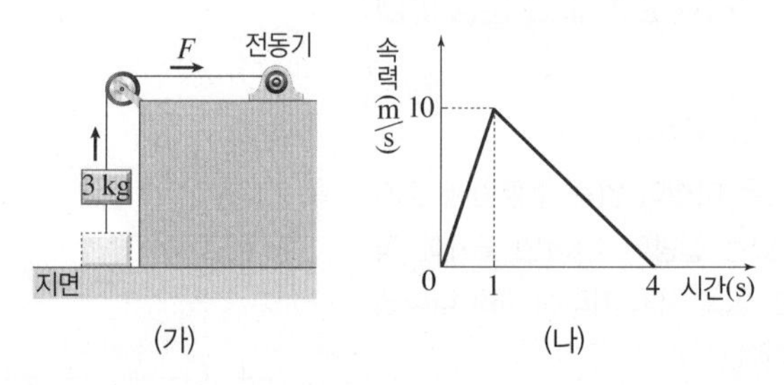

(가) (나)

이에 대한 설명으로 옳은 것만을 〈보기〉에서 있는 대로 고른 것은? (단, 중력 가속도는 10 m/s^{2}이고, 모든 마찰과 공기 저항, 줄의 질량은 무시한다.)

〈 보기 〉
ㄱ. 0초부터 1초까지 알짜힘이 한 일은 150 J이다.
ㄴ. 1초부터 4초까지 물체의 중력 퍼텐셜 에너지 증가량은 450 J이다.
ㄷ. 1초부터 4초까지 힘 F가 한 일은 600 J이다.

① ㄱ ② ㄷ ③ ㄱ, ㄴ
④ ㄴ, ㄷ ⑤ ㄱ, ㄴ, ㄷ

163 하 중 상

그림 (가)는 줄로 연결되어 정지해 있던 두 물체 A, B를 전동기가 크기가 F인 힘으로 들어 올리는 모습을, (나)는 (가)에서 전동기가 A에 작용한 F를 이동 거리에 따라 나타낸 것이다. A, B의 질량은 각각 1 kg, 4 kg이다.

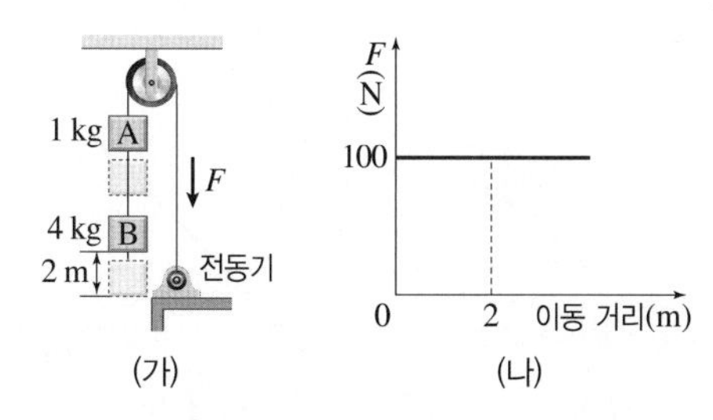

(가) (나)

전동기가 실을 2 m만큼 당긴 순간 B의 운동 에너지는? (단, 중력 가속도는 10 m/s^{2}이고, 모든 마찰과 공기 저항, 줄의 질량은 무시한다.)

① 20 J ② 40 J ③ 60 J
④ 80 J ⑤ 100 J

자유 낙하 하는 물체의 역학적 에너지 보존

164 하 중 상

그림은 높이 h인 지점에서 질량이 m인 물체가 자유 낙하 하는 모습을 나타낸 것이다. (단, 중력 가속도는 g이고, 물체의 크기와 공기 저항은 무시한다.)

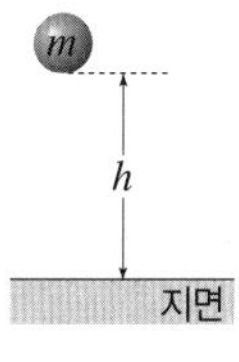

(1) 물체가 지면에 도달할 때 물체의 속력을 구하시오.

(2) 지면을 기준으로 자유 낙하 하는 물체의 운동 에너지와 중력 퍼텐셜 에너지가 같아지는 지점에서 물체의 속력을 구하시오.

(3) 지면을 기준으로 자유 낙하 하는 물체의 운동 에너지가 중력 퍼텐셜 에너지의 2배가 되는 지점에서 물체의 속력을 구하시오.

165 하 중 상

그림은 높이가 6 m인 건물 옥상에서 질량이 3 kg인 공을 가만히 놓아 자유 낙하 시키는 모습을 나타낸 것이다.

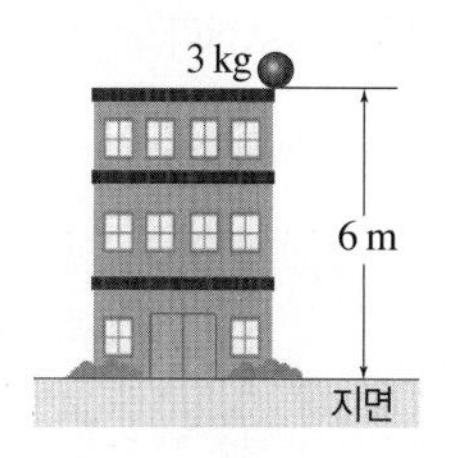

이에 대한 설명으로 옳은 것만을 〈보기〉에서 있는 대로 고른 것은? (단, 중력 가속도는 10 m/s^{2}이고, 공기 저항은 무시한다.)

〈 보기 〉
ㄱ. 공이 낙하하면서 받는 힘의 크기는 30 N이다.
ㄴ. 공이 지면에 도달할 때까지 감소한 중력 퍼텐셜 에너지는 180 J이다.
ㄷ. 공이 지면에 도달하는 순간 운동 에너지는 90 J이다.

① ㄱ ② ㄷ ③ ㄱ, ㄴ
④ ㄴ, ㄷ ⑤ ㄱ, ㄴ, ㄷ

166 하 중 상

그림 (가)와 같이 높이가 $4h$인 곳에서 질량이 m인 물체 A를 가만히 놓고 잠시 후, (나)와 같이 A가 높이 h인 곳을 지날 때 같은 높이에서 질량이 $4m$인 물체 B를 가만히 놓았다. 물체의 중력 퍼텐셜 에너지는 지면에서 0이다.

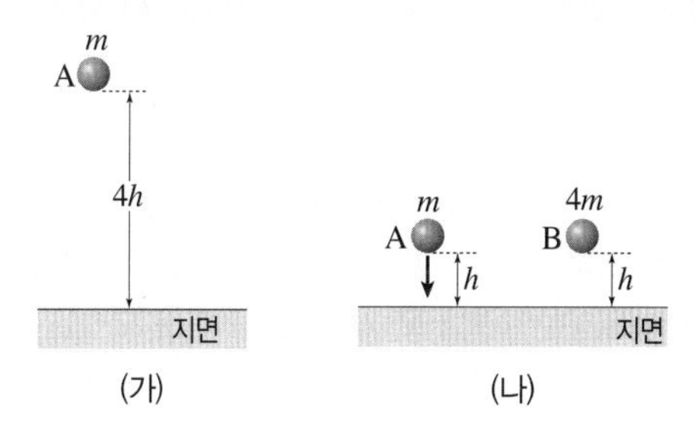

(가) (나)

이에 대한 설명으로 옳은 것만을 〈보기〉에서 있는 대로 고른 것은? (단, 중력 가속도는 g이고, 물체의 크기와 공기 저항은 무시한다.)

〈 보기 〉
ㄱ. A가 지면에 도달할 때까지 중력이 A에 한 일은 지면에 도달한 순간 A의 운동 에너지와 같다.
ㄴ. A가 높이 h인 곳을 지날 때 운동 에너지는 중력 퍼텐셜 에너지의 3배이다.
ㄷ. A와 B는 동시에 지면에 도달한다.
ㄹ. 지면에 닿는 순간 역학적 에너지는 A와 B가 같다.

① ㄱ, ㄴ ② ㄱ, ㄷ ③ ㄷ, ㄹ
④ ㄱ, ㄴ, ㄹ ⑤ ㄴ, ㄷ, ㄹ

167 하 중 상

그림은 a점에서 가만히 놓은 질량이 2 kg인 물체가 낙하하는 동안 물체의 위치를 일정한 시간 간격으로 나타낸 것이다. a에서 c까지 중력 퍼텐셜 에너지는 16 J 감소한다.

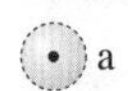

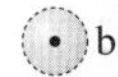

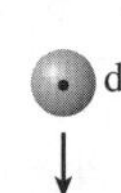

이에 대한 설명으로 옳은 것만을 〈보기〉에서 있는 대로 고른 것은? (단, 중력 가속도는 10 m/s^{2}이고, 공기 저항은 무시한다.)

〈 보기 〉

ㄱ. c에서 물체의 속력은 4 m/s이다.

ㄴ. a에서 d까지 감소한 중력 퍼텐셜 에너지는 36 J이다.

ㄷ. a와 d 사이 거리는 a와 c 사이 거리의 $\frac{3}{2}$배이다.

① ㄱ ② ㄷ ③ ㄱ, ㄴ ④ ㄴ, ㄷ ⑤ ㄱ, ㄴ, ㄷ

빗면에서 운동하는 물체의 역학적 에너지 보존

168 하 중 상

그림 (가)는 지민이가 질량이 m인 물체를 일정한 속력 v로 s만큼 들어 올리는 모습을, (나)는 지민이가 마찰이 없는 빗면에서 질량이 m인 물체를 일정한 속력 v로 거리 s만큼 미는 모습을 나타낸 것이다.

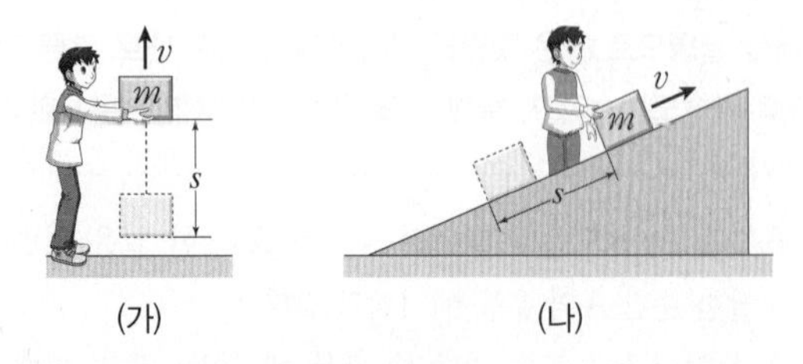

(가)와 (나)에서 크기가 같은 물리량은?

① 지민이가 물체에 작용한 힘

② 지민이가 물체에 한 일

③ 물체의 운동 에너지

④ 물체의 중력 퍼텐셜 에너지 변화량

⑤ 물체의 역학적 에너지

빈출

169 하 중 상

그림 (가)는 마찰이 없는 빗면에서 질량이 5 kg인 물체를 가만히 놓았을 때 물체가 빗면을 따라 운동하는 모습을 나타낸 것이고, (나)는 (가)에서 물체를 놓은 순간부터 물체의 속도를 시간에 따라 나타낸 것이다. (단, 중력 가속도는 10 m/s^{2}이고, 모든 마찰과 물체의 크기는 무시한다.)

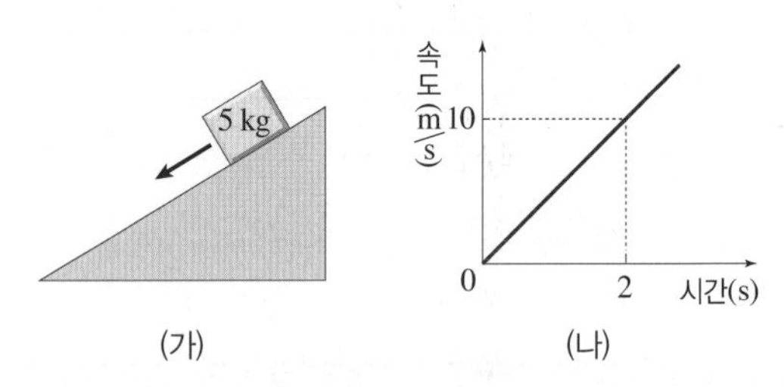

(1) 0초부터 2초까지 물체에 작용한 알짜힘이 한 일을 구하시오.

(2) 0초부터 2초까지 중력이 물체에 한 일을 구하시오.

(3) 0초부터 2초까지 물체의 높이 변화를 구하시오.

170 하 중 상

그림은 경사각이 일정하고 마찰이 없는 빗면 위에 있는 질량이 1 kg인 물체를 전동기로 끌어 올리는 모습을 나타낸 것이다. 물체를 일정한 속력으로 1초 동안 2 m 이동시켰더니 물체의 높이가 1 m 높아졌다.

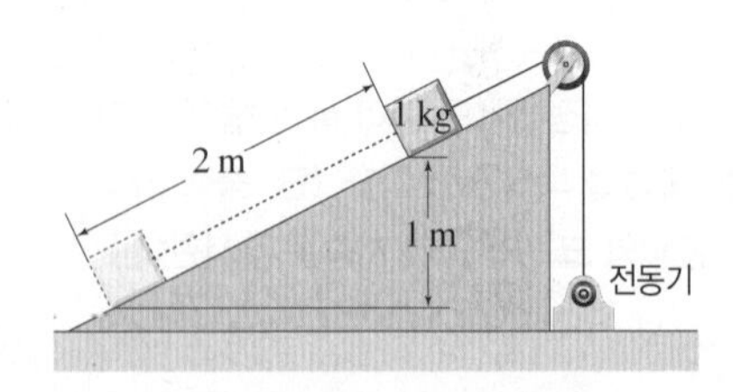

이에 대한 설명으로 옳은 것만을 〈보기〉에서 있는 대로 고른 것은? (단, 중력 가속도는 10 m/s^{2}이다.)

〈 보기 〉

ㄱ. 물체에 작용하는 알짜힘은 0이다.

ㄴ. 전동기가 물체에 작용하는 힘의 크기는 5 N이다.

ㄷ. 전동기가 물체에 한 일은 20 J이다.

① ㄱ ② ㄷ ③ ㄱ, ㄴ ④ ㄴ, ㄷ ⑤ ㄱ, ㄴ, ㄷ

171 하 중 상

그림은 미나가 높이 h인 미끄럼틀 위에서 정지해 있다가 미끄럼틀을 타고 내려와 v의 속력으로 수평면에 도달한 모습을 나타낸 것이다.

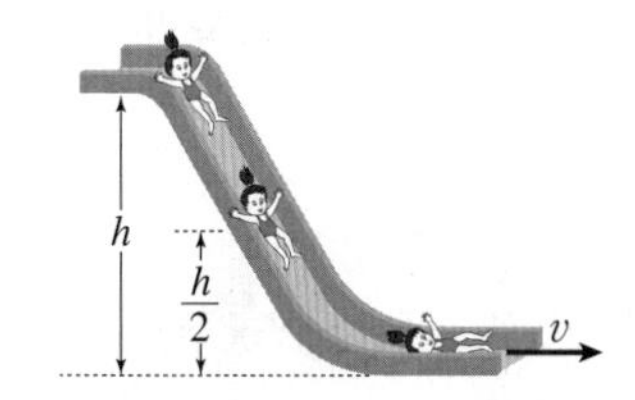

미나의 운동에 대한 설명으로 옳은 것만을 〈보기〉에서 있는 대로 고른 것은? (단, 중력 가속도는 g이고, 모든 마찰과 공기 저항은 무시한다.)

〈 보기 〉

ㄱ. $v=\frac{\sqrt{gh}}{2}$이다.

ㄴ. 높이가 $\frac{h}{2}$인 지점에서의 속력은 $\frac{\sqrt{2}}{2}v$이다.

ㄷ. 높이가 h인 지점에서 미나의 중력 퍼텐셜 에너지는 높이가 $\frac{h}{2}$인 지점에서의 2배이다.

ㄹ. 수평면에 내려오는 동안 중력이 미나에게 한 일은 높이가 h인 위치에서의 중력 퍼텐셜 에너지와 같다.

① ㄱ, ㄴ ② ㄱ, ㄷ ③ ㄷ, ㄹ
④ ㄱ, ㄴ, ㄹ ⑤ ㄴ, ㄷ, ㄹ

172 하 중 상

그림은 물체 A가 정지해 있던 물체 B를 향해 8 m/s의 속력으로 운동하는 모습을 나타낸 것이다. A와 B는 충돌 후 한 덩어리가 되어 운동하여 빗면을 따라 최고점의 높이 h에서 정지하였다. A와 B의 질량은 1 kg으로 같다.

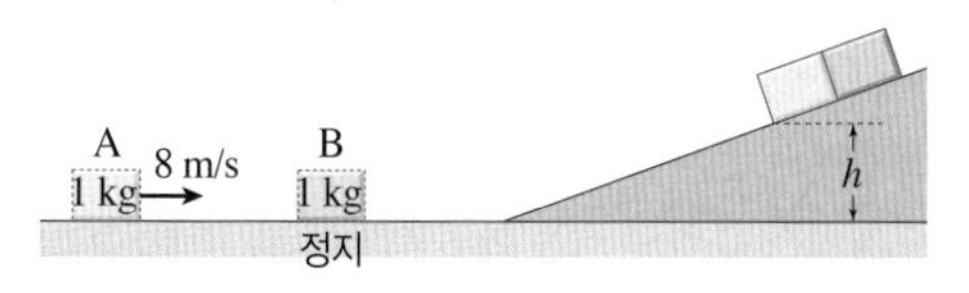

A, B가 빗면을 따라 올라간 최고 높이 h는? (단, 중력 가속도는 10 m/s^{2}이고, 모든 마찰과 물체의 크기는 무시한다.)

① 0.1 m ② 0.2 m ③ 0.4 m
④ 0.8 m ⑤ 1.6 m

173 하 중 상

그림과 같이 기울기가 다른 빗면에서 수평면으로부터 높이가 h로 같은 두 지점에 질량이 각각 $2m$, m인 물체 A, B를 동시에 가만히 놓았다.

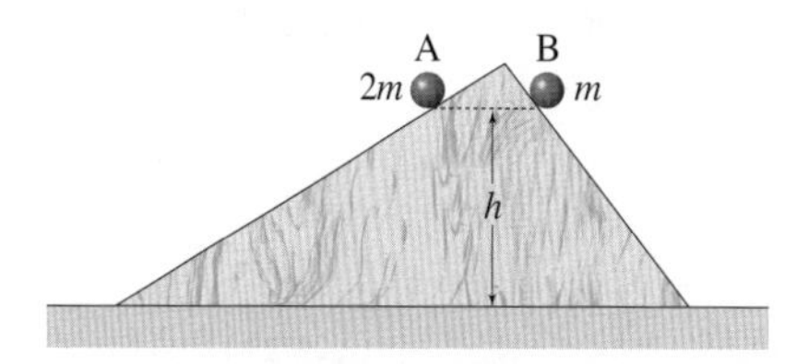

이에 대한 설명으로 옳은 것만을 〈보기〉에서 있는 대로 고른 것은? (단, 중력 가속도는 g이고, 모든 마찰과 공기 저항은 무시한다.)

〈 보기 〉

ㄱ. A와 B가 동시에 수평면에 도달한다.

ㄴ. 수평면에 도달하는 순간 A와 B의 속력은 $\sqrt{2gh}$로 같다.

ㄷ. 수평면에 도달하는 순간 운동 에너지는 A가 B의 2배이다.

① ㄱ ② ㄴ ③ ㄱ, ㄷ
④ ㄴ, ㄷ ⑤ ㄱ, ㄴ, ㄷ

174 하 중 상

그림은 수평면으로부터 높이가 1.8 m인 지점에 질량이 2 kg인 물체를 가만히 놓았더니 물체가 빗면을 내려와 수평면에서 마찰이 있는 구간을 지나는 모습을 나타낸 것이다. 마찰이 있는 구간의 길이는 5 m이고, 물체가 마찰이 있는 구간을 지나기 전의 속력은 v이며, 마찰이 있는 구간을 지난 후의 속력은 3 m/s이다.

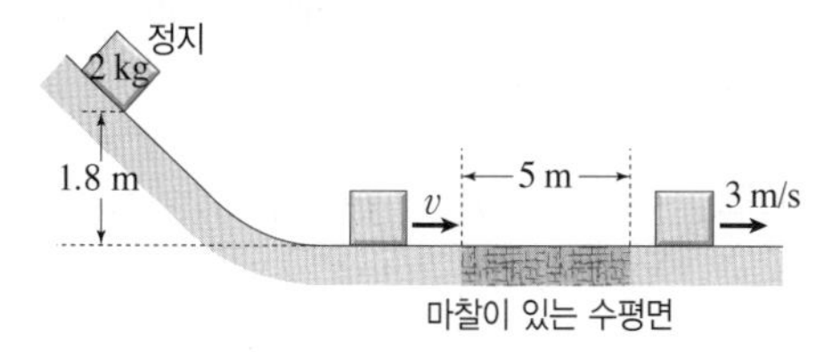

이에 대한 설명으로 옳은 것만을 〈보기〉에서 있는 대로 고른 것은? (단, 중력 가속도는 10 m/s^{2}이고, 마찰이 있는 구간을 제외한 모든 마찰과 공기 저항, 물체의 크기는 무시한다.)

〈 보기 〉

ㄱ. v=6 m/s이다.

ㄴ. 마찰이 있는 구간에서의 마찰력의 크기는 4 N이다.

ㄷ. 물체를 높이가 2.5 m인 지점에서 미끄러지게 하면 마찰이 있는 구간을 지난 후의 속력은 4 m/s이다.

① ㄱ ② ㄴ ③ ㄱ, ㄷ
④ ㄴ, ㄷ ⑤ ㄱ, ㄴ, ㄷ

곡선 궤도에서 운동하는 물체의 역학적 에너지 보존

175 하 중 상 多 보기

그림은 질량이 1 kg인 공을 마찰이 없는 레일 위의 높이가 4 m인 점 A에서 가만히 놓아 공이 레일 위의 점 B, C, D를 지나며 운동하는 모습을 나타낸 것이다.

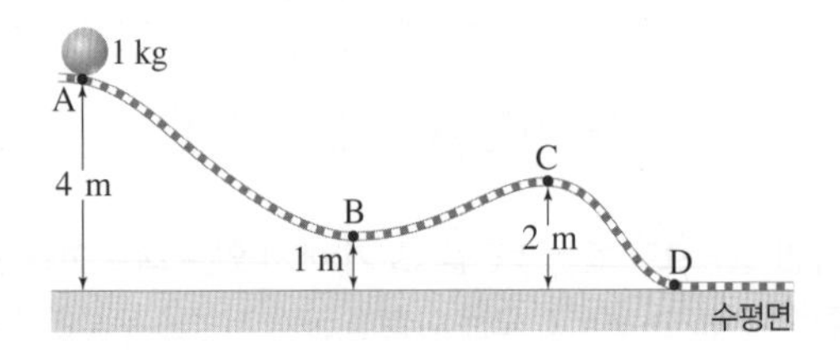

이에 대한 설명으로 옳지 않은 것을 모두 고르면? (단, 중력 가속도는 10 m/s^{2}이고, 공기 저항은 무시한다.)(2개)

① A에서 B까지 운동하는 동안 중력이 한 일은 운동 에너지 변화량과 같다.

② C에서 속력은 $2\sqrt{10}$ m/s이다.

③ 중력 퍼텐셜 에너지는 B에서가 D에서보다 크다.

④ 속력은 B에서가 C에서의 2배이다.

⑤ C에서 중력 퍼텐셜 에너지는 A에서보다 20 J 감소한다.

⑥ D에서 운동 에너지가 가장 크다.

⑦ 역학적 에너지는 D에서가 C에서보다 크다.

176 하 중 상

그림은 질량이 m인 물체가 마찰이 없는 면을 따라 점 A, B, C를 차례로 통과하여 운동하는 모습을 나타낸 것이다. A, C의 높이는 각각 $3h$, $2h$이고, 물체가 A를 통과할 때 속력은 v이다. 운동 에너지는 B를 지날 때가 C를 지날 때의 2배이고, B에서 중력 퍼텐셜 에너지는 0이다.

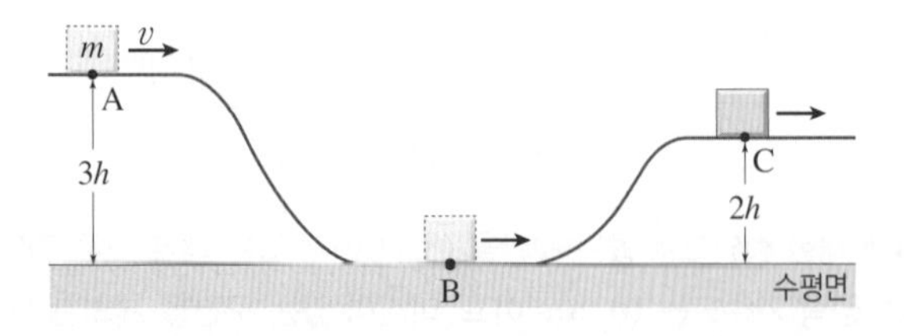

이에 대한 설명으로 옳은 것만을 〈보기〉에서 있는 대로 고른 것은? (단, 공기 저항은 무시한다.)

〈 보기 〉

ㄱ. B에서 물체의 속력은 $2v$이다.

ㄴ. C에서 물체의 운동 에너지는 mv^2이다.

ㄷ. 물체의 역학적 에너지는 $2mv^2$이다.

① ㄱ ② ㄴ ③ ㄱ, ㄷ
④ ㄴ, ㄷ ⑤ ㄱ, ㄴ, ㄷ

177 하 중 상

그림과 같이 정지해 있던 수레에 수평 방향으로 일정한 크기의 힘 F를 수평면에서 5초 동안 작용하였더니 질량이 m인 수레가 궤도를 따라 운동하여 점 A, B를 지나 최고점 C에서 정지하였다. 높이가 $3h$인 A에서 수레의 속력은 v이고, 높이가 $2h$인 B에서 수레의 속력은 $3v$이다.

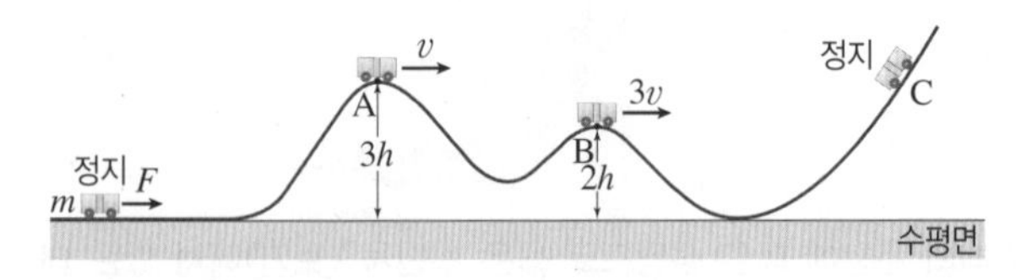

(가) 수레에 작용한 힘 F의 크기와 (나) 최고점 C의 높이로 옳은 것은? (단, 수레는 동일 연직면상에서 운동하며 수레의 크기와 모든 마찰, 공기 저항은 무시한다.)

	(가)	(나)		(가)	(나)
①	$\frac{3}{5}mv$	$\frac{9}{8}h$	②	$\frac{3}{5}mv$	$2h$
③	mv	$\frac{9}{8}h$	④	mv	$\frac{25}{8}h$
⑤	$2mv$	$2h$			

빈출 178 하 중 상

그림은 높이가 5 m인 수평면에서 두 물체 A, B 사이에 용수철을 넣어 압축시켰다가 동시에 가만히 놓았더니 A는 곡선 궤도를 따라 올라가 높이가 10 m인 지점에 정지하고, B는 높이가 3 m인 지점을 v의 속력으로 통과하는 모습을 나타낸 것이다. A의 질량은 m이고, 용수철에서 분리된 직후 A의 속력은 v이다.

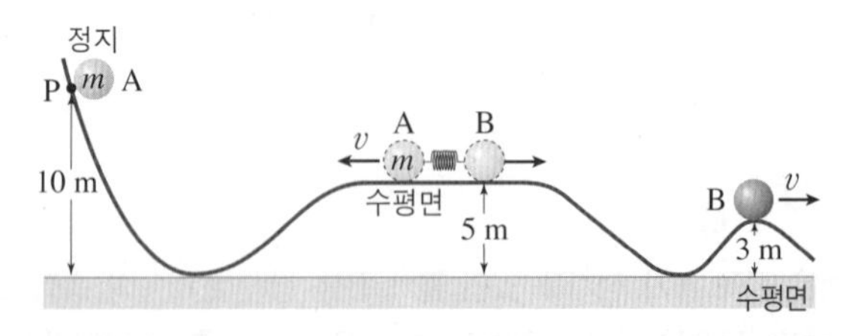

이에 대한 설명으로 옳은 것만을 〈보기〉에서 있는 대로 고른 것은? (단, 중력 가속도는 10 m/s^{2}이고, 모든 마찰과 공기 저항은 무시한다.)

〈 보기 〉

ㄱ. 용수철에서 분리된 직후 A의 속력은 10 m/s이다.

ㄴ. 용수철에서 분리된 직후 B의 속력은 $4\sqrt{10}$ m/s이다.

ㄷ. 질량은 B가 A의 $\frac{\sqrt{10}}{4}$배이다.

① ㄱ ② ㄴ ③ ㄱ, ㄷ
④ ㄴ, ㄷ ⑤ ㄱ, ㄴ, ㄷ

179 하 중 상

그림은 질량이 m인 물체를 높이가 $2h$인 지점에서 가만히 놓았더니 곡선 궤도를 따라 운동하는 모습을 나타낸 것이다. 물체는 궤도의 수평 구간의 점 p에서 점 q까지 운동하는 동안 운동 방향으로 일정한 힘 F를 t초 동안 받는다. q를 지나 높이가 $4h$인 지점에서 물체의 운동 에너지는 p에서의 2배이다.

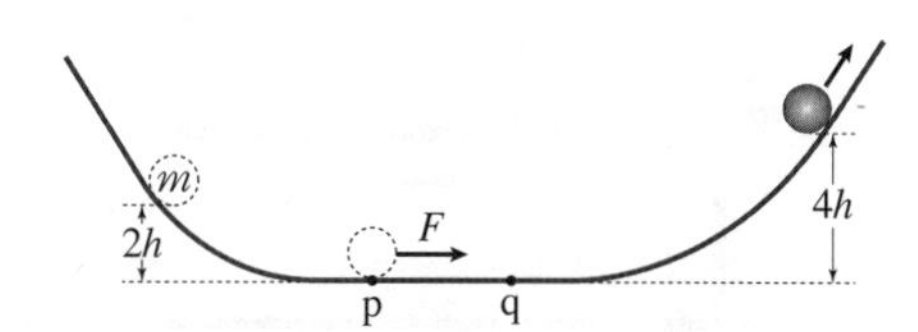

이에 대한 설명으로 옳은 것만을 〈보기〉에서 있는 대로 고른 것은? (단, A, B의 크기는 무시한다.)

〈 보기 〉
ㄱ. 물체가 q를 지날 때 속력은 $4\sqrt{gh}$이다.
ㄴ. F의 크기는 $2m\sqrt{gh}$이다.
ㄷ. p에서 q 사이의 거리는 $3t\sqrt{gh}$이다.

① ㄱ ② ㄴ ③ ㄱ, ㄷ
④ ㄴ, ㄷ ⑤ ㄱ, ㄴ, ㄷ

일과 탄성 퍼텐셜 에너지

180 하 중 상

多 보기

그림은 용수철 상수가 k인 용수철에 질량이 m인 물체를 매달아 평형 상태인 점 O에서 A만큼 잡아당긴 모습을 나타낸 것이다. 이때 탄성 퍼텐셜 에너지는 E_p이다.

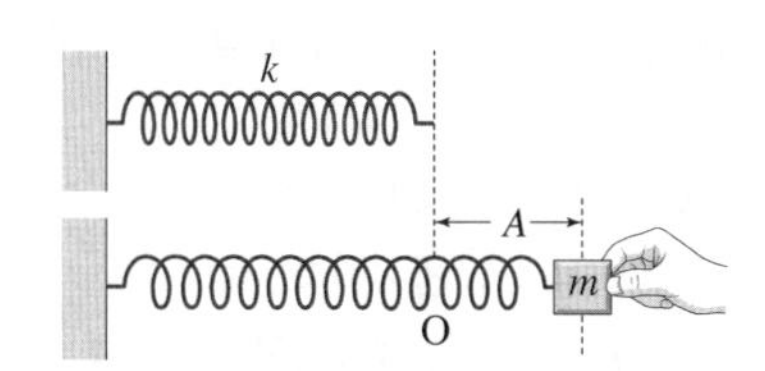

이에 대한 설명으로 옳지 않은 것을 모두 고르면? (단, 모든 마찰은 무시한다.) (2개)

① 물체를 잡아당기는 힘의 크기는 kA이다.
② 물체를 당기는 힘이 한 일은 kA^2이다.
③ E_p는 $\frac{1}{2}kA^2$이다.
④ 물체를 놓으면 역학적 에너지가 감소한다.
⑤ 물체를 놓았을 때 물체의 속력은 O에서 가장 크다.
⑥ 탄성 퍼텐셜 에너지는 O에서 0이다.
⑦ 탄성 퍼텐셜 에너지가 $\frac{1}{2}E_p$인 지점은 용수철이 늘어난 길이가 $\frac{\sqrt{2}}{2}A$인 지점이다.

181 하 중 상

그림은 용수철에 질량이 2 kg인 물체를 연결하여 평형점 O에서 50 cm만큼 잡아당긴 모습을 나타낸 것이다. 이 용수철을 30 cm만큼 잡아당겼을 때 탄성력의 크기는 60 N이다.

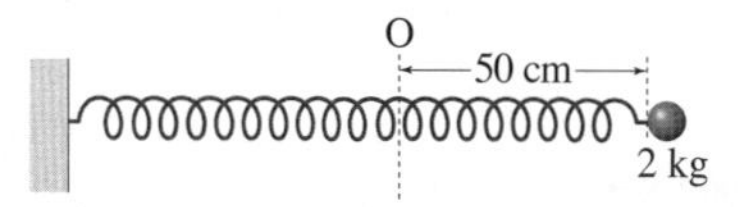

잡아당긴 물체를 놓았을 때 물체의 최대 속력을 구하시오.

182 하 중 상

그림은 마찰이 없는 수평면에서 물체가 운동하여 한쪽 끝이 고정된 용수철을 압축하는 모습을 나타낸 것이다. (가), (나)에서 물체의 질량과 용수철의 용수철 상수는 같고, 물체의 속력은 각각 $3v$, v이다.

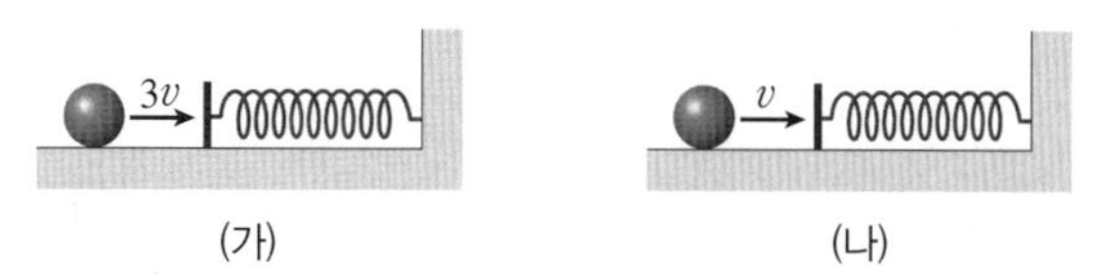

물체가 용수철을 최대로 압축시킨 길이는 (가)에서가 (나)에서의 몇 배인가?

① 1배 ② $\sqrt{3}$배 ③ 3배
④ $3\sqrt{3}$배 ⑤ 9배

183 하 중 상

그림은 용수철에 힘을 주었을 때 힘의 크기와 용수철이 늘어난 길이의 관계를 나타낸 것이다.
이 용수철을 0.4 m만큼 압축시켰을 때 용수철에 저장된 탄성 퍼텐셜 에너지는?

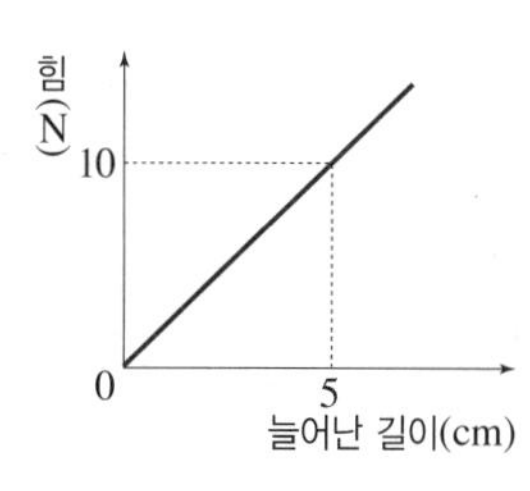

① 1 J ② 2 J ③ 4 J
④ 8 J ⑤ 16 J

184 하 중 상

그림은 수평면에서 용수철 상수가 1000 N/m인 용수철에 질량이 1 kg인 물체를 접촉시켜 평형 위치에서 0.2 m만큼 압축시켰다가 놓았을 때, 물체가 빗면을 따라 올라가서 정지한 모습을 나타낸 것이다.

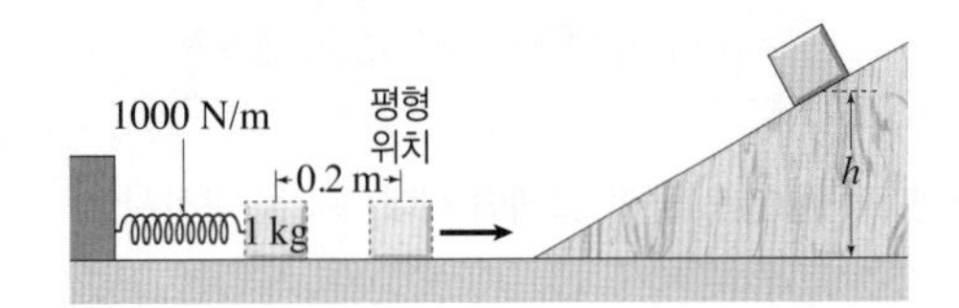

물체가 빗면을 따라 올라가서 정지한 높이 h는? (단, 중력 가속도는 10 m/s²이고, 모든 마찰과 공기 저항은 무시한다.)

① 1 m ② 2 m ③ 3 m
④ 4 m ⑤ 5 m

185 하 중 상

그림은 질량이 m인 공을 높이가 h인 빗면에 가만히 놓았더니 공이 빗면을 따라 내려와 용수철을 $3h$만큼 압축시킨 후 정지한 순간의 모습을 나타낸 것이다.

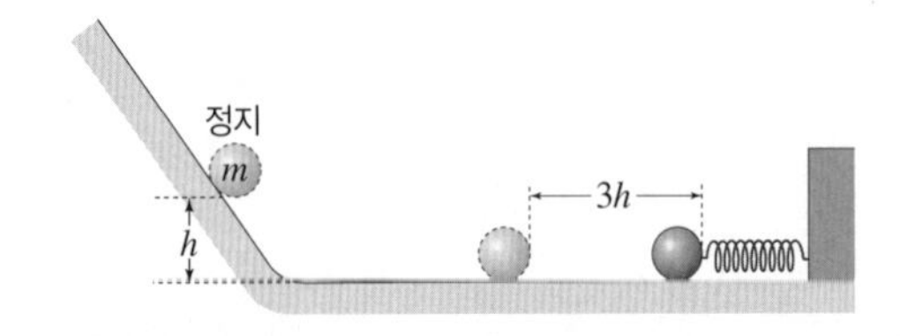

이에 대한 설명으로 옳지 않은 것은? (단, 중력 가속도는 g이고, 공의 크기, 모든 마찰과 공기 저항은 무시한다.)

① 수평면에서 공의 속력은 $\sqrt{2gh}$이다.
② 용수철이 $3h$만큼 압축되는 동안 탄성력의 크기는 일정하다.
③ 용수철에 저장된 탄성 퍼텐셜 에너지의 최댓값은 mgh이다.
④ 용수철 상수는 $\frac{2mg}{9h}$이다.
⑤ 공을 높이 $2h$에서 가만히 놓으면 용수철이 최대로 압축되는 길이는 $3\sqrt{2}h$이다.

186 하 중 상

그림은 벽에 연결된 용수철에 마찰이 있는 수평면에 놓인 물체를 연결하고, 평형 위치 O에서 점 A까지 잡아 당겼다가 놓았을 때 물체가 직선 운동을 하여 점 B에서 정지한 모습을 나타낸 것이다. x에서 탄성력과 마찰력의 크기가 같다.

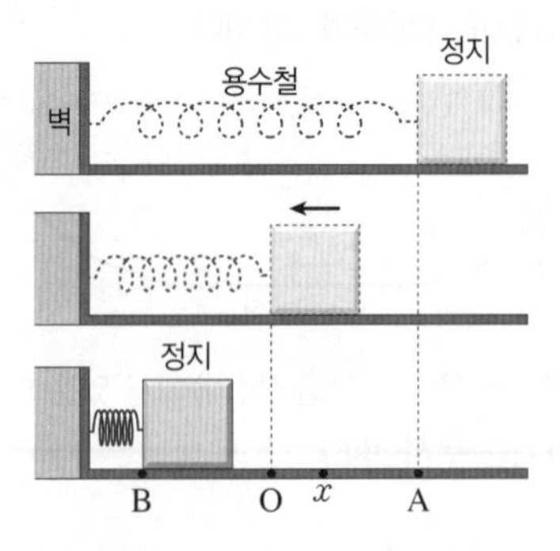

이에 대한 설명으로 옳은 것만을 〈보기〉에서 있는 대로 고른 것은?

〈 보기 〉
ㄱ. 용수철의 탄성 퍼텐셜 에너지는 B에서 가장 크다.
ㄴ. 물체의 운동 에너지는 x에서 가장 크다.
ㄷ. A에서 O까지 거리는 O에서 B까지 거리보다 크다.
ㄹ. A에서 B까지 운동하는 동안 역학적 에너지는 보존된다.

① ㄱ, ㄴ ② ㄱ, ㄹ ③ ㄴ, ㄷ
④ ㄱ, ㄷ, ㄹ ⑤ ㄴ, ㄷ, ㄹ

187 하 중 상

그림은 용수철에 질량이 m인 물체를 매달아 가만히 놓았더니 물체가 평형 위치를 지나 용수철의 원래 길이보다 $2L$만큼 늘어나서 속력이 0이 된 모습을 나타낸 것이다. 물체가 일직선상의 점 p, q를 지날 때 속력은 같다.

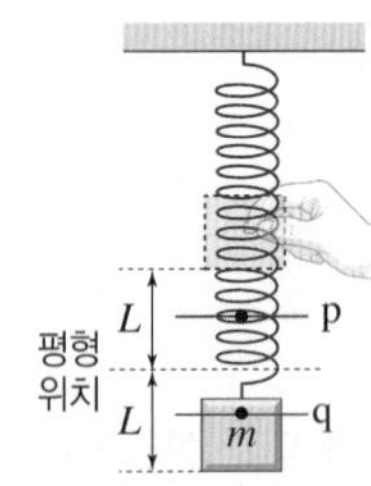

이에 대한 설명으로 옳은 것만을 〈보기〉에서 있는 대로 고른 것은? (단, 중력 가속도는 g이고, 물체의 크기와 용수철의 질량, 공기 저항은 무시한다.)

〈 보기 〉
ㄱ. 평형 위치에서 물체의 운동 에너지는 가장 크다.
ㄴ. 용수철 상수는 $\frac{mg}{L}$이다.
ㄷ. 평형 위치에서 물체의 속력은 $\sqrt{2gL}$이다.
ㄹ. 용수철의 탄성 퍼텐셜 에너지는 p에서와 q에서가 같다.

① ㄱ, ㄴ ② ㄱ, ㄹ ③ ㄴ, ㄷ
④ ㄱ, ㄷ, ㄹ ⑤ ㄴ, ㄷ, ㄹ

188 하/중/상

그림은 질량이 m인 물체를 용수철 상수가 k인 용수철로부터 높이가 h인 점 O에서 가만히 놓았더니 용수철을 점 P까지 압축시킨 후 정지한 순간의 모습을 나타낸 것이다. 용수철이 압축된 길이는 d이다.

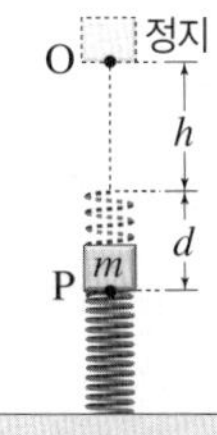

이에 대한 설명으로 옳은 것만을 〈보기〉에서 있는 대로 고른 것은? (단, 중력 가속도는 g이고, 물체의 크기와 공기 저항, 충돌 과정에서 에너지 손실은 무시한다.)

〈 보기 〉
ㄱ. 물체가 O에서 h만큼 낙하했을 때 운동 에너지는 최대이다.
ㄴ. P에서 용수철의 탄성 퍼텐셜 에너지는 $mg(h+d)$이다.
ㄷ. P에서 물체에 작용하는 중력과 탄성력의 크기는 같다.

① ㄱ ② ㄴ ③ ㄱ, ㄷ
④ ㄴ, ㄷ ⑤ ㄱ, ㄴ, ㄷ

빈출
189 하/중/상

그림은 높이가 **3 m**인 수평면에서 질량이 **1 kg**인 물체를 용수철 상수가 **400 N/m**인 용수철에 접촉시켜 L만큼 압축시켰다가 놓은 후 물체가 운동하는 모습을 나타낸 것이다. 물체는 v의 속력으로 지면 위의 점 p를 지나고, 크기가 **5 N**인 마찰력이 작용하는 구간 A를 지난 후 **10 m/s**의 속력으로 지면 위의 점 q를 지난다. 마찰력이 작용하는 구간 A의 길이는 **6 m**이다.

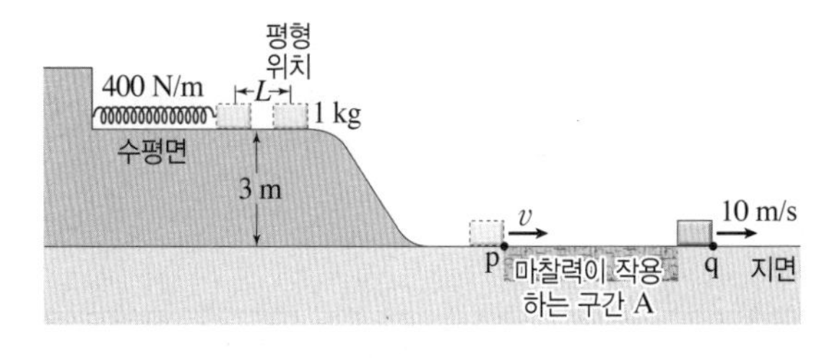

이에 대한 설명으로 옳은 것만을 〈보기〉에서 있는 대로 고른 것은? (단, 중력 가속도는 $10\ m/s^2$이고, 마찰력이 작용하는 구간 외의 모든 마찰과 공기 저항은 무시한다.)

〈 보기 〉
ㄱ. A에서 마찰력이 한 일은 -30 J이다.
ㄴ. $v=4\sqrt{5}$ m/s이다.
ㄷ. $L=0.5$ m이다.

① ㄱ ② ㄴ ③ ㄱ, ㄷ
④ ㄴ, ㄷ ⑤ ㄱ, ㄴ, ㄷ

역학적 에너지가 보존되지 않는 운동

190 하/중/상

역학적 에너지가 보존되지 않는 사례로 옳은 것만을 〈보기〉에서 있는 대로 고른 것은?

〈 보기 〉
ㄱ. 인공위성이 지구 주위를 일정한 속도로 공전하는 운동
ㄴ. 마찰이 작용하는 빗면에서의 운동
ㄷ. 공기 저항을 받으며 낙하하는 물체
ㄹ. 바퀴와 레일 사이에 열이 발생하며 운동하는 롤러코스터

① ㄱ, ㄴ ② ㄱ, ㄹ ③ ㄴ, ㄷ
④ ㄱ, ㄷ, ㄹ ⑤ ㄴ, ㄷ, ㄹ

191 하/중/상 •서술형

그림 (가)는 스카이다이버가 높은 곳에서 떨어질 때 속력이 빨라지는 모습을, (나)는 스카이다이버가 낙하산을 편 후 일정한 속력으로 내려오는 모습을 나타낸 것이다.

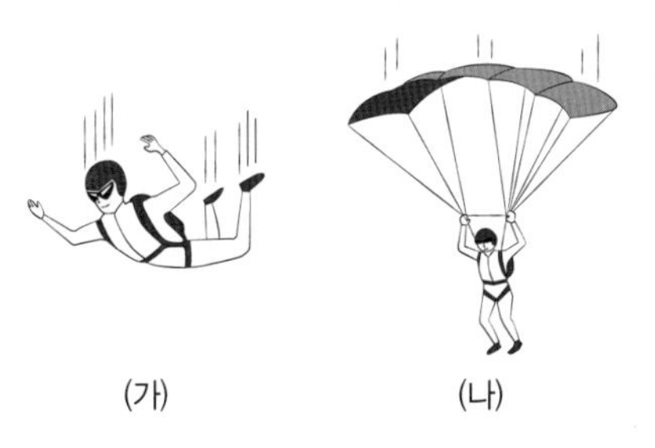

(1) (가)와 (나)에서 스카이다이버의 운동 에너지와 중력 퍼텐셜 에너지가 어떻게 변하는지 서술하시오.

(2) (나)에서 역학적 에너지는 어떻게 변하는지 쓰고, 그 까닭을 서술하시오.

도르래와 물체의 운동

기출 Tip Ⓐ

도르래에 걸쳐 놓은 두 물체에 작용하는 중력의 크기
실로 연결하여 도르래에 걸쳐 놓은 두 물체가 정지해 있다면 두 물체에 작용하는 중력의 크기는 같다.

실로 연결된 물체의 운동 에너지
실로 연결된 두 물체의 속력은 같으므로, 두 물체의 운동 에너지의 비는 두 물체의 질량의 비와 같다.

도르래에 걸쳐 놓은 두 물체의 중력 퍼텐셜 에너지
도르래에 걸쳐 놓은 두 물체 중, 높이가 증가하는 물체는 중력 퍼텐셜 에너지가 증가하고, 높이가 감소하는 물체는 중력 퍼텐셜 에너지가 감소한다.

Ⓐ 도르래 양쪽에 매단 물체의 운동 분석하기

그림과 같이 실로 연결된 물체 A, B가 도르래에 걸쳐진 상태로 등가속도 운동을 한다. A, B의 질량은 각각 m, M이고, A, B는 처음 위치에서 높이 h만큼 운동하였다.

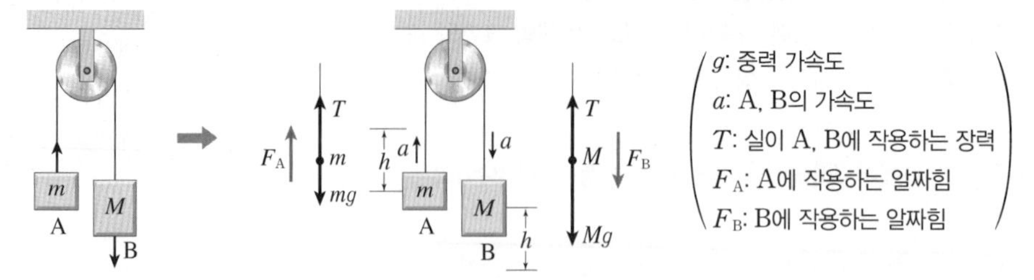

① 물체의 운동 분석하기

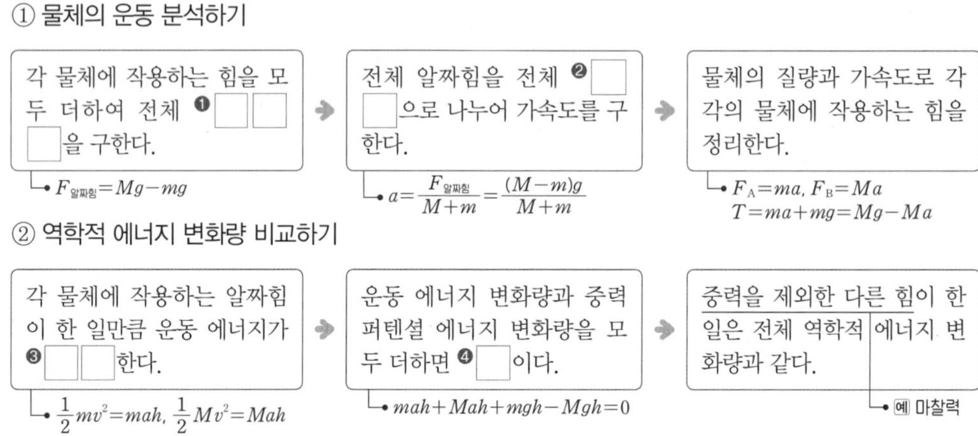

각 물체에 작용하는 힘을 모두 더하여 전체 ❶☐☐을 구한다. → 전체 알짜힘을 전체 ❷☐☐으로 나누어 가속도를 구한다. → 물체의 질량과 가속도로 각각의 물체에 작용하는 힘을 정리한다.

- $F_{알짜힘}=Mg-mg$
- $a=\dfrac{F_{알짜힘}}{M+m}=\dfrac{(M-m)g}{M+m}$
- $F_A=ma$, $F_B=Ma$, $T=ma+mg=Mg-Ma$

② 역학적 에너지 변화량 비교하기

각 물체에 작용하는 알짜힘이 한 일만큼 운동 에너지가 ❸☐☐한다. → 운동 에너지 변화량과 중력 퍼텐셜 에너지 변화량을 모두 더하면 ❹☐이다. → 중력을 제외한 다른 힘이 한 일은 전체 역학적 에너지 변화량과 같다.

- $\frac{1}{2}mv^2=mah$, $\frac{1}{2}Mv^2=Mah$
- $mah+Mah+mgh-Mgh=0$
- 예 마찰력

Ⓑ 수평면상의 물체와 도르래에 매단 물체의 운동 분석하기

그림과 같이 물체 A, B를 실로 연결하여 도르래에 걸친 후 정지 상태에서 가만히 놓았더니 A, B가 처음 위치에서 거리 h만큼 운동하였다. A, B의 질량은 각각 M, m이다.

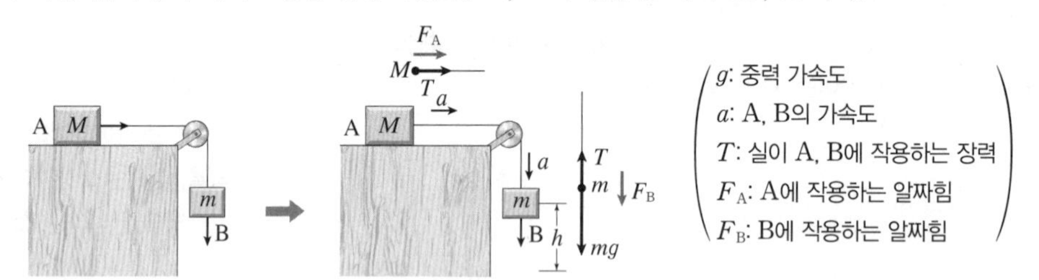

① 물체의 운동 분석하기

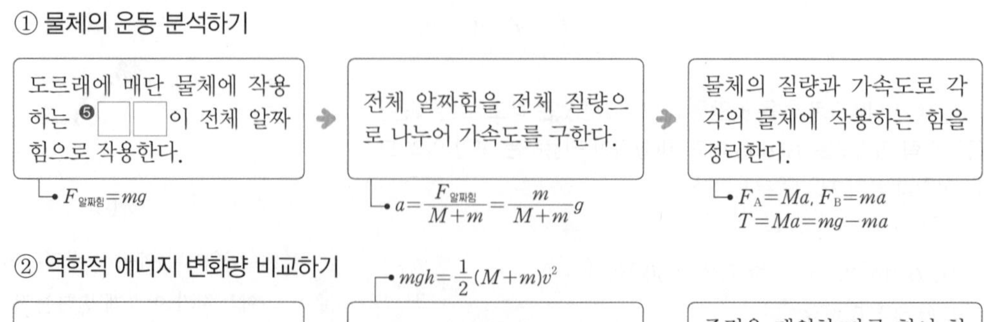

도르래에 매단 물체에 작용하는 ❺☐☐이 전체 알짜힘으로 작용한다. → 전체 알짜힘을 전체 질량으로 나누어 가속도를 구한다. → 물체의 질량과 가속도로 각각의 물체에 작용하는 힘을 정리한다.

- $F_{알짜힘}=mg$
- $a=\dfrac{F_{알짜힘}}{M+m}=\dfrac{m}{M+m}g$
- $F_A=Ma$, $F_B=ma$, $T=Ma=mg-ma$

② 역학적 에너지 변화량 비교하기

수평면에서 운동하고 있는 물체의 중력 퍼텐셜 에너지는 ❻☐☐하다. → 도르래에 매단 물체의 중력 퍼텐셜 에너지가 감소한 만큼 전체 운동 에너지가 ❼☐☐한다. → 중력을 제외한 다른 힘이 한 일은 전체 운동 에너지 변화량과 도르래에 매단 물체의 중력 퍼텐셜 에너지 변화량의 합과 같다.

- $mgh=\frac{1}{2}(M+m)v^2$

C 빗면에 도르래로 매단 물체의 운동 분석하기

그림과 같이 수평면에 놓인 물체 A와 빗면 위에 놓인 물체 B를 실로 연결한 후 가만히 놓았더니 A와 B가 등가속도 운동을 하였다. A, B의 질량은 각각 m, M이고, B의 중력에 의해 빗면 아래 방향으로 작용하는 힘의 크기는 F이다. A, B가 처음 위치에서 L만큼 운동하였을 때 B의 높이는 h만큼 감소하였다.

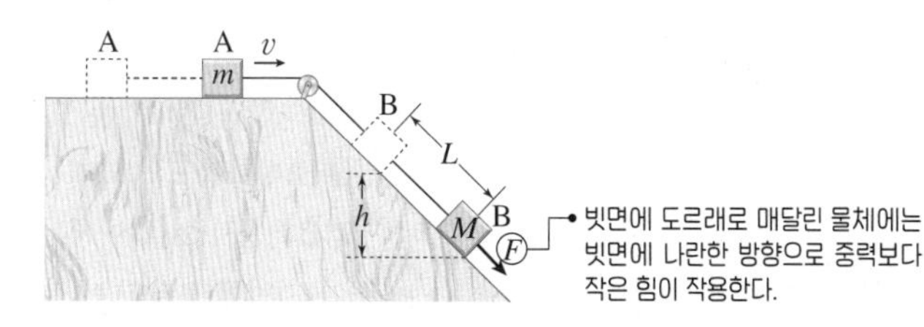

• 역학적 에너지 변화량 비교하기

빗면에 나란한 방향으로 작용한 힘과 빗면에 나란한 방향으로 이동한 거리를 곱하여 전체 운동 에너지 변화량을 구한다. → 물체에 작용한 중력과 연직 방향으로 이동한 거리를 곱하여 중력 퍼텐셜 에너지 변화량을 구한다. → 중력을 제외한 다른 힘이 한 일은 전체 운동 에너지 변화량과 도르래에 매단 물체의 중력 퍼텐셜 에너지 변화량의 합과 같다.

• $F \times L = \frac{1}{2}(m+M)v^2$

• 중력 퍼텐셜 에너지 감소량$=Mgh$

기출 Tip C

물체에 작용하는 알짜힘이 0일 때 빗면에 나란한 방향으로 작용하는 힘의 크기

A에 5 N의 힘을 왼쪽으로 작용했을 때, A, B는 정지한다. → 빗면에 나란한 방향으로 작용하는 힘의 크기$=5$ N

실이 끊어지기 전후에 가속도 변화가 있을 때 빗면에 나란한 방향으로 작용하는 힘의 크기

실이 끊어지기 전 B의 가속도가 0이었다가, 실이 끊어진 후 B의 가속도가 a이다. → 빗면에 나란한 방향으로 작용하는 힘의 크기 $=Ma$

답 ❶ 알짜힘 ❷ 질량 ❸ 증가 ❹ 0 ❺ 중력 ❻ 일정 ❼ 증가

빈출 자료 보기

정답과 해설 27쪽

192 그림은 실로 연결된 물체 A, B가 도르래에 걸쳐진 상태로 등가속도 운동을 하는 모습을 나타낸 것이다. A, B의 질량은 각각 m, $3m$이다.

이에 대한 설명으로 옳은 것은 ○, 옳지 않은 것은 ×로 표시하시오. (단, 중력 가속도는 g이고, 모든 마찰과 공기 저항, 실의 질량은 무시한다.)

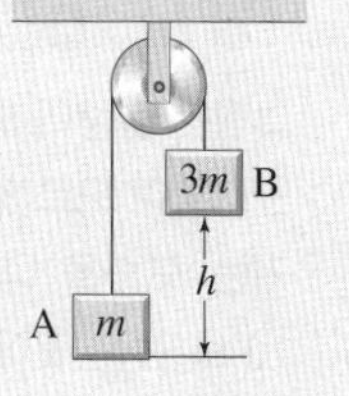

(1) A, B에 작용하는 알짜힘의 크기는 $2mg$이다. ( )

(2) A의 가속도의 크기는 $\frac{1}{2}g$이다. ( )

(3) B에 작용하는 알짜힘의 크기는 $3mg$이다. ( )

(4) 실이 A에 작용하는 힘의 크기는 $\frac{3}{2}mg$이다. ( )

(5) B가 h만큼 이동하는 동안 A와 B의 중력 퍼텐셜 에너지는 $4mgh$만큼 증가한다. ( )

(6) B가 h만큼 이동했을 때 A의 운동 에너지는 $\frac{1}{2}mgh$이다. ( )

(7) B가 h만큼 이동했을 때 B의 속력은 $\sqrt{gh}$이다. ( )

193 그림은 물체 A, B를 실로 연결한 후 A를 마찰이 없는 수평면 위의 점 p에 정지시켜 놓고 B를 손으로 잡고 있는 모습을 나타낸 것이다. 손을 놓았더니 A가 p로부터 1 m 떨어진 점 q를 통과하였다. A, B의 질량은 각각 3 kg, 1 kg이다.

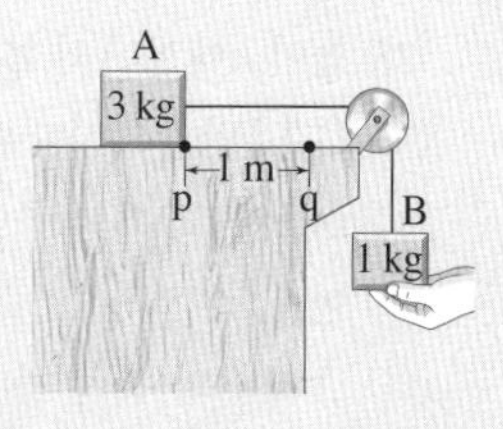

이에 대한 설명으로 옳은 것은 ○, 옳지 않은 것은 ×로 표시하시오. (단, 중력 가속도는 10 m/s^{2}이고, 모든 마찰과 공기 저항, 실의 질량은 무시한다.)

(1) A, B에 작용하는 알짜힘의 크기는 40 N이다. ( )

(2) B의 가속도의 크기는 2.5 m/s^{2}이다. ( )

(3) 실이 A에 작용하는 힘의 크기는 7.5 N이다. ( )

(4) A가 p에서 q까지 운동하는 동안 B의 중력 퍼텐셜 에너지 감소량은 2.5 J이다. ( )

(5) A가 q를 지날 때 A, B의 운동 에너지의 합은 7.5 J이다. ( )

(6) A가 q를 지날 때 A의 운동 에너지는 7.5 J이다. ( )

(7) B의 중력 퍼텐셜 에너지 감소량은 A의 운동 에너지 증가량과 같다. ( )

난이도별 필수 기출

 도르래 양쪽에 매단 물체의 운동 분석하기

194 하 중 상

그림은 질량이 3 kg인 물체 A와 7 kg인 물체 B를 실로 연결하여 도르래에 걸쳐 놓은 모습을 나타낸 것이다. (단, 중력 가속도는 10 m/s^2이고, 모든 마찰과 공기 저항, 실의 질량은 무시한다.)

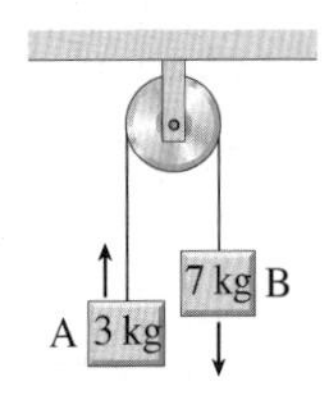

(1) A의 가속도의 크기를 구하시오.

(2) B에 작용하는 알짜힘의 크기를 구하시오.

(3) 두 물체 사이의 실에 작용하는 장력의 크기를 구하시오.

195 하 중 상

그림과 같이 물체 A와 B를 실로 연결하여 높이가 h로 같도록 도르래에 매달았더니 B가 h만큼 낙하하였다. A, B의 질량은 각각 m, $2m$이다. 다음은 B가 지면에 도달할 때 속력 v를 구하는 과정이다.

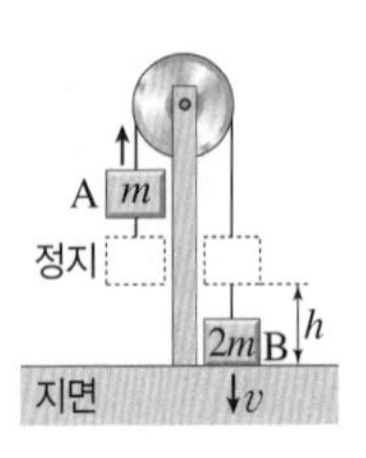

(가) 높이 h에서 A와 B의 운동 에너지 합은 0이다.
(나) B가 h만큼 낙하한 순간 A의 중력 퍼텐셜 에너지 증가량은 mgh이고, B의 중력 퍼텐셜 에너지 감소량은 (㉠)이다.
(다) A와 B의 중력 퍼텐셜 에너지 감소량이 (㉡)이면, 운동 에너지 증가량도 (㉡)이다.
(라) 따라서 지면에 도달할 때 B의 속력은 (㉢)이다.

㉠~㉢의 값으로 옳은 것은? (단, 중력 가속도는 g이다.)

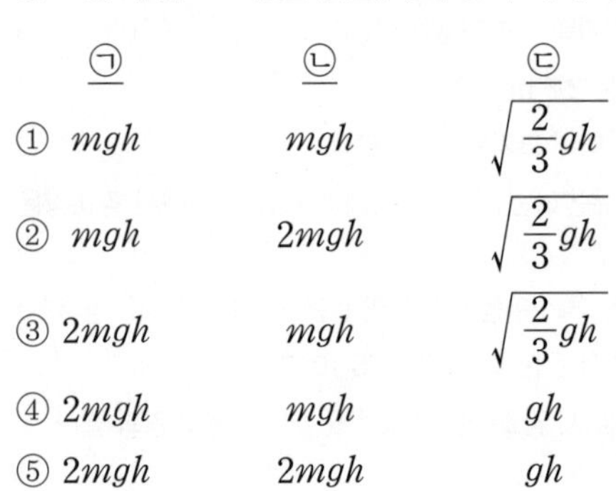

	㉠	㉡	㉢
①	mgh	mgh	$\sqrt{\frac{2}{3}gh}$
②	mgh	$2mgh$	$\sqrt{\frac{2}{3}gh}$
③	$2mgh$	mgh	$\sqrt{\frac{2}{3}gh}$
④	$2mgh$	mgh	gh
⑤	$2mgh$	$2mgh$	gh

빈출 196 하 중 상

그림은 물체 A, B가 도르래를 통해 실로 연결된 상태에서 B의 높이가 2 m가 되도록 A를 잡고 있는 모습을 나타낸 것이다. A, B의 질량은 각각 2 kg, 3 kg이다.
손을 놓았을 때, 두 물체의 운동에 대한 설명으로 옳은 것만을 〈보기〉에서 있는 대로 고른 것은? (단, 중력 가속도는 10 m/s^2이고, 모든 마찰과 공기 저항, 실의 질량은 무시한다.)

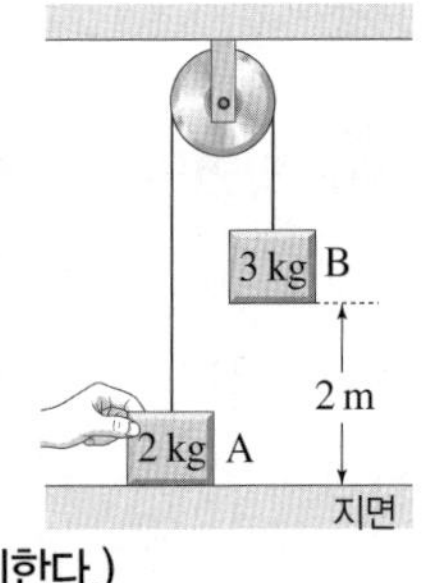

〈 보기 〉
ㄱ. B의 역학적 에너지는 보존된다.
ㄴ. A, B의 가속도의 크기는 2 m/s^2이다.
ㄷ. A, B의 높이가 같아지는 순간 A의 속력은 2 m/s이다.
ㄹ. B가 지면에 도달할 때 운동 에너지는 12 J이다.

① ㄱ, ㄴ ② ㄱ, ㄹ ③ ㄷ, ㄹ
④ ㄱ, ㄴ, ㄷ ⑤ ㄴ, ㄷ, ㄹ

197 하 중 상

그림은 질량이 5 kg인 물체 A와 질량이 3 kg인 물체 B를 실 P에 연결하여 도르래에 걸쳐 놓고, B에 연결된 실 q를 전동기로 잡아당기는 모습을 나타낸 것이다. A는 지면에서, B는 지면으로부터 10 m 높은 곳에서 출발하여 가속도의 크기가 2.5 m/s^2인 등가속도 운동을 한다. (단, 중력 가속도는 10 m/s^2이고, 모든 마찰과 공기 저항, 실의 질량은 무시한다.)

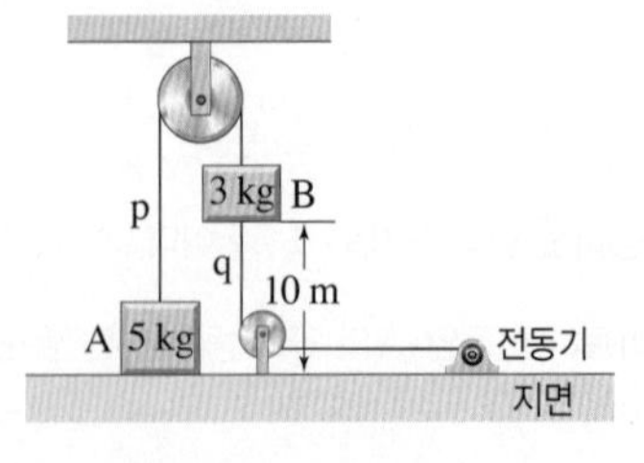

(1) A, B의 높이가 같아지는 순간까지 전동기가 한 일을 구하시오.

(2) A, B의 높이가 같아지는 순간 A, B의 속력을 구하시오.

I

198 하 중 상

그림 (가)는 물체 A, B, C를 실로 연결한 후, A에 연직 방향으로 일정한 힘 F를 가해 A, B, C가 정지해 있는 모습을 나타낸 것이고, (나)는 (가)에서 A를 놓는 순간부터 A의 속력을 시간에 따라 나타낸 것이다. A, B, C는 함께 운동하다가 2초일 때, B와 C 사이의 실 p가 끊어진다.

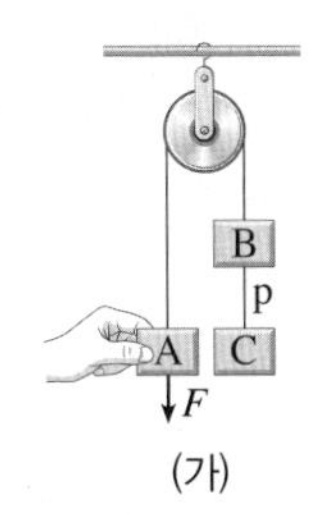

(가)

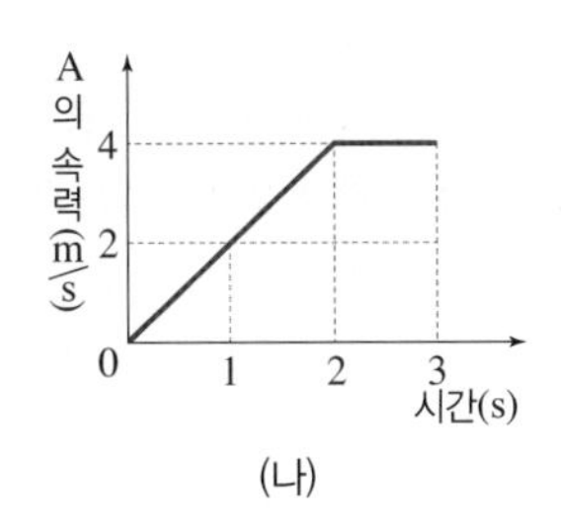

(나)

이에 대한 설명으로 옳은 것만을 <보기>에서 있는 대로 고른 것은? (단, 중력 가속도는 10 m/s^{2}이고, 모든 마찰과 공기 저항, 실의 질량은 무시한다.)

< 보기 >
ㄱ. F의 크기는 C에 작용하는 중력의 크기와 같다.
ㄴ. C의 질량은 A의 2배이다.
ㄷ. 1초일 때 B의 역학적 에너지는 증가한다.

① ㄱ ② ㄷ ③ ㄱ, ㄴ
④ ㄴ, ㄷ ⑤ ㄱ, ㄴ, ㄷ

B 수평면상의 물체와 도르래에 매단 물체의 운동 분석하기

빈출

199 하 중 상

多 보기

그림은 수평면에 정지해 있는 물체 A와 물체 B를 실로 연결하여 도르래에 걸친 후 가만히 놓은 모습을 나타낸 것이다. A와 B의 질량은 각각 3 kg, 2 kg이다.

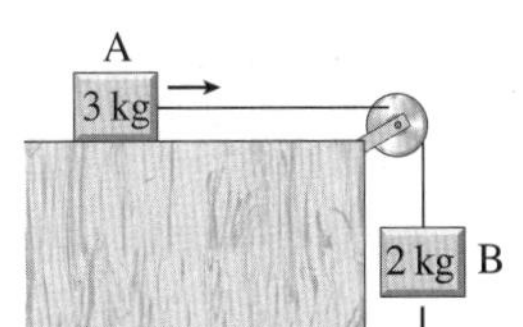

이에 대한 설명으로 옳지 않은 것은? (단, 중력 가속도는 10 m/s^{2}이고, 모든 마찰과 공기 저항, 실의 질량은 무시한다.)(2개)

① A의 가속도의 크기는 4 m/s^{2}이다.
② A는 등속 직선 운동을 한다.
③ 수평면이 A를 떠받치는 힘의 크기는 30 N이다.
④ 2초 후 B의 속력은 8 m/s이다.
⑤ B에 작용하는 알짜힘의 크기는 20 N이다.
⑥ 실이 B를 잡아당기는 힘의 크기는 12 N이다.

200 하 중 상

그림은 마찰이 없는 수평면에 놓인 질량이 m인 물체 A를 질량이 $2m$인 물체 B와 실로 연결하여 도르래에 걸친 후 잡고 있는 모습을 나타낸 것이다.

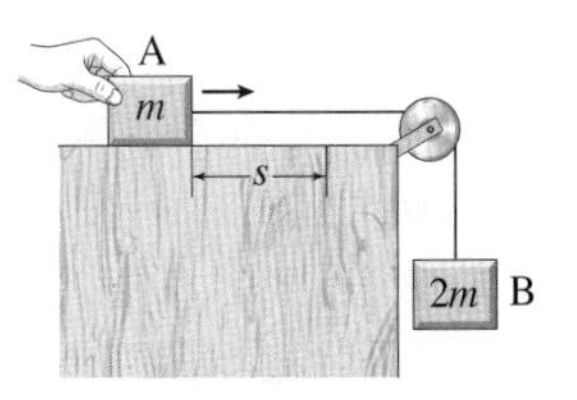

A가 처음 위치에서 s만큼 떨어진 지점을 통과하는 순간까지 증가한 B의 운동 에너지는? (단, 중력 가속도는 g이고, 공기 저항과 실의 질량, 모든 마찰은 무시한다.)

① $\frac{1}{3}mgs$ ② $\frac{2}{3}mgs$ ③ $\frac{4}{3}mgs$
④ $\frac{3}{4}mgs$ ⑤ $\frac{3}{2}mgs$

201 하 중 상

그림은 질량이 각각 3 kg, 2 kg, 1 kg인 물체 A, B, C가 실로 연결된 상태에서 C를 잡고 있다가 놓았을 때 세 물체가 등가속도 운동을 하는 모습을 나타낸 것이다.

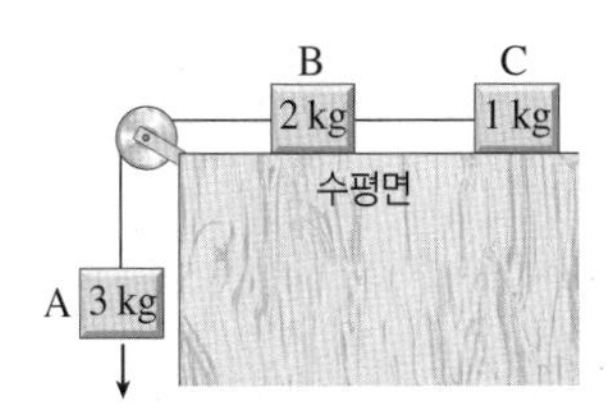

C가 B를 당기는 힘의 크기를 구하시오. (단, 중력 가속도는 10 m/s^{2}이고, 모든 마찰과 공기 저항, 실의 질량은 무시한다.)

빈출

202 하 중 상

다음은 가속도 법칙을 알아보기 위한 실험이다.

[실험 과정]
(가) 그림과 같이 질량이 $2m$인 수레와 질량이 m인 추 1개를 도르래를 통해 실로 연결한 후 추를 가만히 놓고 수레의 가속도를 측정한다.

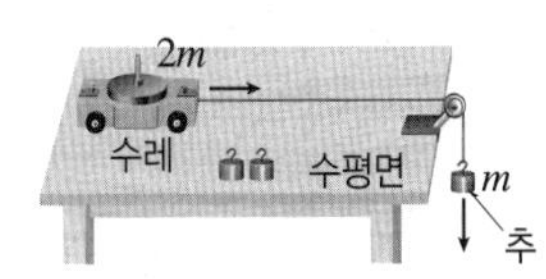

(나) 수레 위 추의 개수와 실에 매단 추의 개수를 바꾸어 가며 과정 (가)를 반복한다.

[실험 결과]

실험	수레 위 추의 개수	실에 매단 추의 개수	수레의 가속도
Ⅰ	0개	1개	a
Ⅱ	2개	㉠	a
Ⅲ	3개	1개	㉡

㉠과 ㉡을 구하시오.

203 하 중 상

그림 (가)는 수평면에서 물체 A, B를 용수철저울로 연결하고 B에 수평 방향으로 20 N의 힘을 작용하는 모습을, (나)는 A, B를 용수철저울로 연결하고 수평면에 A를 가만히 놓았을 때 A, B가 등가속도 운동을 하는 모습을 나타낸 것이다. A의 질량은 2 kg이고, (가)에서 용수철저울로 측정한 힘의 크기는 8 N이다.

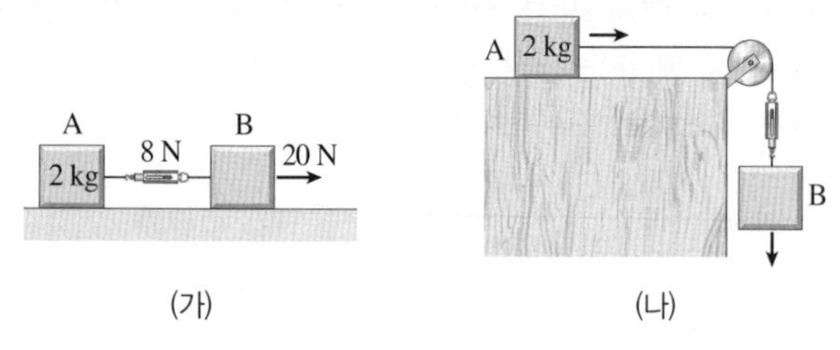

(가) (나)

이에 대한 설명으로 옳은 것만을 〈보기〉에서 있는 대로 고른 것은? (단, 중력 가속도는 10 m/s^{2}이고, 모든 마찰과 공기 저항, 실의 질량은 무시한다.)

〈 보기 〉
ㄱ. B의 질량은 3 kg이다.
ㄴ. (가)에서와 (나)에서 A의 가속도의 비((가) : (나))는 2 : 3이다.
ㄷ. (나)에서 용수철저울로 측정한 힘의 크기는 18 N이다.

① ㄱ ② ㄷ ③ ㄱ, ㄴ
④ ㄴ, ㄷ ⑤ ㄱ, ㄴ, ㄷ

204 하 중 상

그림 (가), (나)는 물체 A, B가 실로 연결되어 화살표 방향으로 등가속도 운동을 하는 모습을 나타낸 것이다. A의 가속도의 크기는 (나)에서가 (가)에서의 2배이다.

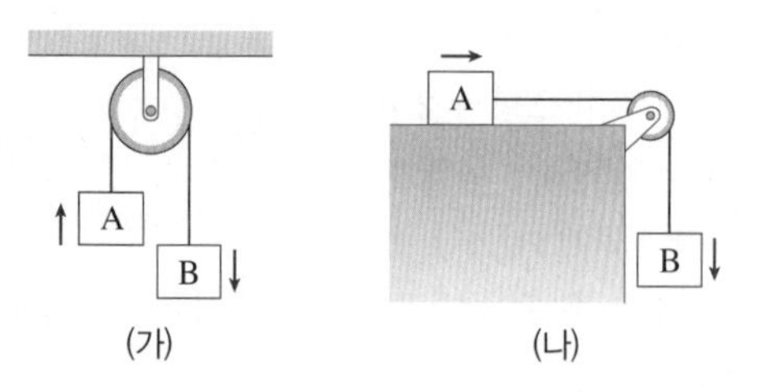

(가) (나)

이에 대한 설명으로 옳은 것만을 〈보기〉에서 있는 대로 고른 것은? (단, 모든 마찰과 실의 질량은 무시한다.)

〈 보기 〉
ㄱ. B의 질량은 A의 2배이다.
ㄴ. (가)와 (나)에서 실의 장력의 크기는 같다.
ㄷ. B에 작용하는 알짜힘의 크기는 (나)에서가 (가)에서의 2배이다.

① ㄱ ② ㄴ ③ ㄱ, ㄷ
④ ㄴ, ㄷ ⑤ ㄱ, ㄴ, ㄷ

205 하 중 상

••서술형

그림은 질량이 3 kg인 물체 A와 질량이 7 kg인 물체 B를 마찰이 있는 수평면과 도르래에 장치하고 가만히 놓은 모습을 나타낸 것이다. 수평면이 A에 작용하는 마찰력의 크기가 20 N일 때, A, B 사이의 실에 작용하는 장력의 크기를 풀이 과정과 함께 구하시오. (단, 중력 가속도는 10 m/s^{2}이고, 수평면 이외의 모든 마찰과 실의 질량은 무시한다.)

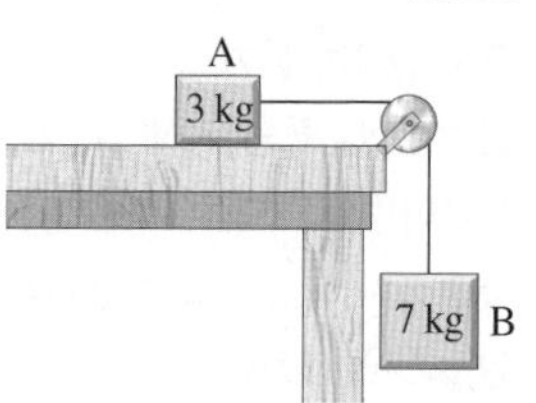

206 하 중 상

그림은 물체 A, B, C가 실로 연결되어 화살표 방향으로 운동하다가 A와 B를 연결하고 있던 실이 끊어진 후 A, B, C가 각각 등가속도 운동을 하고 있는 모습을 나타낸 것이다. A, C의 질량은 각각 $2m$, m이고, 실이 끊어진 후 가속도의 크기는 A가 B의 3배이다. B의 질량을 구하시오. (단, 모든 마찰과 실의 질량은 무시한다.)

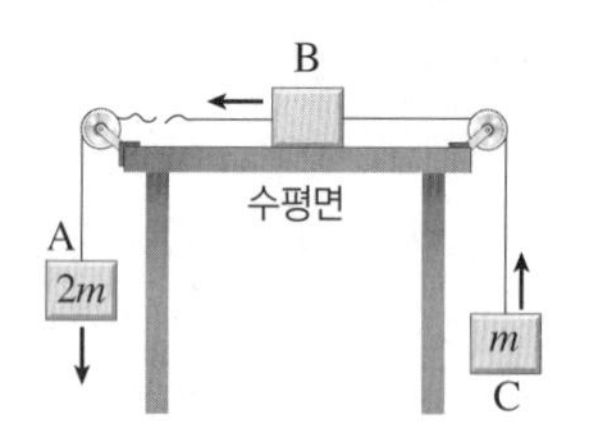

207 하 중 상

그림은 질량이 각각 2 kg, m인 물체 A, B를 실로 연결하고 점 p에서 A를 가만히 놓았을 때 A, B가 등가속도 운동을 하는 모습을 나타낸 것이다. A가 0.7 m 이동하여 점 q를 지날 때 B의 운동 에너지 증가량은 B의 중력 퍼텐셜 에너지 감소량의 $\frac{2}{7}$배이다.

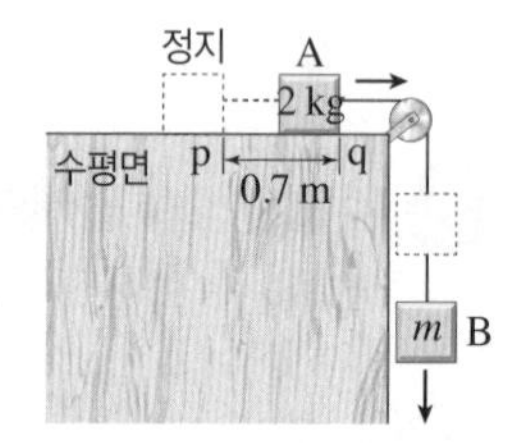

이에 대한 설명으로 옳은 것만을 〈보기〉에서 있는 대로 고른 것은? (단, 중력 가속도는 10 m/s^2 이고, 모든 마찰과 실의 질량은 무시한다.)

〈 보기 〉
ㄱ. m=7 kg이다.
ㄴ. A가 q에 도달하는 순간 B의 속력은 2 m/s이다.
ㄷ. p에서 q까지 실이 A를 당기는 힘이 한 일은 5 J이다.
ㄹ. A의 운동 에너지 증가량은 B의 역학적 에너지 감소량과 같다.

① ㄱ, ㄷ ② ㄱ, ㄹ ③ ㄴ, ㄹ
④ ㄱ, ㄴ, ㄷ ⑤ ㄴ, ㄷ, ㄹ

208 하 중 상 (多 보기)

그림은 수평면에 놓인 물체 A의 양쪽에 물체 B, C를 실로 연결한 후 A를 손으로 잡아 점 p에 정지시킨 모습을 나타낸 것이다. 손을 가만히 놓았더니 A는 등가속도 운동을 하여 점 q를 지났다. A, B, C의 질량은 각각 m, m, $2m$이고, p와 q 사이의 거리는 l이다.

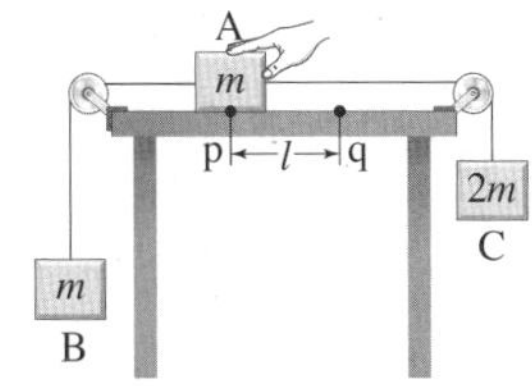

이에 대한 설명으로 옳지 <u>않은</u> 것은? (단, 중력 가속도는 g이고, 모든 마찰과 공기 저항, 실의 질량은 무시한다.)(2개)

① A의 가속도의 크기는 $\frac{1}{4}g$이다.

② A와 B 사이의 실이 B에 작용하는 힘의 크기는 $\frac{5}{4}mg$이다.

③ A와 C 사이의 실이 C에 작용하는 힘의 크기는 $\frac{3}{2}mg$이다.

④ A가 p에서 q까지 이동하는 데 걸린 시간은 $\sqrt{\frac{2l}{g}}$이다.

⑤ q에서 A의 속력은 $\sqrt{\frac{gl}{2}}$이다.

⑥ C의 중력 퍼텐셜 에너지 감소량은 A의 운동 에너지 증가량의 4배이다.

⑦ B의 역학적 에너지 증가량은 $\frac{5}{4}mgl$이다.

C 빗면에 도르래로 매단 물체의 운동 분석하기

빈출 209 하 중 상

그림은 수평면에 놓인 질량이 6 kg인 물체 A와 빗면 위의 질량이 m인 물체 B를 실로 연결한 후 A를 정지 상태에서 가만히 놓았더니 A와 B가 등가속도 운동을 하여 속력이 v가 된 순간을 나타낸 것이다. 이때 B의 높이는 h만큼 감소하였고, B의 중력 퍼텐셜 에너지 감소량은 B의 운동 에너지 증가량의 4배이다.

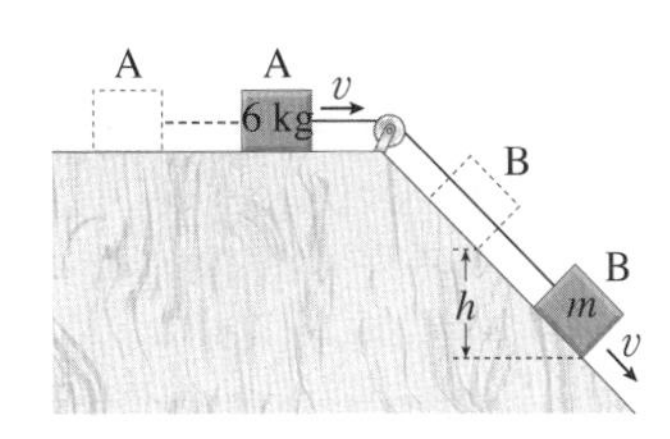

B의 질량 m을 구하시오. (단, 모든 마찰과 공기 저항, 실의 질량은 무시한다.)

210 하 중 상

그림 (가)는 빗면 위의 물체 B와 연결되어 있는 물체 A에 수평 방향으로 힘 F가 작용하는 모습을 나타낸 것이고, (나)는 힘 F의 크기를 시간에 따라 나타낸 것이다. B는 0초부터 2초까지 정지해 있었고, 2초부터 6초까지 점 p에서 점 q까지 L만큼 이동하였다. (단, 중력 가속도는 10 m/s²이고, 모든 마찰과 공기 저항, 실의 질량은 무시한다.)

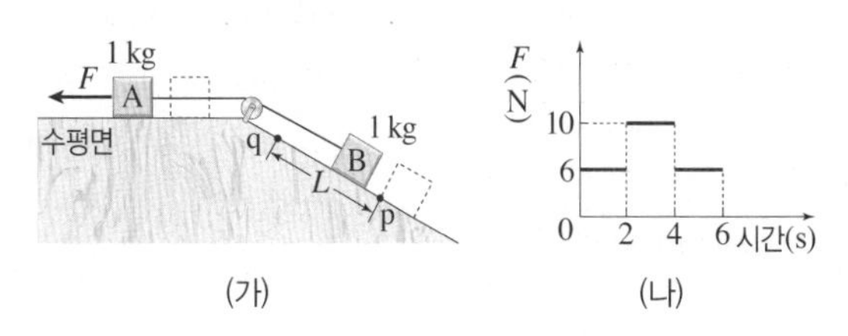

(가) (나)

(1) 2초부터 4초까지 B의 가속도의 크기를 구하시오.

(2) 2초부터 6초까지 B가 이동한 거리 L을 구하시오.

(3) 3초일 때 실이 B를 당기는 힘의 크기를 구하시오.

211 하 중 상

그림 (가)는 질량이 각각 $3m$, $2m$, $4m$인 물체 A, B, C가 실로 연결되어 정지해 있는 모습을, (나)는 (가)에서 실 p가 끊어진 후, A, B, C가 등가속도 운동을 하는 모습을 나타낸 것이다. 실 p, q는 빗면과 나란하다.

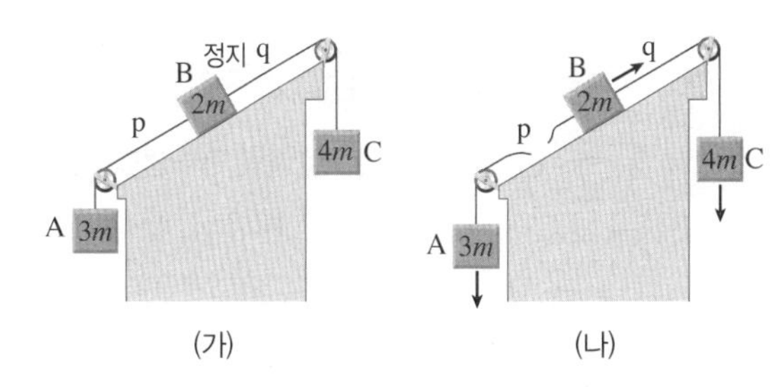

(가) (나)

이에 대한 설명으로 옳은 것만을 <보기>에서 있는 대로 고른 것은? (단, 중력 가속도는 g이고, 모든 마찰과 공기 저항, 실의 질량, 물체의 크기는 무시한다.)

<보기>

ㄱ. (나)에서 가속도의 크기는 A가 C의 2배이다.

ㄴ. (나)에서 B에 작용하는 알짜힘의 크기는 $2mg$이다.

ㄷ. q의 장력은 (가)에서가 (나)에서의 2배이다.

① ㄱ ② ㄴ ③ ㄱ, ㄷ
④ ㄴ, ㄷ ⑤ ㄱ, ㄴ, ㄷ

열역학 제1법칙

A 기체가 하는 일과 내부 에너지

1 온도와 열

① 온도: 물체의 차갑고 뜨거운 정도를 기준을 정해 수치로 나타낸 것 ➡ 온도가 높을수록 분자 운동이 활발하다.

② 열: 온도가 다른 두 물체가 접촉해 있을 때 온도가 높은 물체에서 낮은 물체로 스스로 이동하는 에너지 → 이동하는 열의 양을 열량이라고 한다.

③ 열평형 상태: 온도가 다른 두 물체가 접촉해 있을 때 온도가 높은 물체에서 낮은 물체로 ❶☐ 이 이동하여 두 물체의 온도가 같아진 상태

기출 Tip A-1

기체의 온도와 분자의 평균 속력
기체의 온도가 높을수록 분자의 평균 속력이 크다.

단열되지 않은 실린더의 열평형 상태
온도가 다른 두 물체가 단열되지 않은 상태로 접촉해 있을 때 충분한 시간이 지나면 열평형 상태에 이르게 된다. ➡ 단열되지 않은 칸막이로 나누어진 두 기체의 온도는 같아진다.

2 기체가 하는 일

기체가 일정한 압력 P를 유지하면서 팽창할 때, 기체가 외부에 한 일 W는 압력 P와 부피 변화 ΔV의 곱과 같다.

$W=F\Delta l=PA\Delta l=P\Delta V$

$$W=P\Delta V \text{ [단위: J]}$$

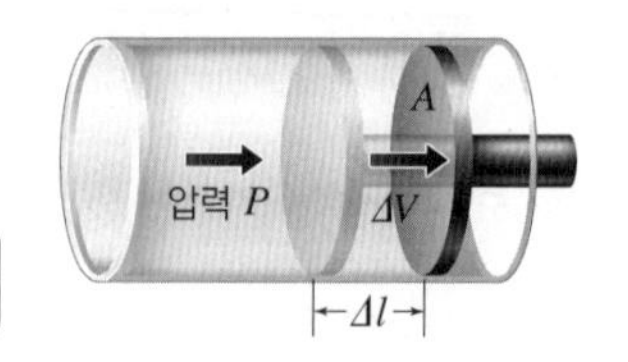

① 기체의 부피 변화와 기체가 외부에 한 일

기체의 부피가 증가할 때	$\Delta V>0$이므로 $W>0$ ➡ 외부에 일을 함
기체의 부피가 감소할 때	$\Delta V<0$이므로 $W<0$ ➡ 외부에서 일을 받음

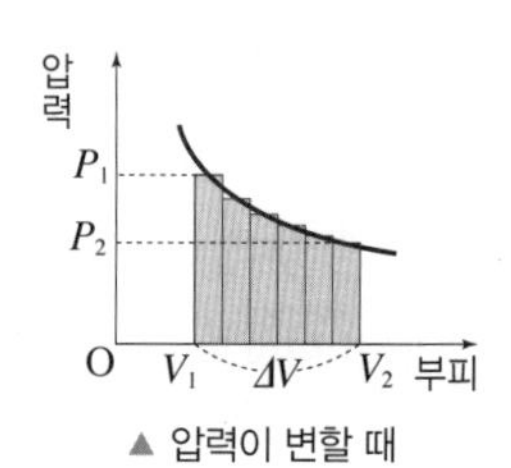

▲ 압력이 일정할 때

▲ 압력이 변할 때

② 압력-부피 그래프: 기체가 한 ❷☐은 압력-부피 그래프 아랫부분의 넓이와 같다.

3 기체의 내부 에너지

기체 분자의 운동 에너지와 퍼텐셜 에너지의 총합

➡ 이상 기체의 내부 에너지 U는 기체 분자의 ❸☐☐ 에너지의 총합이므로 기체 분자수 N과 절대 온도 T에 ❹☐☐한다.

→ 이상 기체는 분자 사이에 작용하는 힘을 무시하므로 퍼텐셜 에너지가 0이다.

$$U\propto N\overline{E_k} \Rightarrow U\propto NT$$

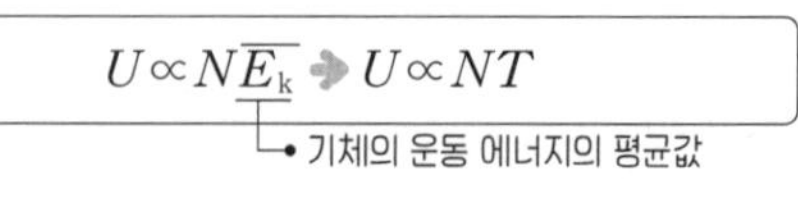

→ 기체의 운동 에너지의 평균값

기출 Tip A-3

기체 분자의 평균 운동 에너지
기체 분자의 운동 에너지의 평균값 $\overline{E_k}$는 절대 온도 T에 비례한다.

분자 운동이 둔할 때	분자 운동이 활발할 때
기체 분자	기체 분자
내부 에너지가 작다.	내부 에너지가 크다.
온도가 낮다.	온도가 높다.

B 열역학 제1법칙

1 열역학 제1법칙

기체에 가해 준 열 Q는 기체의 내부 에너지 변화량 ΔU와 기체가 외부에 한 일 W의 합과 같다. ➡ 열에너지와 역학적 에너지를 포함한 ❺☐☐☐ ☐☐ 법칙이다.

$$Q=\Delta U+W$$

2 열역학 과정

기체가 외부와 상호 작용을 하면서 한 상태에서 다른 상태로 바뀌는 과정 ➡ 열역학 과정에서 열역학 제1법칙이 적용된다.

등적 과정
부피가 일정하게 유지되면서 기체의 압력과 온도가 변하는 과정

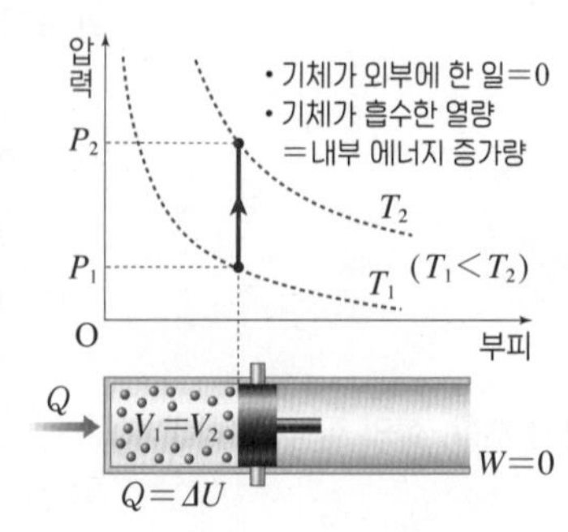

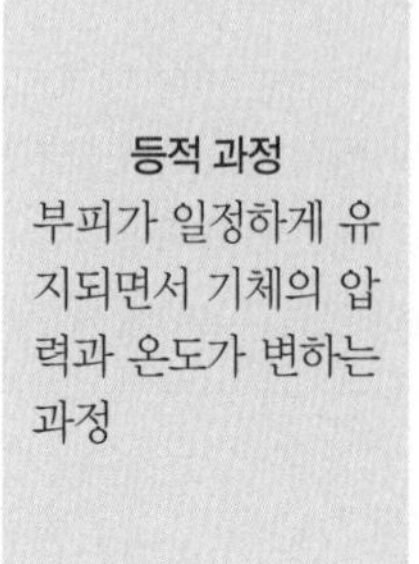

$\Delta V=0$이므로 기체가 외부에 한 일 $W=0$이다.
➡ 기체가 흡수한 열 Q는 내부 에너지 변화량 ΔU와 같다.

$$Q=\Delta U+W=\Delta U+0 \Rightarrow Q=\Delta U$$

기출 Tip B-2

등적 과정에서 압력 변화와 내부 에너지
- 압력이 증가할 때: 기체가 받은 열 → 내부 에너지 증가 → 기체의 온도 상승
- 압력이 감소할 때: 기체가 잃은 열 → 내부 에너지 감소 → 기체의 온도 하강

등압 과정
❻ □□이 일정하게 유지되면서 기체의 부피와 온도가 변하는 과정

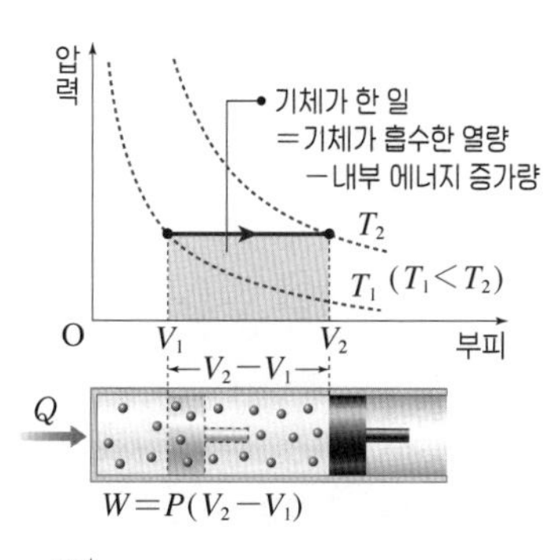

기체의 부피와 온도가 변하므로 일과 내부 에너지의 변화가 생긴다.
➡ 기체가 흡수한 열 Q는 내부 에너지 증가량 ΔU와 기체가 외부에 한 일 W의 합과 같다.

$$Q=\Delta U+W=\Delta U+P\Delta V$$

등온 과정
온도가 일정하게 유지되면서 기체의 부피와 압력이 변하는 과정

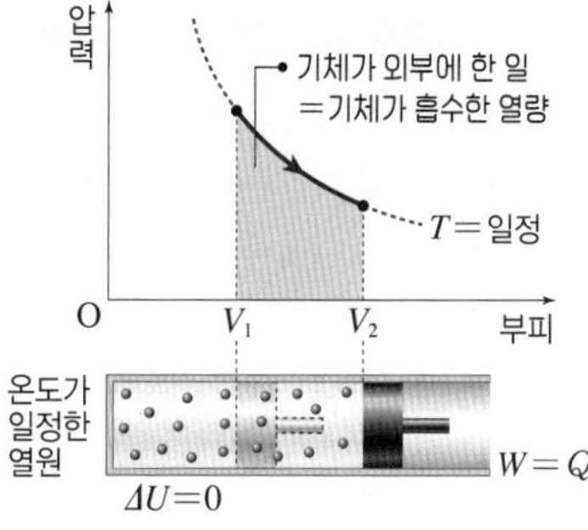

$\Delta T=0$이므로 기체의 내부 에너지 변화량 $\Delta U=0$이다.
➡ 기체가 흡수한 열 Q는 기체가 외부에 한 일 W와 같다.

$$Q=\Delta U+W=0+W \Rightarrow Q=W$$

단열 과정
외부와 열의 출입이 없이 기체의 상태가 변하는 과정

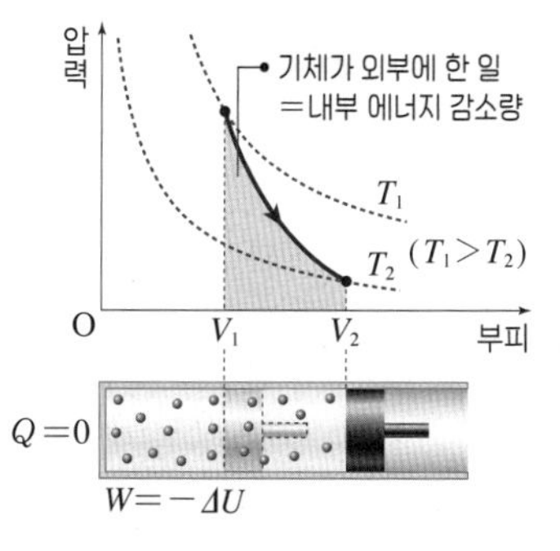

열의 출입이 없으므로 $Q=$❼□이다.
➡ 기체가 외부에 한 일 W는 기체의 내부 에너지 감소량 $-\Delta U$와 같다.

$$Q=0=\Delta U+W \Rightarrow W=-\Delta U$$

기출 Tip Ⓑ-2

등압 과정에서 기체의 부피 변화와 내부 에너지
- 기체가 팽창할 때: 기체가 받은 열=외부에 한 일+내부 에너지 증가량
- 기체가 수축할 때: 기체가 잃은 열=외부에서 받은 일+내부 에너지 감소량

등온 과정에서 기체의 부피 변화와 열량
- 기체가 팽창할 때: 기체가 한 일=기체가 흡수한 열량
- 기체가 수축할 때: 기체가 받은 일=기체가 방출한 열량

단열 과정에서 기체의 부피 변화와 내부 에너지
- 기체가 팽창할 때: 기체가 한 일 → 내부 에너지 감소 → 기체의 온도 하강
- 기체가 수축할 때: 기체가 받은 일 → 내부 에너지 증가 → 기체 온도 상승

기체의 압력과 부피, 온도의 관계
- 기체의 압력이 일정할 때 기체의 부피는 절대 온도에 비례한다.
- 기체의 온도가 일정할 때 기체의 부피는 압력에 반비례한다.

3 열역학 과정(단열 과정)의 예

① 구름의 생성: 공기가 상승하면 ❽□□ □□하여 공기의 온도가 급격히 낮아진다.
② 높새 바람: 동해에서 온 공기 덩어리가 태백산맥을 넘으면서 단열 팽창하여 구름이 되었다가 동쪽 사면에 비를 뿌린 후 서쪽 사면을 따라 내려온다. 이때 ❾□□ □□에 의해 온도가 높아져 고온 건조한 높새바람이 분다.

답 ❶ 열 ❷ 일 ❸ 운동 ❹ 비례 ❺ 에너지 보존 ❻ 압력 ❼ 0 ❽ 단열 팽창 ❾ 단열 압축

빈출 자료 보기

정답과 해설 30쪽

212 그림은 일정량의 이상 기체의 상태가 A → B → C → D → A를 따라 변할 때 압력과 부피를 나타낸 것이다. C → D 과정은 등온 과정이다.

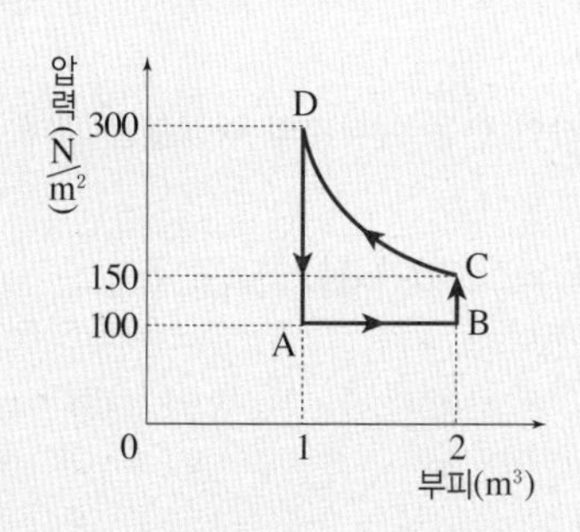

이에 대한 설명으로 옳은 것은 ○, 옳지 않은 것은 ×로 표시하시오.

(1) A → B 과정에서 기체가 외부에 한 일은 100 J이다. ( )
(2) A → B 과정에서 기체의 온도는 증가한다. ( )
(3) B → C 과정에서 기체의 내부 에너지는 일정하다. ( )
(4) C → D 과정에서 기체는 외부에 일을 한다. ( )
(5) C → D 과정에서 기체는 외부에 열을 방출한다. ( )
(6) D → A 과정에서 기체는 외부에 열을 방출한다. ( )

A 기체가 하는 일과 내부 에너지

213 하중상

多 보기

열과 온도, 내부 에너지에 대한 설명으로 옳지 않은 것을 모두 고르면?(2개)

① 온도가 낮을수록 분자들이 활발하게 움직인다.
② 열에너지는 물체 내부의 분자 운동에 의해 나타난다.
③ 온도 차이에 의해 이동하는 에너지를 열이라고 한다.
④ 기체의 온도가 높아지면 기체의 내부 에너지가 증가한다.
⑤ 이상 기체의 내부 에너지는 기체 분자의 수가 많을수록 크다.
⑥ 이상 기체의 내부 에너지는 기체 분자의 퍼텐셜 에너지의 총합을 말한다.

214 하중상

그림은 온도가 다른 두 물체 A, B가 접촉하고 있는 모습을 나타낸 것이다. A와 B 사이에는 열이 이동하며 현재 A의 온도는 B의 온도보다 높다.

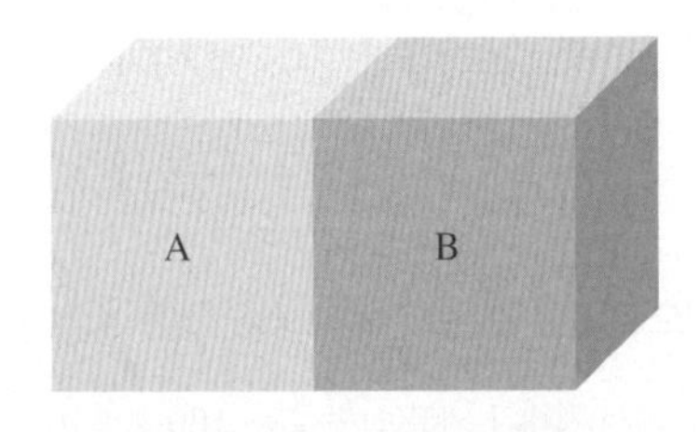

이에 대한 설명으로 옳은 것만을 〈보기〉에서 있는 대로 고른 것은?

〈 보기 〉
ㄱ. A의 내부 에너지는 변하지 않는다.
ㄴ. B 분자의 운동 에너지는 점점 증가한다.
ㄷ. 충분한 시간이 흐른 뒤 A와 B의 온도는 같아진다.

① ㄱ ② ㄷ ③ ㄱ, ㄴ
④ ㄴ, ㄷ ⑤ ㄱ, ㄴ, ㄷ

빈출

215 하중상

두 비커에 공기를 불어 넣은 풍선을 넣고 한쪽에는 그림 (가)와 같이 뜨거운 물을 넣고, 다른 한쪽에는 (나)와 같이 얼음물을 넣었다. 물을 넣고 시간이 지난 후 (가)의 풍선은 부피가 팽창하고, (나)의 풍선은 부피가 압축되었다.

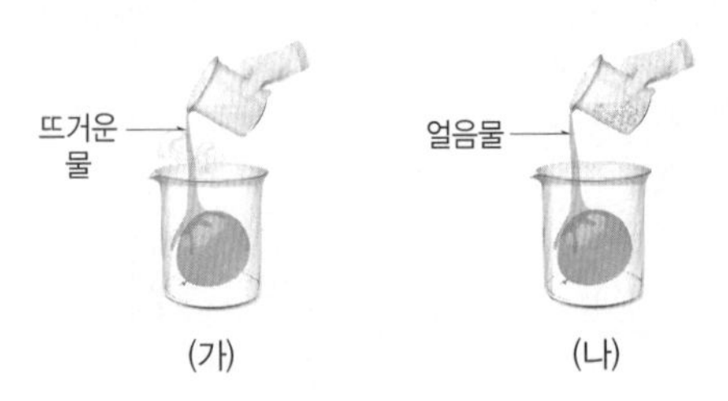

이에 대한 설명으로 옳은 것만을 〈보기〉에서 있는 대로 고른 것은?

〈 보기 〉
ㄱ. (가)에서 풍선 속 기체는 외부에 일을 한다.
ㄴ. (나)에서 열은 얼음물에서 풍선 속 기체로 이동한다.
ㄷ. 풍선 속 기체의 내부 에너지는 (가)에서는 증가하고, (나)에서는 감소한다.

① ㄱ ② ㄴ ③ ㄱ, ㄷ
④ ㄴ, ㄷ ⑤ ㄱ, ㄴ, ㄷ

216 하중상

그림 (가), (나)는 매우 빠른 속력으로 운동하면서 끊임없이 충돌하는 이상 기체 분자의 무질서한 운동을 나타낸 것이다. 화살표의 길이는 각 분자의 속도에 비례한다.

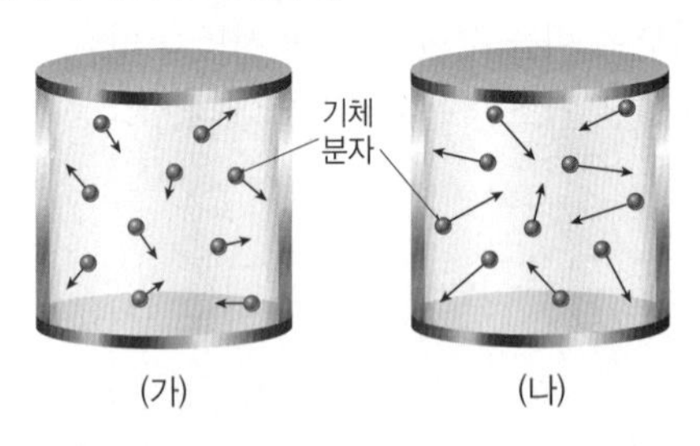

이에 대한 설명으로 옳은 것만을 〈보기〉에서 있는 대로 고른 것은?

〈 보기 〉
ㄱ. 기체 분자의 운동 에너지는 속력에 따라 다양한 값을 갖는다.
ㄴ. 기체 분자의 운동 에너지의 평균값은 절대 온도에 비례한다.
ㄷ. 기체의 온도는 (가)가 (나)보다 높다.

① ㄱ ② ㄷ ③ ㄱ, ㄴ
④ ㄴ, ㄷ ⑤ ㄱ, ㄴ, ㄷ

B 열역학 제1법칙

열역학 과정

빈출

217 하 중 상

그림은 실린더에 이상 기체를 넣고 압력 P를 2×10^5 N/m^{2}으로 유지하면서 1.5×10^3 J의 열을 가했더니, 기체의 부피가 팽창한 모습을 나타낸 것이다. 기체가 팽창한 부피 ΔV는 0.003 m^{3}이고, 피스톤의 면적 A는 0.03 m^{2}이다.

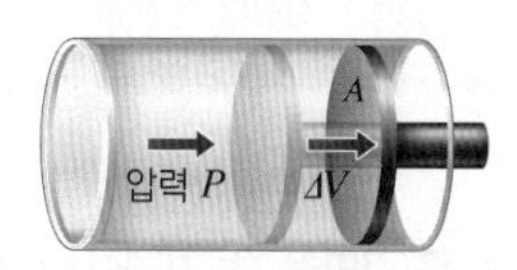

이 과정에서 (가) 이상 기체가 피스톤을 미는 힘, (나) 이상 기체가 외부에 한 일, (다) 이상 기체의 내부 에너지 증가량으로 옳은 것은? (단, 피스톤과 실린더 사이의 마찰은 무시한다.)

	(가)	(나)	(다)
①	3000 N	300 J	900 J
②	300 N	3000 J	900 J
③	6000 N	600 J	900 J
④	600 N	6000 J	800 J
⑤	6000 N	600 J	800 J

218 하 중 상

열역학 제1법칙에 관한 설명으로 옳지 않은 것을 모두 고르면?(2개)

① 열에너지와 역학적 에너지를 포함한 에너지 보존 법칙이다.
② 등적 과정에서 기체가 흡수한 열은 내부 에너지 감소량과 같다.
③ 등압 과정에서 기체가 흡수한 열은 내부 에너지 증가량과 같다.
④ 등온 과정에서 기체가 흡수한 열은 기체가 외부에 한 일과 같다.
⑤ 단열 과정에서 기체가 한 일은 내부 에너지 감소량과 같다.

219 하 중 상

이상 기체의 열역학 과정 중 내부 에너지가 감소하는 과정을 〈보기〉에서 있는 대로 고른 것은?

〈 보기 〉
ㄱ. 등압 압축
ㄴ. 등온 팽창
ㄷ. 단열 팽창

① ㄱ ② ㄴ ③ ㄱ, ㄷ
④ ㄴ, ㄷ ⑤ ㄱ, ㄴ, ㄷ

220 하 중 상

그림은 이상 기체가 들어 있는 단열된 실린더의 단열된 피스톤 위에 추가 2개 올려져 있는 모습을 나타낸 것이다.

이 실린더 내부 기체의 부피를 증가시키기 위한 방법으로 옳은 것만을 〈보기〉에서 있는 대로 고른 것은?

〈 보기 〉
ㄱ. 추를 하나 추가한다.
ㄴ. 실린더 내부에 열을 가한다.
ㄷ. 실린더 내부에 같은 온도의 기체를 주입한다.

① ㄱ ② ㄴ ③ ㄱ, ㄷ
④ ㄴ, ㄷ ⑤ ㄱ, ㄴ, ㄷ

221 하 중 상

그림은 부피가 일정하고 단열된 실린더에 들어 있는 이상 기체에 열량 Q를 공급하는 모습을 나타낸 것이다.

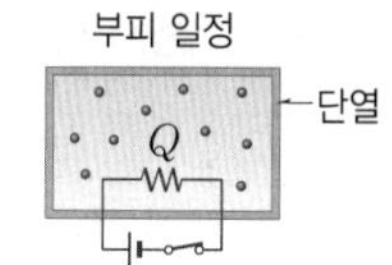

이에 대한 설명으로 옳은 것만을 〈보기〉에서 있는 대로 고른 것은?

〈 보기 〉
ㄱ. 기체의 압력은 증가한다.
ㄴ. 기체의 온도는 일정하다.
ㄷ. 기체는 외부에 일을 한다.
ㄹ. 내부 에너지 증가량은 Q이다.

① ㄱ, ㄴ ② ㄱ, ㄹ ③ ㄷ, ㄹ
④ ㄱ, ㄴ, ㄷ ⑤ ㄴ, ㄷ, ㄹ

222 하 중 상 多 보기

그림은 밀폐된 실린더 내부에 있는 일정량의 이상 기체에 열을 가할 때 부피가 V_1인 상태에서 피스톤이 이동하여 부피가 V_2인 상태로 기체의 부피가 증가하는 모습을 나타낸 것이다. 기체의 부피가 증가하는 동안 기체의 압력은 P로 일정하다.

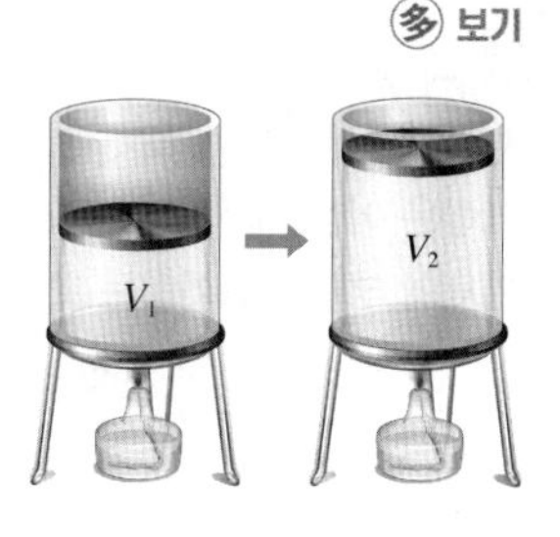

이에 대한 설명으로 옳지 않은 것을 모두 고르면? (단, 피스톤과 실린더 사이의 마찰은 무시한다.)(2개)

① 기체의 온도는 일정하다.
② 기체의 내부 에너지는 증가한다.
③ 기체 분자의 평균 속력은 증가한다.
④ 기체가 피스톤을 미는 힘은 일정하다.
⑤ 기체가 흡수한 열량은 $P(V_2-V_1)$이다.
⑥ 기체가 외부에 한 일은 $P(V_2-V_1)$이다.

223 하 중 상

그림과 같이 일정량의 이상 기체가 들어 있는 실린더의 피스톤 위에 모래를 조금씩 부으니 피스톤이 서서히 아래로 내려가며 기체의 부피가 감소하였다.

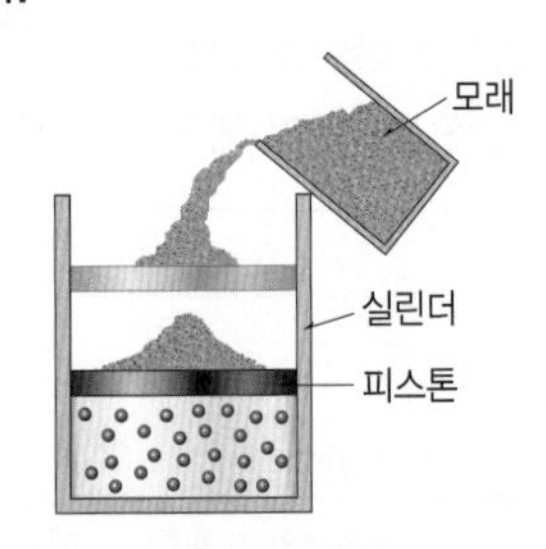

부피가 감소하는 동안 기체에 대한 설명으로 옳은 것만을 〈보기〉에서 있는 대로 고른 것은? (단, 기체의 부피가 감소하는 동안 기체의 온도는 일정하며, 피스톤과 실린더 사이의 마찰은 무시한다.)

〈 보기 〉
ㄱ. 기체의 압력이 증가한다.
ㄴ. 기체가 외부에 일을 한다.
ㄷ. 기체의 내부 에너지가 증가한다.

① ㄱ ② ㄷ ③ ㄱ, ㄴ
④ ㄴ, ㄷ ⑤ ㄱ, ㄴ, ㄷ

224 하 중 상

그림은 이상 기체가 들어 있는 단열된 실린더의 피스톤을 잡아당겨 기체의 부피가 증가하는 모습을 나타낸 것이다.

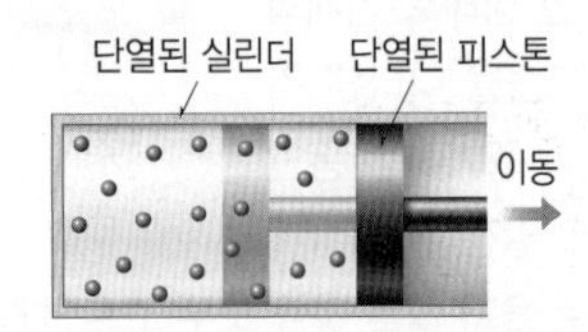

이에 대한 설명으로 옳지 않은 것은? (단, 피스톤과 실린더 사이의 마찰은 무시한다.)

① 기체의 압력은 감소한다.
② 기체의 온도는 감소한다.
③ 기체의 내부 에너지는 감소한다.
④ 기체 분자의 평균 속력은 증가한다.
⑤ 기체가 외부에 한 일만큼 기체의 내부 에너지가 변한다.

빈출

225 하 중 상

그림 (가)와 (나)는 부피와 양이 같고 온도가 각각 T_1, T_2인 이상 기체가 들어 있는 단열된 실린더에 동일한 열량 Q를 공급하는 모습을 나타낸 것이다. (가)의 피스톤은 자유롭게 움직일 수 있고, (나)의 피스톤은 고정되어 있으며, 충분한 시간이 지난 후 (가)와 (나)에서 기체의 온도는 T_3으로 같아졌다.

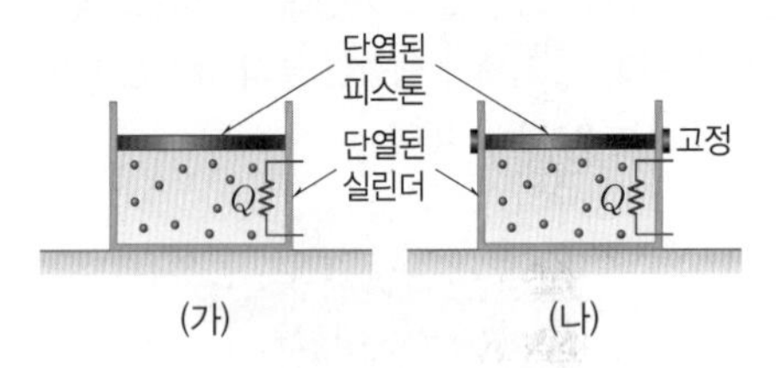

이에 대한 설명으로 옳은 것만을 〈보기〉에서 있는 대로 고른 것은? (단, 피스톤과 실린더 사이의 마찰은 무시한다.)

〈 보기 〉
ㄱ. (가)에서 기체 분자의 평균 속력은 증가한다.
ㄴ. (나)에서 기체의 압력은 증가한다.
ㄷ. $T_1 < T_2$이다.

① ㄱ ② ㄷ ③ ㄱ, ㄴ
④ ㄴ, ㄷ ⑤ ㄱ, ㄴ, ㄷ

빈출

226 하 중 상

그림 (가)는 이상 기체가 들어 있는 실린더에서 추 1개가 놓인 피스톤이 정지해 있는 모습을, (나)는 (가)의 기체에 열량 Q를 공급하였더니 피스톤이 이동하여 정지해 있는 모습을, (다)는 (나)의 피스톤에 추를 하나 더 올려놓았더니 피스톤이 이동하여 정지해 있는 모습을 나타낸 것이다. 기체의 부피는 (가)와 (다)에서 같다.

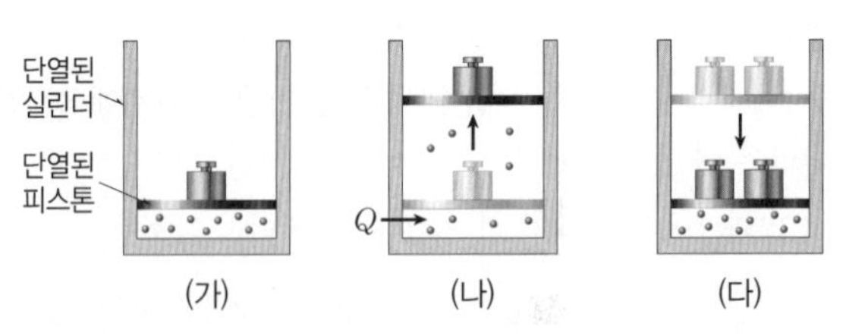

이에 대한 설명으로 옳은 것만을 〈보기〉에서 있는 대로 고른 것은? (단, 피스톤과 실린더 사이의 마찰은 무시한다.)

〈 보기 〉
ㄱ. (가) → (나) 과정은 등압 과정이다.
ㄴ. (가) → (나) → (다) 과정에서 기체의 온도는 계속 증가한다.
ㄷ. 기체가 하거나 받은 일은 (가) → (나) 과정에서가 (나) → (다) 과정에서보다 크다.

① ㄱ ② ㄷ ③ ㄱ, ㄴ
④ ㄴ, ㄷ ⑤ ㄱ, ㄴ, ㄷ

227 하/중/상

그림은 단열된 실린더에 같은 종류의 이상 기체 A, B가 단열된 칸막이에 의해 나누어져 있는 모습을 나타낸 것이다. 칸막이의 핀을 제거하였더니 칸막이는 A의 부피가 증가하는 방향으로 움직였다.

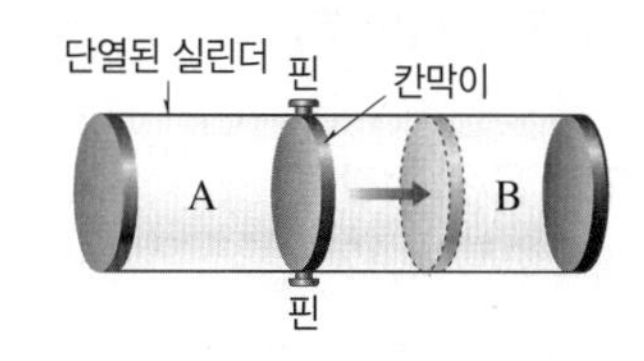

이에 대한 설명으로 옳은 것만을 〈보기〉에서 있는 대로 고른 것은? (단, 피스톤과 실린더 사이의 마찰은 무시한다.)

〈 보기 〉

ㄱ. 핀을 제거하기 전 기체의 압력은 A와 B가 같다.
ㄴ. 핀을 제거한 후 B의 평균 속력은 감소한다.
ㄷ. A의 내부 에너지 감소량은 B의 내부 에너지 증가량과 같다.

① ㄱ ② ㄷ ③ ㄱ, ㄴ
④ ㄴ, ㄷ ⑤ ㄱ, ㄴ, ㄷ

228 하/중/상

그림 (가)는 이상 기체가 들어 있는 단열된 실린더가 단열된 피스톤에 의해 A, B로 나누어져 있는 모습을, (나)는 (가)에서 A의 기체에 열량 Q를 가했더니 피스톤이 천천히 이동하여 정지한 모습을 나타낸 것이다. (가)에서 A와 B에는 동일한 양의 이상 기체가 들어 있고, 부피는 같다.

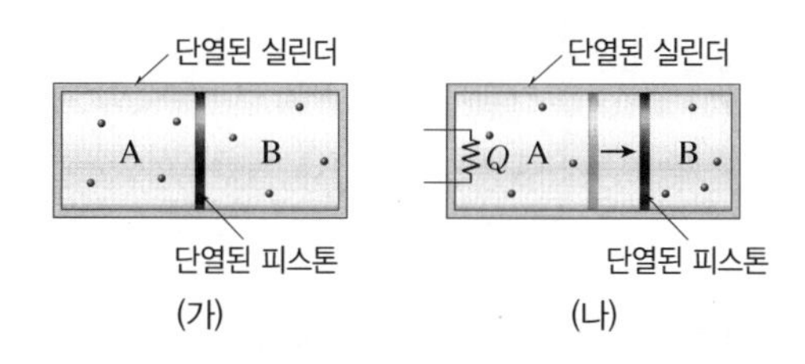

이에 대한 설명으로 옳은 것만을 〈보기〉에서 있는 대로 고른 것은? (단, 피스톤과 실린더 사이의 마찰은 무시한다.)

〈 보기 〉

ㄱ. B의 기체는 온도가 증가하였다.
ㄴ. (나)에서 기체의 압력은 A가 B보다 크다.
ㄷ. A와 B의 기체 내부 에너지 변화량의 합은 Q이다.

① ㄱ ② ㄴ ③ ㄱ, ㄷ
④ ㄴ, ㄷ ⑤ ㄱ, ㄴ, ㄷ

빈출

229 하/중/상

그림 (가)는 같은 양의 동일한 이상 기체 A와 B가 열전달이 잘되는 고정된 금속판에 의해 분리된 실린더에 들어 있는 모습을, (나)는 (가)의 B에 열량 Q를 가했더니 A의 부피가 서서히 증가하여 피스톤이 정지한 모습을 나타낸 것이다. (가)에서 A와 B는 열평형 상태에 있고, 부피와 압력이 같다.

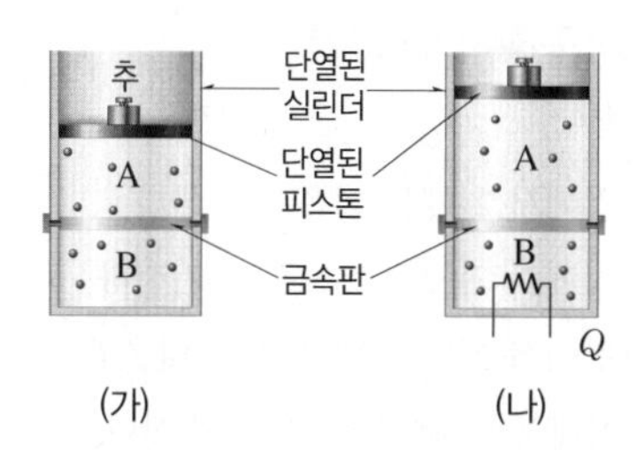

이에 대한 설명으로 옳은 것만을 〈보기〉에서 있는 대로 고른 것은? (단, 피스톤의 질량, 피스톤과 실린더 사이의 마찰, 금속판이 흡수한 열량은 무시한다.)

〈 보기 〉

ㄱ. (나)에서 A와 B는 열평형 상태에 있다.
ㄴ. (나)에서 기체의 압력은 A가 B보다 작다.
ㄷ. (가) → (나) 과정에서 A가 흡수한 열량은 $\frac{1}{2}Q$이다.

① ㄱ ② ㄷ ③ ㄱ, ㄴ
④ ㄴ, ㄷ ⑤ ㄱ, ㄴ, ㄷ

230 하/중/상

그림 (가)는 단열된 피스톤과 열전달이 잘되는 금속판으로 나누어진 단열된 상자 내부에 같은 양의 동일한 이상 기체 A, B, C가 같은 부피로 들어 있는 모습을, (나)는 (가)의 A에 열량 Q를 가했을 때, 피스톤이 서서히 이동해 정지한 모습을 나타낸 것이다.

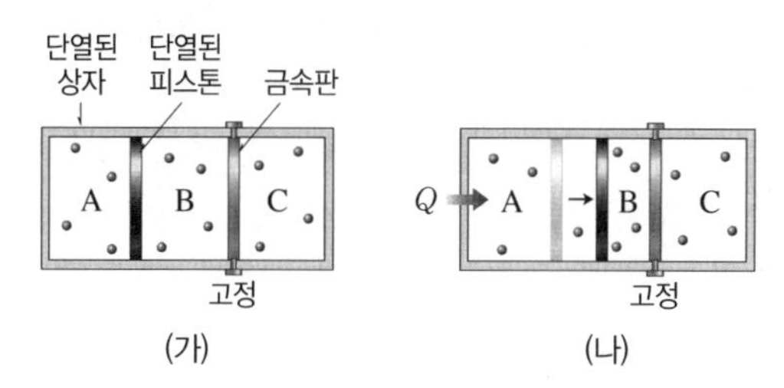

이에 대한 설명으로 옳은 것만을 〈보기〉에서 있는 대로 고른 것은? (단, 피스톤과 실린더 사이의 마찰, 금속판이 흡수한 열량은 무시한다.)

〈 보기 〉

ㄱ. Q는 A가 B에 한 일과 같다.
ㄴ. (나)에서 C의 압력은 A보다 크다.
ㄷ. B가 A로부터 받은 일은 B의 내부 에너지 증가량의 2배이다.

① ㄱ ② ㄷ ③ ㄱ, ㄴ
④ ㄴ, ㄷ ⑤ ㄱ, ㄴ, ㄷ

그래프로 본 열역학 과정

빈출

231 하 중 상 多 보기

그림은 일정량의 이상 기체의 상태가 A → B → C를 따라 변할 때 기체의 압력과 부피를 나타낸 것이다. 이에 대한 설명으로 옳지 않은 것을 모두 고르면?(2개)

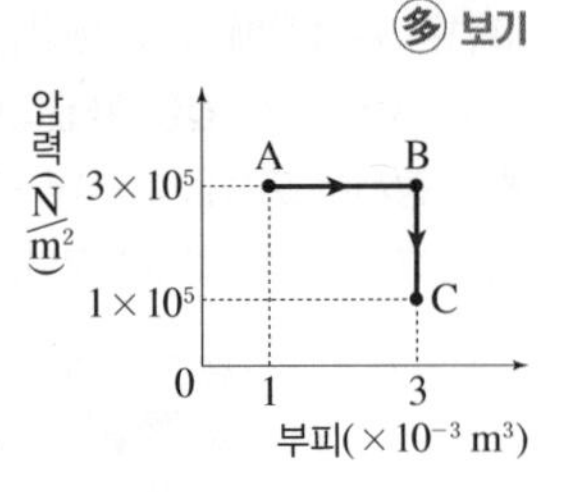

① A → B 과정에서 기체는 열을 방출한다.
② A → B 과정에서 기체의 온도는 증가한다.
③ A → B 과정에서 기체가 외부에 한 일은 600 J이다.
④ B → C 과정에서 기체의 온도는 감소한다.
⑤ B → C 과정에서 기체는 외부에 일을 한다.
⑥ B → C 과정에서 방출한 열은 기체의 내부 에너지 변화량과 같다.
⑦ 기체의 온도는 A와 C에서 같다.

[232~233] 그림은 일정량의 이상 기체의 상태가 A → B → C → D → A를 따라 변할 때 압력과 부피를 나타낸 것이다. C → D 과정은 등온 과정이다.

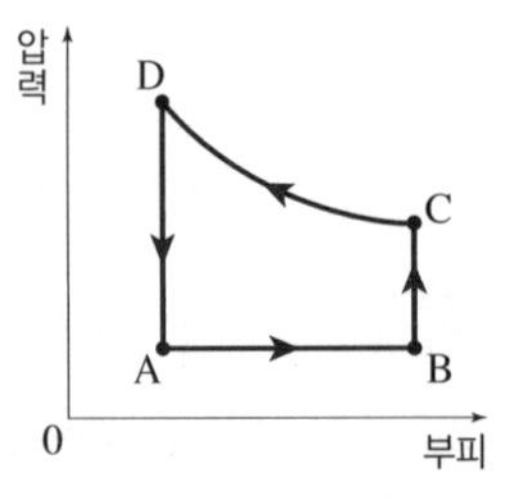

232 하 중 상

기체가 외부에 일을 하는 과정만을 〈보기〉에서 있는 대로 골라 쓰시오.

〈 보기 〉

ㄱ. A → B　　ㄴ. B → C
ㄷ. C → D　　ㄹ. D → A

233 하 중 상

기체가 외부로부터 열을 흡수하는 과정만을 〈보기〉에서 있는 대로 골라 쓰시오.

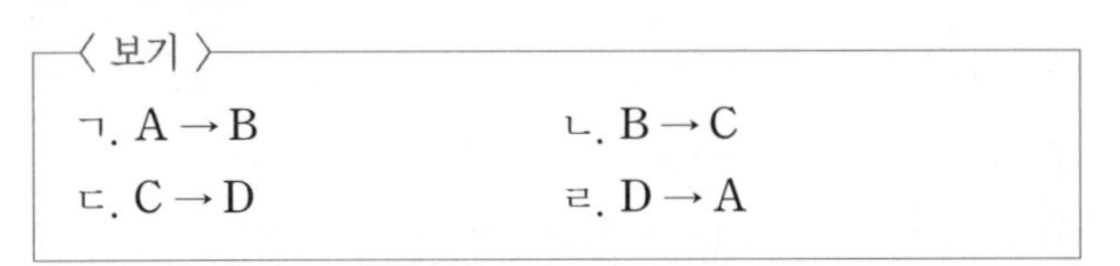
〈 보기 〉

ㄱ. A → B　　ㄴ. B → C
ㄷ. C → D　　ㄹ. D → A

234 하 중 상

그림은 일정량의 이상 기체의 상태가 A → B → C를 따라 변할 때 압력과 부피를 나타낸 것이다. T_1과 T_2는 등온선이고, 온도는 T_1이 T_2보다 낮다.

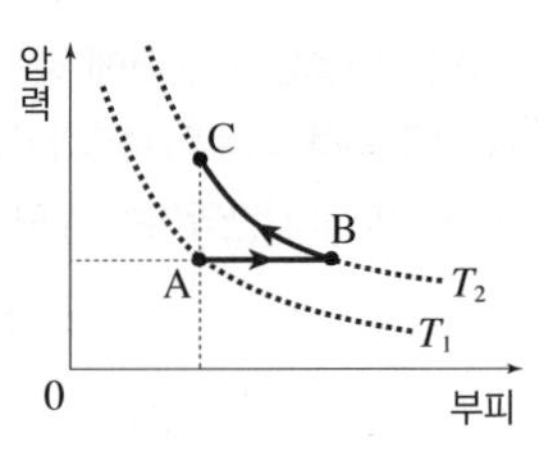

이에 대한 설명으로 옳은 것만을 〈보기〉에서 있는 대로 고른 것은?

〈 보기 〉

ㄱ. A → B 과정에서 기체가 흡수한 열은 기체의 내부 에너지 증가에만 사용된다.
ㄴ. B → C 과정에서 기체는 외부로부터 일을 받는다.
ㄷ. B → C 과정에서 기체의 내부 에너지는 감소한다.

① ㄱ　② ㄴ　③ ㄱ, ㄷ
④ ㄴ, ㄷ　⑤ ㄱ, ㄴ, ㄷ

빈출

235 하 중 상

그림 (가)는 일정량의 이상 기체가 단열된 실린더에 들어 있고 모래가 올려진 단열된 피스톤이 정지해 있는 모습을 나타낸 것이다. 그림 (나)는 (가)에서 피스톤 위 모래의 양을 조절하거나 기체에 열을 가하여 기체의 상태를 A → B → C에 따라 변화시킬 때 압력과 부피를 나타낸 것이다. A → B는 단열 과정이고, B → C는 등압 과정이다.

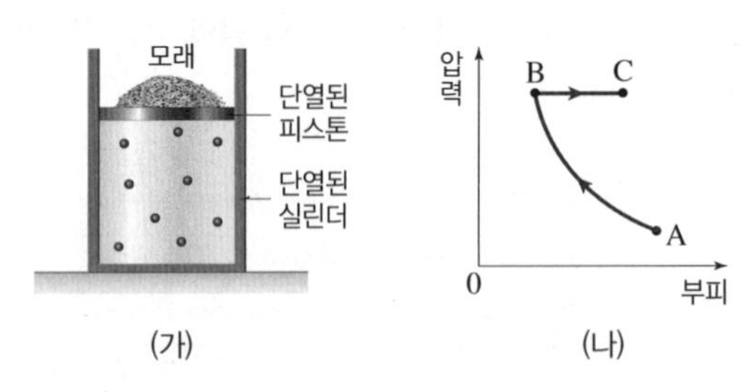

(가)　(나)

이에 대한 설명으로 옳은 것만을 〈보기〉에서 있는 대로 고른 것은? (단, 피스톤과 실린더 사이의 마찰은 무시한다.)

〈 보기 〉

ㄱ. A → B 과정에서 모래의 양을 증가시켰다.
ㄴ. A → B 과정에서 기체가 외부로부터 받은 일은 기체의 내부 에너지 변화량과 같다.
ㄷ. B → C 과정에서 기체는 열을 흡수한다.

① ㄱ　② ㄷ　③ ㄱ, ㄴ
④ ㄴ, ㄷ　⑤ ㄱ, ㄴ, ㄷ

빈출

236 하 중 상

그림은 일정량의 이상 기체의 상태가 A → B → C를 거쳐 A로 다시 돌아올 때 압력과 부피를 나타낸 것이다.

이에 대한 설명으로 옳은 것만을 〈보기〉에서 있는 대로 고른 것은?

〈 보기 〉

ㄱ. B → C 과정에서 기체는 열을 방출한다.

ㄴ. C → A 과정에서 기체가 외부로부터 받은 일은 $2P_0V_0$이다.

ㄷ. A → B → C → A 과정에서 기체가 외부에 한 일은 $3P_0V_0$이다.

① ㄱ ② ㄷ ③ ㄱ, ㄴ ④ ㄴ, ㄷ ⑤ ㄱ, ㄴ, ㄷ

237 하 중 상

그림은 A 상태에 있는 일정량의 이상 기체가 B 상태로 변할 때 기체의 부피와 절대 온도를 나타낸 것이다. A 상태에서 기체의 압력은 P_0이다.

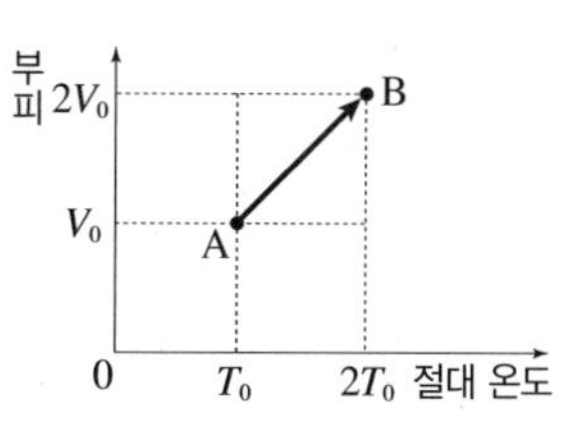

이상 기체가 A 상태에서 B 상태로 변하면서 외부에 한 일은?

① V_0T_0 ② $2V_0T_0$ ③ $\frac{3}{2}V_0T_0$ ④ P_0V_0 ⑤ $2P_0V_0$

238 하 중 상

그림은 A 상태에 있던 일정량의 이상 기체의 상태를 A → B → C → A를 따라 변화시킬 때 절대 온도와 압력을 나타낸 것이다. C → A 과정은 등적 과정이며, A에서 기체의 부피는 V_0이다.

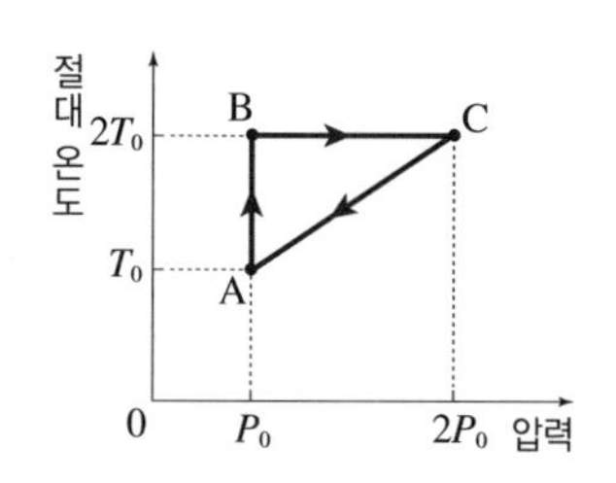

이에 대한 설명으로 옳은 것만을 〈보기〉에서 있는 대로 고른 것은?

〈 보기 〉

ㄱ. C 상태에서 기체의 부피는 V_0이다.

ㄴ. B → C 과정에서 기체가 방출한 열은 기체가 외부로부터 받은 일과 같다.

ㄷ. 기체의 내부 에너지 변화량의 크기는 A → B 과정에서와 C → A 과정에서가 같다.

① ㄱ ② ㄴ ③ ㄱ, ㄷ ④ ㄴ, ㄷ ⑤ ㄱ, ㄴ, ㄷ

열역학 과정의 예

239 하 중 상

그림은 온난 다습한 공기가 산을 타고 넘어가는 모습을 나타낸 것이다.

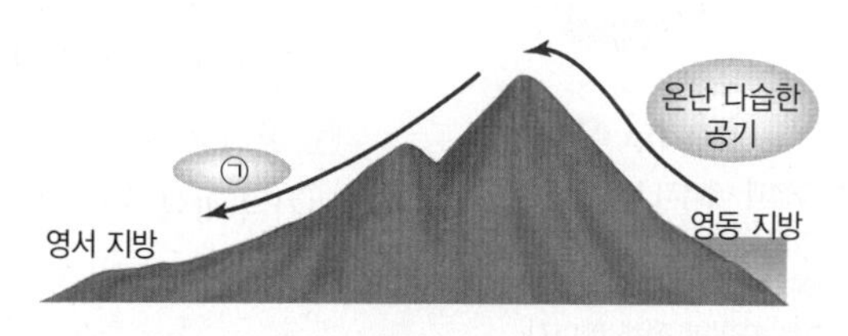

이때 일어나는 열역학 과정에 대한 설명으로 옳지 않은 것은?

① 공기가 산을 타고 올라가면 부피가 팽창하면서 온도가 낮아진다.

② 영동 지방의 산 정상 부근에서는 비구름이 발달한다.

③ 산을 넘어 내려오는 공기는 외부에 일을 한다.

④ 영서 지방으로 넘어온 공기 ㉠은 고온 건조한 공기이다.

⑤ 산을 넘어 내려오는 공기의 상태는 단열 압축 과정으로 설명할 수 있다.

240 하 중 상

••서술형

다음은 구름이 생성되기까지의 과정을 이해하기 위한 실험 과정이다.

(가) 그림과 같이 물이 조금 담긴 둥근 바닥 플라스크에 향 연기를 넣은 후 온도계와 유리관이 끼워진 고무마개로 플라스크 입구를 막고 피스톤을 눌러 압축시킨다.

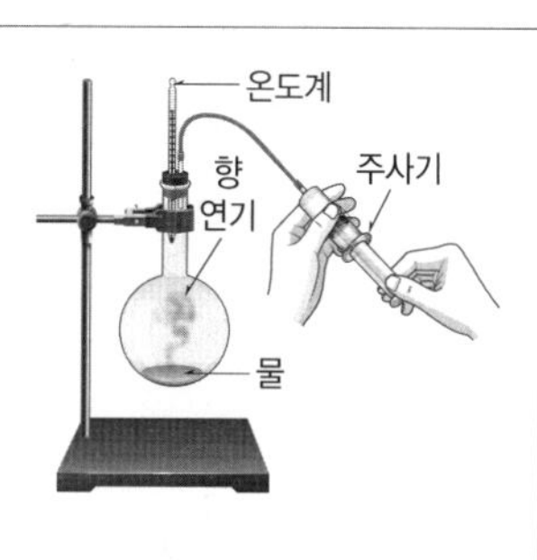

(나) 압축시켰던 피스톤을 빠르게 당기자 플라스크 내부가 뿌옇게 흐려졌다.

(1) (나)에서 피스톤을 빠르게 당길 때 플라스크 내부 기체의 온도 변화를 기체가 외부에 한 일과 연관 지어 서술하시오.

(2) (나)에서 피스톤 내부가 뿌옇게 흐려진 까닭을 내부 기체의 온도와 연관 지어 서술하시오.

열역학 제2법칙

A 열역학 제2법칙

1 가역 과정과 비가역 과정

① 가역 과정: 처음의 상태로 완전히 되돌아갈 수 ❶☐☐ 과정

예 공기 저항이 없는 상태에서 진동하는 진자

② 비가역 과정: 한쪽 방향으로만 일어나 스스로 처음 상태로 되돌아갈 수 ❷☐☐ 과정 — 자연계에서 일어나는 대부분의 현상은 비가역 과정이다.

예 공기 중에서 진자의 운동, 열의 이동, 잉크의 확산 등

공기 중에서 진자의 운동	공기 중에서 움직이던 진자가 공기 저항에 의해 멈추게 되지만, 시간이 흘러도 멈춘 진자가 스스로 다시 움직이는 현상은 일어나지 않는다. (감소한 진자의 역학적 에너지는 공기 분자의 열에너지로 전환된다.)
열의 이동	찬물과 더운물을 섞으면 미지근한 물이 되지만, 시간이 흘러도 미지근한 물이 더운물과 찬물로 스스로 분리되는 현상은 일어나지 않는다.
잉크의 확산	물에 잉크를 떨어뜨리면 물속에 잉크가 골고루 퍼지게 되지만, 시간이 흘러도 잉크가 스스로 다시 한 곳으로 모이는 현상은 일어나지 않는다.
향수의 확산	향수병의 뚜껑을 열어두면 향수의 분자가 온 방에 퍼지게 되지만, 시간이 흘러도 향수 분자가 다시 향수병 안으로 모이는 현상은 일어나지 않는다.

기출 Tip A-1

비가역 과정과 에너지 보존

한쪽 방향으로만 일어나는 비가역 과정에서도 역학적 에너지와 열에너지를 포함한 전체 에너지는 보존된다.

2 열역학 제2법칙 자연 현상에서 일어나는 변화의 비가역적인 ❸☐☐☐을 제시하는 법칙

① 열의 이동과 열역학 제2법칙: 열은 고온의 물체에서 저온의 물체로 이동하여 ❹☐☐☐ 상태에 도달하며, 외부의 도움 없이 스스로 저온의 물체에서 고온의 물체로 이동하지 않는다.

▲ 열의 이동　　▲ 열평형 상태

② 엔트로피(분자 배열의 무질서도)와 열역학 제2법칙: 한 방향으로만 일어나는 변화는 분자들이 질서 있는 배열에서 점점 ❺☐☐☐한 배열을 이루는 방향으로 진행한다.

➜ 자연 현상은 엔트로피가 ❻☐☐하는 방향으로 일어난다.

기출 Tip A-2

열역학 제2법칙의 다양한 표현

- 자발적으로 일어나는 자연 현상에는 방향성이 있다.
- 고립계에서 자발적으로 일어나는 자연 현상은 항상 확률이 높은 방향으로 진행한다.
- 열은 스스로 고온에서 저온으로 이동한다.
- 열효율이 100 %인 열기관은 만들 수 없다.

B 열기관

1 열기관 열원으로부터 받은 열에너지를 유용한 일로 바꾸는 장치

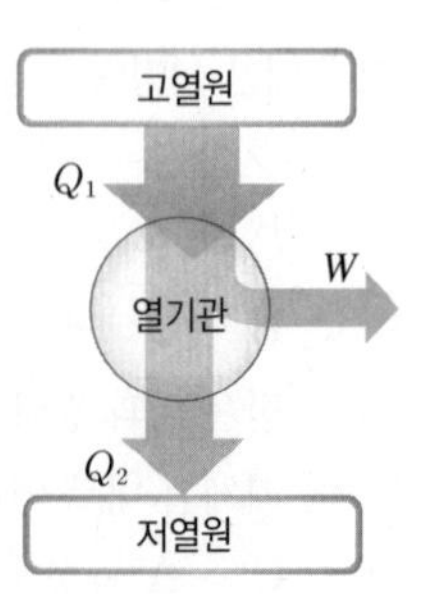

① 구조: 고열원으로부터 Q_1의 열을 ❼☐☐하여 외부에 W의 일을 하고, 저열원으로 Q_2의 열을 ❽☐☐한다.

② 열기관과 열역학 제1법칙: 열기관이 흡수한 열 Q_1은 열기관이 한 일 W와 열기관이 방출한 열 Q_2의 합과 같다.

➜ $Q_1=W+Q_2$, $W=Q_1-Q_2$

③ 열기관의 열효율(e): 열기관에 공급된 열 Q_1 중 열기관이 한 일 W의 비율

$$e=\frac{W}{Q_1}=\frac{Q_1-Q_2}{Q_1}=1-\frac{Q_2}{Q_1}$$

기출 Tip B-1

열기관이 흡수하고 방출하는 열과 열효율의 관계

열기관이 흡수한 열이 Q_1, 방출한 열이 Q_2일 때, $e=1-\frac{Q_2}{Q_1}$이므로 $\frac{Q_2}{Q_1}$가 작을수록 열효율이 크다.

2 열기관의 순환 과정

① 열기관의 순환 과정: 열기관이 한 번의 순환 과정을 거치는 동안 열기관 내부 기체는 처음의 상태로 돌아오므로 내부 에너지 변화는 ❾☐☐.

- 압력-부피 그래프: 열기관은 한 번의 순환 과정에서 그래프로 둘러싸인 부분의 넓이만큼 ❿☐을 한다.
- 열효율: 열기관의 순환 과정 전체에서 흡수한 열과 열기관이 한 일로 열효율을 구한다.

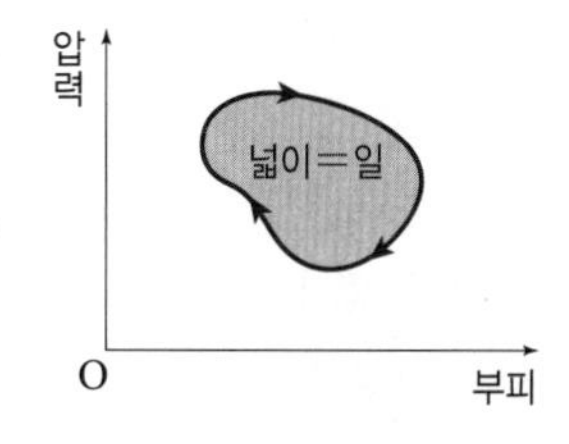

② 스털링 기관과 카르노 기관의 순환 과정

<table>
<tr>
<td>스털링 기관</td>
<td>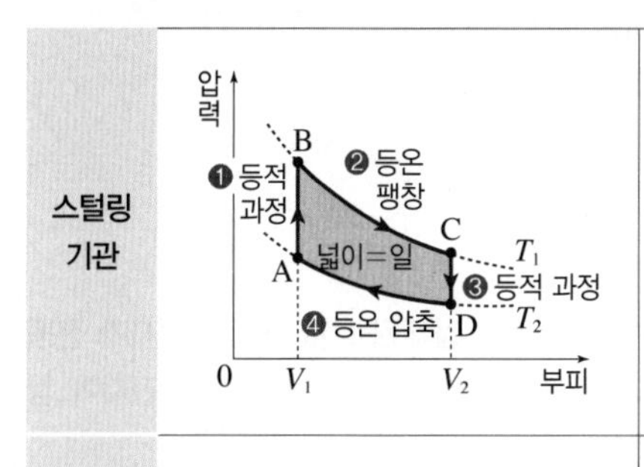
</td>
<td>❶ A → B(등적 과정): 기체가 열을 흡수하여 기체 내부 에너지가 증가한다.
❷ B → C(등온 팽창): 기체가 흡수한 열로 일을 한다.
❸ C → D(등적 과정): 기체가 열을 방출하면서 기체 내부 에너지가 감소한다.
❹ D → A(등온 압축): 기체가 외부로부터 일을 받으면서 열을 방출한다.</td>
</tr>
<tr>
<td>카르노 기관</td>
<td>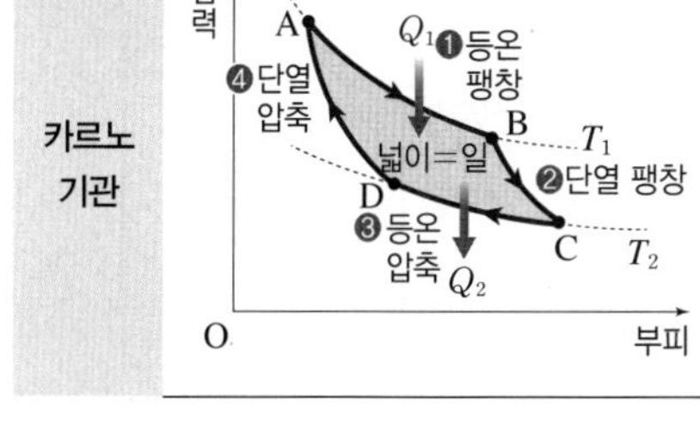
</td>
<td>❶ A → B(등온 팽창): 고열원에서 받은 열 Q_1로 일을 한다.
❷ B → C(단열 팽창): 열의 이동 없이 일을 하고, 내부 에너지가 감소한다.
❸ C → D(등온 압축): 저열원에 열 Q_2를 방출하며 외부로부터 일을 받는다.
❹ D → A(단열 압축): 열의 이동 없이 외부로부터 일을 받으며 내부 에너지가 증가한다.</td>
</tr>
</table>

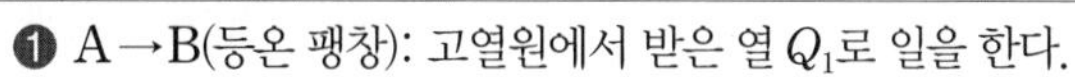

③ 카르노 기관의 열효율: 카르노 기관은 열효율이 가장 ⓫☐☐ 이상적인 열기관으로, 고열원의 절대 온도 T_1과 저열원의 절대 온도 T_2로 열효율 $e_{카}$를 구할 수 있다.

$$e_{카}=1-\frac{T_2}{T_1}$$

3 열효율과 열역학 제2법칙

① 일은 모두 열로 바꿀 수 있으나, 열은 스스로 일을 할 수 없고 모두 일로 바꿀 수도 없다.
└ 열기관이 일을 하는 과정에서 열이 저열원으로 흘러가는 것을 막을 수 없다.

➡ 열효율이 1(=100 %)인 열기관은 ⓬☐☐.

② 영구 기관: 영구히 일을 계속할 수 있는 이상적인 기관

기출 Tip B-3

열기관의 최대 열효율

- 열역학 제2법칙에 따라 열기관의 최대 열효율은 항상 1보다 작다. 따라서 $e=1-\frac{Q_2}{Q_1}<1$이고, $Q_2>0$이다.
- 열효율이 가장 높은 이상적인 열기관인 카르노 기관도 $T_2>0$이므로 열효율 $e_{카}$는 1보다 작다.
- T_1이 ∞이거나 T_2가 0 K인 경우 열효율이 100 %가 될 수 있으나 실제로는 불가능하다.

영구 기관

- 제1종 영구 기관: 외부 에너지 공급 없이 작동하는 열기관으로, 열역학 제1법칙에 위배된다.
- 제2종 영구 기관: 열효율이 100 %인 열기관으로, 열역학 제2법칙에 위배된다.

답 ❶ 있는 ❷ 없는 ❸ 방향성 ❹ 열평형 ❺ 무질서 ❻ 증가 ❼ 흡수 ❽ 방출 ❾ 없다 ❿ 일 ⓫ 높은 ⓬ 없다

빈출 자료 보기

정답과 해설 34쪽

241 그림 (가)는 고열원에서 1000 J의 열을 흡수하여 W의 일을 하고 저열원으로 Q_2의 열을 방출하는 열기관을 모식적으로 나타낸 것이다. 그림 (나)는 (가)의 열기관에서 일정량의 이상 기체의 상태가 A → B → C → D → A를 따라 변할 때 압력과 부피를 나타낸 것이다.

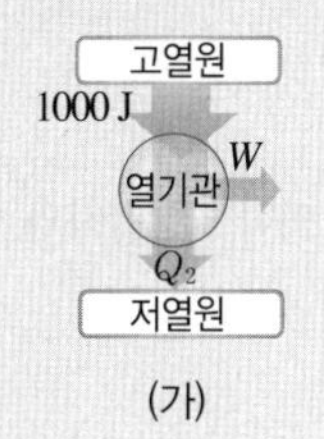

(가)

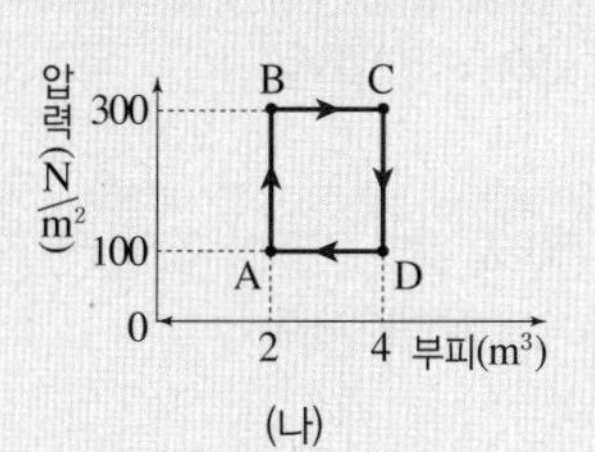

(나)

이에 대한 설명으로 옳은 것은 ○, 옳지 않은 것은 ×로 표시하시오.

(1) A → B 과정에서 이상 기체는 내부 에너지가 증가한다. ( )
(2) B → C 과정에서 기체가 외부에 한 일은 1000 J이다. ( )
(3) D → A 과정에서 기체가 외부로부터 받은 일은 200 J이다. ( )
(4) 열기관이 한 일 W는 400 J이다. ( )
(5) 기체가 열을 방출하는 과정은 C → D → A 과정이다. ( )
(6) 열기관이 방출한 열 Q_2는 600 J이다. ( )
(7) 열기관의 열효율은 60 %이다. ( )
(8) 열기관이 방출한 열 Q_2가 0인 열기관을 만들 수 있다. ( )

난이도별
필수 기출
상 3문항
중 11문항
하 4문항

A 열역학 제2법칙

빈출

242 하 중 상

多 보기

열역학 제2법칙으로 설명할 수 있는 현상이 아닌 것을 모두 고르면?(2개)

① 열은 스스로 고온에서 저온으로 이동한다.
② 열효율이 100 %인 열기관은 존재할 수 없다.
③ 자발적으로 일어나는 자연 현상에는 방향성이 있다.
④ 모든 자연 현상은 무질서도가 감소하는 방향으로 일어난다.
⑤ 차가운 물과 뜨거운 물을 섞고 충분한 시간이 지나면 물의 온도가 같아진다.
⑥ 향수병의 뚜껑을 열어두면 향수 분자가 확산하여 온 방에 향기가 퍼진다.
⑦ 역학적 에너지는 모두 열에너지로 전환될 수 있으므로 그 반대 과정도 가능하다.

243 하 중 상

그림 (가)는 1기압의 이상 기체가 들어 있는 용기와 진공인 용기가 밸브로 연결된 모습을, (나)는 (가)에서 밸브를 열어 충분한 시간이 흐른 뒤, 이상 기체가 골고루 퍼진 모습을 나타낸 것이다.

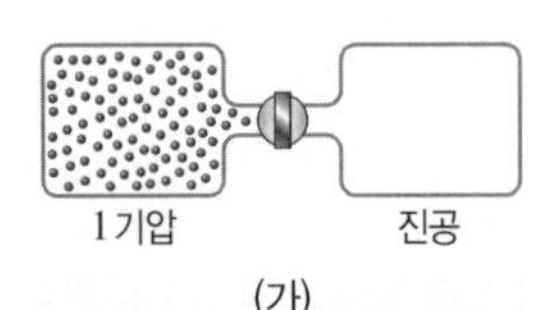

(가)

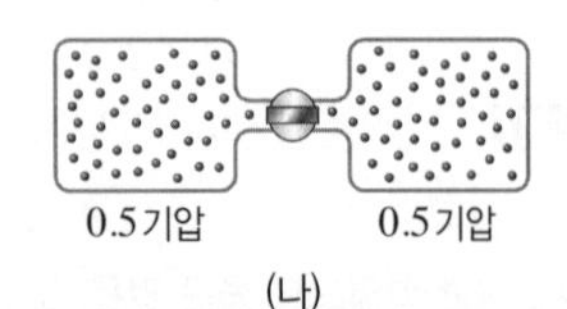

(나)

이에 대한 설명으로 옳은 것만을 〈보기〉에서 있는 대로 고른 것은?

〈 보기 〉
ㄱ. 기체가 퍼지는 과정은 가역 과정이다.
ㄴ. (나)에서 시간이 지나도 (가)의 상태로 돌아가지 않는다.
ㄷ. (가)에서 기체가 확산될 때 기체의 온도는 감소한다.

① ㄱ ② ㄴ ③ ㄱ, ㄷ
④ ㄴ, ㄷ ⑤ ㄱ, ㄴ, ㄷ

244 하 중 상

그림은 물에 잉크를 떨어뜨렸을 때 물속에 잉크가 골고루 퍼지는 현상을 보고 학생 A, B, C가 대화하는 모습을 나타낸 것이다.

학생 A: 화학 반응에 의해 잉크가 골고루 퍼졌어.
학생 B: 잉크가 퍼지는 것은 확률이 증가하는 방향으로 일어나는 현상이야.
학생 C: 충분한 시간이 흐르면 잉크가 스스로 다시 한 곳으로 모이는 일이 일어날 수 있어.

옳게 말한 사람만을 있는 대로 고른 것은?

① A ② B ③ A, C
④ B, C ⑤ A, B, C

빈출

245 하 중 상

그림 (가)는 외부와 단열되어 있는 밀폐된 상자 안에서 진자가 진동하는 모습을, (나)는 (가)에서 충분한 시간이 지난 후 이 진자가 정지한 모습을 나타낸 것이다.

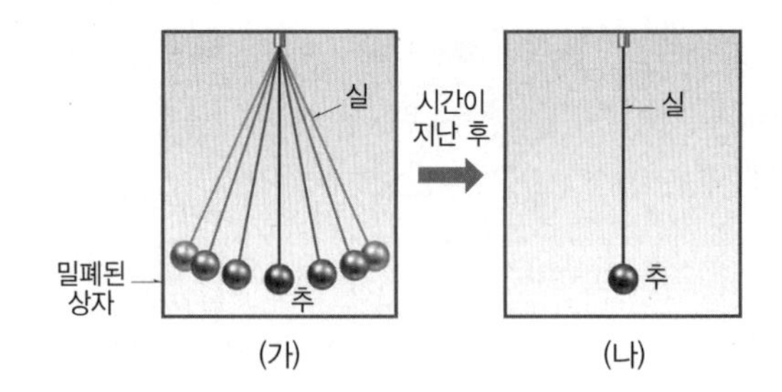

이에 대한 설명으로 옳지 않은 것은?

① 공기 중에서 운동하는 진자는 공기 분자와 계속 충돌한다.
② 진자가 정지하여도 상자 안의 에너지는 보존된다.
③ 감소한 진자의 역학적 에너지는 모두 공기 분자에 전달된다.
④ 공기 분자의 내부 에너지는 증가한다.
⑤ 많은 수의 공기 분자가 같은 방향으로 진자에 충돌하여 진자를 움직일 수 있다.

246 하 중 상

••서술형

영원히 작동할 수 있는 기관이 영구 기관이다. 제1종 영구 기관은 추가적인 에너지 공급 없이 영원히 일을 하는 열기관이고, 제2종 영구 기관은 열에너지를 100 % 역학적 에너지로 전환 가능한 열기관이다.

(1) 제1종 영구 기관이 불가능한 까닭을 열역학 제1법칙과 연관 지어 서술하시오.

(2) 제2종 영구 기관이 불가능한 까닭을 열역학 제2법칙과 연관 지어 서술하시오.

B 열기관

열기관 모형

247 하중상

열기관에 대한 설명으로 옳지 <u>않은</u> 것은?

① 열에너지를 역학적 에너지로 바꾸는 장치이다.
② 열효율은 공급한 열량 중에서 열기관이 한 일의 비율이다.
③ 열효율이 높을수록 쓸모없이 방출하는 열에너지의 양이 줄어든다.
④ 열효율이 1인 열기관을 제작할 수 있다.
⑤ 정해진 두 온도 사이에서 작동하는 열기관 중에는 카르노 기관의 열효율이 가장 높다.

248 하중상

고열원에서 Q_1의 에너지를 흡수하여 W의 일을 하고 저열원으로 Q_2의 열을 방출하는 열기관이 있다. Q_1이 Q_2의 1.5배일 때, 이 열기관의 열효율을 구하시오.

빈출

249 하중상

그림은 온도가 T_1인 열원에서 Q_1의 열을 흡수하여 W의 일을 하고, 온도가 T_2인 열원으로 Q_2의 열을 방출하는 열기관을 모식적으로 나타낸 것이다.

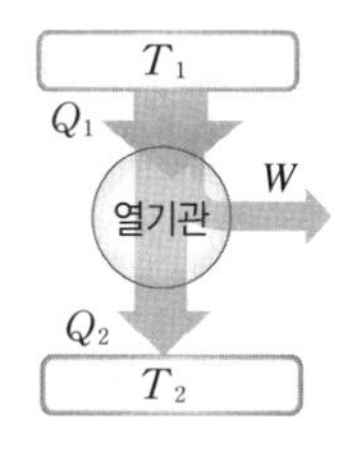

이에 대한 설명으로 옳은 것만을 〈보기〉에서 있는 대로 고른 것은?

〈 보기 〉
ㄱ. $W=Q_1-Q_2$이다.
ㄴ. 열효율은 $\frac{Q_2}{Q_1}$가 작을수록 크다.
ㄷ. T_2가 T_1보다 크다.

① ㄱ ② ㄷ ③ ㄱ, ㄴ
④ ㄴ, ㄷ ⑤ ㄱ, ㄴ, ㄷ

250 하중상 ••서술형

그림은 고열원에서 Q_1의 열을 흡수하여 W의 일을 하고, 저열원으로 Q_2의 열을 방출하는 열기관을 모식적으로 나타낸 것이고, 표는 열기관 A, B, C가 흡수한 열 Q_1과 한 일 W를 나타낸 것이다. A, B, C의 열효율은 모두 같다.

구분	A	B	C
Q_1	$12Q$	$4Q$	㉢
W	$3Q$	㉡	$9Q$
열효율(%)	㉠	㉠	㉠

(1) A, B, C의 열효율 ㉠을 풀이 과정과 함께 구하시오.

(2) B가 한 일 ㉡을 풀이 과정과 함께 구하시오.

(3) C가 흡수한 열 ㉢을 풀이 과정과 함께 구하시오.

빈출

251 하중상

그림은 고열원에서 250 J의 열을 흡수하여 한 번의 순환 과정을 거치는 동안 W의 일을 하고 저열원으로 Q의 열을 방출하는 열기관을 모식적으로 나타낸 것이다. 열기관의 열효율은 60 %이다.

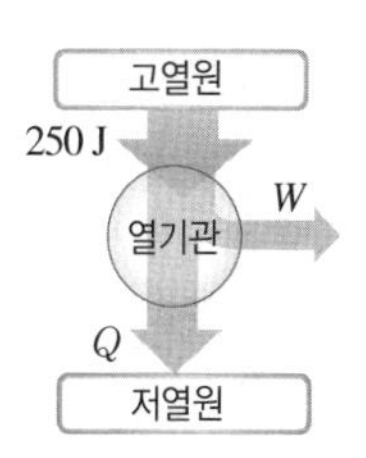

이에 대한 설명으로 옳은 것만을 〈보기〉에서 있는 대로 고른 것은?

〈 보기 〉
ㄱ. 열기관이 한 일 W는 150 J이다.
ㄴ. $W=250$ J인 열기관은 열역학 제2법칙에 위배된다.
ㄷ. 한 번의 순환 과정을 거치는 동안 열기관 내부 기체의 내부 에너지는 증가한다.

① ㄱ ② ㄷ ③ ㄱ, ㄴ
④ ㄴ, ㄷ ⑤ ㄱ, ㄴ, ㄷ

252 (하 **중** 상)

그림은 고열원에서 Q_1의 열을 흡수하여 W의 일을 하고, 저열원으로 Q_2의 열을 방출하는 열기관을 모식적으로 나타낸 것이고, 표는 열기관 A, B가 흡수한 열 Q_1과 방출한 열 Q_2를 나타낸 것이다. A의 열효율은 B의 3배이다.

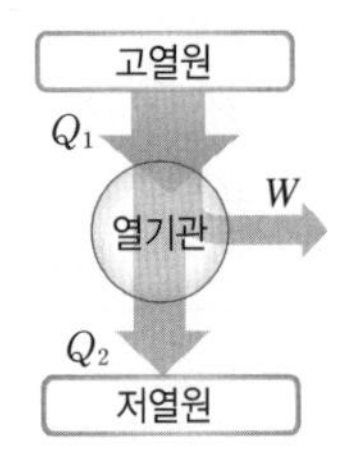

구분	Q_1	Q_2
A	E_0	$0.7E_0$
B	㉠	$0.9E_0$

이에 대한 설명으로 옳은 것만을 〈보기〉에서 있는 대로 고른 것은?

〈 보기 〉

ㄱ. A의 열효율은 0.3이다.
ㄴ. ㉠은 $3E_0$이다.
ㄷ. 열기관이 한 일은 B가 A보다 크다.

① ㄱ ② ㄷ ③ ㄱ, ㄴ
④ ㄴ, ㄷ ⑤ ㄱ, ㄴ, ㄷ

그래프로 본 열기관

253 (**하** 중 상)

그림은 스털링 기관에서 일정량의 이상 기체의 상태가 A → B → C → D → A를 따라 변할 때 압력과 부피를 나타낸 것이다. A → B 과정과 C → D 과정은 등적 과정이고, B → C 과정과 D → A 과정은 등온 과정이다.

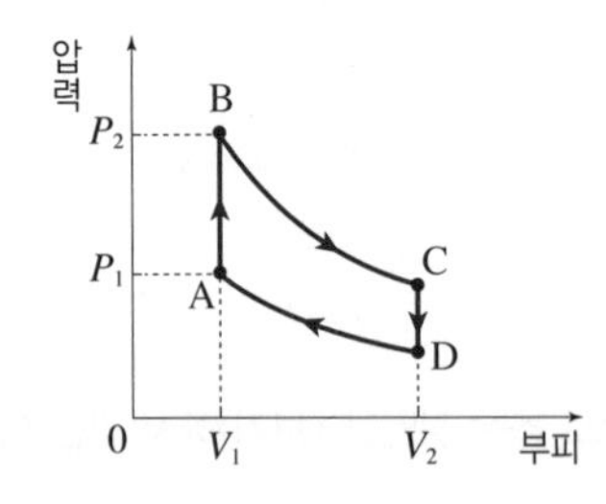

이에 대한 설명으로 옳지 않은 것은?

① A → B 과정에서 흡수한 열량은 기체의 내부 에너지 증가량과 같다.
② B → C 과정에서 기체의 내부 에너지는 일정하다.
③ 기체의 온도는 C에서가 D에서보다 높다.
④ D → A 과정에서 기체는 열을 방출한다.
⑤ 이 열기관의 열효율은 1이다.

빈출

254 (하 **중** 상)

그림은 일정량의 이상 기체의 상태가 순환 과정 A → B → C → D → A를 따라 변할 때 압력과 부피를 나타낸 것이다. A → B 과정과 C → D 과정은 등적 과정, B → C 과정과 D → A 과정은 등압 과정이다. A에서 기체의 절대 온도는 T_0이다.

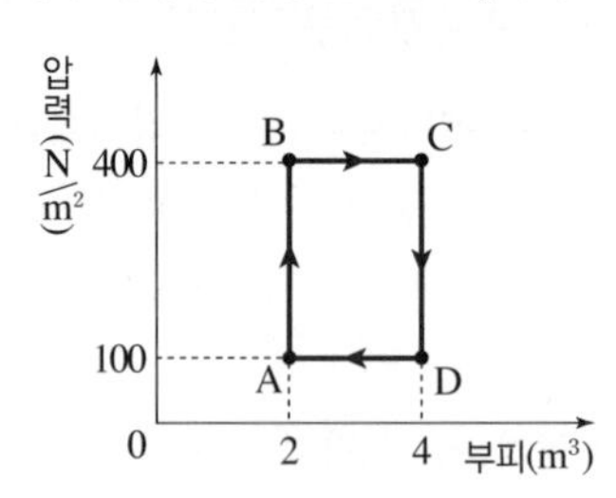

이에 대한 설명으로 옳은 것만을 〈보기〉에서 있는 대로 고른 것은?

〈 보기 〉

ㄱ. C에서의 절대 온도는 $8T_0$이다.
ㄴ. D → A 과정에서 기체가 방출한 열은 200 J이다.
ㄷ. 한 번의 순환 과정에서 기체가 한 일은 600 J이다.

① ㄱ ② ㄴ ③ ㄱ, ㄷ
④ ㄴ, ㄷ ⑤ ㄱ, ㄴ, ㄷ

255 (하 **중** 상)

그림은 열기관에서 일정량의 이상 기체의 상태가 A → B → C → D → A를 따라 변할 때 압력과 부피를 나타낸 것이다. B → C 과정과 D → A 과정은 각각 온도가 T_1, T_2로 일정하다. S는 그래프로 둘러싸인 부분의 넓이이다.

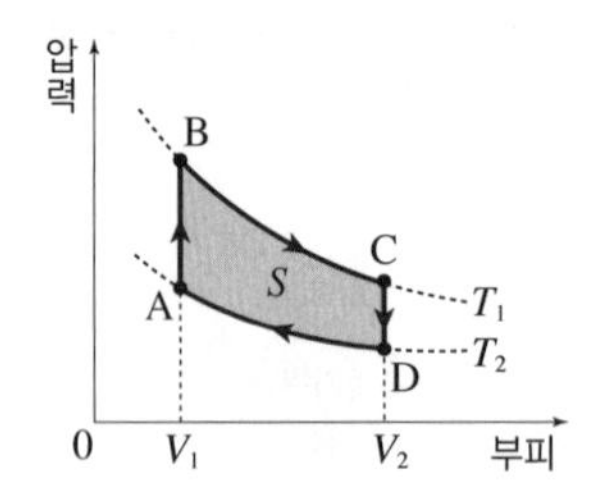

이에 대한 설명으로 옳은 것만을 〈보기〉에서 있는 대로 고른 것은?

〈 보기 〉

ㄱ. A → B 과정에서 기체는 외부에 일을 한다.
ㄴ. B → C 과정에서 기체가 한 일은 D → A 과정에서 기체가 받은 일보다 크다.
ㄷ. A → B → C → D → A 순환 과정에서 기체가 한 일은 S와 같다.

① ㄱ ② ㄴ ③ ㄱ, ㄷ
④ ㄴ, ㄷ ⑤ ㄱ, ㄴ, ㄷ

256 하 중 상

그림은 한 순환 과정마다 고열원에서 500 J의 열을 흡수하여 일을 하고 저열원으로 열을 방출하는 열기관 내의 이상 기체가 A → B → C → D → A를 따라 변할 때 압력과 부피를 나타낸 것이다. A → B 과정과 C → D 과정은 등온 과정이고, B → C 과정과 D → A 과정은 단열 과정이다. 열기관의 열효율은 30 %이다.

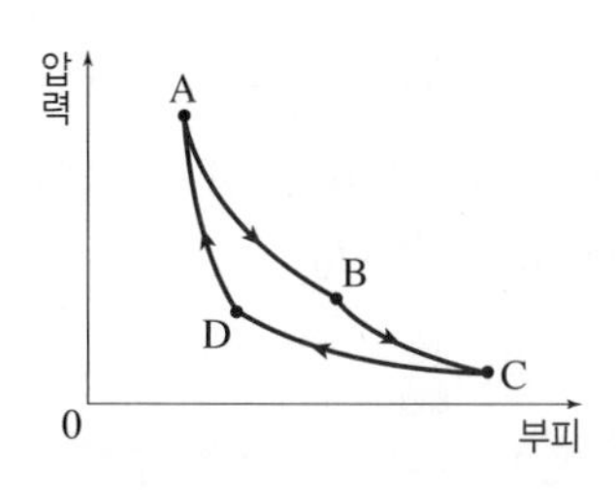

이에 대한 설명으로 옳은 것만을 〈보기〉에서 있는 대로 고른 것은?

〈 보기 〉

ㄱ. A → B 과정에서 외부로부터 흡수한 열은 모두 일로 전환된다.
ㄴ. C → D 과정에서 기체가 방출한 열량은 350 J이다.
ㄷ. 기체의 내부 에너지 변화량의 크기는 B → C 과정보다 D → A 과정에서 더 크다.

① ㄱ ② ㄷ ③ ㄱ, ㄴ
④ ㄴ, ㄷ ⑤ ㄱ, ㄴ, ㄷ

257 하 중 상

그림은 어떤 열기관에서 일정량의 이상 기체의 상태가 A → B → C → D → A를 따라 변할 때 압력과 부피를 나타낸 것이고, 표는 각 과정에서 기체가 흡수 또는 방출하는 열량을 나타낸 것이다.

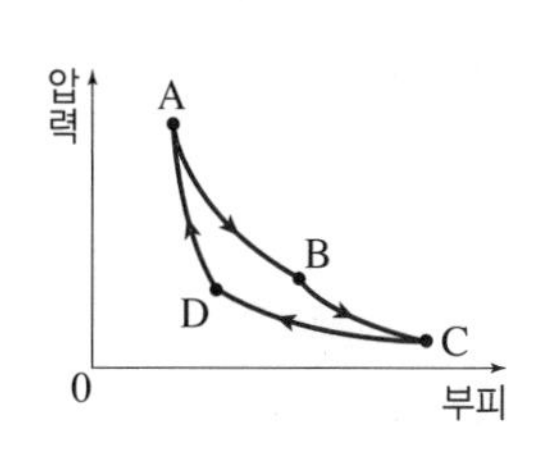

과정	흡수 또는 방출하는 열량(J)
A → B	200
B → C	0
C → D	160
D → A	0

이에 대한 설명으로 옳은 것만을 〈보기〉에서 있는 대로 고른 것은?

〈 보기 〉

ㄱ. 기체가 A → B → C 과정에서 외부에 한 일은 40 J이다.
ㄴ. D → A 과정에서 기체가 외부로부터 받은 일은 0이다.
ㄷ. 열기관의 열효율은 0.2이다.

① ㄱ ② ㄷ ③ ㄱ, ㄴ
④ ㄴ, ㄷ ⑤ ㄱ, ㄴ, ㄷ

258 하 중 상

그림 (가)는 한 번의 순환 과정에서 고열원으로부터 $5Q$의 열을 흡수하여 W의 일을 하고 저열원으로 $3Q$의 열을 방출하는 열기관을 모식적으로 나타낸 것이고, (나)는 (가)의 열기관에서 일정량의 이상 기체의 상태가 A → B → C → D → A를 따라 변할 때 이상 기체의 압력과 부피를 나타낸 것이다. A → B 과정과 C → D 과정은 등적 과정이고, B → C 과정과 D → A 과정은 단열 과정이다.

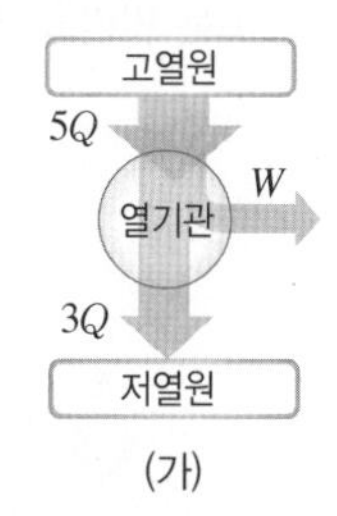

(가)

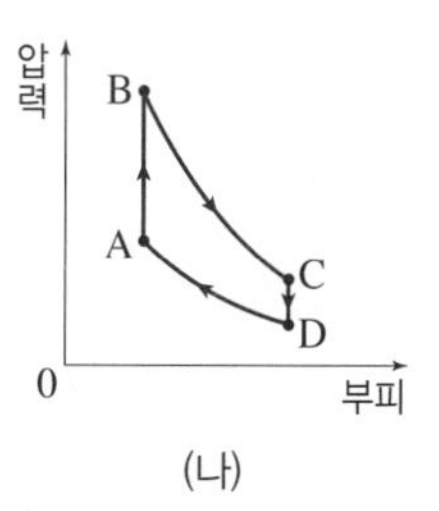

(나)

이에 대한 설명으로 옳은 것만을 〈보기〉에서 있는 대로 고른 것은?

〈 보기 〉

ㄱ. A → B 과정에서 열기관이 흡수한 열량은 $5Q$보다 작다.
ㄴ. B → C 과정에서 열기관이 한 일은 $2Q$이다.
ㄷ. 열기관의 열효율은 40 %이다.

① ㄱ ② ㄷ ③ ㄱ, ㄴ
④ ㄴ, ㄷ ⑤ ㄱ, ㄴ, ㄷ

259 하 중 상

••서술형

그림은 어떤 열기관에서 일정량의 이상 기체의 상태가 A → B → C → D → A를 따라 변할 때 부피와 온도를 나타낸 것이다. A에서 기체의 압력은 P_0이다.

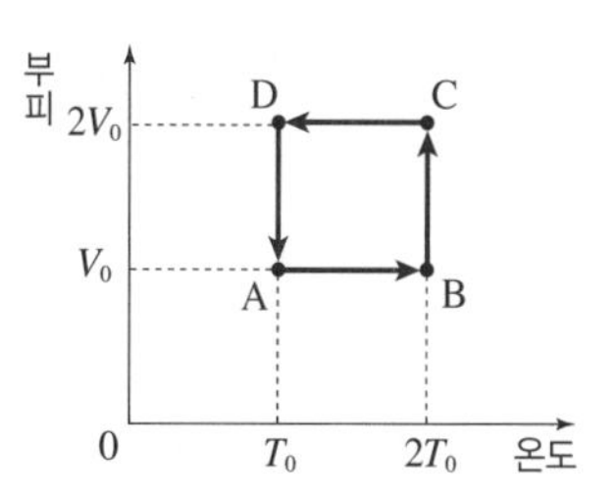

열기관의 순환 과정 A → B → C → D → A를 압력-부피 그래프로 표현하시오. (단, B, C, D를 점으로 나타내고 화살표를 이용하여 각 과정을 표시한다.)

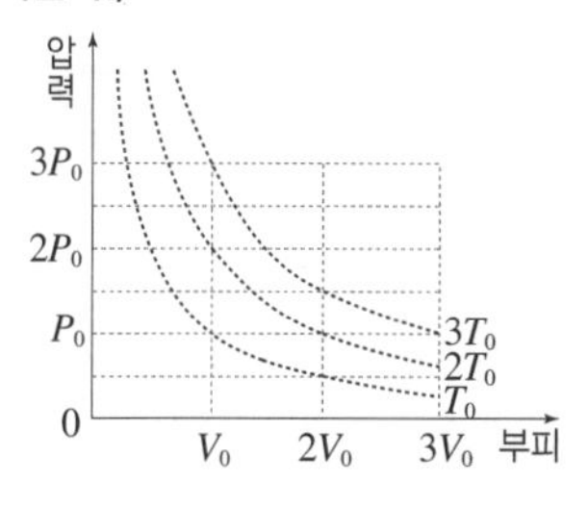

260

그림은 지면으로부터 높이 h인 수평면에서 두 물체 A, B가 v의 속력으로 4 m의 거리를 유지하며 운동하다가 빗면을 따라 내려간 후 지면에 도달해서 A, B는 12 m의 거리를 유지하고 A는 6 m/s의 속력으로 운동하는 것을 나타낸 것이다. A, B의 질량은 각각 2 kg, 1 kg이고, A가 지면에 도달하는 순간 B는 빗면을 내려가기 시작하였다.

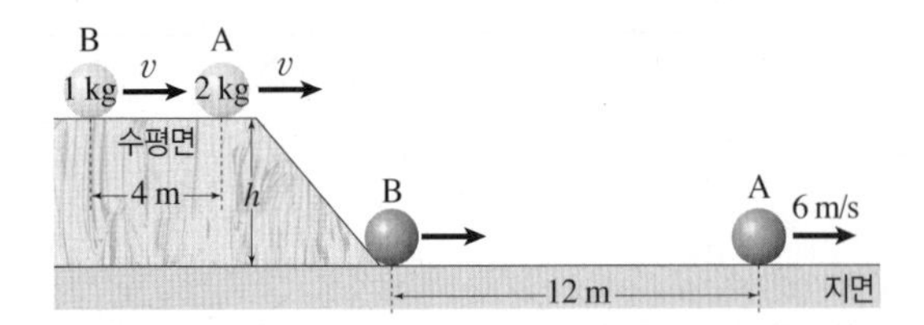

이에 대한 설명으로 옳은 것만을 〈보기〉에서 있는 대로 고른 것은? (단, 중력 가속도는 $10\ m/s^2$이고, A, B는 동일 연직면상에서 운동하며, A, B의 크기와 모든 마찰, 공기 저항은 무시한다.)

〈 보기 〉

ㄱ. $v=2$ m/s이다.

ㄴ. $h=0.8$ m이다.

ㄷ. 빗면에서 A에 작용한 알짜힘의 크기는 4 N이다.

① ㄱ ② ㄴ ③ ㄱ, ㄷ ④ ㄴ, ㄷ ⑤ ㄱ, ㄴ, ㄷ

261

그림 (가)는 물체 A, B를 실로 연결하고 A를 손으로 눌러 정지시킨 모습을 나타낸 것이고, (나)는 (가)에서 A를 가만히 놓은 순간부터 A의 속도를 시간에 따라 나타낸 것이다. (가)에서 수평면으로부터 B까지의 높이는 h이고, B는 시간 $3t$일 때 수평면에 닿아 정지한다. A의 질량은 m이다.

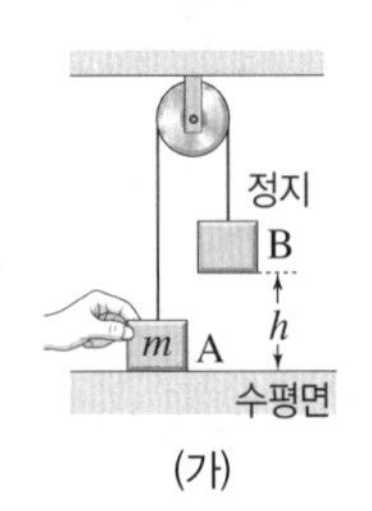

(가)

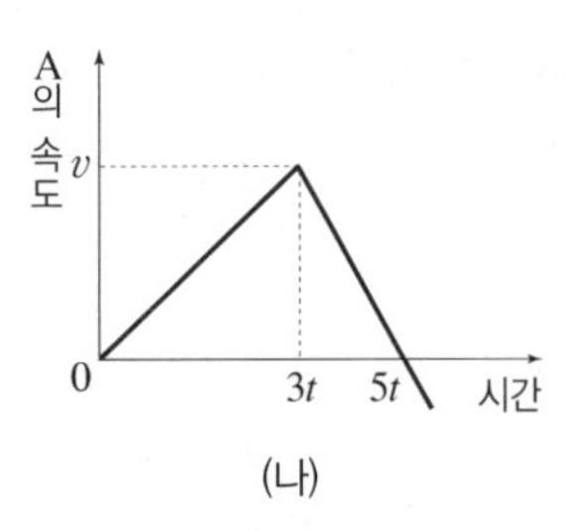

(나)

이에 대한 설명으로 옳지 않은 것은? (단, 중력 가속도는 g이고, 모든 마찰과 공기 저항, 실의 질량은 무시한다.)

① A가 올라가는 최고점의 높이는 $\frac{5}{3}h$이다.

② A와 B의 높이가 같아지는 순간 A의 속력은 $\frac{1}{\sqrt{2}}v$이다.

③ $2t$일 때 A의 가속도는 $\frac{2}{3}g$이다.

④ $2t$일 때 실의 장력은 $\frac{2}{3}mg$이다.

⑤ B의 질량은 $5m$이다.

262

그림 (가)는 수평면에서 물체 A가 v의 속력으로 등속 직선 운동을 하고 물체 B는 정지해 있는 모습을, (나)는 A와 B가 충돌한 후 한 덩어리가 되어 등속 직선 운동을 하는 모습을 나타낸 것이다. 수평면상에서 거리가 L인 점 p와 q 사이 구간에서는 마찰력이 작용한다. A와 B의 질량은 각각 m, $3m$이고, A와 B가 충돌할 때 B가 A로부터 받은 충격량의 크기는 $\frac{3}{5}mv$이다. (단, A, B는 충돌 전후 동일 직선상에 있으며, 점 p와 q 사이 구간을 제외한 수평면에서 마찰과 공기 저항은 무시한다.)

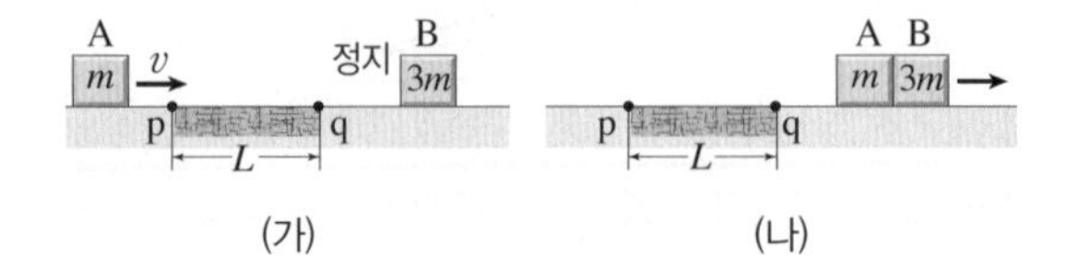

(가) (나)

(1) A가 q를 지나는 순간의 속력을 구하시오.

(2) A와 B가 충돌한 후 한 덩어리가 된 물체의 운동 에너지를 구하시오.

(3) 점 p와 q 사이 구간에서 마찰력의 크기를 구하시오.

263

그림 (가)는 수평면에서 물체 A가 용수철에 연결되어 정지해 있는 물체 B를 향해 $3v$의 속력으로 등속 직선 운동을 하는 모습을, (나)는 A와 B가 충돌하고 한 덩어리로 운동하여 용수철을 압축시킨 모습을, (다)는 A가 B와 용수철에서 튕겨 나와 등속 직선 운동을 하는 모습을 나타낸 것이다. A, B의 질량은 각각 m, $2m$이고, 용수철 상수는 k이다.

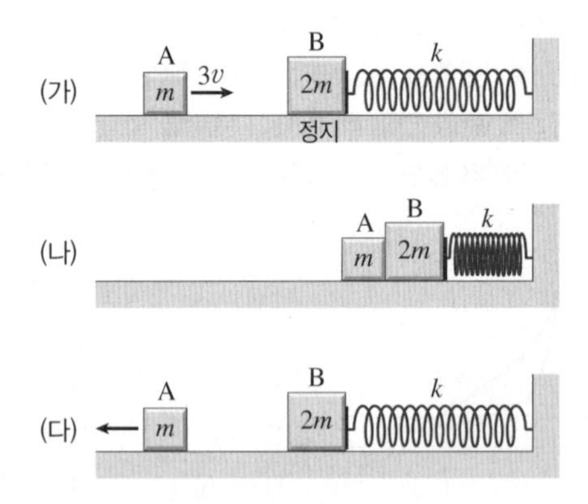

이에 대한 설명으로 옳은 것만을 〈보기〉에서 있는 대로 고른 것은? (단, 모든 마찰과 공기 저항은 무시한다.)

〈 보기 〉

ㄱ. (가)에서 A, B가 충돌한 직후 A, B의 속력은 $2v$이다.

ㄴ. (나)에서 용수철이 최대로 압축된 길이는 $\sqrt{\frac{3m}{k}}v$이다.

ㄷ. (가)에서 A의 운동 에너지는 (다)에서의 9배이다.

① ㄱ ② ㄴ ③ ㄱ, ㄷ ④ ㄴ, ㄷ ⑤ ㄱ, ㄴ, ㄷ

264

그림은 도르래 아래의 물체 B와 실로 연결되어 있는 물체 A를 수평면 위의 점 p에 가만히 놓았더니 오른쪽으로 운동하여 점 q를 지나는 모습을 나타낸 것이다. A가 q에서부터 운동 방향과 반대 방향으로 일정한 힘 F를 받아 점 r에서 속력이 0이 되었다. A, B의 질량은 각각 $2m$, m이고, A가 q에서 r까지 운동하는 동안 A의 운동 에너지 감소량은 B의 중력 퍼텐셜 에너지 감소량과 같다.

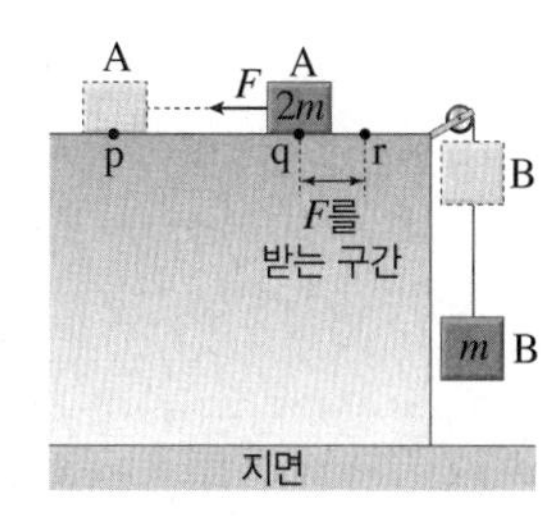

p에서 q까지 거리를 l, q에서 r까지 거리를 s라고 할 때, $\frac{l}{s}$은? (단, 모든 마찰과 실의 질량은 무시한다.)

① $\frac{1}{2}$ ② $\frac{2}{3}$ ③ 1 ④ $\frac{3}{2}$ ⑤ 2

265

그림 (가)는 수평 방향의 일정한 힘 F가 작용하여 물체 A, B가 함께 운동하다가 A와 B 사이의 실이 끊어지는 모습을 나타낸 것이고, (나)는 실이 끊어지기 전과 후 A의 속력을 시간에 따라 나타낸 것이다. 실이 끊어진 후에도 A에는 F가 계속 작용하고, A, B는 각각 등가속도 운동을 한다. B의 질량은 1 kg이고, B의 가속도의 크기는 실이 끊어지기 전과 후가 같다.

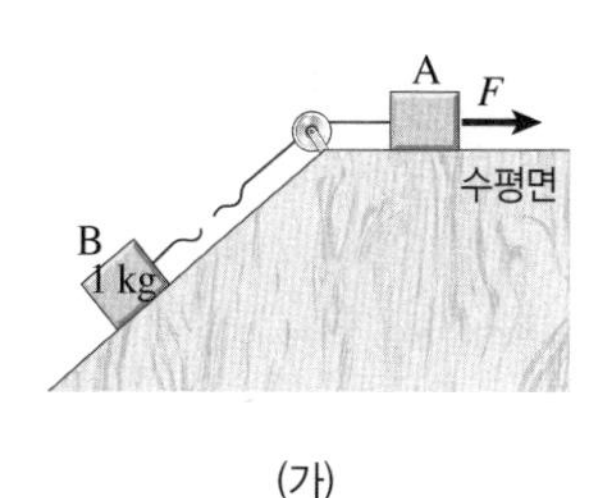

(가)

(나)

이에 대한 설명으로 옳은 것만을 <보기>에서 있는 대로 고른 것은? (단, 중력 가속도는 10 m/s²이고, 모든 마찰과 공기 저항, 실의 질량은 무시한다.)

<보기>

ㄱ. A의 질량은 2 kg이다.

ㄴ. 1초일 때 실이 B를 당기는 힘의 크기는 10 N이다.

ㄷ. 0초부터 2초까지 F가 한 일은 A와 B의 운동 에너지 증가량과 같다.

① ㄱ ② ㄷ ③ ㄱ, ㄴ ④ ㄴ, ㄷ ⑤ ㄱ, ㄴ, ㄷ

266

그림 (가)는 수평 방향의 일정한 힘 F가 작용하여 물체 A, B가 함께 운동하는 모습을 나타낸 것이고, (나)는 A, B의 속력을 시간에 따라 나타낸 것이다. 시간이 t_0일 때 A, B를 연결한 실이 끊어졌다.

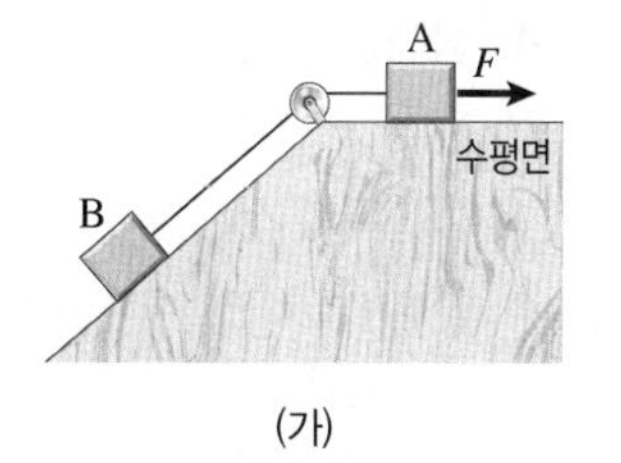

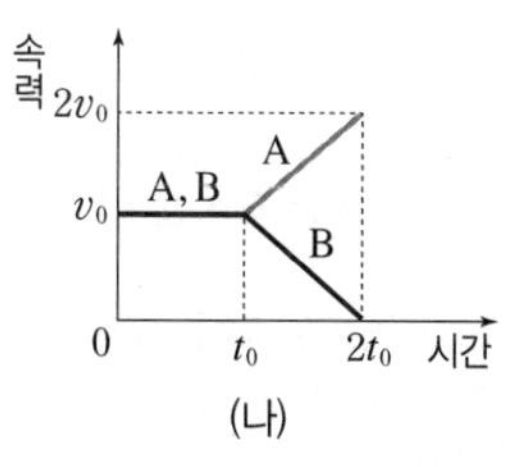

(가) (나)

이에 대한 설명으로 옳은 것만을 <보기>에서 있는 대로 고른 것은? (단, 모든 마찰과 공기 저항, 실의 질량은 무시한다.)

<보기>

ㄱ. 0부터 t_0까지 F가 한 일은 0이다.

ㄴ. 질량은 B가 A보다 크다.

ㄷ. t_0부터 $2t_0$까지 B에 작용하는 알짜힘의 크기는 F와 같다.

① ㄱ ② ㄷ ③ ㄱ, ㄴ ④ ㄴ, ㄷ ⑤ ㄱ, ㄴ, ㄷ

267

그림 (가)는 일정량의 이상 기체가 들어 있는 단열된 실린더에서 질량 $2m$, 단면적 S인 단열된 피스톤이 질량 m인 물체와 실로 연결되어 정지해 있는 모습을, (나)는 (가)의 이상 기체에 열량 Q를 공급하였더니 피스톤과 물체가 서서히 이동하여 h만큼 이동한 후 정지한 것을 나타낸 것이다.

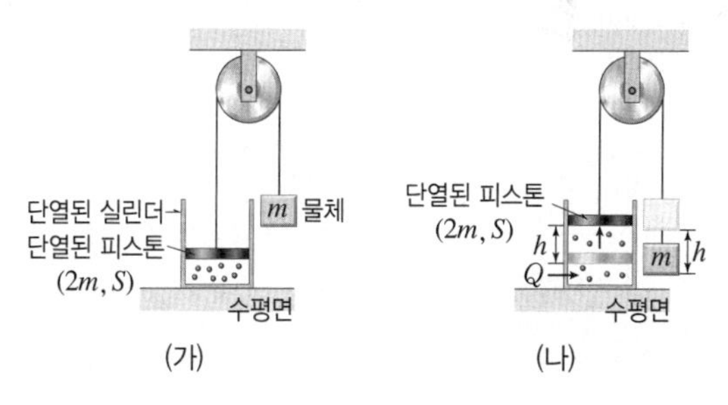

(가) (나)

이에 대한 설명으로 옳은 것만을 <보기>에서 있는 대로 고른 것은? (단, 대기압은 P_0으로 일정하고, 모든 마찰과 실의 질량은 무시하며, 중력 가속도는 g이다.)

<보기>

ㄱ. (가)에서 기체의 압력은 $\frac{mg}{S}$이다.

ㄴ. 기체 분자의 평균 운동 에너지는 (나)에서가 (가)에서 보다 크다.

ㄷ. (나)에서 기체의 내부 에너지 증가량은 $Q-(P_0Sh+mgh)$이다.

① ㄱ ② ㄴ ③ ㄱ, ㄷ ④ ㄴ, ㄷ ⑤ ㄱ, ㄴ, ㄷ

특수 상대성 이론

기출 Tip A-1

관성 좌표계
정지 또는 등속도 운동을 하는 좌표계로 관성 법칙이 성립하는 좌표계이다.
- 한 관성 좌표계에 대해 일정한 속도로 움직이는 좌표계는 모두 관성 좌표계이다.
- 정지해 있는 관성 좌표계에 대해 v의 속도로 운동하고 있는 관성 좌표계에서 보면 정지해 있는 관성 좌표계는 $-v$의 속도로 운동하고 있는 것으로 보인다.

기출 Tip A-2

빛의 속력과 에테르
에테르는 19세기 과학자들이 빛을 전달한다고 생각했던 가상의 매질이다. 당시 과학자들은 에테르가 존재한다면 에테르의 흐름에 따라 빛의 속력이 달라질 것이라고 생각하였다.

마이컬슨·몰리 실험 결과
광원에서 방출한 $1 \to 2 \to 3$ 경로의 빛과 $1' \to 2' \to 3'$ 경로의 빛이 빛 검출기에 동시에 도달한다.
➡ 빛의 속력 차이가 없고, 에테르는 존재하지 않는다.

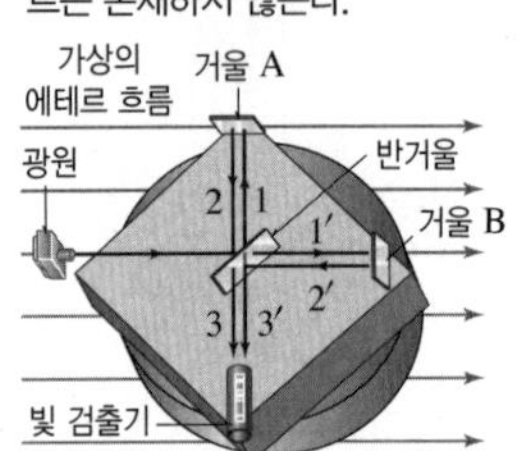

A 특수 상대성 이론의 가정

1 상대성 원리 모든 관성 좌표계에서 물리 법칙은 ❶☐☐하게 성립한다.

➡ 관성 좌표계(관성계) 사이에서 관찰되는 물리량은 다를 수 있지만, 그 물리량 사이의 관계식은 동일하게 성립한다.

※ 일정한 속력으로 운동하는 트럭 위에서 공을 연직 위로 던져 올리는 것을 지면에 있는 관찰자와 트럭 위의 관찰자가 관찰할 경우 공의 속도는 다르게 측정되지만 운동 법칙 $F=ma$는 똑같이 성립한다.

지면에 있는 관찰자가 볼 때	트럭 위의 관찰자가 볼 때
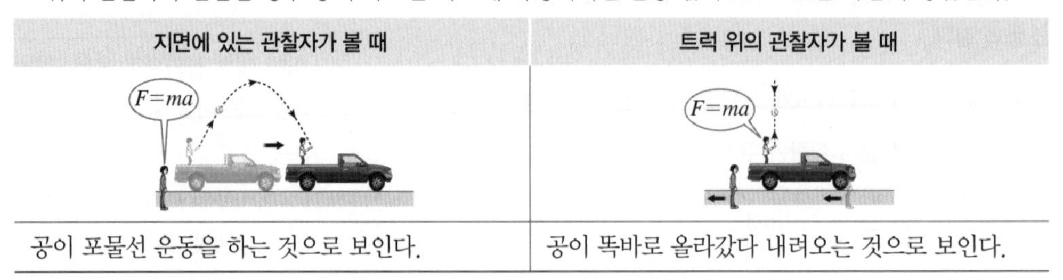	
공이 포물선 운동을 하는 것으로 보인다.	공이 똑바로 올라갔다 내려오는 것으로 보인다.

2 광속 불변 원리 모든 관성 좌표계에서 보았을 때 진공 중에서 진행하는 빛의 속력은 관찰자나 광원의 속도에 관계없이 ❷☐☐하다. → 빛의 속력 c는 3×10^8 m/s이다.

V의 속도로 달리는 기차 안에 있는 사람이 v의 속도로 쏜 화살을 기차 밖에서 관찰한 경우	V의 속도로 달리는 기차 안에 있는 사람이 속력 c인 레이저 빛을 비춘 것을 기차 밖에서 관찰한 경우
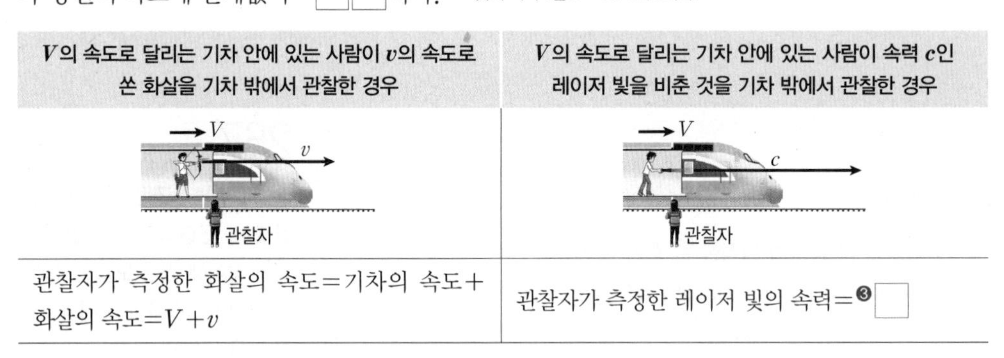	
관찰자가 측정한 화살의 속도=기차의 속도+화살의 속도$=V+v$	관찰자가 측정한 레이저 빛의 속력=❸☐

B 특수 상대성 이론에 의한 현상

1 동시성의 상대성 한 관성 좌표계에서 동시에 일어난 두 사건은 다른 관성 좌표계에서 볼 때 동시에 일어난 것이 아닐 수 있다.

※ 광속에 가까운 속도로 날아가는 우주선 가운데에 위치한 전구에서 나온 빛이 같은 거리에 있는 두 검출기에 도달하는 사건 A, B가 발생했다.

우주선 안에 있는 S′가 보았을 때	정지한 행성에 있는 S가 보았을 때

두 사건 A, B는 동시에 일어난다.	사건 ❹☐가 먼저 일어난다.

2 시간 지연 정지한 관찰자가 빠르게 운동하는 관찰자를 보면 상대편의 시간이 ❺☐☐☐ 가는 것으로 보인다.

- 고유 시간: 관찰자가 보았을 때 같은 위치에서 일어난 두 사건 사이의 시간 간격

※ 광속에 가까운 일정한 속도 v로 움직이는 우주선 내부에 빛 시계가 장치되어 있을 때 관찰자에 따라 빛이 한 번 왕복하는 데 걸리는 시간이 다르게 관찰된다.

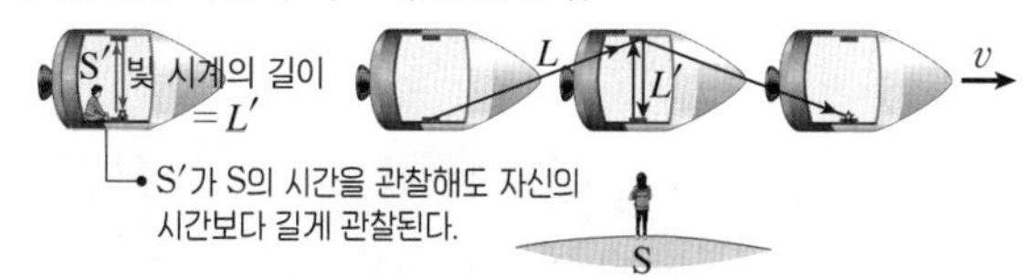

구분	우주선 안의 S′가 보았을 때	정지해 있는 S가 보았을 때
빛의 이동 거리	수직으로 $2L'$만큼 이동한다.	비스듬한 방향으로 $2L$만큼 이동한다.
빛의 주기	빛이 두 거울 사이를 왕복하는 주기 $T_{고유}=\frac{2L'}{c}$이다.	빛이 두 거울 사이를 왕복하는 주기 $T=\frac{2L}{c}$이다.
결론	우주선 안에 있는 S′의 시간이 $T_{고유}$만큼 흘렀을 때, 정지해 있는 S가 측정한 시간 T는 $T_{고유}$보다 ❻☐☐ 관찰된다. ➔ $T>T_{고유}$	

3 길이 수축 한 관성 좌표계의 관찰자가 상대적으로 운동하는 물체를 보면 운동하는 방향의 길이가 ❼☐☐되는 것으로 관찰된다. ─• 운동 방향에 수직인 방향의 길이는 변하지 않는다.

• 고유 길이: 관찰자가 보았을 때 정지 상태에 있는 물체의 길이 또는 한 관성 좌표계에 대해 고정된 두 지점 사이의 길이

※ S′가 광속에 가까운 속도 v로 움직이는 우주선을 타고 지구에서 목성까지 가는 것을 지구와 목성에 대하여 상대적으로 정지한 달에 있는 S가 관찰하고 있다.

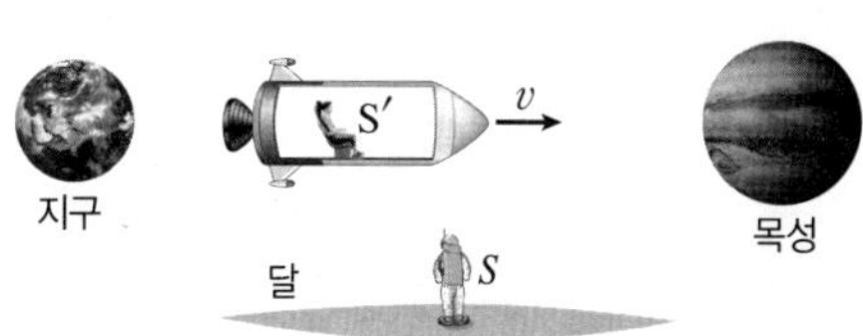

구분	우주선 안의 S′가 보았을 때	정지해 있는 S가 보았을 때
시간	❽☐☐ ☐☐이다. ➔ $T_{고유}$	고유 시간이 아니다. ➔ T
지구와 목성 사이의 거리	우주선은 지구와 목성에 대하여 상대적으로 움직이므로 고유 길이가 아니다. ➔ $L'=vT_{고유}$	S에 대하여 상대적으로 정지해 있는 지구와 목성 사이의 거리이므로 ❾☐☐ ☐☐이다. ➔ $L_{고유}=vT$
결론	$T_{고유}<T$이므로, 지구와 목성에 대하여 상대적으로 운동하는 S′가 측정한 거리 L'는 지구와 목성에 대하여 상대적으로 정지해 있는 S가 측정한 거리 $L_{고유}$보다 ❿☐☐.	

기출 Tip Ⓑ

특수 상대성 이론의 증거
뮤온은 고유 수명이 짧아 지표면까지 도달할 수 없지만, 실제로 많은 뮤온이 지표면에서 발견된다.

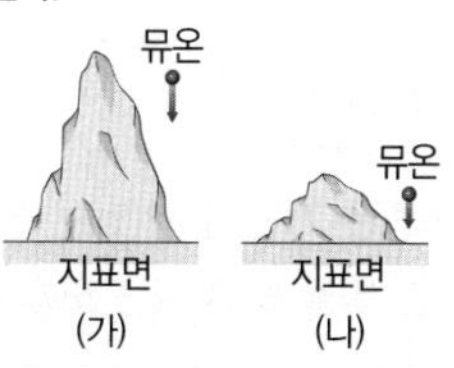

(가) 지상의 관찰자가 볼 때: 뮤온의 시간이 천천히 흘러서 수명이 길어지므로 지표면에 도달할 수 있다. ➔ 시간 지연
(나) 뮤온과 함께 움직이는 관찰자가 볼 때: 뮤온과 지표면 사이의 거리가 수축되어 뮤온이 지표면에 도달할 수 있다. ➔ 길이 수축

질량 증가 ─• 10강에서 배움
정지해 있을 때 질량(정지 질량)이 m_0인 물체가 움직일 때의 질량 m은 물체의 속도가 빠를수록 커진다.

답 ❶ 동일 ❷ 일정 ❸ c ❹ A ❺ 느리게 ❻ 길게 ❼ 수축 ❽ 고유 시간 ❾ 고유 길이 ❿ 작다

빈출 자료 보기

정답과 해설 38쪽

268 그림은 정지해 있는 철수에 대해 영희와 민수가 탄 우주선이 각각 일정한 속력으로 같은 직선상에서 운동하고 있는 모습을 나타낸 것이다. 영희는 민수를 향해 레이저 광선을 쏘고 있다. 철수가 측정한 민수의 속력은 $0.9c$이고, 민수가 볼 때 영희는 점점 자신에게 가까워지고 있다. 두 우주선의 고유 길이는 같고, 철수가 측정할 때 영희와 민수의 우주선의 길이는 각각 L_1, L_2이다. (단, c는 빛의 속력이다.)

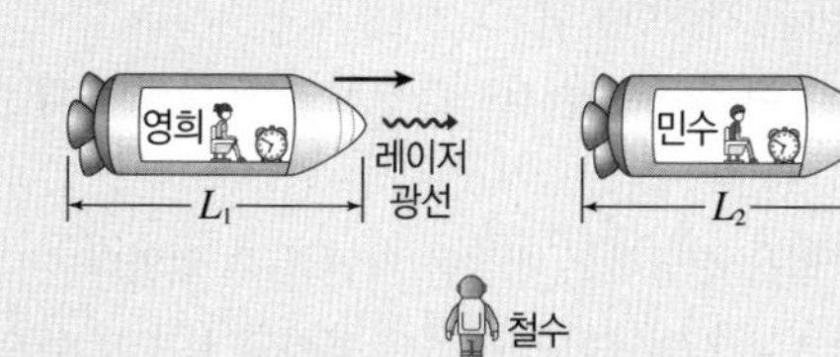

이에 대한 설명으로 옳은 것은 ○, 옳지 않은 것은 ×로 표시하시오.

(1) 민수가 볼 때, 철수는 정지해 있다. ( )
(2) 철수가 볼 때, 영희가 탄 우주선의 속력은 $0.9c$보다 빠르다. ( )
(3) 영희가 쏜 레이저 광선의 속력은 c보다 빠르다. ( )
(4) 철수가 측정할 때, 영희의 시간은 철수의 시간보다 느리게 간다. ( )
(5) 민수가 측정할 때, 철수의 시간은 민수의 시간보다 빠르게 간다. ( )
(6) 철수가 측정할 때, 영희와 민수의 우주선의 길이 L_1과 L_2는 같다. ( )

A 특수 상대성 이론의 가정

269 하중상

특수 상대성 이론의 두 가지 가정을 쓰시오.

270 하중상

그림은 지면에 서 있는 선영이가 멀어지는 기차에서 나오는 속력이 c인 빛을 보고 있는 모습을 나타낸 것이다. 기차의 속력은 v로 일정하다.

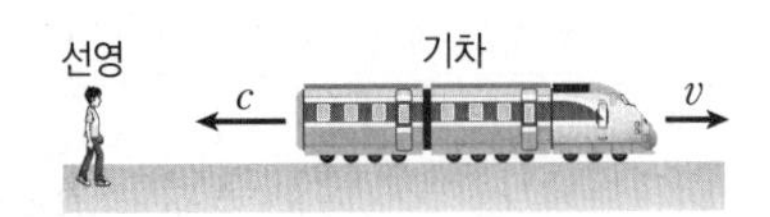

선영이가 볼 때, 기차에서 나오는 빛의 속력은?

① 0 ② v ③ $c-v$ ④ c ⑤ $c+v$

271 하중상

관성 좌표계에 해당하는 것만을 〈보기〉에서 있는 대로 고른 것은?

〈 보기 〉
ㄱ. 정지해 있는 좌표계
ㄴ. 속도가 계속 변하는 좌표계
ㄷ. 일정한 속도로 운동하는 좌표계
ㄹ. 등가속도 직선 운동을 하는 좌표계

① ㄱ, ㄷ ② ㄴ, ㄹ ③ ㄷ, ㄹ
④ ㄱ, ㄴ, ㄷ ⑤ ㄱ, ㄴ, ㄹ

272 하중상

다음은 특수 상대성 이론의 기본 가정을 설명한 것이다.

(가) 모든 관성 좌표계에서 물리 법칙은 동일하다.
(나) 진공에서 빛의 속력은 모든 관성 좌표계에서 관찰자나 광원의 속도에 관계없이 항상 일정하다.

이에 대한 설명으로 옳은 것만을 〈보기〉에서 있는 대로 고른 것은?

〈 보기 〉
ㄱ. 관성 좌표계는 정지해 있거나 등속도로 움직이는 좌표계이다.
ㄴ. (가)에 따라 물체의 속력은 다른 관성 좌표계에서 측정하여도 동일하게 측정된다.
ㄷ. (나)는 광속 불변 원리를 설명한 것이다.

① ㄱ ② ㄴ ③ ㄱ, ㄷ ④ ㄴ, ㄷ ⑤ ㄱ, ㄴ, ㄷ

빈출 273 하중상

그림 (가)는 일정한 속도로 운동하는 트럭에서 사람이 수직 위로 공을 던졌다가 받는 모습을, (나)는 (가)의 모습을 지면에 정지해 있는 사람이 관찰한 모습을 나타낸 것이다.

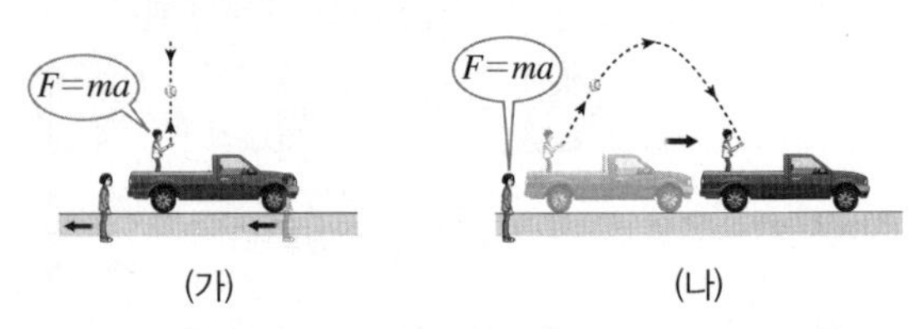

(가) (나)

이에 대한 설명으로 옳은 것만을 〈보기〉에서 있는 대로 고른 것은? (단, 공기 저항은 무시한다.)

〈 보기 〉
ㄱ. (가)와 (나)에서 관찰자는 모두 관성 좌표계에 있다.
ㄴ. (가)와 (나)에서 공의 운동 경로는 서로 같다.
ㄷ. (가)와 (나)에서 공의 운동 상태를 변화시키는 원인은 중력이다.
ㄹ. (가)와 (나)에서 공의 운동을 설명하는 물리 법칙은 동일하다.

① ㄱ, ㄴ ② ㄱ, ㄷ ③ ㄴ, ㄹ
④ ㄱ, ㄷ, ㄹ ⑤ ㄴ, ㄷ, ㄹ

빈출 274 하중상 多 보기

그림은 마이컬슨과 몰리의 실험 장치를 나타낸 것이다.

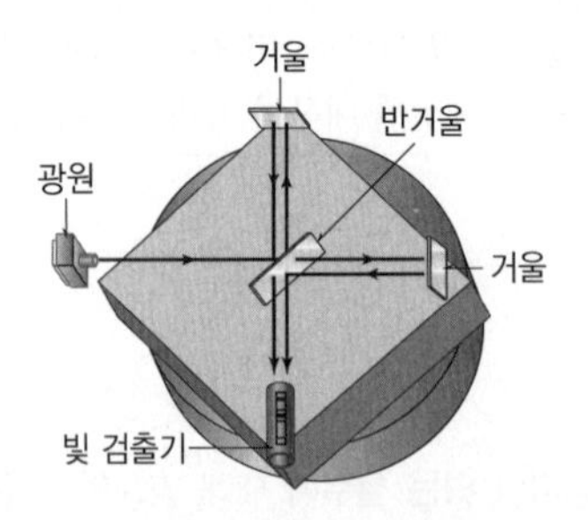

이에 대한 설명으로 옳지 않은 것을 모두 고르면?(2개)

① 에테르의 존재를 증명하기 위한 실험이었다.
② 에테르는 빛을 전달하는 가상의 매질이다.
③ 에테르가 존재한다면 에테르의 흐름에 따라 빛의 속력이 달라질 것이라고 가정하였다.
④ 다른 경로로 이동하여 빛 검출기에 도달한 빛의 속력은 서로 달랐다.
⑤ 실험 결과 빛을 전달하는 매질을 확인할 수 없었다.
⑥ 이 실험 결과는 갈릴레이의 상대성 원리로 설명할 수 있다.

빈출

275 하중상

그림 (가)는 100 km/h의 속력으로 달리는 기차에서 민규가 기차에 대해 200 km/h의 속력으로 화살을 쏜 모습을, (나)는 같은 기차에서 민규가 기차에 대해 속력이 c인 레이저를 쏜 모습을 나타낸 것이다.

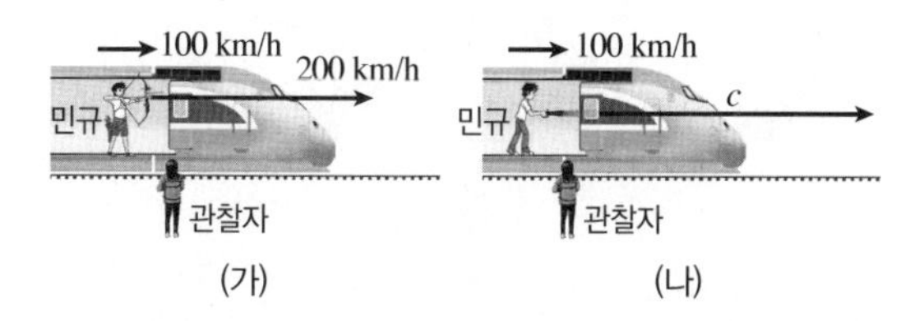

이에 대한 설명으로 옳은 것만을 〈보기〉에서 있는 대로 고른 것은? (단, 빛의 속력은 c이다.)

〈 보기 〉
ㄱ. (가)에서 관찰자가 본 화살의 속력은 300 km/h이다.
ㄴ. (나)에서 관찰자가 본 레이저의 속력은 민규가 본 속력과 같다.
ㄷ. (가)와 (나)에서 민규가 본 관찰자의 속력은 100 km/h이다.
ㄹ. 빛의 속력은 광원이나 관찰자의 속력에 따라 다르게 관찰된다.

① ㄱ, ㄴ ② ㄴ, ㄹ ③ ㄷ, ㄹ ④ ㄱ, ㄴ, ㄷ ⑤ ㄱ, ㄷ, ㄹ

B 특수 상대성 이론에 의한 현상

특수 상대성 이론

빈출

276 하중상

多 보기

특수 상대성 이론에 대한 설명으로 옳지 않은 것을 모두 고르면? (2개)

① 관성 좌표계는 관성 법칙이 성립하는 좌표계이다.
② 길이 수축은 좌표계가 운동하는 방향으로만 일어난다.
③ 모든 관성 좌표계에서 물리 법칙은 동일하게 성립한다.
④ 관찰자에 대하여 운동하는 물체의 길이는 고유 길이보다 길어진다.
⑤ 특수 상대성 이론은 속도가 변하는 운동을 하는 좌표계에서도 적용된다.
⑥ 관찰자에 대하여 운동하는 관성 좌표계의 시간은 관찰자의 시간보다 느리게 간다.
⑦ 어떤 관성 좌표계에서 동시에 일어난 사건이 다른 관성 좌표계에서는 동시에 일어난 사건이 아닐 수 있다.

277 하중상

특수 상대성 이론에서 관찰자에 따라 다르게 측정될 수 있는 물리량만을 〈보기〉에서 있는 대로 고른 것은?

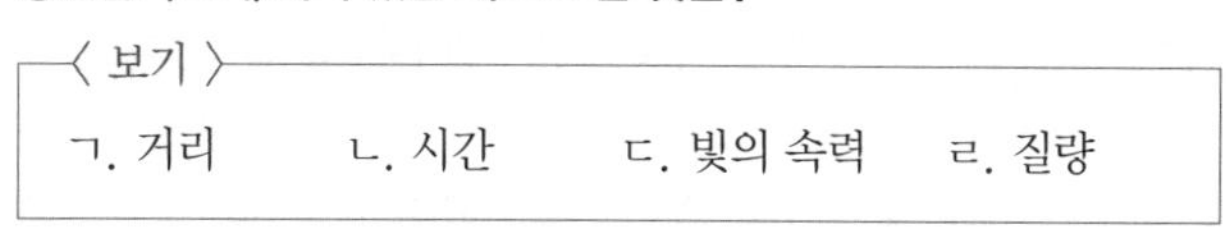

〈 보기 〉
ㄱ. 거리 ㄴ. 시간 ㄷ. 빛의 속력 ㄹ. 질량

① ㄱ, ㄷ ② ㄴ, ㄹ ③ ㄷ, ㄹ ④ ㄱ, ㄴ, ㄷ ⑤ ㄱ, ㄴ, ㄹ

278 하중상

그림은 광속에 가까운 속도 V로 달리는 기차에 타고 있는 유성이와 지면에 정지해 있는 예진이를 나타낸 것이다. 유성이가 볼 때 기차 안의 점 O에서 전구를 켜면 빛은 점 A, B에 동시에 도달한다.

이에 대한 설명으로 옳지 않은 것은? (단, A, 광원, B는 동일 직선상에 있다.)

① 유성이가 볼 때, A와 B를 향한 빛의 속력은 같다.
② 유성이가 볼 때, A와 B는 O에서 같은 거리에 있다.
③ 유성이와 예진이가 측정한 빛의 속력은 같다.
④ 예진이가 볼 때, 빛이 A에 도달할 때 A의 위치가 전구를 켰을 때보다 오른쪽으로 이동한다.
⑤ 예진이가 볼 때, 전구에서 나온 빛은 A와 B에 동시에 도달한다.

279 하중상

그림 (가)와 (나)는 S′가 탄 기차가 v의 속력으로 등속도 운동을 하여 고유 길이가 $L_{고유}$인 막대를 옆으로 지나는 모습을 나타낸 것이다. 관찰자 S는 승강장에 정지해 있다.

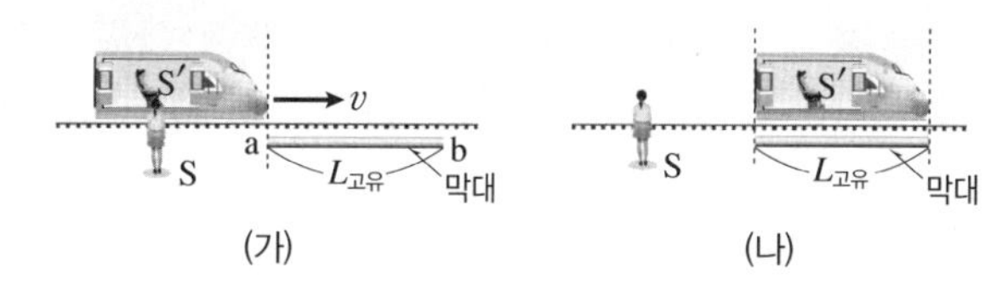

이에 대한 설명으로 옳은 것만을 〈보기〉에서 있는 대로 고른 것은?

〈 보기 〉
ㄱ. S가 볼 때, 속도가 v인 기차가 막대의 a와 b를 지나는 데 걸리는 시간은 $\frac{L_{고유}}{v}$이다.
ㄴ. S′가 볼 때, 막대의 길이는 $L_{고유}$보다 작다.
ㄷ. S′가 볼 때, 막대의 a와 b가 기차를 지나는 데 걸리는 시간은 $\frac{L_{고유}}{v}$보다 작다.

① ㄱ ② ㄴ ③ ㄱ, ㄷ ④ ㄴ, ㄷ ⑤ ㄱ, ㄴ, ㄷ

우주선과 관찰자

빈출

280 하중상

그림은 지구에 정지해 있는 수지가 지구에 대해 $0.8c$로 운동하고 있는 우주선을 보고 있는 모습을 나타낸 것이다. 우주선의 천장과 바닥에는 거울이 붙어 있어 빛이 거울 사이를 왕복한다. 우주선에 탄 민수는 우주선에 대해 정지해 있다.

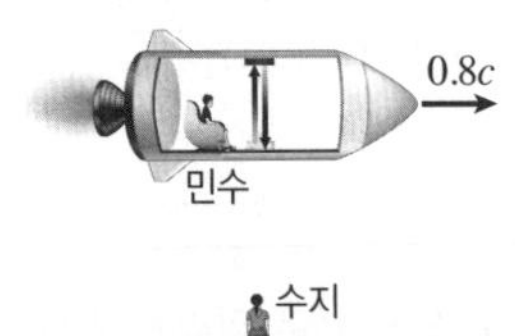

이에 대한 설명으로 옳은 것만을 〈보기〉에서 있는 대로 고른 것은? (단, c는 빛의 속력이다.)

〈 보기 〉
ㄱ. 민수가 볼 때 수지의 속력과 수지가 볼 때 민수의 속력은 같다.
ㄴ. 빛이 두 거울 사이를 왕복하는 시간은 민수가 측정한 것과 수지가 측정한 것이 같다.
ㄷ. 수지가 볼 때 민수의 시간은 자신의 시간보다 빠르게 간다.

① ㄱ ② ㄷ ③ ㄱ, ㄴ
④ ㄴ, ㄷ ⑤ ㄱ, ㄴ, ㄷ

281 하중상

그림과 같이 민호가 탄 우주선이 광속에 가까운 일정한 속도로 지구에서 목성을 향해 운동하고 있다. 이를 달에 정지해 있는 동호가 보고 있다.

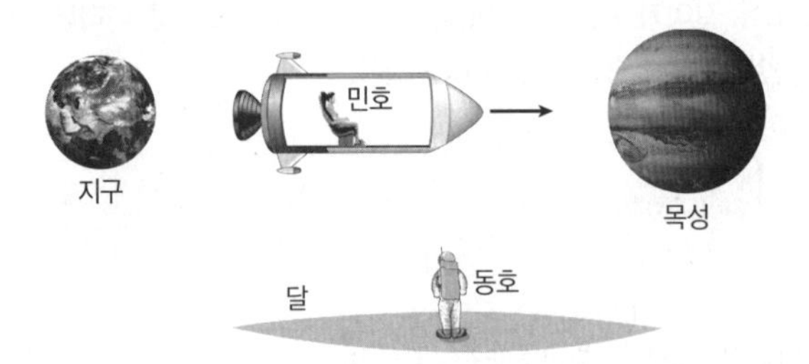

이에 대한 설명으로 옳은 것만을 〈보기〉에서 있는 대로 고른 것은?

〈 보기 〉
ㄱ. 민호가 측정하는 지구와 목성 사이의 거리는 동호가 측정하는 거리보다 짧다.
ㄴ. 동호가 측정하는 우주선의 길이는 고유 길이보다 짧다.
ㄷ. 민호가 측정할 때 우주선이 목성에 도착하는 데 걸린 시간은 동호가 측정할 때보다 짧다.

① ㄱ ② ㄷ ③ ㄱ, ㄴ
④ ㄴ, ㄷ ⑤ ㄱ, ㄴ, ㄷ

282 하중상

多 보기

그림은 영수가 탄 우주선에서 빛이 바닥과 천장 사이를 왕복하는 모습을 우주선 밖에 정지해 있는 지수가 관찰한 모습을 나타낸 것이다. 우주선은 지수에 대해 광속에 가까운 일정한 속도로 운동한다.

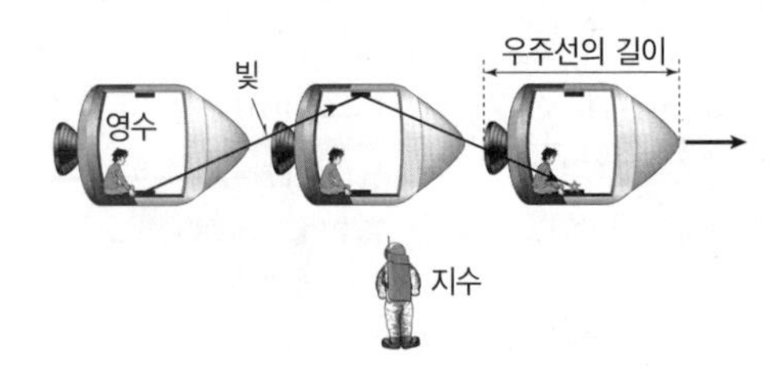

이에 대한 설명으로 옳지 않은 것을 모두 고르면?(2개)

① 영수가 볼 때 지수는 정지해 있다.
② 영수가 측정한 우주선의 길이는 고유 길이이다.
③ 지수가 측정했을 때, 우주선의 길이는 고유 길이보다 짧다.
④ 지수가 측정했을 때 빛의 속력은 영수가 측정했을 때보다 크다.
⑤ 빛이 이동한 거리는 지수가 측정했을 때가 영수가 측정했을 때보다 길다.
⑥ 지수가 측정했을 때, 영수의 시간은 자신의 시간보다 느리게 간다.
⑦ 영수가 측정했을 때, 지수의 시간은 자신의 시간보다 느리게 간다.

빈출

283 하중상

그림과 같이 관찰자 A가 탄 우주선이 행성을 향해 가고 있다. 관찰자 B가 측정할 때, 지구에서 행성까지 거리는 L_0이고 우주선의 속력은 v이다.

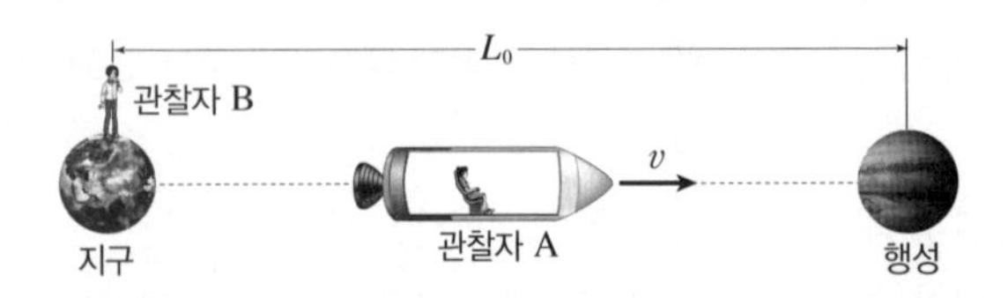

관찰자 A가 관측한 것에 대한 설명으로 옳은 것만을 〈보기〉에서 있는 대로 고른 것은?

〈 보기 〉
ㄱ. 행성은 v의 속력으로 다가온다.
ㄴ. 지구에서 행성까지의 거리는 L_0보다 길다.
ㄷ. 행성까지 가는 데 걸리는 시간은 $\frac{L_0}{v}$보다 짧다.

① ㄱ ② ㄴ ③ ㄱ, ㄷ
④ ㄴ, ㄷ ⑤ ㄱ, ㄴ, ㄷ

284 하 중 상

그림과 같이 수정이와 영호가 탄 우주선이 지석이에 대하여 각각 $0.8c$, $0.5c$의 일정한 속도로 운동한다. 수정이와 영호가 탄 우주선의 고유 길이는 같고, 지석이에 대해 정지해 있는 물체의 고유 길이는 L이다.

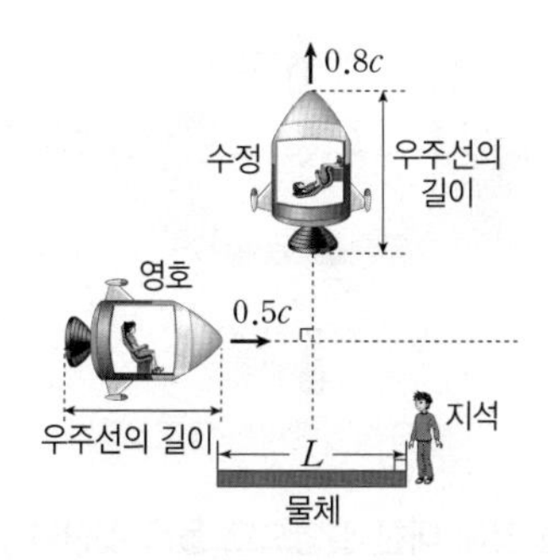

이에 대한 설명으로 옳은 것만을 〈보기〉에서 있는 대로 고른 것은? (단, c는 빛의 속력이다.)

〈 보기 〉
ㄱ. 영호가 측정한 물체의 길이는 L보다 길다.
ㄴ. 수정이가 측정한 물체의 길이는 L보다 짧다.
ㄷ. 지석이가 측정한 우주선의 길이는 수정이가 탄 우주선이 영호가 탄 우주선보다 짧다.

① ㄱ ② ㄷ ③ ㄱ, ㄴ
④ ㄴ, ㄷ ⑤ ㄱ, ㄴ, ㄷ

285 하 중 상

••서술형

그림은 지구에 대해 x 방향으로 일정한 속도 v로 움직이는 우주선과 지구에 정지해 있는 관찰자의 모습을 나타낸 것이다. 우주선은 광속에 가까운 속력으로 운동하고 있다.

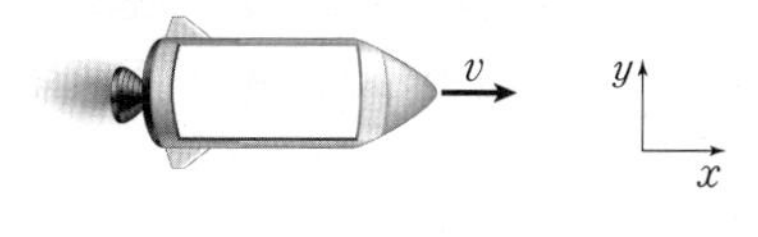

(1) 우주선의 속도가 v보다 클 때, 관찰자가 본 x 방향에 대한 우주선의 길이 변화를 그 까닭과 함께 서술하시오.

(2) 우주선의 속도가 v보다 클 때, 관찰자가 본 y 방향에 대한 우주선의 길이 변화를 그 까닭과 함께 서술하시오.

286 하 중 상

多 보기

그림은 우주선 A, B가 우주 정거장 P를 지나 서로 반대 방향으로 등속도 운동을 하고 있는 모습을 나타낸 것이다. B에서는 A를 향해 빛을 쏘고 있다. P에 대해 A, B의 속력은 각각 $0.5c$, $0.4c$이고, P가 측정한 A, B의 길이는 L로 같다.

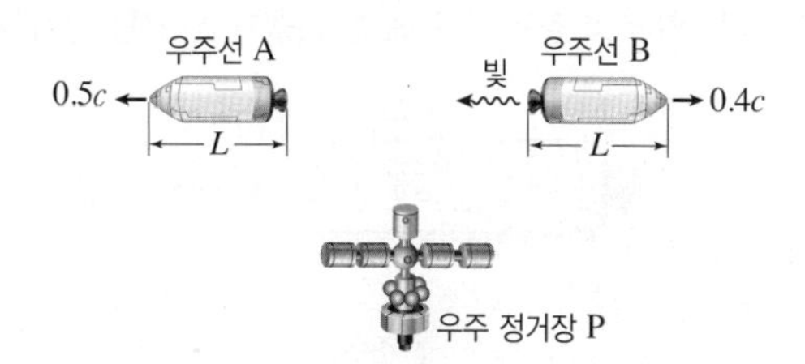

이에 대한 설명으로 옳지 않은 것을 모두 고르면? (단, c는 빛의 속력이다.)(3개)

① 고유 길이는 A가 B보다 길다.
② A에서 볼 때 P의 속력이 P에서 볼 때 A의 속력보다 크다.
③ A에서 볼 때 P의 시간이 B의 시간보다 느리게 간다.
④ P의 길이는 A에서 볼 때가 B에서 볼 때보다 짧다.
⑤ P에서 볼 때, A의 시간이 B의 시간보다 느리게 간다.
⑥ B에서 쏜 빛의 속력은 P에서 측정했을 때가 A에서 측정했을 때보다 크다.

287 하 중 상

그림은 정지해 있는 관찰자 A에 대해 양성자가 일정한 속도 $0.9c$로 점 p를 지나 점 q를 통과하는 모습을 나타낸 것이다. A가 측정한 p와 q 사이의 거리는 L이다. A에 대해 양성자와 같은 속도 $0.9c$로 날아가는 우주선에 타고 있는 관찰자 B가 측정할 때, 양성자의 질량은 m_0이고, 양성자가 p에서 q까지 이동하는 데 걸린 시간은 T이다.

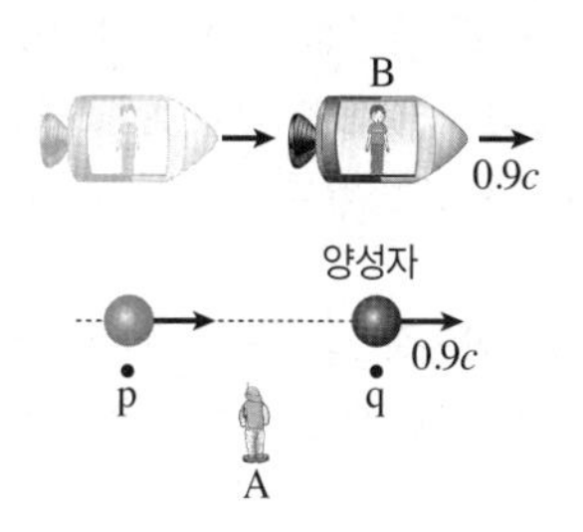

이에 대한 설명으로 옳은 것만을 〈보기〉에서 있는 대로 고른 것은? (단, c는 빛의 속력이다.)

〈 보기 〉
ㄱ. $L>0.9cT$이다.
ㄴ. A가 측정한 양성자의 질량은 m_0보다 작다.
ㄷ. B가 측정한 양성자의 질량은 정지 질량이다.

① ㄱ ② ㄴ ③ ㄱ, ㄷ
④ ㄴ, ㄷ ⑤ ㄱ, ㄴ, ㄷ

우주선에서 본 광원

288 하 중 상

그림은 준수에 대해 $0.8c$의 속력으로 움직이는 우주선 안에 수연이가 타고 있는 모습을 나타낸 것이다. 수연이는 우주선 안에 광원으로부터 거리가 L로 같은 두 곳에 빛 검출기 A, B를 설치하였다.

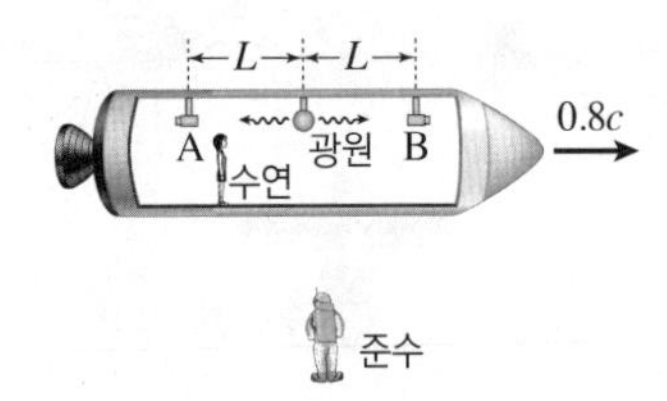

준수의 좌표계에서 관측한 것으로 옳은 것만을 〈보기〉에서 있는 대로 고른 것은? (단, c는 빛의 속력이고 A, 광원, B는 우주선의 진행 방향에 나란한 동일 직선상에 있다.)

〈 보기 〉
ㄱ. 수연이의 시간은 자신의 시간보다 느리게 간다.
ㄴ. 광원에서 발생한 빛은 A와 B에 동시에 도달한다.
ㄷ. A와 B 사이의 거리는 $2L$보다 짧다.

① ㄱ ② ㄴ ③ ㄱ, ㄷ
④ ㄴ, ㄷ ⑤ ㄱ, ㄴ, ㄷ

289 하 중 상

그림은 은수에 대해 $0.9c$의 일정한 속력으로 운동하는 우주선에 동수가 타고 있는 모습을 나타낸 것이다. 은수가 측정할 때 광원에서 방출된 빛은 A, B에 동시에 도달하고, 우주선의 고유 길이는 L_0이다.

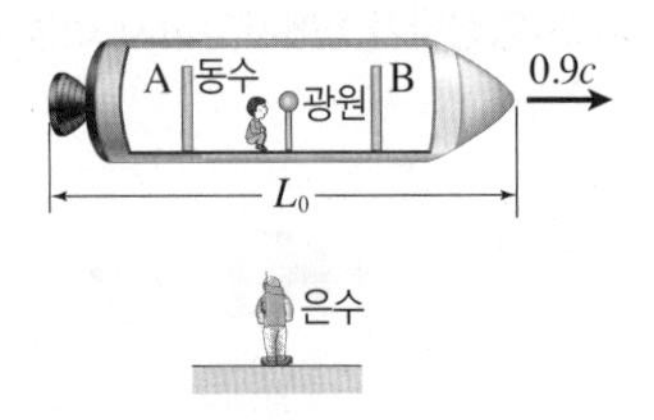

이에 대한 설명으로 옳은 것만을 〈보기〉에서 있는 대로 고른 것은? (단, c는 빛의 속력이고 A, 광원, B는 우주선의 진행 방향에 나란한 동일 직선상에 있다.)

〈 보기 〉
ㄱ. 동수가 관측할 때 광원에서 나온 빛은 A보다 B에 먼저 도달한다.
ㄴ. 동수가 측정할 때 광원에서 A까지의 거리가 광원에서 B까지의 거리보다 길다.
ㄷ. 은수가 측정한 우주선의 길이는 L_0보다 길다.

① ㄱ ② ㄷ ③ ㄱ, ㄴ
④ ㄴ, ㄷ ⑤ ㄱ, ㄴ, ㄷ

290 하 중 상

그림은 민수가 탄 우주선이 수평면에 정지해 있는 신영이에 대해 $0.8c$의 일정한 속도로 수평면과 나란하게 운동하는 모습을 나타낸 것이다. 우주선 내부에서는 민수가 보았을 때 광원을 중심으로 하는 원 위에 빛 검출기 A, B, C, D가 고정되어 있다.

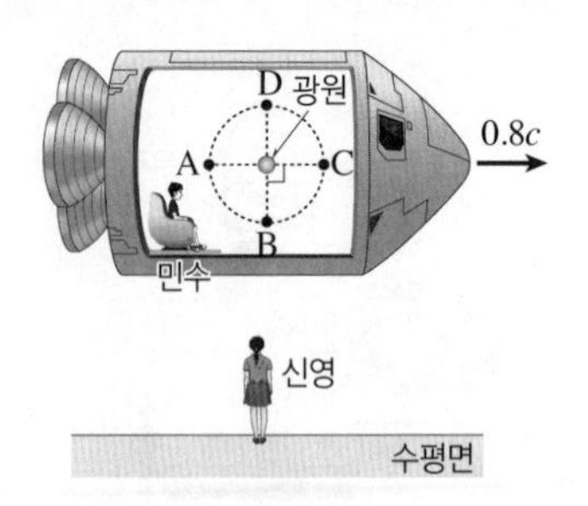

신영이가 관측한 것에 대한 설명으로 옳은 것만을 〈보기〉에서 있는 대로 고른 것은? (단, c는 빛의 속력이다.)

〈 보기 〉
ㄱ. A와 C 사이의 거리는 B와 D 사이의 거리와 같다.
ㄴ. 광원에서 동시에 방출된 빛은 A와 C에 동시에 도달한다.
ㄷ. 광원에서 동시에 방출된 빛은 D보다 A에 먼저 도달한다.

① ㄱ ② ㄷ ③ ㄱ, ㄴ
④ ㄴ, ㄷ ⑤ ㄱ, ㄴ, ㄷ

291 하 중 상 ••서술형

그림은 수평면에 정지해 있는 인호에 대해 광속에 가까운 속력 v로 운동하는 우주선 안에 수영이가 타고 있는 모습을 나타낸 것이다. 빛 검출기 A와 B 사이에 광원이 있으며, A, B, 광원은 인호에 대해 정지해 있다.

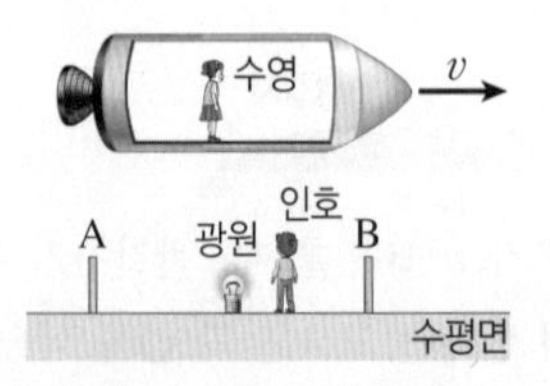

인호가 관찰했을 때 광원에서 발생한 빛이 검출기 A와 B에 동시에 도달하였다면, 수영이가 관찰했을 때 결과를 그 까닭과 함께 서술하시오.

292 (하/중/상)

그림과 같이 점 O에는 광원이, 점 P, Q, R에는 거울이 있다. 철수는 영희에 대해 일정한 속도 $0.9c$로 P, O, R를 잇는 직선과 나란하게 운동하는 우주선에 타고 있다. 철수가 O를 지날 때 측정한 O에서 각 거울까지의 거리는 L로 같다.

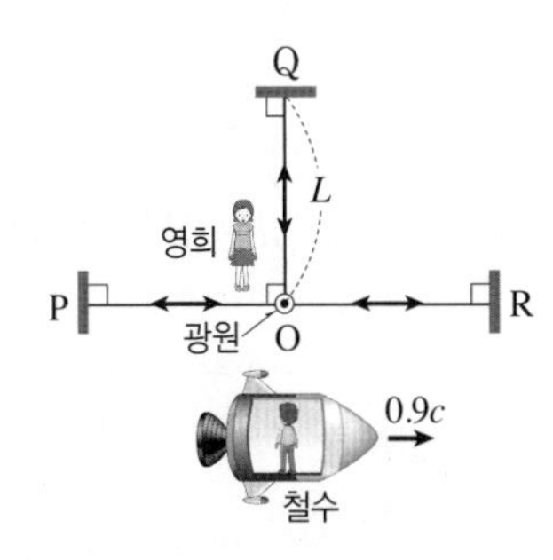

이에 대한 설명으로 옳지 않은 것을 모두 고르면? (단, c는 빛의 속력이다.)(2개)

① 영희가 측정할 때, P와 O 사이의 거리는 Q와 O 사이의 거리와 같다.

② 영희가 측정할 때, O에서 P와 R를 향해 동시에 발생한 빛은 P와 R에 동시에 도달한다.

③ 영희가 측정할 때, 광원에서 발생한 빛이 O와 Q 사이를 왕복하는 데 걸린 시간은 $\frac{2L}{c}$이다.

④ 철수가 측정할 때, O에서 P, Q, R를 향해 발생한 빛의 속력은 모두 같다.

⑤ 철수가 측정할 때, 광원에서 발생한 빛이 O와 Q 사이를 왕복하는 데 걸린 시간은 영희가 측정할 때보다 짧다.

뮤온 관측

293 (하/중/상)

그림과 같이 지표면에 정지한 민수가 높이 H인 대기권 상층에서 생성된 뮤온이 속력 $0.99c$로 운동하고 있는 것을 관찰하고 있다. 뮤온의 고유 수명은 t이다.

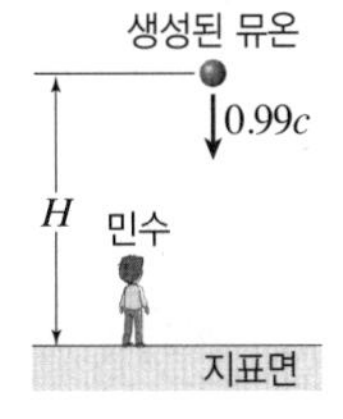

이에 대한 설명으로 옳은 것만을 〈보기〉에서 있는 대로 고른 것은? (단, c는 빛의 속력이다.)

〈 보기 〉

ㄱ. 특수 상대성 이론을 이해하기 전에는 뮤온이 지상에서 관측되는 현상을 이해할 수 없었다.

ㄴ. 민수가 측정한 뮤온의 수명은 고유 수명 t보다 짧다.

ㄷ. 뮤온의 관성 좌표계에서 측정할 때 뮤온이 생성된 지점에서 지표면까지 거리는 H보다 짧다.

① ㄱ ② ㄴ ③ ㄱ, ㄷ ④ ㄴ, ㄷ ⑤ ㄱ, ㄴ, ㄷ

294 (하/중/상) ••서술형

그림은 에베레스트 산의 정상 부근에서 발생한 뮤온의 운동을 (가) 지표면의 정지 좌표계에서 보았을 때와 (나) 뮤온과 함께 운동하는 좌표계에서 보았을 때 모습을 구분하여 나타낸 것이다. 뮤온의 수명은 매우 짧아 지표면에서 관찰할 수 없어야 하는데 실제로는 지표면에서 뮤온이 발견된다.

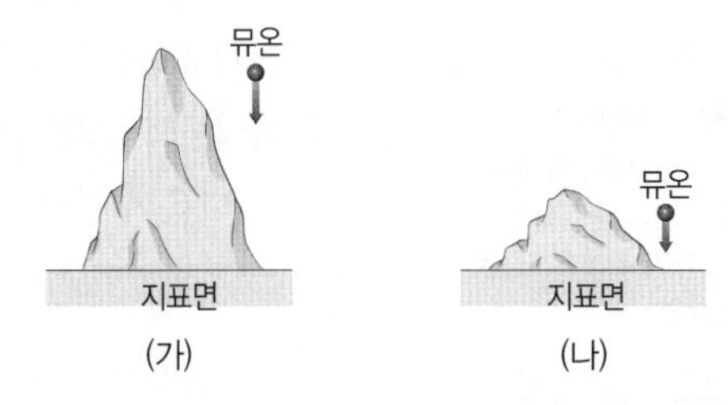

(1) 뮤온이 지표면에서 발견되는 까닭을 (가) 좌표계의 입장에서 서술하시오.

(2) 뮤온이 지표면에서 발견되는 까닭을 (나) 좌표계의 입장에서 서술하시오.

295 (하/중/상)

그림은 지표면의 관찰자 B가 측정할 때 높이가 H인 산 정상에서 생성된 뮤온과 우주선을 타고 운동하는 관찰자 A의 모습을 나타낸 것이다. 뮤온과 우주선의 속력은 $0.99c$로 같다. 뮤온은 지표면까지 도달하자마자 붕괴되고, 뮤온의 고유 수명은 t이다.

이에 대한 설명으로 옳은 것만을 〈보기〉에서 있는 대로 고른 것은? (단, c는 빛의 속력이고, 중력에 의한 효과는 무시한다.)

〈 보기 〉

ㄱ. A가 측정한 뮤온의 수명은 t보다 길다.

ㄴ. A가 측정한 산의 높이는 $0.99ct$와 같다.

ㄷ. B가 측정할 때, A가 지표면에 도달하는 데 걸리는 시간은 t보다 길다.

① ㄱ ② ㄷ ③ ㄱ, ㄴ ④ ㄴ, ㄷ ⑤ ㄱ, ㄴ, ㄷ

질량과 에너지

A 질량과 에너지

1 질량 증가 정지해 있을 때 질량이 m_0인 물체가 움직일 때의 질량 m은 속도가 빠를수록 ❶□진다. → 질량도 시간이나 공간처럼 상대적인 물리량이다.

① 정지 질량: 관찰자에게 상대적으로 ❷□□해 있는 물체의 질량

② 상대론적 질량: 한 관성 좌표계에 대하여 v의 속도로 운동하고 있는 물체의 상대론적 질량 m은 다음과 같다.

$$m=\frac{m_0}{\sqrt{1-\frac{v^2}{c^2}}}$$ (m_0: 정지 질량) └ $v=0$일 때 $m=m_0$

기출 Tip A-1

상대론적 질량과 가속도
물체의 속력이 증가할수록 물체의 상대론적 질량이 증가하므로 물체를 가속시키기 위해서 더 큰 에너지가 필요하다.

상대론적 질량과 물체의 속도
물체의 속력이 빛의 속력에 가까워지면 물체의 질량은 무한대에 가까워진다. 따라서 물체의 속력을 빛의 속력만큼 가속시킬 수 없다.

2 질량 에너지 동등성 질량과 에너지는 서로 ❸□□될 수 있으며, 질량 m에 해당하는 에너지 E는 다음과 같다.

$$E=mc^2$$ (c: 빛의 속력)

① 정지 에너지: 정지한 물체가 가지는 에너지 ➡ $E=m_0c^2$

② 상대론적 에너지: 운동하는 물체의 에너지는 속력이 ❹□□수록 상대론적 질량에 따라 커진다.

기출 Tip A-2

질량 에너지 동등성
질량 에너지 동등성은 질량과 에너지가 본질적으로 같다는 뜻이다. 따라서 질량과 에너지는 서로 전환될 수 있다.

B 핵분열 반응과 핵융합 반응

1 핵반응 원자핵이 분열하거나(핵분열) 서로 합쳐지는(핵융합) 반응

① 질량 결손과 에너지

- 질량 결손: 핵반응 후 핵반응 전보다 줄어든 ❺□□의 합을 말하며, 핵반응 과정에서 에너지를 방출하기 때문에 질량 결손이 생긴다.
- 핵반응 과정에서 생기는 질량 결손 Δm이 질량 에너지 동등성에 따라 에너지 E로 전환된다.

$$E=\Delta mc^2$$ (c: 빛의 속력)

② 핵반응식: 핵반응 과정을 화학 반응식처럼 간단하게 나타낸 식으로, 반응 전후에 전하량과 질량수가 ❻□□된다.

(핵반응식과 보존)

$${}^{235}_{92}\mathrm{U}+{}^{1}_{0}\mathrm{n} \longrightarrow {}^{141}_{56}\mathrm{Ba}+{}^{92}_{36}\mathrm{Kr}+3{}^{1}_{0}\mathrm{n}+200\ \mathrm{MeV}$$

구분	핵반응 전	핵반응 후	보존 여부
전하량 합	92+0=92	56+36=92	보존
질량수 합	235+1=236	141+92+(3×1)=236	보존
핵반응 전후 질량	핵반응 후 200 MeV만큼의 질량 결손이 생겼다.		보존되지 않는다.

기출 Tip B-1

원자핵 표기법
원자 번호(양성자수)가 Z이고, 질량수(양성자수+중성자수)가 A인 원자핵을 표시할 때는 다음과 같이 나타낸다.
${}^{A}_{Z}\mathrm{X}$ (X: 원소 기호)

핵반응에서 질량과 질량수
에너지를 방출하는 핵반응에서 질량은 감소하지만, 질량수(양성자수+중성자수)는 보존된다.

핵반응식
${}^{a}_{x}\mathrm{A}+{}^{b}_{y}\mathrm{B} \rightarrow {}^{c}_{z}\mathrm{C}+{}^{d}_{w}\mathrm{D}+$에너지
- 전하량 보존: $x+y=z+w$
- 질량수 보존: $a+b=c+d$

전하량 보존
핵반응 전과 후에 전하량의 총합은 보존된다. 핵반응을 할 때 양성자는 전하를 띠지만 중성자는 전하를 띠지 않으므로 핵반응 전과 핵반응 후의 양성자수의 합은 같다.

2 핵분열 한 원자핵이 2개 이상의 가벼운 원자핵으로 나누어지는 핵반응 ➡ 질량 결손에 의해 많은 양의 에너지를 ❼□□한다.

① 우라늄의 핵분열: 우라늄 235(${}^{235}_{92}\mathrm{U}$)가 중성자 1개를 흡수하면 2개의 원자핵으로 분열하면서 질량 결손에 의해 많은 에너지를 방출한다.

(핵발전소에서 일어나는 우라늄의 핵분열 반응)

핵발전소의 원자로에서 우라늄 235($^{235}_{92}U$)가 속도가 느린 중성자 1개를 흡수하면, 2개의 원자핵으로 분열하면서 2개~3개의 속도가 빠른 중성자와 많은 에너지를 방출한다.

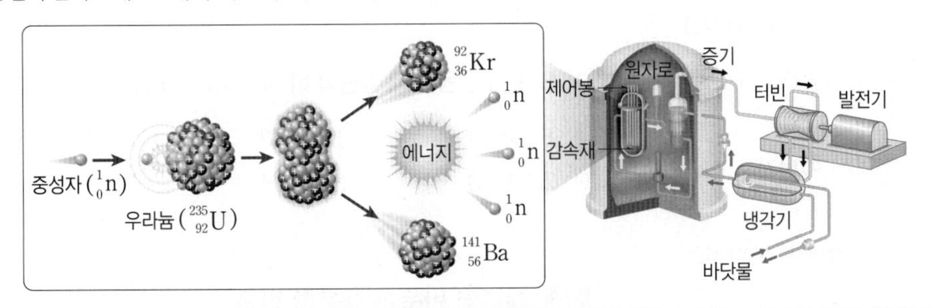

$$^{235}_{92}U + ^{1}_{0}n \longrightarrow ^{141}_{56}Ba + ^{92}_{36}Kr + 3^{1}_{0}n + 200\ MeV$$

핵분열 반응 후에 생성된 입자들의 총질량은 핵분열하기 전 입자들의 총질량보다 ❽☐☐.

➜ 핵분열이 일어날 때 ❾☐☐ ☐☐에 해당하는 만큼의 에너지가 열로 방출된다.

② 연쇄 반응: 우라늄 235($^{235}_{92}U$)가 핵분열할 때 방출되는 2개~3개의 ❿☐☐☐가 다른 우라늄 235에 계속 흡수되어 핵분열이 연쇄적으로 일어나는 반응

3 핵융합 초고온 상태에서 가벼운 원자핵들이 융합하여 무거운 원자핵이 되는 핵반응

➜ ⓫☐☐ ☐☐에 의해 많은 양의 에너지를 방출한다.

구분	태양에서의 핵융합	핵융합로에서의 핵융합
핵융합 과정	양전자, 중성 미자, 중수소($^{2}_{1}H$), 에너지 26 MeV, 헬륨($^{4}_{2}He$) ❶ 수소 원자핵($^{1}_{1}H$)과 수소 원자핵이 핵융합하여 중수소 원자핵($^{2}_{1}H$)이 된다. ❷ 중수소 원자핵($^{2}_{1}H$)과 중수소 원자핵이 핵융합하여 헬륨 원자핵($^{4}_{2}He$)이 된다.	중수소($^{2}_{1}H$), 중성자($^{1}_{0}n$), 에너지 17.6 MeV, 삼중수소($^{3}_{1}H$), 헬륨($^{4}_{2}He$) 중수소 원자핵($^{2}_{1}H$)과 삼중수소 원자핵($^{3}_{1}H$)이 핵융합하여 헬륨 원자핵($^{4}_{2}He$)과 중성자($^{1}_{0}n$)가 된다. 초고온, 초고압 상태에서 반응이 일어나므로 용기 역할을 하는 핵융합 장치가 필요하다.
핵융합 반응식	$4^{1}_{1}H \longrightarrow ^{4}_{2}He + 2e^{+} + 26\ MeV$	$^{2}_{1}H + ^{3}_{1}H \longrightarrow ^{4}_{2}He + ^{1}_{0}n + 17.6\ MeV$

기출 Tip Ⓑ-3

태양에서의 핵융합
태양에서의 핵융합은 초고온, 초고압의 상태인 태양 중심부에서 일어난다.

태양의 질량
태양에서 핵융합 반응으로 질량 결손에 해당하는 에너지가 계속 방출되므로 태양의 질량은 점차 감소한다.

답 ❶ 커 ❷ 정지 ❸ 전환 ❹ 빠를 ❺ 질량 ❻ 보존 ❼ 방출 ❽ 작다 ❾ 질량 결손 ❿ 중성자 ⓫ 질량 결손

빈출 자료 보기

정답과 해설 41쪽

296 그림 (가)와 (나)는 핵분열 반응과 핵융합 반응을 순서 없이 나타낸 것이다.

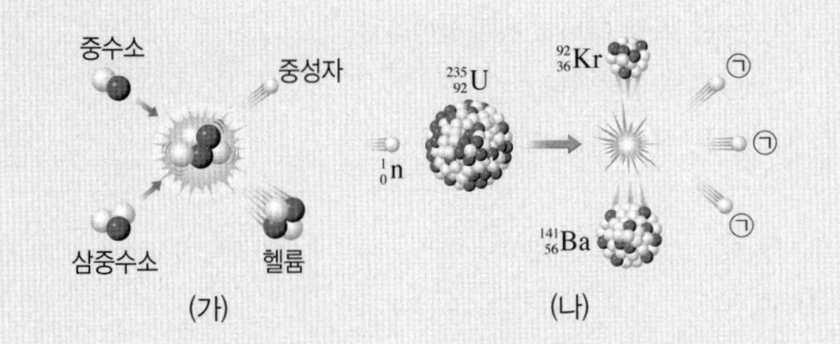

이에 대한 설명으로 옳은 것은 ○, 옳지 않은 것은 ×로 표시하시오.

(1) (가)는 핵분열 반응이다. ( )

(2) (가)는 핵융합로에서 일어나는 핵반응이다. ( )

(3) (나)는 원자로에서 일어나는 핵반응이다. ( )

(4) ㉠은 중성자이다. ( )

(5) (가)는 에너지를 방출하는 핵반응이고, (나)는 에너지를 흡수하는 핵반응이다. ( )

A 질량과 에너지

297 하중상

多 보기

질량과 에너지에 대한 설명으로 옳지 않은 것을 모두 고르면?(2개)

① 질량 에너지 동등성은 질량과 에너지가 본질적으로 같다는 뜻이다.
② 에너지는 질량으로 전환될 수 있지만 질량은 에너지로 전환될 수 없다.
③ 핵분열과 핵융합에서 발생되는 에너지는 질량이 에너지로 전환된 것이다.
④ 물체의 질량은 광속에 가까운 속력으로 운동할 때가 정지해 있을 때보다 크다.
⑤ 입자 가속기 안에서 양성자를 가속시키면 빛의 속력보다 빠르게 가속시킬 수 있다.
⑥ 관찰자가 보았을 때 정지해 있는 물체의 질량에 해당하는 에너지를 정지 에너지라고 한다.

298 하중상

그림은 정지한 상태에서 질량이 m_0인 물체가 운동할 때, 물체의 상대론적 질량을 속력에 따라 나타낸 것이다.

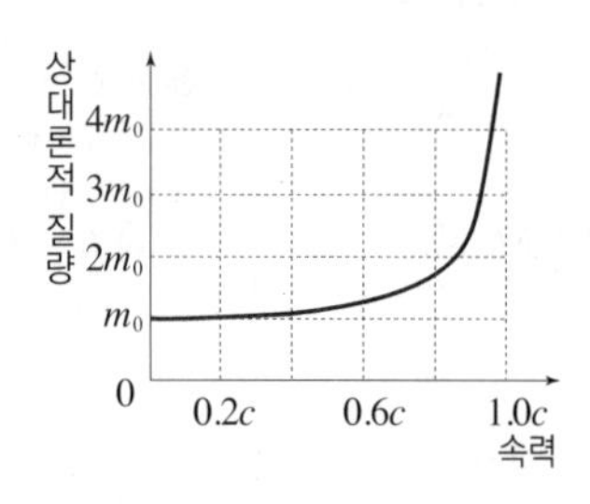

이에 대한 설명으로 옳은 것만을 〈보기〉에서 있는 대로 고른 것은? (단, c는 빛의 속력이다.)

〈보기〉
ㄱ. 정지해 있는 물체의 에너지는 0이다.
ㄴ. 물체의 속력이 증가할수록 물체를 가속시키는 데 더 큰 에너지가 필요하다.
ㄷ. 질량이 있는 물체의 속력이 c가 되는 것은 불가능하다.

① ㄱ ② ㄴ ③ ㄱ, ㄷ
④ ㄴ, ㄷ ⑤ ㄱ, ㄴ, ㄷ

빈출

299 하중상

표는 세 입자 A, B, C가 정지해 있을 때의 정지 에너지와 운동할 때의 총에너지를 비교한 것이다.

입자	A	B	C
정지 에너지	E	$2E$	$3E$
총에너지	$3E$	$6E$	$6E$

A, B, C가 운동할 때 질량의 비 $m_A : m_B : m_C$는?

① 1 : 2 : 3 ② 1 : 2 : 2 ③ 2 : 2 : 1
④ 2 : 4 : 3 ⑤ 3 : 2 : 1

B 핵분열 반응과 핵융합 반응

빈출

300 하중상

다음은 핵분열과 핵융합 과정에 대한 학생 A, B, C의 대화 내용이다.

학생 A: 핵분열에서 반응 전후의 총질량은 같아.
학생 B: 태양 에너지의 근원은 핵융합 과정에서 질량 결손에 의해 발생한 에너지야.
학생 C: 핵융합은 두 원자가 합쳐지는 것이므로 반응 후 총 질량이 증가해.

제시한 의견이 옳은 학생만을 있는 대로 고른 것은?

① A ② B ③ A, C
④ B, C ⑤ A, B, C

301 하중상

다음은 핵발전소에 대한 설명이다.

핵발전소에서 우라늄의 핵분열 반응을 이용하여 에너지를 얻는 것은 (㉠)으로 설명할 수 있다. 우라늄 원자핵에 (㉡)(이)가 흡수되면 불안정해진 우라늄 원자핵이 질량수가 작은 두 개의 원자핵으로 쪼개지는 핵분열 반응이 일어난다. 이때 (㉢)에 해당하는 만큼의 에너지가 열로 방출된다.

이에 대한 설명으로 옳은 것만을 〈보기〉에서 있는 대로 고른 것은?

〈보기〉
ㄱ. ㉠은 질량 에너지 동등성이다.
ㄴ. ㉡은 중성자이다.
ㄷ. ㉢은 질량 결손이다.

① ㄱ ② ㄴ ③ ㄱ, ㄷ
④ ㄴ, ㄷ ⑤ ㄱ, ㄴ, ㄷ

[302~303] 다음은 우라늄의 핵분열 반응식을 나타낸 것이다.

$$^{235}_{92}\mathrm{U}+^{1}_{0}\mathrm{n} \longrightarrow ^{92}_{㉠}\mathrm{Kr}+^{㉡}_{56}\mathrm{Ba}+3^{1}_{0}\mathrm{n}+200\ \mathrm{MeV}$$

302 하 중 상

㉠과 ㉡으로 옳은 것은?

	㉠	㉡		㉠	㉡
①	36	92	②	36	141
③	6	92	④	56	141
⑤	92	235			

303 하 중 상

이에 대한 설명으로 옳은 것만을 〈보기〉에서 있는 대로 고른 것은?

〈 보기 〉

ㄱ. 원자력 발전소에서 이와 같은 반응이 일어난다.

ㄴ. 핵분열 전후에 질량수는 보존된다.

ㄷ. 핵반응 과정에서 방출하는 에너지는 손실되는 질량이 전환된 것이다.

① ㄱ ② ㄴ ③ ㄱ, ㄷ
④ ㄴ, ㄷ ⑤ ㄱ, ㄴ, ㄷ

빈출

304 하 중 상

그림은 우라늄($^{235}_{92}$U)이 핵분열하여 크립톤($^{92}_{36}$Kr)과 바륨($^{141}_{56}$Ba)이 생성되는 과정을 나타낸 것이다.

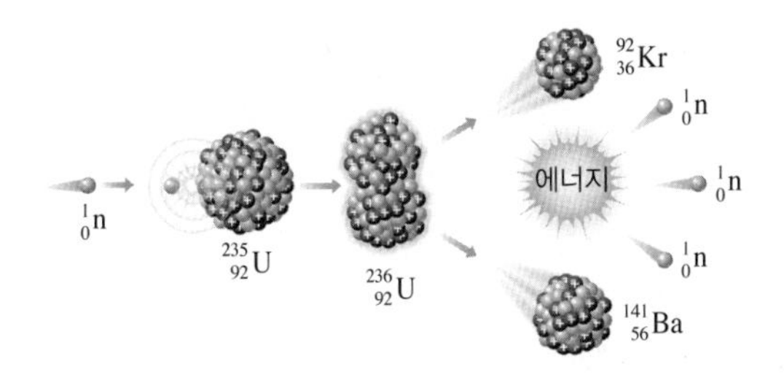

이에 대한 설명으로 옳은 것만을 〈보기〉에서 있는 대로 고른 것은?

〈 보기 〉

ㄱ. 태양 중심부에서 이와 같은 반응이 일어난다.

ㄴ. 핵분열 반응 전 질량의 합과 반응 후 질량의 합은 같다.

ㄷ. 방출된 중성자가 주변에 있던 다른 우라늄 원자핵과 충돌하여 연쇄 반응이 일어난다.

① ㄱ ② ㄷ ③ ㄱ, ㄴ
④ ㄴ, ㄷ ⑤ ㄱ, ㄴ, ㄷ

305 하 중 상

••서술형

그림은 우라늄($^{235}_{92}$U)이 중성자와 충돌하여 핵분열 반응이 일어나는 과정을 나타낸 것이다.

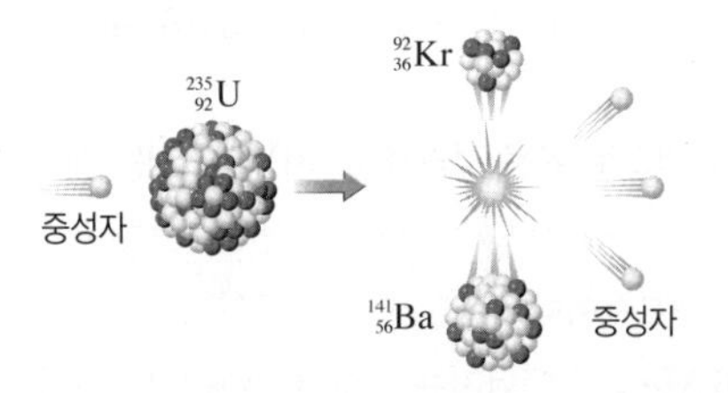

이 과정에서 에너지가 발생하는 까닭을 질량과 연관지어 서술하시오.

306 하 중 상

태양의 내부에서는 수소 핵융합 반응이 일어나 매초 4×10^{26} J의 에너지를 방출한다. 이에 대한 설명으로 옳은 것만을 〈보기〉에서 있는 대로 고른 것은?

〈 보기 〉

ㄱ. 원자로에서도 일어나는 핵반응이다.

ㄴ. 초고온 상태에서 일어나는 핵반응이다.

ㄷ. 태양의 질량은 점차 감소한다.

① ㄱ ② ㄷ ③ ㄱ, ㄴ
④ ㄴ, ㄷ ⑤ ㄱ, ㄴ, ㄷ

빈출

307 하 중 상

그림은 중수소($^{2}_{1}$H)와 삼중수소($^{3}_{1}$H)가 충돌하여 일어나는 핵반응을 나타낸 것으로, 질량 결손 Δm이 생긴다.

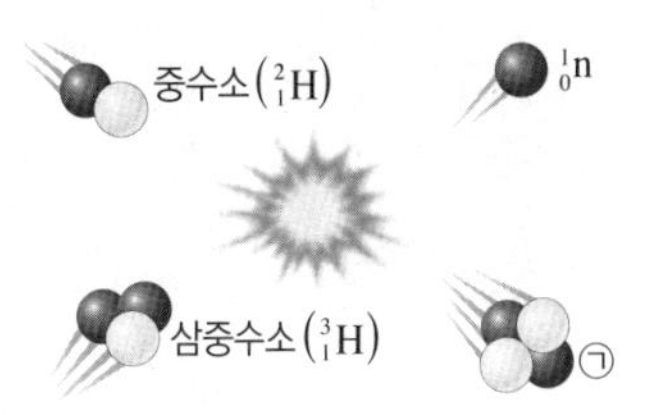

이에 대한 설명으로 옳은 것만을 〈보기〉에서 있는 대로 고른 것은? (단, c는 빛의 속력이다.)

〈 보기 〉

ㄱ. 핵융합 반응이다.

ㄴ. ㉠의 질량수는 2이다.

ㄷ. 핵반응 후 Δmc^2에 해당하는 에너지를 방출한다.

① ㄱ ② ㄴ ③ ㄱ, ㄷ
④ ㄴ, ㄷ ⑤ ㄱ, ㄴ, ㄷ

308 하 중 상

다음은 핵융합로에서 일어나는 핵융합 반응의 핵반응식이다.

$$^{2}_{1}\mathrm{H}+^{3}_{1}\mathrm{H} \longrightarrow ^{4}_{2}\mathrm{He}+\mathrm{X}+17.6\ \mathrm{MeV}$$

이에 대한 설명으로 옳은 것만을 〈보기〉에서 있는 대로 고른 것은?

〈 보기 〉
ㄱ. X는 양성자이다.
ㄴ. 17.6 MeV의 에너지는 질량 결손에 의한 것이다.
ㄷ. 반응 전 질량의 합이 반응 후 질량의 합보다 크다.

① ㄱ　② ㄴ　③ ㄱ, ㄷ
④ ㄴ, ㄷ　⑤ ㄱ, ㄴ, ㄷ

309 하 중 상

그림 (가)와 (나)는 핵융합 반응과 핵분열 반응이 일어나는 과정을 순서 없이 나타낸 것이고, (다)는 핵발전소의 모습을 나타낸 것이다.

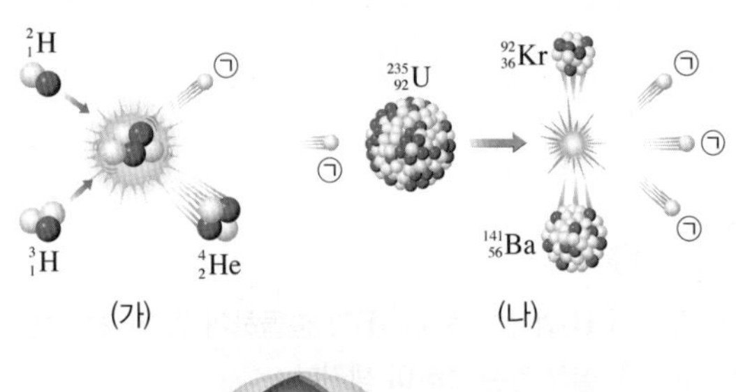

(가)　(나)

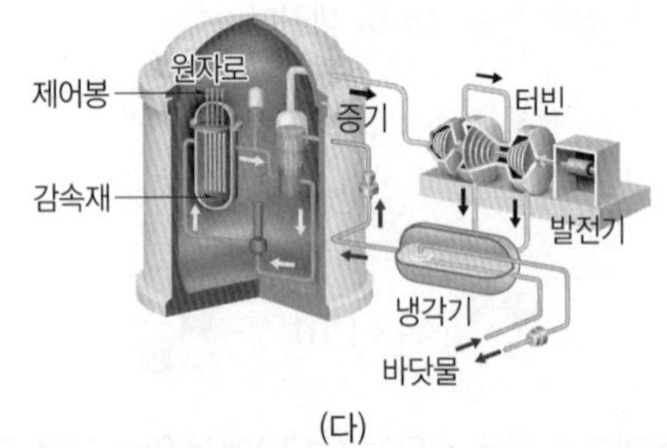

(다)

이에 대한 설명으로 옳은 것만을 〈보기〉에서 있는 대로 고른 것은?

〈 보기 〉
ㄱ. ㉠은 중성자이다.
ㄴ. (다)에서 일어나는 핵반응은 (나)이다.
ㄷ. (가)와 (나)에서 모두 질량 결손이 일어난다.

① ㄱ　② ㄴ　③ ㄱ, ㄷ
④ ㄴ, ㄷ　⑤ ㄱ, ㄴ, ㄷ

310 하 중 상

표는 원자핵 X를 생성하며 에너지를 방출하는 두 가지 핵반응식 (가), (나)와 반응에 관련된 원자핵의 질량을 나타낸 것이다.

핵반응식	원자핵	질량
(가) $^{3}_{1}\mathrm{H}+^{3}_{1}\mathrm{H} \longrightarrow \mathrm{X}+2^{1}_{0}\mathrm{n}+11.3\ \mathrm{MeV}$	$^{3}_{1}\mathrm{H}$	M_1
	$^{1}_{0}\mathrm{n}$	M_2
(나) $^{3}_{2}\mathrm{He}+^{3}_{2}\mathrm{He} \longrightarrow \mathrm{X}+2^{1}_{1}\mathrm{H}+12.9\ \mathrm{MeV}$	$^{3}_{2}\mathrm{He}$	M_3
	$^{1}_{1}\mathrm{H}$	M_4

이에 대한 설명으로 옳은 것만을 〈보기〉에서 있는 대로 고른 것은?

〈 보기 〉
ㄱ. (가)는 질량수가 작은 원자핵이 합쳐져 질량수가 큰 원자핵이 되는 핵반응이다.
ㄴ. X의 원자 번호는 2이고, 질량수는 4이다.
ㄷ. $M_1-M_2>M_3-M_4$이다.

① ㄱ　② ㄷ　③ ㄱ, ㄴ
④ ㄴ, ㄷ　⑤ ㄱ, ㄴ, ㄷ

311 하 중 상

••서술형

다음은 두 가지 핵반응식 (가)와 (나)를 나타낸 것이다.

(가) $^{2}_{1}\mathrm{H}+^{2}_{1}\mathrm{H} \longrightarrow$ ㉠ $+24\ \mathrm{MeV}$
(나) $^{235}_{92}\mathrm{U}+^{1}_{0}\mathrm{n} \longrightarrow ^{92}_{36}\mathrm{Kr}+^{141}_{56}\mathrm{Ba}+3^{1}_{0}\mathrm{n}+200\ \mathrm{MeV}$

(1) ㉠의 양성자수와 질량수를 풀이 과정과 함께 구하시오.

(2) (가)와 (나)의 핵반응 전후 질량 결손의 크기를 그 까닭과 함께 비교하여 서술하시오.

312

그림과 같이 우주선 A에 대하여 우주선 B와 C가 서로 수직인 방향으로 각각 속력 $0.8c$, $0.7c$로 등속도 운동을 하고 있다. A에서 관찰할 때, 광원 P, Q에서 방출한 빛이 O점에 있는 민성이에게 동시에 도달하였다. O에서 P와 Q까지의 거리는 같다. A에서 우주선의 진행 방향의 길이를 측정할 때 B와 C의 길이가 같았다. B는 P, O, Q를 잇는 직선과 나란한 방향으로 운동한다.

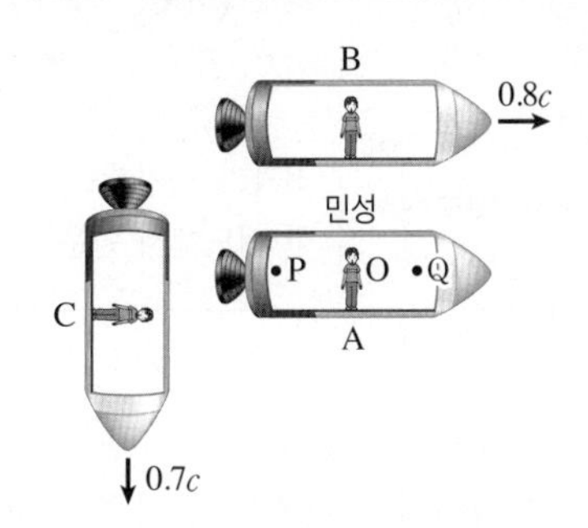

이에 대한 설명으로 옳은 것만을 〈보기〉에서 있는 대로 고른 것은? (단, c는 빛의 속력이다.)

〈 보기 〉

ㄱ. B에서 측정할 때, P보다 Q에서 먼저 빛이 방출된다.
ㄴ. C에서 측정할 때, Q보다 P에서 먼저 빛이 방출된다.
ㄷ. 우주선의 고유 길이는 B가 C보다 크다.

① ㄴ ② ㄷ ③ ㄱ, ㄴ ④ ㄱ, ㄷ ⑤ ㄴ, ㄷ

313

그림과 같이 관찰자 A가 탄 우주선이 행성을 향해 가고 있다. 지구에 정지해 있는 관찰자 B가 측정할 때 지구에서 행성까지의 거리는 6광년이고 우주선은 $0.6c$의 속력으로 등속도 운동을 한다. B는 멀어지는 A를 향해 자신의 좌표계의 시간을 기준으로 1년마다 빛 신호를 보낸다. 이에 대한 설명으로 옳은 것만을 〈보기〉에서 있는 대로 고른 것은? (단, c는 빛의 속력이다.)

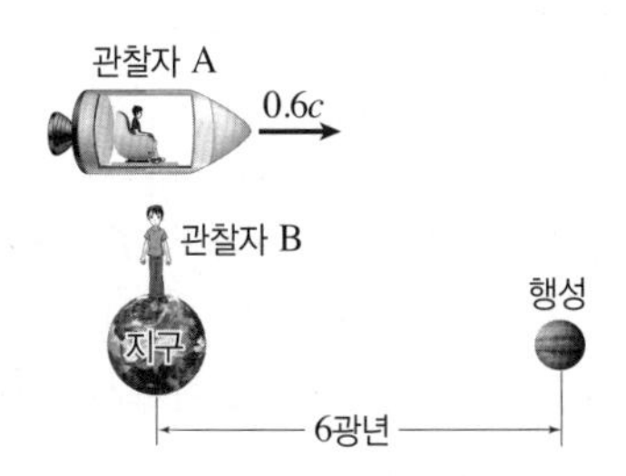

〈 보기 〉

ㄱ. B가 측정할 때, A의 시간은 B의 시간보다 느리게 간다.
ㄴ. A가 B의 신호를 수신하는 시간 간격은 1년보다 길다.
ㄷ. A가 측정할 때, 지구에서 행성까지 가는 데 10년보다 많이 걸린다.

① ㄱ ② ㄷ ③ ㄱ, ㄴ
④ ㄴ, ㄷ ⑤ ㄱ, ㄴ, ㄷ

314

그림은 관찰자 A에 대해 관찰자 B, C가 탄 우주선이 각각 $0.6c$, v의 속력으로 등속도 운동을 하는 모습을 나타낸 것이다. B와 C가 탄 우주선의 고유 길이는 같고, P, 광원, Q는 운동 방향과 나란한 동일 직선상에 있다. A가 관찰할 때, B의 시간이 C의 시간보다 빠르게 가고, 광원에서 발생한 빛은 검출기 P, Q에 동시에 도달한다.

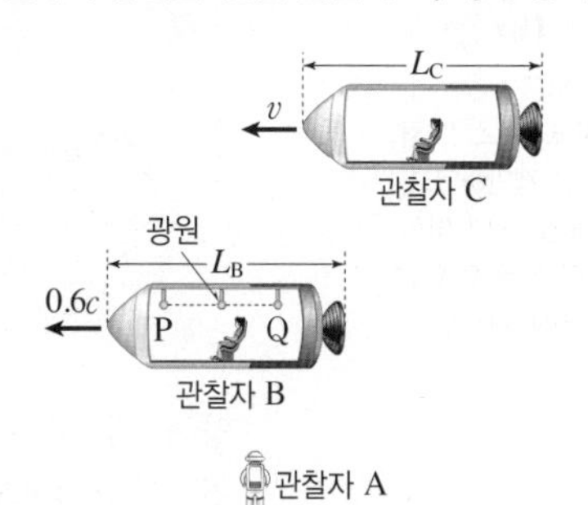

이에 대한 설명으로 옳은 것만을 〈보기〉에서 있는 대로 고른 것은? (단, c는 빛의 속력이다.)

〈 보기 〉

ㄱ. v는 $0.6c$보다 작다.
ㄴ. A가 관찰할 때, B가 탄 우주선의 길이는 C가 탄 우주선의 길이보다 길다.
ㄷ. C가 관찰할 때, 광원에서 발생한 빛은 P보다 Q에 먼저 도달한다.

① ㄱ ② ㄴ ③ ㄱ, ㄷ
④ ㄴ, ㄷ ⑤ ㄱ, ㄴ, ㄷ

315

표는 세 입자 A, B, C가 정지해 있을 때의 정지 에너지와 운동할 때의 총에너지를 비교한 것이다.

입자	A	B	C
정지 에너지	E	$2E$	$3E$
총에너지	$2E$	$6E$	$5E$

이에 대한 설명으로 옳은 것만을 〈보기〉에서 있는 대로 고른 것은? (단, c는 빛의 속력이다.)

〈 보기 〉

ㄱ. A, B, C의 정지 질량의 비는 1 : 2 : 3이다.
ㄴ. 운동할 때 질량은 B가 A의 4배이다.
ㄷ. C의 속력은 $0.8c$이다.

① ㄱ ② ㄴ ③ ㄱ, ㄷ
④ ㄴ, ㄷ ⑤ ㄱ, ㄴ, ㄷ

01 원자와 전기력

A 원자의 구조

1 원자 모형의 변천 원자 모형은 점진적으로 변화되어 왔다.

❶ □□ 원자 모형(1904년)	러더퍼드 원자 모형(1911년)	❷ □□ 원자 모형(1913년)
양(+)전하를 띤 원자의 바다에 전자가 균일하게 분포한다.	원자의 중심에 ❸ □□□이 있으며 전자가 임의의 궤도에서 원운동을 한다.	전자가 원자핵을 중심으로 특정한 궤도에서 원운동을 한다.

기출 Tip A-1

톰슨 이전의 원자 모형
B.C. 400경 데모크리토스가 처음으로 원자 개념을 제안하였고, 1808년 돌턴은 물질이 더 이상 쪼갤 수 없는 아주 작은 입자로 이루어져 있다고 주장하였다.

2 원자의 구성 입자 원자는 ❹ □□와 원자핵으로 이루어져 있다.

① 전자: 톰슨은 ❺ □□□이 전기력과 자기력에 의해서 휘어지는 현상으로부터 음극선이 음(−)전하를 띠는 입자의 흐름임을 알아내었다. ➡ 이 입자를 전자라고 한다.

• 전자의 전하량의 크기(e): 전자 1개의 전하량의 크기는 $e=1.6\times10^{-19}$ C(쿨롬)이다. ➡ 이를 기본 전하량이라고 한다.

톰슨의 음극선 실험

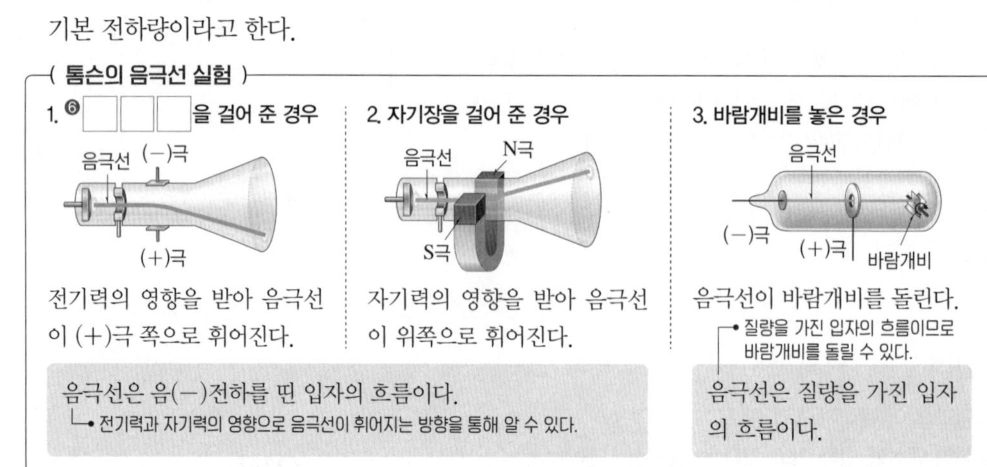

1. ❻ □□□을 걸어 준 경우	2. 자기장을 걸어 준 경우	3. 바람개비를 놓은 경우
전기력의 영향을 받아 음극선이 (+)극 쪽으로 휘어진다.	자기력의 영향을 받아 음극선이 위쪽으로 휘어진다.	음극선이 바람개비를 돌린다.

음극선은 음(−)전하를 띤 입자의 흐름이다.
└ 전기력과 자기력의 영향으로 음극선이 휘어지는 방향을 통해 알 수 있다.

음극선은 질량을 가진 입자의 흐름이다.
└ 질량을 가진 입자의 흐름이므로 바람개비를 돌릴 수 있다.

② 원자핵: 러더퍼드는 알파(α) 입자 산란 실험에서 원자의 중심에 원자 질량의 대부분을 차지하는 양(+)전하를 띤 물질인 ❼ □□□이 존재한다는 것을 발견하였다.

• 원자핵의 질량: 전자의 질량에 비해 매우 크므로 원자 질량의 대부분은 원자핵의 질량이다.

• 원자핵의 전하량: 양(+)전하를 띠며 기본 전하량의 정수 배이다. ➡ 원자 번호가 Z일 때 Ze의 전하량을 띤다.

러더퍼드의 알파(α) 입자 산란 실험

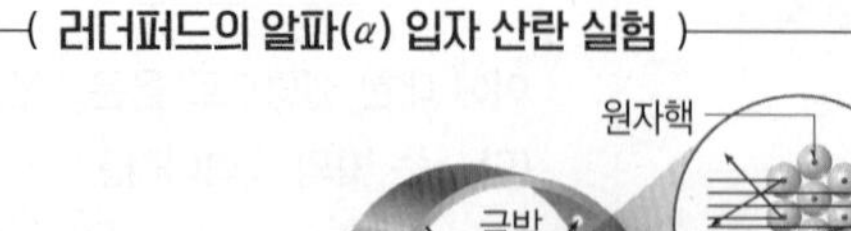
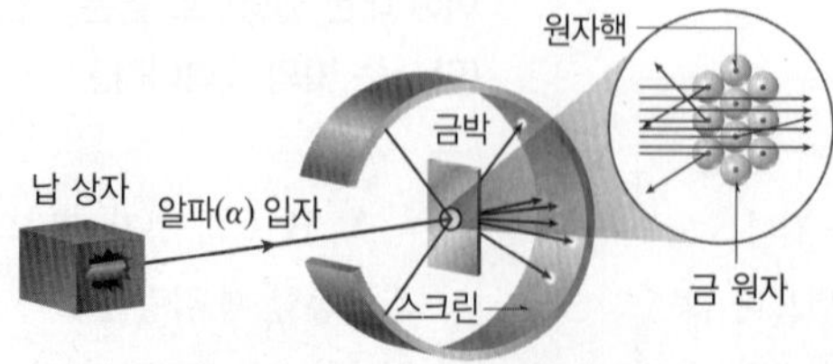

• 대부분의 알파(α) 입자는 금박을 통과하여 직진한다. ➡ 원자 내부는 거의 빈 공간이다.

• 소수의 알파(α) 입자는 큰 각도로 휘거나 입사 방향의 거의 정반대 방향으로 되돌아 나온다. ➡ 원자 중심의 좁은 공간에 양(+)전하를 띤 입자가 존재한다.

원자의 중심에 양(+)전하를 띠며 원자 지름에 비해 지름이 매우 작지만 원자 질량의 대부분을 차지하는 원자핵이 존재한다.

기출 Tip A-2

음극선
유리관에 두 전극을 넣고 진공 상태에 가깝게 만든 후 두 전극 사이에 전압을 걸어 주면 유리관 속의 (−)극에서 (+)극 쪽으로 빛이 나오는데, 이를 음극선이라고 불렀다.

원자핵의 구성 입자
원자핵은 양(+)전하를 띠는 양성자와 전하를 띠지 않는 중성자로 구성되어 있다. 양성자 1개의 전하량의 크기는 전자 1개의 전하량의 크기와 같다.

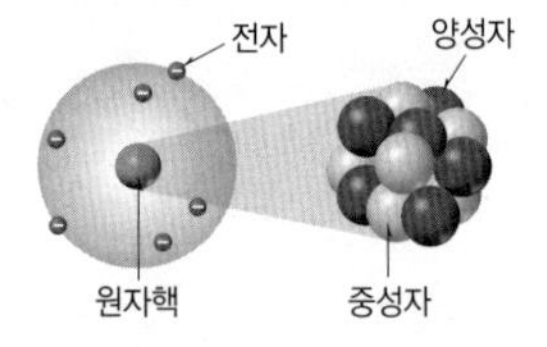

알파(α) 입자
헬륨 원자핵으로, 양(+)전하를 띠며 전자보다 약 7300배 무겁다. 따라서 전자와 충돌하더라도 진행 경로에 영향을 받지 않는다.

B 전기력

1 전기력 전기를 띤 두 물체 사이에 작용하는 힘 ➡ 다른 종류의 전하 사이에는 서로 끌어당기는 전기력(❽ ☐☐)이 작용하고, 같은 종류의 전하 사이에는 서로 밀어내는 전기력(척력)이 작용한다.

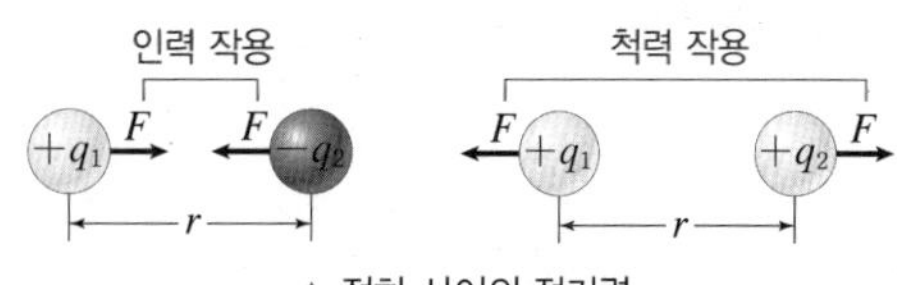

▲ 전하 사이의 전기력

2 ❾ ☐☐ 법칙 두 전하 사이에 작용하는 전기력의 크기 F는 두 전하의 전하량 q_1, q_2의 곱에 비례하고, 두 전하 사이의 거리 r의 제곱에 반비례한다. [단위: N(뉴턴)]

$$F=k\frac{q_1q_2}{r^2}\ (k=9.0\times10^9\ \mathrm{N\cdot m^2/C^2}\text{: 진공에서 쿨롱 상수})$$

(세 점전하 사이에 작용하는 전기력 구하기)

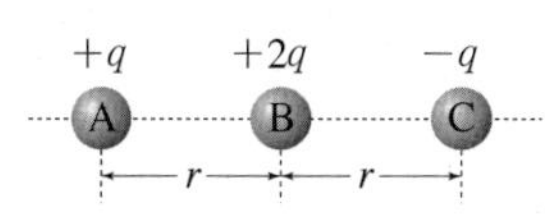

❶ 한쪽 방향을 (+)로 정하면 반대 방향이 (−)가 된다.
❷ 다른 전하로부터 받는 전기력의 방향을 고려하여 쿨롱 법칙에 따라 식을 세운다.
❸ 주변의 전하로부터 받는 전기력을 모두 더한 합력을 구한다.

오른쪽 방향을 (+)라고 하면,

- A에 작용하는 전기력: $-k\frac{2q^2}{r^2}+k\frac{q^2}{(2r)^2}=-k\frac{7q^2}{4r^2}$ ➡ 전기력의 크기: $k\frac{7q^2}{4r^2}$, 전기력의 방향: 왼쪽
- B에 작용하는 전기력: $k\frac{2q^2}{r^2}+k\frac{2q^2}{r^2}=k\frac{4q^2}{r^2}$ ➡ 전기력의 크기: $k\frac{4q^2}{r^2}$, 전기력의 방향: 오른쪽
- C에 작용하는 전기력: $-k\frac{q^2}{(2r)^2}-k\frac{2q^2}{r^2}=-k\frac{9q^2}{4r^2}$ ➡ 전기력의 크기: $k\frac{9q^2}{4r^2}$, 전기력의 방향: 왼쪽

3 전자와 원자핵 사이의 전기력 원자는 전기적으로 중성이지만 음(−)전하를 띤 전자와 양(+)전하를 띤 원자핵 사이에 서로 끌어당기는 전기력(인력)이 작용한다.

① 원자에 ❿ ☐☐된 전자: 전자와 원자핵 사이에 작용하는 전기력은 전자를 원자 내의 일정한 범위 안에 묶어 두는 역할을 한다.
└• 전자가 원자핵에 가까울수록 전자를 원자핵으로부터 분리하기 어렵다.

② 전자와 원자핵 사이에는 중력도 작용하지만, 중력은 전기력에 비해 매우 작아서 무시할 수 있다. →• 중력의 크기는 전기력의 크기의 $\frac{1}{10^{39}}$배 정도이다.

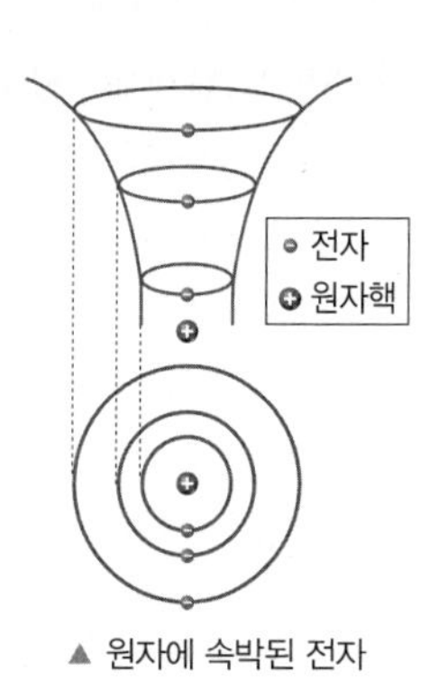

▲ 원자에 속박된 전자

기출 Tip B-1

전기장
전하 주변에 형성된 공간을 전기장이라고 한다. 전기장이 형성되면 그 공간에 있는 전하는 전기력을 받는다.

전기장의 세기
전기장이 형성된 공간에 놓인 단위 양전하(+1 C)당 작용하는 전기력의 크기를 전기장의 세기라고 한다. →• 전기장의 세기가 0인 지점에서는 단위 양전하에 작용하는 전기력의 크기도 0이다.

전기장의 방향
전기장 안에서 양(+)전하가 받는 전기력의 방향이다.

답 ❶ 톰슨 ❷ 보어 ❸ 원자핵 ❹ 전자 ❺ 음극선 ❻ 전기장 ❼ 원자핵 ❽ 인력 ❾ 쿨롱 ❿ 속박

빈출 자료 보기

정답과 해설 44쪽

316 그림은 전하량이 각각 $-q$, $-2q$, $+q$인 세 점전하 A, B, C가 일직선상에 고정되어 있는 모습을 나타낸 것이다. A와 B, B와 C 사이의 거리는 같다.

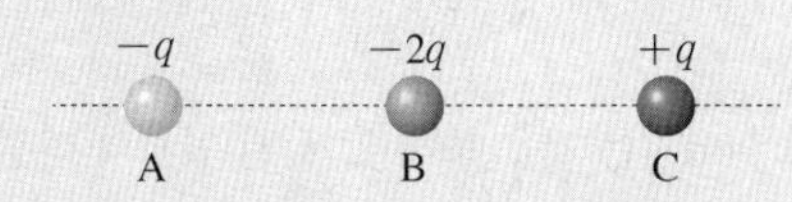

이에 대한 설명으로 옳은 것은 ○, 옳지 않은 것은 ×로 표시하시오.

(1) A와 B 사이에는 서로 미는 힘이 작용한다. ( )
(2) B와 C 사이에는 서로 당기는 힘이 작용한다. ( )
(3) A에 작용하는 전기력의 방향은 오른쪽이다. ( )
(4) C에 작용하는 전기력의 방향은 왼쪽이다. ( )
(5) A에 작용하는 전기력의 크기는 C에 작용하는 전기력의 크기보다 크다. ( )
(6) A와 B 사이에 작용하는 전기력의 크기와 B와 C 사이에 작용하는 전기력의 크기는 같다. ( )

A 원자의 구조

[317~318] 그림은 세 가지 원자 모형에 따른 원자 구조를 나타낸 것이다.

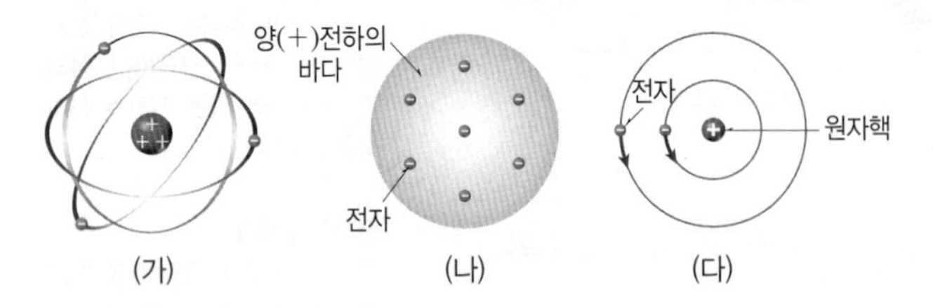

317 하 중 상

(가)~(다)의 원자 모형을 제안한 과학자를 옳게 짝 지은 것은?

	(가)	(나)	(다)
①	톰슨	돌턴	러더퍼드
②	톰슨	보어	러더퍼드
③	보어	톰슨	러더퍼드
④	러더퍼드	톰슨	보어
⑤	러더퍼드	보어	톰슨

318 하 중 상

이에 대한 설명으로 옳은 것만을 〈보기〉에서 있는 대로 고른 것은?

〈 보기 〉
ㄱ. (가)는 알파(α) 입자 산란 실험의 결과로 제안된 모형이다.
ㄴ. (나)에는 원자의 중심에 양(+)전하를 띤 원자핵이 있다.
ㄷ. (다)에서 전자는 원자핵을 중심으로 특정한 궤도에서 원운동을 한다.

① ㄱ ② ㄴ ③ ㄱ, ㄷ
④ ㄴ, ㄷ ⑤ ㄱ, ㄴ, ㄷ

319 하 중 상 ••서술형

다음은 원자 모형을 순서 없이 나타낸 것이다.

(가) 보어 원자 모형
(나) 돌턴 원자 모형
(다) 톰슨 원자 모형
(라) 러더퍼드 원자 모형

(1) (가)~(라)를 먼저 제안된 것부터 시간 순서대로 옳게 나열하시오.

(2) (다)의 특징을 한 가지만 서술하시오.

빈출
320 하 중 상

그림은 기체 방전관에서 음극선을 발생시킨 후 a, b를 전원 장치에 연결하였더니 음극선이 휘어지는 모습을 나타낸 것이다. a, b는 전원 장치의 (+)극, (−)극 중 하나에 각각 연결되어 있다.

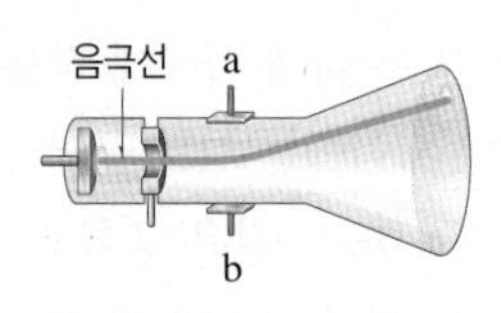

이에 대한 설명으로 옳은 것만을 〈보기〉에서 있는 대로 고른 것은?

〈 보기 〉
ㄱ. 음극선은 음(−)전하를 띤다.
ㄴ. a는 전원 장치의 (+)극에 연결되어 있다.
ㄷ. 음극선은 전기력의 영향을 받아 휘어진다.

① ㄱ ② ㄴ ③ ㄱ, ㄷ
④ ㄴ, ㄷ ⑤ ㄱ, ㄴ, ㄷ

321 하 중 상 ••서술형

다음은 음극선의 성질을 알아보기 위한 실험을 나타낸 것이다.

[실험 과정]
(가) 음극선의 진행 경로에 바람개비를 둔다.
(나) 외부에서 자기장을 걸어 준다.

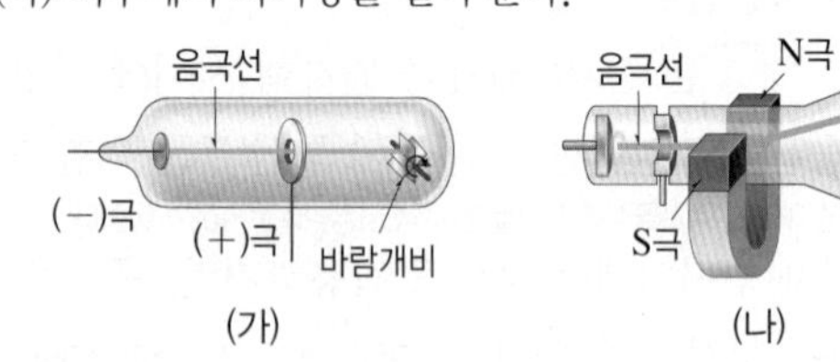

[실험 결과]
• (가)에서 바람개비가 회전한다.
• (나)에서 음극선이 자기력을 받아 위쪽으로 휘어진다.

(1) 이 실험을 통해 발견된 입자를 쓰시오.

(2) 바람개비가 회전하는 것을 통해 알게 된 입자의 성질을 서술하시오.

(3) 음극선이 휘어지는 것을 통해 알게 된 입자의 성질을 서술하시오.

322 하 중 상

그림은 러더퍼드의 알파(α) 입자 산란 실험에서 금박에 입사된 알파 입자들이 산란되는 모습을 나타낸 것이다.

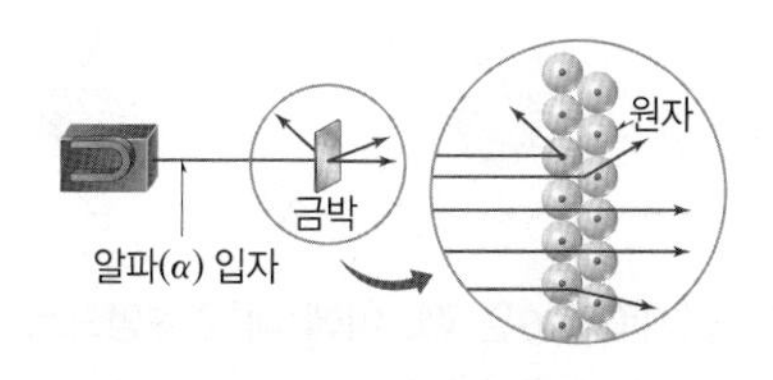

이에 대한 설명으로 옳은 것만을 〈보기〉에서 있는 대로 고른 것은?

〈 보기 〉
ㄱ. 알파 입자는 양(+)전하를 띤다.
ㄴ. 원자의 중심부에는 양(+)전하를 띤 원자핵이 존재한다.
ㄷ. 원자 질량의 대부분을 차지하는 것은 전자의 질량이다.

① ㄱ ② ㄷ ③ ㄱ, ㄴ
④ ㄴ, ㄷ ⑤ ㄱ, ㄴ, ㄷ

빈출
323 하 중 상

그림은 러더퍼드의 알파(α) 입자 산란 실험 결과 형광막에 충돌한 입자의 궤적과 분포를 나타낸 것이다.

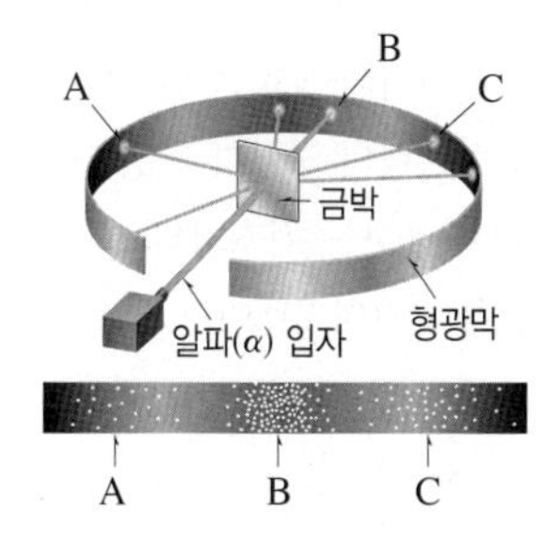

이에 대한 설명으로 옳은 것만을 〈보기〉에서 있는 대로 고른 것은?

〈 보기 〉
ㄱ. 원자의 대부분은 빈 공간이다.
ㄴ. 알파 입자가 가장 많이 충돌한 부분은 A이다.
ㄷ. 일부 알파 입자의 경로가 크게 휘어지는 까닭은 원자 중심에 전자가 존재하기 때문이다.

① ㄱ ② ㄴ ③ ㄱ, ㄷ
④ ㄴ, ㄷ ⑤ ㄱ, ㄴ, ㄷ

324 하 중 상

多 보기

전자와 원자핵에 대한 설명으로 옳지 않은 것을 모두 고르면?(2개)

① 원자핵은 양(+)전하를 띤다.
② 전자는 원자핵보다 나중에 발견되었다.
③ 원자는 전자와 원자핵으로 구성되어 있다.
④ 원자핵은 양성자와 중성자로 구성되어 있다.
⑤ 원자핵의 전하량은 기본 전하량의 정수 배이다.
⑥ 전자 1개의 전하량의 크기는 1.6×10^{-19} C이다.
⑦ 러더퍼드는 알파(α) 입자 산란 실험으로 전자를 발견했다.

B 전기력

전하 사이의 전기력

325 하 중 상

전기력에 대한 설명으로 옳은 것만을 모두 고르면?(2개)

① 전기를 띤 물체 사이에 작용하는 힘이다.
② 다른 종류의 전하 사이에는 서로 미는 전기력이 작용한다.
③ 같은 종류의 전하 사이에는 서로 당기는 전기력이 작용한다.
④ 두 전하 사이에 작용하는 전기력의 크기는 두 전하의 전하량의 곱에 비례한다.
⑤ 두 전하 사이에 작용하는 전기력의 크기는 두 전하 사이의 거리에 반비례한다.

[326~327] 그림은 전하량이 각각 $+Q$, $-2Q$인 전하 A, B가 $2r$만큼 떨어져 일직선상에 고정되어 있는 모습을 나타낸 것이다. A가 B로부터 받는 전기력의 크기는 F이다. 점 p는 A와 B의 중간 지점에 있다.

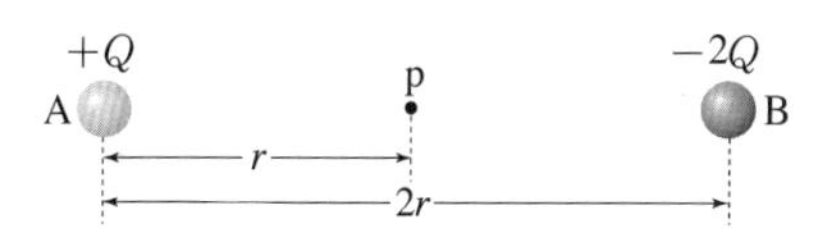

326 하 중 상

이에 대한 설명으로 옳은 것만을 〈보기〉에서 있는 대로 고른 것은?

〈 보기 〉
ㄱ. A와 B 사이에는 척력이 작용한다.
ㄴ. B가 A로부터 받는 전기력의 크기는 $2F$이다.
ㄷ. 두 전하 사이의 거리가 멀어지면 전기력의 크기는 작아진다.

① ㄱ ② ㄷ ③ ㄱ, ㄴ
④ ㄴ, ㄷ ⑤ ㄱ, ㄴ, ㄷ

327 하 중 상

A를 점 p 위치로 옮겼을 때 A가 B로부터 받는 전기력의 크기를 구하시오.

328 (하 중 상)

그림은 전하량이 각각 $-Q$, $+3Q$인 점전하 A와 B가 거리 r만큼 떨어져 일직선상에 고정되어 있는 모습을 나타낸 것이다.

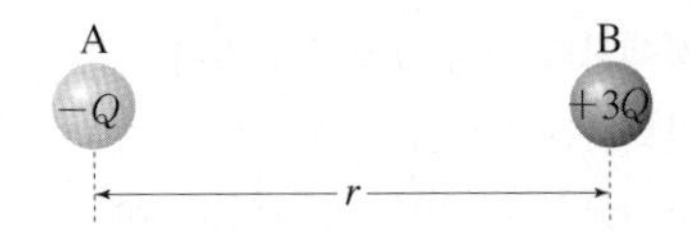

A와 B 사이에 작용하는 전기력의 크기를 구하시오. (단, 쿨롱 상수는 k이다.)

329 (하 중 상)

그림 (가)에서 두 점전하 사이에 작용하는 전기력의 크기는 F이다.

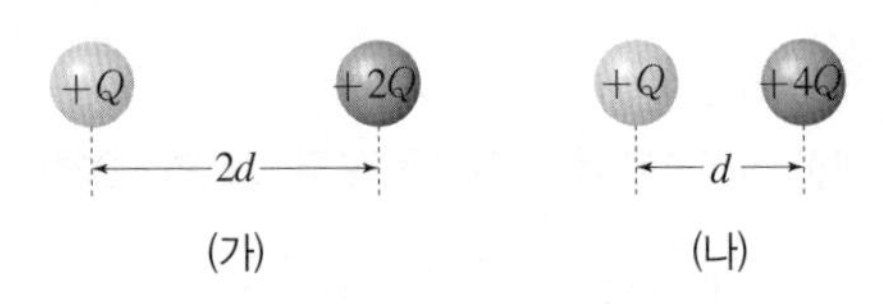

(나)에서 두 점전하 사이에 작용하는 전기력의 크기는?

① $\frac{1}{8}F$ ② $\frac{1}{4}F$ ③ F ④ $4F$ ⑤ $8F$

[330~331] 그림은 전하량이 q_1, q_2인 점전하 A, B가 각각 x축 상의 $-2d$, d인 지점에 고정되어 있는 모습을 나타낸 것이다. $x=0$에서 전기장의 세기는 0이다.

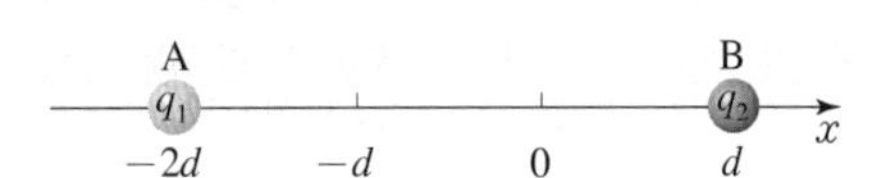

330 (하 중 상)

이에 대한 설명으로 옳은 것만을 〈보기〉에서 있는 대로 고른 것은?

〈 보기 〉
ㄱ. A와 B는 같은 종류의 전하이다.
ㄴ. 전하량의 크기는 A가 B보다 크다.
ㄷ. $x=-d$인 지점에 +1 C의 전하를 놓으면 정지한다.

① ㄱ ② ㄷ ③ ㄱ, ㄴ
④ ㄴ, ㄷ ⑤ ㄱ, ㄴ, ㄷ

331 (하 중 상) ••서술형

$\frac{q_1}{q_2}$을 풀이 과정과 함께 구하시오.

332 (하 중 상)

그림은 동일 직선상에 고정되어 있는 점전하 A, B, C의 모습을 나타낸 것이다.

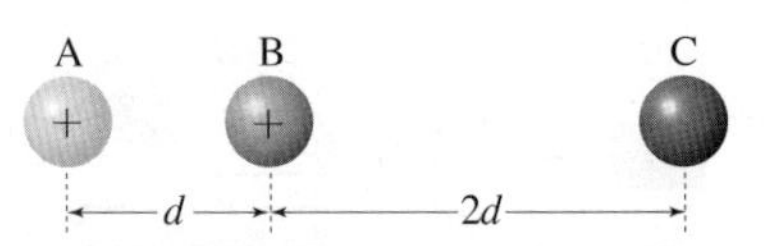

B에 작용하는 전기력이 0일 때, 이에 대한 설명으로 옳은 것만을 〈보기〉에서 있는 대로 고른 것은?

〈 보기 〉
ㄱ. C는 양(+)전하이다.
ㄴ. 전하량의 크기는 C가 A보다 크다.
ㄷ. A와 B 사이에는 서로 당기는 전기력이 작용한다.
ㄹ. A와 B 사이에 작용하는 전기력의 크기는 B와 C 사이에 작용하는 전기력의 크기보다 크다.

① ㄱ, ㄴ ② ㄱ, ㄹ ③ ㄴ, ㄷ
④ ㄱ, ㄷ, ㄹ ⑤ ㄴ, ㄷ, ㄹ

[333~334] 그림은 전하량이 각각 $+2Q$, $-Q$, $+Q$인 점전하 A, B, C가 일직선상에 고정되어 있는 모습을 나타낸 것이다. A와 B, B와 C 사이의 거리는 같다.

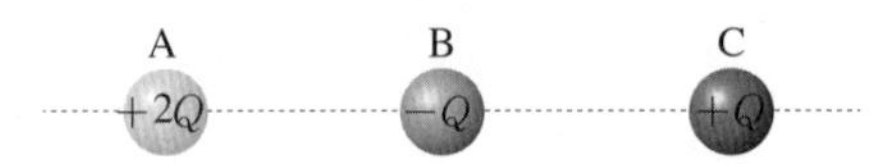

빈출

333 (하 중 상)

이에 대한 설명으로 옳은 것만을 〈보기〉에서 있는 대로 고른 것은?

〈 보기 〉
ㄱ. A에 작용하는 전기력의 방향은 오른쪽이다.
ㄴ. B에 작용하는 전기력의 방향은 왼쪽이다.
ㄷ. C에 작용하는 전기력의 크기가 가장 크다.
ㄹ. A와 B 사이에 작용하는 전기력의 크기는 B와 C 사이에 작용하는 전기력 크기의 2배이다.

① ㄱ, ㄴ ② ㄱ, ㄷ ③ ㄷ, ㄹ
④ ㄱ, ㄴ, ㄹ ⑤ ㄴ, ㄷ, ㄹ

334 (하 중 상)

A에 작용하는 전기력의 크기를 F_A, C에 작용하는 전기력의 크기를 F_C라고 할 때, $F_A : F_C$는?

① 1 : 1 ② 1 : 3 ③ 2 : 3
④ 3 : 1 ⑤ 3 : 2

335 하 중 상 ••서술형

그림은 전하량이 각각 $+2Q$, $-Q$, $+4Q$인 점전하 A, B, C가 동일 직선상에 고정되어 있는 모습을 나타낸 것이다.

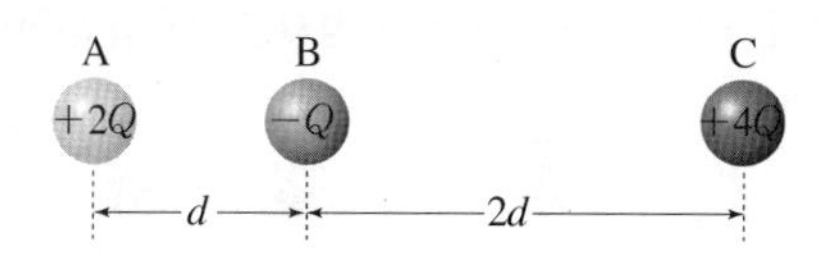

A와 B가 C에 작용하는 전기력의 크기를 F라고 할 때, A와 C가 B에 작용하는 전기력의 크기를 F를 이용하여 풀이 과정과 함께 나타내시오. (단, 쿨롱 상수는 k이다.)

336 하 중 상

그림은 점전하 A, B, C가 각각 x축상의 $-d$, 0, d인 위치에 고정되어 있는 모습을 나타낸 것이다. B와 C의 전하량은 $+q$이고, C가 받는 전기력의 크기는 0이다.

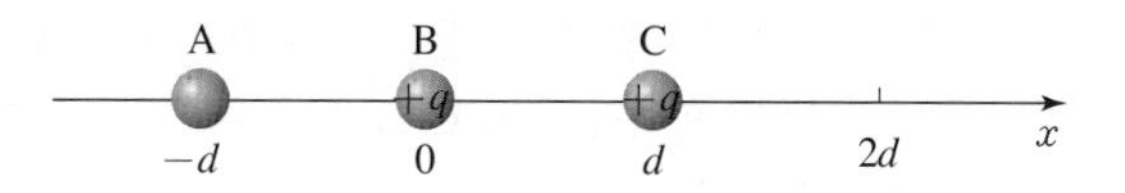

이에 대한 설명으로 옳은 것만을 〈보기〉에서 있는 대로 고른 것은? (단, k는 쿨롱 상수이다.)

〈 보기 〉

ㄱ. A는 음(−)전하이다.

ㄴ. A의 전하량의 크기는 $4q$이다.

ㄷ. B에 작용하는 전기력의 크기는 $k\frac{2q^2}{d^2}$이다.

ㄹ. C를 $x=2d$로 옮겨 고정시키면 B에 작용하는 전기력의 방향이 반대가 된다.

① ㄱ, ㄴ ② ㄱ, ㄷ ③ ㄷ, ㄹ
④ ㄱ, ㄴ, ㄹ ⑤ ㄴ, ㄷ, ㄹ

337 하 중 상

그림은 점전하 A, B를 $x=d$, $x=3d$인 지점에 고정시키고, 점전하 X를 $x=0$에 가만히 놓았더니 X가 정지해 있는 모습을 나타낸 것이다.

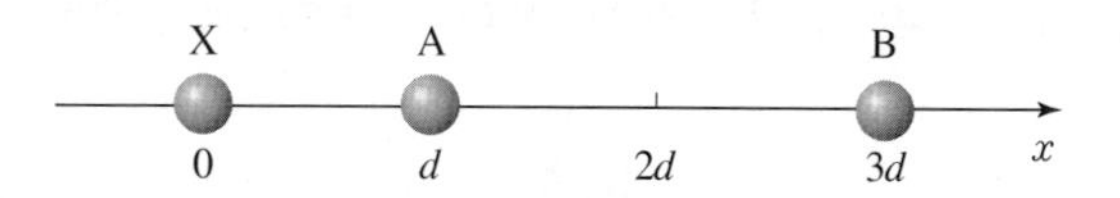

이에 대한 설명으로 옳은 것은? (단, 전기력 이외의 힘은 무시한다.)

① 전하의 종류는 A와 B가 같다.
② $x=2d$에서 전기장의 세기는 0이다.
③ 전하량의 크기는 B가 A의 3배이다.
④ X에 작용하는 전기력의 크기는 0이다.
⑤ X를 $x=2d$에 놓으면 등가속도 직선 운동을 한다.

[338~339] 그림과 같이 점전하 A, B, C가 각각 $x=0$, $x=d$, $x=2d$에 고정되어 있다. 전하량의 크기는 A와 C가 같고, B는 양(+)전하이다. A와 C가 B에 작용하는 전기력은 방향이 $+x$ 방향이고, 크기가 $3F$이다.

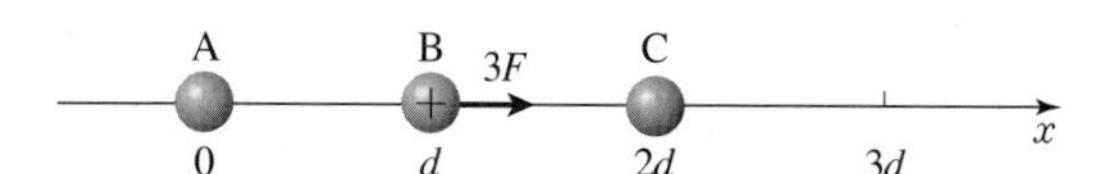

빈출 338 하 중 상

이에 대한 설명으로 옳은 것만을 〈보기〉에서 있는 대로 고른 것은?

〈 보기 〉

ㄱ. B와 C는 서로 다른 종류의 전하이다.

ㄴ. A에 작용하는 전기력의 크기는 C에 작용하는 전기력의 크기보다 크다.

ㄷ. C에 작용하는 전기력의 방향은 $-x$ 방향이다.

① ㄱ ② ㄴ ③ ㄱ, ㄷ
④ ㄴ, ㄷ ⑤ ㄱ, ㄴ, ㄷ

339 하 중 상

B를 $x=3d$로 옮겨 고정시킬 때, A와 C가 B에 작용하는 전기력의 크기는?

① $\frac{1}{3}F$ ② $\frac{2}{3}F$ ③ F ④ $\frac{4}{3}F$ ⑤ $2F$

340 하중상

그림은 xy 평면의 원점 O로부터 d만큼 떨어져 x, y축에 고정되어 있는 점전하 A, B, C, D를 나타낸 것이다. A, B, C의 전하량의 크기는 같고 A, B는 양(+)전하, C는 음(−)전하이다. O에 전하량이 +1 C인 점전하 E를 가만히 놓았더니 P 방향으로 움직였다.

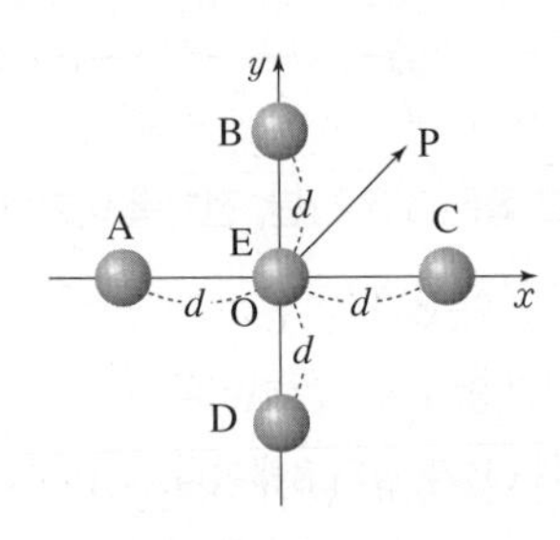

이에 대한 설명으로 옳은 것만을 〈보기〉에서 있는 대로 고른 것은?

〈 보기 〉
ㄱ. D는 양(+)전하이다.
ㄴ. 전하량의 크기는 D가 A보다 크다.
ㄷ. A와 C가 E에 작용하는 전기력의 방향은 서로 반대이다.

① ㄱ ② ㄷ ③ ㄱ, ㄴ
④ ㄴ, ㄷ ⑤ ㄱ, ㄴ, ㄷ

341 하중상

그림 (가)는 x축상에서 점전하 A, B가 거리 d만큼 떨어져 고정되어 있는 모습을 나타낸 것이다. A가 B에 작용하는 전기력의 크기는 F이고, 방향은 $-x$ 방향이다. 그림 (나)는 (가)에서 B를 C로 바꾸어 고정시킨 모습을 나타낸 것이다. A가 C에 작용하는 전기력의 크기는 $2F$이고, 방향은 $+x$ 방향이다. 그림 (다)는 A, C가 거리 $2d$만큼 떨어져 고정되어 있는 모습을 나타낸 것이다.

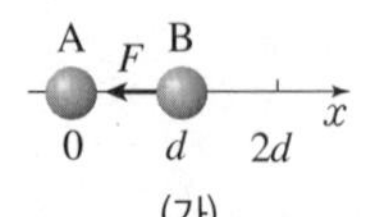

(가)

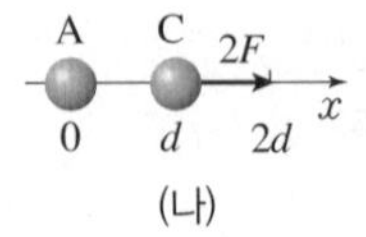

(나)

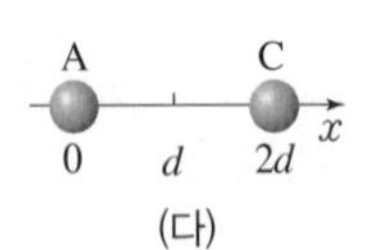

(다)

이에 대한 설명으로 옳은 것만을 〈보기〉에서 있는 대로 고른 것은?

〈 보기 〉
ㄱ. 전하량의 크기는 C가 B보다 크다.
ㄴ. B와 C는 서로 다른 종류의 전하이다.
ㄷ. (다)에서 A와 C 사이에 작용하는 전기력의 크기는 F이다.

① ㄱ ② ㄴ ③ ㄱ, ㄴ
④ ㄴ, ㄷ ⑤ ㄱ, ㄴ, ㄷ

빈출

342 하중상

그림 (가)는 전하량이 각각 $-Q$, $+2Q$인 두 점전하 A, B가 일직선상에 고정되어 있는 모습을 나타낸 것이고, (나)는 A와 B의 중간 지점에 전하량이 $+Q$인 점전하 C를 고정시킨 모습을 나타낸 것이다.

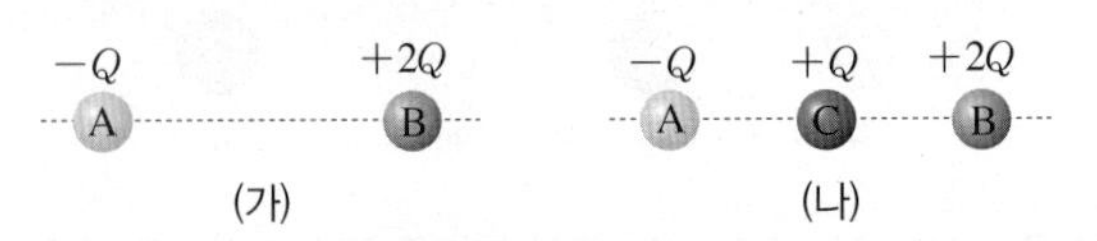

이에 대한 설명으로 옳은 것만을 〈보기〉에서 있는 대로 고른 것은?

〈 보기 〉
ㄱ. (가)에서 A에 작용하는 전기력의 크기와 B에 작용하는 전기력의 크기는 같다.
ㄴ. (나)에서 C에 작용하는 전기력은 0이다.
ㄷ. (가)와 (나)에서 A에 작용하는 전기력의 크기는 같다.
ㄹ. (가)와 (나)에서 B에 작용하는 전기력의 방향은 서로 반대이다.

① ㄱ, ㄷ ② ㄱ, ㄹ ③ ㄴ, ㄷ
④ ㄱ, ㄴ, ㄹ ⑤ ㄴ, ㄷ, ㄹ

343 하중상

그림은 x축상에서 같은 간격으로 고정되어 있는 점전하 A, B, C, D를 나타낸 것이다. A와 D의 전하량은 $+Q$로 같고, B가 A, C, D로부터 받는 전기력의 합력과 C가 A, B, D로부터 받는 전기력의 합력은 모두 0이다.

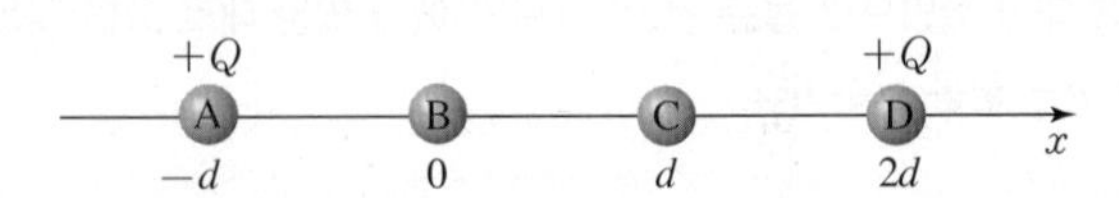

이에 대한 설명으로 옳은 것만을 〈보기〉에서 있는 대로 고른 것은?

〈 보기 〉
ㄱ. B는 양(+)전하이다.
ㄴ. C는 음(−)전하이다.
ㄷ. C의 전하량의 크기는 $\frac{3}{4}Q$이다.

① ㄱ ② ㄴ ③ ㄱ, ㄷ
④ ㄴ, ㄷ ⑤ ㄱ, ㄴ, ㄷ

344 하/중/상

그림 (가)는 $x=0$, $x=3d$에 점전하 A, B를 고정시키고 점전하 C를 $x=d$에 가만히 놓았더니 C가 정지해 있는 모습을, (나)는 (가)에서 C를 고정시키고 양(+)전하인 점전하 D를 $x=2d$에 가만히 놓았더니 D가 정지해 있는 모습을 나타낸 것이다.

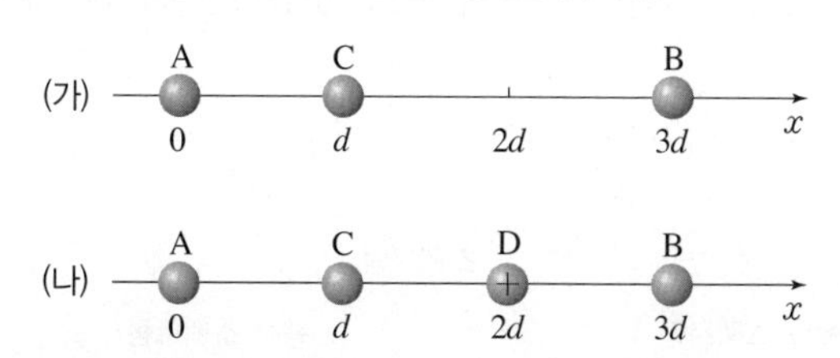

이에 대한 설명으로 옳은 것은? (단, 전기력 이외의 힘은 무시한다.)

① 전하량의 크기는 B가 A의 2배이다.
② B와 C는 서로 같은 종류의 전하이다.
③ D에 작용하는 전기력의 크기는 0보다 크다.
④ (나)에서 A와 B에 작용하는 전기력의 크기는 같다.
⑤ A의 전하량의 크기를 q라고 할 때, C의 전하량의 크기는 $\frac{1}{4}q$이다.

빈출

345 하/중/상

그림은 전하량이 각각 $+2Q$, $+Q$, $+Q$인 점전하 A, B, C가 xy 평면상의 원점 O로부터 같은 거리 d만큼 떨어져 x, y축에 고정되어 있는 모습을 나타낸 것이다. B와 C 사이에 작용하는 전기력의 크기는 F이다.

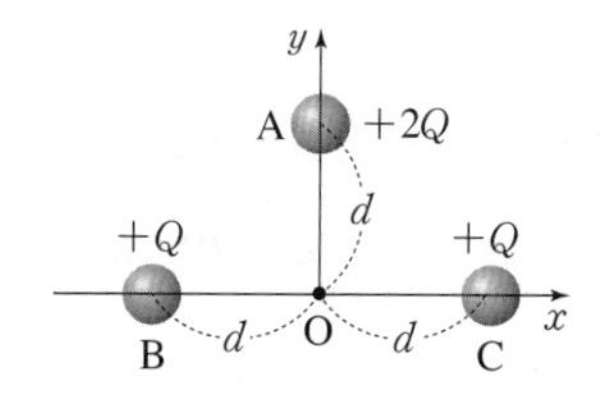

이에 대한 설명으로 옳은 것만을 <보기>에서 있는 대로 고른 것은?

〈 보기 〉
ㄱ. A에 작용하는 전기력의 방향은 $-y$ 방향이다.
ㄴ. A와 B 사이에 작용하는 전기력의 크기는 $4F$이다.
ㄷ. O에 전하량이 $+2Q$인 점전하 D를 고정하면 D에 작용하는 전기력의 크기는 $16F$이다.

① ㄱ ② ㄴ ③ ㄱ, ㄷ
④ ㄴ, ㄷ ⑤ ㄱ, ㄴ, ㄷ

346 하/중/상

그림 (가)는 점전하 B를 한 점에 가만히 놓은 후 점전하 A, C를 B로부터 거리가 각각 r, $2r$인 일직선상의 위치에 고정시켰더니 B가 정지해 있는 모습을 나타낸 것이다. A, B의 전하의 종류는 다르다. 그림 (나)는 (가)의 상태에서 C를 D로 바꾸고 B에서 거리가 $3r$만큼 떨어진 일직선상의 위치에 고정시켰더니 B가 정지해 있는 모습을 나타낸 것이다.

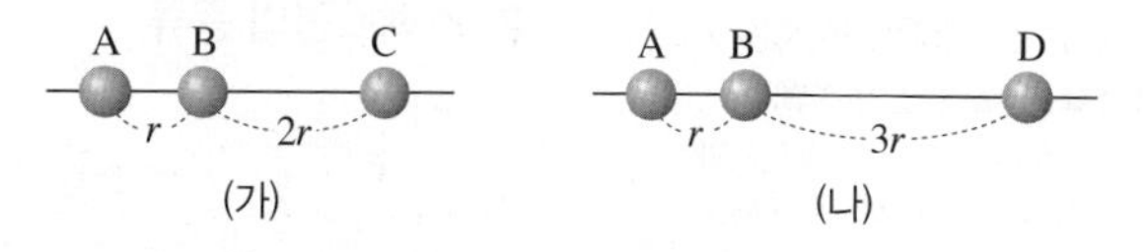

이에 대한 설명으로 옳은 것만을 <보기>에서 있는 대로 고른 것은?

〈 보기 〉
ㄱ. (가)에서 전하의 종류는 B와 C가 서로 다르다.
ㄴ. (나)에서 A와 D 사이에는 인력이 작용한다.
ㄷ. 전하량의 크기는 C가 D의 $\frac{4}{9}$배이다.

① ㄱ ② ㄴ ③ ㄱ, ㄷ
④ ㄴ, ㄷ ⑤ ㄱ, ㄴ, ㄷ

원자에 속박된 전자

[347~348] 그림은 원자에 속박된 전자의 모습을 나타낸 것이다.

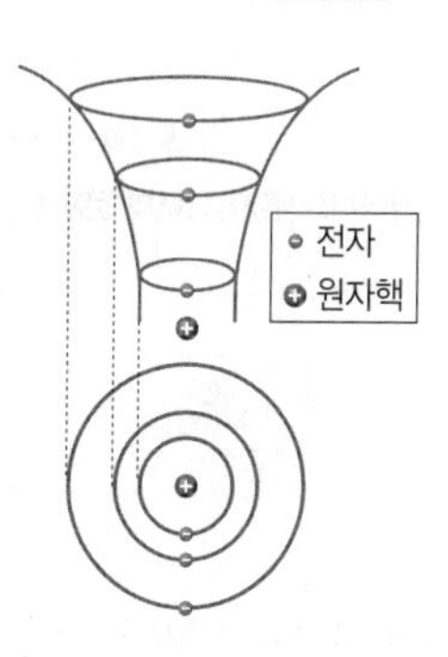

347 하/중/상

이에 대한 설명으로 옳은 것만을 <보기>에서 있는 대로 고른 것은?

〈 보기 〉
ㄱ. 전자와 원자핵 사이에는 척력이 작용한다.
ㄴ. 원자 번호가 Z일 때 원자핵의 전하량은 Ze이다.
ㄷ. 전자가 원자핵에 가까울수록 전자를 원자핵으로부터 분리하기가 어렵다.

① ㄱ ② ㄴ ③ ㄱ, ㄷ
④ ㄴ, ㄷ ⑤ ㄱ, ㄴ, ㄷ

348 하/중/상

원자 번호가 Z이고 전자와 원자핵 사이의 거리가 r일 때, 전자와 원자핵 사이에 작용하는 전기력의 크기를 구하시오. (단, 쿨롱 상수는 k이다.)

12

Ⅱ. 물질과 전자기장

원자의 스펙트럼

Ⓐ 스펙트럼

1 ❶□□□□ 빛이 파장에 따라 나뉘어져 나타나는 색의 띠로, 빛을 프리즘이나 분광기에 통과시키면 관찰할 수 있다.

2 스펙트럼의 종류

❷□□ 스펙트럼	❸□ 스펙트럼	
	방출 스펙트럼	흡수 스펙트럼
햇빛, 백열등과 같이 고온의 물체에서 나오는 빛의 스펙트럼	고온의 기체에서 방출된 빛의 선 스펙트럼 → 기체 방전관에서 나오는 빛의 선 스펙트럼	백색광을 저온의 기체에 통과시킬 때 나타나는 선 스펙트럼
모든 파장의 빛의 색이 연속적으로 나타난다.	특정 파장의 빛이 밝은 선으로 띄엄띄엄 나타난다.	특정 파장의 빛이 흡수되어 연속 스펙트럼에 검은 선으로 나타난다.

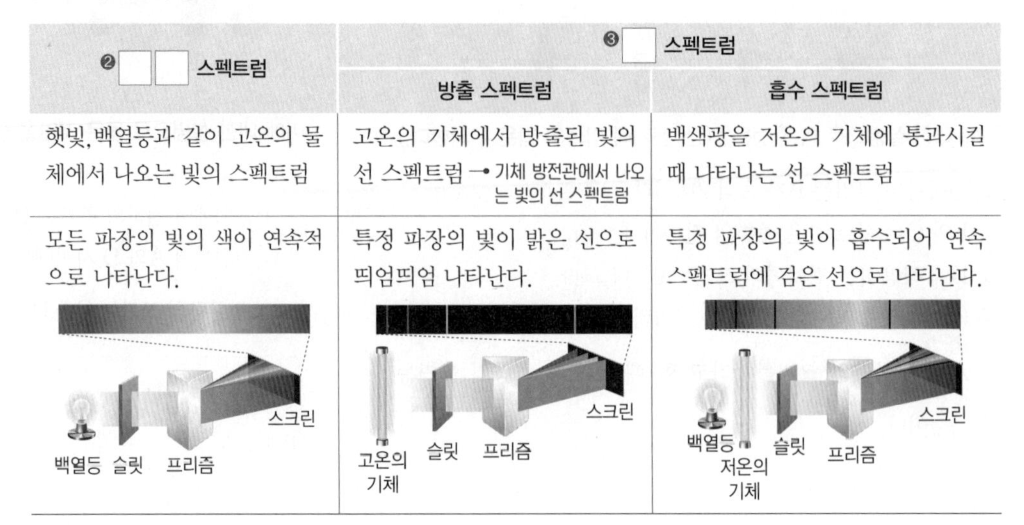

기출 Tip Ⓐ-2

선 스펙트럼과 원소의 종류
원소의 종류에 따라 선의 위치와 수가 다르다. 따라서 선 스펙트럼을 분석하면 물질을 구성하는 원소의 종류를 알 수 있다.
→ 흡수 스펙트럼의 검은 선은 그 원소의 방출 스펙트럼의 밝은 선과 같은 위치에 나타난다.

파장과 진동수의 관계
진공에서 빛의 속력은 파장에 관계없이 일정하다. 이때 빛의 속력 c는 진동수 f와 파장 λ의 곱과 같다. 즉, $c=f\lambda$이다. 따라서 파장과 진동수는 반비례한다.

Ⓑ 원자의 에너지 준위

1 ❹□□□□ **원자 모형의 문제점** 원자의 안정성과 기체의 선 스펙트럼을 설명할 수 없다.

2 ❺□□ **원자 모형** 원자의 중심에 있는 원자핵을 중심으로 전자가 특정한 궤도에서만 원운동을 한다. → 원자에서 전자는 특정한 궤도만이 허용된다.

① **전자의 궤도 운동**: 전자가 원자핵 주위의 특정한 궤도에서 원운동을 하면 빛을 방출하지 않고 안정한 상태로 존재한다.

② **궤도와 양자수**: 원자핵에 가까운 궤도부터 $n=1, 2, 3, \cdots$인 궤도라 하고, 정수 n을 양자수라고 한다.

③ **에너지의 양자화**: 전자는 양자수 n에 따라 결정되는 불연속적인 에너지 값을 갖는다. (→ 전자는 각 궤도에서 정해진 에너지 값만을 갖는다.)

④ **에너지 준위**: 원자에 속박된 전자가 가질 수 있는 에너지 ➔ 가장 낮은 에너지 상태에서부터 $E_1, E_2, E_3, \cdots$으로 나타내며 불연속적으로 분포한다.

- ❻□□상태: 가장 작은 에너지를 갖는 가장 안정적인 상태 ➔ 전자가 $n=1$인 궤도에 있을 때
- ❼□□상태: 바닥상태보다 큰 에너지를 갖는 상태 ➔ 전자가 $n\geq2$인 궤도에 있을 때

(전자의 궤도와 에너지 준위)

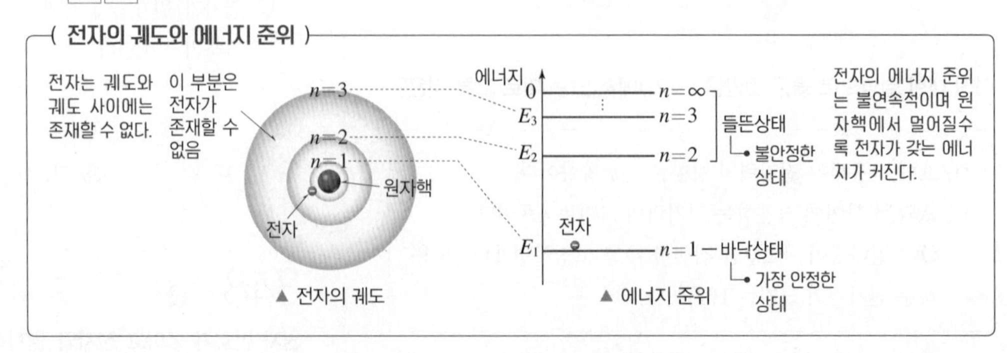

▲ 전자의 궤도　　▲ 에너지 준위

⑤ **전자의 전이**: 전자가 궤도를 옮기는 것 ➔ 전자가 한 에너지 준위에서 다른 에너지 준위로 전이할 때, 두 궤도의 에너지 차에 해당하는 에너지를 빛의 형태로 흡수하거나 방출한다.

기출 Tip Ⓑ-1

러더퍼드 원자 모형의 문제점

- 원운동(가속 운동)을 하는 전자는 빛(전자기파)을 방출하면서 에너지를 잃기 때문에 원자핵 쪽으로 끌리므로 원자의 안정성을 설명할 수 없다.
- 전자의 회전 반지름이 감소하면서 연속적인 파장의 빛을 방출하여 연속 스펙트럼이 나타나야 하므로 기체의 선 스펙트럼을 설명할 수 없다.

보어의 가설
- 원자 속의 전자는 특정한 궤도에만 존재할 수 있으며, 각각의 궤도에서 원운동을 할 때 빛을 방출하지 않고 안정한 상태로 존재한다.
- 전자가 특정한 궤도 사이를 전이할 때, 두 궤도의 에너지 차에 해당하는 에너지를 빛의 형태로 흡수하거나 방출한다.

전자가 바깥쪽 궤도로 전이할 때 에너지 흡수	전자가 안쪽 궤도로 전이할 때 에너지 방출
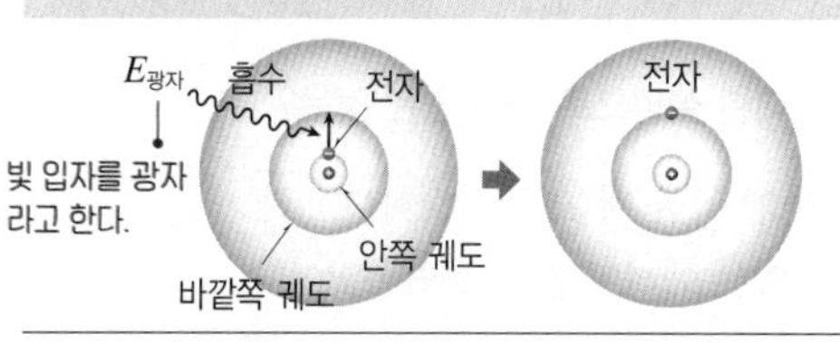	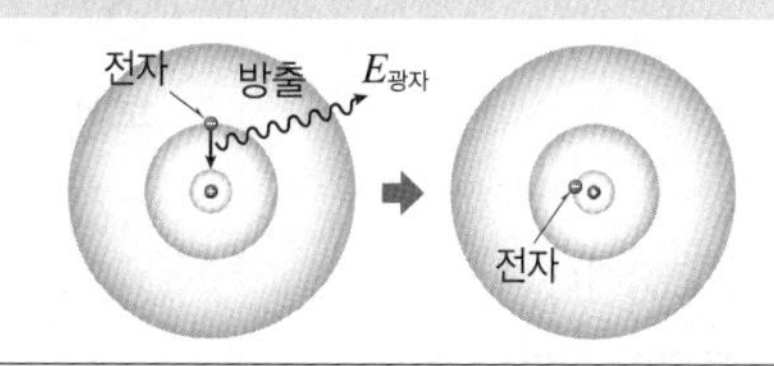

• 전자가 전이할 때 광자의 에너지: 전자가 양자수 m인 궤도에서 n인 궤도로 전이할 때 흡수하거나 방출하는 광자(빛) 1개의 에너지는 진동수 f에 ❽ ☐☐ 한다. → 진동수가 클수록, 파장이 짧을수록 광자의 에너지가 크다.

$$E_{광자}=|E_m-E_n|=hf=\frac{hc}{\lambda}\ (h=6.63\times10^{-34}\ \mathrm{J\cdot s}\text{: 플랑크 상수, } c\text{: 빛의 속력})$$

3 수소 원자의 에너지 준위와 선 스펙트럼

① 수소 원자의 에너지 준위: 수소 원자에서 전자의 에너지 준위는 불연속적이며 다음과 같다.

→ (−)값은 전자가 원자에 속박되어 있음을 의미한다.

$$E_n=-\frac{13.6}{n^2}\ \mathrm{eV}\ (n=1,\ 2,\ 3\cdots)$$
→ 1 eV(전자볼트)$=1.6\times10^{-19}$ J

② 수소의 선 스펙트럼 계열: 전자가 들뜬상태에서 보다 안정한 상태로 전이할 때 선 스펙트럼이 나타나며 라이먼 계열, 발머 계열, 파셴 계열 등으로 구분한다.

구분	방출되는 빛	전자의 전이
라이먼 계열	❾ ☐☐☐ 영역	$n\geq2$인 궤도에 있는 전자가 $n=1$인 궤도로 전이할 때
발머 계열	가시광선을 포함하는 영역	$n\geq3$인 궤도에 있는 전자가 $n=$❿☐인 궤도로 전이할 때
파셴 계열	적외선 영역	$n\geq4$인 궤도에 있는 전자가 $n=3$인 궤도로 전이할 때

(수소 원자의 에너지 준위와 선 스펙트럼 계열)

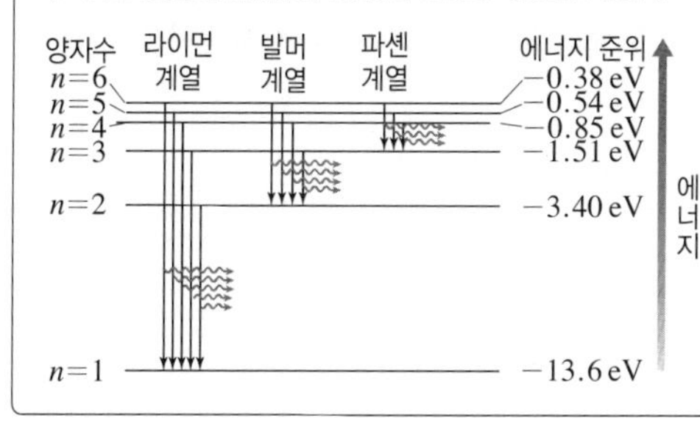

양자수 n이 커질수록 전자의 에너지는 커지며, 이웃한 에너지 준위 차는 점점 작아진다.
에너지 준위는 음수이므로 n이 커질수록 0에 가까워지면서 그 값이 커지고, n이 매우 커지면 에너지는 거의 연속적으로 존재한다.

• 에너지, 진동수: 라이먼 > 발머 > 파셴
• 파장: 라이먼 < 발머 < 파셴

파장이 약 380 nm~750 nm인 빛이다.

기출 Tip Ⓑ-3

수소의 가시광선 영역 스펙트럼

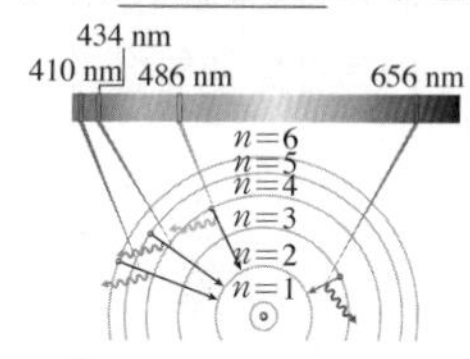

수소 원자의 가시광선 영역 스펙트럼에 나타나는 파장은 4개이다. ➜ 전자가 $n=3,\ 4,\ 5,\ 6$인 궤도에서 $n=2$인 궤도로 전이할 때 두 궤도의 에너지 차에 해당하는 광자의 방출에 의해 나타난다.

파장	전자의 전이
656 nm	$n=3\rightarrow n=2$
486 nm	$n=4\rightarrow n=2$
434 nm	$n=5\rightarrow n=2$
410 nm	$n=6\rightarrow n=2$

답 ❶ 스펙트럼 ❷ 연속 ❸ 선 ❹ 러더퍼드 ❺ 보어 ❻ 바닥 ❼ 들뜬 ❽ 비례 ❾ 자외선 ❿ 2

빈출 자료 보기

정답과 해설 47쪽

349 **그림은 분광기로 수소 기체 방전관에서 나오는 빛, 저온 기체관을 통과한 백열등 빛, 백열등에서 나오는 빛의 스펙트럼을 관찰한 결과를 순서 없이 나타낸 것이다. 저온 기체관에는 한 종류의 기체만 들어 있고, 스펙트럼은 가시광선 전체 영역을 나타낸 것이다.**

A

B

C

이에 대한 설명으로 옳은 것은 ○, 옳지 않은 것은 ×로 표시하시오.

(1) 수소 원자의 에너지 준위는 연속적이다. ( )
(2) 저온 기체관에 들어 있는 기체는 수소이다. ( )
(3) A는 백열등에서 나오는 빛의 스펙트럼이다. ( )
(4) B는 흡수 스펙트럼이다. ( )
(5) B는 수소 기체 방전관에서 나오는 빛의 스펙트럼이다. ( )
(6) C에서 오른쪽에 있는 스펙트럼선일수록 빛의 파장이 길다. ( )
(7) 햇빛을 분광기로 관찰하면 C와 같은 스펙트럼이 나타난다. ( )

A 스펙트럼

350 하 중 상

多 보기

스펙트럼에 대한 설명으로 옳지 않은 것은?

① 빛이 파장에 따라 나뉘어져 나타나는 색의 띠이다.
② 햇빛을 분광기에 통과시키면 연속 스펙트럼이 나타난다.
③ 기체 방전관에서 방출되는 빛을 분광기에 통과시키면 선 스펙트럼을 관찰할 수 있다.
④ 선 스펙트럼에 나타나는 선의 위치와 수는 원소의 종류에 관계없이 모두 같다.
⑤ 백색광을 저온의 기체에 통과시키면 흡수 스펙트럼을 관찰할 수 있다.
⑥ 고온의 기체에서 방출된 빛을 분광기에 통과시키면 방출 스펙트럼을 관찰할 수 있다.

351 하 중 상

그림 (가), (나), (다)는 저온 기체 방전관을 통과한 백열등 빛, 수소 기체 방전관에서 나오는 빛, 백열등에서 나오는 빛의 스펙트럼을 순서 없이 나타낸 것이다.

이에 대한 설명으로 옳은 것만을 〈보기〉에서 있는 대로 고른 것은?

〈 보기 〉
ㄱ. (가)는 연속 스펙트럼이다.
ㄴ. (나)를 통해 수소 원자의 에너지 준위는 불연속적임을 알 수 있다.
ㄷ. (다)는 저온 기체 방전관을 통과한 백열등 빛의 스펙트럼이다.

① ㄱ ② ㄴ ③ ㄱ, ㄷ
④ ㄴ, ㄷ ⑤ ㄱ, ㄴ, ㄷ

B 원자의 에너지 준위

보어 원자 모형

352 하 중 상

빈출

보어의 원자 모형에 대한 설명으로 옳지 않은 것은?

① 전자는 바닥상태에 있을 때 가장 안정하다.
② 전자가 가질 수 있는 에너지 값은 불연속적이다.
③ 전자는 원자핵을 중심으로 특정한 궤도에서만 원운동을 한다.
④ 양자수가 커질수록 전자를 원자핵으로부터 분리시키기 쉽다.
⑤ 전자가 에너지를 얻으면 궤도와 궤도 사이에 존재할 수 있다.

353 하 중 상

서술형

다음은 러더퍼드와 보어의 원자 모형에 대한 설명이다.

러더퍼드는 양(+)전하를 띤 원자핵 주위를 음(−)전하를 띤 전자가 돌고 있는 형태의 원자 모형을 제안하였다. 이는 행성이 태양 주위를 돌고 있는 것과 같은 것이라고 설명하였다.

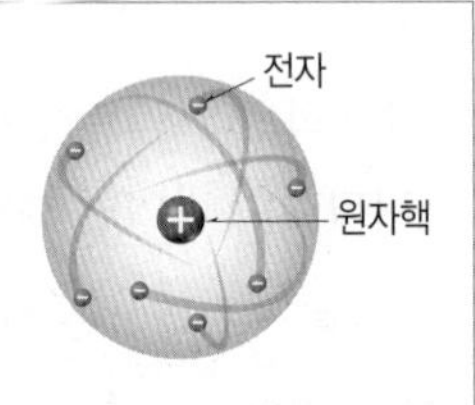

하지만 러더퍼드 원자 모형으로 설명하지 못하는 문제점이 존재하였으며, 보어는 러더퍼드 원자 모형의 문제점을 해결하기 위해 두 가지 가설을 세워 새로운 원자 모형을 제시하였다.

(1) 러더퍼드 원자 모형의 문제점 두 가지를 서술하시오.

(2) 보어가 제시한 가설 두 가지를 서술하시오.

354 하 중 상

보어의 원자 모형에서 전자의 전이에 대한 설명으로 옳은 것만을 〈보기〉에서 있는 대로 고른 것은?

〈 보기 〉
ㄱ. 전자가 궤도를 옮기는 것을 전자의 전이라고 한다.
ㄴ. 전자가 전이할 때 흡수하거나 방출하는 광자 1개의 에너지는 빛의 진동수에 반비례한다.
ㄷ. 전자가 전이할 때 흡수하거나 방출하는 광자 1개의 에너지는 두 궤도의 에너지 준위의 차와 같다.

① ㄱ ② ㄴ ③ ㄱ, ㄷ
④ ㄴ, ㄷ ⑤ ㄱ, ㄴ, ㄷ

355 하 중 상

보어의 수소 원자 모형에서 전자의 궤도에 대한 설명으로 옳은 것만을 〈보기〉에서 있는 대로 고른 것은?

〈 보기 〉
ㄱ. 전자는 각 궤도에서 정해진 에너지 값만을 갖는다.
ㄴ. 원자핵에서 멀어질수록 전자가 갖는 에너지가 커진다.
ㄷ. 전자가 $n=1$인 궤도에 있을 때를 들뜬상태라고 한다.
ㄹ. 전자는 특정한 궤도에서 일정하게 원운동을 할 때 에너지를 흡수한다.

① ㄱ, ㄴ ② ㄱ, ㄷ ③ ㄷ, ㄹ
④ ㄱ, ㄴ, ㄹ ⑤ ㄴ, ㄷ, ㄹ

전자의 궤도와 전자의 전이

356 하 중 상

그림은 전기적으로 중성인 어떤 원자의 구조를 나타낸 것이다. 전자 A, B, C는 각각 원자핵을 중심으로 임의의 두 궤도에서 원운동을 하고 있다. n은 양자수이다.

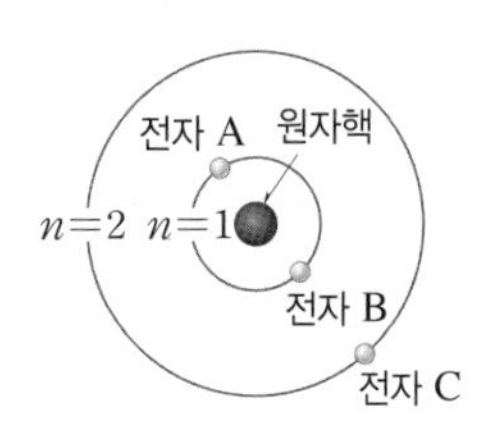

이에 대한 설명으로 옳지 않은 것은?

① 원자핵의 전하량은 $+3e$이다.
② n이 커질수록 전자의 에너지가 커진다.
③ 원자핵과 전자 사이에는 서로 당기는 전기력이 작용한다.
④ 원자핵으로부터 받는 전기력의 크기는 A가 C보다 크다.
⑤ $n=2$인 궤도를 따라 운동하는 C는 원운동을 하는 동안 전자기파를 방출한다.

357 하 중 상

그림은 보어의 수소 원자 모형에서 전자가 $n=3$인 궤도에 있는 모습을 나타낸 것이다. n은 양자수이다.

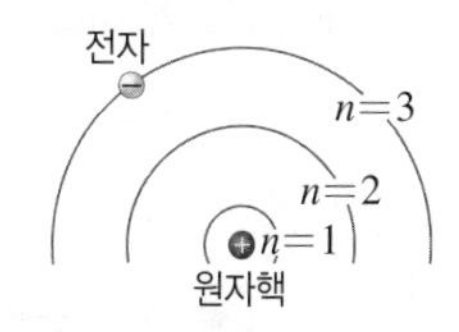

이에 대한 설명으로 옳지 않은 것은?

① 전자는 들뜬상태이다.
② n이 커질수록 에너지 준위 사이의 간격이 커진다.
③ 전자가 $n=1$인 궤도로 전이할 때 광자가 방출된다.
④ 전자가 $n=2$인 궤도로 전이할 때 수소 원자의 에너지는 감소한다.
⑤ 방출되는 광자의 진동수는 전자가 $n=1$인 궤도로 전이할 때가 $n=2$인 궤도로 전이할 때보다 크다.

358 하 중 상

그림은 보어의 수소 원자 모형에서 양자수 n에 따른 전자의 궤도를 나타낸 것이다.

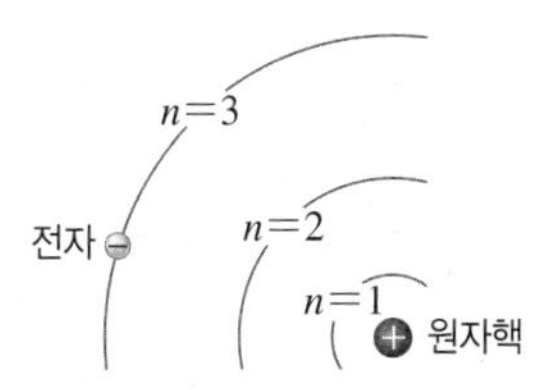

이에 대한 설명으로 옳은 것만을 〈보기〉에서 있는 대로 고른 것은?

〈 보기 〉
ㄱ. 전자가 $n=1$인 궤도에 있을 때 가장 안정한 상태이다.
ㄴ. 전자가 $n=3$에서 $n=2$인 궤도로 전이할 때 에너지를 흡수한다.
ㄷ. 원자핵과 전자 사이에 작용하는 전기력의 크기는 $n=1$인 궤도에서가 $n=3$인 궤도에서보다 크다.

① ㄱ ② ㄴ ③ ㄱ, ㄷ
④ ㄴ, ㄷ ⑤ ㄱ, ㄴ, ㄷ

359 하 중 상

多 보기

그림은 보어의 수소 원자 모형에서 양자수 n에 따른 전자의 궤도와 전자의 전이 a, b, c를 나타낸 것이다. a, b, c에서 흡수하거나 방출하는 빛의 에너지는 각각 E_a, E_b, E_c이다.

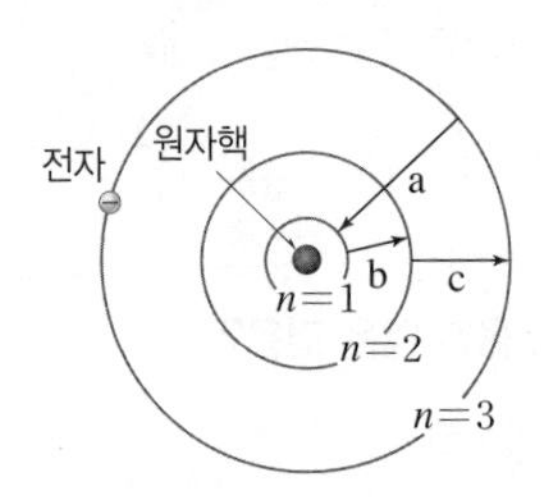

이에 대한 설명으로 옳지 않은 것을 모두 고르면?(2개)

① a일 때 전자의 에너지는 감소한다.
② a에서 자외선 영역의 빛을 방출한다.
③ b와 c의 과정에서 전자는 빛을 흡수한다.
④ 흡수하거나 방출하는 빛의 파장은 a에서가 b에서보다 길다.
⑤ 전자의 에너지 준위는 $n=3$에서가 $n=1$에서보다 E_b+E_c 만큼 크다.
⑥ 어떤 원자가 3개의 에너지 준위만 갖는다면, 방출되는 빛의 스펙트럼선은 최대 2개이다.

360 하 중 상

그림은 보어의 수소 원자 모형에서 전자가 $n=3$에서 $n=1$인 궤도로, $n=2$에서 $n=1$인 궤도로, $n=2$에서 $n=3$인 궤도로 전이할 때 파장이 각각 λ_1, λ_2, λ_3인 빛을 방출하거나 흡수하는 모습을 전자의 에너지 준위와 양자수에 따라 나타낸 것이다. 양자수 n에 따른 전자의 에너지 준위는 E_n이다.

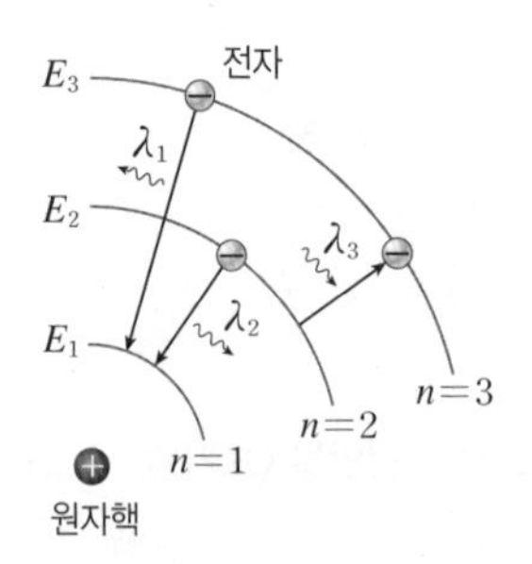

이에 대한 설명으로 옳은 것만을 〈보기〉에서 있는 대로 고른 것은?

〈 보기 〉
ㄱ. $\lambda_1=\lambda_2+\lambda_3$이다.
ㄴ. E_3이 E_2보다 크다.
ㄷ. 파장이 λ_3인 빛은 적외선 영역의 빛이다.

① ㄱ ② ㄴ ③ ㄱ, ㄷ
④ ㄴ, ㄷ ⑤ ㄱ, ㄴ, ㄷ

361 하 중 상

그림은 보어의 수소 원자 모형에서 전자의 전이 a, b, c를, 표는 양자수 n에 따른 에너지 준위 E_n을 나타낸 것이다.

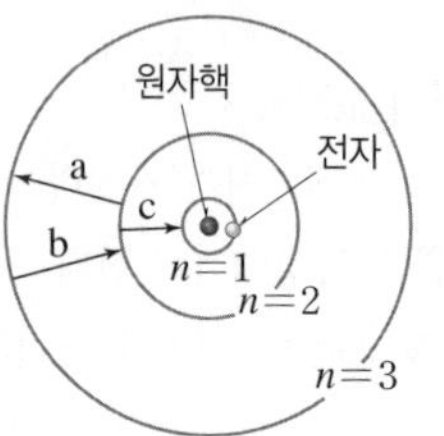

n	E_n(eV)
1	−13.6
2	−3.40
3	−1.51

이에 대한 설명으로 옳은 것만을 〈보기〉에서 있는 대로 고른 것은?

〈 보기 〉
ㄱ. a일 때, 전자는 3.40 eV의 에너지를 흡수한다.
ㄴ. 방출하는 빛의 진동수는 c에서가 b에서보다 크다.
ㄷ. 흡수하거나 방출하는 빛의 파장은 a~c 중 c에서가 가장 길다.
ㄹ. 흡수하거나 방출하는 광자 1개의 에너지는 a에서와 b에서가 같다.

① ㄱ, ㄴ ② ㄱ, ㄷ ③ ㄴ, ㄹ
④ ㄱ, ㄷ, ㄹ ⑤ ㄴ, ㄷ, ㄹ

362 하 중 상

그림은 보어의 수소 원자 모형에서 $n=1$인 상태에 있던 전자가 빛 a를 흡수하여 $n=2$인 상태로 전이한 후, 다시 빛 b를 흡수하여 $n=3$인 상태로 전이하는 과정을 나타낸 것이다. 표는 양자수 n에 따른 에너지 준위 E_n을 나타낸 것이다. a의 진동수는 f_a, 파장은 λ_a이고, b의 진동수는 f_b, 파장은 λ_b이다.

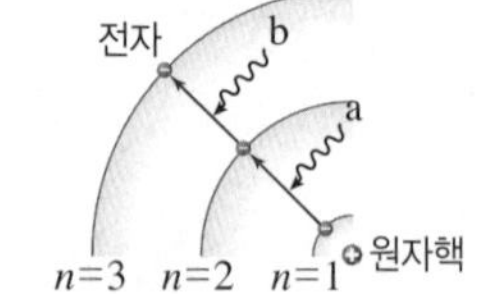

n	E_n(eV)
1	−13.6
2	−3.40
3	−1.51

이에 대한 설명으로 옳은 것만을 〈보기〉에서 있는 대로 고른 것은? (단, h는 플랑크 상수이다.)

〈 보기 〉
ㄱ. $\lambda_a<\lambda_b$이다.
ㄴ. $hf_a+hf_b=4.91$ eV이다.
ㄷ. 바닥상태의 전자는 에너지가 3.40 eV인 빛을 흡수할 수 있다.

① ㄱ ② ㄴ ③ ㄱ, ㄷ
④ ㄴ, ㄷ ⑤ ㄱ, ㄴ, ㄷ

363 하 중 상

그림은 보어의 수소 원자 모형에서 전자의 전이 a, b, c를, 표는 양자수 n에 따른 에너지 준위를 나타낸 것이다. a, b, c에서 방출되는 빛의 진동수는 각각 f_a, f_b, f_c이다.

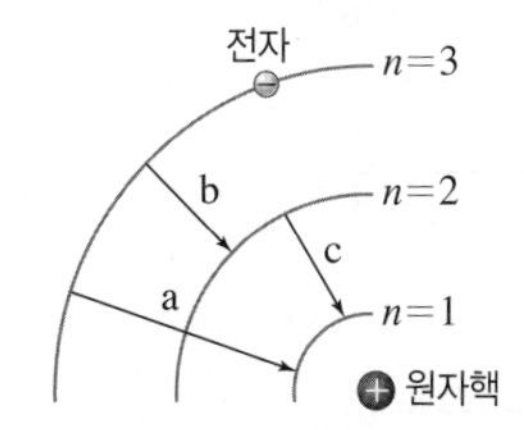

n	에너지 준위
1	E_1
2	E_2
3	E_3

이에 대한 설명으로 옳은 것만을 〈보기〉에서 있는 대로 고른 것은?

〈 보기 〉

ㄱ. $f_b < f_c < f_a$이다.
ㄴ. $E_3 = E_1 + E_2$이다.
ㄷ. a에서 방출되는 빛은 자외선 영역의 빛이다.

① ㄱ ② ㄴ ③ ㄱ, ㄷ
④ ㄴ, ㄷ ⑤ ㄱ, ㄴ, ㄷ

에너지 준위와 전자의 전이

364 하 중 상

그림은 보어의 수소 원자 모형에서 양자수 n에 따른 에너지 준위와 전자의 전이 A, B, C를 나타낸 것이다. 표는 A, B, C에서 방출되는 빛의 진동수와 광자 1개가 갖는 에너지를 나타낸 것이다.

전이	진동수	에너지(eV)
A	f_A	1.9
B	f_B	(가)
C	f_C	12.1

이에 대한 설명으로 옳은 것만을 〈보기〉에서 있는 대로 고른 것은?

〈 보기 〉

ㄱ. $f_C = f_A + f_B$이다.
ㄴ. (가)는 10.2이다.
ㄷ. 수소 원자에서 방출되는 빛의 스펙트럼은 연속적이다.
ㄹ. $n=3$에서 $n=2$인 상태로 전이할 때 방출되는 빛의 진동수는 $f_C - f_B$이다.

① ㄱ, ㄴ ② ㄱ, ㄷ ③ ㄷ, ㄹ
④ ㄱ, ㄴ, ㄹ ⑤ ㄴ, ㄷ, ㄹ

[365~366] 표는 보어의 수소 원자 모형에서 수소 원자 내 전자가 전이할 때 방출되는 빛 a, b, c의 광자 1개의 에너지, 빛의 진동수, 빛의 파장을 각각 나타낸 것이다.

빛	전이 전 양자수	전이 후 양자수	광자 1개의 에너지	빛의 진동수	빛의 파장
a	4	2	E_a	f_a	λ_a
b	4	3	E_b	f_b	λ_b
c	3	2	E_c	f_c	λ_c

365 하 중 상

이에 대한 설명으로 옳은 것만을 〈보기〉에서 있는 대로 고른 것은?

〈 보기 〉

ㄱ. $\lambda_a < \lambda_b < \lambda_c$이다.
ㄴ. a와 c는 가시광선 영역의 빛이다.
ㄷ. 광자 1개의 에너지는 E_b가 가장 작다.

① ㄱ ② ㄷ ③ ㄱ, ㄴ
④ ㄴ, ㄷ ⑤ ㄱ, ㄴ, ㄷ

366 하 중 상

서술형

양자수 $n=1$일 때 전자의 에너지 준위를 E_1이라고 하면, 전자의 에너지 준위 $E_n = -\frac{E_1}{n^2}$이다. f_c를 f_a를 이용하여 풀이 과정과 함께 나타내시오.

367 하 중 상

그림은 보어의 수소 원자 모형에서 양자수에 따른 에너지 준위와 전자의 전이 a, b를 나타낸 것이다.

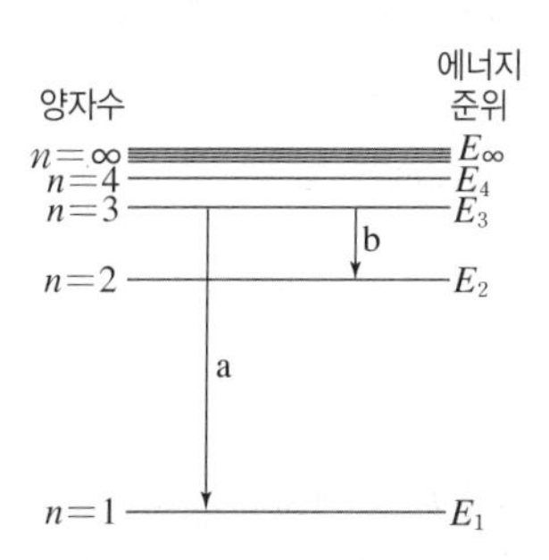

b에서 방출되는 빛의 진동수를 f라고 할 때, a에서 방출되는 빛의 진동수를 f를 이용하여 나타내시오. (단, 양자수 n에 따른 에너지 준위는 $E_n = -\frac{13.6}{n^2}$ eV이다.)

368 하중상

그림은 보어의 수소 원자 모형에서 에너지가 E_1, E_2, E_3인 세 준위 사이에서 전자가 전이하는 두 가지 경우를 나타낸 것이다. 두 전이 과정에서 진동수가 다른 광자 a, b가 각각 방출된다. $n=1$인 상태의 전자는 a를 흡수할 수 있다. n은 양자수이다.

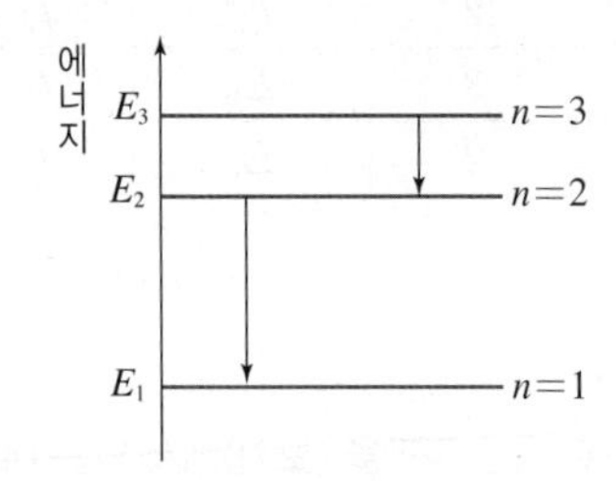

이에 대한 설명으로 옳지 않은 것은?

① 파장은 a가 b보다 짧다.
② 광자의 에너지는 a가 b보다 크다.
③ a와 b의 진동수의 합은 $\dfrac{E_3-E_1}{h}$이다.
④ $n=1$인 상태의 전자에 b를 입사시키면 b는 전자에 흡수된다.
⑤ $n=2$인 상태의 전자가 E_3-E_2의 에너지를 흡수하면 $n=3$인 상태로 전이한다.

369 하중상

그림은 보어의 수소 원자 모형에서 양자수 n에 따른 에너지 준위의 일부와 진동수가 각각 f_A, f_B, f_C인 빛이 방출되는 전자의 전이를 나타낸 것이다.

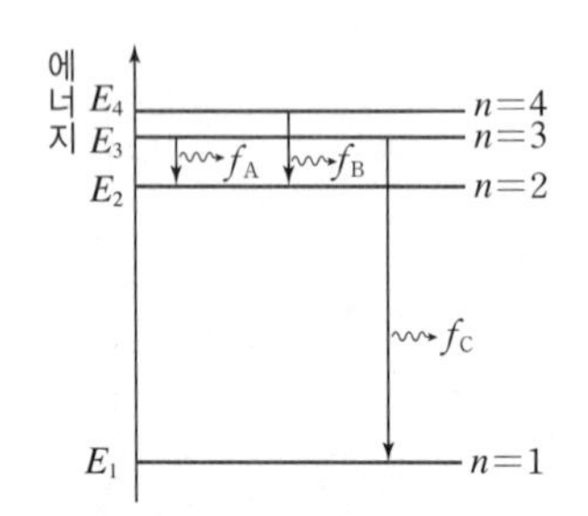

이에 대한 설명으로 옳은 것만을 〈보기〉에서 있는 대로 고른 것은? (단, h는 플랑크 상수이다.)

〈 보기 〉

ㄱ. $f_A < \dfrac{E_2-E_1}{h}$이다.
ㄴ. 파장은 진동수가 f_A인 빛이 f_B인 빛보다 길다.
ㄷ. $n=3$인 상태와 $n=2$인 상태의 전자의 에너지 준위 차는 $h(f_B-f_A)$이다.
ㄹ. E_4인 상태에서 E_3인 상태로 전자가 전이할 때 방출되는 빛의 진동수는 f_B-f_A이다.

① ㄱ, ㄴ　② ㄱ, ㄷ　③ ㄷ, ㄹ
④ ㄱ, ㄴ, ㄹ　⑤ ㄴ, ㄷ, ㄹ

370 하중상

••서술형

그림은 보어의 수소 원자 모형에서 양자수 n에 따른 에너지 준위와 전자의 전이 a, b를 나타낸 것이다.

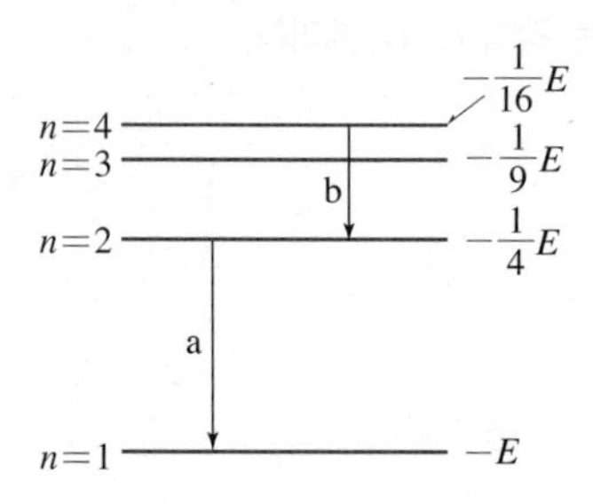

a에서 방출되는 광자 1개의 에너지는 b에서 방출되는 광자 1개의 에너지의 몇 배인지 풀이 과정과 함께 나타내시오.

371 하중상

그림은 보어의 수소 원자 모형에서 양자수 n에 따른 에너지 E_n과 $n=2$인 상태에 있던 전자가 진동수 f_a인 빛을 흡수하여 $n=4$인 상태로 전이한 후, 다시 진동수 f_b인 빛을 방출하여 $n=3$인 상태로 전이하는 과정을 나타낸 것이다.

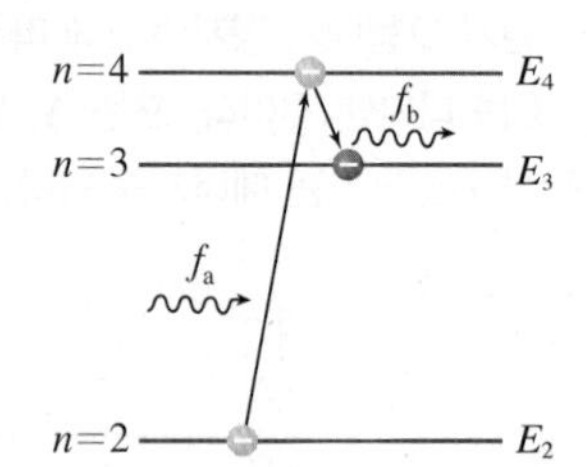

이에 대한 설명으로 옳은 것만을 〈보기〉에서 있는 대로 고른 것은?

〈 보기 〉

ㄱ. $\dfrac{E_4-E_2}{f_a} = \dfrac{E_4-E_3}{f_b}$이다.
ㄴ. 전자의 에너지는 $n=4$인 상태가 $n=2$인 상태보다 크다.
ㄷ. $n=3$인 상태의 전자가 진동수 f_b인 빛을 흡수하면 $n=4$인 상태로 전이한다.
ㄹ. $n=3$인 상태의 전자가 진동수 f_b-f_a인 빛을 방출하면 $n=2$인 상태로 전이한다.

① ㄱ, ㄴ　② ㄱ, ㄹ　③ ㄷ, ㄹ
④ ㄱ, ㄴ, ㄷ　⑤ ㄴ, ㄷ, ㄹ

372 하/중/상 ••서술형

그림은 보어의 수소 원자 모형에서 양자수 n에 따른 전자의 에너지 준위와 전자의 전이를 나타낸 것이다. 전자가 $n=1$인 상태에서 $n=3$인 상태로 전이할 때 흡수하는 빛의 파장은 λ_1이고, $n=3$인 상태에서 $n=2$인 상태로 전이할 때 방출하는 빛의 파장은 λ_2이다.

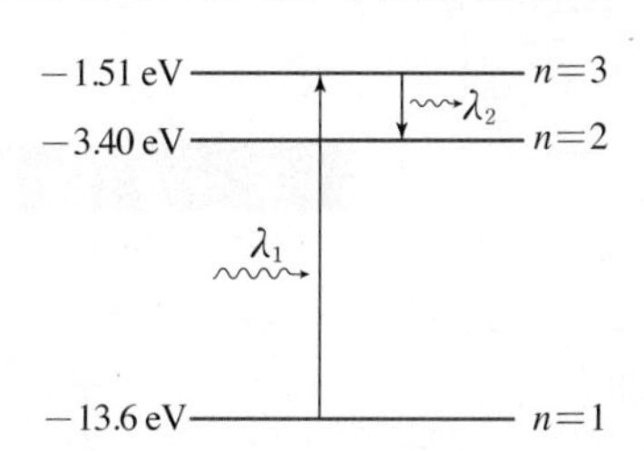

전자가 $n=2$인 상태에서 $n=1$인 상태로 전이할 때 방출하는 빛의 파장을 λ_1과 λ_2를 이용하여 풀이 과정과 함께 나타내시오.

빈출

373 하/중/상

그림은 보어의 수소 원자 모형에서 양자수 n에 따른 에너지 준위의 일부와 전자의 전이 a, b, c를 나타낸 것이다. a, b에서 방출되는 빛의 파장은 각각 λ_a, λ_b이고, c에서 흡수되는 빛의 파장은 λ_c이다.

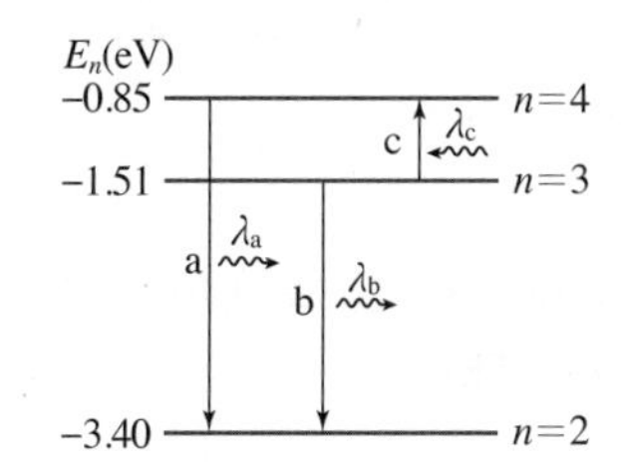

이에 대한 설명으로 옳은 것만을 〈보기〉에서 있는 대로 고른 것은?

〈 보기 〉

ㄱ. $\lambda_b < \lambda_c$이다.

ㄴ. $\frac{1}{\lambda_a} = \frac{1}{\lambda_b} + \frac{1}{\lambda_c}$이다.

ㄷ. a와 b에서 라이먼 계열의 빛을 방출한다.

ㄹ. c에서 흡수되는 광자 1개의 에너지는 0.85 eV이다.

① ㄱ, ㄴ ② ㄱ, ㄹ ③ ㄷ, ㄹ
④ ㄱ, ㄴ, ㄷ ⑤ ㄴ, ㄷ, ㄹ

전자의 전이와 선 스펙트럼

빈출

374 하/중/상

그림은 방전관의 어떤 기체가 방출한 선 스펙트럼을 나타낸 것이다.

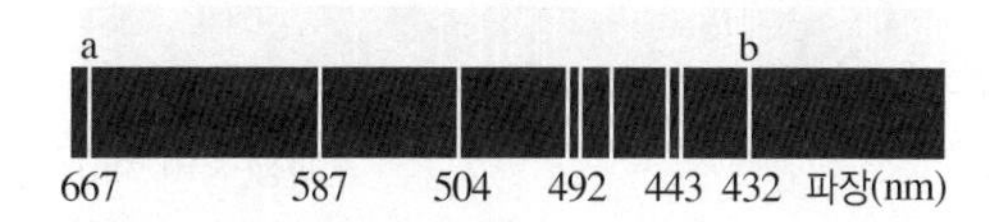

이에 대한 설명으로 옳지 않은 것은?

① 진동수는 b가 a보다 더 크다.
② 러더퍼드 원자 모형이 옳다는 것을 증명한다.
③ 방출되는 광자 1개의 에너지는 a가 b보다 작다.
④ 전자의 에너지 변화량은 a가 방출될 때가 b가 방출될 때보다 작다.
⑤ 전자가 낮은 에너지 준위의 궤도로 전이할 때 방출하는 광자에 의해 선 스펙트럼이 나타난다.

375 하/중/상

그림은 백열등 빛이 저온의 수소 기체관을 통과한 후 나타난 선 스펙트럼 중 일부를 나타낸 것이다. A와 B는 스펙트럼선이다.

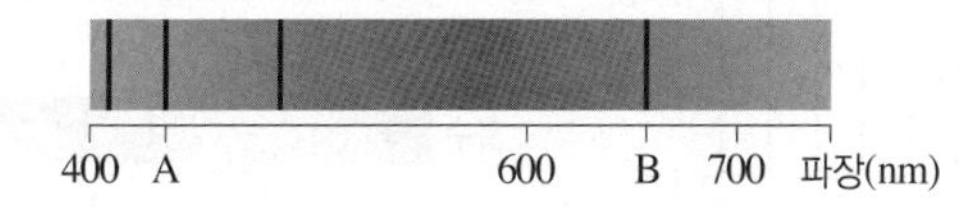

이에 대한 설명으로 옳은 것만을 〈보기〉에서 있는 대로 고른 것은?

〈 보기 〉

ㄱ. 수소 원자의 에너지 준위는 양자화되어 있다.

ㄴ. 진동수는 A에 해당하는 빛이 B에 해당하는 빛보다 크다.

ㄷ. 기체의 종류가 달라져도 스펙트럼선의 개수와 위치는 같다.

ㄹ. B에 해당하는 빛의 파장은 전자가 $n=3$에서 $n=1$인 궤도로 전이할 때 방출하는 빛의 파장과 같다.

① ㄱ, ㄴ ② ㄱ, ㄷ ③ ㄷ, ㄹ
④ ㄱ, ㄴ, ㄹ ⑤ ㄴ, ㄷ, ㄹ

376 하 중 상

그림은 수소의 선 스펙트럼의 일부분을 나타낸 것이다.

이에 대한 설명으로 옳은 것만을 <보기>에서 있는 대로 고른 것은?

〈 보기 〉

ㄱ. 빛의 진동수는 발머 계열이 파셴 계열보다 크다.
ㄴ. 라이먼 계열에서 방출되는 빛의 영역은 자외선 영역이다.
ㄷ. 전자가 $n=3$에서 $n=2$인 궤도로 전이할 때 방출되는 빛의 스펙트럼은 발머 계열이다.
ㄹ. 파셴 계열 중 빛의 진동수가 가장 작은 경우는 전자가 $n=\infty$에서 $n=3$인 궤도로 전이할 때이다.

① ㄱ, ㄴ ② ㄱ, ㄷ ③ ㄴ, ㄹ
④ ㄱ, ㄴ, ㄷ ⑤ ㄴ, ㄷ, ㄹ

377 하 중 상

그림 (가)는 보어의 수소 원자 모형에서 양자수 n에 따른 에너지 준위와 전자의 전이 과정의 일부를 나타낸 것이다. 그림 (나)는 (가)의 전이 과정에서 방출 또는 흡수되는 선 스펙트럼을 파장에 따라 나타낸 것이다. b는 ㉠에 의해 나타난다.

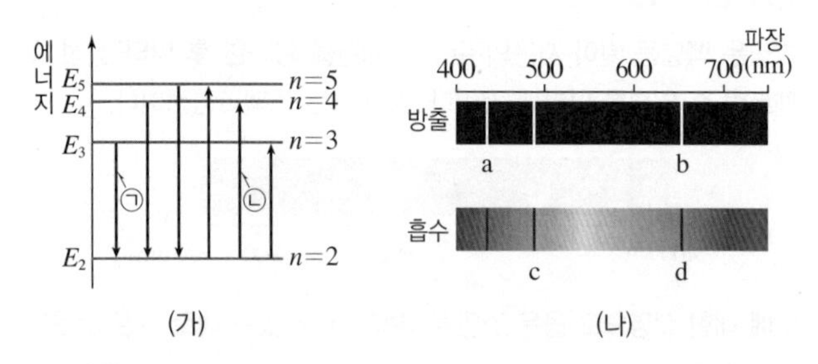

이에 대한 설명으로 옳은 것만을 <보기>에서 있는 대로 고른 것은?

〈 보기 〉

ㄱ. 광자 1개의 에너지는 a<c<b=d이다.
ㄴ. b에서 광자의 진동수는 $\frac{E_4-E_2}{h}$이다.
ㄷ. c는 ㉡에 의해 나타난 스펙트럼선이다.
ㄹ. d에서 흡수하는 에너지와 b에서 방출하는 에너지는 같다.

① ㄱ, ㄴ ② ㄱ, ㄷ ③ ㄷ, ㄹ
④ ㄱ, ㄴ, ㄹ ⑤ ㄴ, ㄷ, ㄹ

빈출

378 하 중 상

그림 (가)는 수소 원자의 양자수 n에 따른 에너지 준위와 전자의 전이 a~d를 나타낸 것이고, (나)는 가시광선 영역에 해당하는 수소 원자의 선 스펙트럼을 나타낸 것이다.

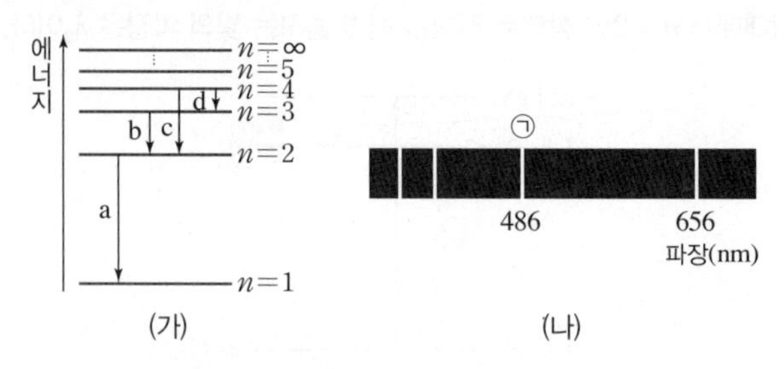

이에 대한 설명으로 옳은 것만을 <보기>에서 있는 대로 고른 것은?

〈 보기 〉

ㄱ. ㉠은 c에서 방출되는 빛이다.
ㄴ. 방출되는 빛의 진동수는 c에서가 d에서보다 작다.
ㄷ. c에서 방출되는 광자 1개의 에너지는 b와 d에서 각각 방출되는 광자 1개의 에너지의 합과 같다.

① ㄱ ② ㄴ ③ ㄱ, ㄷ
④ ㄴ, ㄷ ⑤ ㄱ, ㄴ, ㄷ

379 하 중 상

그림 (가)는 보어의 수소 원자 모형에서 양자수 n에 따른 에너지 준위와 전자의 전이 a~d를 나타낸 것이다. 그림 (나)는 수소 원자의 선 스펙트럼 중 발머 계열에 해당하는 스펙트럼선을 나타낸 것으로, ㉠은 이 중 파장이 가장 긴 빛이다.

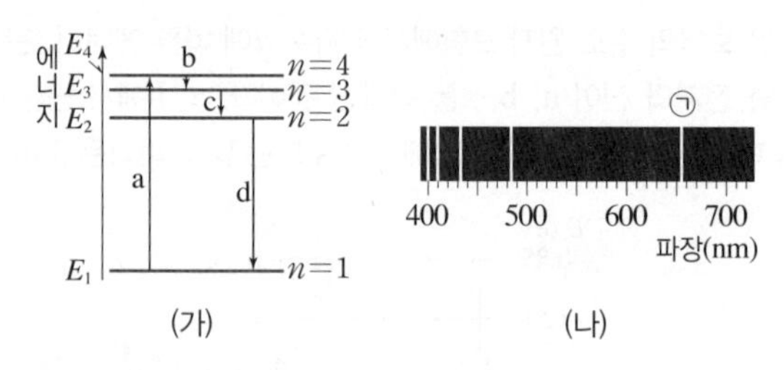

이에 대한 설명으로 옳은 것만을 <보기>에서 있는 대로 고른 것은? (단, h는 플랑크 상수이다.)

〈 보기 〉

ㄱ. ㉠은 c에서 방출되는 빛이다.
ㄴ. ㉠의 파장은 $\frac{hc}{E_3-E_2}$이다.
ㄷ. a에서 흡수되는 빛의 파장은 d에서 방출되는 빛의 파장보다 크다.
ㄹ. 전자가 a에서 흡수하는 에너지는 b, c, d에서 방출하는 에너지의 합과 같다.

① ㄱ, ㄴ ② ㄱ, ㄷ ③ ㄷ, ㄹ
④ ㄱ, ㄴ, ㄹ ⑤ ㄴ, ㄷ, ㄹ

380 하/중/상

그림은 보어의 수소 원자 모형에서 양자수 $n=1$인 궤도에 있던 전자가 파장이 λ_0인 빛을 흡수하여 $n=N$인 궤도로 전이한 이후에, 방출할 수 있는 모든 빛의 선 스펙트럼을 파장에 따라 나타낸 것이다. λ_1, λ_2는 전자가 $n=2$인 궤도로 전이할 때 방출한 빛의 파장이다.

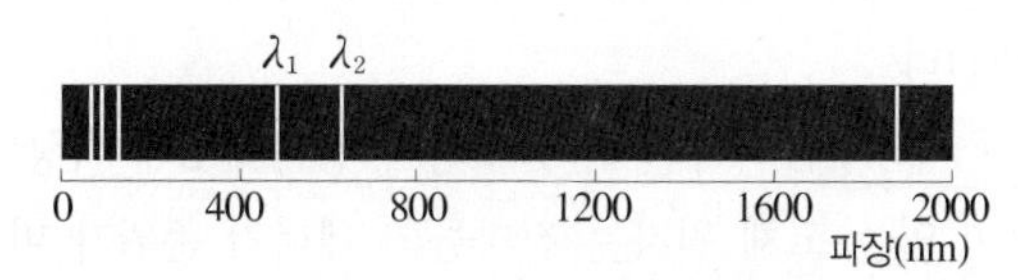

이에 대한 설명으로 옳지 않은 것은? (단, h는 플랑크 상수, c는 빛의 속력이다.)

① $N=4$이다.

② 파장은 진동수에 반비례한다.

③ λ_1, λ_2는 가시광선 영역의 빛의 파장이다.

④ $\frac{1}{\lambda_0}=\frac{1}{\lambda_1}+\frac{1}{\lambda_2}$이다.

⑤ $n=1$인 궤도에 있는 전자는 에너지가 $\frac{hc}{\lambda_0}-\frac{hc}{\lambda_1}$인 광자를 흡수할 수 있다.

빈출

381 하/중/상

多 보기

그림 (가)는 보어의 수소 원자 모형에서 양자수 n에 따른 에너지 준위의 일부와 전자의 전이 a, b, c를 나타낸 것이고, (나)는 (가)의 a, b, c에서 방출되는 빛의 선 스펙트럼을 파장에 따라 나타낸 것이다. (가)의 a, b, c에서 방출되는 빛의 파장은 각각 λ_a, λ_b, λ_c이고, 진동수는 각각 f_a, f_b, f_c이다.

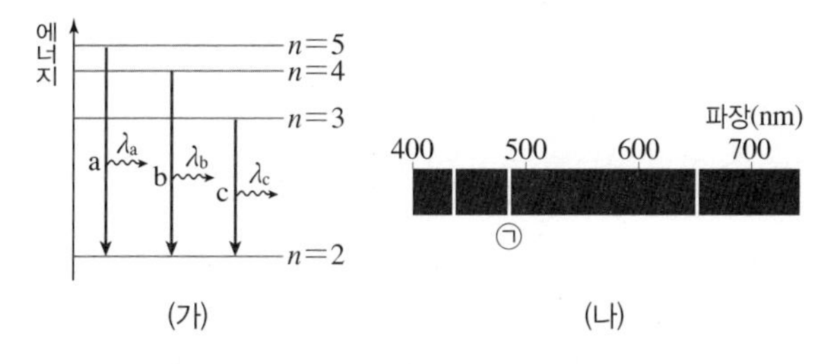

이에 대한 설명으로 옳지 않은 것을 모두 고르면?(2개)

① $\lambda_a<\lambda_b$이다.

② $f_a=f_b+f_c$이다.

③ $f_b : f_c=27 : 20$이다.

④ λ_c는 600 nm보다 크다.

⑤ (나)의 ㉠은 b에 의해 나타난 스펙트럼선이다.

⑥ 방출되는 빛의 진동수는 b에서가 c에서보다 크다.

⑦ 전자가 $n=4$에서 $n=3$인 상태로 전이할 때 방출되는 빛의 파장은 $|\lambda_b-\lambda_c|$와 같다.

382 하/중/상

••서술형

그림 (가), (나)는 각각 보어의 수소 원자 모형에서 양자수 n에 따른 전자의 에너지 준위와 선 스펙트럼의 일부를 나타낸 것이다. A에 해당하는 빛은 수소 원자의 가시광선 영역 스펙트럼에서 파장이 가장 긴 빛이고, 진동수는 $\frac{5E_0}{h}$이다. (단, h는 플랑크 상수이다.)

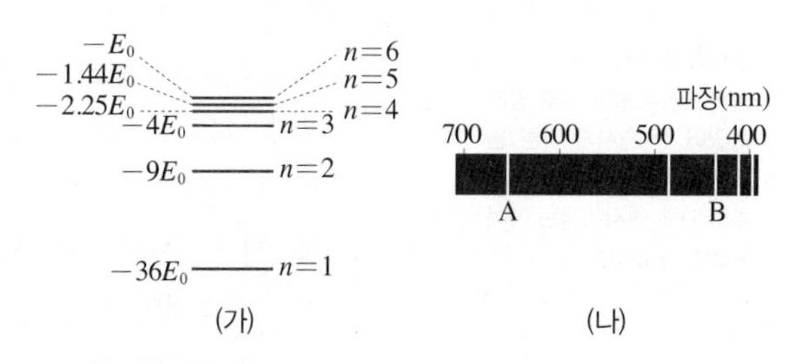

(1) A에 해당하는 빛이 방출될 때 전자의 전이 과정을 쓰시오.

(2) B에 해당하는 빛이 방출될 때 전자의 전이 과정을 쓰시오.

(3) B에 해당하는 빛의 진동수를 E_0과 플랑크 상수를 이용하여 풀이 과정과 함께 나타내시오.

383 하/중/상

••서술형

수소 원자의 에너지 준위 $E_n=-\frac{13.6}{n^2}$ eV ($n=1, 2, 3\cdots$)로 나타낼 수 있다. 수소 원자의 선 스펙트럼에서 파장의 최솟값을 플랑크 상수(h)와 광속(c)을 이용하여 풀이 과정과 함께 나타내시오.

에너지띠

A 고체의 에너지띠

1 고체 원자의 에너지 준위 원자 사이의 거리가 매우 가까우므로 인접한 원자들이 전자의 궤도에 영향을 주어 에너지 준위에 변화가 생긴다.

① 에너지 준위의 변화: 파울리의 ❶□□ □□에 의하면 하나의 양자 상태에 2개 이상의 전자가 있을 수 없으므로, 원자들이 가까이 있는 고체 원자는 전자들의 에너지 준위가 미세하게 갈라진다.

② 에너지띠: 수많은 원자의 에너지 준위들이 서로 일치하지 않도록 미세한 차를 두고 나누어져 거의 연속적인 띠를 이룬다. 이러한 에너지 준위의 영역을 ❷□□□□라고 한다.

기출 Tip A-1

기체 원자의 에너지 준위
기체 원자는 원자들이 서로 멀리 떨어져 있어 한 원자가 다른 원자에 영향을 주지 않으므로, 같은 종류의 기체 원자에서는 에너지 준위 분포가 같다.

(원자 구조와 에너지띠)

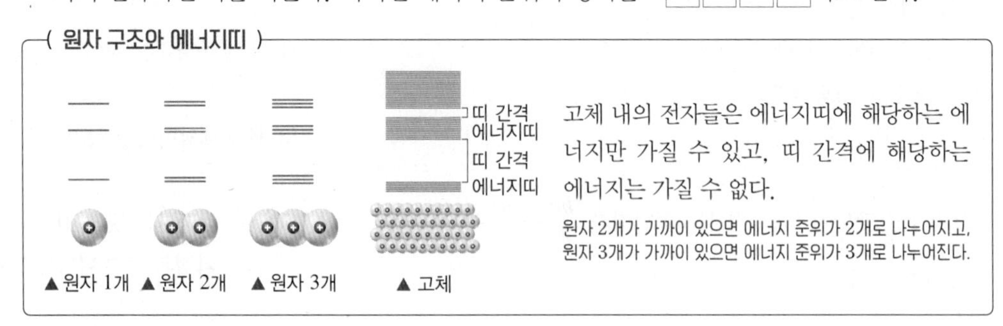

고체 내의 전자들은 에너지띠에 해당하는 에너지만 가질 수 있고, 띠 간격에 해당하는 에너지는 가질 수 없다.

원자 2개가 가까이 있으면 에너지 준위가 2개로 나누어지고, 원자 3개가 가까이 있으면 에너지 준위가 3개로 나누어진다.

2 고체의 에너지띠 구조

① 허용된 띠: 전자가 존재할 수 있는 에너지띠이다. 절대 온도 0 K일 때 고체의 전자들은 가장 낮은 에너지 상태에 있으므로 낮은 에너지 준위부터 전자들이 차례대로 채워진다.

- ❸□□□ □: 전자가 채워진 에너지띠 중에서 에너지 준위가 가장 높은 띠
- ❹□□□: 원자가 띠 바로 위의 전자가 채워지지 않은 에너지띠

② 띠 간격(띠틈): 에너지띠 사이의 간격으로 전자는 이 영역의 에너지 준위를 가질 수 없다. → 띠 간격은 고체의 전기 전도성을 결정하는 중요한 요인이다.

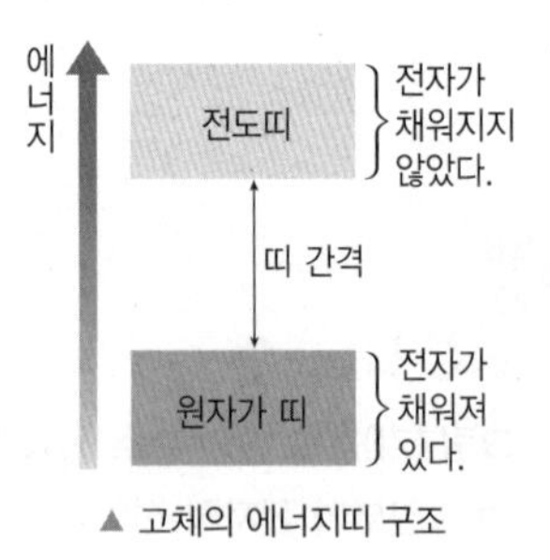

▲ 고체의 에너지띠 구조

기출 Tip A-2

고체의 에너지띠 구조
금성, 미래엔 교과서는 고체의 에너지띠 구조를 다음과 같이 나타낸다.

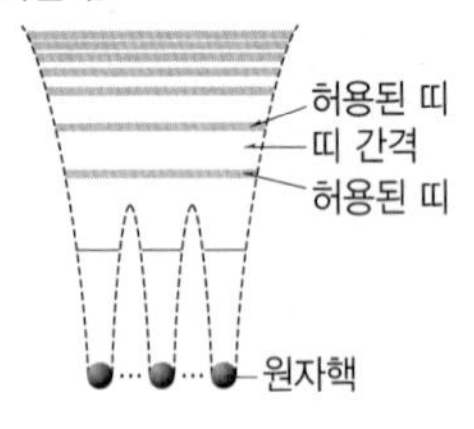

B 고체의 전기 전도성

1 전기 전도성 물질 내에서 전류가 흐를 수 있는 정도를 전기 전도성이라고 하며, 이를 수치화한 것이 ❺□□ □□□이다.

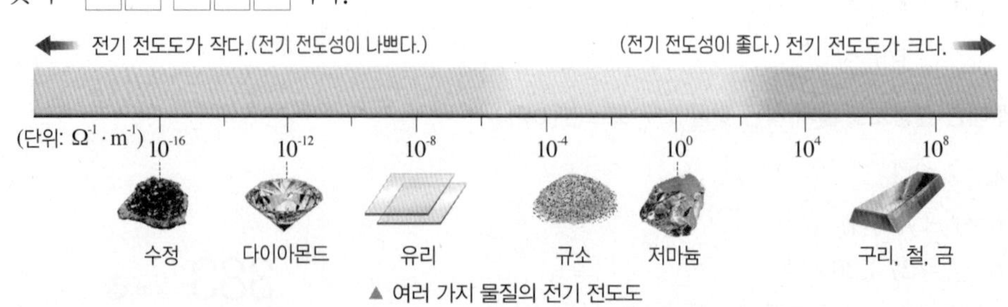

▲ 여러 가지 물질의 전기 전도도

2 에너지띠 구조와 고체의 전기 전도성 원자가 띠에 전자가 모두 채워져 있는 경우에는 전자가 자유롭게 움직이지 못하지만, 원자가 띠의 전자가 띠 간격 이상의 에너지를 흡수하여 전도띠로 옮겨가면 ❻□□ 전자가 되어 전류를 흐르게 할 수 있다. ➔ 에너지띠 구조의 차이에 따라 고체의 전기 전도성이 달라진다.

기출 Tip B-1

전기 전도도(σ)와 비저항(ρ)
물체의 전기 저항(R)은 물체의 길이(l)에 비례하고, 물체의 단면적(S)에 반비례한다. 이때 비례 상수를 비저항(ρ)이라고 한다.
즉, $R=\rho\frac{l}{S}$ [단위: Ω]이다.
전기 전도도(σ)는 비저항(ρ)의 역수로 다음과 같은 관계가 있다.

$$\sigma=\frac{1}{\rho}=\frac{l}{RS}$$
[단위: $\Omega^{-1}\cdot m^{-1}$]

전기 전도도가 클수록 전류가 잘 흐른다.

3 자유 전자와 양공 자유 전자와 양공에 의해 전류가 흐른다.
(→ 전하를 나르는 원인이 되므로 전하 나르개라고 한다.)

① 자유 전자: 원자가 띠의 전자가 에너지를 얻어 전도띠로 전이한 전자이다.

② ❼☐☐: 전자의 전이로 인해 원자가 띠에 생기는 전자의 빈자리이다. 이웃한 전자가 채워지면서 움직일 수 있으므로 양(+) 전하를 띤 입자와 같은 역할을 한다.

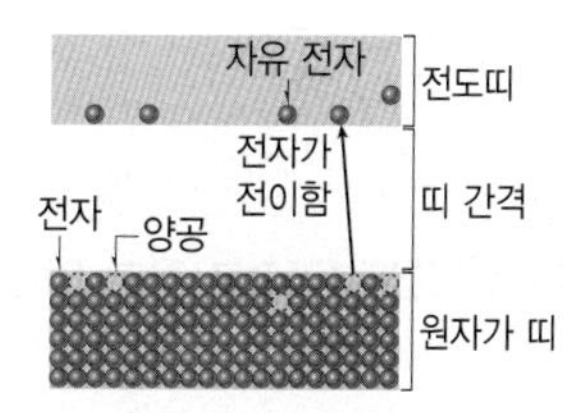

▲ 자유 전자와 양공

4 고체의 전기 전도성에 따른 분류

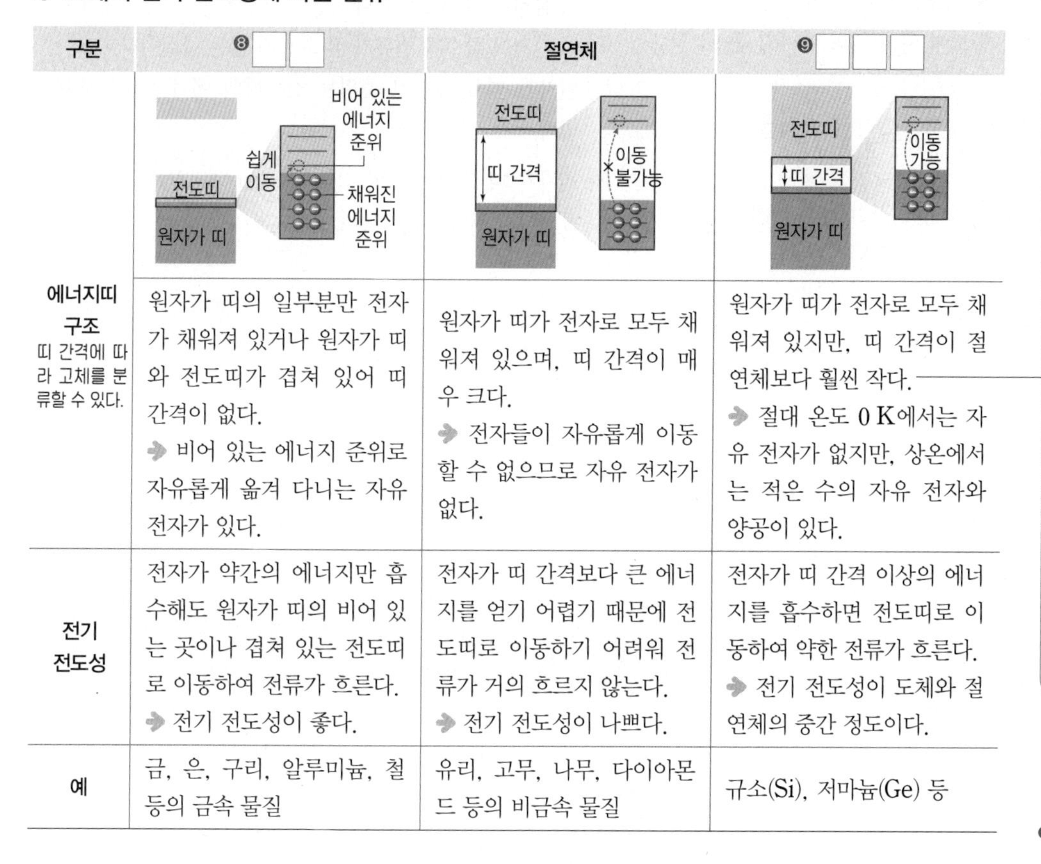

구분	❽☐☐	절연체	❾☐☐☐
에너지띠 구조 띠 간격에 따라 고체를 분류할 수 있다.	원자가 띠의 일부분만 전자가 채워져 있거나 원자가 띠와 전도띠가 겹쳐 있어 띠 간격이 없다. ➡ 비어 있는 에너지 준위로 자유롭게 옮겨 다니는 자유 전자가 있다.	원자가 띠가 전자로 모두 채워져 있으며, 띠 간격이 매우 크다. ➡ 전자들이 자유롭게 이동할 수 없으므로 자유 전자가 없다.	원자가 띠가 전자로 모두 채워져 있지만, 띠 간격이 절연체보다 훨씬 작다. ➡ 절대 온도 0 K에서는 자유 전자가 없지만, 상온에서는 적은 수의 자유 전자와 양공이 있다.
전기 전도성	전자가 약간의 에너지만 흡수해도 원자가 띠의 비어 있는 곳이나 겹쳐 있는 전도띠로 이동하여 전류가 흐른다. ➡ 전기 전도성이 좋다.	전자가 띠 간격보다 큰 에너지를 얻기 어렵기 때문에 전도띠로 이동하기 어려워 전류가 거의 흐르지 않는다. ➡ 전기 전도성이 나쁘다.	전자가 띠 간격 이상의 에너지를 흡수하면 전도띠로 이동하여 약한 전류가 흐른다. ➡ 전기 전도성이 도체와 절연체의 중간 정도이다.
예	금, 은, 구리, 알루미늄, 철 등의 금속 물질	유리, 고무, 나무, 다이아몬드 등의 비금속 물질	규소(Si), 저마늄(Ge) 등

• 띠 간격이 2 eV보다 작으면 반도체, 크면 절연체로 구분한다.

기출 Tip B-4

온도와 고체의 전기 전도성

- 도체: 온도가 높을수록 원자의 운동이 활발해져 자유 전자의 운동이 방해를 많이 받게 되므로, 전류가 흐르기 어려워지고 전기 전도성이 나빠진다.
- 반도체: 온도가 높을수록 열에너지를 얻어 전도띠로 전이하는 전자가 많아지므로 전기 전도성이 좋아진다.

답 ❶ 배타 원리 ❷ 에너지띠 ❸ 원자가 띠 ❹ 전도띠 ❺ 전기 전도도 ❻ 자유 ❼ 양공 ❽ 도체 ❾ 반도체

빈출 자료 보기

정답과 해설 52쪽

384 그림 (가)~(다)는 도체, 절연체, 반도체의 에너지띠 구조를 순서 없이 나타낸 것이다.

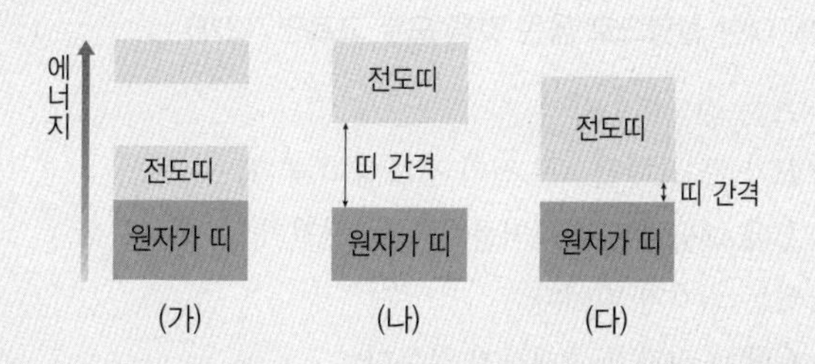

이에 대한 설명으로 옳은 것은 ○, 옳지 않은 것은 ×로 표시하시오.

(1) 전자는 높은 에너지 준위에서부터 아래로 채워진다. ( )
(2) 원자가 띠에 있던 전자가 전도띠로 전이하면 자유 전자가 된다. ( )
(3) 원자가 띠의 전자가 전도띠로 전이하려면 에너지를 방출해야 한다. ( )
(4) 상온에서 전도띠에 존재하는 전자는 (가)에서가 (나)에서보다 많다. ( )
(5) (나)에서 전자는 자유롭게 이동할 수 없다. ( )
(6) (가)~(다) 중 전기 전도성이 가장 좋은 물질은 (나)이다. ( )
(7) (다)에서는 온도가 높을수록 양공의 수가 줄어든다. ( )

A 고체의 에너지띠

385 하중상

多 보기

고체 원자의 에너지 준위와 에너지띠에 대한 설명으로 옳지 않은 것을 모두 고르면?(2개)

① 전자는 띠 간격에도 고르게 분포한다.
② 전자는 가장 낮은 에너지 준위부터 순서대로 채워진다.
③ 전자가 존재할 수 있는 에너지띠를 허용된 띠라고 한다.
④ 수많은 에너지 준위들이 촘촘하게 모여 띠 형태의 에너지 준위를 이룬다.
⑤ 전자가 채워진 에너지띠 중 가장 바깥에 있는 에너지띠를 원자가 띠라고 한다.
⑥ 원자들이 서로 멀리 떨어져 있으므로 한 원자가 다른 원자에 영향을 주지 않는다.

386 하중상

그림은 고체의 에너지띠 구조를 나타낸 것이다. a와 b는 각각 전도띠와 원자가 띠 중 하나이다.

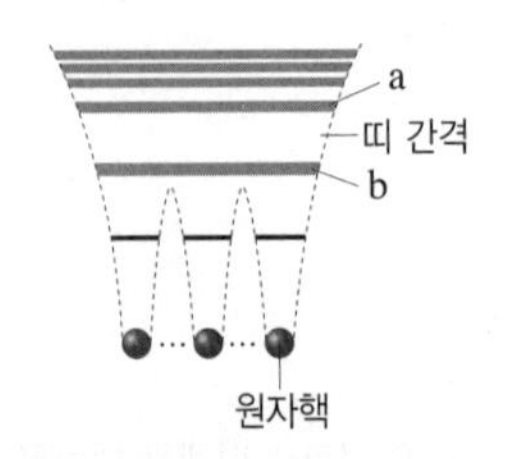

이에 대한 설명으로 옳지 않은 것은?

① a는 전도띠이다.
② 에너지 준위가 높을수록 띠 간격은 좁아진다.
③ 절대 온도 0 K에서 전자는 a부터 채워진 후 b에 채워진다.
④ 파울리 배타 원리에 의해 같은 양자 상태에 2개 이상의 전자가 동시에 있을 수 없다.
⑤ 인접한 원자의 개수가 증가하면 각각의 에너지 준위가 증가한 원자 수만큼 더 갈라진다.

387 하중상

그림은 어떤 물질의 에너지띠를 나타낸 것이다.

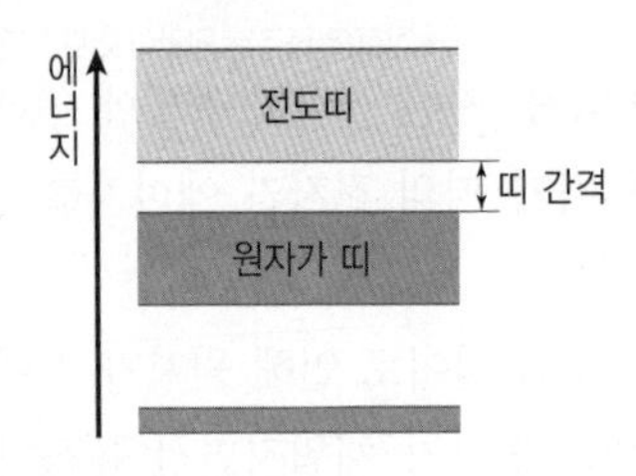

이에 대한 설명으로 옳은 것만을 〈보기〉에서 있는 대로 고른 것은?

〈 보기 〉
ㄱ. 이 물질은 기체 상태이다.
ㄴ. 띠 간격이 클수록 전류가 잘 흐르지 않는 물질이다.
ㄷ. 원자가 띠의 에너지 준위는 전도띠의 에너지 준위보다 낮다.
ㄹ. 원자가 띠의 전자가 띠 간격의 $\frac{1}{2}$에 해당하는 에너지를 흡수하면 전자는 띠 간격에 존재한다.

① ㄱ, ㄷ ② ㄱ, ㄹ ③ ㄴ, ㄷ
④ ㄱ, ㄴ, ㄹ ⑤ ㄴ, ㄷ, ㄹ

388 하중상

多 보기

그림은 절대 온도 0 K일 때 어떤 고체의 에너지띠 구조를 나타낸 것이다. A, B, C는 각각 원자가 띠, 전도띠, 띠 간격 중 하나이다.

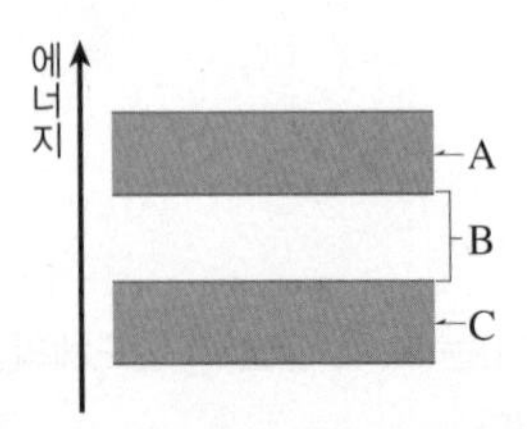

이에 대한 설명으로 옳은 것을 모두 고르면?(2개)

① A는 전도띠이다.
② B가 큰 고체일수록 전기 전도성이 좋다.
③ B에 해당하는 에너지를 가지는 전자가 존재한다.
④ C는 원자가 띠이다.
⑤ C에는 전자가 존재하지 않는다.
⑥ C에 있는 전자의 에너지 준위는 모두 같다.

389 하중상 ••서술형

그림은 어떤 고체의 에너지띠 구조를 나타낸 것이다. 원자가 띠에 있는 입자 ㉠이 전도띠로 이동하여 원자가 띠에 ㉠의 빈자리인 ㉡이 생겼다.

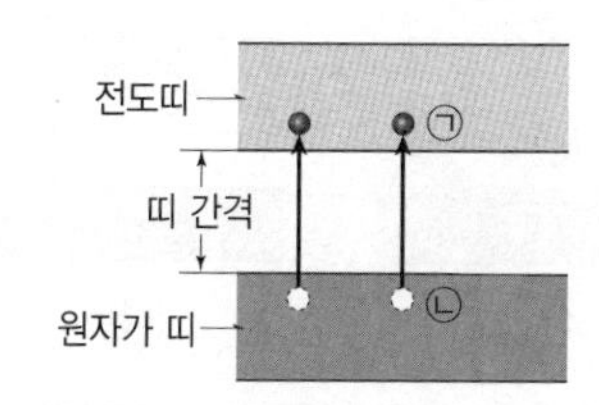

(1) ㉠과 ㉡의 이름을 각각 쓰시오.

(2) 원자가 띠의 ㉠이 전도띠로 이동하기 위해서 필요한 조건을 서술하시오.

390 하중상

그림 A와 B는 어떤 물질이 각각 기체 상태일 때와 고체 상태일 때 원자의 에너지 준위를 순서 없이 나타낸 것이다. ⓐ, ⓑ, ⓒ는 허용된 띠이다.

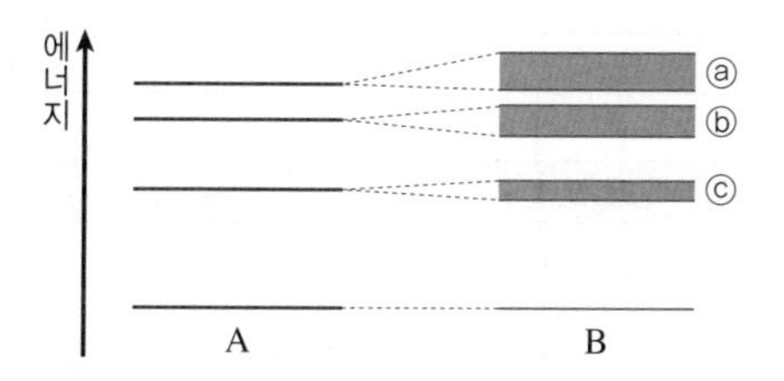

이에 대한 설명으로 옳은 것만을 〈보기〉에서 있는 대로 고른 것은?

〈 보기 〉
ㄱ. A는 기체 상태일 때의 에너지 준위이다.
ㄴ. B에서 ⓐ와 ⓑ, ⓑ와 ⓒ 사이에는 전자가 존재한다.
ㄷ. ⓒ에 있는 전자의 에너지 준위는 거의 연속적으로 분포한다.

① ㄴ ② ㄷ ③ ㄱ, ㄴ
④ ㄱ, ㄷ ⑤ ㄱ, ㄴ, ㄷ

391 하중상 多 보기

그림 (가), (나)는 기체 원자의 에너지 준위와 고체 원자의 에너지 준위를 순서 없이 나타낸 것이다.

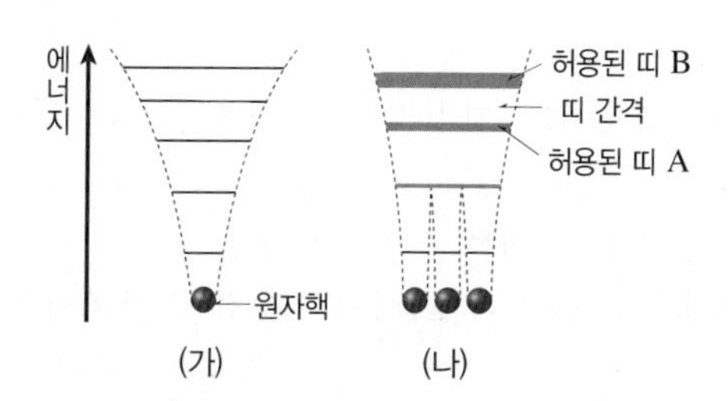

이에 대한 설명으로 옳지 않은 것을 모두 고르면?(3개)

① (가)의 에너지 준위는 불연속적이다.
② (가)는 기체 원자의 에너지 준위이다.
③ 원자들 사이의 거리가 충분히 먼 경우 에너지띠가 형성된다.
④ (가)에서 원자핵에서 멀어질수록 인접한 에너지 준위 사이의 간격은 좁아진다.
⑤ (나)에서 띠 간격은 전자가 가장 많이 분포하는 부분이다.
⑥ (나)의 허용된 띠 A에서 B로 전자가 전이하기 위해서는 에너지를 방출해야 한다.
⑦ (나)에서 에너지 준위가 띠의 형태를 이루는 까닭은 인접한 원자들의 영향 때문이다.

B 고체의 전기 전도성

전기 전도도

392 하중상

그림은 어떤 니크롬선의 전압에 따른 전류를 나타낸 것이다. 니크롬선의 전기 저항을 구하시오.

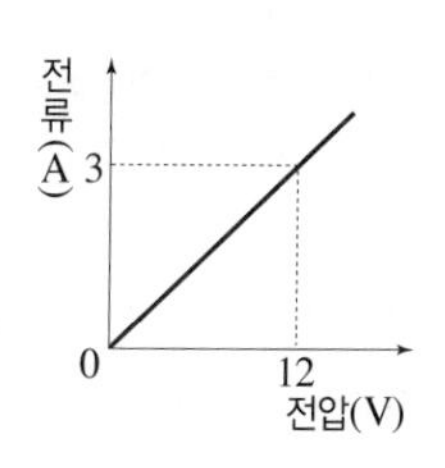

393 하중상

고체의 전기 전도도에 대한 설명으로 옳은 것만을 〈보기〉에서 있는 대로 고른 것은?

〈 보기 〉

ㄱ. 전기 전도도는 물질 내에서 전류가 잘 흐르는 정도를 나타내는 양이다.

ㄴ. 전기 전도도는 비저항이 클수록 크다.

ㄷ. 철과 규소는 온도가 높을수록 전기 전도도가 커진다.

① ㄱ　② ㄷ　③ ㄱ, ㄴ　④ ㄴ, ㄷ　⑤ ㄱ, ㄴ, ㄷ

394 하중상

••서술형

표는 고체 막대 A, B, C의 비저항, 길이, 단면적을 나타낸 것이다.

고체 막대	비저항	길이	단면적
A	ρ	L	S
B	2ρ	L	$4S$
C	3ρ	$2L$	$2S$

(1) A, B, C의 전기 전도도를 비교하여 부등호로 나타내시오.

(2) A, B, C의 전기 저항을 비교하여 풀이 과정과 함께 부등호로 나타내시오.

도체 · 절연체 · 반도체의 에너지띠와 전기 전도성

395 하중상

그림은 어떤 물질의 에너지띠 구조를 나타낸 것이다. A는 전자가 채워진 띠, B는 전자가 채워지지 않은 띠이고 A와 B는 서로 겹쳐 있다.

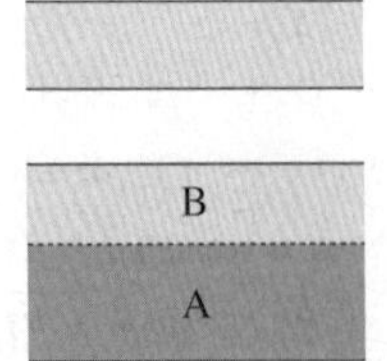

이에 대한 설명으로 옳은 것만을 〈보기〉에서 있는 대로 고른 것은?

〈 보기 〉

ㄱ. 전류가 거의 흐르지 않는 물질이다.

ㄴ. 다이아몬드의 에너지띠 구조와 유사하다.

ㄷ. 전자가 약간의 에너지만 흡수해도 A에서 B로 쉽게 이동할 수 있다.

① ㄴ　② ㄷ　③ ㄱ, ㄴ　④ ㄱ, ㄷ　⑤ ㄱ, ㄴ, ㄷ

396 하중상

多 보기

그림은 고체 (가)와 (나)의 에너지띠 구조를 나타낸 것이다. (가)와 (나)는 각각 도체와 반도체 중 하나이다.

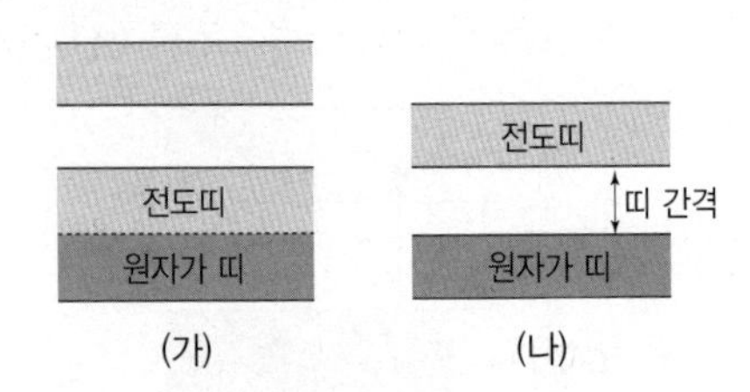

이에 대한 설명으로 옳지 않은 것을 모두 고르면?(2개)

① (가)는 반도체이다.

② 상온에서 전기 전도성은 (가)가 (나)보다 좋다.

③ (나)는 온도가 높아질수록 전기 전도성이 좋아진다.

④ 띠 간격은 고체를 전기적 성질에 따라 분류하는 기준이 된다.

⑤ (나)에 띠 간격 이상의 에너지를 공급하면 원자가 띠에 양공이 생긴다.

⑥ 원자가 띠의 전자가 전도띠로 전이하기 위해 필요한 최소한의 에너지는 (가)에서가 (나)에서보다 크다.

397 하중상

그림은 절대 온도 0 K에서 고체 (가)와 (나)의 에너지띠 구조를 나타낸 것이다. 색칠한 부분은 에너지띠에 전자가 차 있는 것을 나타낸다.

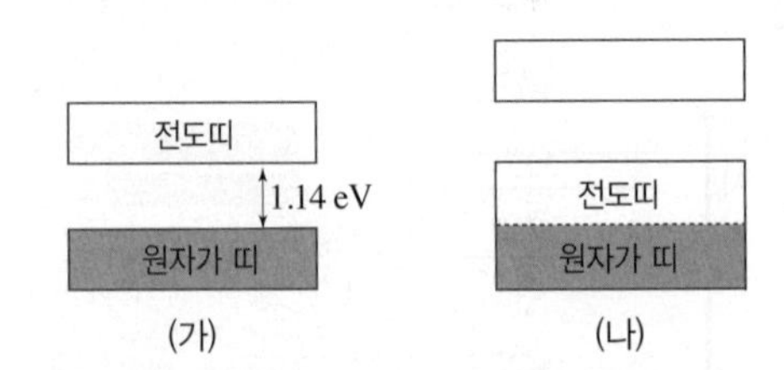

이에 대한 설명으로 옳은 것만을 〈보기〉에서 있는 대로 고른 것은?

〈 보기 〉

ㄱ. (가)는 반도체, (나)는 절연체이다.

ㄴ. 전기 전도도는 (가)가 (나)보다 작다.

ㄷ. (가)와 (나)에는 자유 전자가 존재한다.

ㄹ. (가)에서 원자가 띠의 전자가 1.14 eV 이상의 에너지를 흡수하면 전도띠로 전이할 수 있다.

① ㄱ, ㄴ　② ㄱ, ㄷ　③ ㄴ, ㄹ　④ ㄱ, ㄷ, ㄹ　⑤ ㄴ, ㄷ, ㄹ

398 하 중 상

그림은 규소와 다이아몬드의 에너지띠 구조를 나타낸 것이다.

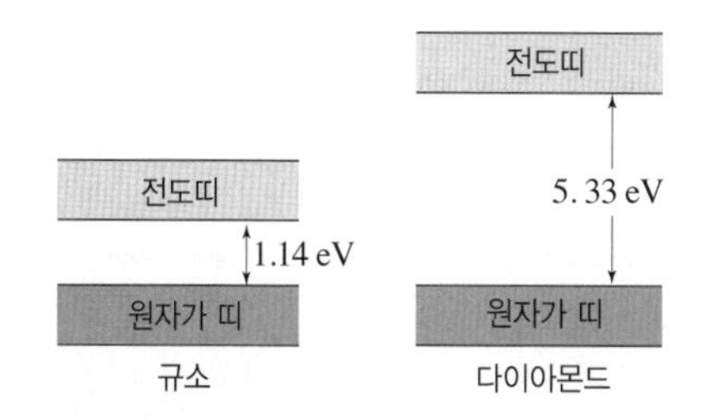

이에 대한 설명으로 옳은 것만을 〈보기〉에서 있는 대로 고른 것은?

〈 보기 〉

ㄱ. 다이아몬드의 전도띠는 전자로 가득 차 있다.
ㄴ. 규소가 다이아몬드보다 전기 전도도가 크다.
ㄷ. 규소의 원자가 띠의 전자가 전도띠로 전이하면 원자가 띠에 양공이 생긴다.
ㄹ. 다이아몬드의 원자가 띠에 있는 전자가 5 eV의 에너지를 흡수하면 전도띠로 전이한다.

① ㄱ, ㄴ ② ㄱ, ㄹ ③ ㄴ, ㄷ
④ ㄱ, ㄷ, ㄹ ⑤ ㄴ, ㄷ, ㄹ

399 하 중 상

그림은 고체 A, B, C의 에너지띠 구조를 나타낸 것이다. 색칠한 부분에는 전자가 채워져 있다. A~C는 각각 도체, 절연체, 반도체 중 하나이다.

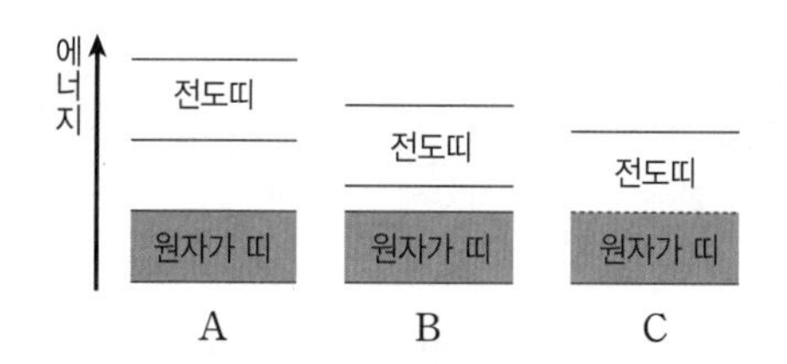

다음은 학생들이 A~C에 대해 대화하는 내용을 나타낸 것이다.

• 수경: A의 원자가 띠에 있는 전자는 상온에서 전도띠로 쉽게 전이할 수 있어.
• 다미: B는 온도가 높을수록 전기 전도도가 커지지.
• 현지: B에서 전자가 원자가 띠에서 전도띠로 전이하면 원자가 띠에 양공이 생겨.
• 한솔: 전기 전도도가 큰 순서대로 나열하면 C>A>B야.

옳게 말한 사람만을 있는 대로 고른 것은?

① 수경, 다미 ② 다미, 현지
③ 현지, 한솔 ④ 수경, 다미, 한솔
⑤ 수경, 현지, 한솔

400 하 중 상

多 보기

그림 (가)~(다)는 도체, 반도체, 절연체의 에너지띠 구조를 순서 없이 나타낸 것이다.

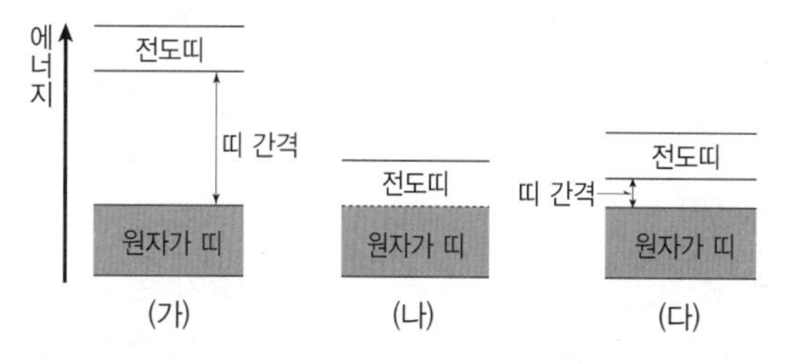

이에 대한 설명으로 옳지 않은 것을 모두 고르면?(2개)

① (가)와 같은 에너지띠 구조를 가진 물질에는 나무가 있다.
② (가)는 전자가 원자가 띠에서 전도띠로 쉽게 이동할 수 있어 전류가 잘 흐른다.
③ (나)는 (가)보다 전기 전도성이 좋다.
④ 상온에서 자유 전자의 수는 (나)가 (가)보다 많다.
⑤ (나)는 온도가 높아질수록 전기 전도도가 작아진다.
⑥ (다)는 반도체의 에너지띠 구조이다.
⑦ 상온에서 (다)의 원자가 띠에는 양공이 존재하지 않는다.

401 하 중 상

••서술형

절연체에 전류가 잘 흐르지 않는 까닭을 다음 용어를 모두 포함하여 서술하시오.

전자, 띠 간격, 에너지, 원자가 띠, 전도띠

402 하 중 상

그림 (가)는 고체 A와 B, 전구, 스위치를 이용하여 구성한 회로를 나타낸 것이다. 스위치를 모두 닫으면 전구에 불이 켜지지만, A에 연결된 스위치를 열면 불이 꺼진다. 그림 (나)의 X와 Y는 A, B의 에너지띠 구조를 순서 없이 나타낸 것이다. A, B는 각각 도체, 절연체 중 하나이다.

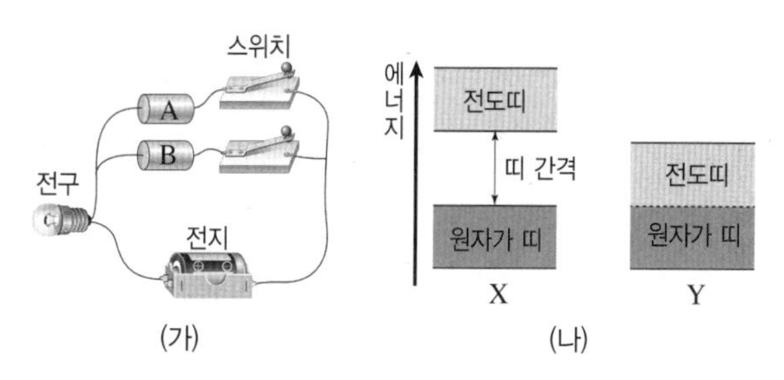

이에 대한 설명으로 옳지 않은 것은?

① A는 도체이다.
② A의 에너지띠 구조는 Y이다.
③ 전기 전도성은 A가 B보다 좋다.
④ 자유 전자의 수는 B가 A보다 많다.
⑤ 고무는 X와 같은 에너지띠 구조를 갖는다.

반도체

기출 Tip Ⓐ-1

규소(Si) 원자

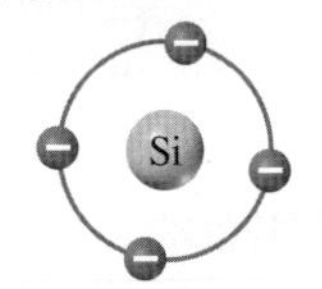

규소는 14족 원소로 원자가 전자 4개를 갖는다.
원자의 전자 배치에서 가장 바깥쪽 전자껍질에 배치되어 화학 결합에 관여하는 전자

기출 Tip Ⓐ-2

전하 운반자(전하 나르개)

반도체에서는 전도띠의 전자와 원자가 띠의 양공이 모두 전하를 운반한다.

주요 전하 운반자
- p형 반도체: 양공
- n형 반도체: 전자

Ⓐ 반도체

1 고유(순수) 반도체 ❶ □□□ 없이 완벽한 결정 구조를 갖는 반도체 예 규소(Si), 저마늄(Ge) → 원자가 전자 4쌍이 공유 결합한 안정된 구조

① 낮은 온도에서 고유 반도체에는 자유 전자나 양공의 수가 적다.
➔ 전류가 잘 흐르지 않는다.

② 고유 반도체에 약간의 불순물을 넣으면 전류가 잘 흐르게 할 수 있다. ➔ 불순물을 섞는 과정을 ❷ □□이라고 한다. → 도핑은 띠 간격 사이에 새로운 에너지 준위를 삽입하는 것과 같다.

전자 / 공유 결합

▲ 고유 반도체의 구조

2 비고유(불순물) 반도체 고유 반도체에 특정한 불순물을 도핑한 반도체로, 불순물의 종류에 따라 p형 반도체와 n형 반도체로 나눈다. → 자유 전자나 양공의 수가 증가하여 전기 전도도가 커진다.

구분	❸ □형 반도체 → positive	❹ □형 반도체 → negative
불순물	원자가 전자가 3개인 원소 → 13족 원소 예 붕소(B), 알루미늄(Al), 갈륨(Ga), 인듐(In) 등	원자가 전자가 5개인 원소 → 15족 원소 예 인(P), 비소(As), 안티모니(Sb) 등
원리	붕소는 인접한 규소 원자에서 전자를 얻어 음이온이 된다. 양공 / 규소 원자 / 붕소 원자 공유 결합할 전자가 부족하여 빈자리인 양공이 생긴다. ➔ ❺ □□이 주로 전하를 운반한다. → 전하 운반자	인은 인접한 규소 원자에 전자를 주고 양이온이 된다. 규소 원자 / 인 원자 / 전자 원자가 전자 4쌍이 공유 결합하고 전자 1개가 남는다. ➔ 남은 ❻ □□가 주로 전하를 운반한다.
에너지띠	양공으로 만들어진 에너지 준위 / 전도띠 / 원자가 띠 양공에 의해 ❼ □□□ □ 바로 위에 새로운 에너지 준위가 생긴다.	결합에 참여하지 않은 전자로 만들어진 에너지 준위 / 전도띠 / 원자가 띠 남는 전자에 의해 ❽ □□□ 바로 아래에 새로운 에너지 준위가 생긴다.
전기 전도성	원자가 띠의 전자가 작은 에너지로도 새로운 에너지 준위로 쉽게 전이할 수 있어 전기 전도성이 좋아진다.	새로운 에너지 준위에 있는 전자가 작은 에너지로도 쉽게 전도띠로 전이할 수 있어 전기 전도성이 좋아진다.

Ⓑ 다이오드

1 p-n 접합 다이오드 p형 반도체와 n형 반도체를 접합하여 만드는 반도체 소자로, 전류를 한쪽 방향으로만 흐르게 하는 ❾ □□ 작용을 한다.

① p-n 접합 다이오드의 모습, 구조, 기호

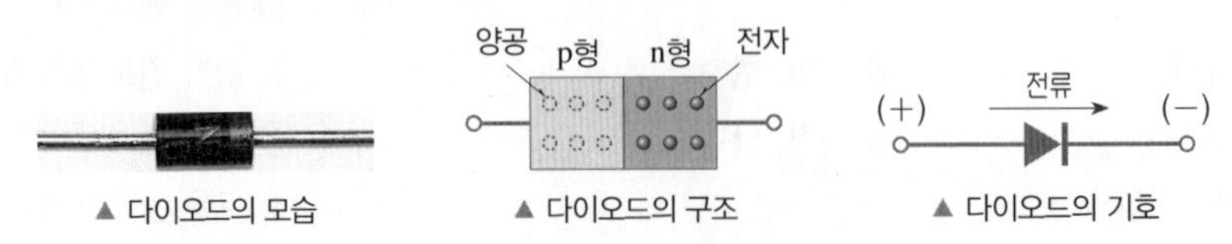

▲ 다이오드의 모습　▲ 다이오드의 구조　▲ 다이오드의 기호

② p−n 접합 다이오드의 전원 연결 방향

구분	순방향 전압(순방향 바이어스)	역방향 전압(역방향 바이어스)
전원 연결	p형 반도체는 전원의 ⑩ ☐ 극에 연결하고, n형 반도체는 전원의 ⑪ ☐ 극에 연결한다.	p형 반도체는 전원의 ⑫ ☐ 극에 연결하고, n형 반도체는 전원의 ⑬ ☐ 극에 연결한다.
원리	(+) (−) p형 반도체 n형 반도체 양공 전자 p−n 접합면을 통해 p형 반도체의 양공이 (−)극 쪽으로, n형 반도체의 전자가 (+)극 쪽으로 이동하여 결합한다. ➡ 양공과 전자가 접합면을 쉽게 통과하므로 전류가 흐른다.	(−) (+) p형 반도체 n형 반도체 p형 반도체의 양공과 n형 반도체의 전자가 p−n 접합면으로부터 멀어진다. ➡ 양공과 전자가 접합면을 통해 이동할 수 없어 전류가 흐르지 않는다.

└• 전원 장치에서 양공과 전자를 계속 공급한다.

③ p−n 접합 다이오드의 정류 작용: 전류를 한쪽 방향으로만 흐르게 하는 회로를 정류 회로라고 하며, 교류를 직류로 바꾸어 주는 회로에 다이오드의 정류 작용이 이용된다.

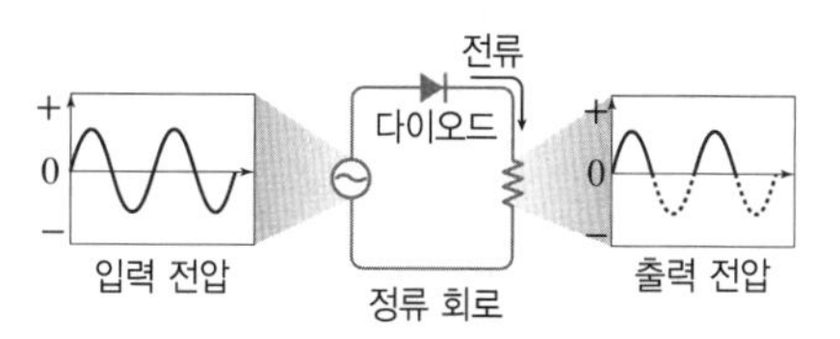

▲ 정류 회로에서 다이오드의 정류 작용

2 다이오드의 이용

① ⑭ ☐☐ 다이오드(LED): 전류가 흐를 때 빛을 방출하는 다이오드 ➡ 영상 표시 장치, 조명 장치 등에 이용

발광 다이오드(LED)의 원리

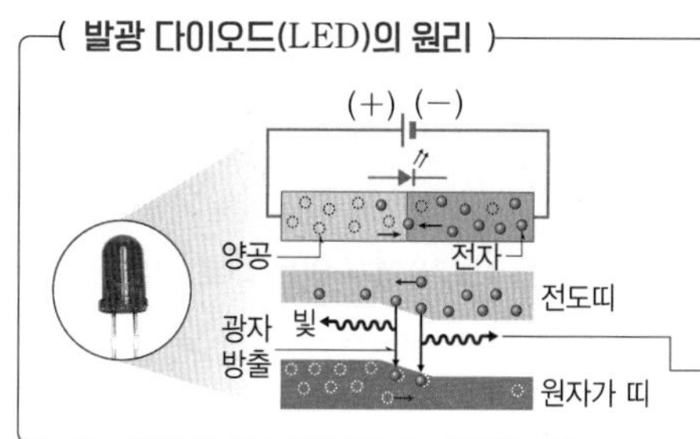

- LED에 순방향 전압이 걸리면 빛이 발생된다.
- 전도띠에 있던 전자가 원자가 띠의 양공으로 전이하면서 띠 간격에 해당하는 만큼의 에너지를 빛으로 방출한다. ─• 방출되는 광자 1개의 에너지는 띠 간격의 크기와 같다.

└• 전자와 양공이 결합할 때 광자가 방출된다.

② 광다이오드: 빛을 비추면 전류가 흐르는 다이오드 ➡ 자동문, 리모컨 수신부 등에 이용

기출 Tip Ⓑ-1

교류와 직류
- 교류: 시간에 따라 전류의 세기와 방향이 주기적으로 변하는 전류
- 직류: 한쪽 방향으로만 흐르는 전류

기출 Tip Ⓑ-2

LED의 띠 간격과 빛의 파장

LED의 재료로 어떤 화합물 반도체를 사용하는가에 따라 띠 간격이 달라진다. 띠 간격이 클수록 파장이 짧은 빛이 방출된다.

띠 간격에 따라 방출하는 빛의 색이 다르다.

답 ❶ 불순물 ❷ 도핑 ❸ p ❹ n ❺ 양공 ❻ 전자 ❼ 원자가 띠 ❽ 전도띠 ❾ 정류 ❿ (+) ⓫ (−) ⓬ (−) ⓭ (+) ⓮ 발광

빈출 자료 보기

정답과 해설 54쪽

403 그림은 p−n 접합 다이오드와 저항, 전지, 스위치가 연결된 회로를 나타낸 것이다.

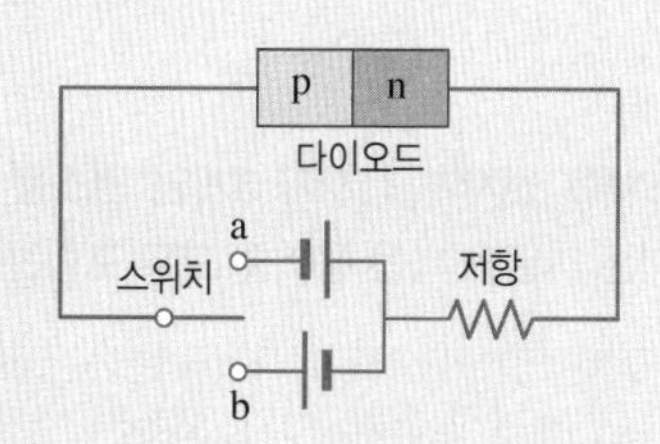

이에 대한 설명으로 옳은 것은 ○, 옳지 않은 것은 ×로 표시하시오.

(1) p−n 접합 다이오드는 전류를 한쪽 방향으로만 흐르게 하는 작용을 한다. ( )

(2) n형 반도체에서 원자가 띠의 전자가 전도띠로 전이하려면 에너지를 방출해야 한다. ( )

(3) 스위치를 a에 연결하면 저항에 전류가 흐르지 않는다. ( )

(4) 스위치를 a에 연결하면 다이오드에는 순방향 전압이 걸린다. ( )

(5) 스위치를 b에 연결하면 다이오드에 있는 전자와 양공이 결합한다. ( )

(6) 스위치를 b에 연결하면 n형 반도체에 있는 전자는 접합면 쪽으로 이동한다. ( )

A 반도체

404 하중상

반도체에 대한 설명으로 옳은 것만을 〈보기〉에서 있는 대로 고른 것은?

〈 보기 〉

ㄱ. 절연체보다 전기 저항이 작다.
ㄴ. 규소(Si) 결정은 원자가 전자 4쌍이 공유 결합하여 안정된 구조를 이룬다.
ㄷ. 고유 반도체에 첨가하는 불순물의 종류에 따라 p형 반도체와 n형 반도체로 구분한다.

① ㄱ ② ㄴ ③ ㄱ, ㄷ
④ ㄴ, ㄷ ⑤ ㄱ, ㄴ, ㄷ

빈출 405 하중상 多 보기

그림은 고유(순수) 반도체에 불순물 (가)를 첨가하여 만든 반도체의 원자 주변의 전자 배열을 나타낸 것이다.

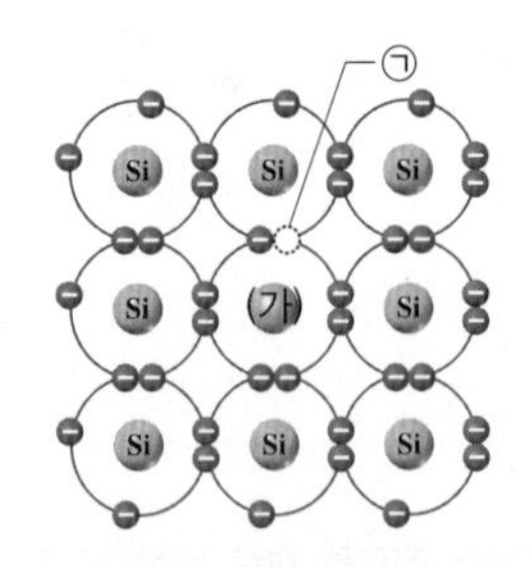

이에 대한 설명으로 옳지 않은 것을 모두 고르면?(2개)

① ㉠은 양공이다.
② n형 반도체이다.
③ (가)는 15족 원소이다.
④ (가)의 원자가 전자는 3개이다.
⑤ 규소(Si)의 원자가 전자는 4개이다.
⑥ 양공이 전하를 운반하는 역할을 한다.
⑦ (가)에 해당하는 원소에는 붕소(B), 알루미늄(Al)이 있다.

[406~407] 그림은 저마늄(Ge)에 인(P)을 첨가한 반도체 A의 원자 주변의 전자 배열을 나타낸 것이다.

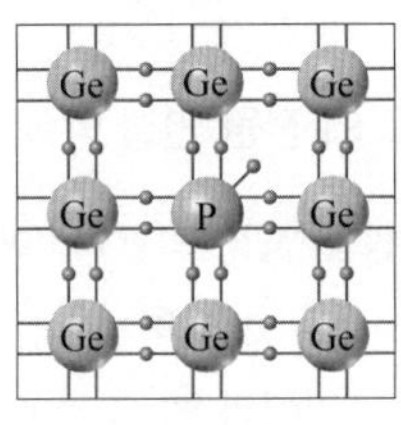

반도체 A

406 하중상

( ) 안에 알맞은 말을 옳게 짝 지은 것은?

저마늄(Ge)은 원자가 전자가 (㉠)개인 원소로, 저마늄 결정은 이웃한 원자의 원자가 전자와 (㉡) 결합을 이룬다. 저마늄 결정에 원자가 전자가 (㉢)개인 인(P)과 같은 (㉣)족 원소를 첨가하면 전기 전도성이 좋아진다.

	㉠	㉡	㉢	㉣
①	3	이온	4	13
②	3	공유	5	15
③	4	이온	4	14
④	4	공유	5	15
⑤	5	공유	5	15

빈출 407 하중상

이에 대한 설명으로 옳은 것만을 〈보기〉에서 있는 대로 고른 것은?

〈 보기 〉

ㄱ. A는 p형 반도체이다.
ㄴ. 저마늄(Ge)에 인(P)을 첨가하는 과정을 도핑이라고 한다.
ㄷ. 인(P)이 남는 전자 하나를 인접한 원자에 주면 음이온이 된다.

① ㄱ ② ㄴ ③ ㄱ, ㄷ
④ ㄴ, ㄷ ⑤ ㄱ, ㄴ, ㄷ

408 하중상 서술형

고유(순수) 반도체에 원자가 전자가 5개인 원소를 첨가하면 전기 전도성이 좋아지는 까닭을 다음 용어를 모두 포함하여 서술하시오.

에너지 준위, 전이, 전도띠

409 하 중 상

그림은 규소(Si) 반도체 X와 규소에 비소(As)를 첨가한 반도체 Y의 원자 주변의 전자 배열을 나타낸 것이다.

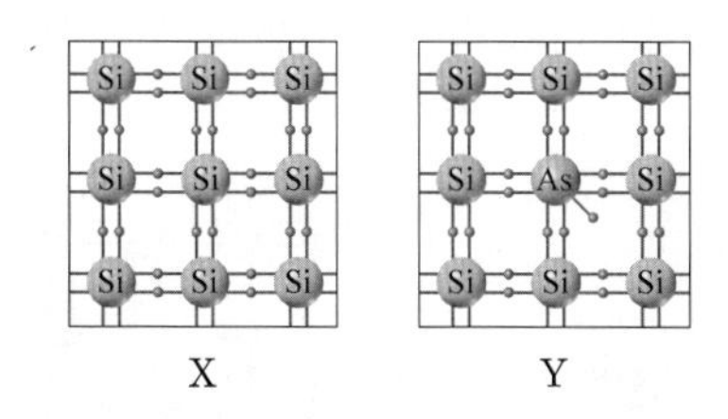

이에 대한 설명으로 옳은 것만을 〈보기〉에서 있는 대로 고른 것은?

〈 보기 〉

ㄱ. X는 p형 반도체이다.

ㄴ. 상온에서 전기 전도성은 Y가 X보다 좋다.

ㄷ. Y에 전압을 걸어 전류가 흐를 때 주로 전자가 전류를 흐르게 한다.

ㄹ. X와 Y를 접합하여 만든 반도체 소자를 p−n 접합 다이오드라고 한다.

① ㄱ, ㄴ ② ㄱ, ㄹ ③ ㄴ, ㄷ
④ ㄱ, ㄷ, ㄹ ⑤ ㄴ, ㄷ, ㄹ

410 하 중 상

그림 (가)와 (나)는 각각 규소(Si)에 원소 A, B를 도핑한 반도체의 원자 주변의 전자 배열을 나타낸 것이다.

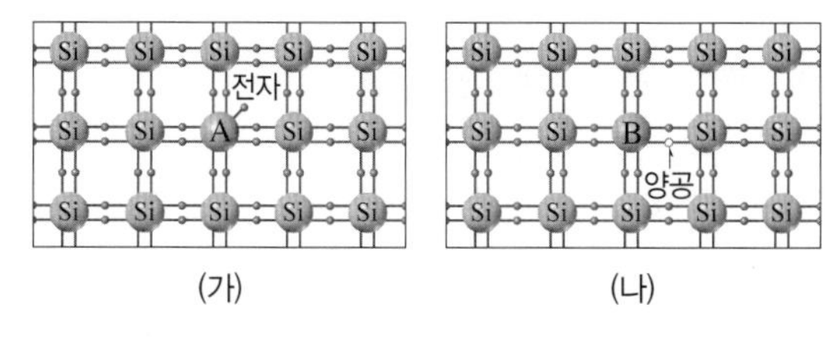

이에 대한 설명으로 옳은 것만을 〈보기〉에서 있는 대로 고른 것은?

〈 보기 〉

ㄱ. 원자가 전자는 A가 B보다 2개 많다.

ㄴ. (나)의 전기 전도성은 순수한 규소 반도체보다 좋다.

ㄷ. (가)는 전도띠 바로 아래에 불순물로 인한 에너지 준위가 만들어진다.

① ㄱ ② ㄴ ③ ㄱ, ㄷ
④ ㄴ, ㄷ ⑤ ㄱ, ㄴ, ㄷ

411 하 중 상

그림 (가)와 (나)는 고유(순수) 반도체에 불순물을 첨가한 반도체의 에너지띠 구조를 나타낸 것이다. (가)는 전도띠 바로 아래에 에너지 준위 A가, (나)는 원자가 띠 바로 위에 에너지 준위 B가 생겼다.

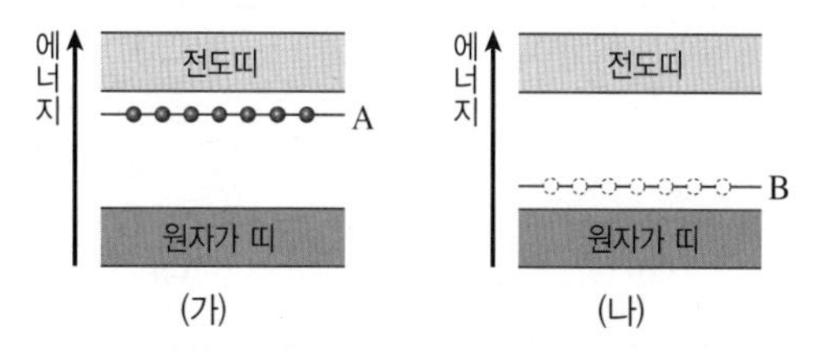

이에 대한 설명으로 옳지 않은 것을 모두 고르면?(2개)

① (가)는 n형 반도체이다.

② (나)는 양공이 주로 전하를 운반한다.

③ (나)는 저마늄(Ge)에 15족 원소를 도핑한 반도체에서 만들어지는 에너지띠 구조이다.

④ A는 저마늄(Ge)에 원자가 전자가 3개인 원소를 도핑했을 때 만들어지는 에너지 준위이다.

⑤ B는 양공에 의해 만들어진 에너지 준위이다.

B 다이오드

p−n 접합 다이오드

빈출

412 하 중 상

다이오드에 대한 설명으로 옳지 않은 것은?

① 정류 회로에 사용된다.

② 순방향 전압이 걸리면 전류가 흐른다.

③ p형 반도체와 n형 반도체를 접합한 것이다.

④ 전류를 한쪽 방향으로만 흐르게 하는 작용을 한다.

⑤ 역방향 전압이 걸린 다이오드에서는 양공과 전자가 접합면에서 결합하여 소멸된다.

413 하 중 상

그림 (가)와 (나)는 전구, 전지, 다이오드를 연결한 회로를 나타낸 것이다.

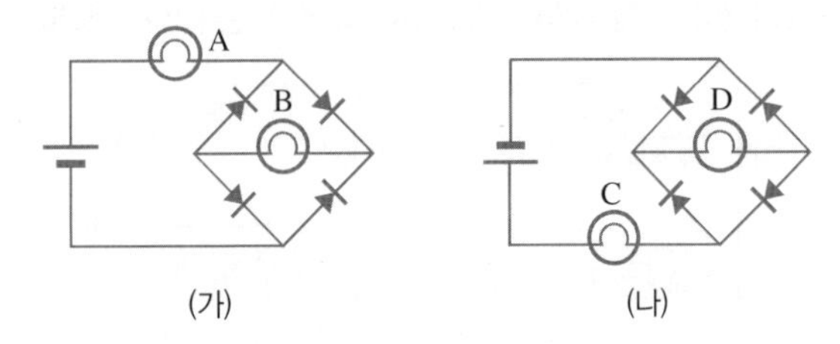

A ~ D 중 불이 켜지는 전구만을 있는 대로 쓰시오.

[414~415] 다음은 p−n 접합 다이오드에 대한 내용이다.

> p−n 접합 다이오드에서 p형 반도체를 전원의 (+)극에 연결하고 n형 반도체를 (−)극에 연결하는 것을 (㉠)방향 연결이라고 하고, 이때 다이오드에는 전류가 흐른다. p형 반도체를 전원의 (−)극에 연결하고 n형 반도체를 (+)극에 연결하는 것은 (㉡)방향 연결이라고 하고, 이때 다이오드에는 전류가 흐르지 않는다. 이처럼 p−n 접합 다이오드는 한쪽 방향으로만 전류를 흐르게 하는 (㉢) 작용을 한다.

414 하 중 상

㉠ ~ ㉢에 들어갈 알맞은 말을 쓰시오.

415 하 중 상

••서술형

p−n 접합 다이오드에 ㉠ 방향으로 전압을 걸어 줄 때 전류가 흐르는 까닭을 다음 용어를 모두 포함하여 서술하시오.

> 전자, 양공, 접합면

416 하 중 상

그림 (가)는 저마늄(Ge) 결정의 에너지띠 구조를, (나)는 저마늄(Ge)에 붕소(B)를 첨가한 반도체와 불순물 X를 첨가한 반도체를 접합한 p−n 접합 다이오드의 원자 주변의 전자 배열을 나타낸 것이다.

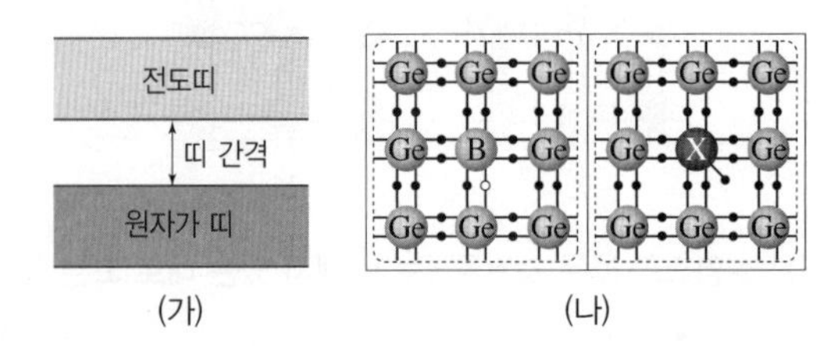

이에 대한 설명으로 옳은 것만을 〈보기〉에서 있는 대로 고른 것은?

〈 보기 〉
ㄱ. (가)의 띠 간격은 도체보다 작다.
ㄴ. (나)에서 원자가 전자의 수는 X가 붕소보다 많다.
ㄷ. (나)의 p−n 접합 다이오드에 역방향 전압을 걸면 n형 반도체에 있는 전자는 p−n 접합면에서 멀어진다.

① ㄱ ② ㄷ ③ ㄱ, ㄴ
④ ㄴ, ㄷ ⑤ ㄱ, ㄴ, ㄷ

417 하 중 상

그림 (가)는 저마늄(Ge)에 인듐(In)을 첨가한 반도체 X와 저마늄(Ge)에 비소(As)를 첨가한 반도체 Y를, (나)는 X와 Y를 이용하여 만든 다이오드가 연결된 회로를 나타낸 것이다.

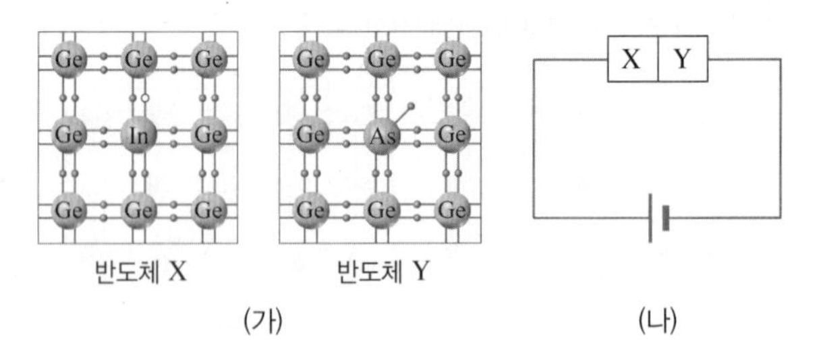

이에 대한 설명으로 옳은 것만을 〈보기〉에서 있는 대로 고른 것은?

〈 보기 〉
ㄱ. X는 p형 반도체이다.
ㄴ. (나)는 역방향 바이어스로 연결되어 있다.
ㄷ. (나)에서 Y에 있는 전자는 X와 Y의 접합면으로 이동한다.

① ㄴ ② ㄷ ③ ㄱ, ㄴ
④ ㄱ, ㄷ ⑤ ㄱ, ㄴ, ㄷ

418 하중상

그림은 p-n 접합 다이오드와 저항, 전지, 스위치를 이용하여 구성한 회로를 나타낸 것이다.

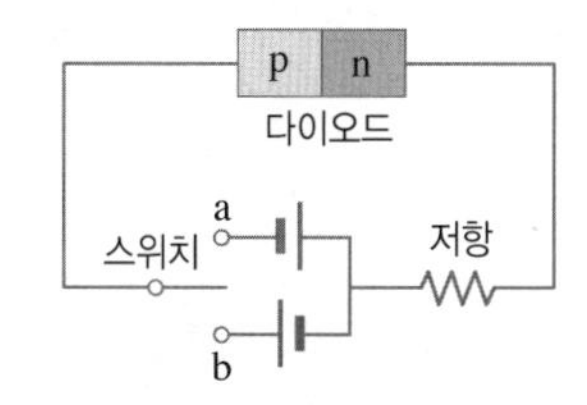

이에 대한 설명으로 옳은 것만을 〈보기〉에서 있는 대로 고른 것은?

〈 보기 〉
ㄱ. 스위치를 a에 연결하면 저항에 전류가 흐른다.
ㄴ. 스위치를 a에 연결하면 다이오드에 역방향 전압이 걸린다.
ㄷ. 스위치를 b에 연결하면 p형 반도체에 있는 양공이 p-n 접합면으로 이동한다.

① ㄱ ② ㄴ ③ ㄱ, ㄷ
④ ㄴ, ㄷ ⑤ ㄱ, ㄴ, ㄷ

419 하중상

多 보기

그림은 반도체 X, Y로 만든 p-n 접합 다이오드를 이용하여 구성한 회로를 나타낸 것이다. X, Y는 각각 p형 반도체와 n형 반도체 중 하나이고, 스위치 S를 b에 연결하면 저항에 전압이 걸린다.

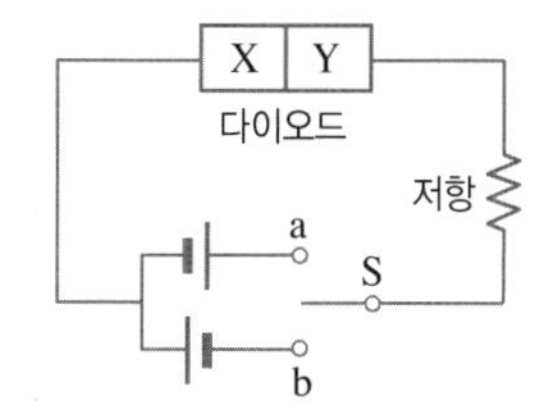

이에 대한 설명으로 옳지 않은 것을 모두 고르면?(2개)

① X는 p형 반도체이다.
② Y의 주요 전하 운반자는 전자이다.
③ S를 a에 연결하면 다이오드에 역방향 전압이 걸린다.
④ S를 a에 연결하면 접합면에서 전자와 양공이 결합한다.
⑤ S를 b에 연결하면 회로에 시계 방향으로 전류가 흐른다.
⑥ S를 b에 연결하면 Y의 전하 운반자는 접합면에서 멀어지는 방향으로 이동한다.

420 하중상

그림은 원소 A를 도핑한 불순물 반도체 X와 원소 B를 도핑한 불순물 반도체 Y를 접합한 다이오드를 직류 전원 장치에 연결했을 때 저항에 화살표 방향으로 전류가 흐르는 모습을 나타낸 것이다.

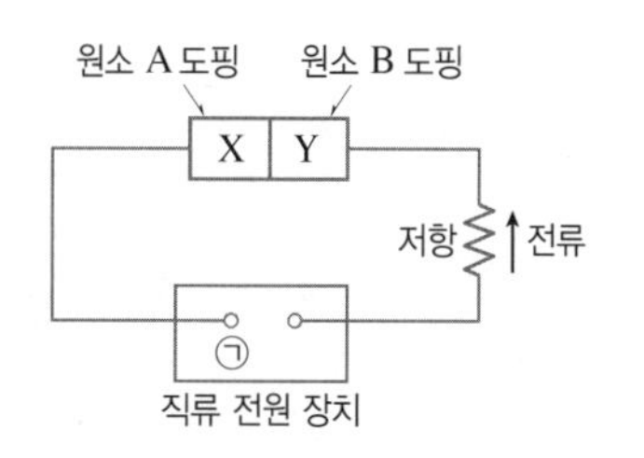

(1) X에서 주요 전하 운반자를 쓰시오.

(2) 전원 장치의 단자 ㉠의 극을 쓰시오.

(3) A와 B의 원자가 전자의 수를 부등호를 이용하여 비교하시오.

421 하중상

그림은 동일한 p-n 접합 다이오드 A, B, C, D에 전지 2개, 저항, 스위치를 연결한 회로를 나타낸 것이다. 스위치를 a에 연결할 때, A와 D에는 역방향 전압이 걸리고, B와 C에는 순방향 전압이 걸린다. X와 Y는 각각 p형 반도체와 n형 반도체 중 하나이다.

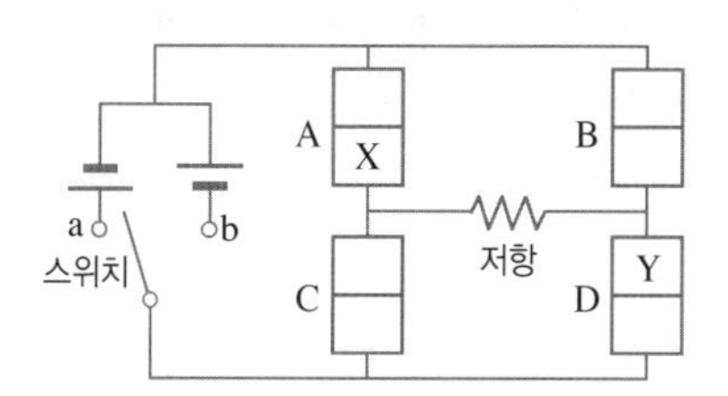

이에 대한 설명으로 옳은 것만을 〈보기〉에서 있는 대로 고른 것은?

〈 보기 〉
ㄱ. X는 p형 반도체이다.
ㄴ. 스위치를 b에 연결하면 A와 D에 순방향 전압이 걸린다.
ㄷ. 스위치를 b에 연결하면 X 내부에 있는 전하 운반자는 p-n 접합면 쪽으로 이동한다.
ㄹ. 스위치를 a에 연결할 때와 b에 연결할 때 저항에 흐르는 전류의 방향은 반대이다.

① ㄱ, ㄷ ② ㄱ, ㄹ ③ ㄴ, ㄷ
④ ㄱ, ㄴ, ㄹ ⑤ ㄴ, ㄷ, ㄹ

422 하 중 상

그림 (가)는 동일한 p-n 접합 다이오드 A~D와 저항을 교류 전원에 연결한 것을 나타낸 것이고, (나)는 점 p에 흐르는 전류를 시간에 따라 나타낸 것이다. p에 흐르는 전류의 방향이 오른쪽일 때 전류는 (+)이다.

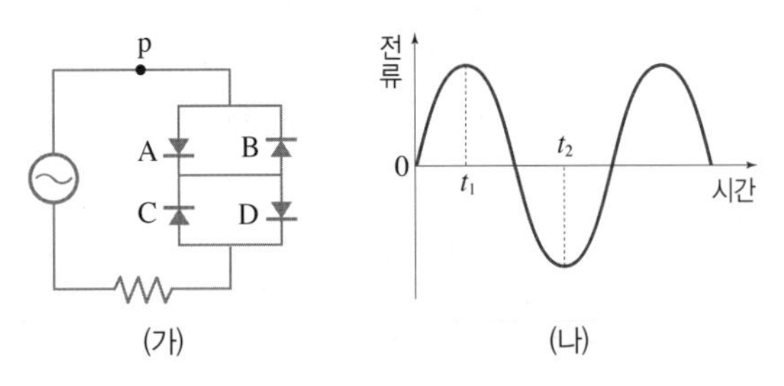

이에 대한 설명으로 옳은 것만을 〈보기〉에서 있는 대로 고른 것은?

〈 보기 〉
ㄱ. t_1일 때, A에는 역방향 바이어스가 걸린다.
ㄴ. t_2일 때, B에는 전류가 흐르지 않는다.
ㄷ. C에 전류가 흐를 때 D에는 전류가 흐르지 않는다.
ㄹ. 저항에 흐르는 전류의 방향은 t_1일 때와 t_2일 때가 서로 반대이다.

① ㄱ, ㄴ ② ㄱ, ㄹ ③ ㄷ, ㄹ
④ ㄱ, ㄴ, ㄷ ⑤ ㄴ, ㄷ, ㄹ

발광 다이오드(LED)

423 하 중 상

그림 (가)는 발광 다이오드(LED)와 저항, 전지를 이용한 회로를, (나)는 A를 구성하는 원소와 원자 주변의 전자 배열을 나타낸 것이다. A, B는 p형 반도체와 n형 반도체 중 하나이다.

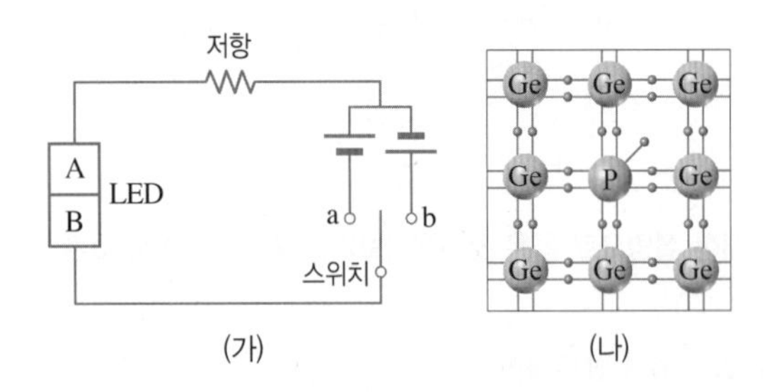

이에 대한 설명으로 옳은 것만을 〈보기〉에서 있는 대로 고른 것은?

〈 보기 〉
ㄱ. A는 n형 반도체이다.
ㄴ. 스위치를 a에 연결하면 저항에 전류가 흐르지 않는다.
ㄷ. 스위치를 b에 연결하면 LED에서 빛이 방출된다.

① ㄱ ② ㄴ ③ ㄱ, ㄷ
④ ㄴ, ㄷ ⑤ ㄱ, ㄴ, ㄷ

424 하 중 상 多 보기

그림은 p형 반도체와 n형 반도체를 접합하여 만든 발광 다이오드(LED)를 이용하여 구성한 회로에서 스위치를 a에 연결했을 때 LED에서 빛이 방출되는 모습을 나타낸 것이다. X와 Y는 전자와 양공 중 하나이다.

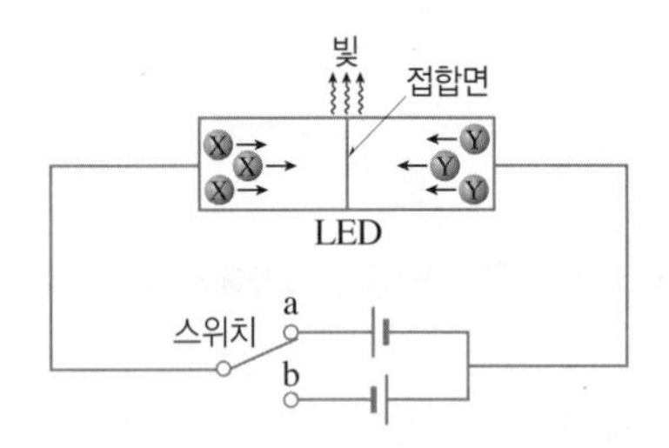

이에 대한 설명으로 옳지 않은 것을 모두 고르면?(2개)

① Y는 양공이다.
② 스위치를 b에 연결하면 LED에는 역방향 전압이 걸린다.
③ 스위치를 b에 연결하면 X와 Y는 접합면으로부터 멀어진다.
④ LED에 순방향 전압이 걸릴 때 Y는 X보다 에너지 준위가 높다.
⑤ 스위치를 a에 연결할 때와 b에 연결할 때 LED에서 방출되는 빛의 세기는 같다.
⑥ LED에서 방출되는 광자 1개의 에너지의 크기는 접합면에서 전자가 전이할 때 감소한 에너지의 크기와 같다.

빈출

425 하 중 상 多 보기

그림과 같이 전원 장치에 발광 다이오드(LED) A, B를 연결하여 회로를 구성하였더니 A는 빛을 방출하고, B는 빛을 방출하지 않았다. A, B는 각각 파란색, 빨간색 발광 다이오드이고, X, Y는 p형 반도체와 n형 반도체 중 하나이다.

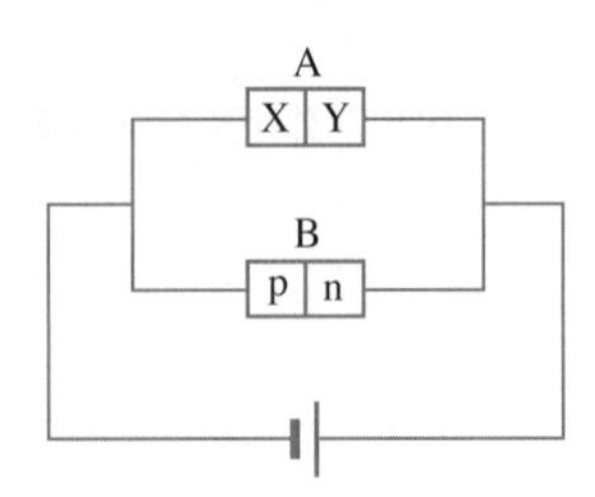

이에 대한 설명으로 옳지 않은 것은?

① X는 n형 반도체이다.
② Y의 주요 전하 운반자는 양공이다.
③ A에는 순방향 바이어스가 걸려 있다.
④ 원자가 띠와 전도띠 사이의 띠 간격은 B가 A보다 크다.
⑤ 전원 장치의 극을 반대로 연결하면 A의 n형 반도체에 있는 전자는 p-n 접합면으로부터 멀어진다.
⑥ LED에서는 전자가 전이할 때 띠 간격에 해당하는 에너지를 빛으로 방출한다.

426 (하 중 상)

그림은 발광 다이오드(LED)와 p-n 접합 다이오드 A, B를 직류 전원 장치에 연결한 회로를 나타낸 것이다. 스위치를 a에 연결했을 때 LED에서 빛이 방출되었고, 스위치를 b에 연결했을 때는 LED에서 빛이 방출되지 않았다. B의 X는 p형 반도체와 n형 반도체 중 하나이다.

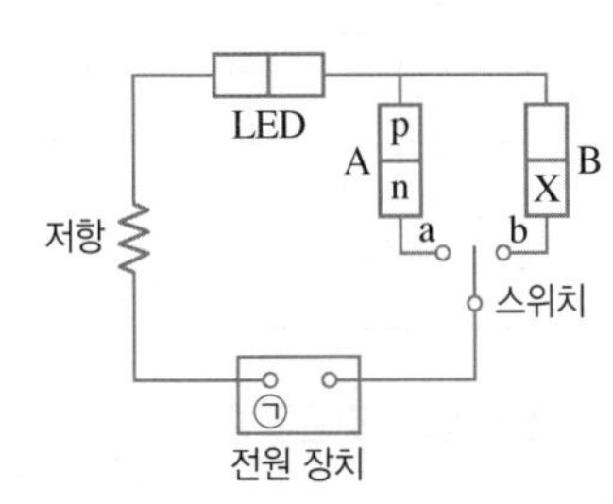

이에 대한 설명으로 옳은 것만을 〈보기〉에서 있는 대로 고른 것은?

〈 보기 〉
ㄱ. X는 p형 반도체이다.
ㄴ. 전원 장치의 ㉠은 (+)극이다.
ㄷ. X는 원자가 전자가 3개인 원소로 도핑되어 있다.

① ㄴ ② ㄷ ③ ㄱ, ㄴ
④ ㄱ, ㄷ ⑤ ㄱ, ㄴ, ㄷ

427 (하 중 상)

그림은 발광 다이오드(LED) A와 B, 전구, 다이오드를 연결하고 스위치 S를 닫았을 때 A와 B, 전구가 모두 켜진 모습을 나타낸 것이다. S를 열었을 때 A와 B는 모두 켜지고, 전구의 밝기에는 변화가 없었다. X, Y는 각각 p형 반도체, n형 반도체 중 하나이다.

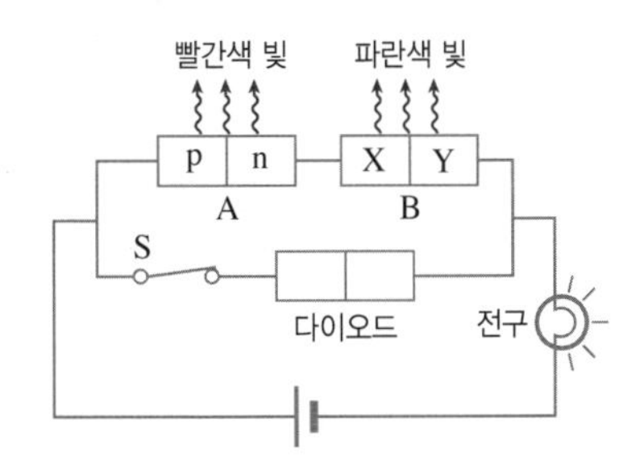

이에 대한 설명으로 옳지 않은 것은?

① Y는 n형 반도체이다.
② 방출되는 빛의 파장은 A에서가 B에서보다 크다.
③ S를 열었을 때 다이오드에는 역방향 전압이 걸린다.
④ 전지의 극을 반대로 연결하면 LED에서 빛이 방출되지 않는다.
⑤ LED에서 방출되는 광자 1개의 에너지는 B에서가 A에서보다 크다.

428 (하 중 상) ••서술형

그림은 p형 반도체와 n형 반도체를 접합하여 만든 발광 다이오드(LED)를 전지에 연결했을 때 빛이 방출되는 모습을 나타낸 것이다. 방출되는 광자 1개의 에너지는 E이고 진동수는 f이다.

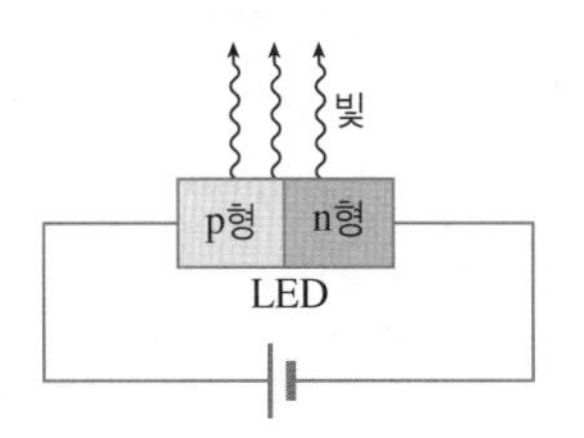

원자가 띠와 전도띠 사이의 띠 간격이 더 작은 재료로 만든 LED로 바꾸어 연결하면 방출되는 광자 1개의 에너지와 진동수에 어떤 변화가 있는지 각각 서술하시오.

[429~430] 그림은 p형 반도체와 n형 반도체를 접합하여 만든 발광 다이오드(LED)를 직류 전원 장치에 연결했을 때 빨간색 빛이 방출되는 모습을 나타낸 것이다. X와 Y는 각각 p형 반도체와 n형 반도체 중 하나이다.

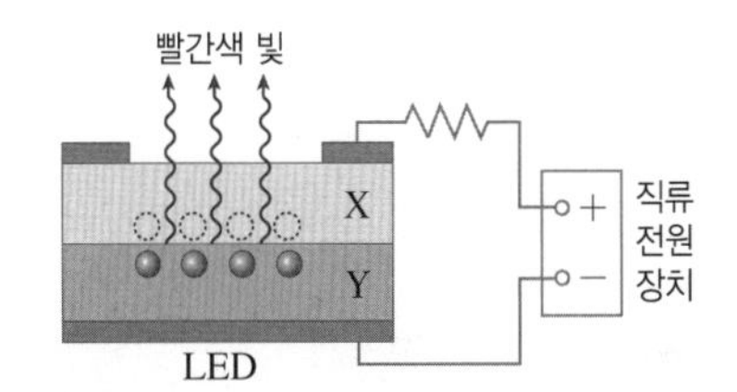

빈출

429 (하 중 상)

이에 대한 설명으로 옳은 것만을 〈보기〉에서 있는 대로 고른 것은?

〈 보기 〉
ㄱ. X는 p형 반도체이다.
ㄴ. LED에는 역방향 전압이 걸려 있다.
ㄷ. LED 내에서 양공은 X에서 Y 쪽으로 이동한다.

① ㄴ ② ㄷ ③ ㄱ, ㄴ
④ ㄱ, ㄷ ⑤ ㄱ, ㄴ, ㄷ

430 (하 중 상) ••서술형

전원 장치를 직류 전원 장치에서 교류 전원 장치로 바꾸어 연결할 때 LED에 나타나는 변화를 서술하시오.

431

그림과 같이 점전하 A, B, C가 각각 x축상의 $x=-d$, $x=0$, $x=2d$에 고정되어 있다. 양(+)전하 B에 작용하는 전기력은 0이고, A에 작용하는 전기력은 $+x$ 방향이다.

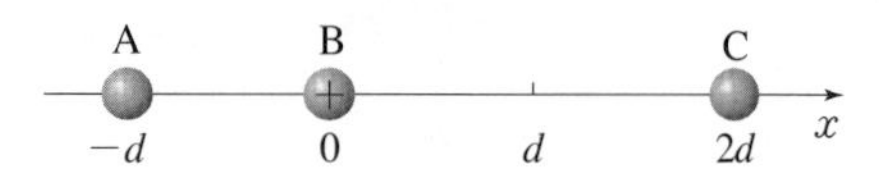

이에 대한 설명으로 옳은 것만을 〈보기〉에서 있는 대로 고른 것은?

〈 보기 〉
ㄱ. A와 B 사이에는 인력이 작용한다.
ㄴ. 전하량의 크기는 A가 C의 4배이다.
ㄷ. C에 작용하는 전기력은 0이다.

① ㄱ ② ㄷ ③ ㄱ, ㄴ
④ ㄴ, ㄷ ⑤ ㄱ, ㄴ, ㄷ

432

그림 (가)는 x축상의 $x=0$, $x=d$, $x=3d$에 점전하 A, B, C를 고정시킨 모습을 나타낸 것이다. B에 작용하는 전기력은 0이고, C에 작용하는 전기력의 방향은 $-x$ 방향이다. A와 B의 전하량의 크기는 같다. 그림 (나)는 (가)의 $x=4d$에 양(+)의 점전하 X를 고정시킨 모습을 나타낸 것이다. (나)에서 B에 작용하는 전기력의 방향은 $-x$ 방향이다.

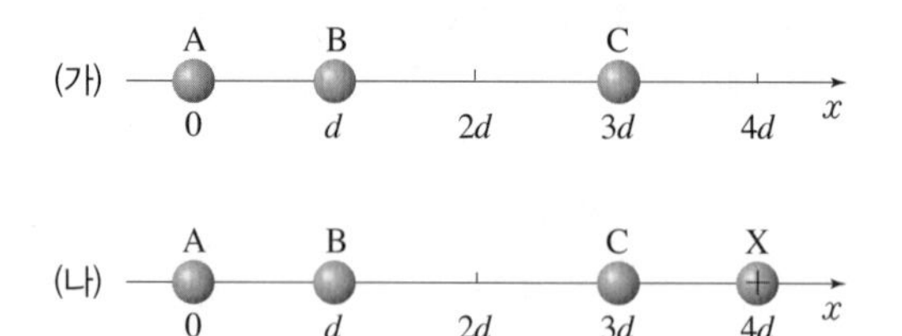

이에 대한 설명으로 옳은 것만을 〈보기〉에서 있는 대로 고른 것은?

〈 보기 〉
ㄱ. B는 양(+)전하이다.
ㄴ. 전하량의 크기는 C가 A의 4배이다.
ㄷ. X에 작용하는 전기력의 방향은 $-x$ 방향이다.

① ㄱ ② ㄷ ③ ㄱ, ㄴ
④ ㄴ, ㄷ ⑤ ㄱ, ㄴ, ㄷ

433

그림은 보어의 수소 원자 모형에서 양자수 n에 따른 에너지 준위의 일부와 전자의 전이 a~c를 나타낸 것이다. a, b, c에서 흡수하거나 방출하는 빛의 파장은 각각 λ_a, λ_b, λ_c이다.

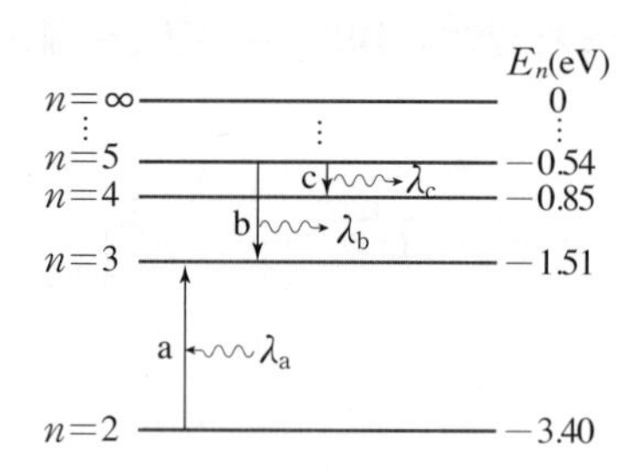

이에 대한 설명으로 옳지 않은 것은?

① $\dfrac{\lambda_a}{\lambda_c}=\dfrac{E_5-E_4}{E_3-E_2}$이다.
② b에서 방출되는 빛은 자외선이다.
③ 방출되는 빛의 진동수는 b에서가 c에서보다 크다.
④ a에서 흡수되는 광자 1개의 에너지는 1.89 eV이다.
⑤ 전자가 $n=\infty$에서 $n=2$인 궤도로 전이할 때 방출하는 광자 1개의 에너지는 3.40 eV이다.

434

그림 (가)는 보어의 수소 원자 모형에서 양자수 n에 따른 에너지 준위 일부와 전자의 전이 a~d를 나타낸 것이고, (나)는 (가)의 a~d 중 흡수 스펙트럼만을 파장에 따라 나타낸 것이다.

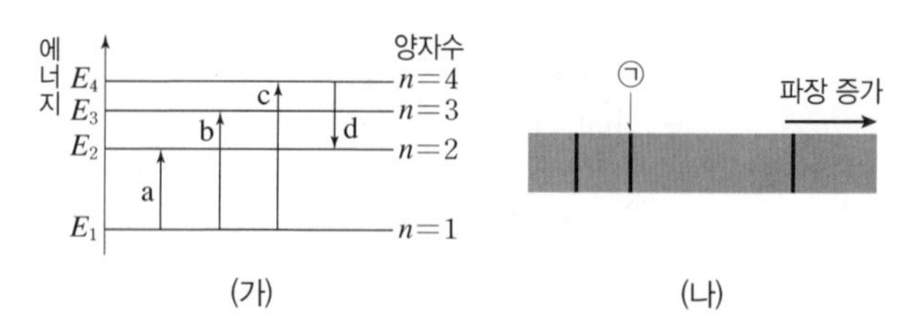

이에 대한 설명으로 옳은 것만을 〈보기〉에서 있는 대로 고른 것은?

〈 보기 〉
ㄱ. ㉠은 b에 의해 나타난 스펙트럼선이다.
ㄴ. 흡수되는 빛의 진동수는 a에서가 c에서보다 크다.
ㄷ. a에서 흡수되는 빛의 진동수를 f라고 하면 d에서 방출되는 빛의 진동수는 $\frac{1}{4}f$이다.

① ㄴ ② ㄷ ③ ㄱ, ㄴ
④ ㄱ, ㄷ ⑤ ㄱ, ㄴ, ㄷ

435

그림 (가)~(다)는 도체, 절연체, 반도체의 에너지띠 구조를 순서 없이 나타낸 것이다.

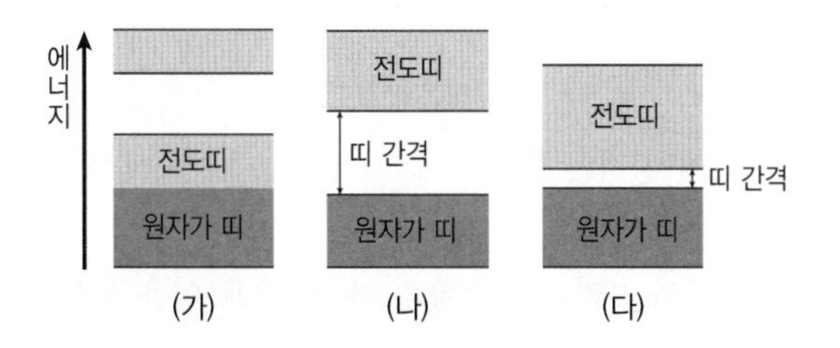

이에 대한 설명으로 옳지 않은 것은?

① (가)는 도체이다.
② 상온에서 양공의 수는 (다)가 (나)보다 많다.
③ (다)는 온도가 높을수록 전기 전도성이 좋다.
④ (나)의 원자가 띠에 있는 전자들의 에너지는 모두 같다.
⑤ 원자가 띠에 있던 전자가 전도띠로 전이할 때 필요한 최소한의 에너지는 (가)에서가 가장 작다.

436

그림은 물질 A, B, C의 비저항을 온도에 따라 나타낸 것이다. A, B, C는 각각 도체, 절연체, 반도체 중 하나이다.

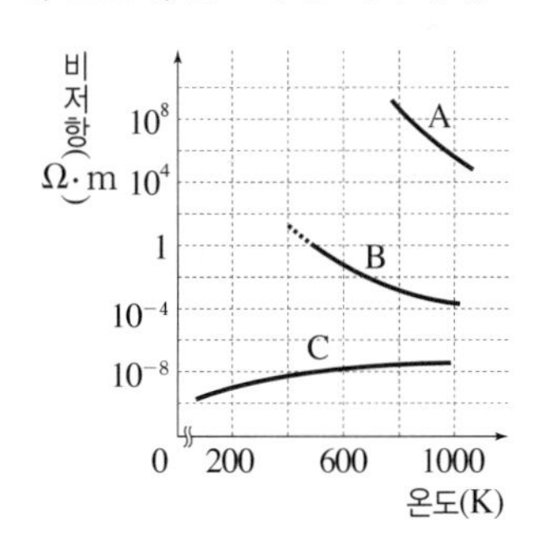

이에 대한 설명으로 옳은 것만을 〈보기〉에서 있는 대로 고른 것은?

〈 보기 〉
ㄱ. 띠 간격은 A가 B보다 크다.
ㄴ. A, B, C 중 전기 전도도는 A가 가장 크다.
ㄷ. B에 불순물을 도핑하면 전기 전도도가 커진다.

① ㄴ ② ㄷ ③ ㄱ, ㄴ
④ ㄱ, ㄷ ⑤ ㄱ, ㄴ, ㄷ

437

그림은 p형 반도체와 n형 반도체를 접합하여 만든 발광 다이오드(LED) A, B, C로 이루어진 조명과 저항, 전지, 스위치 S_1, S_2를 이용하여 구성한 회로를 나타낸 것이다. S_1, S_2를 각각 a, c에 연결하면 조명은 파란색 빛을 내고, a, d에 연결하면 청록색 빛을 낸다. LED에 전류가 흐를 때 A, B, C에서 방출되는 색은 빛의 삼원색 중 하나이고, 서로 다르다.

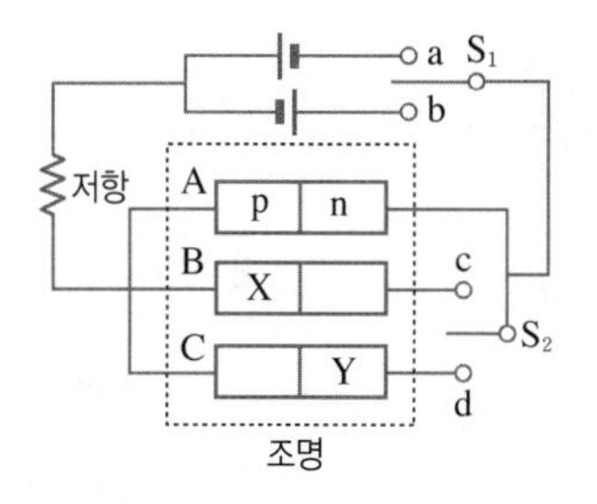

이에 대한 설명으로 옳지 않은 것은?

① A는 초록색 LED이다.
② B의 X는 n형 반도체이다.
③ C의 Y는 주로 전자가 전하를 운반한다.
④ S_1, S_2를 각각 b, c에 연결하면 조명은 빨간색 빛을 낸다.
⑤ S_1, S_2를 각각 b, d에 연결하면 조명에서 빛이 방출되지 않는다.

438

그림 (가)는 발광 다이오드(LED) A, B를 전원 장치와 저항에 연결한 회로를, (나)는 (가)의 전원 장치의 전압을 시간에 따라 나타낸 것이다. A와 B는 각각 파란색, 빨간색 빛을 방출하는 LED이다. 1초일 때 A에서만 빛이 방출되었다.

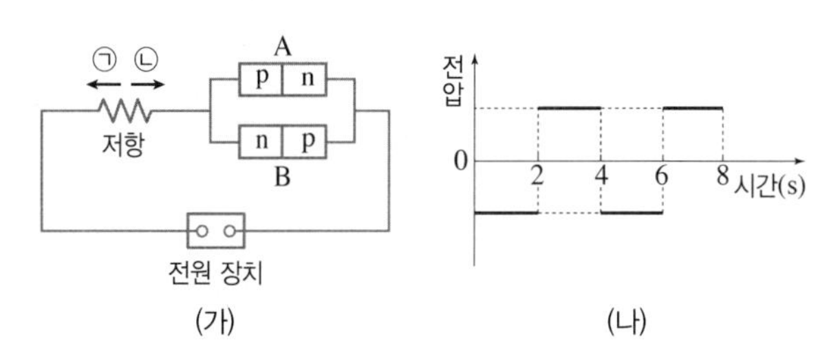

이에 대한 설명으로 옳지 않은 것은?

① 1초일 때 저항에 흐르는 전류의 방향은 ㉡ 방향이다.
② 5초일 때 A의 p−n 접합면에서 전자와 양공이 결합한다.
③ 7초일 때 B에는 순방향 전압이 걸린다.
④ 원자가 띠와 전도띠 사이의 띠 간격은 A가 B보다 크다.
⑤ 0초부터 8초까지 저항에 흐르는 전류의 방향은 일정하다.

전류에 의한 자기 작용

Ⓐ 전류에 의한 자기장

1 자기장과 자기력선

① 자기장: 자석이나 전류가 흐르는 도선 주위에 생기는 ❶□□□이 작용하는 공간으로, 자기장의 방향은 나침반의 ❷□극이 가리키는 방향이다.

② ❸□□□□: 자기장 내에서 자침의 N극이 가리키는 방향을 연속적으로 이은 선이다.

2 전류에 의한 자기장

구분	자기장의 모양	자기장의 방향	자기장의 세기 B
직선 전류에 의한 자기장	전류의 방향 / 자기장의 방향 (시계 반대 방향) / N◀S / 도선을 중심으로 하는 동심원 모양	• 오른손 엄지손가락: ❹□□의 방향 • 네 손가락: ❺□□□의 방향	전류의 세기 I에 비례하고, 도선으로부터의 수직 거리 r에 반비례한다. ➔ $B \propto \frac{I}{r}$ → 직선 도선이 무한히 길 때 성립한다. ($B=k\frac{I}{r}$)
원형 전류에 의한 자기장	도선에 가까울수록 원 모양 / 전류의 방향 / 자기장의 방향 / N◀S / 중심: 직선 모양	• 오른손 엄지손가락: 전류의 방향 • 네 손가락: 자기장의 방향	원형 도선 중심에서의 세기는 전류의 세기 I에 비례하고, 도선의 반지름 r에 반비례한다. ➔ $B_{중심} \propto \frac{I}{r}$ → $B_{중심}=k'\frac{I}{r}$
❻□□□□□에 의한 자기장 → 도선을 여러 번 감아 원통 모양으로 만든 것	외부: 막대자석 주위와 비슷한 모양 / 자기장의 방향 / 전류의 방향 / N / S / 전류 / 전류 / 내부: 중심축에 나란하고 균일한 모양	• 오른손 네 손가락: 전류의 방향 • 엄지손가락: 솔레노이드 내부에서 자기장의 방향	솔레노이드 내부에서의 세기는 전류의 세기 I에 비례하고, 단위 길이당 코일의 감은 수 n에 비례한다. ➔ $B_{내부} \propto nI$ → $B=k''nI$

두 직선 전류에 의한 자기장

두 직선 전류에 의한 자기장은 각각의 전류에 의한 자기장의 방향을 고려하여 합성한다.

구분	두 전류에 의한 자기장 방향이 같을 때	두 전류에 의한 자기장 방향이 반대일 때
합성 자기장 세기	두 전류에 의한 자기장의 합	두 전류에 의한 자기장의 차
합성 자기장 방향	두 전류에 의한 자기장의 방향	자기장의 세기가 큰 쪽의 방향

예 두 도선 P, Q에 흐르는 전류의 세기는 I로 같고, 한 도선에서 직선 거리가 r인 곳에서 자기장의 세기가 B인 경우

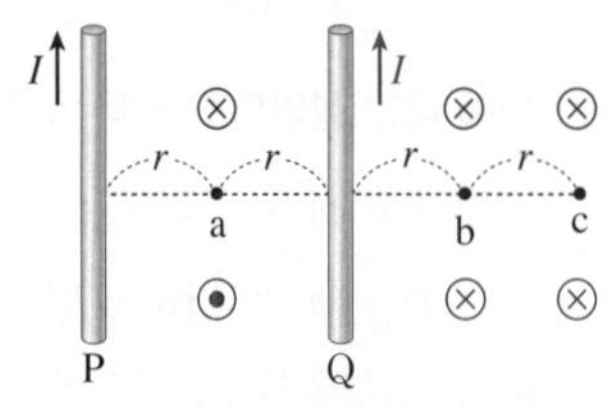

(⊗ : 종이면에 수직으로 들어가는 방향,
(⊙ : 종이면에서 수직으로 나오는 방향)

• a: P, Q에 의한 자기장의 세기가 같고 방향이 반대
➔ 합성 자기장 세기=0

• b: P, Q에 의한 자기장의 방향이 같다.
➔ 합성 자기장 세기 $=\frac{1}{3}B+B=\frac{4}{3}B$

• c: P, Q에 의한 자기장의 방향이 같다.
➔ 합성 자기장 세기 $=\frac{1}{4}B+\frac{1}{2}B=\frac{3}{4}B$

기출 Tip Ⓐ-1

자기력선의 특징

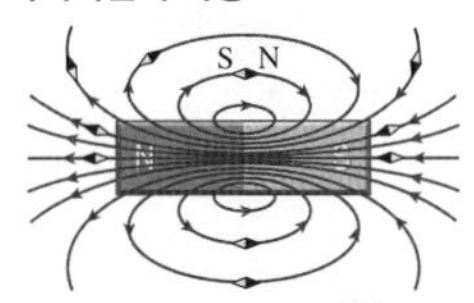

• 자석의 N극에서 나와 S극으로 들어가는 폐곡선이다.
• 도중에 끊기거나 분리되지 않고 서로 교차하지 않는다.
• 자기력선의 한 점에서 그은 접선 방향이 그 점에서의 자기장 방향이다.
• 자기력선의 간격이 좁을수록 자기장의 세기가 세다.

기출 Tip Ⓐ-2

앙페르의 오른나사 법칙

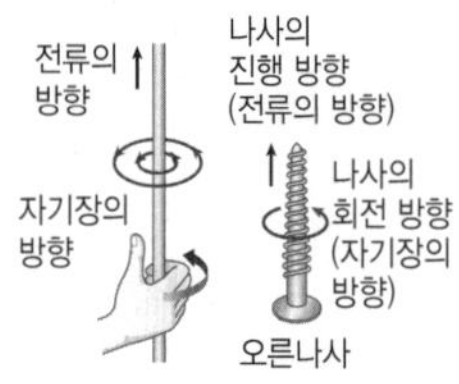

직선 전류에 의한 자기장의 방향은 오른손의 엄지손가락을 전류의 방향으로 향하게 했을 때, 나머지 네 손가락이 도선을 감아쥐는 방향이다.

원형 전류에 의한 자기장의 방향

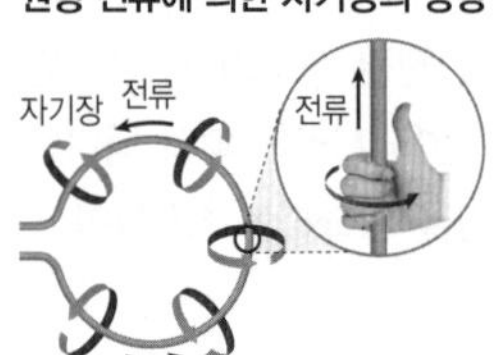

원형 도선에 흐르는 전류에 의한 자기장의 방향은 그림과 같이 직선 도선이 만드는 자기장의 합으로 생각할 수 있다.

솔레노이드에서 자기장의 방향

코일이 감긴 방향에 따라 전류 방향을 찾은 후 자기장의 방향을 찾는다.

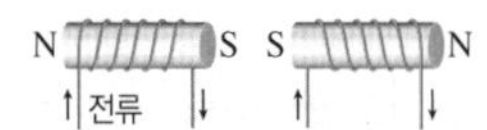

단위 길이당 코일의 감은 수(n)

코일의 총 감은 수(N)를 솔레노이드의 길이(l)로 나눈 것이다.

➔ $n=\frac{N}{l}$

B 전류에 의한 자기장의 이용

1 전자석 솔레노이드 내부에 철심을 넣어 전류가 흐를 때 철심이 자기화되어 강한 자기장이 형성되는 자석이다. → 철심을 넣으면 자기장이 1000배 이상 세진다.

① 원리: 전류의 세기와 방향을 조절하여 자석의 세기와 극을 조절한다.

② 이용: 전자석 기중기, 전자 밸브, 자기 부상 열차 등

전류 / 철심 / 전자석 ▶

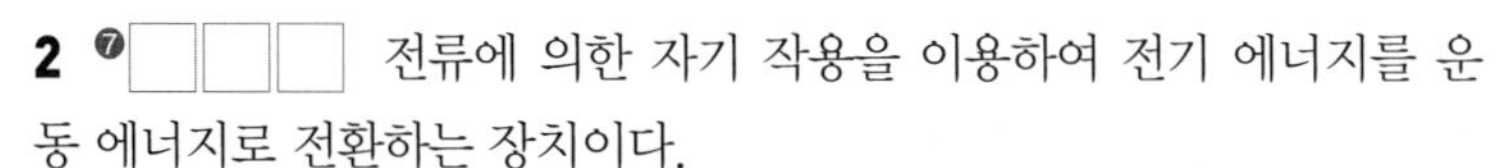

2 ❼□□□ 전류에 의한 자기 작용을 이용하여 전기 에너지를 운동 에너지로 전환하는 장치이다.

① 원리: 자석 사이의 코일에 ❽□□가 흐를 때 코일이 자기력을 받아 회전한다.

② 이용: 선풍기, 세탁기, 헤어드라이어 등

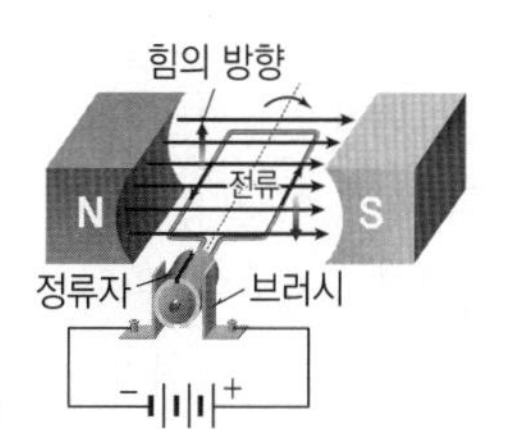

전동기 ▶

(자기장 내에 놓인 전류가 흐르는 도선이 받는 힘)

- 자기장 내에 놓인 도선에 전류가 흐를 때 도선은 자기력을 받는다. → 자석 사이에 있는 도선에 전류가 흐르면 도선은 자석의 자기장에 의해 자기력을 받는다.
- 자기력의 방향: 오른손 네 손가락을 자기장의 방향, 엄지손가락을 전류의 방향으로 향하게 할 때 손바닥이 향하는 방향이다. → 전류의 방향과 자기장의 방향에 각각 수직이다.

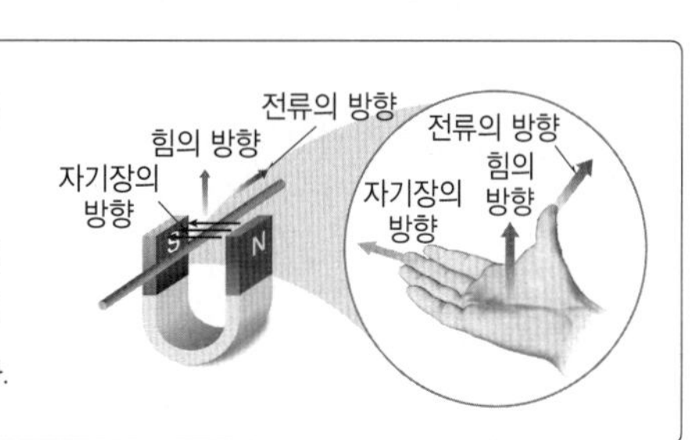

3 전류의 자기 작용을 이용한 다양한 예

스피커	자기 공명 영상(MRI) 장치	자기 부상 열차
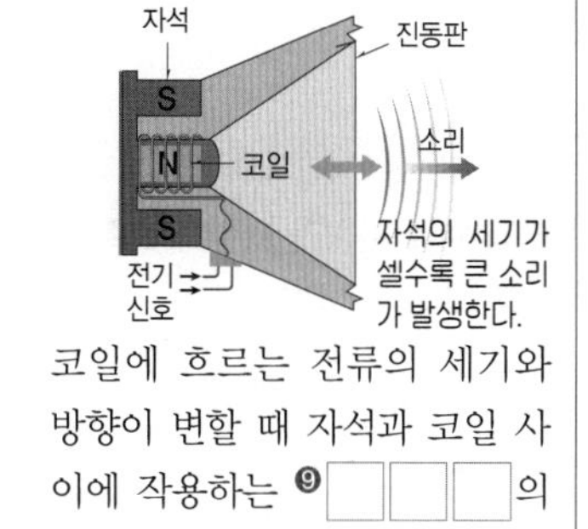	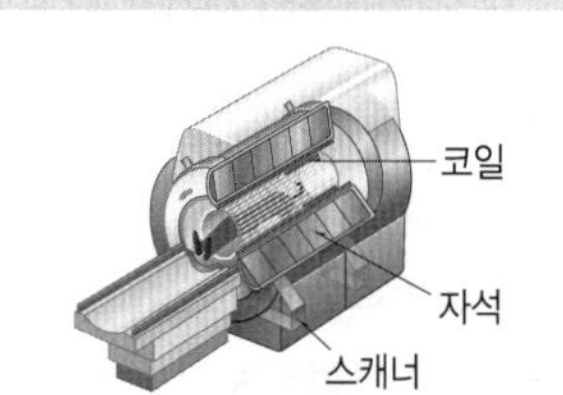	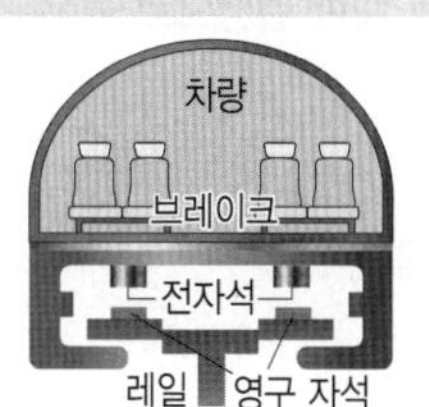
코일에 흐르는 전류의 세기와 방향이 변할 때 자석과 코일 사이에 작용하는 ❾□□□의 크기와 방향이 바뀌어 진동판이 진동하므로 소리가 발생한다.	코일에 흐르는 강한 전류에 의해 만들어진 강한 ❿□□□을 이용해 인체 내부의 영상을 얻는 장치이다.	레일에 설치된 영구 자석과 열차에 부착된 전자석 사이의 자기력에 의해 열차가 레일 위에 뜬 상태로 마찰 없이 매우 빠르게 달릴 수 있다.

기출 Tip B-2

정류자의 역할
정류자는 코일이 반 바퀴 회전할 때마다 전류의 방향을 바꾸어 코일이 한쪽 방향으로 계속 회전하게 한다.

자기력
자석과 자석 사이에 작용하는 힘 또는 자기장 내에서 전류가 흐르는 도선이 받는 힘을 자기력이라고 한다.

답 ❶ 자기력 ❷ N ❸ 자기력선 ❹ 전류 ❺ 자기장 ❻ 솔레노이드 ❼ 전동기 ❽ 전류 ❾ 자기력 ❿ 자기장

빈출 자료 보기

정답과 해설 59쪽

439 그림은 평행하게 놓인 무한히 긴 직선 도선 A, B에 세기가 I인 전류가 서로 반대 방향으로 흐르고 있는 모습을 나타낸 것이다.

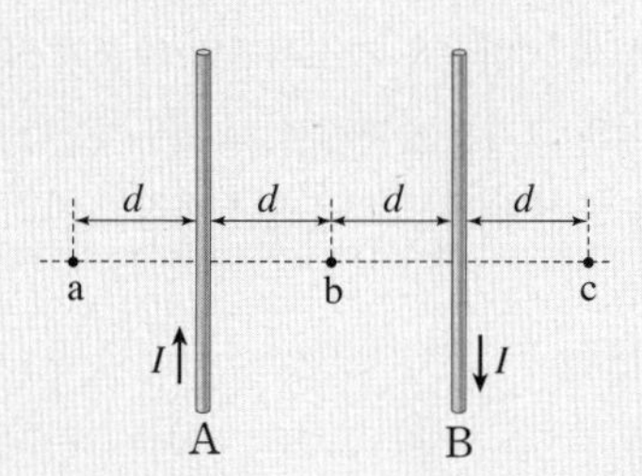

이에 대한 설명으로 옳은 것은 ○, 옳지 않은 것은 ×로 표시하시오.

(1) b에서 합성 자기장의 세기는 0이다. ( )

(2) a와 c에서 합성 자기장의 세기는 서로 같다. ( )

(3) a에서 합성 자기장의 세기는 b에서의 2배이다. ( )

(4) a와 b에서 합성 자기장의 방향은 서로 반대이다. ( )

(5) A에 의한 자기장의 세기는 b에서가 c에서보다 세다. ( )

(6) c에서 A에 의한 자기장의 방향은 종이면에서 수직으로 나오는 방향이다. ( )

A 전류에 의한 자기장

직선 전류에 의한 자기장

440 하 중 상 多 보기

자기장과 자기력선에 대한 설명으로 옳지 않은 것을 모두 고르면?(2개)

① 자기력선은 도중에 끊기거나 분리되지 않는다.
② 자기력선은 교차하지 않으며 폐곡선을 이룬다.
③ 자기력선의 간격이 넓을수록 자기장의 세기가 세다.
④ 자기력선은 자석의 N극에서 나와 S극으로 들어간다.
⑤ 자기력선은 자침의 S극이 가리키는 방향을 연속적으로 이은 선이다.
⑥ 자기력선의 한 점에서 그은 접선 방향이 그 점에서 자기장의 방향이다.

441 하 중 상

전류가 흐르는 직선 도선 주위의 자기장에 대한 설명으로 옳은 것만을 〈보기〉에서 있는 대로 고른 것은?

〈 보기 〉
ㄱ. 자기장의 세기는 전류의 세기에 비례한다.
ㄴ. 자기장의 세기는 도선으로부터의 수직 거리에 비례한다.
ㄷ. 자기력선의 모양은 직선 도선을 중심으로 하는 동심원 모양이다.

① ㄱ ② ㄴ ③ ㄱ, ㄷ
④ ㄴ, ㄷ ⑤ ㄱ, ㄴ, ㄷ

그림은 직선 도선 위에 나침반을 올려놓은 모습을 나타낸 것이다. 직선 도선에 북쪽 방향으로 전류가 흐르고 전류에 의한 자기장의 세기가 지구 자기장의 세기와 같을 때 나침반 자침의 N극이 가리키는 방향으로 옳은 것은?

① 북쪽 ② 북동쪽 ③ 동쪽
④ 서쪽 ⑤ 북서쪽

[443~444] 그림은 수평면과 수직으로 놓인 무한히 긴 직선 도선에 전류가 흐를 때 전류에 의한 자기장을 나타낸 것이다. 나침반은 수평면 위에 놓여 있다.

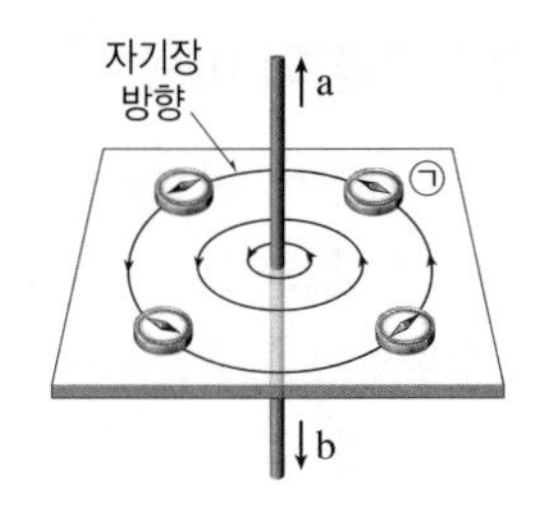

443 하 중 상

이에 대한 설명으로 옳은 것만을 〈보기〉에서 있는 대로 고른 것은? (단, 지구 자기장은 무시한다.)

〈 보기 〉
ㄱ. 도선에 흐르는 전류의 방향은 a이다.
ㄴ. 전류의 방향이 반대가 되면 자기장의 방향도 반대가 된다.
ㄷ. 도선에 흐르는 전류의 세기가 클수록 나침반 자침의 회전 정도가 커진다.

① ㄱ ② ㄷ ③ ㄱ, ㄴ ④ ㄴ, ㄷ ⑤ ㄱ, ㄴ, ㄷ

444 하 중 상

도선에 흐르는 전류의 세기가 I일 때, ㉠에서 자기장의 세기를 B라고 하면 전류의 세기가 $4I$일 때 ㉠에서 자기장의 세기를 구하시오.

빈출
445 하 중 상

그림은 수평면에 놓인 나침반의 연직 위에 자침과 나란하도록 직선 도선을 고정하여 구성한 실험 장치를 나타낸 것이다.

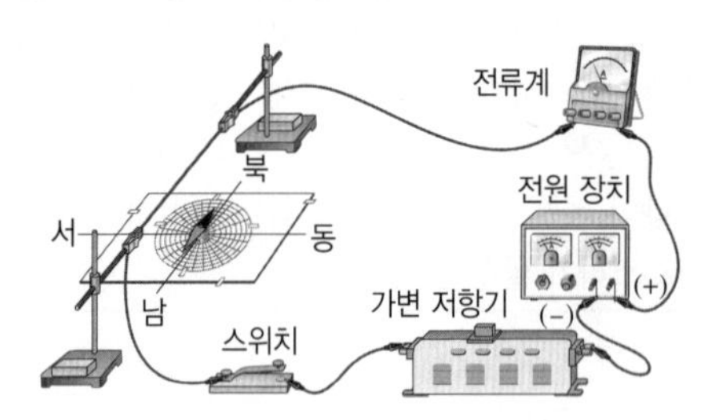

스위치를 닫았을 때, 이에 대한 설명으로 옳은 것만을 〈보기〉에서 있는 대로 고른 것은?

〈 보기 〉
ㄱ. 나침반의 중심에서 직선 도선에 흐르는 전류에 의한 자기장의 방향은 동쪽이다.
ㄴ. 가변 저항의 저항값을 감소시키면 자침의 N극과 북쪽이 이루는 각의 크기는 증가한다.
ㄷ. 나침반을 도선 위쪽으로 옮기면 자침이 가리키는 방향이 달라진다.

① ㄱ ② ㄴ ③ ㄱ, ㄷ ④ ㄴ, ㄷ ⑤ ㄱ, ㄴ, ㄷ

[446~447] 그림은 무한히 가늘고 긴 평행한 직선 도선 A, B가 점 P, Q, R와 같은 간격 d만큼 떨어져 종이면에 고정되어 있는 모습을 나타낸 것이다. A, B에 흐르는 전류의 세기는 각각 $2I$, $4I$이고, 전류의 방향은 서로 반대이다.

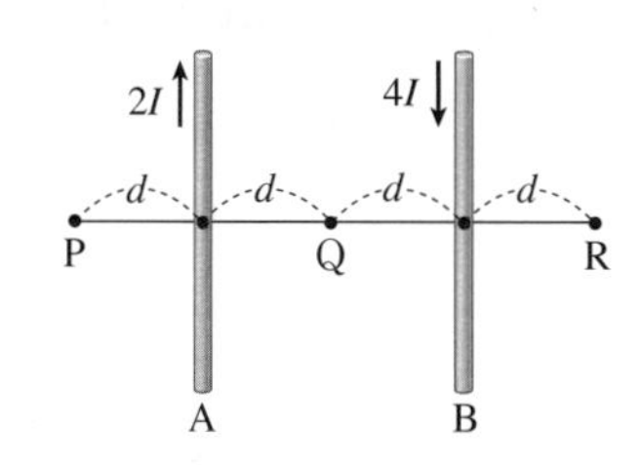

446 하중상

이에 대한 설명으로 옳은 것만을 〈보기〉에서 있는 대로 고른 것은?

〈 보기 〉
ㄱ. 자기장의 방향은 P와 Q에서 서로 반대이다.
ㄴ. 자기장의 세기는 Q에서가 R에서의 2배이다.
ㄷ. R에서 자기장의 방향은 종이면에 수직으로 들어가는 방향이다.

① ㄱ ② ㄴ ③ ㄱ, ㄷ ④ ㄴ, ㄷ ⑤ ㄱ, ㄴ, ㄷ

447 하중상

••서술형

P와 Q에서 전류에 의한 자기장의 세기를 각각 B_P, B_Q라고 할 때 $\frac{B_Q}{B_P}$를 풀이 과정과 함께 구하시오.

448 하중상

그림은 무한히 긴 직선 도선 A, B가 xy 평면에 고정되어 있는 모습을 나타낸 것이다. A, B에는 화살표 방향으로 세기가 I인 전류가 흐른다. 점 p, q, r, s는 xy 평면상에 있는 점이다.

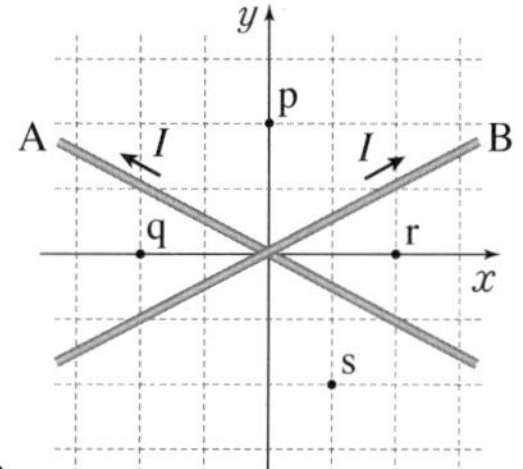

이에 대한 설명으로 옳은 것만을 〈보기〉에서 있는 대로 고른 것은? (단, 모눈 간격은 모두 같다.)

〈 보기 〉
ㄱ. p에서 전류에 의한 자기장은 0이다.
ㄴ. 전류에 의한 자기장의 세기는 q와 r에서 같다.
ㄷ. 전류에 의한 자기장의 방향은 r와 s에서 서로 반대이다.

① ㄱ ② ㄷ ③ ㄱ, ㄴ ④ ㄴ, ㄷ ⑤ ㄱ, ㄴ, ㄷ

빈출

449 하중상

그림과 같이 전류가 흐르는 무한히 긴 평행한 두 직선 도선 P, Q가 점 a, b, c와 같은 간격 d만큼 떨어져 종이면에 고정되어 있다. a에서 전류에 의한 자기장은 0이고, P에는 세기가 I인 전류가 흐른다.

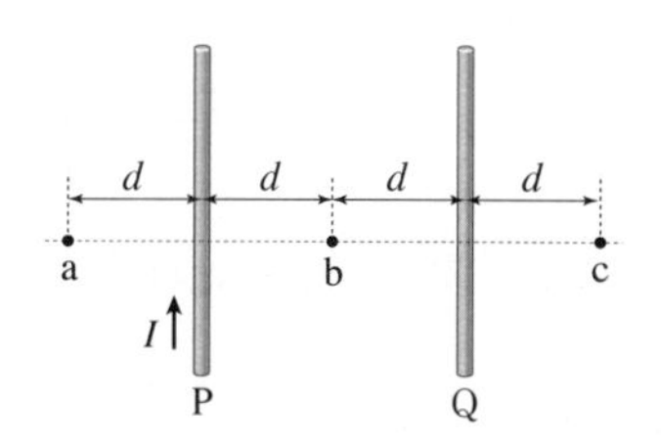

이에 대한 설명으로 옳은 것만을 〈보기〉에서 있는 대로 고른 것은?

〈 보기 〉
ㄱ. Q에 흐르는 전류의 세기는 $2I$이다.
ㄴ. 전류의 방향은 P에서와 Q에서가 서로 반대이다.
ㄷ. 전류에 의한 자기장의 세기는 b에서가 c에서보다 세다.
ㄹ. 전류에 의한 자기장의 방향은 b에서와 c에서가 같다.

① ㄱ, ㄴ ② ㄱ, ㄹ ③ ㄴ, ㄷ
④ ㄱ, ㄴ, ㄷ ⑤ ㄴ, ㄷ, ㄹ

450 하중상

그림은 무한히 긴 직선 도선 A, B, C가 xy 평면에 수직으로 고정되어 전류가 흐르는 모습을 나타낸 것이다. A에는 세기가 I인 전류가 xy 평면에서 수직으로 나오는 방향으로 흐른다. 원점 O에서 A, B, C에 흐르는 전류에 의한 자기장의 방향은 $+y$ 방향이다.

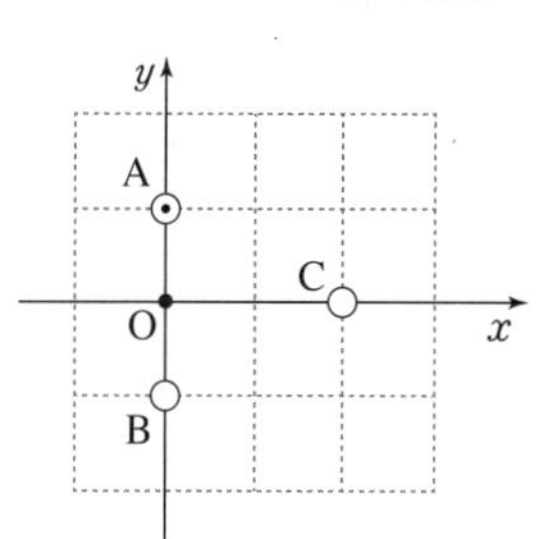

이에 대한 설명으로 옳은 것만을 〈보기〉에서 있는 대로 고른 것은? (단, 모눈 간격은 모두 같다.)

〈 보기 〉
ㄱ. 전류의 세기는 A가 B보다 크다.
ㄴ. O에서 C에 흐르는 전류에 의한 자기장의 방향은 $-y$ 방향이다.
ㄷ. C에 흐르는 전류의 방향은 xy 평면에 수직으로 들어가는 방향이다.

① ㄱ ② ㄷ ③ ㄱ, ㄴ
④ ㄴ, ㄷ ⑤ ㄱ, ㄴ, ㄷ

451 하 중 상

그림은 무한히 긴 직선 도선 A, B가 종이면에 수직으로 고정되어 있는 모습을 나타낸 것이다. A, B에 흐르는 전류의 세기는 각각 I_A, I_B이고, 점 p, q, r는 A, B를 잇는 x축상의 점이다. q와 r에서 전류에 의한 자기장의 방향은 화살표 방향이다.

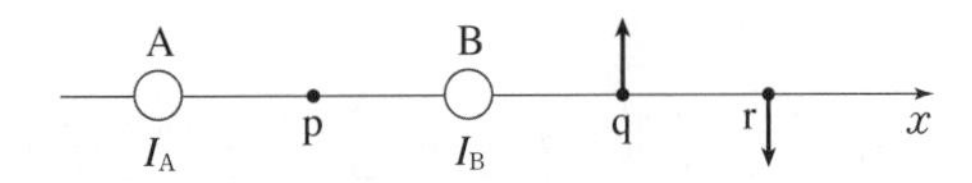

이에 대한 설명으로 옳은 것만을 〈보기〉에서 있는 대로 고른 것은?

〈 보기 〉

ㄱ. $I_A > I_B$이다.

ㄴ. 전류에 의한 자기장의 방향은 p와 r에서가 서로 반대이다.

ㄷ. A에 흐르는 전류의 방향은 종이면에 수직으로 들어가는 방향이다.

ㄹ. B에 흐르는 전류의 방향은 종이면에서 수직으로 나오는 방향이다.

① ㄱ, ㄴ ② ㄱ, ㄹ ③ ㄴ, ㄷ

④ ㄱ, ㄷ, ㄹ ⑤ ㄴ, ㄷ, ㄹ

452 하 중 상

그림 (가)는 xy 평면에 수직으로 고정되어 있는 무한히 긴 직선 도선 A, B를 나타낸 것이다. B에 흐르는 전류의 방향은 xy 평면에 수직으로 들어가는 방향이고, 점 p, q, r는 x축상에 있는 점이다. p에서 전류에 의한 자기장의 방향은 $-y$ 방향이다. 그림 (나)는 A, B에 흐르는 전류의 세기를 시간에 따라 나타낸 것이다.

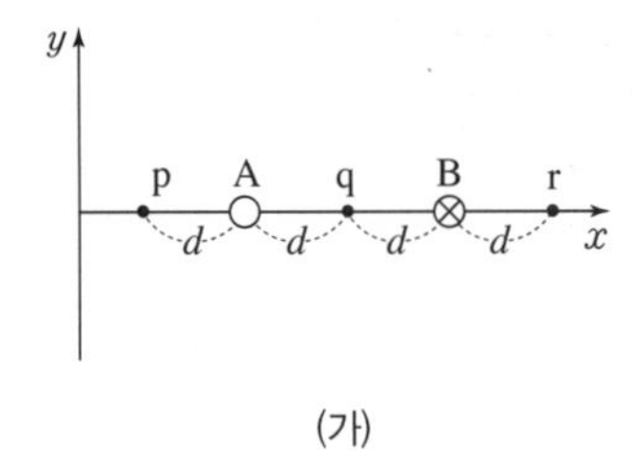

(가)

전류의 세기

$2I$ A, B B

I A

0 t_1 t_2 시간

(나)

이에 대한 설명으로 옳은 것만을 〈보기〉에서 있는 대로 고른 것은?

〈 보기 〉

ㄱ. A에 흐르는 전류의 방향은 xy 평면에서 수직으로 나오는 방향이다.

ㄴ. t_1일 때, 전류에 의한 자기장의 세기는 p에서가 q에서보다 작다.

ㄷ. r에서 전류에 의한 자기장의 방향은 t_1일 때와 t_2일 때가 서로 반대이다.

① ㄱ ② ㄷ ③ ㄱ, ㄴ

④ ㄴ, ㄷ ⑤ ㄱ, ㄴ, ㄷ

453 하 중 상

그림은 무한히 긴 직선 도선 A, B가 xy 평면에 고정되어 있는 모습을 나타낸 것이다. A에는 $-y$ 방향으로 세기가 $2I$인 전류가 흐른다. xy 평면상에 있는 점 P, Q, R에서 자기장의 세기는 각각 $2B_0$, B_0, B_R이다.

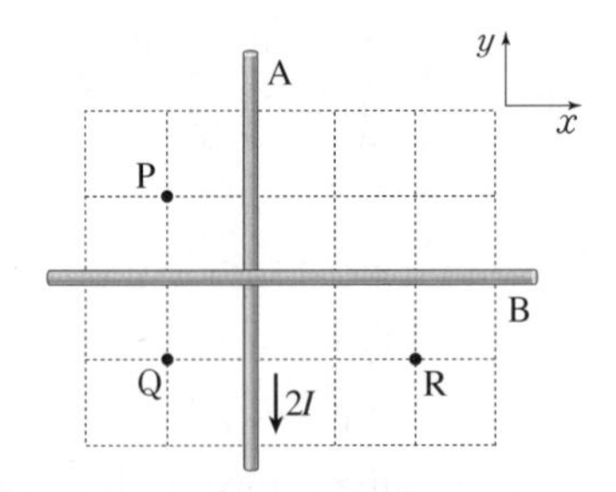

이에 대한 설명으로 옳은 것만을 〈보기〉에서 있는 대로 고른 것은? (단, 모눈 간격은 모두 같다.)

〈 보기 〉

ㄱ. B_R는 B_0보다 작다.

ㄴ. B에 흐르는 전류의 세기는 I이다.

ㄷ. P에서와 R에서 자기장의 방향은 서로 반대이다.

① ㄱ ② ㄷ ③ ㄱ, ㄴ

④ ㄴ, ㄷ ⑤ ㄱ, ㄴ, ㄷ

454 하 중 상

그림 (가)는 무한히 긴 직선 도선 P, Q, R가 xy 평면에 고정되어 있고, P, Q에는 세기가 각각 $4I_0$, I_0인 전류가 서로 반대 방향으로 흐르는 모습을 나타낸 것이다. 그림 (나)는 원점 O에서 P, Q, R의 전류에 의한 자기장 B를 R에 흐르는 전류 I에 따라 나타낸 것이다. $I=0$일 때 $B=B_0$이다.

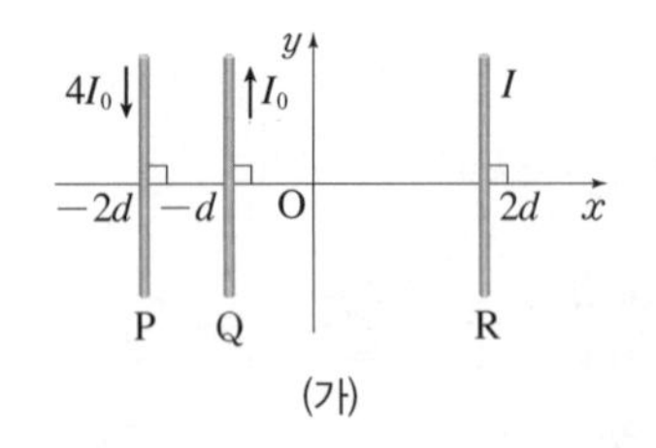

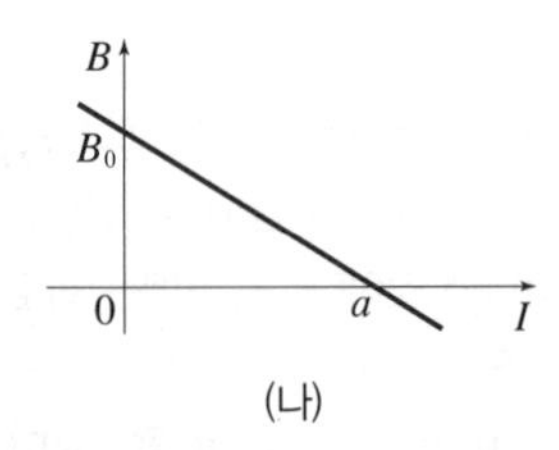

(가) (나)

이에 대한 설명으로 옳은 것만을 〈보기〉에서 있는 대로 고른 것은?

〈 보기 〉

ㄱ. $a=5I_0$이다.

ㄴ. $B=0$일 때, I의 방향은 $+y$ 방향이다.

ㄷ. $I=0$일 때, B의 방향은 xy 평면에서 수직으로 나오는 방향이다.

① ㄴ ② ㄷ ③ ㄱ, ㄴ

④ ㄱ, ㄷ ⑤ ㄱ, ㄴ, ㄷ

원형 전류에 의한 자기장

455 하 중 상

그림은 수평면에 수직으로 놓여 있는 반지름 R인 원형 도선에 전류가 흐를 때, 원형 도선의 중심 O에 놓인 나침반을 나타낸 것이다.

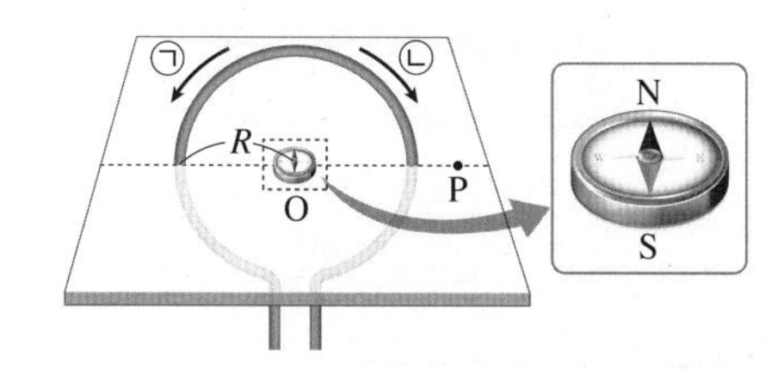

이에 대한 설명으로 옳은 것만을 〈보기〉에서 있는 대로 고른 것은? (단, 지구 자기장의 효과는 무시한다.)

〈 보기 〉

ㄱ. 도선에 흐르는 전류의 방향은 ㉠이다.
ㄴ. R를 증가시키면 O에서 자기장의 세기는 감소한다.
ㄷ. 나침반의 N극이 가리키는 방향은 O에서와 P에서가 같다.

① ㄱ ② ㄴ ③ ㄱ, ㄷ
④ ㄴ, ㄷ ⑤ ㄱ, ㄴ, ㄷ

[456~457] 그림과 같이 동일한 평면에 중심이 O로 같고 반지름이 각각 r, $2r$인 원형 도선 P, Q가 놓여 있다. 두 도선에 흐르는 전류의 세기는 같고 방향은 반대이다. O에서 P, Q에 흐르는 전류에 의한 자기장의 세기는 B이다.

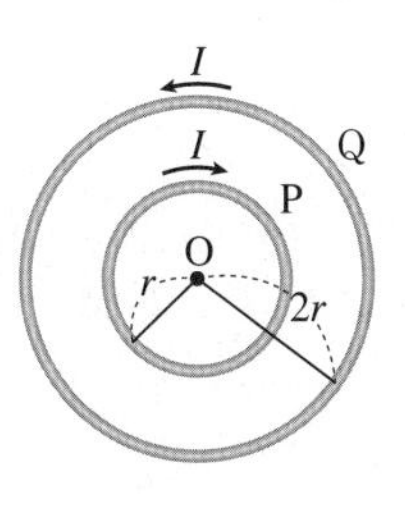

456 하 중 상

O에서 자기장의 세기를 증가시키는 방법으로 옳은 것만을 〈보기〉에서 있는 대로 고른 것은?

〈 보기 〉

ㄱ. r를 증가시킨다.
ㄴ. P에 흐르는 전류의 방향을 반대로 한다.
ㄷ. Q에 흐르는 전류의 세기를 감소시킨다.

① ㄱ ② ㄴ ③ ㄱ, ㄷ
④ ㄴ, ㄷ ⑤ ㄱ, ㄴ, ㄷ

457 하 중 상

O에서 Q에 의한 자기장의 세기는?

① $\frac{B}{2}$ ② B ③ $2B$ ④ $3B$ ⑤ $4B$

빈출 458 하 중 상

그림은 중심이 O로 같고, 반지름이 각각 $2a$, $3a$인 원형 도선 A, B가 같은 종이면 위에 고정되어 있는 모습을 나타낸 것이다. A에는 시계 방향으로 세기가 I인 전류가 흐르고, O에서 전류에 의한 자기장은 0이다.

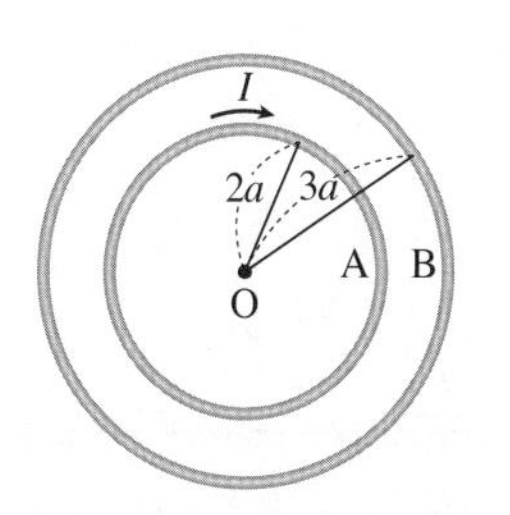

이에 대한 설명으로 옳은 것만을 〈보기〉에서 있는 대로 고른 것은?

〈 보기 〉

ㄱ. B에 흐르는 전류의 세기는 I이다.
ㄴ. B에 흐르는 전류의 방향은 시계 반대 방향이다.
ㄷ. A의 반지름만 a로 작아지면 O에서 자기장의 방향은 종이면에서 수직으로 나오는 방향이다.

① ㄱ ② ㄴ ③ ㄱ, ㄷ
④ ㄴ, ㄷ ⑤ ㄱ, ㄴ, ㄷ

459 하 중 상 서술형

그림은 반지름이 각각 r, $2r$, $3r$인 세 원형 도선에 세기가 I인 전류가 서로 엇갈린 방향으로 흐르고 있는 모습을 나타낸 것이다. 세 원형 도선은 평면상에 고정되어 있고 중심이 O로 같다.

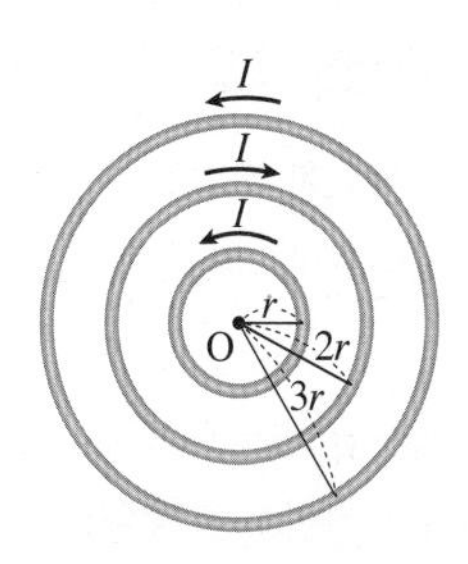

O에서 반지름이 $2r$인 도선에 의한 자기장의 세기가 $3B$일 때, O에서 세 원형 도선에 흐르는 전류에 의한 합성 자기장의 세기를 풀이 과정과 함께 구하시오.

그림은 동일한 평면상에 고정된 반지름이 r인 원형 도선 A와 무한히 긴 직선 도선 B, C에 전류가 흐르고 있는 모습을 나타낸 것이다. A, B, C에 흐르는 전류의 세기는 각각 I, I, I_C이고, A의 중심 O에서 자기장은 0이다.

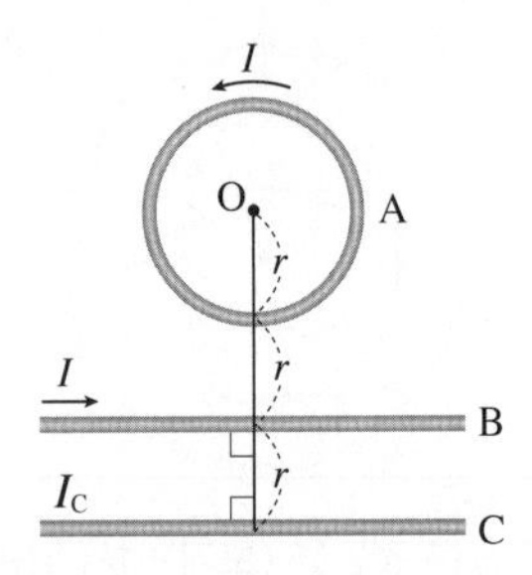

이에 대한 설명으로 옳은 것만을 〈보기〉에서 있는 대로 고른 것은?

〈 보기 〉

ㄱ. I_C는 $\frac{3}{2}I$이다.

ㄴ. 전류의 방향은 B와 C에서 서로 반대이다.

ㄷ. O에서 C에 흐르는 전류에 의한 자기장의 방향은 종이면에 수직으로 들어가는 방향이다.

① ㄱ ② ㄴ ③ ㄱ, ㄷ
④ ㄴ, ㄷ ⑤ ㄱ, ㄴ, ㄷ

솔레노이드에 의한 자기장

그림과 같이 솔레노이드를 전원 장치와 저항에 직렬로 연결하고 스위치를 닫았다.

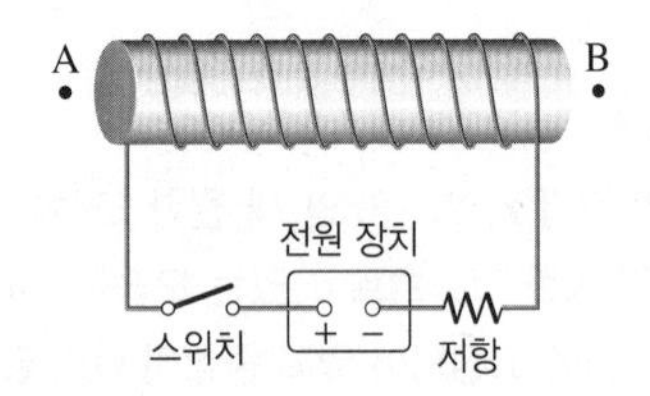

이에 대한 설명으로 옳지 않은 것을 모두 고르면?(2개)

① A에서 솔레노이드에 의한 자기장의 방향은 오른쪽이다.
② A와 B에서 솔레노이드에 의한 자기장의 방향은 서로 반대이다.
③ 솔레노이드 내부에는 균일한 자기장이 형성된다.
④ 솔레노이드 내부의 자기력선의 방향은 B에서 A를 향한다.
⑤ 솔레노이드 내부에서 자기장의 세기는 전류의 세기에 비례한다.
⑥ 솔레노이드 내부에서 자기장의 세기는 단위 길이당 코일의 감은 수에 비례한다.

그림은 솔레노이드를 가변 저항과 전원 장치에 연결한 회로를 나타낸 것이다. 솔레노이드는 x축상에 놓여 있고, 점 p와 r는 솔레노이드 내부 중심을 지나는 x축상에, 점 q는 솔레노이드 외부에 있다.

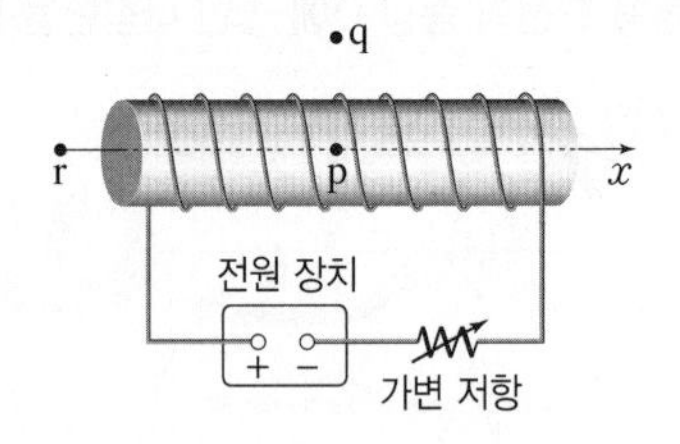

이에 대한 설명으로 옳지 않은 것은?

① p에서 자기장의 방향은 $+x$ 방향이다.
② 자기장의 세기는 p에서가 q에서보다 세다.
③ r에 나침반을 놓으면 자침의 N극이 $+x$ 방향을 가리킨다.
④ 가변 저항의 저항값을 증가시키면 솔레노이드 내부 자기장의 세기는 증가한다.
⑤ 저항값을 일정하게 하고 전원 장치의 전압값을 증가시키면 p에서 자기장의 세기가 증가한다.

463 하 중 상

표는 원통형 솔레노이드 A, B의 길이, 코일의 감은 수, 솔레노이드 내부에서 자기장의 세기를 나타낸 것이다.

솔레노이드	길이	감은 수	자기장의 세기
A	L	$2N$	$2B$
B	$3L$	N	$3B$

A에 흐르는 전류의 세기를 I라고 할 때, B에 흐르는 전류의 세기는?

① $\frac{1}{9}I$ ② $\frac{1}{3}I$ ③ I ④ $3I$ ⑤ $9I$

464 하중상

그림은 길이가 같은 원통에 감은 수가 각각 N, $2N$인 두 솔레노이드 A와 B를 가까이 놓은 모습을 나타낸 것이다. A와 B에는 화살표 방향으로 같은 세기의 전류가 흐르고, 점 P와 Q는 중심축을 잇는 직선 위의 점이다.

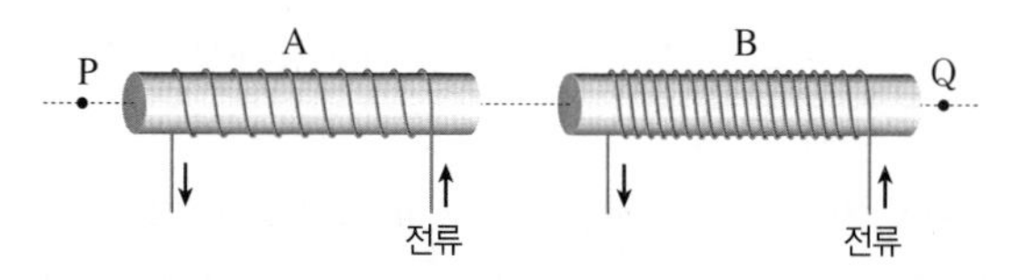

이에 대한 설명으로 옳은 것만을 〈보기〉에서 있는 대로 고른 것은?

〈 보기 〉
ㄱ. A와 B 사이에는 척력이 작용한다.
ㄴ. P와 Q에서 자기장의 방향은 반대이다.
ㄷ. A와 B 내부에서 자기장의 세기의 비 $B_A : B_B = 1 : 2$이다.

① ㄴ ② ㄷ ③ ㄱ, ㄴ
④ ㄱ, ㄷ ⑤ ㄱ, ㄴ, ㄷ

B 전류에 의한 자기장의 이용

465 하중상

전류가 흐르는 도선 주위에 생기는 자기장을 이용하는 장치가 아닌 것은?

① 스피커 ② 전자석 기중기
③ 자기 부상 열차 ④ 발광 다이오드(LED)
⑤ 자기 공명 영상(MRI) 장치

466 하중상

그림은 전동기의 구조를 나타낸 것이다.

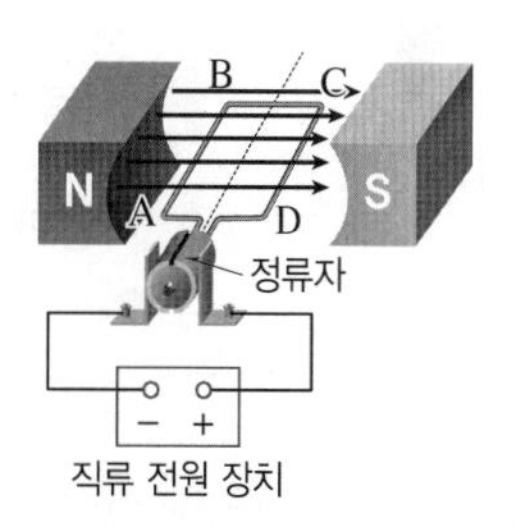

이에 대한 설명으로 옳은 것만을 〈보기〉에서 있는 대로 고른 것은?

〈 보기 〉
ㄱ. 코일의 AB 부분은 위쪽으로 힘을 받는다.
ㄴ. 코일의 CD 부분은 아래쪽으로 힘을 받는다.
ㄷ. 코일 전체는 시계 반대 방향으로 회전한다.
ㄹ. 정류자가 전류의 방향을 조절하여 코일이 한쪽 방향으로 회전한다.

① ㄱ, ㄴ ② ㄱ, ㄷ ③ ㄴ, ㄷ
④ ㄱ, ㄴ, ㄹ ⑤ ㄴ, ㄷ, ㄹ

467 하중상

그림은 자석, 코일, 진동판으로 구성된 스피커의 내부 구조를 나타낸 것이다.

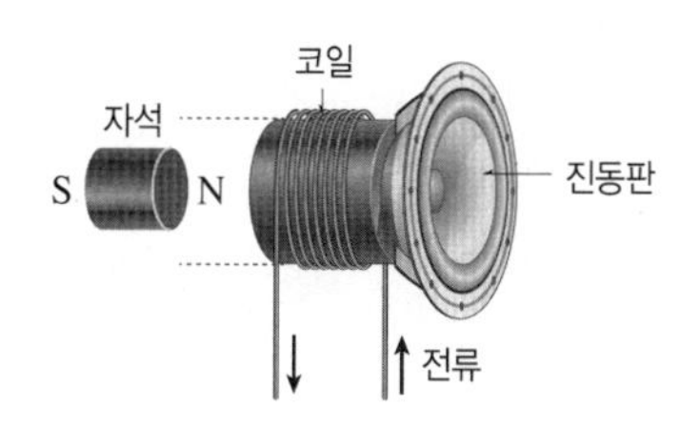

이에 대한 설명으로 옳은 것만을 〈보기〉에서 있는 대로 고른 것은?

〈 보기 〉
ㄱ. 자석의 세기가 셀수록 작은 소리가 발생한다.
ㄴ. 코일에 화살표 방향으로 전류가 흐를 때, 코일과 자석 사이에는 서로 당기는 자기력이 작용한다.
ㄷ. 코일에 흐르는 전류의 방향이 바뀌면 자석에 의해 코일과 진동판이 진동하여 소리가 발생한다.

① ㄱ ② ㄷ ③ ㄱ, ㄴ
④ ㄴ, ㄷ ⑤ ㄱ, ㄴ, ㄷ

물질의 자성

Ⓐ 물질의 자성

1 자성과 자기화

① ❶ □□: 물질이 외부 자기장에 반응하는 성질로, 자기화 정도에 따라 강자성, 상자성, 반자성으로 구분한다. → 자성을 띠는 물질을 자성체라고 한다.

② 자기화(자화): 외부 자기장의 영향으로 원자 자석들이 일정한 방향으로 정렬되는 현상이다.

③ 자성의 원인: 물질을 구성하는 원자 내 전자의 운동(궤도 운동과 스핀)으로 전류가 흐르는 것과 같은 효과가 생김으로써 ❷ □□□이 형성되기 때문이다. → 물질이 띠는 자성은 대부분 전자의 궤도 운동보다는 스핀에 의한 것이다.

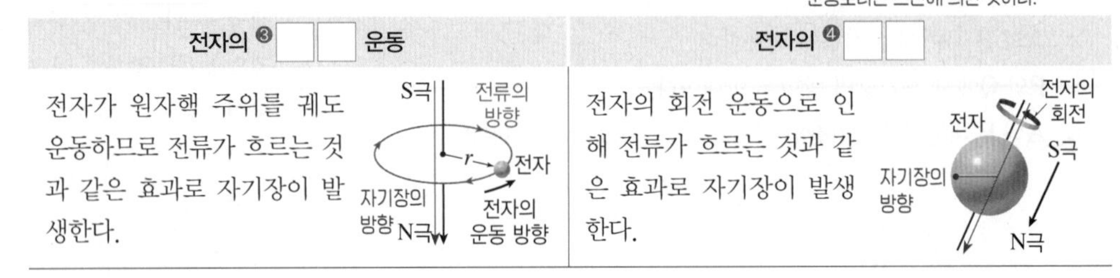

전자의 ❸ □□ 운동	전자의 ❹ □□
전자가 원자핵 주위를 궤도 운동하므로 전류가 흐르는 것과 같은 효과로 자기장이 발생한다.	전자의 회전 운동으로 인해 전류가 흐르는 것과 같은 효과로 자기장이 발생한다.

2 자성체의 종류

① ❺ □□□□: 강자성을 띠는 물질 예 철, 니켈, 코발트 등

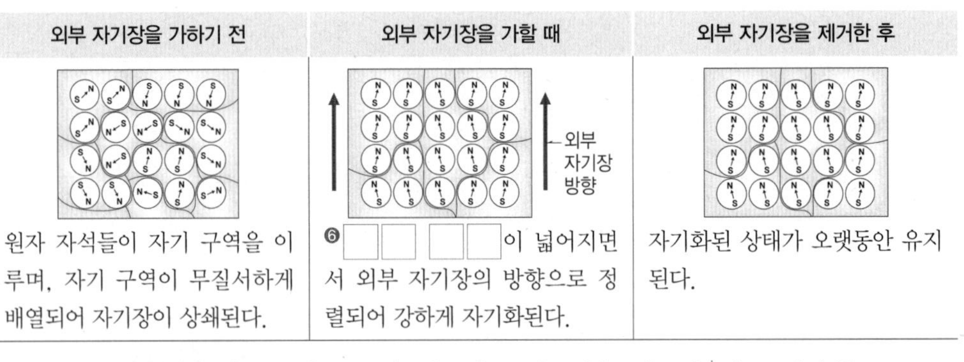

외부 자기장을 가하기 전	외부 자기장을 가할 때	외부 자기장을 제거한 후
원자 자석들이 자기 구역을 이루며, 자기 구역이 무질서하게 배열되어 자기장이 상쇄된다.	❻ □□ □□이 넓어지면서 외부 자기장의 방향으로 정렬되어 강하게 자기화된다.	자기화된 상태가 오랫동안 유지된다.

② 상자성체: 상자성을 띠는 물질 예 종이, 알루미늄, 마그네슘, 텅스텐, 산소, 아연 등

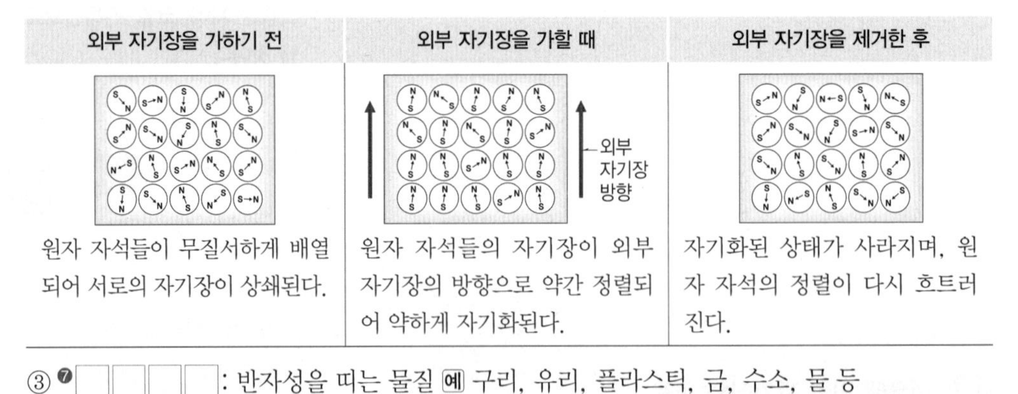

외부 자기장을 가하기 전	외부 자기장을 가할 때	외부 자기장을 제거한 후
원자 자석들이 무질서하게 배열되어 서로의 자기장이 상쇄된다.	원자 자석들의 자기장이 외부 자기장의 방향으로 약간 정렬되어 약하게 자기화된다.	자기화된 상태가 사라지며, 원자 자석의 정렬이 다시 흐트러진다.

③ ❼ □□□□: 반자성을 띠는 물질 예 구리, 유리, 플라스틱, 금, 수소, 물 등

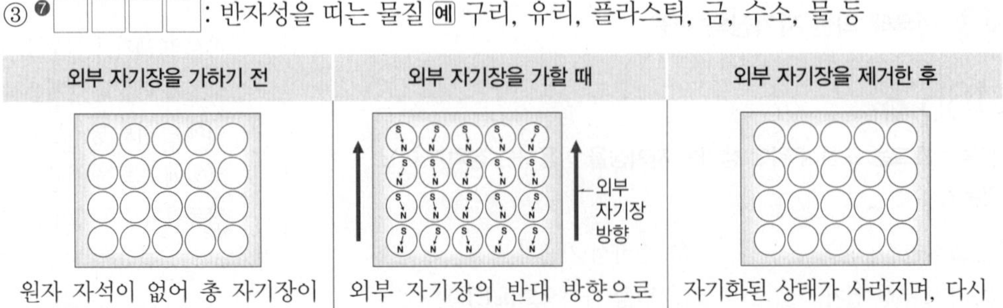

외부 자기장을 가하기 전	외부 자기장을 가할 때	외부 자기장을 제거한 후
원자 자석이 없어 총 자기장이 0이 되어 자성을 띠지 않는다.	외부 자기장의 반대 방향으로 약하게 자기화된다.	자기화된 상태가 사라지며, 다시 원자 자석이 없는 상태가 된다.

기출 Tip Ⓐ-1

자성의 종류
- 강자성: 자석에 강하게 끌리는 성질
- 상자성: 자석에 약하게 끌리는 성질
- 반자성: 자석에 약하게 밀리는 성질

원자 자석
물질을 이루는 원자는 하나하나가 매우 작은 자석과 같은 역할을 하는데, 이를 원자 자석이라고 한다. 원자 자석은 외부 자기장에 의해 일정한 방향으로 정렬된다.
→ 물질에 따라 원자 자석이 정렬되는 방향과 정도가 다르므로 물질마다 서로 다른 자성을 갖는다.

자성의 원인
전자는 일반적으로 서로 반대 방향의 스핀을 갖는 전자와 쌍을 이루어 자기적 효과가 상쇄된다. 그러나 서로 쌍을 이루지 않는 전자를 갖는 원자로 이루어진 물질은 강자성이나 상자성을 띠고, 한 원자 내의 전자들이 모두 짝을 이루어 자기장이 완전히 상쇄되면 물질은 반자성을 띤다.

기출 Tip Ⓐ-2

자기 구역
수많은 원자 자석들이 모두 같은 방향으로 정렬되어 있는 구역으로 강자성체에서만 나타난다.

(여러 가지 물체의 자성 관찰)

❶ 그림과 같이 스탠드에 실을 묶고 클립을 매달아 움직이지 않도록 한 후 네오디뮴 자석을 가까이 하여 클립의 움직임을 관찰한다.
❷ 클립 대신 종이, 알루미늄 막대, 구리 막대, 유리 막대 등을 각각 매달아 네오디뮴 자석을 가까이 하면서 물체의 움직임을 관찰한다.
- 자석에 강하게 끌려오는 물체: 클립 ➔ 강자성체
- 자석에 약하게 끌려오는 물체: 종이, 알루미늄 막대 ➔ 상자성체
- 자석에 밀려나는 물체: 구리 막대, 유리 막대 ➔ 반자성체

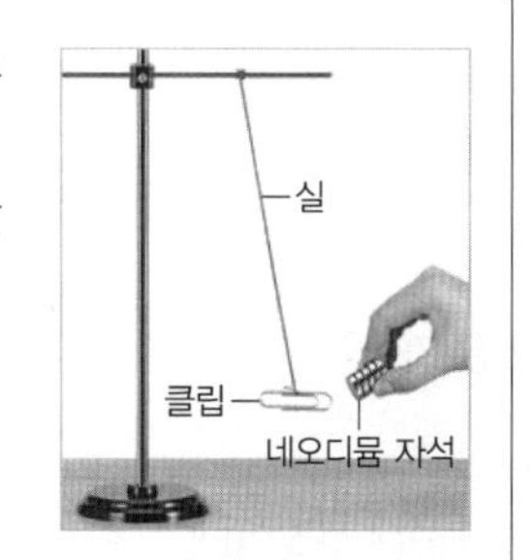

B 자성체의 이용

1 강자성체의 이용

① 영구 자석: 강자성체가 자기화된 상태를 오래 유지하는 성질을 이용해 만들며, 고무 자석(냉장고 자석), 위조지폐 방지 자석 잉크, 스피커와 전동기의 부품 등에 쓰인다.

② ❽ [ ][ ][ ]: 강자성체가 자기장의 세기를 세게 할 수 있는 성질을 이용한 것으로, 솔레노이드 내부에 강자성체를 넣어 만든다. → 전류가 흐르면 매우 강한 자석이 된다.

③ 정보 저장 매체: 자기화된 상태를 오래 유지하는 강자성체를 컴퓨터의 하드디스크, 마그네틱 카드 등의 표면에 입혀 정보를 기록하고 저장하는 데 이용한다.

(하드디스크에 정보가 기록되는 원리)

하드디스크에서 디스크 원판의 표면은 강자성체를 얇게 입힌 구조이다. 디스크 원판이 코일이 감겨 있는 헤드를 지나면, 코일에 흐르는 전류에 의해 형성된 자기장에 의해 디스크 표면이 자기화되면서 정보가 기록된다.

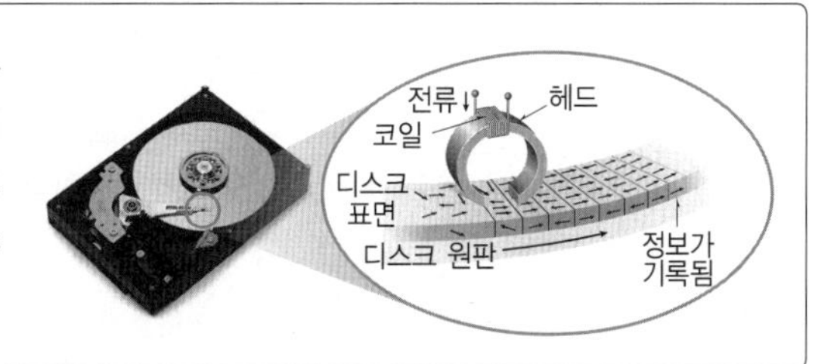

2 반자성체의 이용

- ❾ [ ][ ][ ][ ]: 임계 온도 이하에서 전기 저항이 0이 되며, 물질 내부의 자기장이 0이 되어 외부 자기장을 밀어내는(→ 마이스너 효과) 반자성을 나타내는 물질이다. 임계 온도 이하에서 전력 손실이 없으므로 자기 부상 열차에 이용된다.

기출 Tip B-1

고무 자석(냉장고 자석)
강자성체 분말을 고무에 섞어 만든다.

전자석

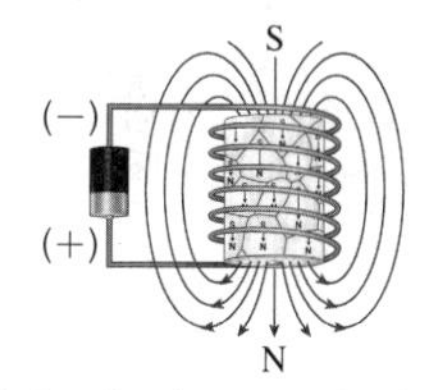

솔레노이드에 흐르는 전류에 의한 자기장에 의해 솔레노이드 내부의 강자성체가 자기화되며, 솔레노이드에 의한 자기장과 강자성체에 의한 자기장이 합해져서 매우 강한 자석이 된다.

답 ❶ 자성 ❷ 자기장 ❸ 궤도 ❹ 스핀 ❺ 강자성체 ❻ 자기 구역 ❼ 반자성체 ❽ 전자석 ❾ 초전도체

빈출 자료 보기

정답과 해설 62쪽

468 그림은 물체 A, B, C에 외부 자기장을 가할 때와 외부 자기장을 제거한 후 원자 자석의 배열을 나타낸 것이다. A, B, C는 각각 강자성체, 상자성체, 반자성체 중 하나이다.

구분	A	B	C
자기장을 가할 때	N S	N S	N S
자기장을 제거한 후			

이에 대한 설명으로 옳은 것은 ○, 옳지 않은 것은 ×로 표시하시오.

(1) A는 상자성체이다. ( )
(2) A에는 자기 구역이 존재한다. ( )
(3) 종이, 알루미늄은 A에 해당하는 물질이다. ( )
(4) B에는 원자 자석이 없다. ( )
(5) B는 하드디스크에 정보를 저장할 때 이용된다. ( )
(6) C를 이용하여 영구 자석을 만들 수 있다. ( )
(7) C는 원자 내의 전자들이 모두 짝을 이룬다. ( )
(8) C와 같은 자성을 띠는 물체에 자석을 가까이 하면 물체와 자석 사이에 서로 당기는 힘이 작용한다. ( )

A 물질의 자성

자성체의 종류와 특징

469 

물질의 자성에 대한 설명으로 옳지 않은 것은?

① 자성을 띠는 물질을 자성체라고 한다.
② 자성은 물질이 외부 자기장에 반응하는 성질이다.
③ 자성의 종류에는 강자성, 상자성, 반자성이 있다.
④ 물질이 자성을 띠는 원인은 원자 내 원자핵의 운동 때문이다.
⑤ 자기화는 외부 자기장의 영향으로 원자 자석들이 일정한 방향으로 정렬되는 현상이다.

470 하중상

그림은 원자핵 주위를 도는 전자의 궤도 운동을 나타낸 것이다.

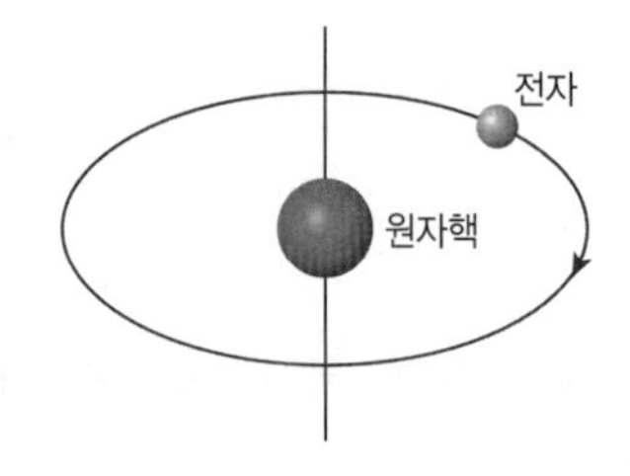

이에 대한 설명으로 옳은 것만을 〈보기〉에서 있는 대로 고른 것은?

〈 보기 〉
ㄱ. 물질의 자성은 전자의 궤도 운동에 의해서만 생긴다.
ㄴ. 전자의 궤도 운동에 의한 자기장의 방향은 아래쪽이다.
ㄷ. 전류가 시계 반대 방향으로 흐르는 것과 같은 효과가 나타난다.

① ㄱ ② ㄷ ③ ㄱ, ㄴ
④ ㄴ, ㄷ ⑤ ㄱ, ㄴ, ㄷ

471 하중상 多 보기

그림 (가)는 전자의 스핀을, (나)는 전자의 궤도 운동에 의해 자기장이 형성된 모습을 나타낸 것이다.

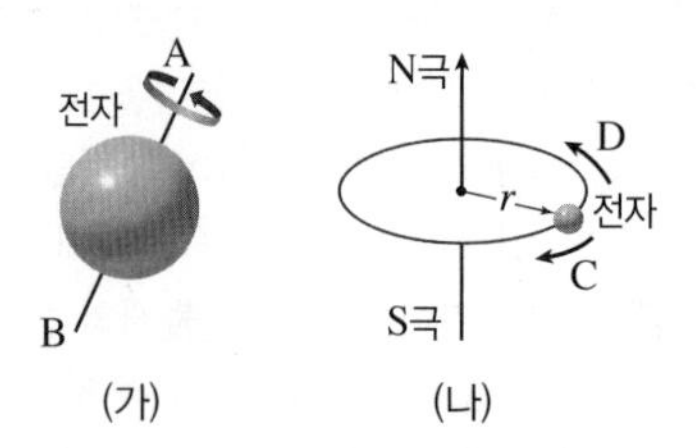

이에 대한 설명으로 옳지 않은 것을 모두 고르면?(2개)

① (가)에서 A는 S극을 띤다.
② (가)에서 전자의 스핀에 의한 자기장은 A에서 B를 향하는 방향으로 형성된다.
③ (나)에서 전자의 운동 방향은 C이다.
④ (가)와 (나)의 효과로 물질에 자성이 나타난다.
⑤ 물질의 자성은 전자의 궤도 운동에 의한 효과가 스핀에 의한 효과보다 크다.
⑥ 원자 내에 서로 반대 방향의 스핀으로 짝을 이루는 전자가 많을수록 물질의 자성이 강하다.

[472~473] 그림은 자성체 A, B, C를 주어진 기준에 따라 분류하는 과정을 나타낸 것이다. A, B, C는 각각 강자성체, 상자성체, 반자성체 중 하나이다.

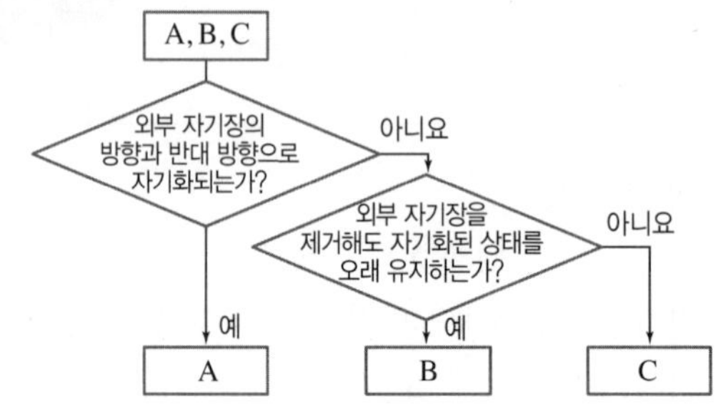

472 하중상

A, B, C에 해당하는 자성체를 각각 쓰시오.

473 하중상

이에 대한 설명으로 옳은 것은?

① A는 내부에 자기 구역이 있다.
② A는 영구 자석을 만드는 데 사용한다.
③ 유리는 B에 해당하는 물질이다.
④ B에 자석을 가까이 하면 자석과 B 사이에 서로 당기는 자기력이 작용한다.
⑤ C에 해당하는 물질에는 철, 니켈, 코발트 등이 있다.

474 하중상

그림 (가)는 자기화되지 않은 어떤 물질에 외부 자기장을 가하지 않았을 때, (나)는 외부 자기장을 가했을 때, (다)는 (나)에서 외부 자기장을 제거했을 때 물질 내 원자 자석의 배열을 나타낸 것이다.

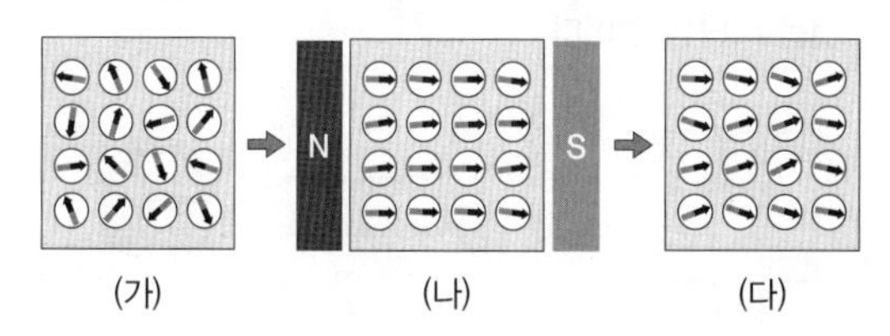

(가) (나) (다)

이 물질에 대한 설명으로 옳은 것만을 〈보기〉에서 있는 대로 고른 것은?

〈 보기 〉
ㄱ. 강자성체이다.
ㄴ. 하드디스크와 같은 정보 저장 매체에 이용된다.
ㄷ. 외부 자기장을 제거해도 자기화된 상태를 오래 유지한다.

① ㄱ ② ㄴ ③ ㄱ, ㄷ
④ ㄴ, ㄷ ⑤ ㄱ, ㄴ, ㄷ

475 하중상

그림은 균일한 자기장이 형성된 영역에 반자성체를 넣었을 때, 반자성체 내부의 원자 자석 배열을 나타낸 것이다.

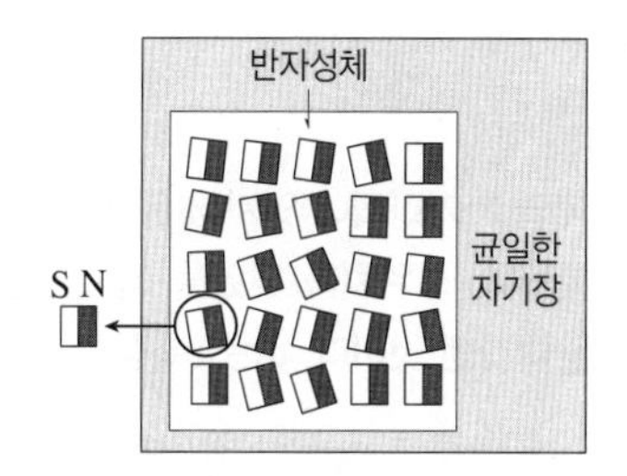

이에 대한 설명으로 옳은 것만을 〈보기〉에서 있는 대로 고른 것은?

〈 보기 〉
ㄱ. 균일한 자기장의 방향은 왼쪽이다.
ㄴ. 균일한 자기장을 제거해도 반자성체 내부 자기장이 오래 유지된다.
ㄷ. 원자 내에 스핀이 서로 반대인 방향으로 짝을 이루는 전자들이 많다.
ㄹ. 반자성체에 자석을 가까이 하면 반자성체와 자석 사이에 서로 미는 자기력이 작용한다.

① ㄱ, ㄴ ② ㄱ, ㄷ ③ ㄴ, ㄹ
④ ㄱ, ㄷ, ㄹ ⑤ ㄴ, ㄷ, ㄹ

476 하중상 서술형

상자성체와 강자성체의 공통점과 차이점을 각각 서술하시오.

477 하중상 서술형

물질마다 서로 다른 자성을 갖는 까닭을 다음 용어를 모두 포함하여 서술하시오.

자기장, 원자 자석, 방향

물질의 자성 실험

478 하중상

그림 (가)는 철못을 막대자석에 붙여놓은 모습을, (나)는 (가)의 철못에 클립이 달라붙은 모습을 나타낸 것이다.

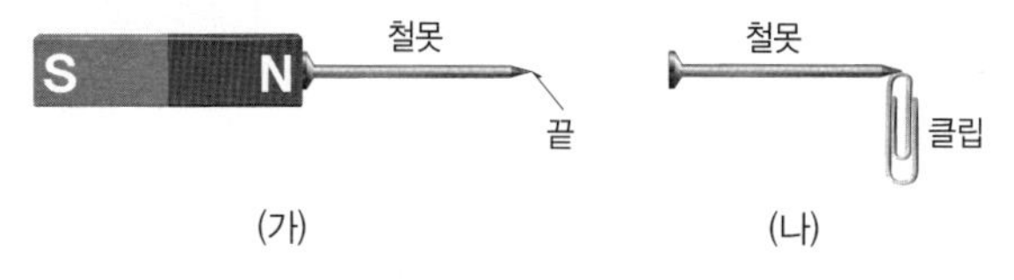

(가) (나)

이에 대한 설명으로 옳은 것만을 〈보기〉에서 있는 대로 고른 것은?

〈 보기 〉
ㄱ. 철못은 반자성체이다.
ㄴ. (가)에서 철못의 끝은 N극을 띤다.
ㄷ. (나)에서 철못의 내부는 자석에 의한 자기장과 같은 방향으로 자기화되어 있다.

① ㄱ ② ㄷ ③ ㄱ, ㄴ
④ ㄴ, ㄷ ⑤ ㄱ, ㄴ, ㄷ

하 중 상

그림 (가)와 (나)는 각각 자기화되어 있지 않은 원기둥 모양의 물체 A, B에 막대자석의 N극을 가까이 하였을 때, 실에 연결된 A, B가 기울어져 정지해 있는 모습을 나타낸 것이다. A, B는 각각 강자성체, 반자성체 중 하나이다.

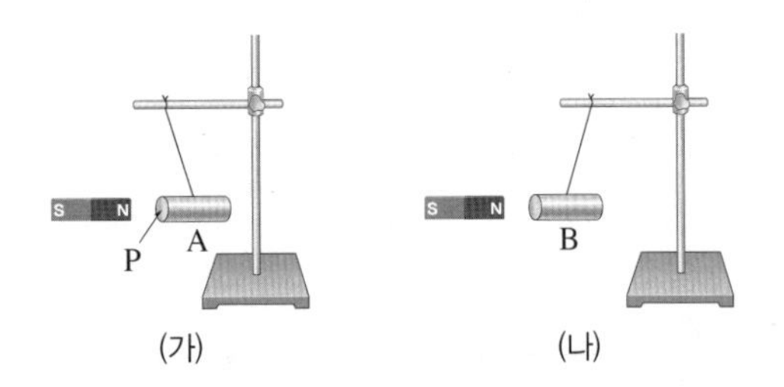

이에 대한 설명으로 옳은 것만을 〈보기〉에서 있는 대로 고른 것은?

〈 보기 〉

ㄱ. A는 강자성체이다.

ㄴ. 자기화된 A의 P 쪽은 N극이다.

ㄷ. B는 외부 자기장과 반대 방향으로 자기화된다.

① ㄱ ② ㄴ ③ ㄱ, ㄷ

④ ㄴ, ㄷ ⑤ ㄱ, ㄴ, ㄷ

480 하 중 상

그림과 같이 자석을 고정한 아크릴 관을 전자저울 위에 놓고 무게를 측정한 후, 강자성체, 상자성체, 반자성체를 자석으로부터 같은 높이에 위치시켰을 때 저울에 측정되는 무게를 표로 나타내었다.

물체	저울 측정값(N)
없음	1.000
강자성체	㉠
상자성체	㉡
반자성체	㉢

㉠, ㉡, ㉢의 크기를 부등호를 이용하여 비교하시오.

481 하 중 상

그림 (가)는 자기화되어 있지 않은 막대를 솔레노이드 속에 넣고 직류 전원 장치에 연결하여 전류가 흐르게 한 회로를, (나)는 (가)에서 막대를 꺼낸 후 나침반에 가까이 하였더니 나침반의 N극이 막대를 향하는 것을 나타낸 것이다.

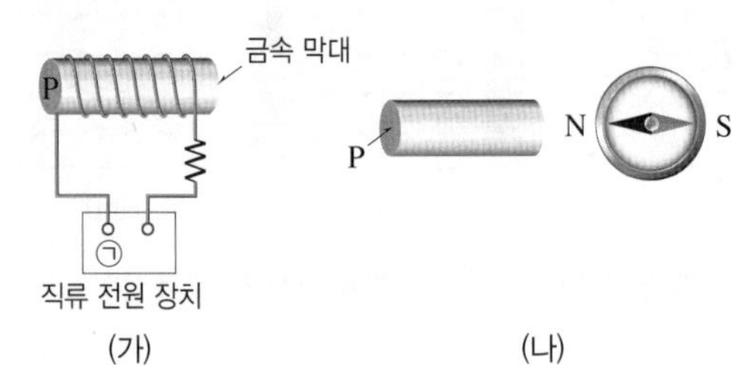

이에 대한 설명으로 옳은 것만을 〈보기〉에서 있는 대로 고른 것은? (단, 지구 자기장은 무시한다.)

〈 보기 〉

ㄱ. ㉠은 (−)극이다.

ㄴ. 막대는 상자성체이다.

ㄷ. 막대의 P 쪽은 N극을 띤다.

① ㄱ ② ㄴ ③ ㄱ, ㄷ

④ ㄴ, ㄷ ⑤ ㄱ, ㄴ, ㄷ

하 중 상

그림은 상자성 막대와 자기화되어 있지 않은 강자성 막대에 도선을 감아 회로를 구성한 후, 스위치를 닫았을 때 일정한 세기의 전류 I가 흐르는 모습을 나타낸 것이다. p는 x축상의 점이다.

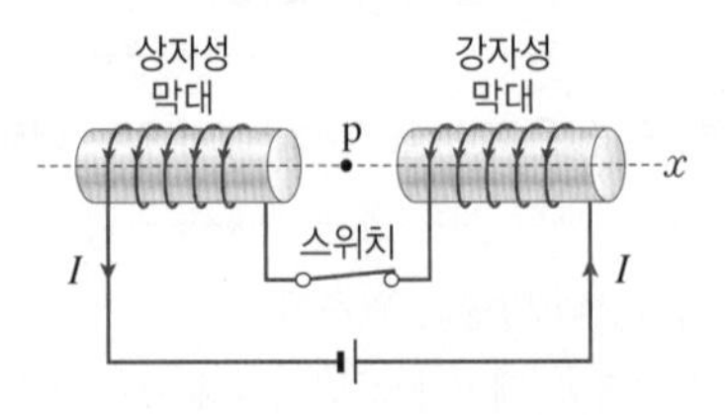

이에 대한 설명으로 옳은 것만을 〈보기〉에서 있는 대로 고른 것은?

〈 보기 〉

ㄱ. 두 막대 사이에는 척력이 작용한다.

ㄴ. p점에서 자기장의 방향은 $+x$ 방향이다.

ㄷ. 스위치를 열면 두 막대 사이에는 인력이 작용한다.

① ㄱ ② ㄴ ③ ㄱ, ㄷ

④ ㄴ, ㄷ ⑤ ㄱ, ㄴ, ㄷ

483 하중상

그림은 물체 A, B를 각각 수레에 고정시킨 후 전지와 스위치에 연결된 솔레노이드 양쪽에 가만히 놓은 모습을 나타낸 것이다. 스위치를 ㉠에 연결하였더니 A와 B는 모두 오른쪽으로 운동했다. A, B는 각각 강자성체, 반자성체 중 하나이다.

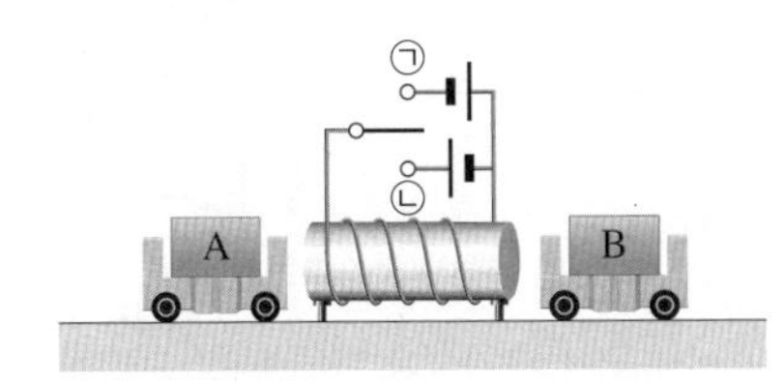

이에 대한 설명으로 옳은 것만을 〈보기〉에서 있는 대로 고른 것은?

〈 보기 〉
ㄱ. B는 반자성체이다.
ㄴ. 스위치를 ㉠에 연결하면 A의 오른쪽 면은 N극으로 자기화된다.
ㄷ. 스위치를 ㉡에 연결하면 B는 왼쪽으로 운동한다.

① ㄱ　② ㄴ　③ ㄱ, ㄷ
④ ㄴ, ㄷ　⑤ ㄱ, ㄴ, ㄷ

484 하중상

다음은 물체의 자성을 알아보기 위한 실험이다.

[실험 과정]
(가) 자기화되어 있지 않은 물체 A, B, C를 차례로 연직 방향의 강한 외부 자기장이 있는 영역에 넣어 자기화시킨다. A, B, C는 각각 강자성체, 상자성체, 반자성체 중 하나이다.
(나) 과정 (가)를 거친 A와 B, B와 C, A와 C를 가까이 하여 물체 사이에 작용하는 자기력을 측정한다.

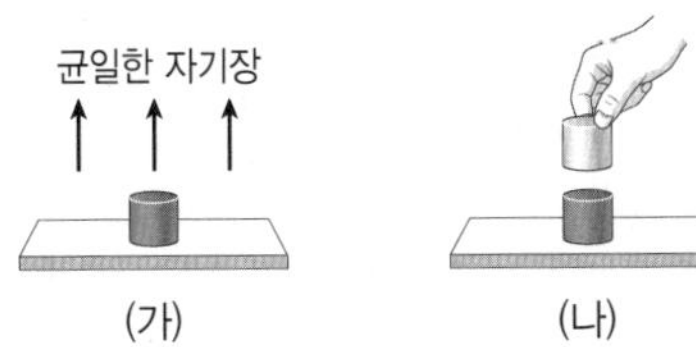

[실험 결과]

물체	A, B	B, C	A, C
작용하는 자기력	㉠	없음	척력

이에 대한 설명으로 옳은 것만을 〈보기〉에서 있는 대로 고른 것은?

〈 보기 〉
ㄱ. ㉠은 인력이다.
ㄴ. (가)에서 B의 윗면은 S극으로 자기화된다.
ㄷ. (가)에서 C는 외부 자기장과 같은 방향으로 자기화된다.

① ㄱ　② ㄴ　③ ㄱ, ㄷ
④ ㄴ, ㄷ　⑤ ㄱ, ㄴ, ㄷ

B 자성체의 이용

빈출 485 하중상

우리 주변에서 자성체가 이용되는 예로 옳은 것만을 〈보기〉에서 있는 대로 고른 것은?

〈 보기 〉
ㄱ. 초전도체는 자기 부상 열차에 이용된다.
ㄴ. 고무 자석은 상자성체 분말을 고무에 섞어 만든 것으로 냉장고 자석에 쓰인다.
ㄷ. 전자석은 솔레노이드 내부에 강자성체를 넣은 것으로 전류가 흐르면 강한 자석이 된다.

① ㄱ　② ㄴ　③ ㄱ, ㄷ
④ ㄴ, ㄷ　⑤ ㄱ, ㄴ, ㄷ

486 하중상

그림은 하드디스크의 구조를 나타낸 것이다.

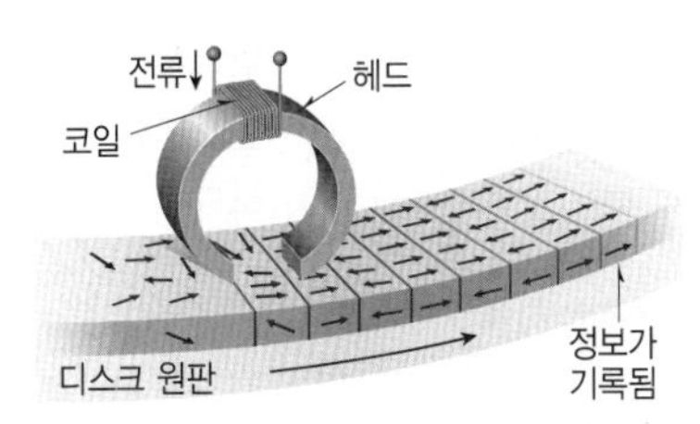

이에 대한 설명으로 옳은 것만을 〈보기〉에서 있는 대로 고른 것은?

〈 보기 〉
ㄱ. 디스크 원판의 표면은 반자성체를 얇게 입힌 구조이다.
ㄴ. 헤드는 디스크 원판 위를 움직이면서 정보를 기록한다.
ㄷ. 코일에 전류를 흐르게 하면 전류에 의해 형성된 자기장에 의해 디스크 표면이 자기화된다.

① ㄱ　② ㄴ　③ ㄱ, ㄷ
④ ㄴ, ㄷ　⑤ ㄱ, ㄴ, ㄷ

전자기 유도

Ⓐ 전자기 유도

1 전자기 유도 코일을 통과하는 ❶□□ □□이 시간에 따라 변할 때 코일에 전류가 유도되는 현상

① ❷□□ 기전력: 전자기 유도에 의해 코일 양단에 걸리는 전압 ← 유도 전류를 흐르게 하는 원인

② 유도 전류: 전자기 유도에 의해 코일에 흐르는 전류 ← 자기 선속이 변할 때만 발생한다.

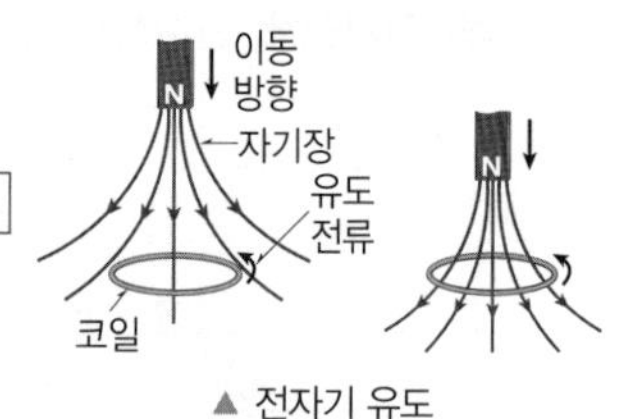

▲ 전자기 유도

기출 Tip Ⓐ-1

자기 선속(Φ)

자기 선속은 어떤 단면을 수직으로 통과하는 자기장의 양으로, 단면을 지나는 자기장의 세기(B)에 단면적(A)을 곱한 것과 같다. 즉, $\Phi=BA$[단위: Wb(웨버)]이다. 자기장의 세기가 변하거나 단면적이 변할 때 자기 선속의 변화가 생긴다.

코일을 통과하는 자기 선속이 변하는 경우

- 코일의 주위에서 자석을 움직일 때
- 자석의 주위에서 코일을 움직일 때
- 코일 주위의 도선에 흐르는 전류의 세기가 변할 때
- 자기장이 통과하는 코일의 단면적이 변할 때

2 렌츠 법칙 유도 전류는 코일을 통과하는 자기 선속의 변화를 방해하는 방향으로 흐른다.

➔ 유도 전류는 자석의 ❸□□을 방해하는 방향으로 흐른다.

(→: 자석에 의한 자기장, ⋯→: 유도 전류에 의한 자기장)

구분	N극을 가까이 할 때	N극을 멀리 할 때	S극을 가까이 할 때	S극을 멀리 할 때
코일을 통과하는 자기 선속의 변화	가까이 한다. 아랫방향의 자기 선속 증가	멀리 한다. 아랫방향의 자기 선속 감소	가까이 한다. 윗방향의 자기 선속 증가	멀리 한다. 윗방향의 자기 선속 감소
코일에 유도되는 자기장과 자기력	윗방향의 자기 선속이 만들어지기 위해 위쪽에 N극 유도 ➔ 자석에 척력 작용	아랫방향의 자기 선속이 만들어지기 위해 위쪽에 S극 유도 ➔ 자석에 인력 작용	아랫방향의 자기 선속이 만들어지기 위해 위쪽에 S극 유도 ➔ 자석에 척력 작용	윗방향의 자기 선속이 만들어지기 위해 위쪽에 N극 유도 ➔ 자석에 인력 작용
유도 전류의 방향	B → Ⓖ → A	A → Ⓖ → B	A → Ⓖ → B	B → Ⓖ → A

기출 Tip Ⓐ-2

자석과 코일 사이의 힘

- 자석이 코일에 가까워질 때: 밀어내는 힘(척력)이 작용하도록 코일에 유도 전류가 흐른다.
  ➔ 코일은 자석과 가까운 쪽이 자석과 같은 극이 된다.
- 자석이 코일에서 멀어질 때: 당기는 힘(인력)이 작용하도록 코일에 유도 전류가 흐른다.
  ➔ 코일은 자석과 가까운 쪽이 자석과 다른 극이 된다.

긴 관을 통과하여 낙하하는 자석의 속력

긴 관을 통과하여 낙하하는 자석에 의해 긴 관에 전자기 유도가 일어나면 자석의 역학적 에너지의 일부가 전기 에너지로 전환된다. 이때 유도 전류의 세기가 셀수록 자석이 잃은 역학적 에너지가 크므로 바닥에 도달하기 직전 자석의 속력이 작아진다. 따라서 바닥에 도달하기 직전의 속력이 가장 작은 경우는 구리관에서 떨어지는 자석이다.

(긴 관을 통과하여 낙하하는 자석의 운동)

그림과 같이 동일한 네오디뮴 자석을 굵기와 길이가 같은 플라스틱관, 알루미늄관, 구리관에 각각 낙하시킨다.

- 자석의 낙하 시간: 플라스틱관 < 알루미늄관 < 구리관
- 플라스틱관과 구리관·알루미늄관의 낙하 시간: 플라스틱관에서는 유도 전류가 흐르지 않지만, 구리관과 알루미늄관에서는 자석의 운동을 방해하는 방향으로 유도 전류가 흘러 자석이 더 늦게 떨어진다.
- 알루미늄관과 구리관의 낙하 시간: 구리관의 전기 저항이 알루미늄관보다 작으므로 구리관에서 더 센 유도 전류가 발생한다. 따라서 구리관에서 떨어지는 자석이 더 늦게 떨어진다.

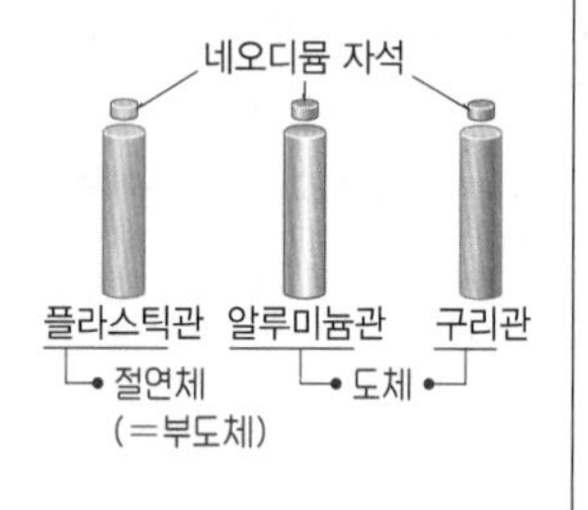

3 패러데이 법칙

① 유도 기전력의 크기: 유도 기전력의 크기는 코일의 감은 수(N)가 많을수록, 코일을 통과하는 자기 선속의 시간에 따른 변화율$\left(\frac{\Delta\Phi}{\Delta t}\right)$이 클수록 ❹□다.

$$V=-N\frac{\Delta\Phi}{\Delta t}\ \text{[단위: V(볼트)]}$$

(−: 자기 선속의 변화를 방해하는 방향이라는 의미이다.)

② 유도 전류의 세기: 유도 기전력의 크기에 비례한다. ➔ 자석이 빠르게 움직일수록, 코일의 ❺□□ 수가 많을수록, ❻□□의 세기가 셀수록 유도 전류의 세기가 세다.

(균일한 자기장 속 도선의 운동)

그림과 같이 정사각형 도선이 종이면에 수직으로 들어가는 방향의 균일한 자기장 영역을 일정한 속도로 지나고 있다.
(⊗: 종이면에 수직으로 들어가는 방향, ⊙: 종이면에서 수직으로 나오는 방향)

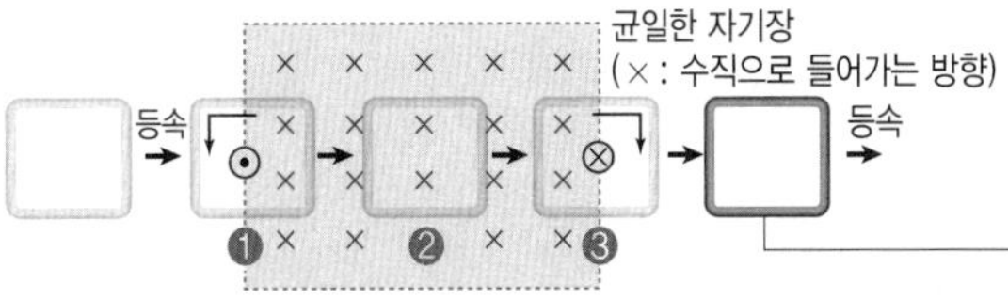

균일한 자기장 (× : 수직으로 들어가는 방향)
등속 ❶ ❷ ❸ 등속

❶ 도선 내부를 수직으로 통과하는 ⊗ 방향의 자기 선속이 ❼[ ][ ]한다. ➔ 자기 선속의 증가를 방해하기 위해 도선은 ⊙ 방향의 유도 자기장을 만든다. ➔ 시계 반대 방향으로 유도 전류가 흐른다.
❷ 도선 내부를 통과하는 자기 선속의 변화가 없다. ➔ 유도 전류가 흐르지 않는다.
❸ 도선 내부를 수직으로 통과하는 ⊗ 방향의 자기 선속이 감소한다. ➔ 자기 선속의 감소를 방해하기 위해 도선은 ⊗ 방향의 유도 자기장을 만든다. ➔ 시계 방향으로 유도 전류가 흐른다.

• 도선이 자기장 영역 밖에 있을 때는 도선 내부를 통과하는 자기 선속 변화가 없다.

Ⓑ 전자기 유도의 이용

1 발전기 ❽[ ][ ] 에너지를 전기 에너지로 전환하는 장치로, 자석 사이에 있는 코일이 회전할 때 코일을 통과하는 자기 선속에 변화가 생겨 코일에 유도 전류가 발생한다.

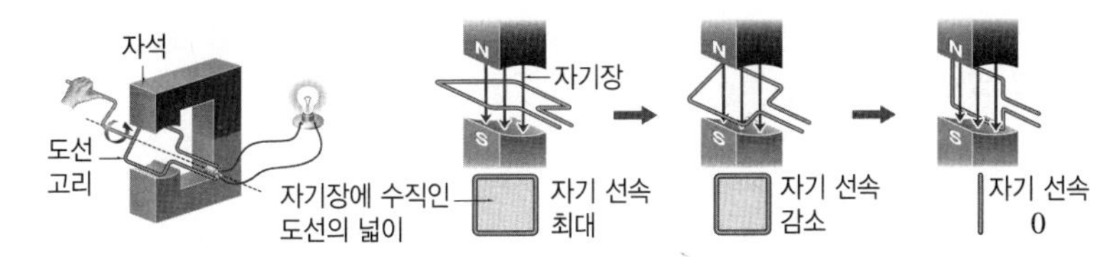

기출 Tip Ⓑ-1
발전기의 유도 전류
자석을 코일에 가까이 할 때와 멀리 할 때 유도 전류의 방향이 바뀌는 것처럼, 발전기 내부에서 코일이 회전할 때 전류의 방향이 바뀌는 교류가 발생한다.

2 전자기 유도를 이용한 예

교류가 흐르는 코일 이용

마이크	놀이 기구의 브레이크	교통 카드 판독기	무선 충전기
 진동판, 코일, 자석	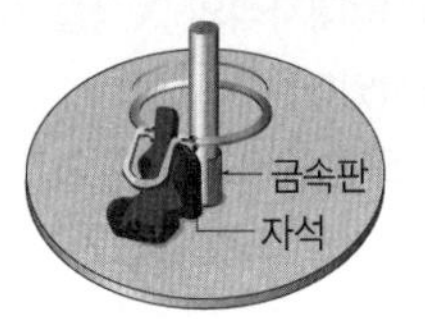 금속판, 자석	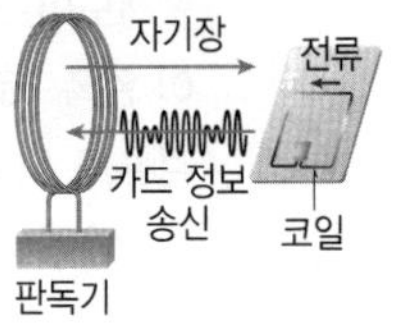 자기장, 전류, 카드 정보 송신, 코일, 판독기	 전력 수신기 (2차 코일), 충전 패드 (1차 코일)
소리에 의해 진동판이 진동하면 진동판에 부착된 ❾[ ][ ]이 자석 주위에서 움직이면서 코일에 유도 전류가 발생한다.	탑승 의자가 낙하할 때 의자에 붙어 있는 자석에 의해 금속판에 유도 전류가 발생하여 의자를 멈추게 한다.	판독기에서 방출하는 자기장의 변화에 의해 카드 내부 코일에 유도 전류가 흐르고 통신이 이루어진다.	충전 패드 내부 코일에서 방출하는 자기장의 변화에 의해 휴대 전화 코일에 유도 전류가 흘러 배터리가 충전된다.

기출 Tip Ⓑ-2
전자기 유도를 이용한 예
• 전자 기타
• 자전거 전조등용 발전기

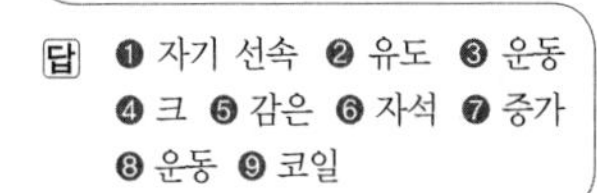
답 ❶ 자기 선속 ❷ 유도 ❸ 운동 ❹ 크 ❺ 감은 ❻ 자석 ❼ 증가 ❽ 운동 ❾ 코일

빈출 자료 보기

정답과 해설 64쪽

487 그림은 솔레노이드의 중심축상에서 막대자석의 N극을 가까이 하는 모습을 나타낸 것이다.

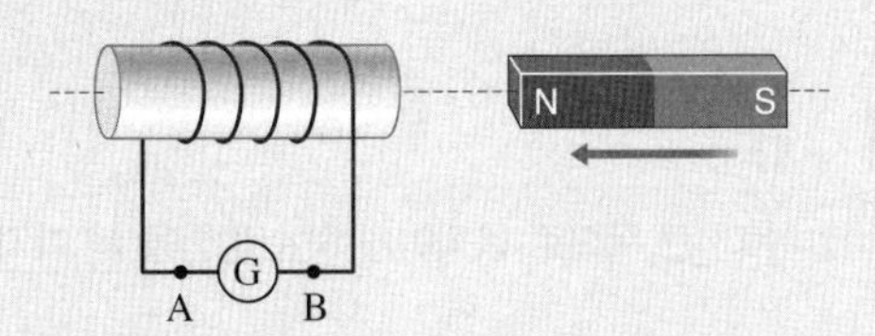

이에 대한 설명으로 옳은 것은 ○, 옳지 않은 것은 ×로 표시하시오.

(1) 유도 전류의 방향은 A → Ⓖ → B이다. ( )
(2) 유도 전류가 만드는 자기장은 자석의 운동을 방해한다. ( )
(3) 자석과 솔레노이드 사이에는 서로 당기는 힘이 작용한다. ( )
(4) 자석에 의해 솔레노이드를 통과하는 자기 선속은 증가한다. ( )
(5) 솔레노이드에 흐르는 유도 전류의 방향은 자석의 S극을 솔레노이드에서 멀리 할 때 흐르는 유도 전류의 방향과 같다. ( )
(6) 자석이 일정한 속도로 가까이 오는 동안 유도 전류의 세기는 일정하다. ( )

Ⓐ 전자기 유도

자석과 코일의 상대적 운동

488 하중상

다음은 전자기 유도에 대한 설명이다.

> 코일 근처에서 자석과 코일의 상대적인 운동으로 코일 내부를 통과하는 (㉠)이 변할 때 코일에 전류가 흐르는 현상을 전자기 유도라고 하고, 이때 흐르는 전류를 (㉡) 전류라고 한다.

㉠, ㉡에 알맞은 말을 쓰시오.

489 하중상

그림은 막대자석의 N극이 솔레노이드로부터 멀어지고 있는 모습을 나타낸 것이다.

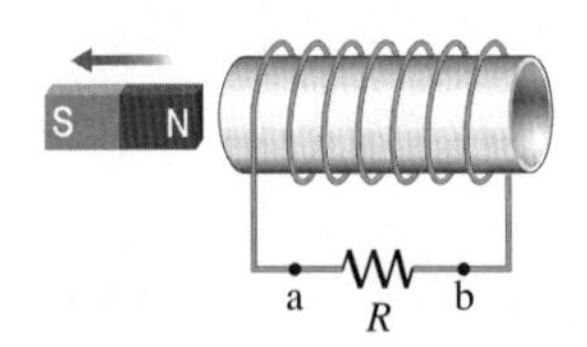

저항 R에 흐르는 유도 전류의 방향을 쓰시오.

490 하중상

다음은 전자기 유도에 대한 설명이다.

> (가) 코일에 발생하는 유도 기전력의 크기는 코일의 감은 수가 많을수록, 코일을 통과하는 자기 선속의 시간에 따른 변화율이 클수록 크다.
> (나) 코일에 발생하는 유도 전류는 자기 선속의 변화를 방해하는 방향으로 흐른다.

(가)와 (나)에 해당하는 물리학 법칙의 이름을 옳게 짝 지은 것은?

	(가)	(나)
①	패러데이 법칙	렌츠 법칙
②	패러데이 법칙	테슬라 법칙
③	앙페르 법칙	테슬라 법칙
④	렌츠 법칙	앙페르 법칙
⑤	테슬라 법칙	패러데이 법칙

[491~493] 그림은 막대자석과 솔레노이드를 이용한 전자기 유도 실험을 나타낸 것이다.

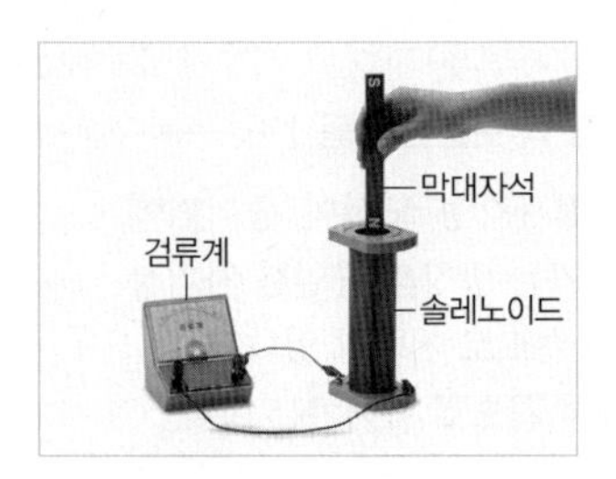

491 하중상

검류계에 전류가 흐르는 경우만을 〈보기〉에서 있는 대로 고른 것은?

> 〈 보기 〉
> ㄱ. 솔레노이드에 막대자석을 가까이 할 때
> ㄴ. 솔레노이드에서 막대자석을 멀리 할 때
> ㄷ. 솔레노이드 내부에 막대자석을 정지시켜 놓았을 때

① ㄱ ② ㄷ ③ ㄱ, ㄴ
④ ㄴ, ㄷ ⑤ ㄱ, ㄴ, ㄷ

492 하중상

솔레노이드에서 막대자석의 N극을 멀리 하는 순간 검류계의 바늘이 왼쪽으로 움직였다.
검류계 바늘을 오른쪽으로 움직이게 하는 방법으로 옳은 것만을 〈보기〉에서 있는 대로 고른 것은?

> 〈 보기 〉
> ㄱ. 솔레노이드에서 막대자석의 S극을 멀리 한다.
> ㄴ. 솔레노이드에 막대자석의 S극을 가까이 한다.
> ㄷ. 솔레노이드에 막대자석의 N극을 가까이 한다.

① ㄱ ② ㄴ ③ ㄱ, ㄷ
④ ㄴ, ㄷ ⑤ ㄱ, ㄴ, ㄷ

493 하중상 ••서술형

검류계 바늘이 더 큰 폭으로 움직이게 하는 방법을 세 가지 서술하시오.

494 하 중 상

그림 (가)와 (나)는 코일의 중심축을 따라 운동하는 동일한 자석이 코일로부터 같은 거리만큼 떨어진 지점을 같은 속도로 지나는 순간의 모습을 나타낸 것이다. 코일의 감은 수는 B가 A보다 많다.

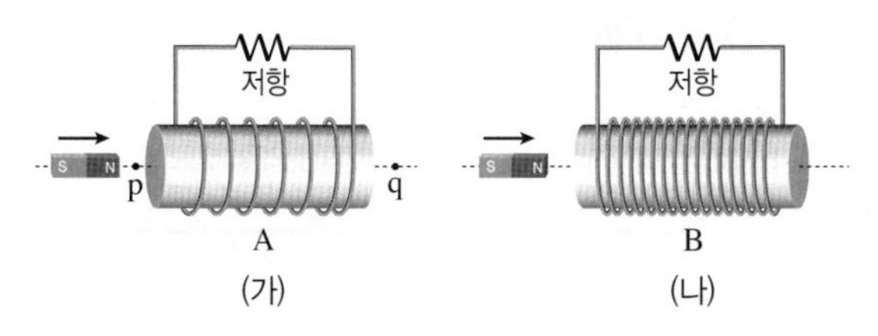

(1) A의 내부에서 유도 전류에 의한 자기장의 방향을 p, q를 이용하여 나타내시오.

(2) A와 B에 유도되는 유도 기전력의 크기를 V_A와 V_B라고 하면, V_A와 V_B의 크기를 비교하시오.

빈출

495 하 중 상

그림은 동일한 네오디뮴 자석을 모양과 길이가 같은 플라스틱관, 알루미늄관, 구리관 속으로 낙하시키는 모습을 나타낸 것이다.

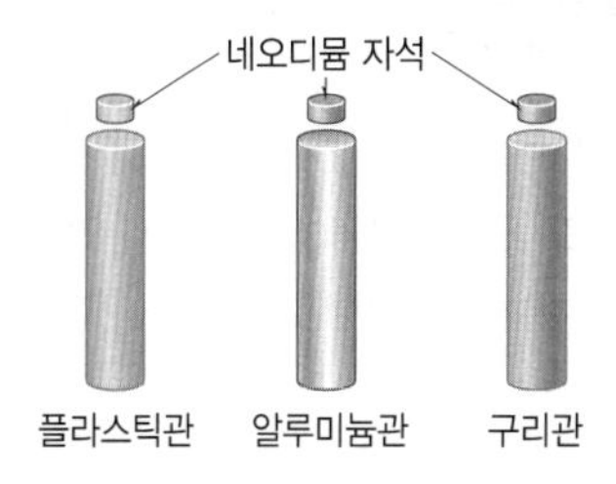

(1) 자석이 관을 통과하는 동안 유도 전류가 발생하는 관을 모두 쓰시오.

(2) 자석이 관을 통과하여 바닥에 도달하는 데 걸리는 시간을 부등호를 이용하여 비교하시오.

(3) 자석이 바닥에 도달하기 직전의 속력을 부등호를 이용하여 비교하시오.

496 하 중 상

감은 수가 100회인 코일이 자기장에 수직으로 놓여 있다. 코일을 통과하는 자기 선속이 2초 동안 4 Wb에서 8 Wb로 변할 때, 코일에 유도되는 기전력의 크기는 몇 V인지 구하시오.

빈출

497 하 중 상

그림은 빗면을 따라 내려온 자석이 마찰이 없고 수평한 직선 레일에 고정된 솔레노이드의 중심축을 통과하는 모습을 나타낸 것이다. 점 p, q는 직선 레일 위의 점이다.

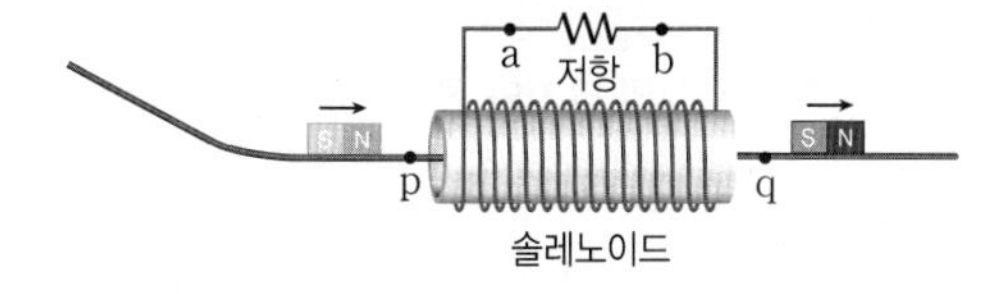

이에 대한 설명으로 옳지 않은 것은? (단, 자석의 크기는 무시한다.)

① 자석의 속력은 p에서가 q에서보다 빠르다.
② 자석의 역학적 에너지는 p에서가 q에서보다 크다.
③ 자석이 p를 지날 때, 솔레노이드에 흐르는 유도 전류의 방향은 b → 저항 → a이다.
④ 저항에 흐르는 유도 전류의 세기는 자석이 p를 지날 때가 q를 지날 때보다 크다.
⑤ 솔레노이드 내부에서 유도 전류에 의한 자기장의 방향은 자석이 p를 지날 때와 q를 지날 때가 다르다.

498 하/중/상

그림과 같이 고정된 코일에 발광 다이오드(LED)를 연결하고 막대자석이 코일을 통과하도록 떨어뜨렸다. (가)는 막대자석이 코일에 가까이 접근할 때 LED에서 빛이 방출되는 모습을, (나)는 (가)의 막대자석이 코일을 빠져나온 직후의 모습을 나타낸 것이다.

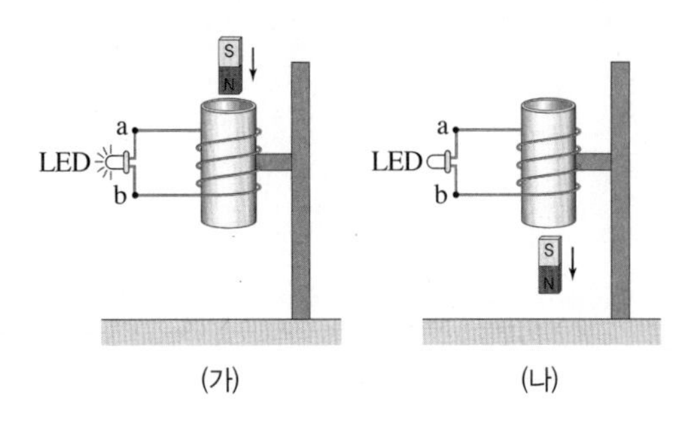

이에 대한 설명으로 옳지 않은 것을 모두 고르면? (단, 자석은 회전하지 않으며, 자석의 크기와 공기 저항은 무시한다.)(2개)

① (가)에서 코일에 흐르는 전류의 방향은 a → LED → b이다.
② (나)의 LED에서는 빛이 방출되지 않는다.
③ (나)에서 코일에 흐르는 전류의 방향은 b → LED → a이다.
④ 자석의 역학적 에너지는 (가)에서가 (나)에서보다 크다.
⑤ 자석에 작용하는 자기력의 방향은 (가)에서와 (나)에서가 같다.

자석과 원형 도선의 상대적 운동

빈출

499 하/중/상

多 보기

그림은 막대자석이 낙하하며 금속 고리의 중심축을 따라 고리를 통과하는 모습을 나타낸 것이다. 점 p, q는 중심축상의 점이고, 막대자석이 q를 지나는 순간 금속 고리에 유도되는 전류의 방향은 ㉠이다.

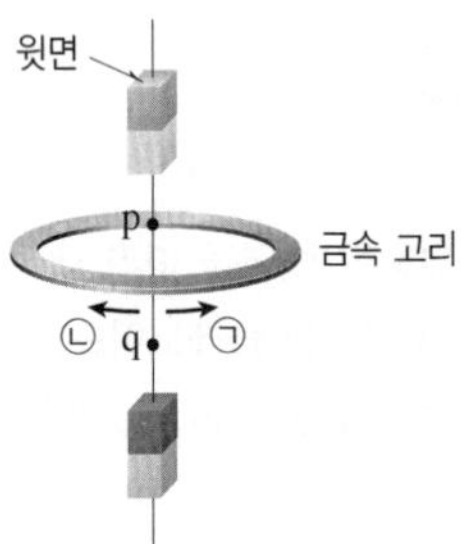

이에 대한 설명으로 옳지 않은 것을 모두 고르면? (단, 막대자석의 크기와 공기 저항은 무시한다.)(2개)

① 막대자석의 윗면은 N극이다.
② 막대자석이 p를 지나는 순간, 금속 고리에 유도되는 전류의 방향은 ㉡이다.
③ 막대자석이 p를 지나는 순간, 막대자석과 금속 고리 사이에는 척력이 작용한다.
④ 막대자석이 q를 지나는 순간, 막대자석과 금속 고리 사이에는 인력이 작용한다.
⑤ 막대자석이 p에서 q까지 운동하는 동안 금속 고리에 흐르는 유도 전류의 세기는 일정하다.
⑥ 막대자석이 p에서 q까지 운동하는 동안 막대자석의 역학적 에너지는 보존된다.

500 하/중/상

그림은 높이가 h인 빗면 위의 점 a에 가만히 놓아 빗면을 따라 내려온 막대자석이 마찰이 없는 수평면에서 원형 도선 A, B의 중심축을 따라 운동하는 모습을 나타낸 것이다. 점 p, q, r는 A, B의 중심축상에 있는 점이다.

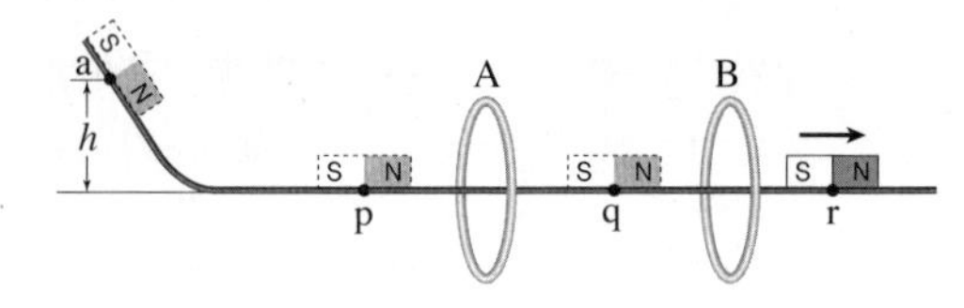

이에 대한 설명으로 옳은 것만을 〈보기〉에서 있는 대로 고른 것은? (단, 자석의 크기와 공기의 저항, A, B 사이의 상호 작용은 무시한다.)

〈 보기 〉
ㄱ. 자석의 속력은 p에서가 r에서보다 느리다.
ㄴ. 자석의 역학적 에너지는 q에서가 a에서보다 작다.
ㄷ. 자석이 q를 지날 때, A, B가 자석에 작용하는 자기력의 방향은 서로 반대이다.

① ㄱ ② ㄴ ③ ㄱ, ㄷ
④ ㄴ, ㄷ ⑤ ㄱ, ㄴ, ㄷ

501 하/중/상

그림 (가)는 고정된 원형 자석 위에서 자석의 중심축을 따라 원형 도선을 운동시키는 모습을, (나)는 원형 도선 중심의 위치를 시간에 따라 나타낸 것이다.

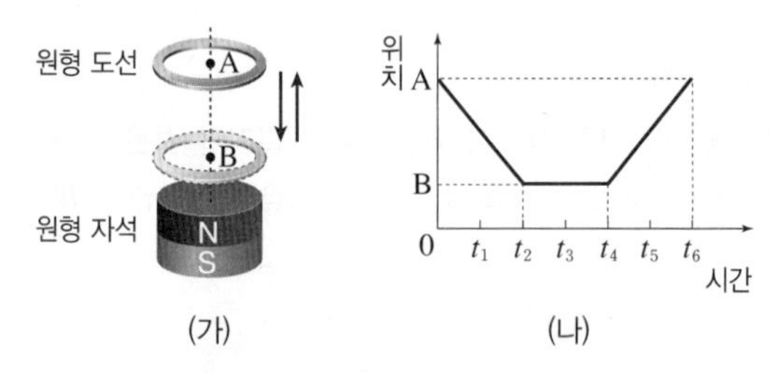

이에 대한 설명으로 옳은 것만을 〈보기〉에서 있는 대로 고른 것은? (단, 원형 도선이 이루는 면과 원형 자석의 윗면은 평행하다.)

〈 보기 〉
ㄱ. t_1일 때 원형 도선과 원형 자석 사이에 서로 밀어내는 자기력이 작용한다.
ㄴ. 원형 도선에 흐르는 유도 전류의 방향은 t_1일 때와 t_5일 때가 서로 반대이다.
ㄷ. 원형 도선에 흐르는 유도 전류의 세기는 t_3일 때가 t_5일 때보다 세다.

① ㄱ ② ㄷ ③ ㄱ, ㄴ
④ ㄴ, ㄷ ⑤ ㄱ, ㄴ, ㄷ

자성체와 전자기 유도

502 하 중 상

그림 (가)는 자기화되어 있지 않은 금속 막대를 솔레노이드에 넣고 전류를 흐르게 한 모습을, (나)는 (가)에서 금속 막대를 꺼내 P가 위쪽으로 가도록 하여 원형 도선을 향해 접근시켰더니 도선에 시계 반대 방향으로 전류가 흐르는 모습을 나타낸 것이다.

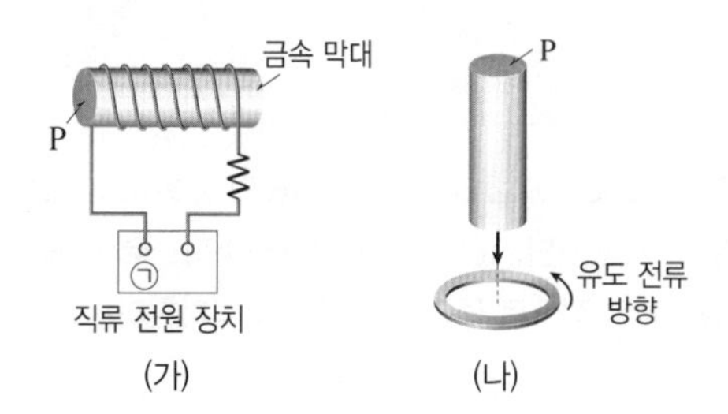

이에 대한 설명으로 옳지 않은 것은?

① 금속 막대는 강자성체이다.
② (가)에서 전원 장치의 단자 ㉠은 (−)극이다.
③ (가)에서 금속 막대는 외부 자기장과 같은 방향으로 자기화된다.
④ (나)에서 금속 막대의 P 쪽이 S극이다.
⑤ (나)에서 금속 막대에 작용하는 자기력의 방향은 위쪽이다.

503 하 중 상

그림 (가)는 자기화되어 있지 않은 강자성 막대를 솔레노이드에 넣고 전원 장치에 연결한 모습을 나타낸 것이다. 그림 (나)는 (가)에서 막대를 솔레노이드에서 꺼내 A가 코일 쪽을 향하게 하여 p−n 접합 다이오드와 전구가 연결된 코일에 접근시키는 모습을 나타낸 것이다. (나)에서 전구에는 불이 켜졌고, X, Y는 각각 p형 반도체와 n형 반도체 중 하나이다.

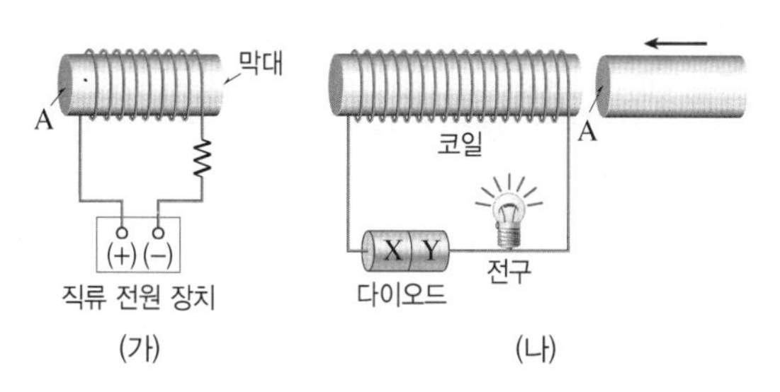

이에 대한 설명으로 옳은 것만을 〈보기〉에서 있는 대로 고른 것은?

〈 보기 〉
ㄱ. 막대의 A 쪽은 S극이다.
ㄴ. (나)에서 X는 n형 반도체이다.
ㄷ. (나)에서 강자성 막대를 코일에서 멀리 하면 전구에 불이 켜지지 않는다.

① ㄱ ② ㄴ ③ ㄱ, ㄴ
④ ㄱ, ㄷ ⑤ ㄴ, ㄷ

504 하 중 상

그림 (가)는 연직 방향의 강한 외부 자기장이 있는 영역에서 물체 X를 자기화시키는 모습을, (나)는 (가)의 X를 A가 위쪽으로 향하도록 하여 원형 도선에 통과시키는 모습을, (다)는 (가)의 X에 다른 물체 Y를 가까이 하는 모습을 나타낸 것이다. (나)에서 원형 도선에는 유도 전류가 발생했고, 점 p는 원형 도선의 중심축상의 점이다. X, Y는 각각 강자성체, 반자성체 중 하나이다.

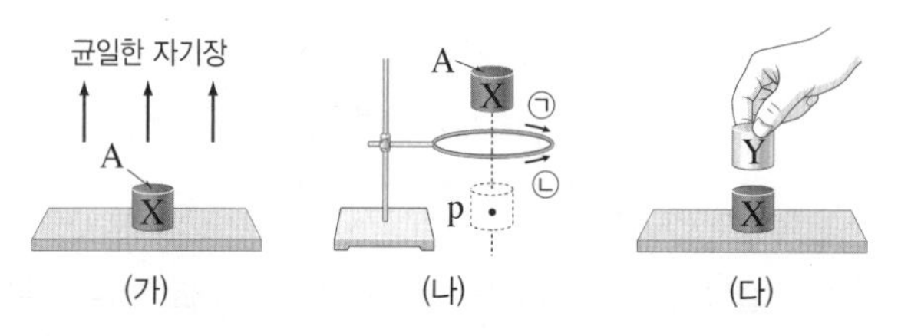

이에 대한 설명으로 옳은 것만을 〈보기〉에서 있는 대로 고른 것은?

〈 보기 〉
ㄱ. X는 반자성체이다.
ㄴ. (나)에서 X의 A는 N극이다.
ㄷ. (나)에서 X가 p를 지날 때 원형 도선에 흐르는 유도 전류의 방향은 ㉡이다.
ㄹ. (다)에서 X와 Y 사이에는 서로 미는 자기력이 작용한다.

① ㄱ, ㄴ ② ㄱ, ㄷ ③ ㄴ, ㄹ
④ ㄱ, ㄷ, ㄹ ⑤ ㄴ, ㄷ, ㄹ

전류에 의한 자기장과 전자기 유도

505 하 중 상

그림과 같이 $-y$ 방향으로 일정한 세기의 전류가 흐르는 무한히 긴 직선 도선이 y축에 고정되어 있고, 정사각형 도선 P가 xy 평면상에 있다.

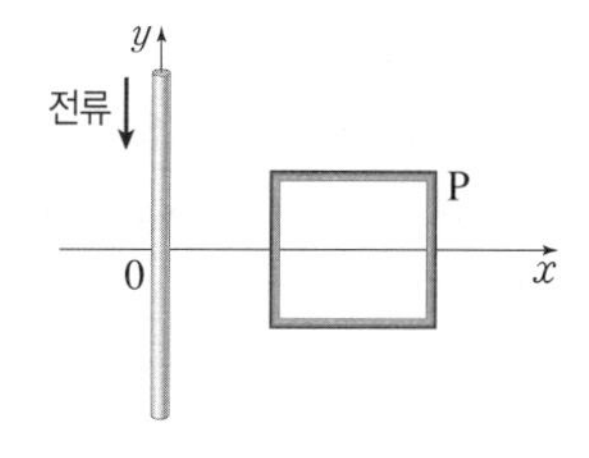

이에 대한 설명으로 옳은 것만을 〈보기〉에서 있는 대로 고른 것은?

〈 보기 〉
ㄱ. P를 $+x$ 방향으로 일정한 속력으로 움직이면, P에 시계 방향으로 유도 전류가 흐른다.
ㄴ. P를 $+y$ 방향으로 일정한 속력으로 움직이면, P에 시계 반대 방향으로 유도 전류가 흐른다.
ㄷ. P를 $-y$ 방향으로 일정한 속력으로 움직이면, P에 유도 전류가 흐르지 않는다.

① ㄱ ② ㄷ ③ ㄱ, ㄴ
④ ㄴ, ㄷ ⑤ ㄱ, ㄴ, ㄷ

506 하중상

그림과 같이 코일 A와 코일 B를 가까이 놓고 A에는 직류 전원 장치와 가변 저항을, B에는 검류계를 연결하였다.

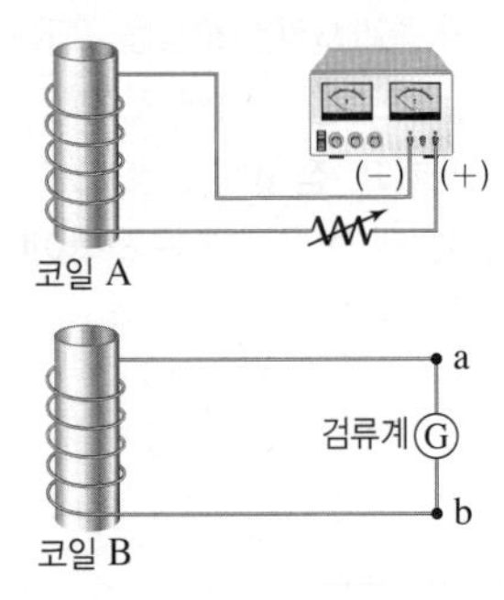

이에 대한 설명으로 옳은 것만을 〈보기〉에서 있는 대로 고른 것은?

〈 보기 〉

ㄱ. 전원 장치의 전압과 가변 저항의 저항값을 일정하게 유지하면, B에 일정한 세기의 전류가 흐른다.

ㄴ. 가변 저항의 저항값을 점점 크게 하면, B에 연결된 검류계에는 b → Ⓖ → a 방향으로 전류가 흐른다.

ㄷ. 가변 저항의 저항값을 점점 작게 하면, B 내부에는 유도 전류에 의한 자기장이 위쪽 방향으로 형성된다.

① ㄱ ② ㄷ ③ ㄱ, ㄴ
④ ㄴ, ㄷ ⑤ ㄱ, ㄴ, ㄷ

균일한 자기장 영역에서 운동하는 도선

507 하중상

그림은 종이면에 수직으로 들어가는 방향으로 형성된 균일한 자기장 영역을 정사각형 도선이 일정한 속력으로 통과하는 모습을 나타낸 것이다.

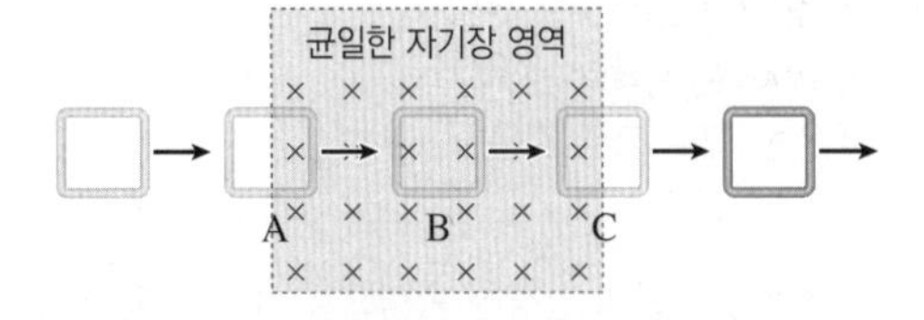

이에 대한 설명으로 옳은 것만을 〈보기〉에서 있는 대로 고른 것은?

〈 보기 〉

ㄱ. A에서 도선을 통과하는 자기 선속은 증가한다.

ㄴ. B에서는 유도 전류가 흐르지 않는다.

ㄷ. C에서 유도 전류의 방향은 A에서와 서로 반대이다.

① ㄱ ② ㄷ ③ ㄱ, ㄴ
④ ㄴ, ㄷ ⑤ ㄱ, ㄴ, ㄷ

508 하중상

그림과 같이 자기장의 방향이 서로 반대인 균일한 자기장 영역 Ⅰ, Ⅱ에서 원형 도선이 일정한 속력으로 운동하고 있다.

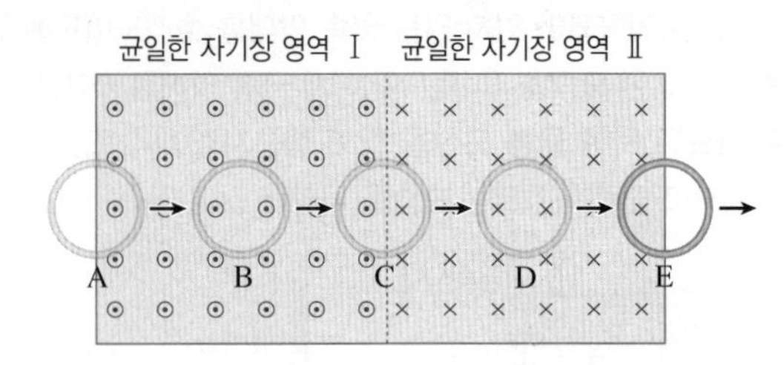

A~E 중 원형 도선에 흐르는 유도 전류의 방향이 시계 방향인 경우를 모두 쓰시오. (단, ⊙는 종이면에서 수직으로 나오는 방향을, ⊗는 종이면에 수직으로 들어가는 방향을 의미한다.)

[509~510] 그림은 동일한 정사각 도선 a~d가 xy 평면에서 수직으로 나오는 방향으로 형성된 균일한 자기장 영역 Ⅰ, Ⅱ에서 화살표 방향으로 같은 속력으로 운동하는 모습을 나타낸 것이다. 자기장의 세기는 Ⅱ에서가 Ⅰ에서의 2배이다.

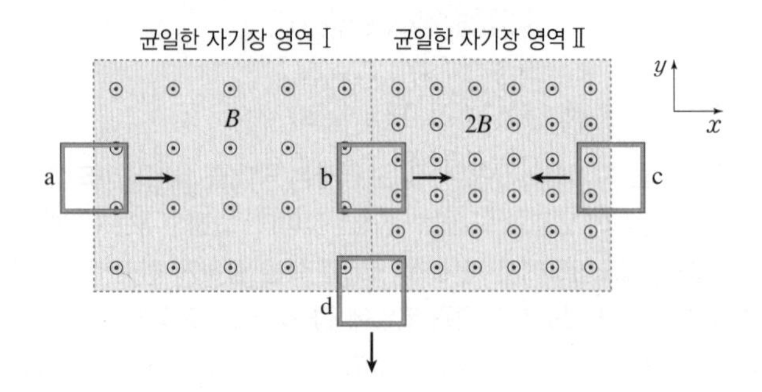

509 하중상

b~d 중 유도 전류의 방향이 a와 같은 것만을 있는 대로 고른 것은?

① b ② d ③ b, c
④ c, d ⑤ b, c, d

510 하중상

a~d에 흐르는 유도 전류의 세기를 부등호를 이용하여 비교하시오.

511 하 중 상

그림과 같이 정사각형 도선이 오른쪽 방향으로 일정한 속력으로 운동한다. 균일한 자기장 영역 Ⅰ에서 자기장의 방향은 종이면에서 수직으로 나오는 방향이고, Ⅰ, Ⅱ에서 자기장의 세기는 각각 B, $2B$이다. a～d는 자기장 영역 위의 한 점이다. 도선의 중심 p는 a～d를 지나고, 유도 전류의 방향은 p가 b를 지날 때와 c를 지날 때가 같다.

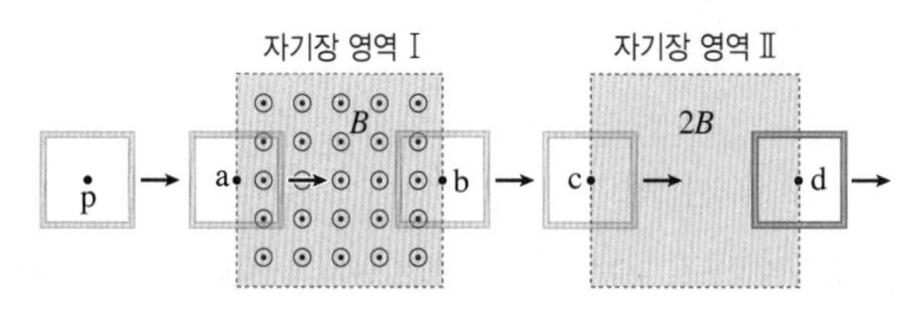

이에 대한 설명으로 옳지 않은 것은?

① 자기장의 방향은 Ⅰ에서와 Ⅱ에서가 서로 반대이다.
② p가 a를 지날 때 도선을 통과하는 자기 선속은 시간에 따라 일정하다.
③ p가 a를 지날 때와 b를 지날 때 유도 전류의 세기는 같다.
④ p가 b를 지날 때와 d를 지날 때 도선에 흐르는 유도 전류의 방향은 반대이다.
⑤ p가 c를 지날 때 유도 전류의 세기는 p가 b를 지날 때의 2배이다.

512 하 중 상

그림 (가)는 종이면에 놓인 한 변의 길이가 $2d$인 정사각형 도선이 균일한 자기장 영역을 $+x$ 방향으로 통과하는 모습을 나타낸 것이다. 자기장의 방향은 종이면에서 수직으로 나오는 방향이고, 자기장 영역의 폭은 $4d$이다. 점 p는 도선에 고정된 점이다. 그림 (나)는 p의 위치를 시간에 따라 나타낸 것이다.

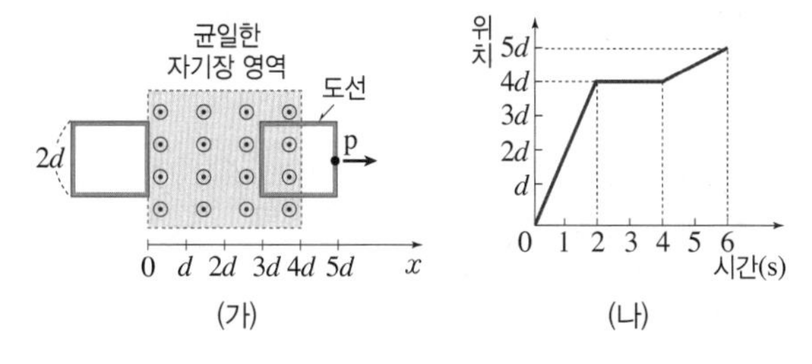

(가) (나)

정사각형 도선에 흐르는 유도 전류에 대한 설명으로 옳은 것만을 〈보기〉에서 있는 대로 고른 것은?

〈 보기 〉
ㄱ. 1초일 때 유도 전류의 방향은 시계 방향이다.
ㄴ. 3초일 때 유도 전류의 세기는 가장 세다.
ㄷ. 1초일 때와 5초일 때 p점에 흐르는 유도 전류의 방향은 서로 반대이다.

① ㄱ ② ㄴ ③ ㄱ, ㄷ
④ ㄴ, ㄷ ⑤ ㄱ, ㄴ, ㄷ

513 하 중 상

그림과 같이 종이면에서 수직으로 나오는 방향으로 형성된 균일한 자기장 영역에서 저항 R이 연결된 ㄷ자형 도선을 고정시키고, 도선 위에서 도체 막대를 $+x$ 방향으로 일정한 속력 v로 운동시켰더니 도선에 유도 전류가 흘렀다.

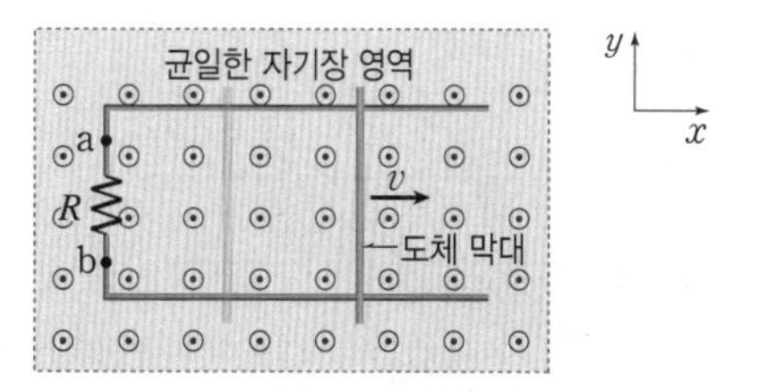

이에 대한 설명으로 옳은 것만을 〈보기〉에서 있는 대로 고른 것은?

〈 보기 〉
ㄱ. 도체 막대에는 $+x$ 방향으로 자기력이 작용한다.
ㄴ. 저항 R에 흐르는 유도 전류의 방향은 b → R → a이다.
ㄷ. 도체 막대의 속력을 $2v$로 하면 도선에 흐르는 유도 전류의 세기는 세진다.
ㄹ. 도체 막대를 $-x$ 방향으로 일정한 속력으로 운동시키면 유도 전류의 방향은 반대가 된다.

① ㄱ, ㄴ ② ㄱ, ㄹ ③ ㄴ, ㄷ
④ ㄱ, ㄷ, ㄹ ⑤ ㄴ, ㄷ, ㄹ

514 하 중 상

그림은 종이면에 수직인 방향으로 각각 균일한 자기장이 형성된 영역 Ⅰ, Ⅱ를 한 변의 길이가 d인 정사각형 도선이 $+x$ 방향으로 일정한 속력으로 통과하는 모습을 나타낸 것이다. Ⅰ에서 자기장의 세기는 B이다. 표는 도선의 p점의 위치 x에 따라 도선에 흐르는 전류의 세기와 방향을 나타낸 것이다.

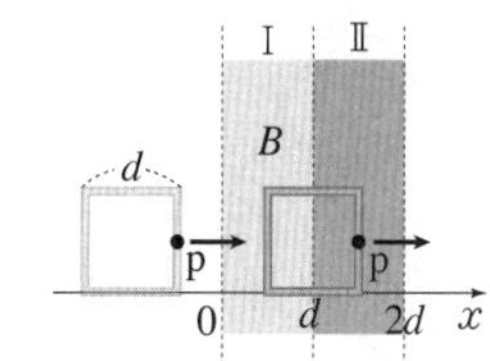

위치	전류의 세기	전류의 방향
$x=0.5d$	I	시계 반대 방향
$x=1.5d$	$2I$	시계 방향

이에 대한 설명으로 옳은 것만을 〈보기〉에서 있는 대로 고른 것은?

〈 보기 〉
ㄱ. Ⅱ에서 자기장의 세기는 $2B$이다.
ㄴ. Ⅱ에서 자기장의 방향은 종이면에서 수직으로 나오는 방향이다.
ㄷ. p의 위치가 $x=d$일 때 도선에 흐르는 유도 전류의 세기가 가장 세다.

① ㄴ ② ㄷ ③ ㄱ, ㄴ
④ ㄱ, ㄷ ⑤ ㄱ, ㄴ, ㄷ

515 하 중 상 ••서술형

그림은 오른쪽 방향으로 형성된 균일한 외부 자기장 속에 놓인 직사각형 도선이 자기장의 방향에 수직인 회전축을 중심으로 회전하는 모습을 나타낸 것이다. 자기장의 방향과 도선이 이루는 면 사이의 각은 θ이고, 점 p, q, r는 도선에 고정된 점이다.

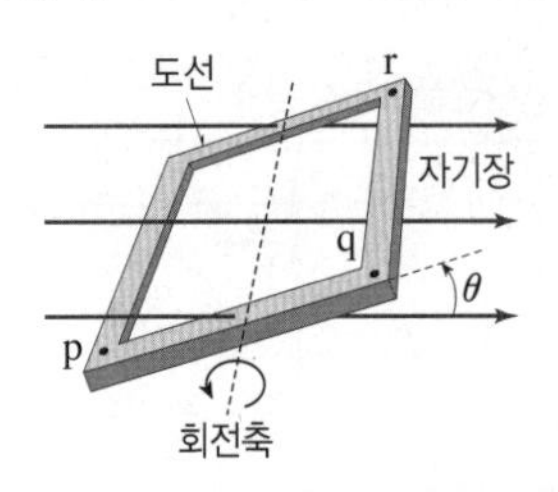

(1) $\theta=45°$일 때 도선에 흐르는 유도 전류의 방향을 p, q, r를 이용하여 나타내고, 그 까닭을 서술하시오.

(2) $\theta=0°$에서 $\theta=180°$까지 도선이 회전할 때, 도선에 흐르는 유도 전류의 방향이 바뀌는 순간의 θ는 몇 °인지 까닭과 함께 서술하시오.

세기가 변하는 자기장 영역 속의 도선

516 하 중 상

빈출

그림 (가)는 정사각형 도선이 균일한 자기장 영역에 고정되어 있는 모습을 나타낸 것이다. 자기장의 방향은 종이면에서 수직으로 나오는 방향이다. 그림 (나)는 (가)의 자기장의 세기를 시간에 따라 나타낸 것이다.

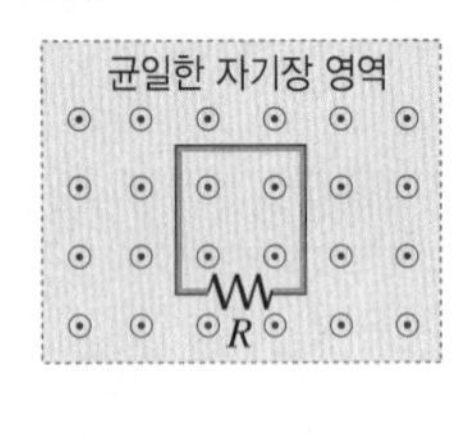

(가)

자기장의 세기: $3B_0$, $2B_0$, B_0 / 시간(s): 0, 1, 2, 3, 4, 5

(나)

이에 대한 설명으로 옳은 것만을 〈보기〉에서 있는 대로 고른 것은?

〈 보기 〉
ㄱ. 1초일 때, 도선에 흐르는 유도 전류의 방향은 시계 반대 방향이다.
ㄴ. 1초일 때와 4초일 때, 도선에 흐르는 유도 전류의 방향은 같다.
ㄷ. 유도 기전력의 크기는 4초일 때가 2초일 때보다 크다.

① ㄱ ② ㄷ ③ ㄱ, ㄴ
④ ㄴ, ㄷ ⑤ ㄱ, ㄴ, ㄷ

517 하 중 상

그림 (가)와 같이 균일한 자기장 영역에 원형 도선이 고정되어 있다. 그림 (나)는 (가)의 자기장을 시간에 따라 나타낸 것이다. t_0일 때 원형 도선에는 시계 방향으로 유도 전류가 흐른다.

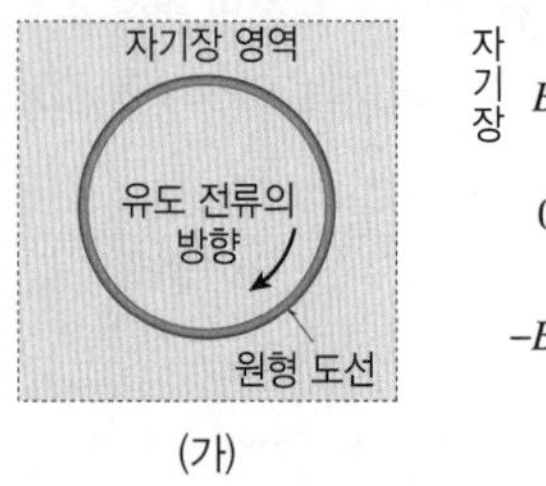

(가)

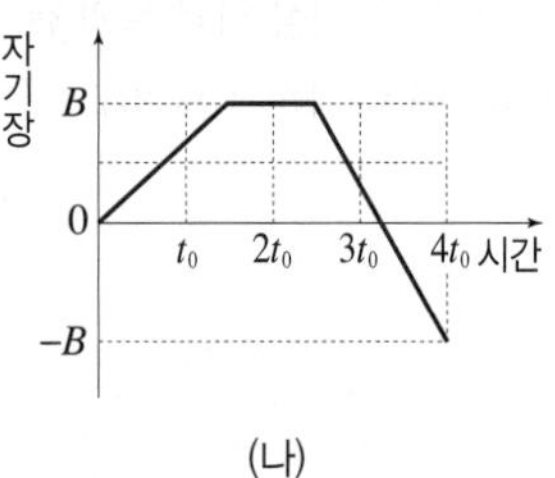

(나)

이에 대한 설명으로 옳은 것만을 〈보기〉에서 있는 대로 고른 것은?

〈 보기 〉
ㄱ. t_0일 때 자기장의 방향은 종이면에서 수직으로 나오는 방향이다.
ㄴ. $2t_0$일 때 유도 전류의 세기는 0이다.
ㄷ. t_0일 때와 $3t_0$일 때 유도 전류의 방향은 같다.

① ㄱ ② ㄷ ③ ㄱ, ㄴ
④ ㄴ, ㄷ ⑤ ㄱ, ㄴ, ㄷ

518 하 중 상

그림 (가)는 종이면에 고정된 도선의 일부가 균일한 자기장 영역 Ⅰ, Ⅱ에 놓여 있는 모습을 나타낸 것이다. Ⅰ, Ⅱ에서 자기장의 방향은 종이면에서 수직으로 나오는 방향이고, 도선이 Ⅰ, Ⅱ에 걸친 면적은 각각 $2S$, S이다. 그림 (나)는 Ⅰ, Ⅱ에서 자기장의 세기를 시간에 따라 나타낸 것이다.

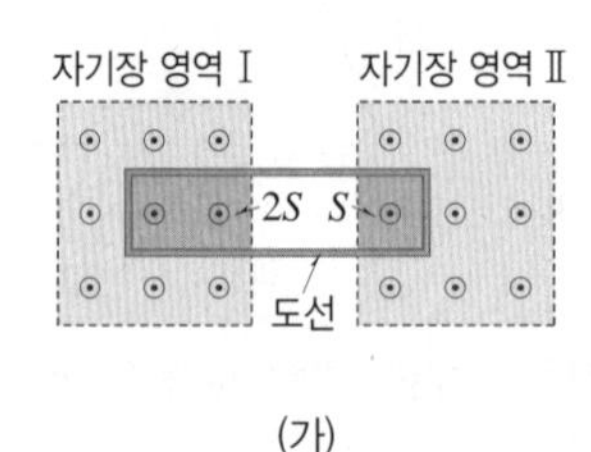

(가)

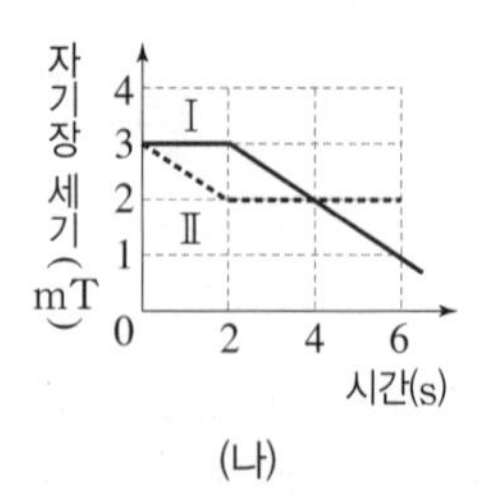

(나)

이에 대한 설명으로 옳은 것만을 〈보기〉에서 있는 대로 고른 것은?

〈 보기 〉
ㄱ. 1초일 때 전류의 방향은 시계 반대 방향이다.
ㄴ. 1초일 때와 4초일 때 전류의 세기는 같다.
ㄷ. 유도 기전력의 크기는 3초일 때가 5초일 때보다 크다.

① ㄱ ② ㄷ ③ ㄱ, ㄴ
④ ㄴ, ㄷ ⑤ ㄱ, ㄴ, ㄷ

B 전자기 유도의 이용

빈출
519 하중상

전자기 유도를 이용한 장치가 아닌 것은?

① 발전기 ② 전동기 ③ 전자 기타
④ 자이로드롭 ⑤ 무선 충전기

520 하중상

그림은 발전기의 구조를 나타낸 것이다.

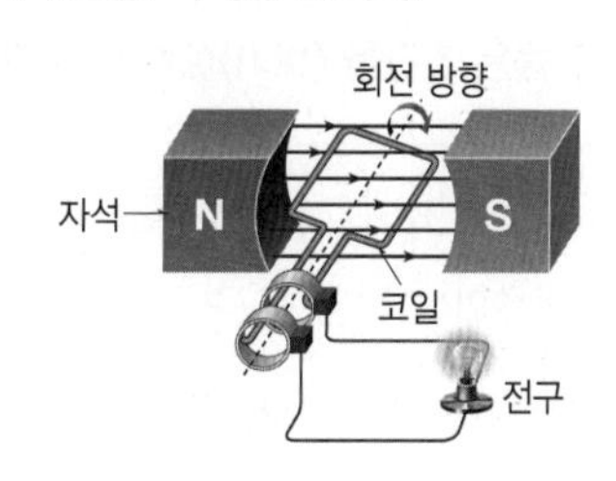

이에 대한 설명으로 옳은 것만을 〈보기〉에서 있는 대로 고른 것은?

〈 보기 〉
ㄱ. 코일의 감은 수가 많을수록 유도 전류의 세기가 세진다.
ㄴ. 코일을 반대 방향으로 회전시켜도 전구에 불이 켜진다.
ㄷ. 코일을 통과하는 자기 선속은 시간에 따라 계속 증가한다.

① ㄱ ② ㄷ ③ ㄱ, ㄴ
④ ㄴ, ㄷ ⑤ ㄱ, ㄴ, ㄷ

521 하중상

그림은 자전거의 전조등에 사용되는 소형 발전기의 구조를 나타낸 것이다. 자전거가 움직일 때 바퀴의 타이어에 밀착된 발전기 바퀴가 회전하면 발전기 내부의 영구 자석이 코일 사이에서 회전하면서 전조등이 켜진다.

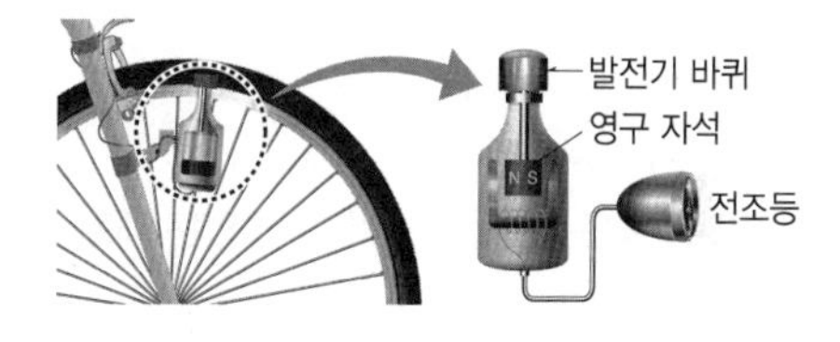

이에 대한 설명으로 옳은 것만을 〈보기〉에서 있는 대로 고른 것은?

〈 보기 〉
ㄱ. 역학적 에너지가 전기 에너지로 전환된다.
ㄴ. 전조등에 흐르는 전류의 방향과 세기는 일정하다.
ㄷ. 영구 자석이 빠르게 회전할수록 전조등이 밝아진다.

① ㄱ ② ㄴ ③ ㄱ, ㄷ
④ ㄴ, ㄷ ⑤ ㄱ, ㄴ, ㄷ

522 하중상

그림은 교통 카드를 판독기에 가까이 하는 모습을 나타낸 것이다.

이에 대한 설명으로 옳은 것만을 〈보기〉에서 있는 대로 고른 것은?

〈 보기 〉
ㄱ. 교통 카드 내부에는 코일이 있다.
ㄴ. 판독기에서 방출하는 자기장은 세기가 항상 일정하다.
ㄷ. 교통 카드와 판독기는 전자기 유도를 이용하여 신호를 전달한다.

① ㄱ ② ㄴ ③ ㄱ, ㄷ
④ ㄴ, ㄷ ⑤ ㄱ, ㄴ, ㄷ

523 하중상 ••서술형

그림은 마이크의 구조를 나타낸 것이다.

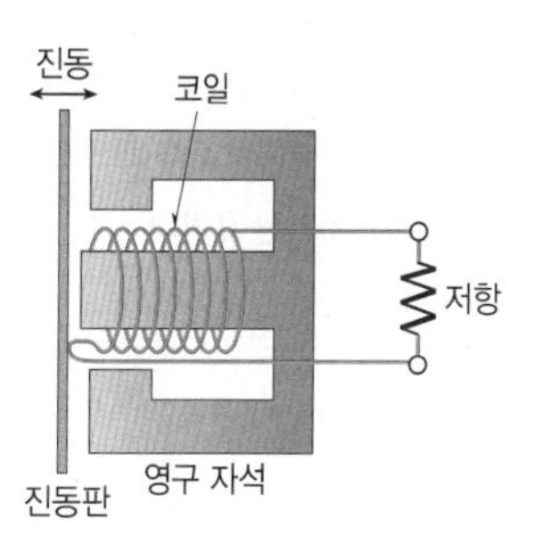

마이크에서 소리가 전기 신호로 변환되는 과정을 다음 용어를 모두 포함하여 서술하시오.

코일, 진동판, 전자기 유도, 유도 전류

II

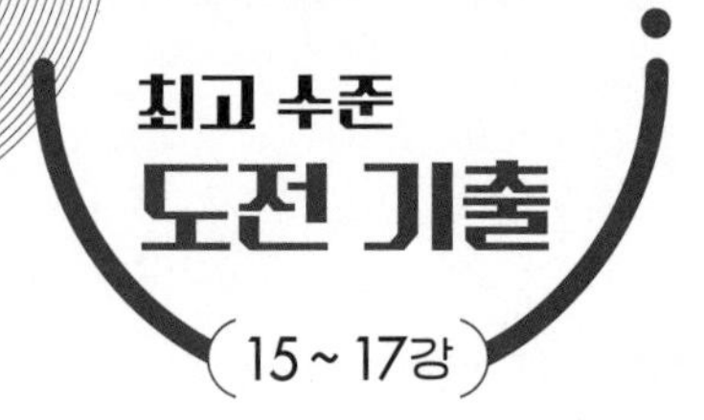

524

그림은 무한히 긴 직선 도선 P, Q, R가 xy 평면에 고정되어 있는 모습을 나타낸 것이다. 점 a, b, c는 xy 평면상에 있는 점이고, a, b에서 P, Q, R에 흐르는 전류에 의한 자기장은 0이다. R에는 세기가 I인 전류가 $-x$ 방향으로 흐른다.

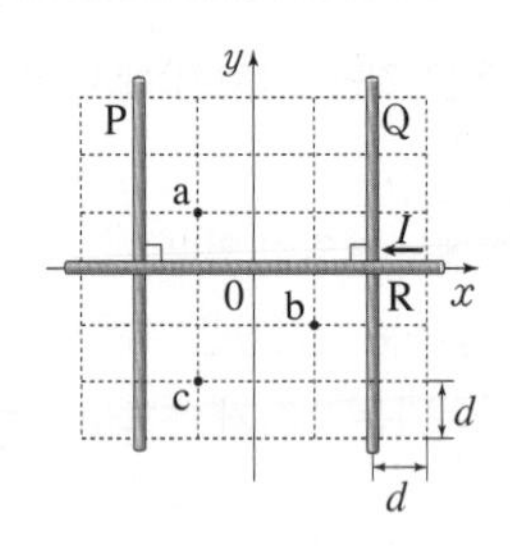

이에 대한 설명으로 옳은 것만을 〈보기〉에서 있는 대로 고른 것은?

〈 보기 〉

ㄱ. Q에 흐르는 전류의 세기는 I이다.

ㄴ. 전류의 방향은 P에서와 Q에서가 같다.

ㄷ. c에서 P, Q, R에 흐르는 전류에 의한 자기장의 방향은 xy 평면에 수직으로 들어가는 방향이다.

① ㄱ ② ㄴ ③ ㄱ, ㄷ
④ ㄴ, ㄷ ⑤ ㄱ, ㄴ, ㄷ

525

그림은 xy 평면에서 x축에 수직으로 서로 나란하게 놓인 무한히 긴 두 직선 도선 A, B에 같은 방향으로 세기가 각각 I_0, $2I_0$인 전류가 흐르는 모습을 나타낸 것이다. x축상의 점 p에서 A, B에 흐르는 전류에 의한 자기장의 세기는 0이다.

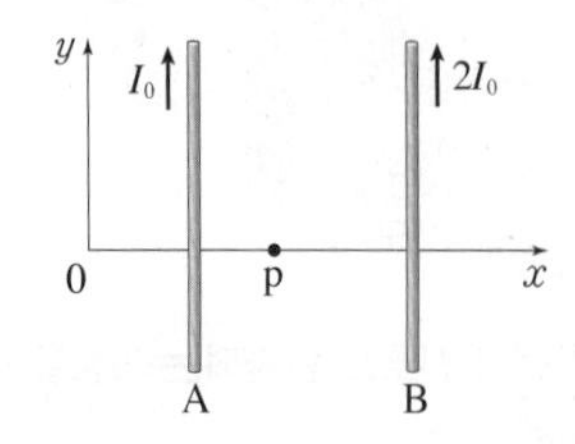

A를 고정시키고 B를 $+x$ 방향으로 5 m 이동하여 고정시켰을 때, 자기장의 세기가 0이 되는 x축상의 점과 p 사이의 거리는?

① $\frac{1}{3}$ m ② $\frac{2}{3}$ m ③ 1 m ④ $\frac{4}{3}$ m ⑤ $\frac{5}{3}$ m

526

그림 (가)는 전류가 흐르는 무한히 긴 직선 도선 P, Q가 xy 평면의 $x=-d$, $x=0$에 각각 고정되어 있는 모습을 나타낸 것이다. P에는 세기가 I인 전류가 $+y$ 방향으로 흐른다. 그림 (나)는 $x>0$ 영역에서 P, Q에 흐르는 전류에 의한 자기장을 x에 따라 나타낸 것이다. 자기장의 방향은 xy 평면에서 수직으로 나오는 방향이 양(+)이다.

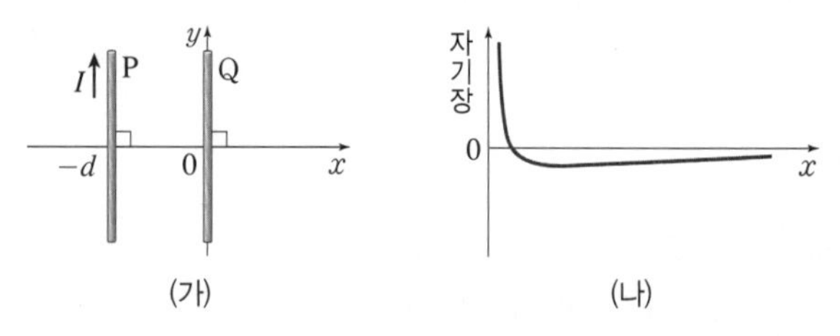

(가) (나)

이에 대한 설명으로 옳은 것만을 〈보기〉에서 있는 대로 고른 것은?

〈 보기 〉

ㄱ. Q에 흐르는 전류의 세기는 I보다 작다.

ㄴ. Q에 흐르는 전류의 방향은 $+y$ 방향이다.

ㄷ. P, Q에 흐르는 전류에 의한 자기장의 방향은 $x=-\frac{1}{2}d$에서와 $x=-\frac{3}{2}d$에서가 서로 반대이다.

① ㄱ ② ㄴ ③ ㄱ, ㄷ
④ ㄴ, ㄷ ⑤ ㄱ, ㄴ, ㄷ

527

그림 (가)는 원형 도선 A와 무한히 긴 직선 도선 B가 xy 평면에 고정되어 있는 모습을 나타낸 것이다. 점 P는 A의 중심이고, y축에 고정된 B에는 일정한 세기의 전류가 흐르고 있다. 그림 (나)는 A에 흐르는 전류를 시간에 따라 나타낸 것이다. A에서 전류의 방향은 화살표 방향을 양(+)으로 한다. t일 때 P에서 A, B에 흐르는 전류에 의한 자기장은 0이다.

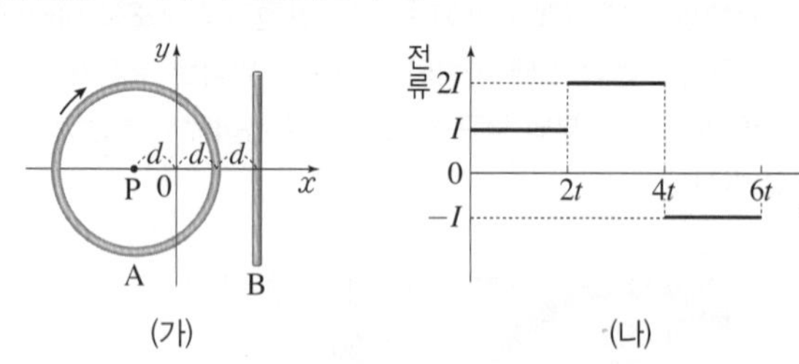

(가) (나)

이에 대한 설명으로 옳은 것만을 〈보기〉에서 있는 대로 고른 것은?

〈 보기 〉

ㄱ. B에 흐르는 전류의 방향은 $-y$ 방향이다.

ㄴ. $3t$일 때 P에서 자기장의 방향은 xy 평면에 수직으로 들어가는 방향이다.

ㄷ. P에서 A, B에 흐르는 전류에 의한 자기장의 세기는 $5t$일 때가 $3t$일 때의 2배이다.

① ㄱ ② ㄴ ③ ㄱ, ㄷ
④ ㄴ, ㄷ ⑤ ㄱ, ㄴ, ㄷ

528

그림은 길이가 같고 감은 수가 각각 N, $2N$인 솔레노이드 A, B를 가까이 놓고 두 솔레노이드의 중심축 사이 가운데 지점에 나침반을 놓은 모습을 나타낸 것이다. A와 B에 각각 세기가 I_1, I_2인 전류를 흐르게 하였더니 나침반의 N극이 북쪽을 가리켰다. B에는 화살표 방향으로 전류가 흐른다.

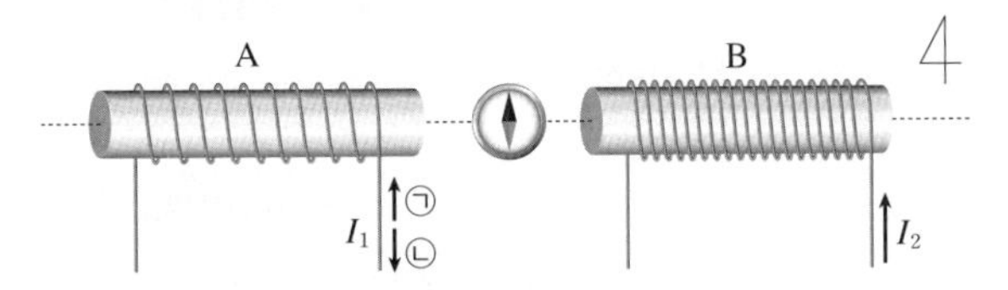

이에 대한 설명으로 옳은 것만을 <보기>에서 있는 대로 고른 것은?

<보기>
ㄱ. I_1은 I_2보다 크다.
ㄴ. A에 흐르는 전류의 방향은 ㉠이다.
ㄷ. I_2를 크게 하면 나침반의 N극은 시계 반대 방향으로 회전한다.

① ㄱ ② ㄴ ③ ㄱ, ㄷ
④ ㄴ, ㄷ ⑤ ㄱ, ㄴ, ㄷ

529

그림은 빗면상의 점 p에 가만히 놓은 막대자석이 빗면을 따라 내려와 수평인 직선 레일에 고정된 솔레노이드의 중심축을 통과하는 모습을 나타낸 것이다. a, b, c는 직선 레일상의 점이다.

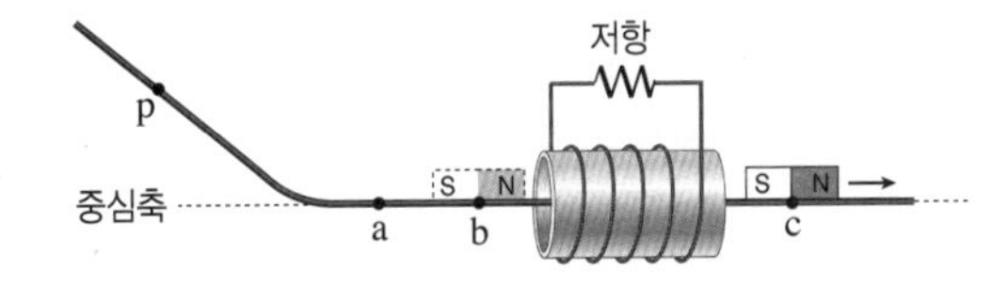

이에 대한 설명으로 옳지 않은 것은? (단, 자석의 크기와 모든 마찰 및 공기 저항은 무시한다.)

① 자석은 a에서 b까지 가속도 운동을 한다.
② 자석이 b를 지날 때 저항에 유도되는 전류의 방향은 왼쪽 방향이다.
③ 자석이 c를 지날 때 솔레노이드 내부에 유도되는 자기장의 방향은 b → c 방향이다.
④ 자석의 속력은 b를 지날 때가 c를 지날 때보다 크다.
⑤ 솔레노이드가 자석에 작용하는 자기력의 방향은 자석이 b를 지날 때와 c를 지날 때가 서로 반대이다.

530

그림과 같이 정사각형의 도선이 1 cm/s의 속력으로 $+x$ 방향으로 등속 직선 운동을 하여 자기장 영역 Ⅰ, Ⅱ, Ⅲ을 통과한다. 0초일 때 도선의 중심의 위치는 $x=0$이다. Ⅰ, Ⅱ, Ⅲ에서 자기장의 세기는 각각 B, $2B$, B로 균일하다.

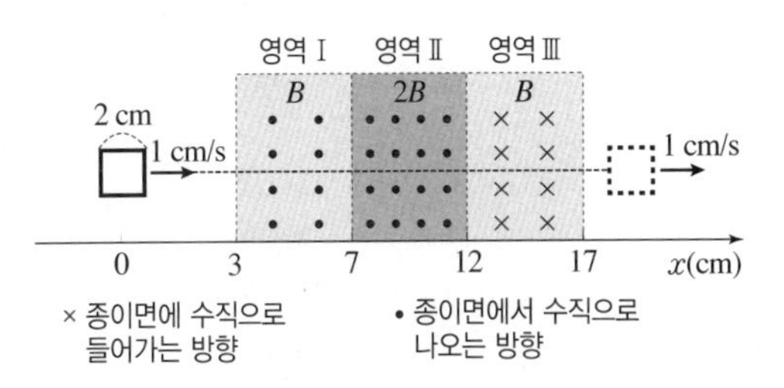

이에 대한 설명으로 옳지 않은 것은?

① 3초일 때 유도 전류의 방향은 시계 방향이다.
② 10초일 때 유도 전류는 0이다.
③ 유도 전류의 세기는 7초일 때가 12초일 때보다 작다.
④ 유도 전류의 방향은 3초일 때와 17초일 때가 서로 반대이다.
⑤ 유도 기전력의 크기는 12초일 때가 17초일 때보다 크다.

531

그림 (가)는 한 변의 길이가 4 m인 정사각형 도선이 폭이 8 m인 자기장 영역을 2 m/s로 등속 직선 운동을 하여 통과하는 모습을 나타낸 것이다. 자기장은 종이면에 수직인 방향으로 형성되어 있다. 그림 (나)는 (가)에서 도선이 자기장 영역에 들어가는 순간부터 완전히 빠져 나오는 순간까지 자기장을 시간에 따라 나타낸 것이다.

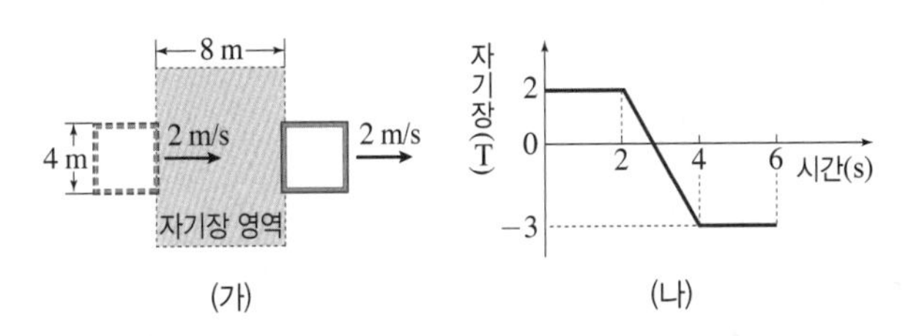

이에 대한 설명으로 옳은 것만을 <보기>에서 있는 대로 고른 것은? (단, 종이면에서 수직으로 나오는 방향을 양(+)으로 한다.)

<보기>
ㄱ. 1초일 때, 유도 전류의 방향은 시계 반대 방향이다.
ㄴ. 3초일 때, 유도 기전력의 크기는 40 V이다.
ㄷ. 3초일 때와 5초일 때, 유도 전류의 방향은 같다.

① ㄱ ② ㄴ ③ ㄱ, ㄷ
④ ㄴ, ㄷ ⑤ ㄱ, ㄴ, ㄷ

18

파동의 진행과 굴절

Ⓐ 파동의 발생

1 파동 파원에서 발생한 진동이 퍼져 나가며 ❶□□□를 전달하는 현상

구분	횡파(물결파, 전자기파, 지진파의 S파)	종파(소리(음파), 지진파의 P파)
매질의 진동 방향	파동의 진행 방향과 매질의 진동 방향이 서로 ❷□□인 파동 (진행 방향 / 진동 방향)	파동의 진행 방향과 매질의 진동 방향이 서로 나란한 파동 (진행 방향 / 진동 방향)

기출 Tip Ⓐ-2

종파의 파장

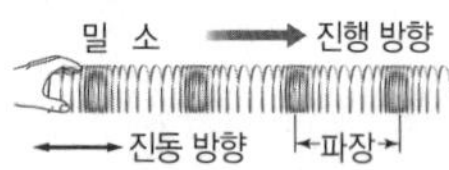

종파에서는 밀한 지점에서 이웃한 밀한 지점 사이의 거리, 또는 소한 지점에서 이웃한 소한 지점 사이의 거리가 파장이다.

위상

매질의 각 점들의 위치와 진동 상태로, 같은 시각에 진동 상태가 같으면 위상이 같다. 마루와 골은 위상이 서로 반대이다.

파동의 진행 과정과 진동수

진동수는 파원에 의해서 결정되므로 파동의 진행 과정에서 매질이 달라져도 진동수(주기)는 변하지 않는다.

2 파동의 요소와 그래프

(횡파에서의 파동의 요소)

- 마루와 골: 파동의 가장 높은 곳을 마루, 가장 낮은 곳을 골이라고 한다.
- ❸□□(A): 진동 중심에서 가장 크게 진동하는 위치까지의 거리 → 매질이 진동 중심에서 최대로 이동한 거리
- 파장(λ): 위상이 같은 인접한 두 지점 사이의 거리
- 주기(T): 매질의 한 점이 한 번 진동하는 데 걸린 ❹□□ → 파동이 한 파장 이동하는 데 걸린 시간
- 진동수(f): 매질의 한 점이 1초 동안 진동하는 횟수 → 주기와 진동수는 역수 관계이다.

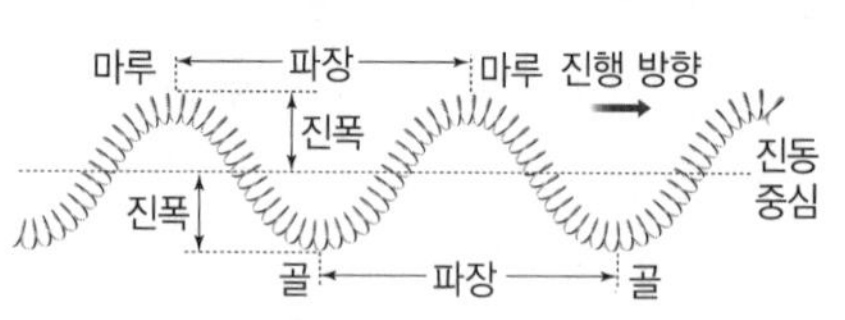

▲ 오른쪽으로 진행하는 횡파의 어느 순간의 모습

$$\text{진동수}=\frac{1}{\text{주기}}\ [\text{단위: Hz(헤르츠)}]$$

변위-위치 그래프	변위-시간 그래프
어느 순간 파동의 모습을 위치에 따라 나타낸 것 ➔ 진폭과 파장을 알 수 있다.	매질의 어느 한 점이 진동하는 모습을 시간에 따라 나타낸 것 ➔ 진폭, ❺□□를 알 수 있다.

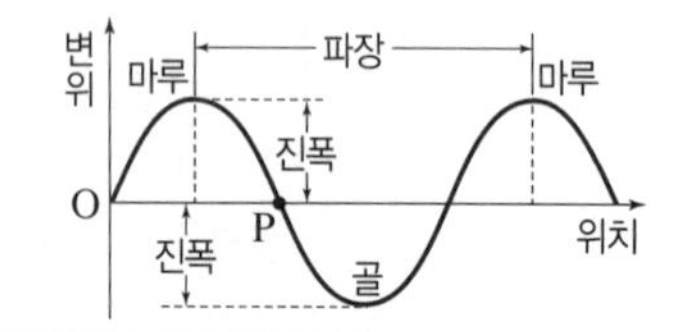

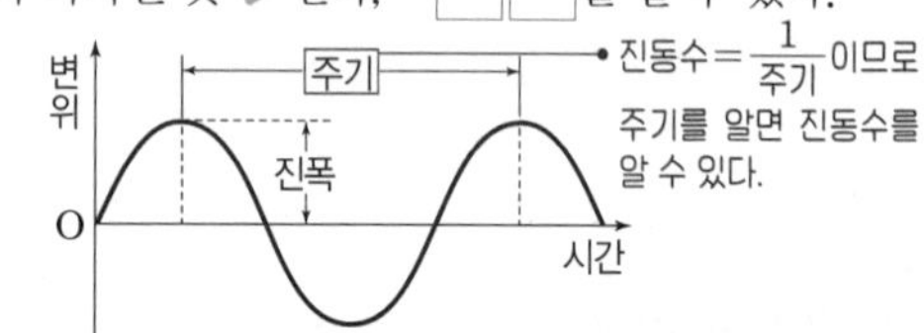

기출 Tip Ⓐ-3

같은 매질에서 파동의 속력

일반적으로 같은 매질에서 파동의 속력은 일정하지만, 물의 경우는 깊이에 따라 물결파의 속력이 달라지고 공기의 경우는 온도와 밀도에 따라 빛이나 소리의 속력이 달라진다.

매질에 따른 파동의 속력

- 줄에 생긴 파동의 속력: 줄이 가늘수록, 팽팽할수록 빠르다.
- 물결파의 속력: 수심이 깊을수록 빠르다.
- 소리의 속력: 고체 > 액체 > 기체 순으로 빠르고, 공기의 온도가 높을수록 빠르다.

3 파동의 속력 파동은 한 주기(T) 동안 ❻□ 파장(λ)만큼 진행하므로 파동의 속력(v)은 파장을 주기로 나누어 구한다. → 속력이 일정할 때 진동수가 클수록 파장이 짧고, 진동수가 일정할 때 속력이 빠를수록 파장이 길다.

$$\text{파동의 속력}=\frac{\text{파장}}{\text{주기}}=\text{진동수}\times\text{파장},\ v=\frac{\lambda}{T}=f\lambda$$

Ⓑ 파동의 굴절

1 파동의 굴절 파동이 다른 매질의 경계면에 비스듬히 ❼□□할 때, 전파 속력이 달라져 파동의 진행 방향이 바뀌는 현상

① 매질 1에서 파동의 속력과 파장을 v_1, λ_1, 매질 2에서 파동의 속력과 파장을 v_2, λ_2라고 하면 입사각(i)과 굴절각(r) 사이의 관계는 다음과 같다. ➔ $\frac{\sin i}{\sin r}=\frac{v_1}{v_2}=\frac{\lambda_1}{\lambda_2}=$일정

② 파동이 굴절할 때 파동의 속력과 파장은 변하지만, ❽□□□는 변하지 않는다.

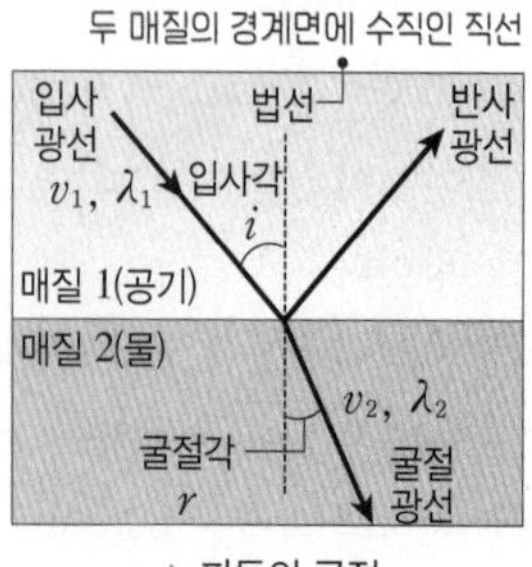

▲ 파동의 굴절

2 빛의 굴절

① 굴절률: 매질에서 빛의 속력 v에 대한 진공에서 빛의 속력 c의 비 ➜ $n=\frac{c}{v}$ (절대 굴절률이라고 한다.)

② 굴절 법칙(스넬 법칙): 굴절률이 n_1인 매질 1에서 굴절률이 n_2인 매질 2로 빛이 진행할 때 다음 관계가 성립한다.

$$\frac{\sin i}{\sin r}=\frac{v_1}{v_2}=\frac{\frac{c}{n_1}}{\frac{c}{n_2}}=\frac{n_2}{n_1}=n_{12} \Rightarrow n_1\sin i=n_2\sin r$$

(n_{12}: 매질 1에 대한 매질 2의 굴절률=상대 굴절률)

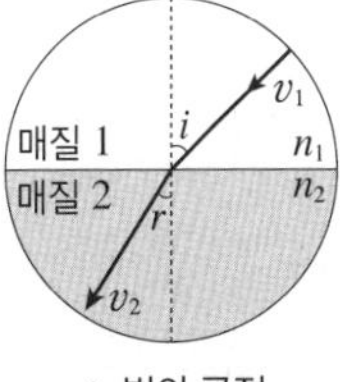

▲ 빛의 굴절

3 물결파의 진행과 굴절

구분	속력이 빠른 매질에서 느린 매질로 진행할 때 (깊은 물 → 얕은 물)	속력이 느린 매질에서 빠른 매질로 진행할 때 (얕은 물 → 깊은 물)
파동의 진행 모습	입사파, 법선, λ_1, v_1, 매질 1, 매질 2, i, r, λ_2, v_2, 굴절파	입사파, 법선, λ_1, v_1, 매질 1, 매질 2, i, r, λ_2, v_2, 굴절파
파동의 속력	매질 1 > 매질 2 ➜ $v_1>v_2$	매질 1 < 매질 2 ➜ $v_1<v_2$
입사각과 굴절각	입사각 > 굴절각 ➜ $i>r$	입사각 < 굴절각 ➜ $i<r$
파장	매질 1 > 매질 2 ➜ $\lambda_1>\lambda_2$	매질 1 < 매질 2 ➜ $\lambda_1<\lambda_2$

4 생활 속의 굴절

물속에 잠긴 물체의 깊이가 실제보다 얕아 보이고, 일부분만 잠긴 물체는 꺾여 보인다.

물속에서 꺾여 보이는 연필	뜨거운 지면 위의 신기루	렌즈에서 빛의 굴절
관찰자, 물, 상	찬 공기, 빛의 실제 경로, 관찰자, 뜨거운 공기, 뜨거운 도로, 신기루	볼록 렌즈, 오목 렌즈
빛이 물속에서 공기 중으로 나올 때 굴절하는데, 우리 눈에는 빛이 직진하는 것처럼 보인다.	자동차에서 반사된 빛이 지면에서 굴절되어 지면 아래에 있는 것처럼 보인다.	두께가 다른 렌즈에서 빛이 굴절되어 ❾ □□ 렌즈에서는 빛이 모이고, ❿ □□ 렌즈에서는 빛이 퍼진다.

기출 Tip Ⓑ

파동의 굴절 식 유도

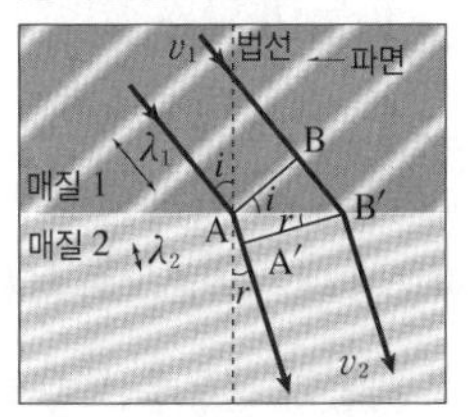

- 파면 AB가 A′B′로 이동하는 시간을 t라고 하면 $\overline{BB'}=v_1t$, $\overline{AA'}=v_2t$이고, $v_1=f\lambda_1$, $v_2=f\lambda_2$이다.
- $\overline{BB'}=\overline{AB'}\sin i$이고, $\overline{AA'}=\overline{AB'}\sin r$이므로 $\frac{\overline{BB'}}{\overline{AA'}}=\frac{v_1t}{v_2t}=\frac{v_1}{v_2}=\frac{f\lambda_1}{f\lambda_2}=\frac{\lambda_1}{\lambda_2}=\frac{\sin i}{\sin r} \Rightarrow \frac{\sin i}{\sin r}=\frac{v_1}{v_2}=\frac{\lambda_1}{\lambda_2}$이다.

기출 Tip Ⓑ-4

소리의 굴절

- 낮: 땅의 온도가 높고, 위로 갈수록 온도가 낮아져 소리가 위로 진행한다.
- 밤: 땅의 온도가 낮고, 위로 갈수록 온도가 높아져 소리가 아래로 진행한다.

답 ❶ 에너지 ❷ 수직 ❸ 진폭 ❹ 시간 ❺ 주기 ❻ 한 ❼ 입사 ❽ 진동수 ❾ 볼록 ❿ 오목

빈출 자료 보기

정답과 해설 70쪽

532 그림 (가)는 어떤 순간 파동의 변위를 위치에 따라 나타낸 것이고, (나)는 (가)의 순간부터 점 P의 변위를 시간에 따라 나타낸 것이다.

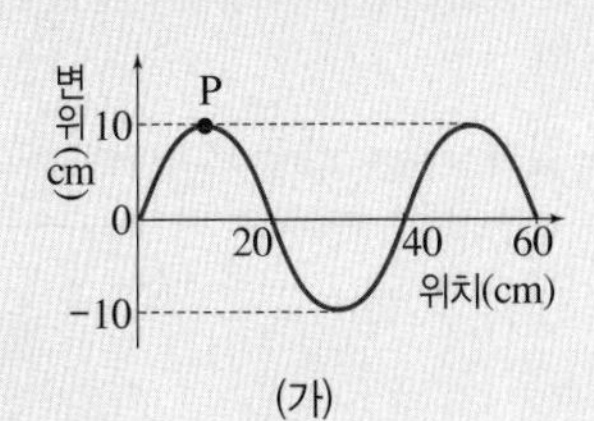

(가)

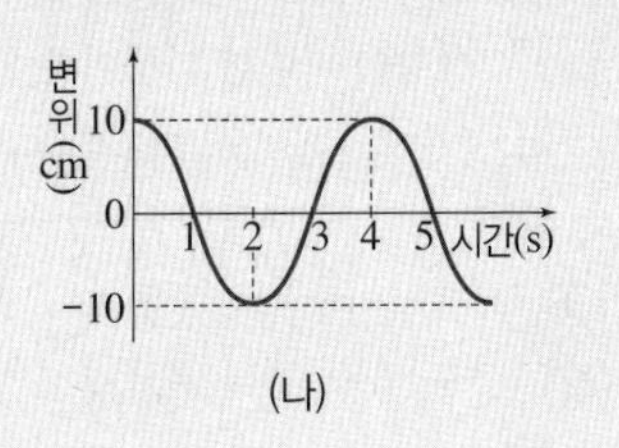

(나)

이에 대한 설명으로 옳은 것은 ○, 옳지 않은 것은 ×로 표시하시오.

(1) 파동의 주기는 4초이다. ( )

(2) 파동의 파장은 40 cm이다. ( )

(3) 파동의 진폭은 20 cm이다. ( )

(4) 파동의 진동수는 0.2 Hz이다. ( )

(5) 파동의 속력은 10 cm/s이다. ( )

(6) P점의 1초 후 변위는 0이다. ( )

A 파동의 발생

파동의 요소

533 하

파동에 대한 설명으로 옳지 않은 것은?

① 파동의 진동수는 매질의 종류에 따라 달라진다.
② 파동은 한 주기 동안 파장만큼의 거리를 진행한다.
③ 횡파의 진폭은 마루와 진동 중심 사이의 거리와 같다.
④ 종파는 파동의 진행 방향과 매질의 진동 방향이 나란하다.
⑤ 파동이 한 매질에서 다른 매질로 진행할 때 파동의 속력이 변한다.

534 하

그림은 위치에 따른 파동의 모습을 나타낸 것이다.

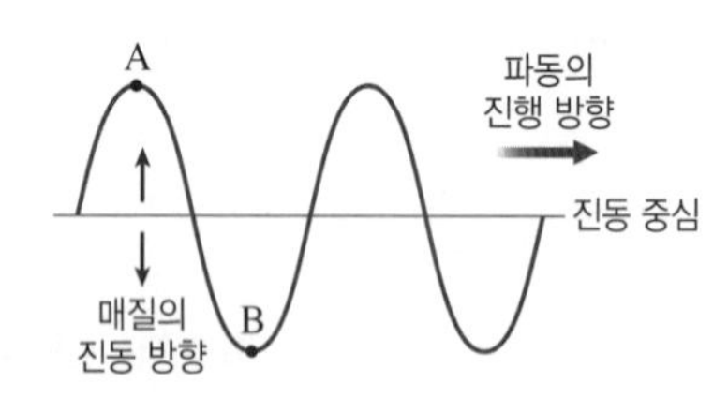

이 파동에 대한 설명으로 옳은 것만을 〈보기〉에서 있는 대로 고른 것은?

〈 보기 〉
ㄱ. 종파이다.
ㄴ. A 지점은 마루이다.
ㄷ. 파장은 A 지점에서 B 지점까지 수평 거리이다.

① ㄱ ② ㄴ ③ ㄱ, ㄷ
④ ㄴ, ㄷ ⑤ ㄱ, ㄴ, ㄷ

535 하

그림과 같이 수평면에 놓인 용수철을 수평면에 나란한 방향으로 흔들어 용수철의 한 점이 1초에 8번 진동하는 파동을 발생시켰다. 용수철의 가장 밀한 곳에서 이웃한 가장 밀한 곳 사이의 거리는 0.5 m이다.

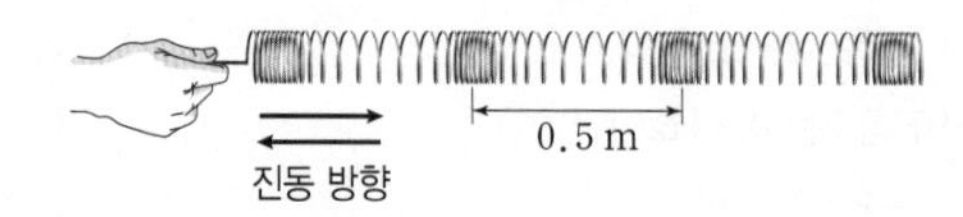

파동의 속력은 몇 m/s인지 구하시오.

536 하

소리에 대한 설명으로 옳은 것만을 〈보기〉에서 있는 대로 고른 것은?

〈 보기 〉
ㄱ. 소리의 속력은 고체에서가 액체에서보다 빠르다.
ㄴ. 파동의 진행 방향과 매질의 진동 방향이 나란하다.
ㄷ. 공기 중에서 소리의 속력은 공기의 온도가 높을수록 느리다.

① ㄱ ② ㄴ ③ ㄱ, ㄴ
④ ㄱ, ㄷ ⑤ ㄴ, ㄷ

537 중

그림은 굵은 줄과 가는 줄을 연결하여 만든 줄의 한쪽 끝을 잡고 흔들 때 발생한 파동의 모습을 나타낸 것이다.

파동의 요소 중 굵은 줄에서보다 가는 줄에서 더 큰 물리량만을 〈보기〉에서 있는 대로 고르시오.

〈 보기 〉
ㄱ. 속력 ㄴ. 주기 ㄷ. 진동수 ㄹ. 파장

538 중

그림 (가)와 (나)는 두 용수철을 서로 다른 방향으로 진동시켰을 때 발생하는 파동의 모습을 나타낸 것이다. (가)의 마루에서 이웃한 골까지의 수평 거리와 (나)의 가장 밀한 곳에서 이웃한 가장 밀한 곳까지의 거리는 L로 같다. (가)에서 a는 용수철상의 점이다.

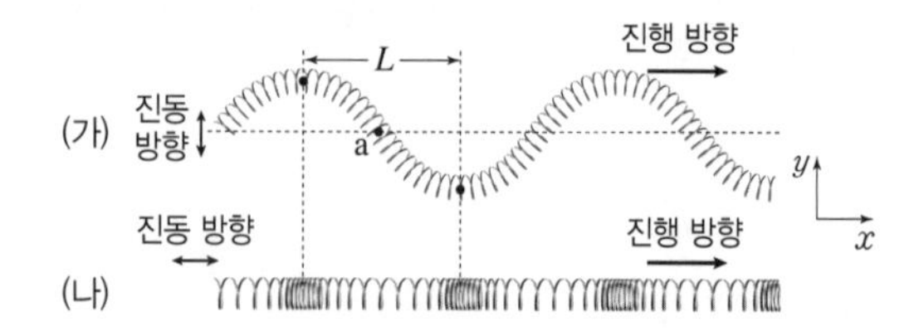

이에 대한 설명으로 옳은 것만을 〈보기〉에서 있는 대로 고른 것은?

〈 보기 〉
ㄱ. (가)에서 a의 운동 방향은 $+y$ 방향이다.
ㄴ. 전자기파는 (나)와 같이 파동의 진행 방향과 매질의 진동 방향이 나란한 파동이다.
ㄷ. (가)와 (나)에서 파장은 서로 같다.

① ㄱ ② ㄷ ③ ㄱ, ㄴ
④ ㄴ, ㄷ ⑤ ㄱ, ㄴ, ㄷ

파동의 그래프

539 하중상

그림은 같은 속력으로 진행하는 파동 A, B의 어느 순간의 변위를 위치에 따라 나타낸 것이다.

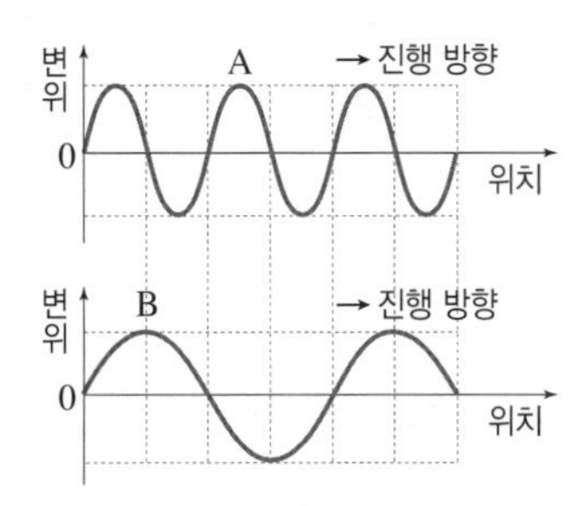

A, B의 진동수를 각각 f_A, f_B라고 할 때, $f_A : f_B$를 구하시오.

540 하중상

그림은 한쪽 방향으로 진행하는 파동의 변위를 시간에 따라 나타낸 것이다. 파동의 속력은 5 m/s이다.

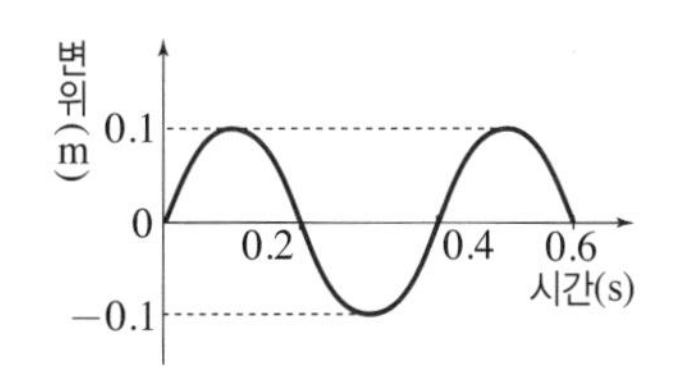

이 파동의 파장은 몇 m인지 구하시오.

541 하중상

그림 (가)는 두 파동 A, B의 어느 순간의 변위를 위치에 따라 나타낸 것이고, (나)는 A, B가 형성된 각 매질의 어느 한 점의 변위를 시간에 따라 나타낸 것이다.

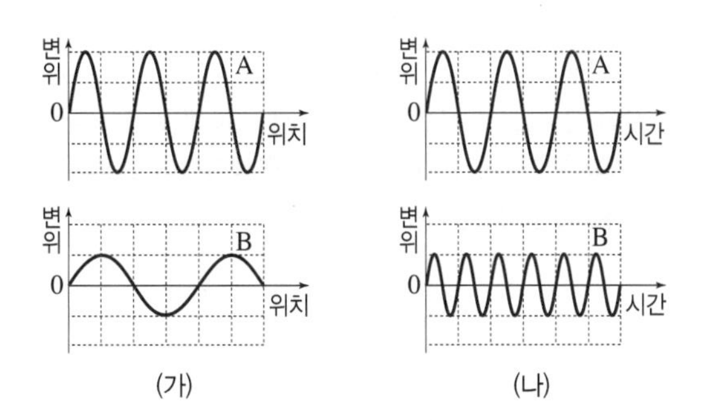

이에 대한 설명으로 옳은 것만을 〈보기〉에서 있는 대로 고른 것은?

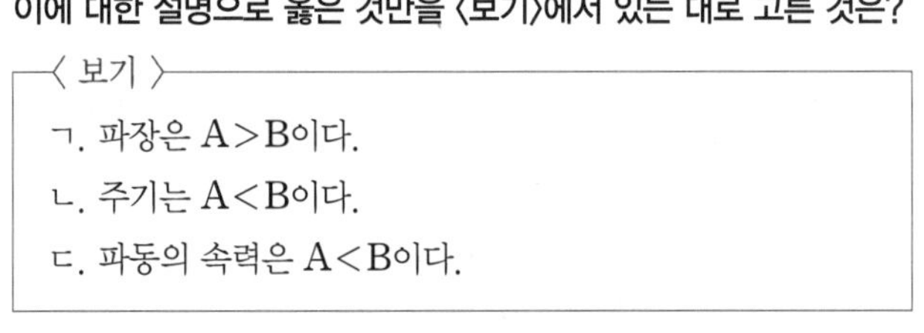

〈 보기 〉
ㄱ. 파장은 A > B이다.
ㄴ. 주기는 A < B이다.
ㄷ. 파동의 속력은 A < B이다.

① ㄱ ② ㄷ ③ ㄱ, ㄴ
④ ㄴ, ㄷ ⑤ ㄱ, ㄴ, ㄷ

빈출 542 하중상

그림에서 실선은 오른쪽으로 진행하는 파동의 어느 한 순간의 모습을 나타낸 것이다. 0.1초 후 파동은 처음으로 점선의 모습이 되었다.

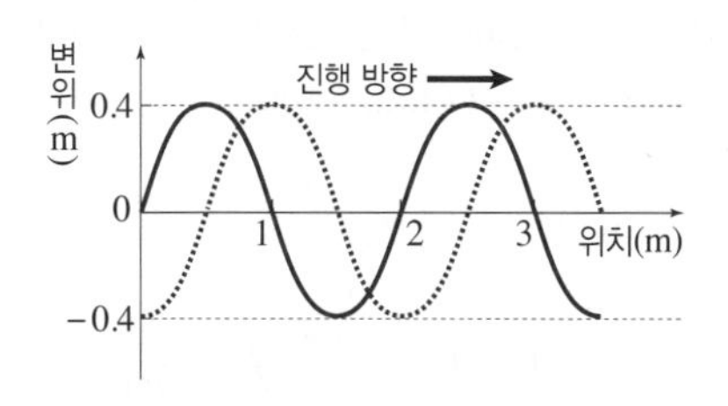

이에 대한 설명으로 옳지 않은 것은?

① 파장은 2 m이다.
② 주기는 0.4초이다.
③ 진폭은 0.4 m이다.
④ 진동수는 4 Hz이다.
⑤ 파동의 속력은 5 m/s이다.

[543~544] 그림 (가)는 파동의 어느 순간의 모습을 위치 x에 따라 나타낸 것이고, (나)는 (가)의 순간부터 점 P의 변위 y를 시간에 따라 나타낸 것이다. P, Q는 매질상의 점이다.

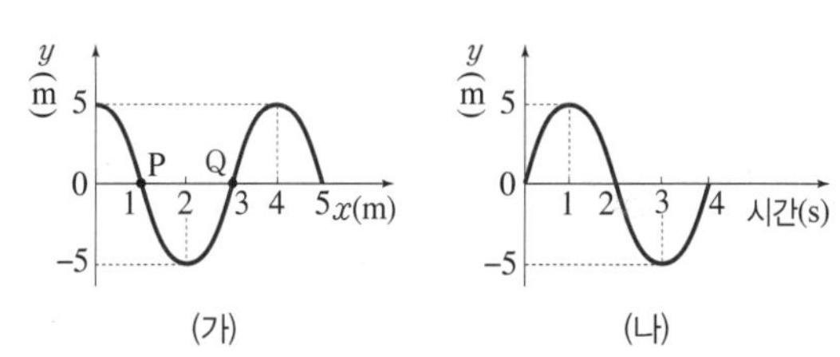

빈출 543 하중상 多 보기

이에 대한 설명으로 옳지 않은 것을 모두 고르면?(2개)

① 주기는 4초이다.
② 파장은 3 m이다.
③ 진폭은 10 m이다.
④ 진동수는 0.25 Hz이다.
⑤ 파동은 $+x$ 방향으로 진행한다.
⑥ 파동의 속력은 1 m/s이다.
⑦ 6초일 때 P의 운동 방향은 $-y$ 방향이다.

544 하중상

3초 후 Q의 변위는 몇 m인지 구하시오.

545 하 중 상

그림은 한쪽 방향으로 진행하는 파동의 변위를 위치에 따라 나타낸 것이다. 점 P는 매질상의 한 점이고, 이 순간으로부터 1초가 지난 후 P의 변위는 +4 cm이다. P는 1초가 지난 순간부터 4초가 더 지난 후에 변위가 다시 +4 cm가 되었다.

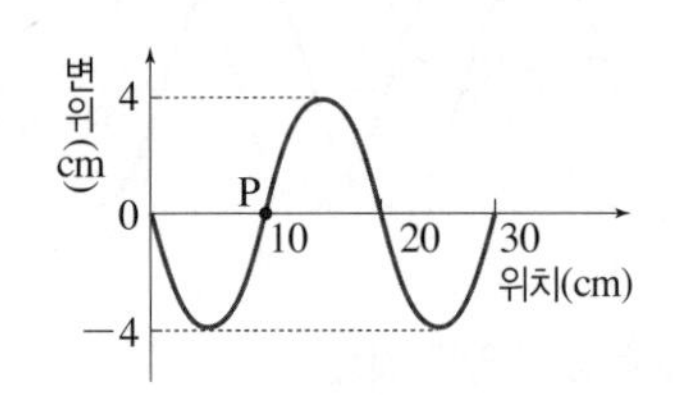

이 파동에 대한 설명으로 옳은 것만을 〈보기〉에서 있는 대로 고른 것은?

〈 보기 〉

ㄱ. 주기는 4초이다.

ㄴ. 진행 방향은 왼쪽이다.

ㄷ. 진행 속력은 5 cm/s이다.

① ㄱ ② ㄴ ③ ㄱ, ㄷ

④ ㄴ, ㄷ ⑤ ㄱ, ㄴ, ㄷ

546 하 중 상

그림 (가)는 매질 A와 매질 B에서 $+x$ 방향으로 진행하는 파동의 어느 순간의 변위를 위치에 따라 나타낸 것이다. 그림 (나)는 (가)의 순간부터 매질상의 점 P의 변위를 시간에 따라 나타낸 것이다.

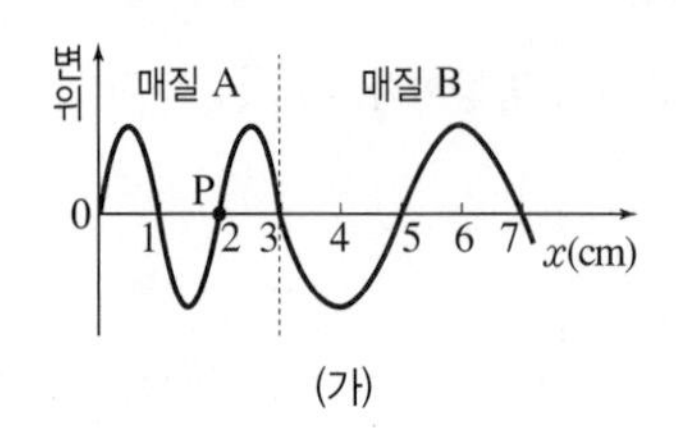

(가)

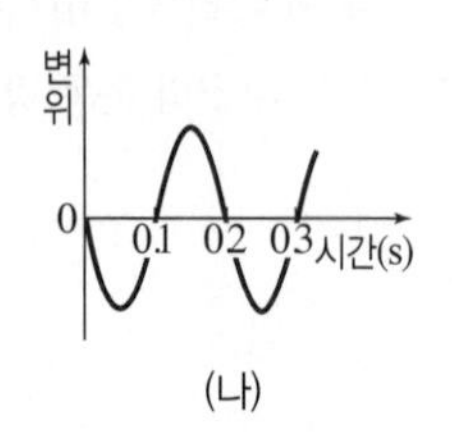

(나)

(1) B에서 파동의 주기는 몇 초인지 구하시오.

(2) B에서 파동의 진행 속력은 몇 cm/s인지 구하시오.

B 파동의 굴절

빛의 굴절

[547~548] 그림은 빛이 매질 A에서 매질 B로 입사할 때, 입사각 45°로 진행한 빛이 일부는 반사하고 일부는 굴절각 30°로 굴절하는 모습을 나타낸 것이다.

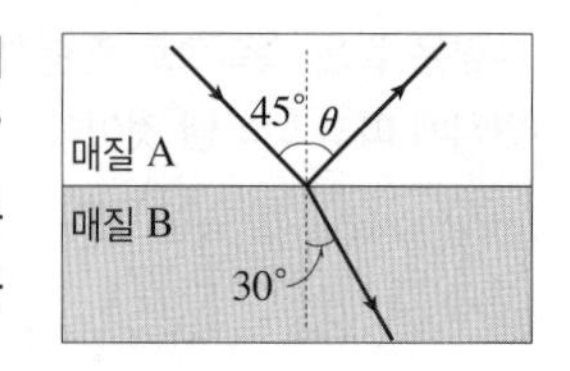

547 하 중 상

이에 대한 설명으로 옳지 않은 것은?

① θ는 45°이다.

② 굴절률은 A가 B보다 작다.

③ 빛의 속력은 A에서가 B에서보다 크다.

④ 빛의 파장은 A에서가 B에서보다 짧다.

⑤ 빛의 진동수는 A에서와 B에서가 같다.

548 하 중 상

••서술형

매질 A에 대한 매질 B의 상대 굴절률을 풀이 과정과 함께 구하시오.

549 하 중 상

그림과 같이 단색광 A, B는 매질 Ⅰ에서 매질 Ⅱ로, 단색광 C는 Ⅱ에서 Ⅰ로 입사한다. A, B, C는 동일한 단색광이며, A와 C는 입사각이 서로 같다. 굴절률은 Ⅱ가 Ⅰ보다 크다.

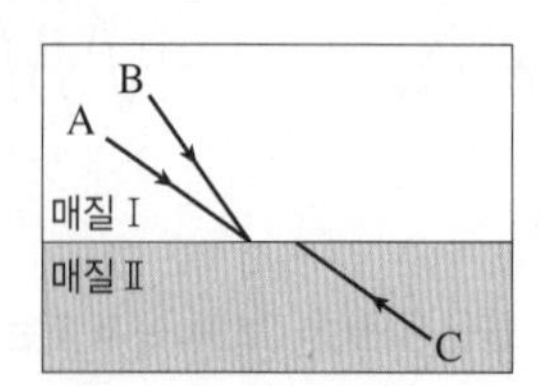

이에 대한 설명으로 옳지 않은 것은? (단, C는 전반사하지 않는다.)

① 반사각은 A가 B보다 크다.

② 굴절각은 A가 C보다 작다.

③ A의 속력은 Ⅰ에서가 Ⅱ에서보다 빠르다.

④ B의 파장은 Ⅱ에서가 Ⅰ에서보다 짧다.

⑤ C의 진동수는 Ⅰ에서가 Ⅱ에서보다 작다.

550 하중상

그림 (가)는 단색광을 입사각 θ로 매질 A, B의 경계면에 입사시켰더니 굴절각 θ_1로 굴절하는 모습을, (나)는 동일한 단색광을 입사각 θ로 매질 A, C의 경계면에 입사시켰더니 굴절각 θ_2로 굴절하는 모습을 나타낸 것이다. $\theta_1 > \theta_2$이다.

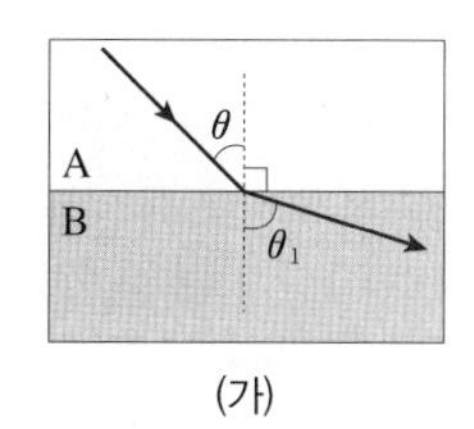

(가)

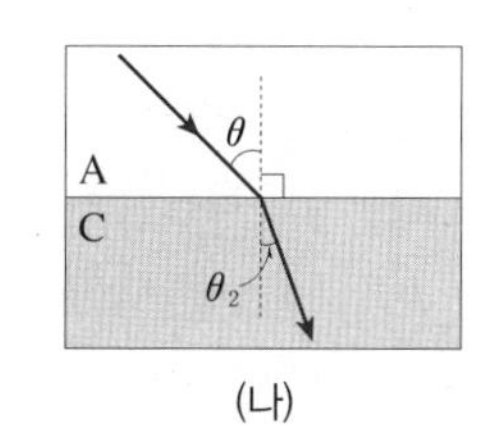

(나)

(1) A, B, C에서 단색광의 파장을 λ_A, λ_B, λ_C라고 할 때, λ_A, λ_B, λ_C의 크기를 부등호를 이용하여 비교하시오.

(2) A, B, C의 굴절률을 n_A, n_B, n_C라고 할 때, n_A, n_B, n_C의 크기를 부등호를 이용하여 비교하시오.

551 하중상

그림은 단색광이 매질 Ⅰ과 매질 Ⅱ를 거쳐 매질 Ⅲ으로 진행하는 모습을 나타낸 것이다. 빛이 Ⅰ에서 Ⅱ로 진행할 때 입사각과 굴절각이 각각 θ_1, θ_2이고, Ⅱ에서 Ⅲ으로 진행할 때 굴절각은 θ_3이다. $\theta_1 > \theta_3$이다.

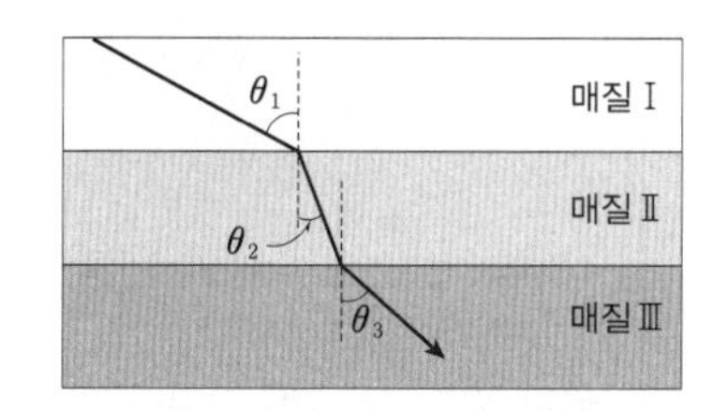

이에 대한 설명으로 옳은 것만을 〈보기〉에서 있는 대로 고른 것은?

〈 보기 〉

ㄱ. 굴절률은 Ⅱ > Ⅲ > Ⅰ 순으로 크다.

ㄴ. 단색광의 파장은 Ⅰ에서가 Ⅱ에서보다 길다.

ㄷ. 단색광의 속력은 Ⅲ에서가 Ⅱ에서보다 느리다.

① ㄱ ② ㄴ ③ ㄱ, ㄴ
④ ㄱ, ㄷ ⑤ ㄴ, ㄷ

[552~553] 그림은 빛이 굴절률 n_1인 매질 1에서 굴절률 n_2인 매질 2로 진행할 때 입사각 i로 입사하여 굴절각 r로 굴절하는 모습을 나타낸 것이다. 빛의 속력과 파장은 각각 매질 1에서 v_1, λ_1이고, 매질 2에서 v_2, λ_2이다. (단, $\overline{OA} = \overline{OB}$이다.)

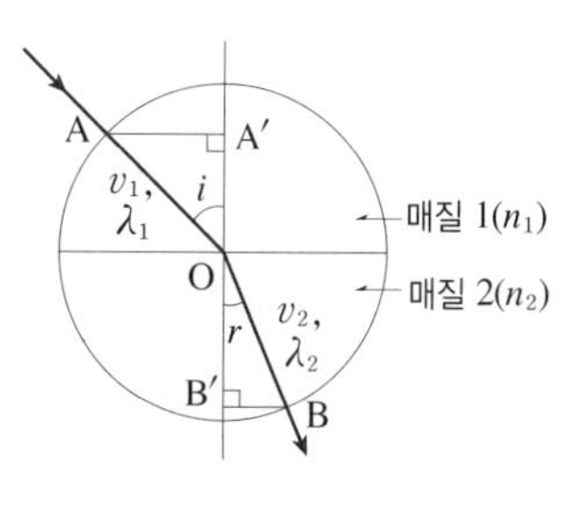

552 하중상

이에 대한 설명으로 옳은 것만을 〈보기〉에서 있는 대로 고른 것은?

〈 보기 〉

ㄱ. 굴절률은 매질 2가 매질 1보다 크다.

ㄴ. $\overline{AA'}$의 길이가 증가하면 $\overline{BB'}$의 길이도 증가한다.

ㄷ. 빛이 $\overline{AO}$ 구간과 $\overline{OB}$ 구간을 지나는 데 걸리는 시간은 같다.

① ㄱ ② ㄷ ③ ㄱ, ㄴ
④ ㄴ, ㄷ ⑤ ㄱ, ㄴ, ㄷ

553 하중상

매질 1에 대한 매질 2의 상대 굴절률과 같은 값을 갖는 것을 〈보기〉에서 있는 대로 고르시오.

〈 보기 〉

ㄱ. $\frac{\lambda_1}{\lambda_2}$	ㄴ. $\frac{v_2}{v_1}$	ㄷ. $\frac{\overline{AA'}}{\overline{BB'}}$
ㄹ. $\frac{\overline{OA'}}{\overline{OB'}}$	ㅁ. $\frac{\sin i}{\sin r}$	ㅂ. $\frac{n_1}{n_2}$

554 하중상

그림과 같이 공기 중에서 파장 λ인 두 빛이 간격 d_1로 공기에서 프리즘 A에 입사각 θ_1로 입사하여 프리즘 B에서 공기로 굴절각 θ_2로 진행한다. $d_1 < d_2$이고, 빛은 A와 B의 경계면에 수직으로 입사한다.

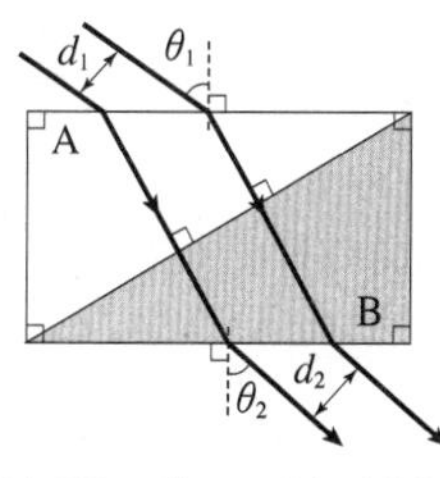

이에 대한 설명으로 옳은 것만을 〈보기〉에서 있는 대로 고른 것은?

〈 보기 〉

ㄱ. $\theta_1 > \theta_2$이다.

ㄴ. A에서 파장은 λ보다 짧다.

ㄷ. 굴절률은 A가 B보다 크다.

① ㄱ ② ㄷ ③ ㄱ, ㄴ
④ ㄴ, ㄷ ⑤ ㄱ, ㄴ, ㄷ

555 하 중 상 ••서술형

그림은 파동이 매질 Ⅰ에서 매질 Ⅱ로 진행하는 모습을 나타낸 것이다. 같은 파면상에 있는 점 A와 B는 t초 후에 각각 A′, B′로 이동하였다. i는 입사각, r는 굴절각이다.

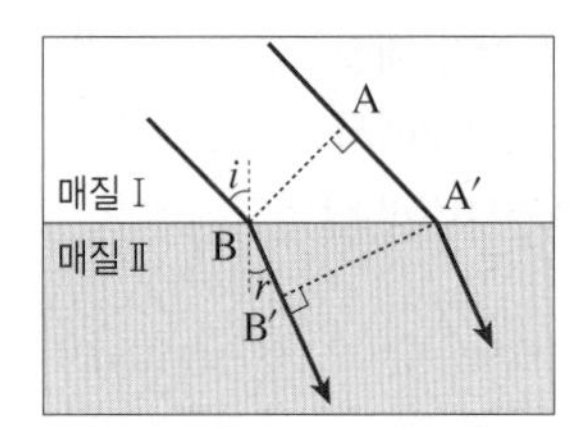

Ⅰ에서의 속력을 v_1, Ⅱ에서의 속력을 v_2라고 할 때, $\frac{\sin i}{\sin r}$를 $\frac{\overline{AA'}}{\overline{BB'}}$를 포함한 풀이 과정과 함께 v_1, v_2를 이용하여 나타내시오.

물결파의 굴절

556 하 중 상

그림은 물결파 발생 장치의 물속에 물결파의 파면과 비스듬하게 유리판을 넣어 물의 깊이를 얕게 만든 후 물결파가 진행하는 모습을 나타낸 것이다.

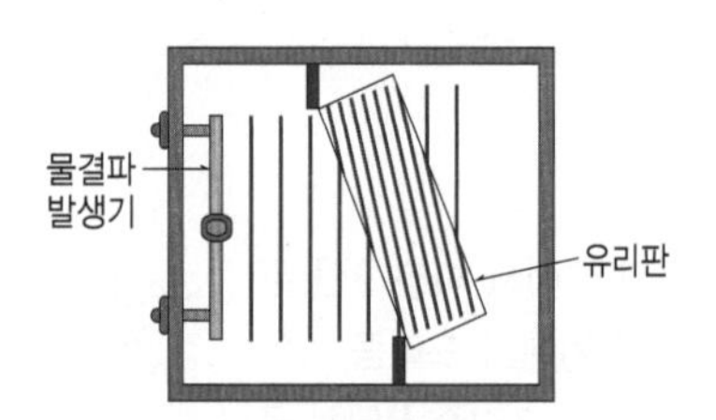

이에 대한 설명으로 옳은 것만을 <보기>에서 있는 대로 고른 것은?

〈 보기 〉

ㄱ. 물결파의 속력은 물의 깊이가 얕은 곳에서가 깊은 곳에서보다 빠르다.

ㄴ. 물결파의 파장은 물의 깊이가 얕은 곳에서가 깊은 곳에서보다 짧다.

ㄷ. 물결파가 유리판이 놓여 있는 영역으로 진행할 때 굴절각이 입사각보다 크다.

① ㄱ ② ㄴ ③ ㄱ, ㄴ
④ ㄱ, ㄷ ⑤ ㄴ, ㄷ

빈출

557 하 중 상

그림 (가)는 매질 Ⅰ에서 진행하는 파동 A의 파면을, (나)는 A가 매질 Ⅰ, Ⅱ의 경계면에서 반사된 파동 B와 경계면을 투과한 파동 C의 파면을 나타낸 것이다. B, C에서 이웃한 파면 사이의 거리는 각각 λ_1, λ_2이고, $\lambda_1 > \lambda_2$이다.

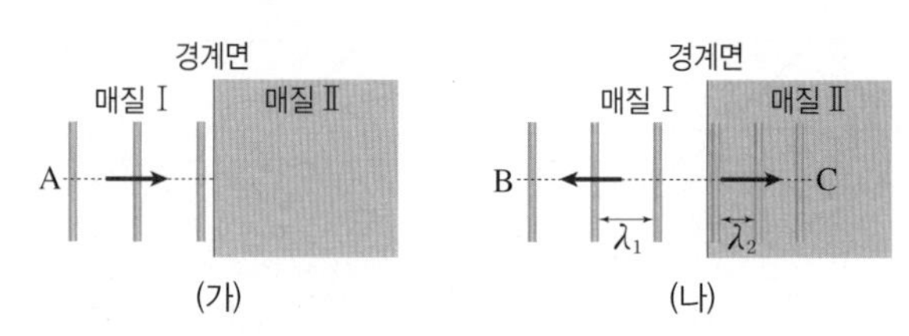

이에 대한 설명으로 옳지 않은 것은?

① A의 파장은 λ_1이다.
② 속력은 A가 C보다 빠르다.
③ 진동수는 B와 C가 같다.
④ 굴절률은 Ⅱ가 Ⅰ보다 작다.
⑤ 매질 Ⅰ에 대한 매질 Ⅱ의 굴절률은 $\frac{\lambda_1}{\lambda_2}$이다.

빈출

558 하 중 상 多 보기

그림은 진동수가 일정한 물결파가 영역 A에서 영역 B로 진행하는 모습을 나타낸 것이다. 영역 A, B에서 파장은 각각 λ_A, λ_B이고, 파면이 경계면과 이루는 각은 각각 45°, 30°이다. $\lambda_A > \lambda_B$이다.

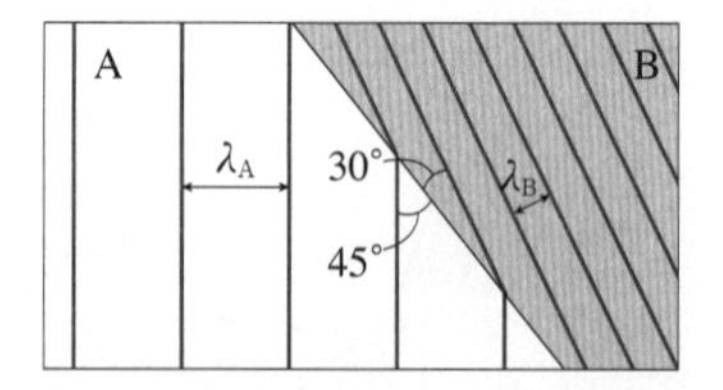

이에 대한 설명으로 옳지 않은 것을 모두 고르면?(2개)

① $\frac{\lambda_A}{\lambda_B} = \frac{1}{\sqrt{2}}$이다.
② A는 B보다 수심이 깊다.
③ 굴절각은 입사각보다 작다.
④ A에 대한 B의 굴절률은 $\sqrt{2}$이다.
⑤ B의 수심이 깊어지면 $\frac{\lambda_A}{\lambda_B}$는 작아진다.
⑥ 물결파의 속력은 A에서가 B에서의 $\sqrt{3}$배이다.

559 하/중/상 ••서술형

그림 (가)는 진동수가 일정한 물결파가 매질 Ⅰ에서 매질 Ⅱ로 진행하는 모습을 나타낸 것이다. Ⅰ과 Ⅱ에서 파면이 경계면과 이루는 각은 각각 45°, 30°이고, Ⅰ에서 이웃한 파면 사이의 간격은 4 cm이다. 그림 (나)는 (가)의 점 p에서 수면의 높이를 시간에 따라 나타낸 것이다.

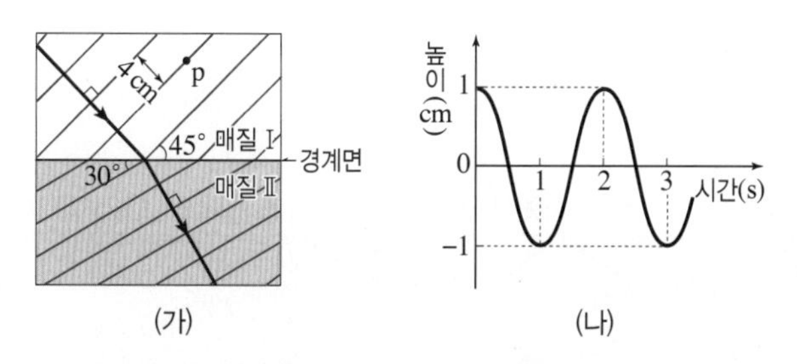

(가) (나)

Ⅱ에서 물결파의 속력을 풀이 과정과 함께 구하시오.

생활 속의 굴절

빈출 560 하/중/상 多 보기

굴절에 의해 나타나는 현상이 아닌 것은?

① 낮에는 소리가 위쪽으로 휘어진다.
② 물속에 들어가면 다리가 짧아 보인다.
③ 돋보기로 책을 보면 글씨가 커 보인다.
④ 물속에 있는 물체를 보면 실제보다 떠 보인다.
⑤ 둥근 어항에 있는 물고기가 실제보다 커 보인다.
⑥ 잠수함에서 잠망경을 이용하여 물 밖을 볼 수 있다.

561 하/중/상

그림은 평행한 빛이 공기에서 각각 볼록 렌즈와 오목 렌즈로 입사하여 진행하는 경로를 나타낸 것이다.

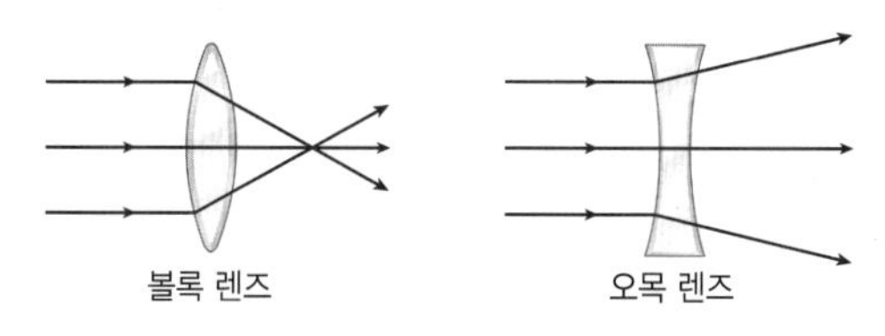
볼록 렌즈 오목 렌즈

이에 대한 설명으로 옳은 것만을 〈보기〉에서 있는 대로 고른 것은?

〈 보기 〉
ㄱ. 빛은 공기와 렌즈의 경계면에서 굴절한다.
ㄴ. 빛의 속력은 공기에서보다 렌즈에서 더 느리다.
ㄷ. 빛이 공기에서 렌즈로 입사하여 진행할 때 입사각은 굴절각보다 크다.

① ㄱ ② ㄷ ③ ㄱ, ㄴ ④ ㄴ, ㄷ ⑤ ㄱ, ㄴ, ㄷ

빈출 562 하/중/상

그림 (가)는 물이 들어 있는 컵 속의 연필이 꺾여 보이는 현상을, (나)는 더운 여름날 사막에서 나타나는 신기루 현상을 나타낸 것이다.

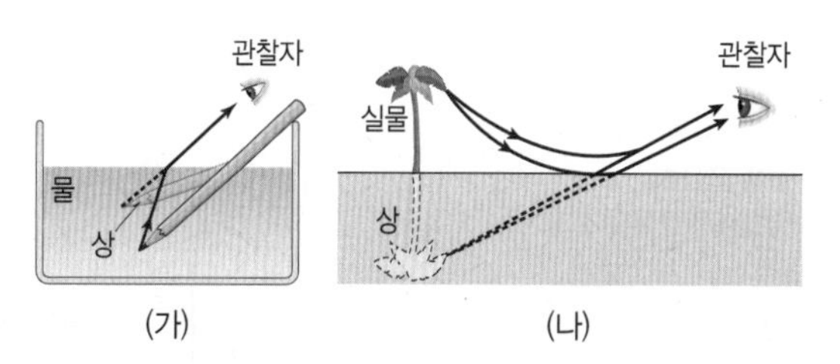

(가) (나)

이에 대한 설명으로 옳지 않은 것은?

① (가)에서 물의 굴절률은 공기의 굴절률보다 크다.
② (가)의 물 대신 물보다 굴절률이 큰 액체를 넣으면 연필이 더 큰 각도로 꺾여 보인다.
③ (나)에서 공기의 온도는 지면에 가까울수록 높다.
④ (나)에서 빛의 속력은 공기의 온도가 높을수록 느리다.
⑤ (가)와 (나)는 빛의 굴절에 의해 나타나는 현상이다.

빈출 563 하/중/상

그림 (가)와 (나)는 낮과 밤에 소리가 굴절하는 모습을 순서 없이 나타낸 것이다.

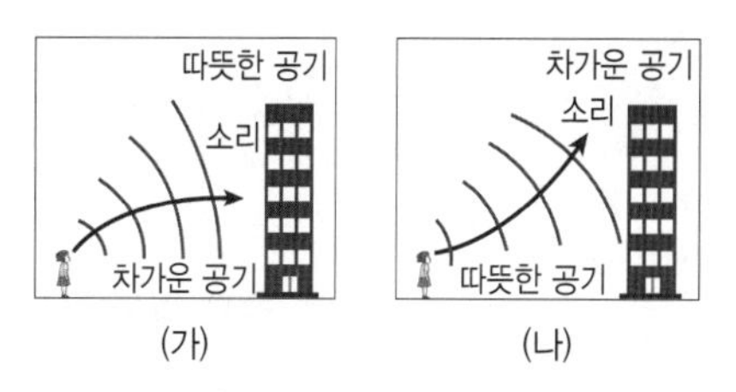

(가) (나)

이에 대한 설명으로 옳은 것만을 〈보기〉에서 있는 대로 고른 것은?

〈 보기 〉
ㄱ. (가)는 소리가 낮에 굴절하는 모습이다.
ㄴ. 밤에 공기의 온도는 지면에 가까울수록 높다.
ㄷ. 소리의 속력은 차가운 공기에서가 따뜻한 공기에서보다 느리다.

① ㄱ ② ㄷ ③ ㄱ, ㄴ
④ ㄴ, ㄷ ⑤ ㄱ, ㄴ, ㄷ

전반사

Ⓐ 전반사

1 전반사

빛이 매질의 경계면에서 굴절해서 나아가지 않고 전부 ❶□□되는 현상

① 임계각(θ_c): 굴절각이 ❷□□°일 때의 입사각

(빛의 전반사)

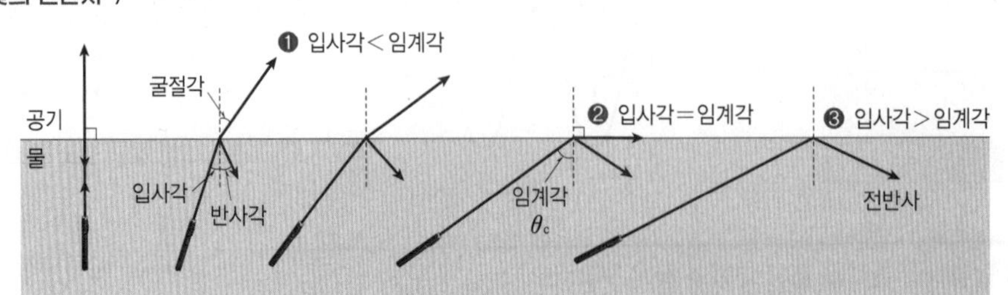

❶ 입사각<임계각: 입사각이 커지면 반사각도 커지고, 굴절각도 커진다.

❷ 입사각=임계각: 입사각을 점점 크게 하여 굴절각이 90°가 되면, 빛이 공기 중으로 진행하지 못한다.

❸ 입사각>임계각: 굴절하여 공기 중으로 진행하는 빛은 없고, 반사만 일어난다. ➡ 전반사

② 굴절률과 임계각

- 굴절률이 n_1인 매질에서 n_2인 매질로 빛이 진행할 때, 임계각을 θ_c라고 하면 ❸□□ 법칙에 따라 굴절률과 임계각 사이의 관계는 다음과 같다. → 임계각의 사인값($\sin\theta_c$)은 두 매질의 굴절률로 결정된다.

$$\frac{\sin\theta_c}{\sin 90°}=\frac{n_2}{n_1} \Rightarrow \sin\theta_c=\frac{n_2}{n_1}$$

→ 굴절률 차가 클수록 임계각이 작다. ($\frac{n_2}{n_1}$)
→ 1보다 작다. ($\sin\theta_c$)

- 굴절률이 n인 물($n=1.33$)에서 굴절률이 1인 공기로 빛이 진행할 때, 임계각을 θ_c라고 하면 $\frac{\sin\theta_c}{\sin 90°}=\frac{n_{공기}}{n_{물}}$이므로 $\sin\theta_c=\frac{1}{n}$이다.

2 전반사의 특징

① 전반사가 일어날 조건

- 속력이 ❹□□ 매질에서 속력이 ❺□□ 매질로 빛이 진행해야 한다.
  - ❹ → 굴절률이 큰 매질
  - ❺ → 굴절률이 작은 매질
- 입사각이 임계각보다 ❻□야 한다.

② 전반사를 이용하면 빛의 세기가 약해지지 않고 빛의 진행 경로를 바꿀 수 있으며, 빛을 멀리까지 보낼 수 있다. → 빛의 반사와 굴절이 함께 일어날 때는 반사광과 굴절광의 세기가 입사광의 세기보다 약해지지만, 빛이 전반사하면 입사광과 반사광의 세기가 같다.

3 생활 속 전반사의 이용

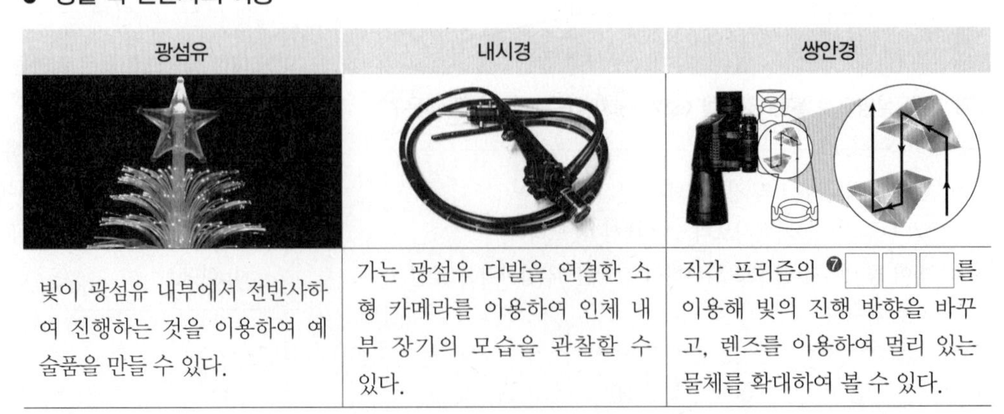

광섬유	내시경	쌍안경
빛이 광섬유 내부에서 전반사하여 진행하는 것을 이용하여 예술품을 만들 수 있다.	가는 광섬유 다발을 연결한 소형 카메라를 이용하여 인체 내부 장기의 모습을 관찰할 수 있다.	직각 프리즘의 ❼□□□를 이용해 빛의 진행 방향을 바꾸고, 렌즈를 이용하여 멀리 있는 물체를 확대하여 볼 수 있다.

기출 Tip Ⓐ-1

굴절률(절대 굴절률)

밀한 매질일수록 굴절률이 크다.

물질	굴절률
진공	1
공기	1.0003
물	1.33
유리	1.5 내외
다이아몬드	2.42

굴절률과 임계각의 관계

매질의 굴절률 차가 클수록 임계각이 작다.

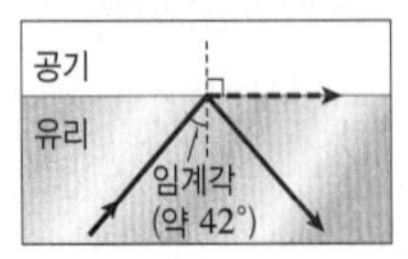

▲ 유리 → 공기

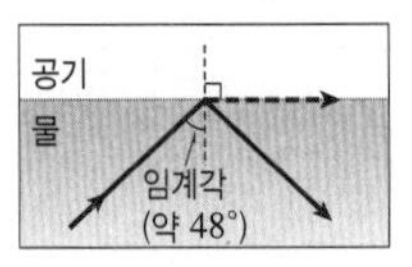

▲ 물 → 공기

- 굴절률: 유리>물
- 임계각: 유리 → 공기<물 → 공기

기출 Tip Ⓐ-2

굴절률이 작은 매질에서 큰 매질로 입사하는 빛

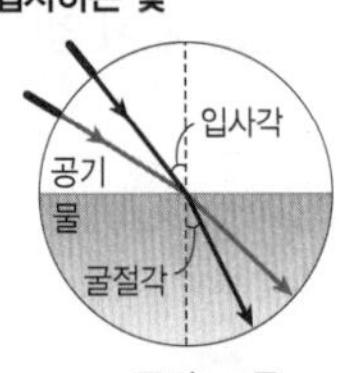

▲ 공기 → 물

입사각을 변화시키더라도 전반사가 일어나지 않는다. → 입사각>굴절각

Ⓑ 광섬유와 광통신

1 광섬유 빛을 전송할 수 있는 섬유 모양의 관

(광섬유의 구조)

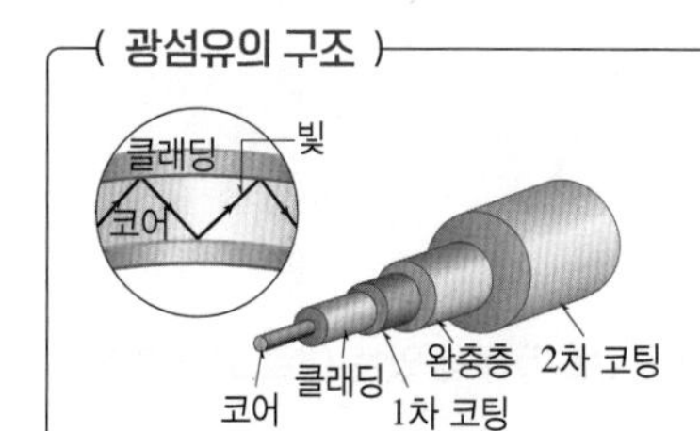

- 굴절률이 큰 중앙의 코어를 굴절률이 작은 ❽ ☐☐☐ 이 감싸고 있는 구조이다.
- 광섬유 내부의 ❾ ☐☐ 로 입사한 빛은 클래딩으로 빠져나오지 못하고 ❿ ☐☐ 내부에서 전반사하여 먼 곳까지 진행한다.

2 광통신 정보가 담긴 빛 신호를 광섬유 내부에서 전반사시켜 정보를 주고받는 통신 방식

① 광통신 과정

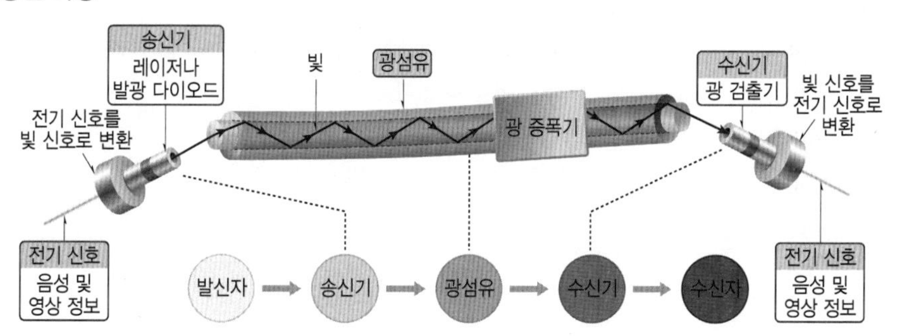

- 송신기: 전송하고자 하는 정보를 담은 디지털 전기 신호를 ⓫ ☐ 신호로 변환한다.
- 광섬유: 빛 신호를 전송한다. → 광섬유 내부에서 전반사가 일어난다.
- 수신기: 빛 신호를 다시 전기 신호로 변환하는 과정을 거쳐 원래의 음성 및 영상 정보를 분리해 낸다.

② 광통신의 장점과 단점

장점	• 전기, 전파에 의한 통신에 비해 도청이 어려워 통신의 비밀이 보장된다. • 기상 및 전파 교란의 영향을 받지 않아 정보를 안전하게 보낼 수 있고, 잡음이 없다. • 대용량의 정보를 먼 곳까지 보낼 수 있고, 전류에 비해 세기가 크게 약해지지 않는다.
단점	• 광섬유가 끊어졌을 때 연결하기가 어렵다. • 광섬유 연결 부위에 작은 먼지가 끼거나 틈이 생기면 통신이 불가능해진다. • 전기 도선을 사용하는 통신 방법에 비해 설치하고 관리하는 비용이 많이 든다.

기출 Tip Ⓑ-2

광 증폭기
광통신에서 빛 신호를 멀리 보낼 때에는 중간에 광 증폭기를 사용하여 빛 신호를 다시 강하게 해 준다.

구리 도선을 이용한 전기 통신
구리 도선을 이용한 유선 통신은 도선에 흐르는 전류를 이용하여 정보를 전달한다. 구리 도선에 전류가 흐를 때는 도선에 열이 발생하여 에너지 손실이 생기므로 정보의 세기가 약해진다.

답 ❶ 반사 ❷ 90 ❸ 굴절 ❹ 느린 ❺ 빠른 ❻ 커 ❼ 전반사 ❽ 클래딩 ❾ 코어 ❿ 코어 ⓫ 빛

빈출 자료 보기

정답과 해설 74쪽

564 그림은 굴절률이 각각 n_1, n_2인 매질 A, B의 경계면에 입사각 θ로 입사한 단색광의 굴절각이 90°가 되는 모습을 나타낸 것이다.

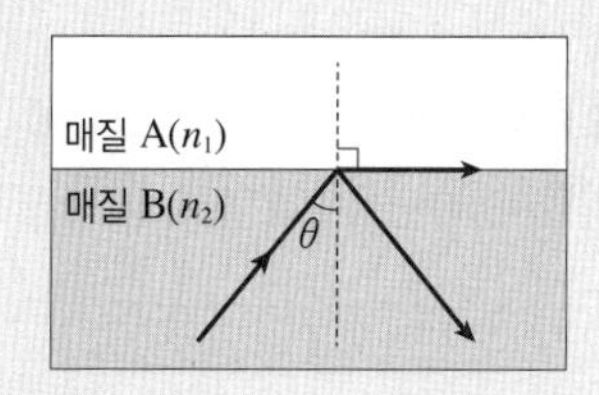

이에 대한 설명으로 옳은 것은 ○, 옳지 않은 것은 ×로 표시하시오.

(1) $n_1 < n_2$이다. ( )

(2) $\sin\theta = \frac{n_2}{n_1}$이다. ( )

(3) θ는 임계각이다. ( )

(4) 입사각이 θ보다 클 때 전반사가 일어난다. ( )

(5) 두 매질의 굴절률 차가 클수록 임계각의 크기는 커진다. ( )

(6) 단색광이 A에서 B로 입사할 때는 전반사가 일어날 수 없다. ( )

(7) 속력이 빠른 매질에서 느린 매질로 빛이 진행할 때 전반사가 일어난다. ( )

A 전반사

565 하 중 상

다음은 전반사에 대한 설명이다.

> 전반사는 빛의 굴절률이 (㉠) 매질에서 굴절률이 (㉡) 매질로 빛이 입사할 때, 매질의 경계면에서 빛이 굴절하지 않고 전부 반사되는 현상이다. 전반사가 일어나기 위해서는 입사각이 (㉢)보다 커야 한다. (㉢)은 굴절각이 (㉣)일 때의 입사각이다.

㉠~㉣에 들어갈 말을 옳게 짝 지은 것은?

	㉠	㉡	㉢	㉣
①	큰	작은	반사각	30°
②	큰	작은	임계각	45°
③	큰	작은	임계각	90°
④	작은	큰	반사각	45°
⑤	작은	큰	임계각	90°

566 하 중 상

그림은 매질 A와 B의 경계면에 입사각 θ_1로 입사한 빛이 a, b로 분리되어 진행하는 모습을 나타낸 것이다. θ_2는 반사각이다.

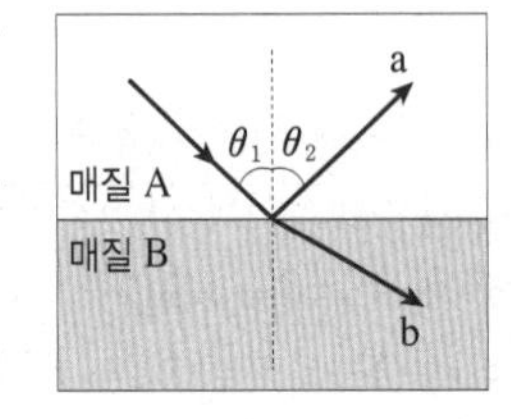

이에 대한 설명으로 옳은 것만을 〈보기〉에서 있는 대로 고른 것은?

〈 보기 〉

ㄱ. θ_1은 임계각보다 작다.
ㄴ. 파장은 b가 a보다 길다.
ㄷ. A의 굴절률이 B의 굴절률보다 작다.

① ㄱ ② ㄴ ③ ㄱ, ㄴ
④ ㄱ, ㄷ ⑤ ㄴ, ㄷ

567 하 중 상

그림은 매질 A에서 공기로 입사하는 빛의 입사각이 60°일 때, 굴절각이 90°가 되는 모습을 나타낸 것이다. 매질 A의 굴절률을 구하시오. (단, 공기의 굴절률은 1로 계산한다.)

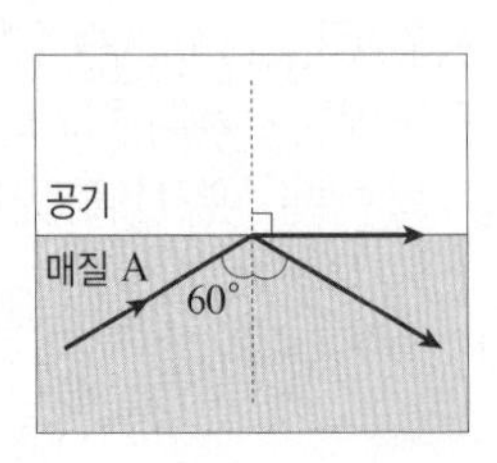

568 하 중 상

그림 (가)~(다)는 단색광이 동일한 입사각으로 공기에서 각각 물, 유리, 다이아몬드로 입사한 후 굴절하는 모습을 나타낸 것이다. 굴절각의 크기는 다이아몬드<유리<물 순으로 크다.

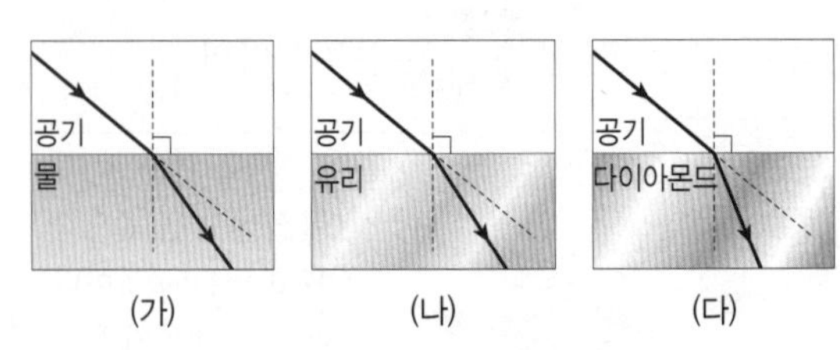

이에 대한 설명으로 옳은 것만을 〈보기〉에서 있는 대로 고른 것은?

〈 보기 〉

ㄱ. 파장은 물, 유리, 다이아몬드 중 물에서 가장 짧다.
ㄴ. (나)에서 입사각을 충분히 크게 하면 전반사가 일어날 수 있다.
ㄷ. 단색광이 다이아몬드에서 공기로 입사하면 전반사가 일어날 수 있다.

① ㄱ ② ㄷ ③ ㄱ, ㄴ
④ ㄱ, ㄷ ⑤ ㄴ, ㄷ

569 하 중 상

그림 (가)는 단색광을 입사각 θ로 매질 A에서 매질 B로 입사시켰을 때 경계면에서 일부는 반사하고 일부는 굴절하는 모습을 나타낸 것이다. 그림 (나)는 (가)의 단색광을 입사각 θ로 매질 A에서 C로 입사시켰을 때 전반사하는 모습을 나타낸 것이다.

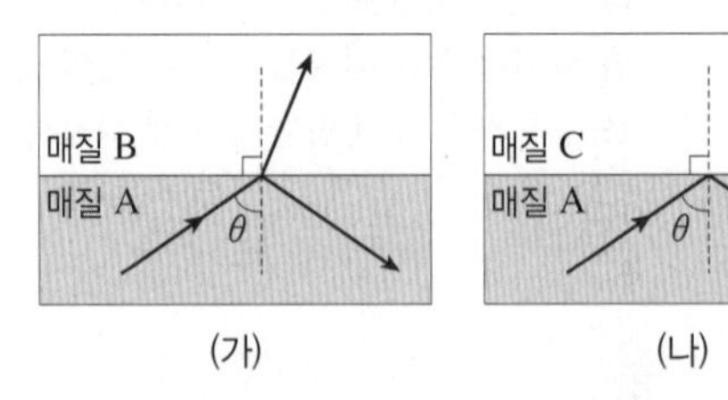

이에 대한 설명으로 옳은 것만을 〈보기〉에서 있는 대로 고른 것은?

〈 보기 〉

ㄱ. 굴절률은 B가 C보다 크다.
ㄴ. (나)에서 θ는 임계각보다 크다.
ㄷ. 단색광의 속력은 A에서 가장 빠르고, C에서 가장 느리다.
ㄹ. (나)에서 전반사한 단색광은 입사한 단색광보다 세기가 약하다.

① ㄱ, ㄴ ② ㄱ, ㄹ ③ ㄴ, ㄷ
④ ㄱ, ㄷ, ㄹ ⑤ ㄴ, ㄷ, ㄹ

570 하 중 상

多 보기

그림은 매질 A에서 입사한 단색광이 매질 B를 통과하여 매질 C의 경계면에서 전반사하는 모습을 나타낸 것이다. $\theta_1 > \theta_2$이다.

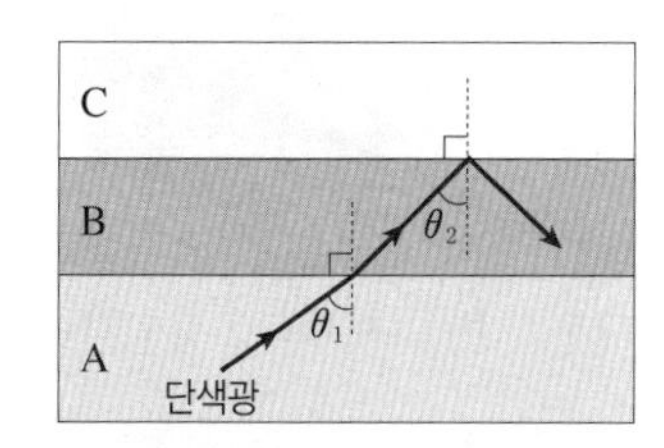

이에 대한 설명으로 옳지 않은 것을 모두 고르면?(2개)

① θ_1이 커지면 θ_2도 커진다.
② B의 굴절률은 A의 굴절률보다 크다.
③ 단색광의 속력은 A에서가 B에서보다 빠르다.
④ 단색광의 진동수는 A에서가 B에서보다 크다.
⑤ 단색광이 C에서 B로 입사할 때는 전반사가 일어날 수 없다.
⑥ 임계각은 단색광이 B에서 C로 입사할 때가 A와 C를 경계로 하여 A에서 C로 입사할 때보다 크다.

571 하 중 상

그림과 같이 공기에서 유리의 P점을 향해 입사각 i_0으로 입사한 단색광이 공기와 유리의 경계면에서 굴절하여, 유리와 물체의 경계면에서 굴절각이 90°가 되는 임계각 θ_0으로 입사한다. 유리와 물체의 굴절률은 각각 n_1, n_2이다.

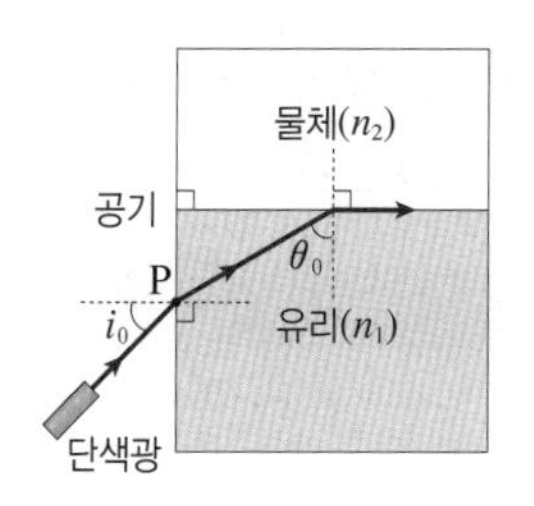

이에 대한 설명으로 옳은 것만을 〈보기〉에서 있는 대로 고른 것은?

〈 보기 〉

ㄱ. $\sin\theta_0 = \frac{n_2}{n_1}$이다.
ㄴ. 물체의 굴절률 n_2가 작아지면, 단색광은 유리와 물체의 경계면에서 굴절하여 나아간다.
ㄷ. 단색광이 공기에서 유리로 i_0보다 큰 각으로 입사하면, 유리와 물체의 경계면에서 전반사가 일어난다.

① ㄱ ② ㄴ ③ ㄱ, ㄴ
④ ㄱ, ㄷ ⑤ ㄴ, ㄷ

572 하 중 상

그림 (가)~(다)는 반원형 물통에 서로 다른 종류의 액체 A, B, C를 채우고, 동일한 단색광을 같은 입사각으로 비추었을 때 빛이 진행하는 경로를 나타낸 것이다. (가)~(다)에서 단색광의 반사각은 각각 θ_1, θ_2, θ_3이다.

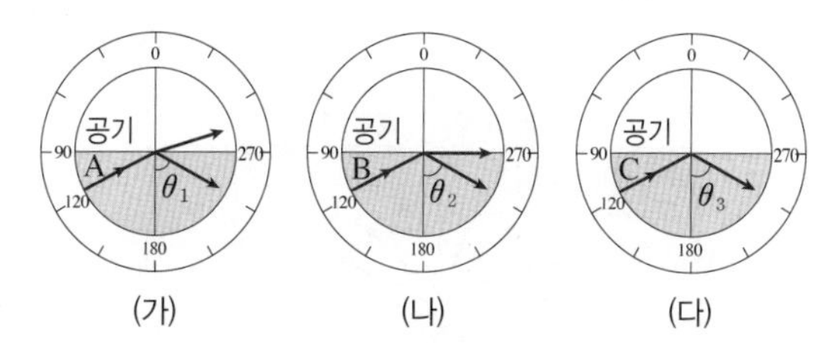

이에 대한 설명으로 옳지 않은 것은?

① 입사각은 60°이다.
② θ_1, θ_2, θ_3의 크기는 같다.
③ C의 굴절률>B의 굴절률>A의 굴절률이다.
④ 단색광의 속력은 A에서가 C에서보다 크다.
⑤ (나)에서 입사각의 크기를 더 작게 하면 전반사가 일어날 수 있다.

573 하 중 상

서술형

우리 주변에서 전반사가 이용되는 예를 두 가지만 쓰고, 전반사를 이용할 때의 장점을 빛의 세기와 관련지어 서술하시오.

574 하 중 상

그림과 같이 단색광을 매질 A, B의 경계면에 입사각 45°로 입사시켰더니, 일부는 반사하고 일부는 B로 굴절하였다. B로 굴절한 단색광은 B와 매질 C의 경계면에서 입사각 35°로 입사하여 전반사하였다.

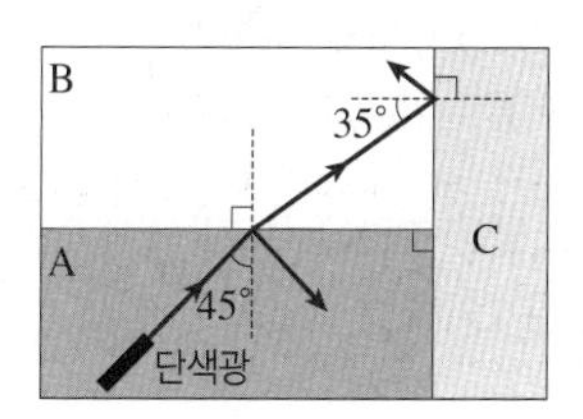

이에 대한 설명으로 옳은 것만을 〈보기〉에서 있는 대로 고른 것은?

〈 보기 〉

ㄱ. A, B, C 중 A의 굴절률이 가장 크다.
ㄴ. 단색광의 속력은 B에서가 C에서보다 빠르다.
ㄷ. 단색광을 A, B의 경계면에 45°보다 작은 입사각으로 입사시키면 B와 C의 경계면에서 전반사가 일어난다.

① ㄱ ② ㄴ ③ ㄱ, ㄷ
④ ㄴ, ㄷ ⑤ ㄱ, ㄴ, ㄷ

575 하 중 상 ••서술형

그림과 같이 투명한 매질의 바닥에 있는 점광원에서 빛이 사방으로 퍼져나가고 있다. 매질의 윗면에 반지름이 R인 원판을 놓아 점광원에서 방출된 빛을 모두 차단하였다. 매질의 두께는 d이고, R는 빛을 차단할 수 있는 원판의 최소 반지름이다.

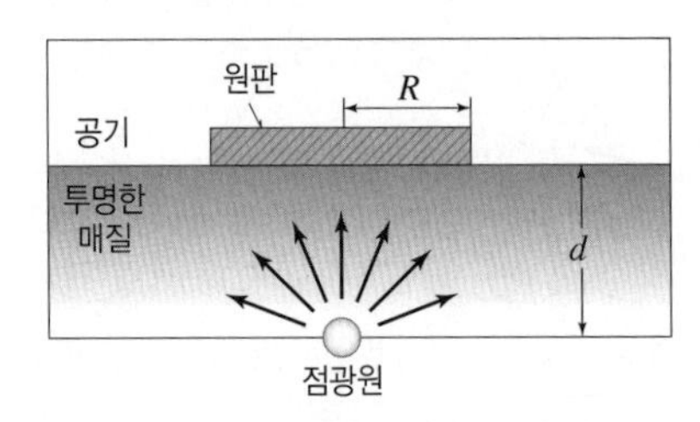

매질의 굴절률 n을 풀이 과정과 함께 d와 R를 이용하여 구하시오. (단, 공기의 굴절률은 1이다.)

576 하 중 상

그림은 광학용 물통의 절반을 액체로 채운 후 중심 O를 향해 입사한 단색광의 진행 경로를 나타낸 것이다.

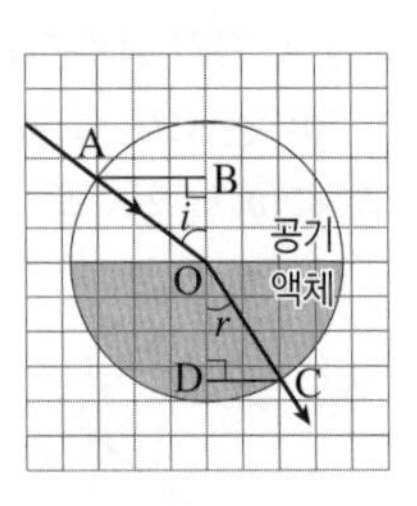

이에 대한 설명으로 옳은 것만을 〈보기〉에서 있는 대로 고른 것은? (단, 공기의 굴절률은 1이다.)

〈 보기 〉

ㄱ. 단색광의 파장은 공기에서가 액체에서의 $\frac{5}{2}$배이다.

ㄴ. 입사각을 더 크게 하면 $\frac{\overline{AB}}{\overline{CD}}$의 값이 작아진다.

ㄷ. 단색광이 액체에서 공기로 진행할 때 임계각을 θ_c라고 하면 $\sin\theta_c = \frac{2}{3}$이다.

① ㄱ ② ㄷ ③ ㄱ, ㄴ
④ ㄴ, ㄷ ⑤ ㄱ, ㄴ, ㄷ

B 광섬유와 광통신

[577~578] 그림은 광섬유의 구조를 나타낸 것이다.

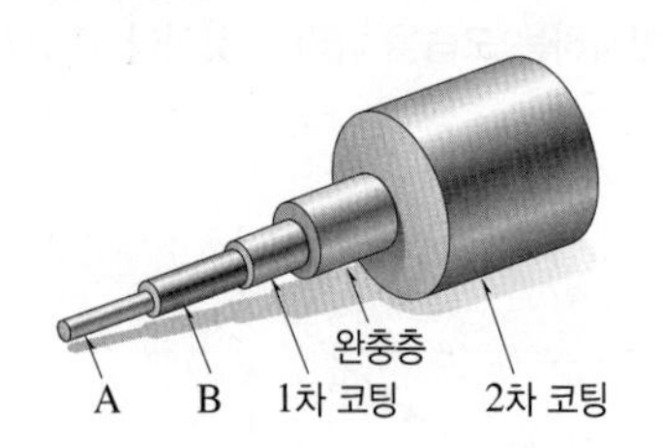

577 하 중 상

A, B를 각각 무엇이라고 하는지 쓰시오.

578 하 중 상

이에 대한 설명으로 옳은 것만을 〈보기〉에서 있는 대로 고른 것은?

〈 보기 〉

ㄱ. A의 굴절률은 B의 굴절률보다 크다.

ㄴ. 빛은 A와 B의 경계면에서 전반사하면서 진행한다.

ㄷ. 광섬유의 임계각은 A와 B의 굴절률을 이용하여 구할 수 있다.

① ㄱ ② ㄷ ③ ㄱ, ㄴ
④ ㄴ, ㄷ ⑤ ㄱ, ㄴ, ㄷ

579 하 중 상 多 보기

그림은 광통신 과정을 나타낸 것이다.

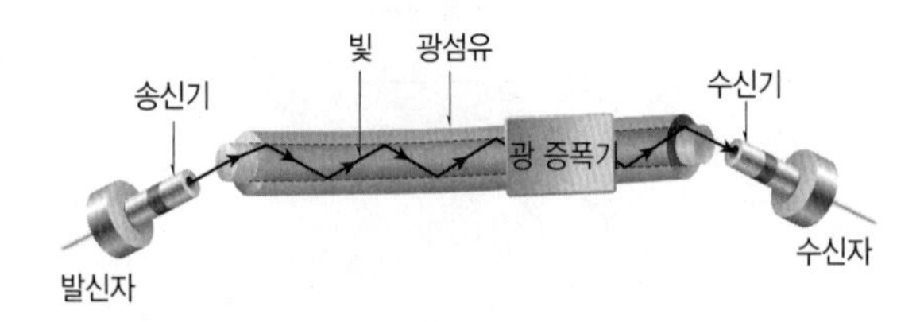

이에 대한 설명으로 옳지 않은 것을 모두 고르면?(2개)

① 대용량의 정보를 먼 곳까지 보낼 수 있다.
② 광 증폭기를 이용하여 빛 신호를 증폭한다.
③ 전파 교란의 영향을 받지 않아 잡음이 없다.
④ 전기, 전파에 의한 통신에 비해 도청이 어렵다.
⑤ 광섬유가 끊어졌을 때 쉽게 다시 연결할 수 있다.
⑥ 송신기에서 빛 신호를 디지털 전기 신호로 변환한다.
⑦ 구리 도선을 이용한 전기 통신보다 에너지 손실이 적다.
⑧ 정보가 담긴 빛 신호를 광섬유 내부에서 전반사시켜 정보를 주고받는 통신 방식이다.

580 하 중 상

그림은 광섬유에 사용되는 물질 A, B, C 중 A와 B의 경계면과 A와 C의 경계면에 각각 입사각 θ로 입사시킨 동일한 단색광이 굴절하는 모습을 나타낸 것이다. A와 B의 경계면에서 굴절각은 θ_1이고, A와 C의 경계면에서 굴절각은 θ_2이며, $\theta_1 > \theta > \theta_2$이다.

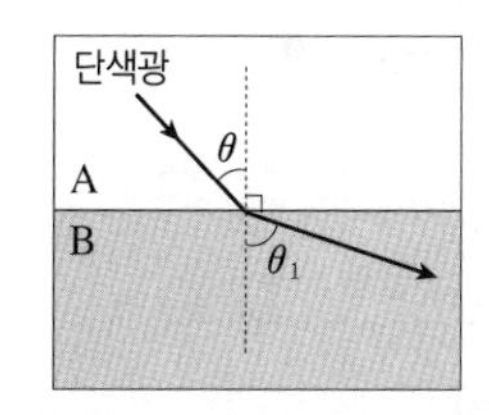

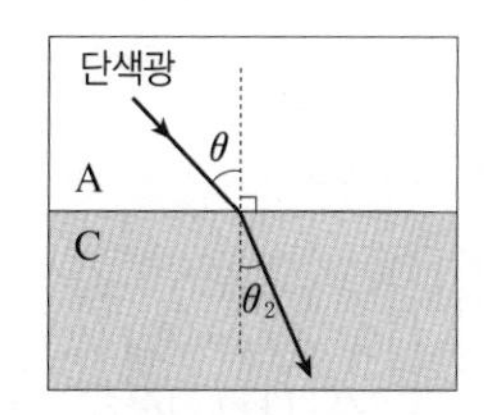

이에 대한 설명으로 옳은 것만을 〈보기〉에서 있는 대로 고른 것은?

〈 보기 〉

ㄱ. 단색광의 속력은 A에서가 C에서보다 느리다.

ㄴ. 클래딩에 B를 사용한 광섬유의 코어로 C를 사용할 수 있다.

ㄷ. 단색광이 A에서 B로 입사할 때, 전반사가 일어나는 입사각은 θ보다 크다.

① ㄱ ② ㄴ ③ ㄱ, ㄷ
④ ㄴ, ㄷ ⑤ ㄱ, ㄴ, ㄷ

581 하 중 상

그림은 광섬유에서 빛이 진행하는 모습을 나타낸 것이다.

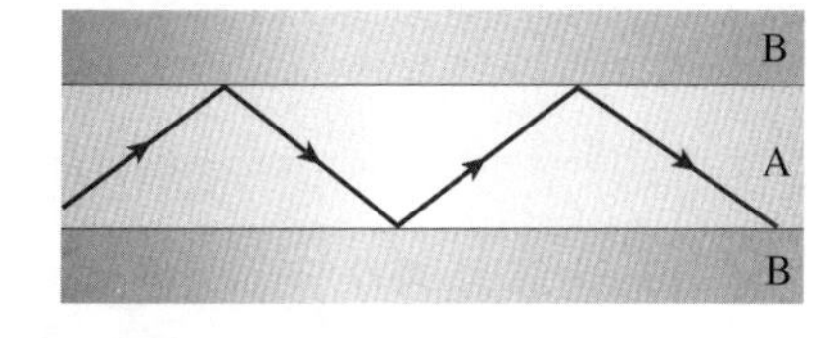

이에 대한 설명으로 옳은 것만을 〈보기〉에서 있는 대로 고른 것은?

〈 보기 〉

ㄱ. A 부분의 이름은 클래딩이다.

ㄴ. A에서 B로 입사한 빛의 세기는 반사되어 나온 빛의 세기보다 크다.

ㄷ. A에서 B로 진행하는 빛의 입사각은 임계각보다 크다.

① ㄱ ② ㄷ ③ ㄱ, ㄴ
④ ㄴ, ㄷ ⑤ ㄱ, ㄴ, ㄷ

582 하 중 상

그림과 같이 단색광이 공기에서 광섬유의 코어로 입사각 θ_i로 입사하고 코어와 클래딩의 경계면에서 전반사하여 진행한다. 코어와 클래딩의 굴절률은 각각 n_1, n_2이다. 단색광이 공기에서 코어로 진행할 때 굴절각은 θ_r이고, $\theta_i > \theta_r$이다.

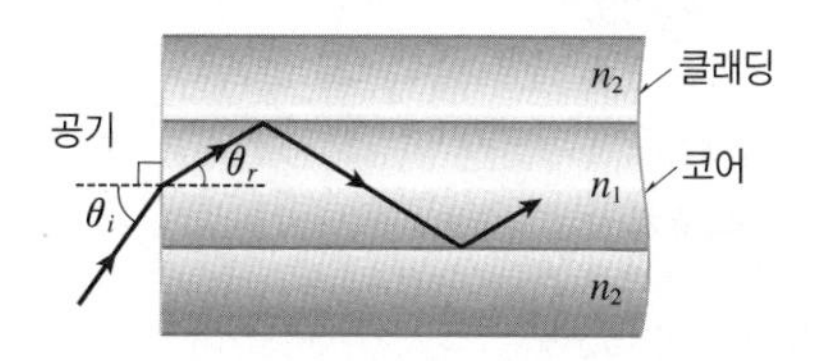

이에 대한 설명으로 옳은 것만을 〈보기〉에서 있는 대로 고른 것은?

〈 보기 〉

ㄱ. $n_1 > n_2$이다.

ㄴ. θ_i를 크게 하여도 $\dfrac{\theta_i}{\theta_r}$는 일정하다.

ㄷ. 코어만 굴절률이 n_1보다 큰 물질로 교체하면 코어와 클래딩 사이의 임계각은 감소한다.

① ㄱ ② ㄴ ③ ㄱ, ㄷ
④ ㄴ, ㄷ ⑤ ㄱ, ㄴ, ㄷ

583 하 중 상

그림 (가)는 광섬유에서 레이저 빛이 전반사하여 진행하는 모습을 나타낸 것이다. 그림 (나)는 동일한 레이저 빛이 광섬유에 사용되는 물질 A, B, C에서 진행하는 모습을 나타낸 것이다.

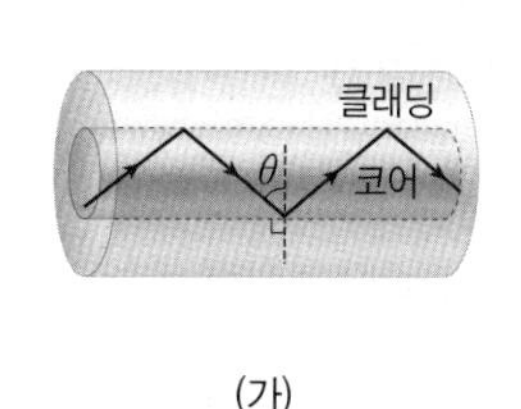

(가)

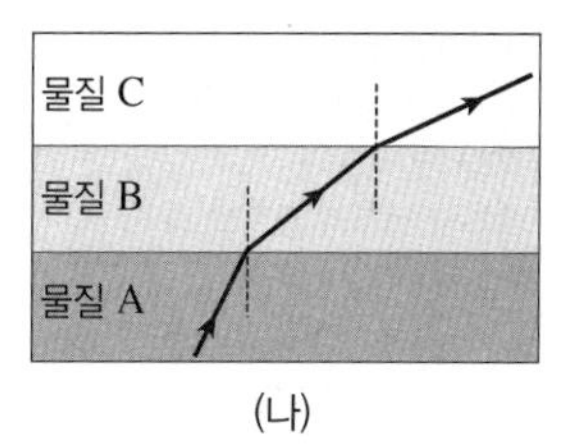

(나)

이에 대한 설명으로 옳지 않은 것은?

① (가)에서 굴절률은 코어가 클래딩보다 크다.
② (가)에서 θ는 코어와 클래딩 사이의 임계각보다 크다.
③ (나)에서 A의 굴절률은 C의 굴절률보다 작다.
④ (나)에서 빛의 속력은 A에서 가장 느리다.
⑤ (나)의 B를 클래딩으로 사용한 광섬유에 A를 코어로 사용할 수 있다.

전자기파

Ⓐ 전자기파

1 전자기파 전기장과 자기장이 각각 시간에 따라 세기가 변하면서 공간으로 퍼져 나가는 파동

① 진행: 전기장과 자기장의 진동 방향에 각각 수직한 방향으로 진행한다. ➔ ❶ ☐파

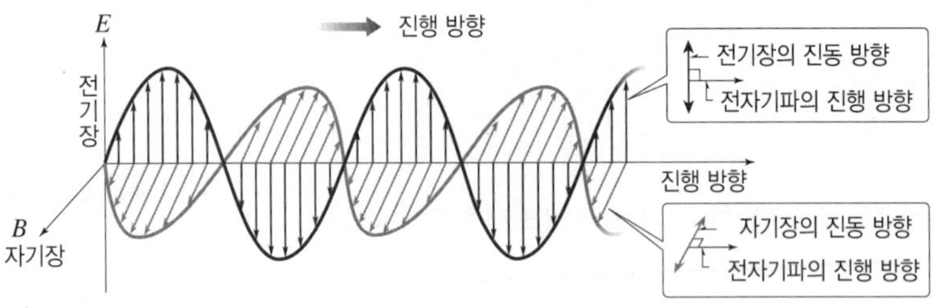

② 전달: 다른 파동과 다르게 ❷ ☐☐이 없는 진공에서도 공간을 통해 전달된다.

③ 속력: 진공에서 전자기파의 속력은 파장에 관계없이 약 30만 km/s로 ❸ ☐☐하다.

➔ 전자기파의 속력이 c, 진동수가 f, 파장이 λ일 때, $c=f\lambda$이다.

④ 에너지: 진동수가 클수록 에너지가 ❹ ☐다.

기출 Tip Ⓐ-1

매질에서 전자기파의 속력

전자기파의 속력은 진공에서 가장 빠르다. 진공이 아닌 매질에서 전자기파의 속력은 느려진다.

전자기파와 소리의 비교

전자기파	소리
횡파	종파
매질이 없어도 전달됨	매질이 있어야 전달됨
약 30만 km/s	약 331 m/s

2 전자기파의 종류 비슷한 성질을 가진 전자기파를 ❺ ☐☐별로 구간을 나누어 구분한다.

└• 파장이 짧을수록 직진성과 투과성이 강하며, 파장이 길수록 회절이 잘 일어난다.

(전자기파의 종류)

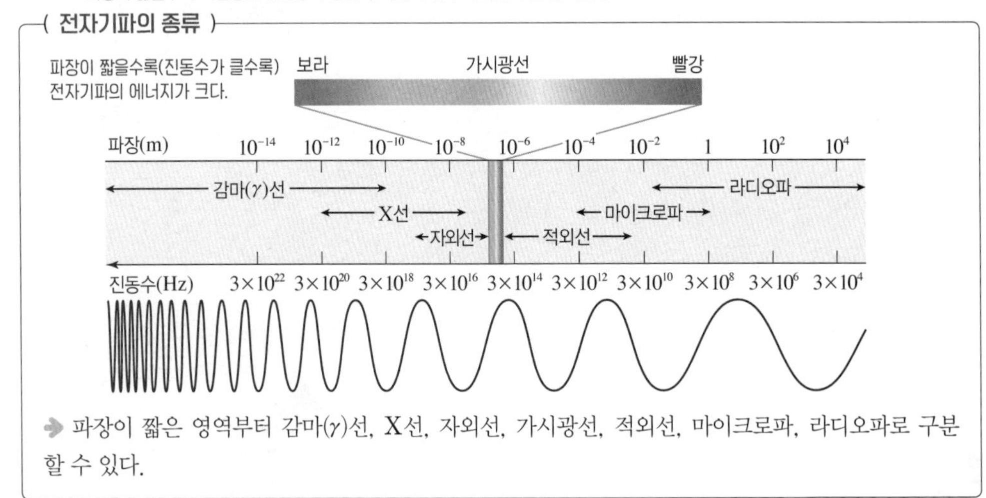

➔ 파장이 짧은 영역부터 감마(γ)선, X선, 자외선, 가시광선, 적외선, 마이크로파, 라디오파로 구분할 수 있다.

Ⓑ 전자기파의 특징과 이용

기출 Tip Ⓑ

전자기파의 방출 원리

- 감마(γ)선: 핵반응에 의해 원자핵 내부에서 발생한다.
- X선: 고속의 전자가 금속과 충돌할 때 발생한다.
- 자외선, 가시광선, 적외선: 들뜬 상태에 있던 전자가 낮은 궤도로 이동하면서 발생한다.
- 마이크로파: 전기 기구에서 전자의 진동으로 발생한다.
- 라디오파: 도선 속에서 가속되는 전하에 의해 발생한다.

1 감마(γ)선 ─• 파장이 가장 짧다.

특징	• 전자기파 중에서 진동수와 에너지가 가장 ❻ ☐다. • 투과력이 매우 강하고 큰 에너지를 가지고 있으므로 암세포를 파괴하여 암을 치료할 수 있다. • 피부 조직을 해칠 수 있고 누적되면 발암의 원인이 될 수 있다.
이용	암 치료, 우주를 관측하는 감마(γ)선 망원경 등

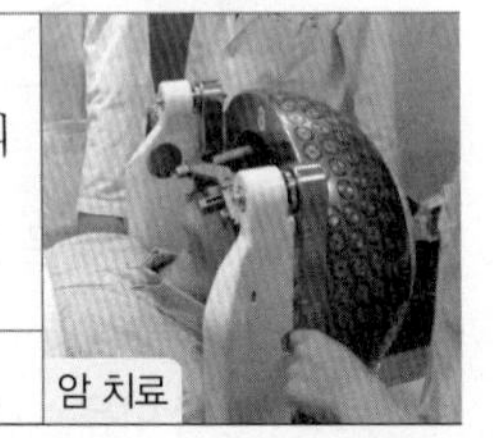
암 치료

2 X선

특징	• ❼ ☐☐☐이 강해 인체 내부의 모습을 알아볼 수 있으며, 물체의 내부를 파악할 수 있다. • 신체 조직이 X선에 많이 노출되면 암을 유발할 수 있다.
이용	의료, 보안 검색, 고체 결정 구조 연구, 현미경 등

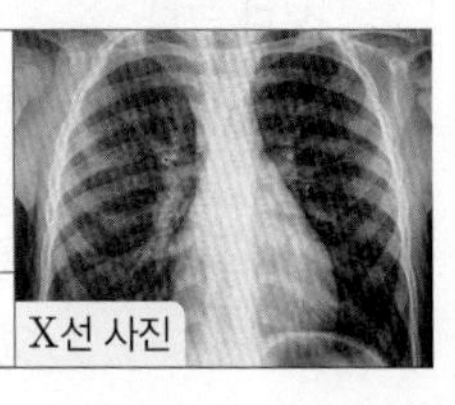
X선 사진

3 자외선

특징	• 미생물을 파괴할 수 있는 살균 기능이 있다. • 형광 물질에 흡수되면 가시광선을 방출하는 ❽□□ □□을 한다. • 햇빛에 포함되어 피부를 그을리게도 하고, 인체 내부에서 비타민 D를 합성하기도 한다.
이용	의료 기구 소독기, 손 소독기, 식기 소독기, 위조지폐 감별 등

자외선 식기 소독기

기출 Tip Ⓑ-3

자외선의 살균 기능

자외선은 세균의 단백질 합성을 방해하여 살균 작용을 한다.

4 가시광선

특징	• 파장에 따라 다른 색으로 보인다. → 가시광선 영역 중 보라색 빛의 파장이 가장 짧고, 빨간색 빛의 파장이 가장 길다. • 가시광선을 이용하여 물체를 볼 수 있으며, 사람의 눈은 노란색부터 초록색 빛까지의 파장 영역에서 가장 민감하다.
이용	광학 기구, 가시광선 레이저 등

5 적외선

특징	• 물체에 흡수되어 온도를 높이는 열작용을 하므로 열선이라고도 한다. • 물체에서 방출되는 적외선을 감지하여 ❾□□를 측정하거나 야간에도 사진촬영을 할 수 있다.
이용	적외선 열화상 카메라, 적외선 온도계, 적외선 물리 치료기, 리모컨, 적외선 망원경 등 └ 물체에서 복사되는 열에너지를 시각적으로 보여주는 카메라로 표면 온도에 따라 각각 다른 색으로 보인다.

적외선 열화상 카메라

기출 Tip Ⓑ-5

보어 수소 원자 모형과 전자기파

- 자외선: $n \geq 2$인 궤도에 있는 전자가 $n=1$인 궤도로 전이할 때 자외선을 방출한다.
- 가시광선: $n=3, 4, 5, 6$인 궤도에 있는 전자가 $n=2$인 궤도로 전이할 때 가시광선을 방출한다.
- 적외선: $n \geq 4$인 궤도에 있는 전자가 $n=3$인 궤도로 전이할 때 적외선을 방출한다.

6 마이크로파

특징	• 통신이 가능한 전자기파 중 진동수가 커서 많은 양의 정보를 보낼 수 있다. • 음식물 속에 포함된 물 분자를 진동시켜 ❿□을 발생시킨다.
이용	전자레인지, 휴대 전화, 무선 랜, 레이더, 속도 측정기 등

전자레인지

기출 Tip Ⓑ-7

전파

마이크로파와 라디오파를 합해서 전파라고 한다.

7 라디오파 → 파장이 가장 길다.

특징	• 파장이 길수록 ⓫□□이 잘 일어나 장애물 뒤까지 잘 전달된다. • 전파에 정보를 담아 먼 곳까지 전송할 수 있다.
이용	라디오나 텔레비전 방송, 전파 망원경, GPS 등

라디오

답 ❶ 횡 ❷ 매질 ❸ 일정 ❹ 크 ❺ 파장 ❻ 크 ❼ 투과력 ❽ 형광 작용 ❾ 온도 ❿ 열 ⓫ 회절

빈출 자료 보기

정답과 해설 76쪽

584 그림은 전자기파를 파장에 따라 분류한 것이다.

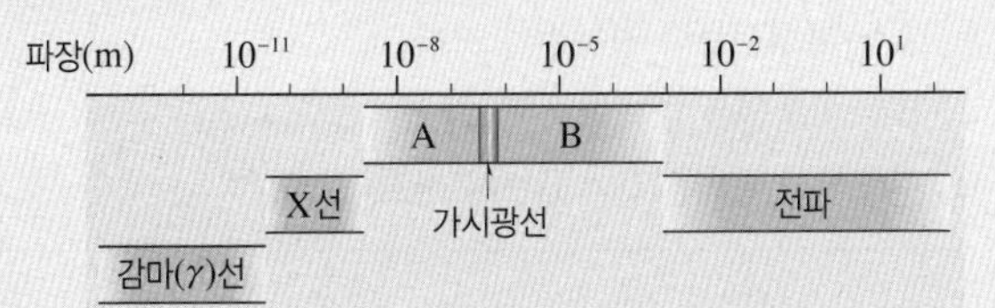

이에 대한 설명으로 옳은 것은 ○, 옳지 않은 것은 ×로 표시하시오.

(1) A는 적외선이다. ( )

(2) B는 전파보다 진동수가 크다. ( )

(3) B는 물체에 흡수되어 온도를 높이는 열작용을 한다. ( )

(4) 전자기파 중 진동수가 가장 큰 것은 전파이다. ( )

(5) 전자기파는 파장에 따라 성질이 다르게 나타난다. ( )

(6) 회절이 가장 잘 일어나는 전자기파는 감마(γ)선이다. ( )

A 전자기파

전자기파의 진행과 성질

빈출 585 하중상 多 보기

전자기파에 대한 설명으로 옳지 않은 것을 모두 고르면?(2개)

① 횡파이다.
② 진공에서 속력이 가장 빠르다.
③ 매질이 없으면 진행할 수 없다.
④ 진동수가 클수록 에너지가 크다.
⑤ 파장이 짧을수록 직진성이 강하다.
⑥ 파장에 따라 성질이 다르게 나타난다.
⑦ 전기장과 자기장의 진동 방향에 나란한 방향으로 진행한다.

빈출 586 하중상

그림은 진공 중에서 전자기파가 $+z$ 방향으로 진행하는 모습을 나타낸 것이다.

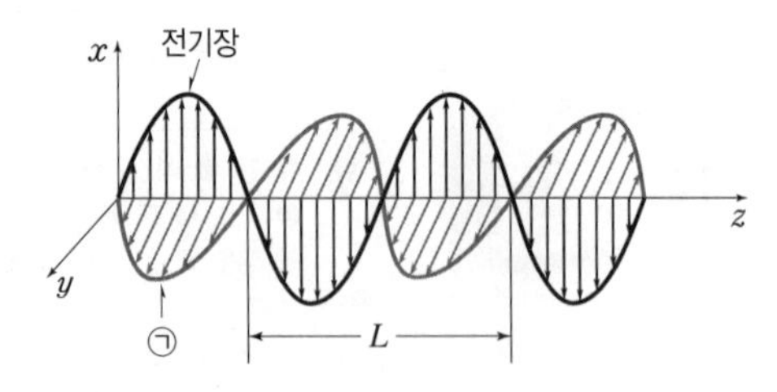

이에 대한 설명으로 옳은 것만을 〈보기〉에서 있는 대로 고른 것은? (단, 진공에서 전자기파의 속력은 c이다.)

〈 보기 〉
ㄱ. ㉠은 자기장이다.
ㄴ. 전자기파의 진동수는 $\frac{c}{L}$이다.
ㄷ. 진공에서 L이 클수록 속력이 크다.
ㄹ. 전자기파가 물속에서 진행하면 L은 작아진다.

① ㄱ, ㄷ ② ㄱ, ㄹ ③ ㄴ, ㄷ
④ ㄱ, ㄴ, ㄹ ⑤ ㄴ, ㄷ, ㄹ

빈출 587 하중상

전자기파와 소리에 대한 설명으로 옳지 않은 것은?

① 소리는 진공에서 전달되지 않는다.
② 공기 중에서 속력은 전자기파가 소리보다 빠르다.
③ 전자기파와 소리는 매질이 달라지면 속력이 변한다.
④ 전자기파와 소리는 반사, 굴절과 같은 파동의 성질을 갖는다.
⑤ 소리는 매질의 진동 방향과 파동의 진행 방향이 서로 수직이다.

전자기파의 종류

[588~589] 그림은 전자기파를 파장에 따라 분류한 것이다.

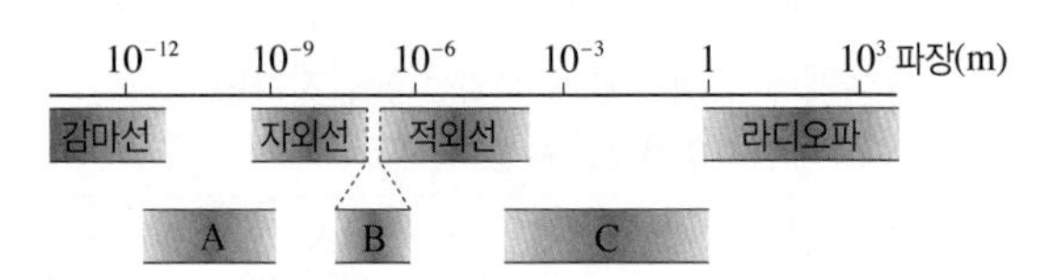

빈출 588 하중상

A~C에 해당하는 전자기파의 종류를 옳게 짝 지은 것은?

	A	B	C
①	X선	가시광선	마이크로파
②	X선	마이크로파	가시광선
③	가시광선	X선	마이크로파
④	가시광선	마이크로파	X선
⑤	마이크로파	X선	가시광선

빈출 589 하중상

이에 대한 설명으로 옳은 것만을 〈보기〉에서 있는 대로 고른 것은?

〈 보기 〉
ㄱ. A는 자외선보다 진동수가 크다.
ㄴ. B는 미생물을 파괴할 수 있다.
ㄷ. 진공에서 속력은 C가 B보다 빠르다.

① ㄱ ② ㄴ ③ ㄱ, ㄴ
④ ㄱ, ㄷ ⑤ ㄴ, ㄷ

B 전자기파의 특징과 이용

전자기파의 종류와 특징

590 하중상

전자기파 중 사람의 눈으로 직접 볼 수 있는 전자기파는 무엇인지 쓰시오.

591 하중상

다음은 어떤 전자기파에 대한 설명이다.

> • 전자기파 중에서 진동수와 에너지가 가장 크다.
> • 강한 투과력과 큰 에너지로 암세포를 파괴할 수 있으므로 암 치료에 이용된다.

이 전자기파의 종류는 무엇인지 쓰시오.

592 하중상

다음 설명에 해당하는 전자기파는?

> • 미생물을 파괴할 수 있는 살균 기능이 있다.
> • 물체 속에 포함된 형광 물질에 흡수되면 가시광선을 방출하는 형광 작용을 한다.

① 감마(γ)선 ② X선 ③ 자외선
④ 적외선 ⑤ 라디오파

593 하중상

다음은 어떤 전자기파의 특징에 대한 설명이다.

> 도선 속에서 가속되는 전하에 의해 발생하는 (㉠)는 파장이 길어 (㉡)이 잘 되므로 산이나 높은 건물과 같은 장애물이 있어도 뒤쪽까지 정보를 전달할 수 있다.

㉠, ㉡에 들어갈 말을 옳게 짝 지은 것은?

	㉠	㉡		㉠	㉡
①	X선	반사	②	X선	회절
③	적외선	굴절	④	라디오파	반사
⑤	라디오파	회절			

빈출 **594** 하중상 多 보기

전자기파의 종류와 특징에 대한 설명으로 옳지 않은 것은?

① 마이크로파는 적외선보다 진동수가 작다.
② X선은 열작용을 하므로 열선이라고도 한다.
③ 라디오파는 파장이 길고 회절이 잘 일어난다.
④ 햇빛에 포함된 자외선은 피부를 그을리게 한다.
⑤ 물체에서 방출되는 적외선을 감지하여 야간에도 촬영을 할 수 있다.
⑥ 햇빛을 프리즘에 통과시키면 빨간색에서 보라색까지 가시광선 영역의 연속 스펙트럼이 나타난다.

그림은 전자기파를 진동수에 따라 분류한 것이다.

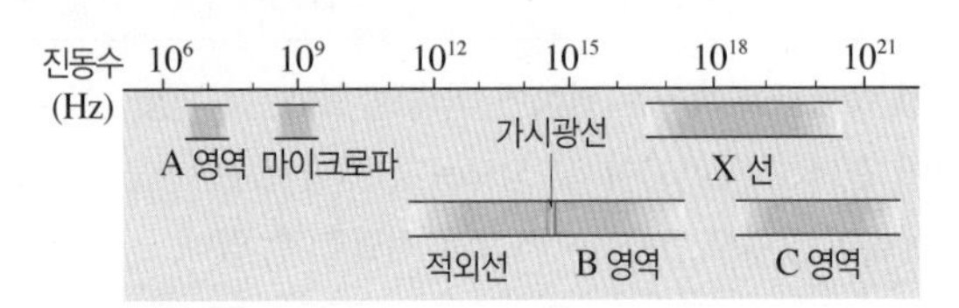

이에 대한 설명으로 옳은 것만을 〈보기〉에서 있는 대로 고른 것은?

〈 보기 〉

ㄱ. 에너지는 A가 B보다 크다.
ㄴ. 회절이 가장 잘 일어나는 것은 A이다.
ㄷ. B는 음식물 속의 물 분자를 진동시킨다.
ㄹ. C는 파장이 가장 짧고 투과력이 매우 강하다.

① ㄱ, ㄴ ② ㄱ, ㄷ ③ ㄴ, ㄹ
④ ㄱ, ㄷ, ㄹ ⑤ ㄴ, ㄷ, ㄹ

전자기파의 이용

그림 (가), (나), (다)는 각각 리모컨, 빨간색 발광 다이오드(LED), 무선 랜을 나타낸 것이다.

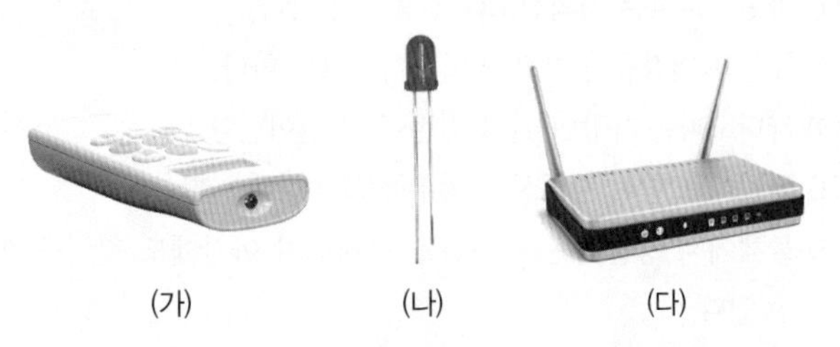

(가) (나) (다)

(가)~(다)에 이용되는 전자기파를 진동수가 큰 것부터 작은 순으로 쓰시오.

그림 (가)는 전자기파를 파장에 따라 분류한 것이고, (나)는 (가)의 전자기파 A, B, C를 이용한 예를 순서 없이 나타낸 것이다.

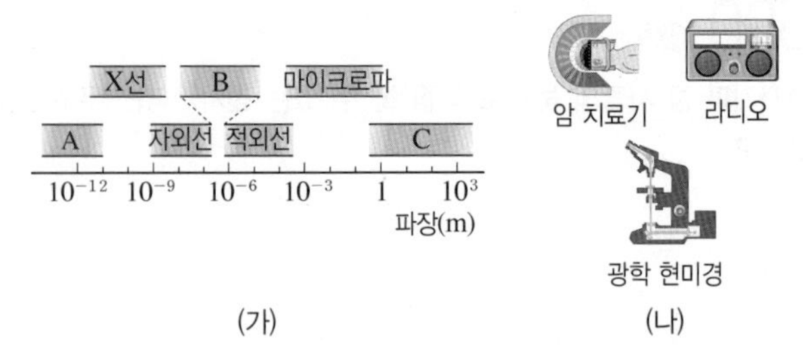

(가) (나)

(가)의 A, B, C를 이용한 예를 (나)에서 옳게 짝 지은 것은?

	A	B	C
①	라디오	암 치료기	광학 현미경
②	라디오	광학 현미경	암 치료기
③	암 치료기	라디오	광학 현미경
④	암 치료기	광학 현미경	라디오
⑤	광학 현미경	라디오	암 치료기

그림 (가)는 위조지폐를 감별하는 모습을, (나)는 공항에서 수하물을 검색하는 모습을 나타낸 것이다.

(가) (나)

(가)와 (나)에서 이용되는 전자기파에 대한 설명으로 옳은 것만을 〈보기〉에서 있는 대로 고른 것은?

〈 보기 〉

ㄱ. (가)의 전자기파는 자외선이다.
ㄴ. (나)의 전자기파는 인체 내부의 모습을 촬영할 때 이용된다.
ㄷ. 전자기파의 파장은 (가)의 전자기파가 (나)의 전자기파보다 짧다.

① ㄱ ② ㄴ ③ ㄱ, ㄴ
④ ㄱ, ㄷ ⑤ ㄴ, ㄷ

599 하 중 상

그림은 휴대폰에 사용되는 파동 A, B, C를 나타낸 것이다.

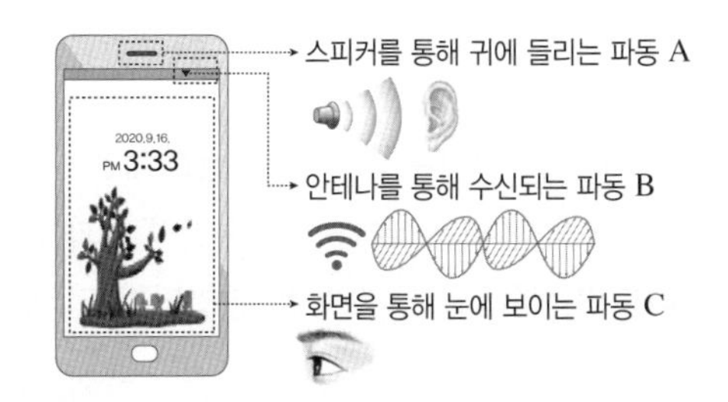

이에 대한 내용으로 옳지 않은 것은?

① A는 소리(음파)이다.
② A는 전기장과 자기장의 진동으로 전파된다.
③ B는 매질이 없어도 전파된다.
④ C는 가시광선이다.
⑤ 파장은 B가 C보다 길다.

빈출

600 하 중 상

多 보기

그림 (가)는 전자기파 A를 이용한 열화상 카메라의 모습을, (나)는 전자기파 B를 이용하여 찍은 인체의 골격 사진을 나타낸 것이다.

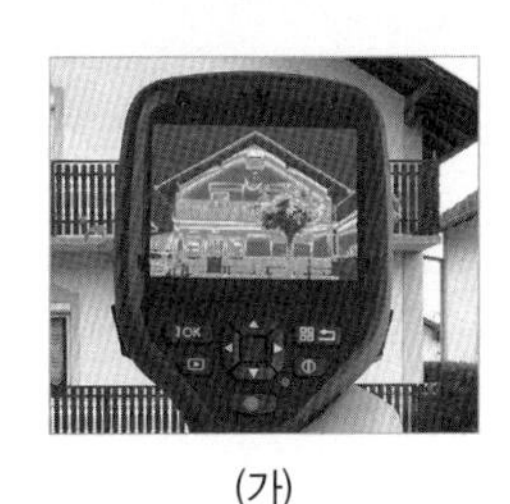
(가)

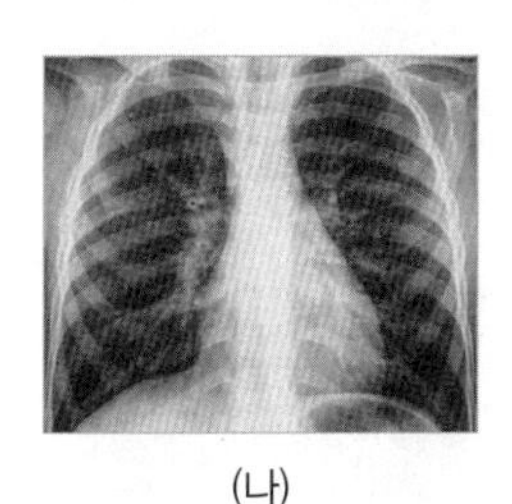
(나)

이에 대한 내용으로 옳지 않은 것은?

① A는 적외선이다.
② A는 원자 내에서 전자가 궤도를 옮길 때 에너지를 방출하면서 발생한다.
③ B는 X선이다.
④ B는 속도 측정기에 이용된다.
⑤ A는 B보다 파장이 길다.
⑥ A와 B는 마이크로파보다 에너지가 크다.

601 하 중 상

다음은 세 가지 전자기파 (가)~(다)의 발생 원리를 설명한 것이다.

> (가) 원자핵이 분열하거나 융합할 때 발생한다.
> (나) 전기 기구에서 전자의 진동으로 발생한다.
> (다) 고속의 전자가 금속과 충돌할 때 발생한다.

이에 대한 설명으로 옳은 것만을 〈보기〉에서 있는 대로 고른 것은?

〈 보기 〉
ㄱ. (가)는 암 치료에 이용된다.
ㄴ. 진동수는 (가)가 (나)보다 작다.
ㄷ. (다)를 이용하여 물체 내부의 모습을 알아볼 수 있다.

① ㄱ ② ㄴ ③ ㄱ, ㄴ
④ ㄱ, ㄷ ⑤ ㄴ, ㄷ

602 하 중 상

••서술형

그림은 식기 소독기를 나타낸 것이다.

식기를 소독하는 데 이용되는 전자기파의 종류와 그 특징을 함께 서술하시오.

603 하 중 상

전자레인지는 진동수 2.4×10^9 Hz인 전자기파를 이용하여 음식물 속에 포함된 물 분자를 진동시켜 열을 발생시킨다. (단, 빛의 속력은 3×10^8 m/s이다.)

(1) 이 전자기파의 종류를 쓰시오.

(2) 이 전자기파의 파장을 구하시오.

파동의 간섭

Ⓐ 파동의 간섭

1 파동의 중첩 두 파동이 만나서 파동의 모양이 변하는 현상 → 합쳐진 파동을 합성파라고 한다.

① ❶☐☐ 원리: 두 파동이 중첩될 때, 합쳐진 파동의 변위는 두 파동의 변위의 합과 같다.

② 파동의 독립성: 두 파동이 중첩되었다가 분리되면, 분리된 두 파동은 중첩되기 전의 모양을 그대로 유지하면서 독립적으로 전파된다.

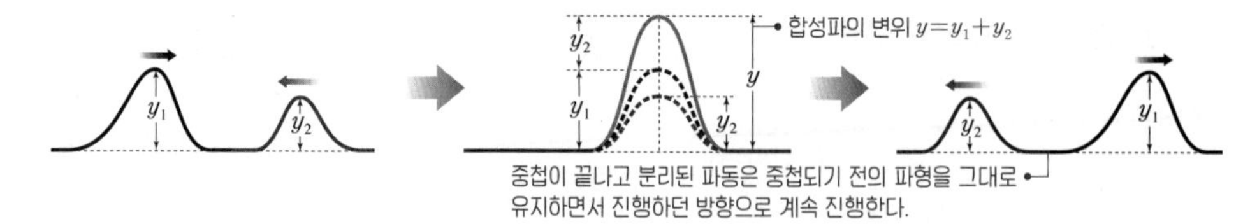

합성파의 변위 $y=y_1+y_2$
중첩이 끝나고 분리된 파동은 중첩되기 전의 파형을 그대로 유지하면서 진행하던 방향으로 계속 진행한다.

기출 Tip Ⓐ-2

위상

파동이 퍼져 나갈 때 진동하는 매질의 위치와 운동 상태를 위상이라고 한다. 한 파동에 있는 마루와 마루, 골과 골은 위상이 서로 같고, 마루와 골은 위상이 서로 반대이다.

2 파동의 간섭 두 파동이 중첩되어 ❷☐☐이 변하는 현상

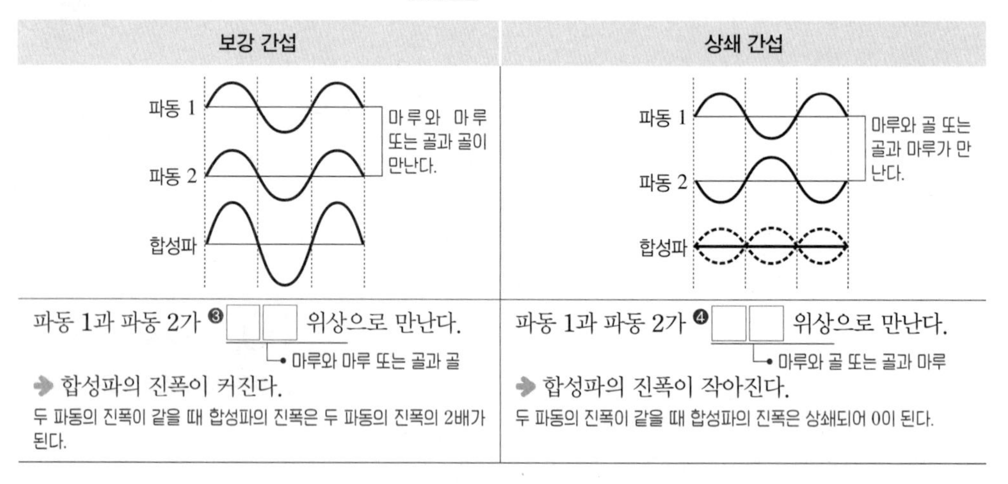

보강 간섭	상쇄 간섭
파동 1과 파동 2가 ❸☐☐ 위상으로 만난다. (마루와 마루 또는 골과 골) → 합성파의 진폭이 커진다. 두 파동의 진폭이 같을 때 합성파의 진폭은 두 파동의 진폭의 2배가 된다.	파동 1과 파동 2가 ❹☐☐ 위상으로 만난다. (마루와 골 또는 골과 마루) → 합성파의 진폭이 작아진다. 두 파동의 진폭이 같을 때 합성파의 진폭은 상쇄되어 0이 된다.

기출 Tip Ⓐ-3

물결파의 간섭과 수면의 높이

- 골과 골이 만나는 지점: 수면의 높이가 낮아지고 보강 간섭이 일어나므로 수면의 높이가 가장 낮다.
- 골과 마루가 만나는 지점: 상쇄 간섭이 일어나므로 수면의 높이 변화가 작다.
- 마루와 마루가 만나는 지점: 수면의 높이가 높아지고 보강 간섭이 일어나므로 수면의 높이가 가장 높다.

3 물결파의 간섭 두 점파원에서 진폭과 진동수가 같은 물결파를 같은 위상으로 발생시키면 두 파원으로부터의 위치에 따라 보강 간섭이나 상쇄 간섭이 일어난다.

① 경로차: 두 파원으로부터 한 점까지의 거리 차이다.

② 보강 간섭: 두 파동이 보강 간섭하면 중첩된 물결파의 진폭이 증가한다. → 밝기가 크게 바뀐다.

③ 상쇄 간섭: 두 파동이 상쇄 간섭하면 중첩된 물결파의 진폭이 감소한다. → 밝기가 일정하다.

(물결파의 간섭)

물결파 발생 장치를 이용하여 점파원 S_1, S_2에서 진폭과 파장, 진동수가 같은 물결파를 같은 위상으로 발생시켰을 때, 그림과 같이 두 물결파의 간섭이 일어났다.

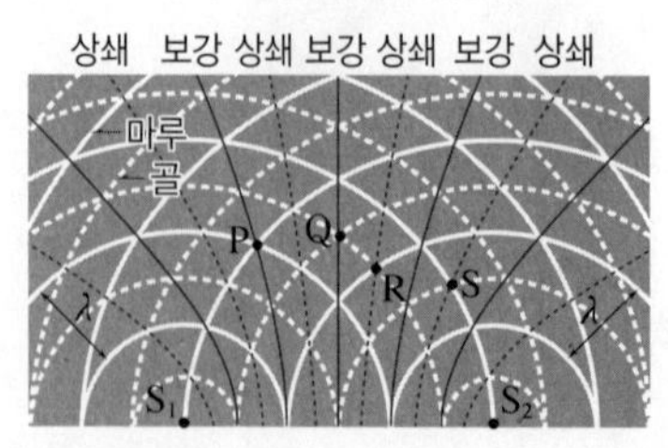

구분	P, Q(밝기가 크게 바뀜)	R, S(밝기가 일정함)
수면의 진동	가장 크게 진동한다.	진동하지 않는다.
간섭의 종류	물결파의 마루와 마루, 골과 골이 만나는 지점이다. → 보강 간섭	물결파의 마루와 골이 만나는 지점이다. → 상쇄 간섭
간섭의 조건	경로차가 반파장의 ❺☐☐ 배	경로차가 반파장의 ❻☐☐ 배

4 소리의 간섭 두 소리가 만나면 간섭이 일어나 소리의 크기가 변한다.

구분	소리가 ❼□□ 들릴 때	소리가 ❽□□ 들릴 때
간섭의 종류	중앙, 스피커, 두 소리의 경로차 $=3\lambda-3\lambda=0$, 보강 간섭 ─• 같은 위상으로 만난다.	중앙, 두 소리의 경로차 $=4\lambda-\frac{5}{2}\lambda=\frac{3}{2}\lambda$, 반대 위상으로 만난다. •─ 상쇄 간섭
간섭의 조건	경로차가 반파장의 짝수 배 ─• 0	경로차가 반파장의 홀수 배 ─• $\frac{3}{2}\lambda$

5 빛의 간섭 두 빛이 만나면 간섭이 일어나 빛의 밝기가 변한다.

(빛의 간섭)

그림과 같이 이중 슬릿을 통과한 두 빛이 스크린에서 ❾□□ 위상으로 만나는 지점에서는 보강 간섭이 일어나 밝은 무늬가 나타나고, ❿□□ 위상으로 만나는 지점에서는 상쇄 간섭이 일어나 어두운 무늬가 나타난다.

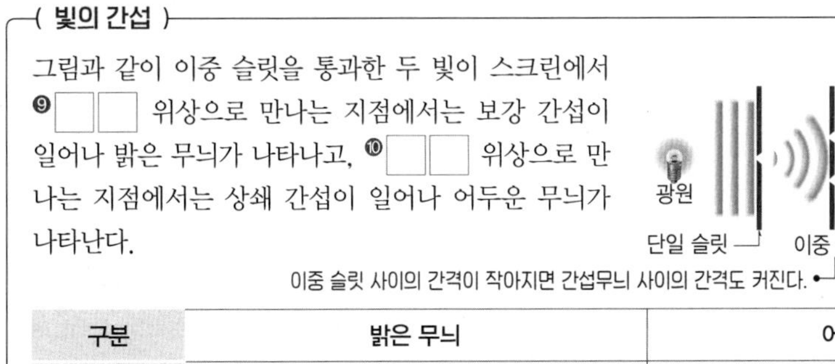

이중 슬릿 사이의 간격이 작아지면 간섭무늬 사이의 간격도 커진다.

구분	밝은 무늬	어두운 무늬
간섭의 종류	보강 간섭 ─• 같은 위상으로 만난다.	상쇄 간섭 ─• 반대 위상으로 만난다.
간섭의 조건	경로차가 반파장의 짝수 배	경로차가 반파장의 홀수 배

B 간섭의 활용

1 소음 제거 장치 소음과 위상이 반대인 소리를 발생시켜 ⓫□□ 간섭으로 소음을 없애거나 줄이는 장치

2 무반사 코팅 얇은 막을 코팅하여 막의 윗면과 아랫면에서 반사하는 빛이 상쇄 간섭을 일으키도록 하여, 반사하는 빛의 세기를 ⓬□□시키고 투과하는 빛의 세기를 ⓭□□시킨다.

3 홀로그램 바라보는 각도에 따라 보강 간섭이 일어나는 빛의 파장을 변하게 하여 다른 색깔이나 다른 문양이 나타나게 한다.

기출 Tip A-4

스피커 사이의 간격과 보강 간섭하는 지점의 간격

스피커 사이의 간격이 작아지면 소리를 듣는 위치에서 두 소리의 경로차가 작아진다. 따라서 보강 간섭하는 지점의 간격은 커진다.

기출 Tip A-5

얇은 막에 의한 빛의 간섭

얇은 막의 윗면에서 반사한 빛과 아랫면에서 반사한 빛이 간섭을 일으킬 때, 얇은 막의 두께와 보는 각도에 따라 경로차가 달라지므로 보강 간섭하는 빛의 색깔도 달라진다.

기출 Tip B

간섭을 활용한 예

- 소음 제거 장치: 소음 제거 헤드폰, 조종사용 헤드셋, 자동차의 소음기, 휴대 전화, 비행기
- 무반사 코팅: 안경의 반사 방지막 코팅, 태양 전지의 반사 방지막 코팅
- 홀로그램: 지폐, 신용카드, 인증서

간섭을 활용한 충격파 쇄석술

충격파 쇄석술은 초음파를 한 곳에 집중시켜 보강 간섭이 일어나도록 하여 몸 안에 결석과 같은 돌을 깨트리는 기술이다.

답 ❶ 중첩 ❷ 진폭 ❸ 같은 ❹ 반대 ❺ 짝수 ❻ 홀수 ❼ 크게 ❽ 작게 ❾ 같은 ❿ 반대 ⓫ 상쇄 ⓬ 감소 ⓭ 증가

빈출 자료 보기

정답과 해설 78쪽

604 그림은 두 점파원 S_1, S_2에서 같은 진폭과 파장, 위상으로 발생시킨 물결파의 어느 순간의 모습을 나타낸 것이다. 그림에서 실선과 점선은 각각 물결파의 마루와 골을 나타낸 것이고, 점 P, Q, R는 평면상에 고정된 지점을 나타낸 것이다.

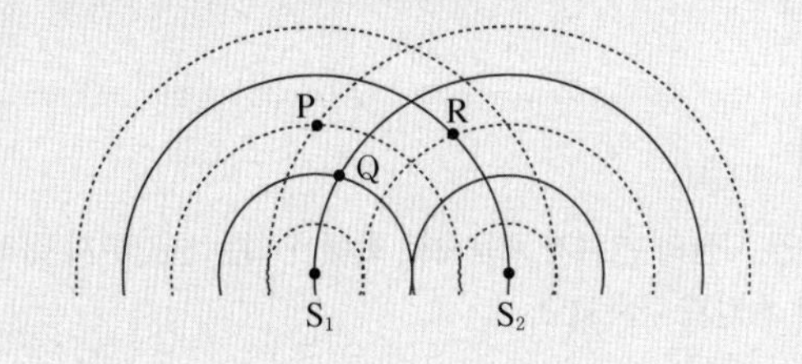

이에 대한 설명으로 옳은 것은 ○, 옳지 않은 것은 ×로 표시하시오.

(1) P에서는 보강 간섭이 일어난다. ( )

(2) P는 시간에 따라 수면의 높이가 크게 바뀌는 부분이다. ( )

(3) Q에서는 상쇄 간섭이 일어난다. ( )

(4) Q에서 두 파동의 경로차는 반파장의 짝수 배이다. ( )

(5) 수면의 높이는 P에서가 Q에서보다 높다. ( )

(6) R에서 두 파동의 경로차는 0이다. ( )

A 파동의 간섭

파동의 중첩

605 하 중 상

다음은 파동의 성질에 대한 설명이다.

> 두 파동이 합쳐질 때 합성파의 변위는 (㉠) 원리에 따라 두 파동의 변위의 합과 같다. 두 파동이 만나 (㉠)되었다가 분리될 때 서로 다른 파동에 영향을 주지 않고 본래 파동의 모양을 유지하는 성질을 파동의 (㉡)이라고 한다.

㉠, ㉡에 알맞은 말을 쓰시오.

606 하 중 상

그림은 두 파동이 서로 반대 방향으로 진행하는 모습을 나타낸 것이다.

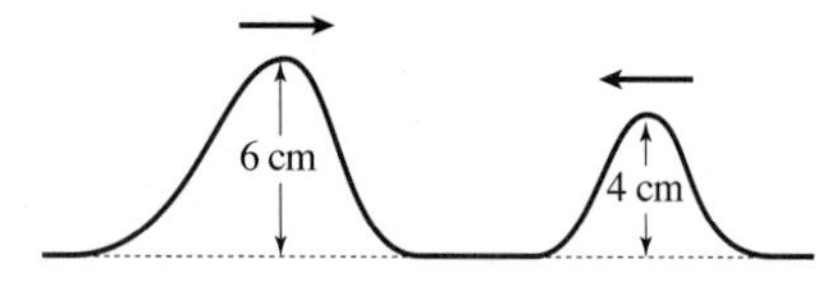

두 파동이 중첩되었을 때 중첩된 파동의 최대 변위는 몇 cm인지 쓰시오.

607 하 중 상

그림은 서로 반대 방향으로 진행하는 파동의 어느 한 순간의 모습을 나타낸 것이다.

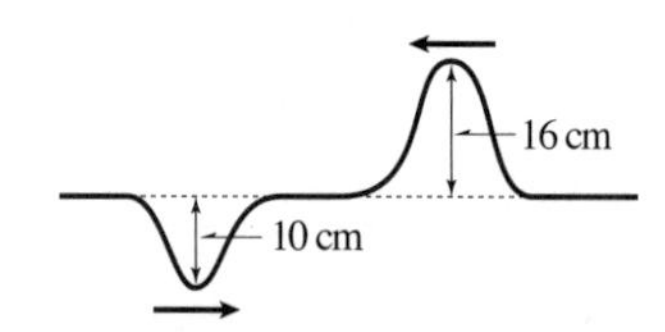

중첩된 파동이 분리된 후, 두 파동의 모습과 진행 방향으로 가장 적절한 것은?

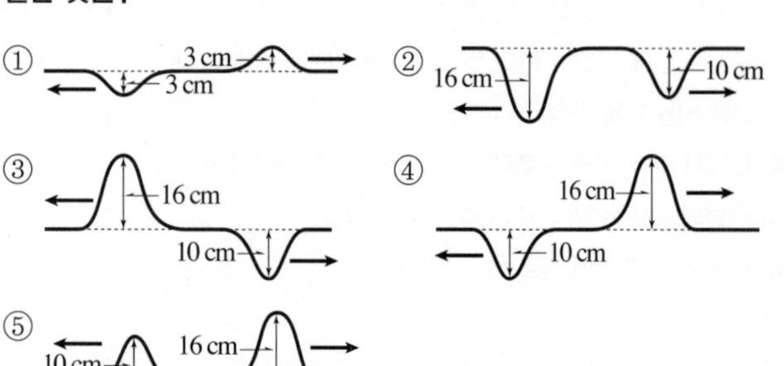

빈출

608 하 중 상

그림은 파장, 진폭, 진동수가 같은 두 파동 P, Q가 서로 반대 방향으로 진행하는 어느 순간의 모습을 나타낸 것이다. P, Q의 진동수는 0.5 Hz이다.

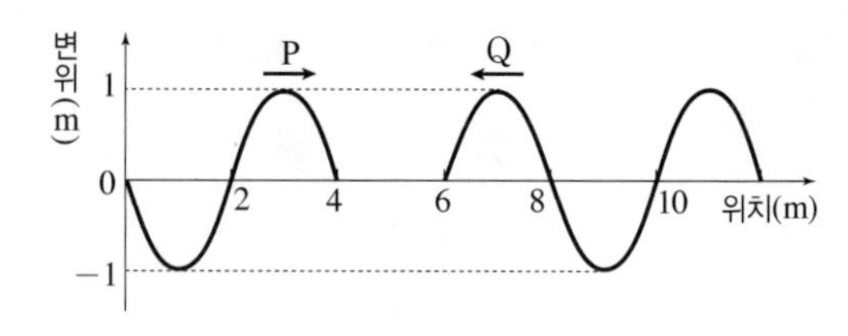

(1) P, Q의 속력은 각각 몇 m/s인지 구하시오.

(2) 1초 후 5 m인 지점에서 중첩된 파동의 진폭은 몇 m인지 구하시오.

[609~610] 그림은 서로 반대 방향으로 진행하는 두 파동 A, B의 어느 순간의 모습을 나타낸 것이다. A, B의 속력은 5 cm/s로 같다.

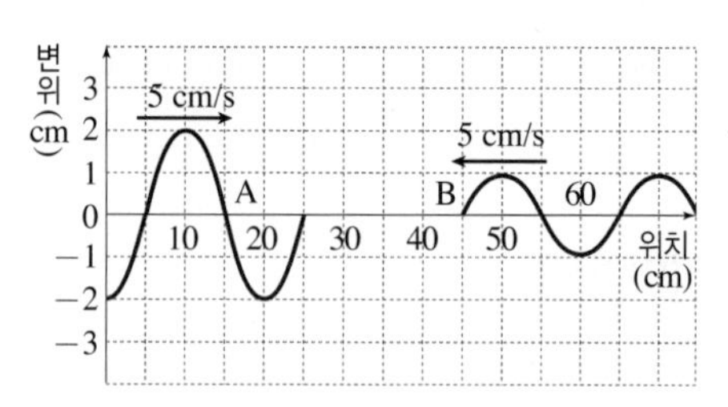

609 하 중 상

이에 대한 설명으로 옳은 것만을 〈보기〉에서 있는 대로 고른 것은?

> 〈 보기 〉
> ㄱ. A, B의 파장은 같다.
> ㄴ. A, B의 진동수는 0.25 Hz로 같다.
> ㄷ. A와 B가 중첩된 합성파의 최대 변위는 3 cm이다.

① ㄱ ② ㄷ ③ ㄱ, ㄴ
④ ㄴ, ㄷ ⑤ ㄱ, ㄴ, ㄷ

610 하 중 상

30 cm인 지점의 변위가 처음으로 최대가 되는 순간까지 걸리는 시간은 몇 초인지 구하시오.

611 하 중 상 •서술형

그림은 서로 반대 방향으로 진행하는 두 파동의 0초일 때의 모습을 나타낸 것이다. 두 파동의 주기는 2초이다.

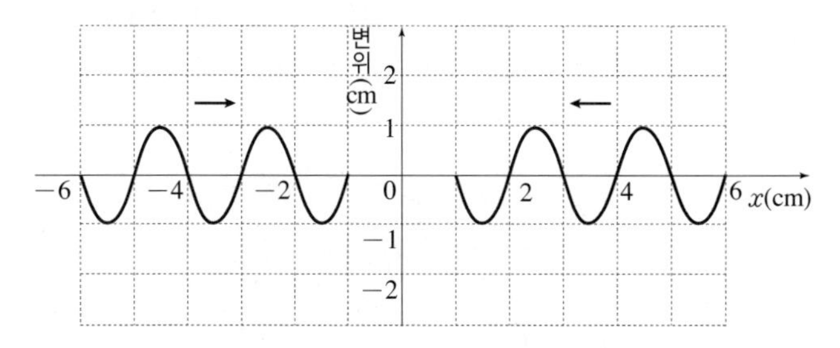

$x=0$인 위치에서 합성파를 변위−시간 그래프로 표현하시오.

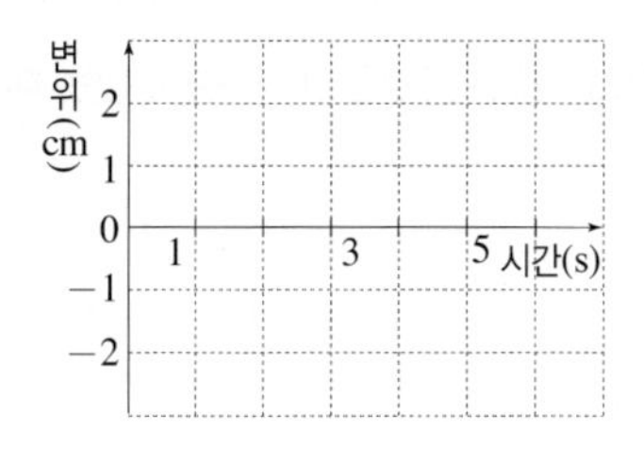

파동의 간섭

빈출

612 하 중 상

파동의 간섭에 대한 설명으로 옳은 것만을 〈보기〉에서 있는 대로 고른 것은?

〈 보기 〉

ㄱ. 두 파동이 보강 간섭을 하면 합성파의 진폭은 커진다.

ㄴ. 위상이 서로 반대인 파동이 중첩되면 상쇄 간섭이 일어난다.

ㄷ. 한 파동의 골과 다른 파동의 골이 중첩되면 상쇄 간섭이 일어난다.

① ㄱ ② ㄷ ③ ㄱ, ㄴ
④ ㄴ, ㄷ ⑤ ㄱ, ㄴ, ㄷ

613 하 중 상

그림 (가)와 (나)는 파장, 진폭, 진동수가 같은 두 파동이 중첩되어 간섭을 일으키는 모습을 나타낸 것이다.

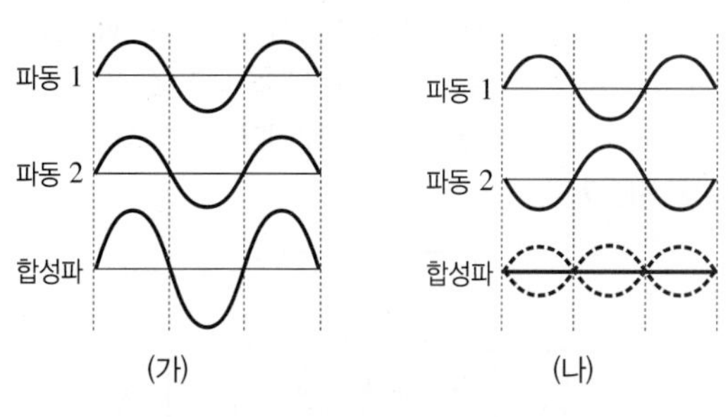

이에 대한 설명으로 옳은 것만을 〈보기〉에서 있는 대로 고른 것은?

〈 보기 〉

ㄱ. (가)에서는 보강 간섭이 일어난다.

ㄴ. (나)에서 합성파의 진폭은 0이다.

ㄷ. 두 파동의 마루와 골이 만나면 상쇄 간섭이 일어난다.

① ㄱ ② ㄷ ③ ㄱ, ㄴ
④ ㄴ, ㄷ ⑤ ㄱ, ㄴ, ㄷ

614 하 중 상

그림은 파장, 진폭, 진동수가 같은 두 파동 P, Q가 서로 반대 방향으로 진행하는 어느 순간의 모습을 나타낸 것이다. P, Q의 주기는 4초이고, 점 a, b는 매질 위의 점이다.

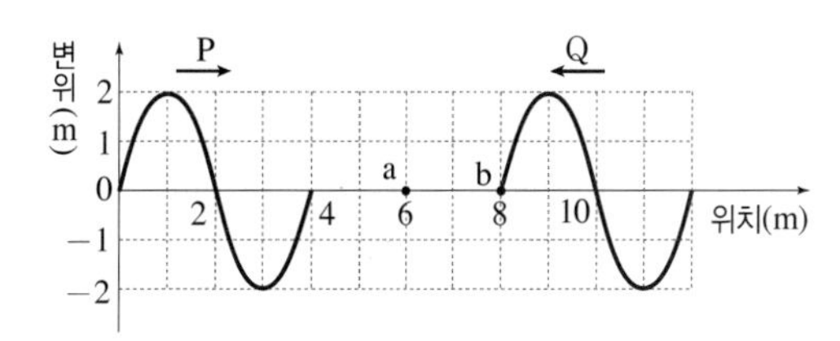

이에 대한 설명으로 옳은 것만을 〈보기〉에서 있는 대로 고른 것은?

〈 보기 〉

ㄱ. 3초 후 a에서 보강 간섭이 일어난다.

ㄴ. 5초 후 b의 변위는 4 m이다.

ㄷ. P와 Q가 중첩된 합성파의 파장은 4 m이다.

① ㄱ ② ㄷ ③ ㄱ, ㄴ
④ ㄴ, ㄷ ⑤ ㄱ, ㄴ, ㄷ

물결파의 간섭

615 하중상

그림은 두 점파원 S_1, S_2에서 진폭과 파장이 같은 두 파동을 동일한 위상으로 발생시킨 후 어느 순간의 모습을 나타낸 것이다. 그림에서 실선은 마루, 점선은 골을 표시한 것이다. 점 P, Q, R는 평면상에 고정된 지점이다.

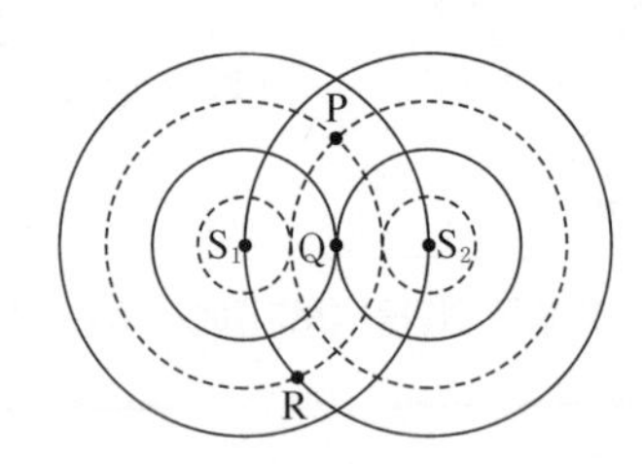

이에 대한 설명으로 옳은 것만을 〈보기〉에서 있는 대로 고른 것은?

〈 보기 〉

ㄱ. P에서는 보강 간섭이 일어난다.

ㄴ. S_1, S_2에서 진동수만 2배로 하면 Q에서는 상쇄 간섭이 일어난다.

ㄷ. R에서 두 파동의 경로차는 반파장이다.

① ㄱ ② ㄴ ③ ㄱ, ㄷ ④ ㄴ, ㄷ ⑤ ㄱ, ㄴ, ㄷ

616 하중상

그림은 두 점파원 S_1, S_2에서 진동수와 진폭이 같은 물결파를 같은 위상으로 발생시킨 후 어느 순간의 모습을 나타낸 것이다. 그림에서 실선은 마루, 점선은 골을 표시한 것이다. 점 A, B, C는 평면상에 고정된 지점이고, S_1과 S_2 사이의 간격은 6 cm이다.

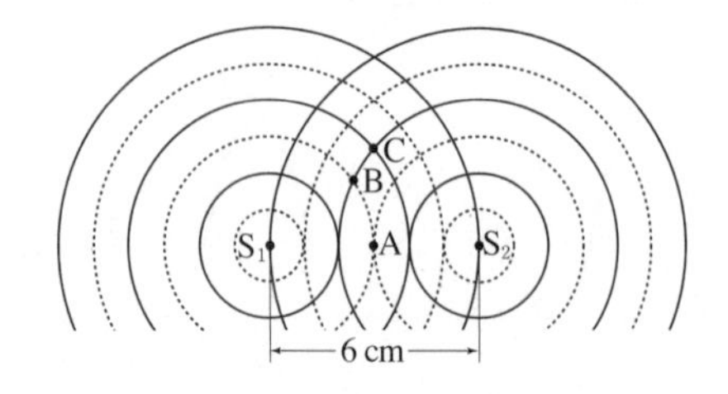

이에 대한 설명으로 옳은 것만을 〈보기〉에서 있는 대로 고른 것은?

〈 보기 〉

ㄱ. 두 물결파의 파장은 2 cm로 같다.

ㄴ. A와 C에서는 중첩된 물결파의 진폭이 커진다.

ㄷ. S_1, S_2에서 B까지의 두 물결파의 경로차는 1 cm이다.

① ㄱ ② ㄴ ③ ㄱ, ㄷ ④ ㄴ, ㄷ ⑤ ㄱ, ㄴ, ㄷ

617 하중상

그림은 시간 $t=0$일 때 두 점파원 S_1, S_2에서 같은 진폭과 파장으로 발생시킨 두 물결파의 모습을 나타낸 것이다. 두 파동의 파장과 주기는 각각 λ와 T로 같고 속력은 일정하다. 실선과 점선은 각각 마루와 골을 표시한 것이고, 점 P, Q, R는 평면상에 고정된 지점이다.

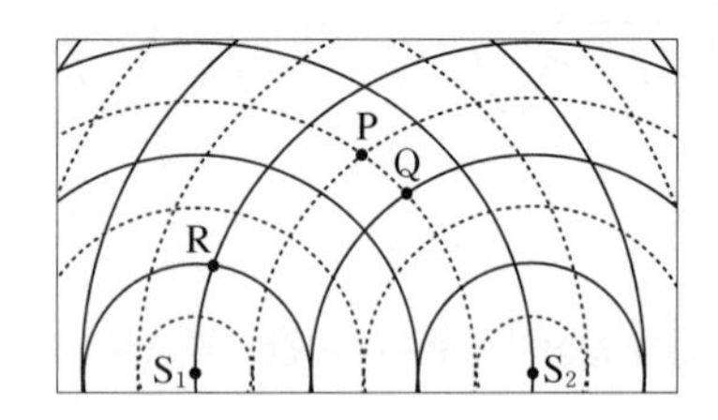

이에 대한 설명으로 옳은 것만을 〈보기〉에서 있는 대로 고른 것은?

〈 보기 〉

ㄱ. Q에서는 상쇄 간섭이 일어난다.

ㄴ. $t=0$일 때 수면의 높이는 P에서가 Q에서보다 낮다.

ㄷ. $t=0$일 때 중첩된 물결파의 변위는 Q에서가 R에서보다 크다.

ㄹ. R에서 수면의 높이는 $t=\frac{T}{2}$일 때가 $t=T$일 때보다 높다.

① ㄱ, ㄴ ② ㄱ, ㄹ ③ ㄴ, ㄷ ④ ㄱ, ㄷ, ㄹ ⑤ ㄴ, ㄷ, ㄹ

618 하중상

그림 (가)는 두 점파원 S_1, S_2에서 같은 진폭과 위상으로 발생시킨 두 물결파의 어느 순간의 모습이고, (나)는 (가)의 모습을 평면상에 나타낸 것이다. 두 물결파의 파장은 λ로 같고 속력은 일정하다. 실선과 점선은 각각 마루와 골의 위치를, 점 p, q, r는 평면상에 고정된 지점을 나타낸 것이다.

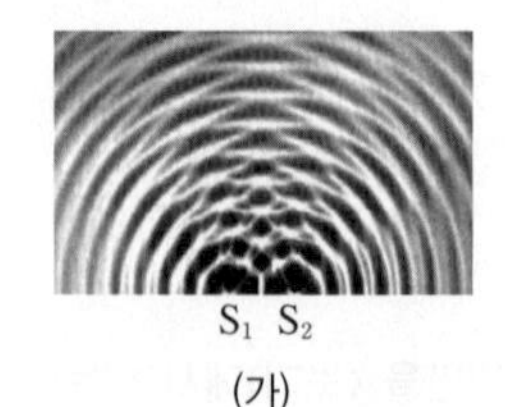

(가)

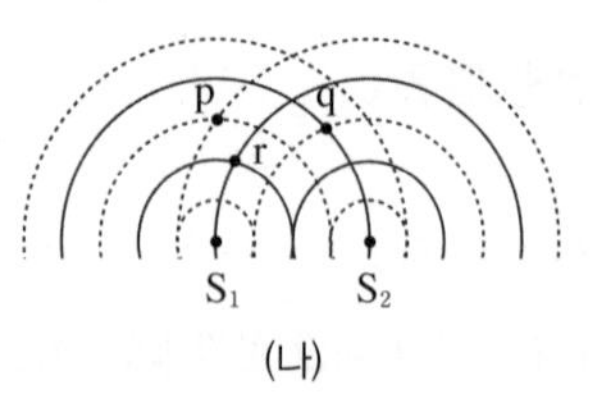

(나)

이에 대한 설명으로 옳은 것만을 〈보기〉에서 있는 대로 고른 것은?

〈 보기 〉

ㄱ. p에서 상쇄 간섭이 일어난다.

ㄴ. S_1, S_2에서 q까지의 경로차는 $\frac{1}{2}\lambda$이다.

ㄷ. 시간이 지남에 따라 r에서는 밝은 무늬와 어두운 무늬가 주기적으로 나타난다.

① ㄱ ② ㄴ ③ ㄱ, ㄴ ④ ㄱ, ㄷ ⑤ ㄴ, ㄷ

619 하/중/상

그림 (가)는 두 점파원 S_1, S_2에서 같은 진폭과 서로 반대의 위상으로 발생시킨 두 물결파의 어느 순간의 모습을 나타낸 것이다. S_1과 S_2 사이의 거리는 8 m이다. 실선과 점선은 각각 마루와 골의 위치를, 점 P, Q는 평면상에 고정된 지점을 나타낸 것이다. 그림 (나)는 (가)의 P, Q 중 한 점의 변위를 시간에 따라 나타낸 것이다.

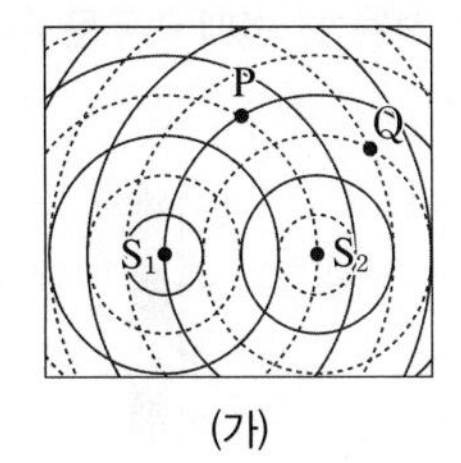

(가)

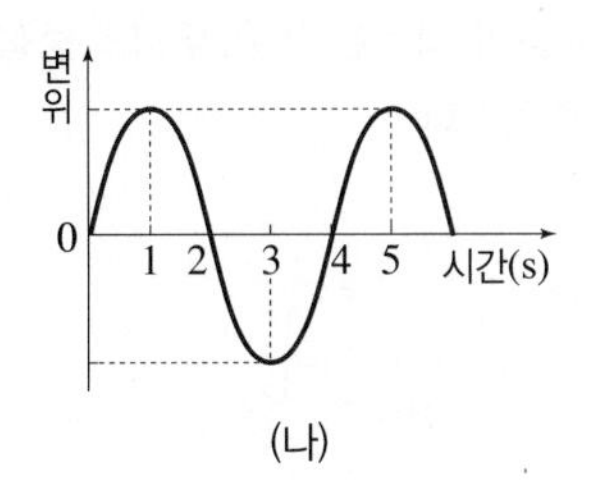

(나)

이에 대한 설명으로 옳은 것만을 〈보기〉에서 있는 대로 고른 것은?

〈 보기 〉

ㄱ. 물결파의 속력은 1 m/s이다.

ㄴ. (가)에서 S_1, S_2로부터의 경로차는 P에서와 Q에서가 같다.

ㄷ. (나)는 P의 변위를 시간에 따라 나타낸 것이다.

① ㄱ ② ㄴ ③ ㄱ, ㄴ ④ ㄱ, ㄷ ⑤ ㄴ, ㄷ

620 하/중/상

그림은 진동수와 진폭이 같은 물결파를 같은 위상으로 발생시키는 두 점파원 S_1, S_2가 6 m 떨어진 위치에 고정되어 있는 모습을 나타낸 것이다. S_1과 S_2에서 각각 8 m, 10 m 떨어진 위치에 있는 점 P에서는 상쇄 간섭이 일어난다.

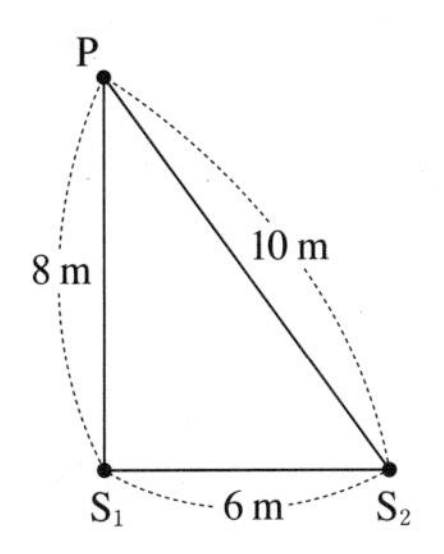

이 물결파의 파장으로 가능한 값만을 〈보기〉에서 있는 대로 고른 것은?

〈 보기 〉

ㄱ. 1 m ㄴ. $\frac{4}{3}$ m ㄷ. 2 m ㄹ. 4 m

① ㄱ, ㄴ ② ㄱ, ㄷ ③ ㄴ, ㄹ ④ ㄱ, ㄷ, ㄹ ⑤ ㄴ, ㄷ, ㄹ

소리의 간섭

빈출

621 하/중/상

그림은 두 스피커에서 같은 소리를 발생시키고 일정 거리만큼 떨어진 지점에서 소리를 듣는 모습을 나타낸 것이다. A 지점에서부터 스피커와 나란한 방향으로 이동하면서 소리를 들었다.

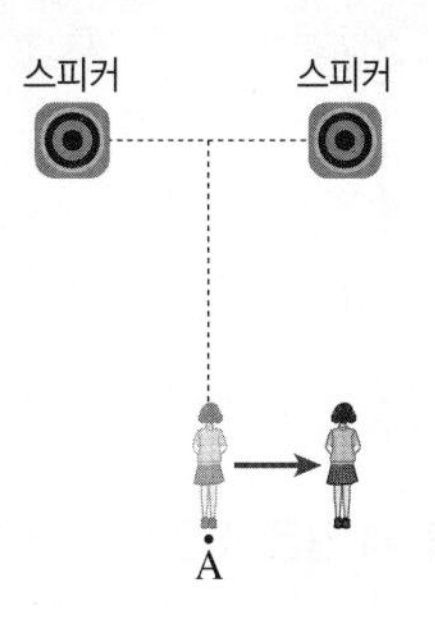

이에 대한 설명으로 옳은 것만을 〈보기〉에서 있는 대로 고른 것은? (단, 두 스피커에서 A 지점까지의 거리는 같다.)

〈 보기 〉

ㄱ. A 지점에서는 보강 간섭이 일어난다.

ㄴ. A 지점에서 오른쪽으로 이동하면서 소리를 들으면 상쇄 간섭이 일어나는 지점이 나타난다.

ㄷ. 소리의 진동수를 증가시키면 A 지점과 첫 번째 상쇄 간섭이 일어나는 지점 사이의 간격이 멀어진다.

① ㄱ ② ㄴ ③ ㄱ, ㄴ ④ ㄱ, ㄷ ⑤ ㄴ, ㄷ

622 하/중/상

••서술형

그림과 같이 y축에 놓여 있는 두 스피커 S_1, S_2에서 위상이 같고 파장이 λ인 소리가 발생하고 있다. A에서부터 $+y$ 방향으로 이동하면서 소리의 세기를 측정하였더니 B에서 두 번째로 소리가 가장 작게 들렸다. S_1, S_2는 O로부터 같은 거리에 있다.

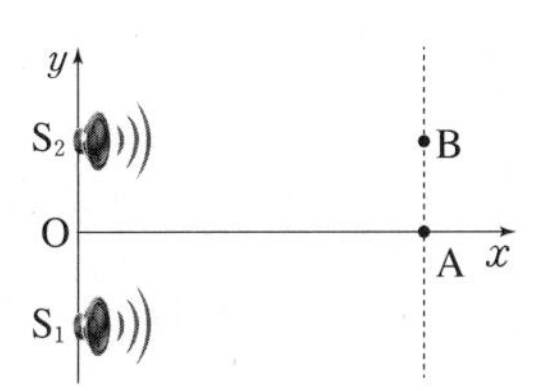

S_1, S_2로부터 B까지의 경로차를 λ를 이용하여 풀이 과정과 함께 나타내시오.

623 하 중 상

그림과 같이 정사각형의 두 꼭짓점에 놓인 스피커 A, B에서 세기가 같고 진동수가 340 Hz인 소리가 같은 위상으로 발생한다. 점 O는 두 꼭짓점 P, Q로부터 같은 거리에 있는 지점이다. A, B에서 발생한 소리는 P에서 상쇄 간섭한다.

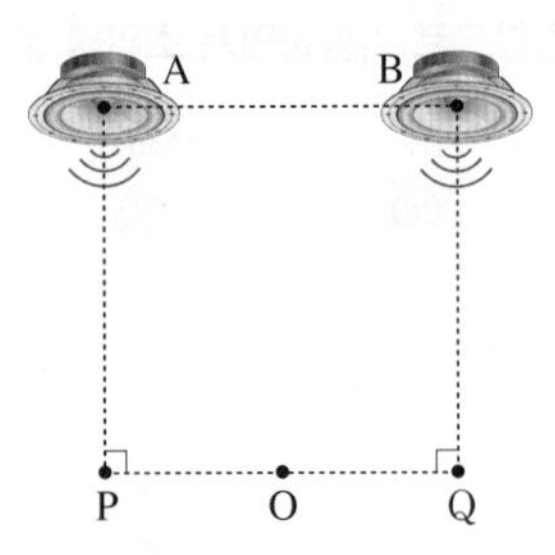

이에 대한 설명으로 옳지 않은 것은? (단, 소리의 속력은 340 m/s이다.)

① 소리의 파장은 1 m이다.
② Q에서 보강 간섭이 일어난다.
③ A, B에서 P까지의 경로차는 반파장의 홀수 배이다.
④ A, B에서 발생하는 소리의 위상이 서로 반대이면 O에서는 상쇄 간섭이 일어난다.
⑤ A, B 사이의 간격을 작게 하면 P와 Q 사이에 보강 간섭하는 지점의 수가 감소한다.
⑥ A, B에서 진동수가 170 Hz인 소리를 발생시키면 P와 Q 사이에 보강 간섭하는 지점의 수가 감소한다.

624 하 중 상

그림과 같이 동일한 스피커 S_1, S_2에서 세기가 같고 진동수가 170 Hz인 소리를 같은 위상으로 발생시킨 후, 소리 측정기를 S_1, S_2와 동일한 높이로 들고 P와 Q 사이를 직선 경로로 이동하며 소리의 세기를 측정하였다. S_1, S_2 사이의 거리는 30 m이고, S_1, S_2로부터 $\overline{PQ}$까지의 거리는 40 m이다. (단, 소리의 속력은 340 m/s이다.)

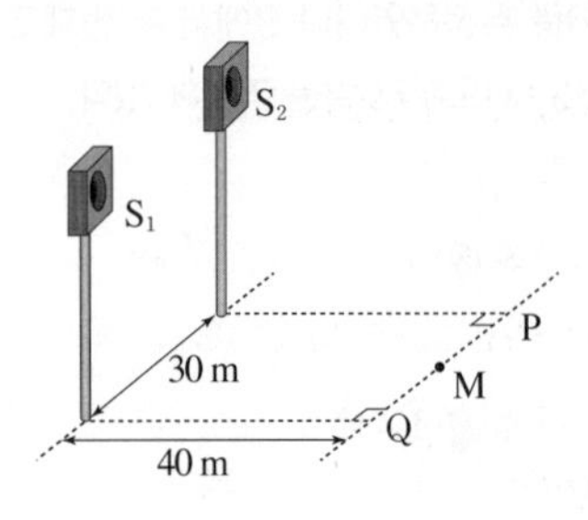

(1) S_1, S_2에서 발생시킨 소리의 파장을 구하시오.

(2) $\overline{PQ}$에서 상쇄 간섭이 일어나는 지점의 수를 구하시오.

빛의 간섭

625 하 중 상

그림은 파장이 λ인 단색광이 단일 슬릿과 이중 슬릿 S_1, S_2를 통과하여 스크린에 간섭무늬를 만드는 모습을 나타낸 것이다. 이중 슬릿의 간격은 d이고 이중 슬릿과 스크린 사이의 거리는 L이다. 스크린상의 점 O는 밝은 무늬의 중심이고, P는 첫 번째 어두운 무늬의 중심이다.

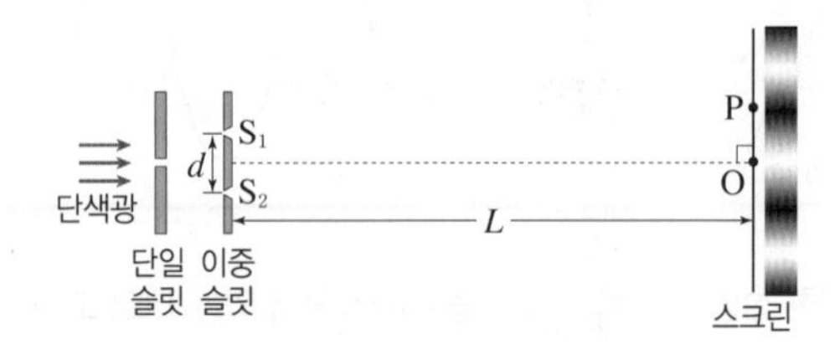

이에 대한 설명으로 옳지 않은 것은?

① O에서는 보강 간섭이 일어난다.
② d가 커지면 O와 P 사이의 간격은 커진다.
③ S_1, S_2로부터 P까지의 경로차는 $\frac{1}{2}\lambda$이다.
④ 이중 슬릿을 통과하여 P에서 간섭한 두 단색광의 위상은 서로 반대이다.
⑤ 단색광의 파장이 $\frac{1}{2}\lambda$가 되면 P에서 보강 간섭이 일어난다.

626 하 중 상

그림 (가)는 두 점파원 S_1, S_2에서 같은 진폭과 진동수, 위상으로 발생시킨 두 물결파의 어느 순간의 모습을 나타낸 것이다. 점 A, B는 평면상에 고정된 지점이고, 실선과 점선은 각각 마루와 골이다. 그림 (나)는 단색광이 단일 슬릿과 이중 슬릿을 통과하여 스크린에 간섭무늬를 만드는 모습을 나타낸 것이다. 스크린상의 점 C는 중앙의 밝은 무늬의 중심이고, 점 D는 첫 번째 어두운 무늬의 중심이다.

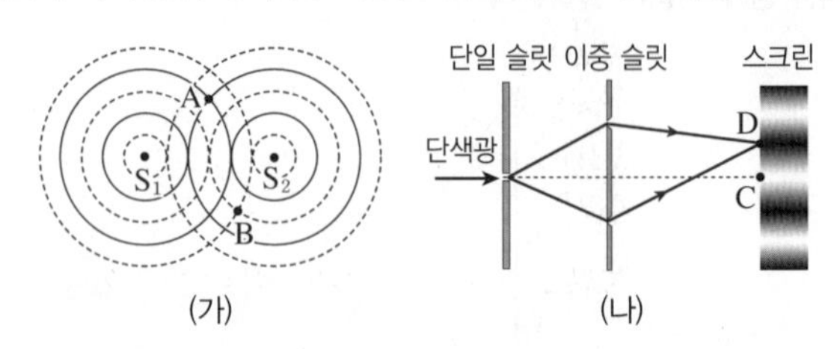

(가) (나)

이에 대한 설명으로 옳은 것만을 <보기>에서 있는 대로 고른 것은?

<보기>
ㄱ. (가)에서 A는 수면의 높이가 일정하게 유지된다.
ㄴ. (가)의 A와 B, (나)의 C에서는 보강 간섭이 일어난다.
ㄷ. (나)에서 단색광의 진동수만 2배로 하면 D에서는 상쇄 간섭이 일어난다.

① ㄱ ② ㄴ ③ ㄱ, ㄷ
④ ㄴ, ㄷ ⑤ ㄱ, ㄴ, ㄷ

B 간섭의 활용

빈출
627 하중상

파동의 간섭을 활용한 예로 옳은 것만을 〈보기〉에서 있는 대로 고르시오.

〈 보기 〉

ㄱ. 광통신의 광섬유 ㄴ. 렌즈의 무반사 코팅
ㄷ. 충격파 쇄석술 ㄹ. 소음 제거 장치
ㅁ. 태양 전지의 반사 방지막

628 하중상

다음은 렌즈에 무반사 코팅을 하여 간섭을 활용하는 원리를 설명한 것이다.

렌즈에 얇은 막을 코팅하여 막의 윗면과 아랫면에서 반사하는 빛이 (㉠) 간섭을 일으키도록 하여, 반사하는 빛의 세기를 (㉡)시키고 투과하는 빛의 세기를 (㉢)시킨다.

㉠~㉢에 알맞은 말을 옳게 짝 지은 것은?

	㉠	㉡	㉢
①	보강	감소	증가
②	보강	증가	감소
③	보강	증가	증가
④	상쇄	감소	증가
⑤	상쇄	증가	감소

••서술형

그림은 소음을 제거하는 헤드폰의 원리를 나타낸 것이다.

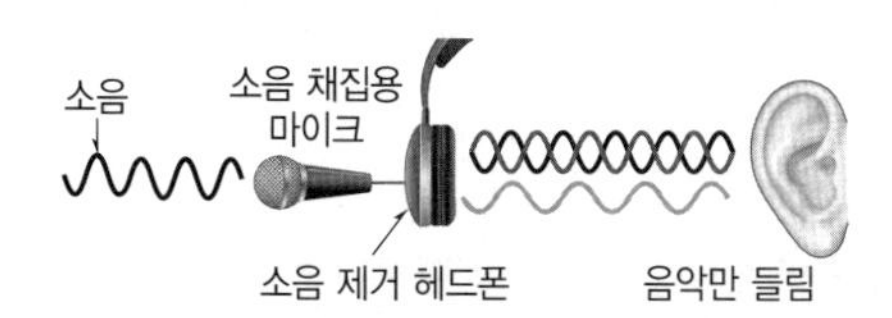

소음을 제거하는 원리를 다음 용어를 모두 포함하여 서술하시오.

위상, 파동, 간섭

630 하중상

그림 (가)는 지폐의 위조를 막기 위한 홀로그램의 모습을, (나)는 모르포 나비 날개의 모습을 나타낸 것이다. (가)의 숫자는 보는 각도에 따라 색이 다르게 보이고, (나)의 모르포 나비의 날개는 색소 없이도 파란색을 낼 수 있다.

(가)

(나)

이에 대한 설명으로 옳은 것만을 〈보기〉에서 있는 대로 고른 것은?

〈 보기 〉

ㄱ. (가)는 바라보는 각도에 따라 보강 간섭이 일어나는 빛의 파장이 다르다.
ㄴ. (나)는 날개 표면의 얇은 층에서 반사되는 빛이 보강 간섭을 하여 색을 나타낸다.
ㄷ. (가)와 (나)는 모두 빛의 간섭에 의해 나타나는 현상이다.

① ㄱ ② ㄷ ③ ㄱ, ㄴ
④ ㄴ, ㄷ ⑤ ㄱ, ㄴ, ㄷ

그림은 얇은 비누 막에 여러 가지 색의 무늬가 생기는 모습을 나타낸 것이다.

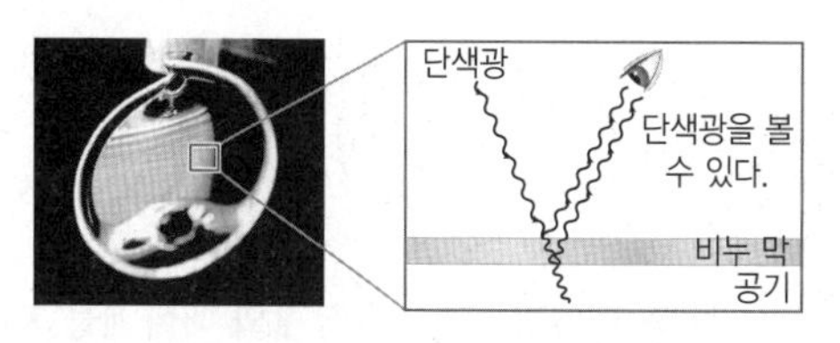

이에 대한 설명으로 옳은 것만을 〈보기〉에서 있는 대로 고른 것은?

〈 보기 〉

ㄱ. 비누 막의 윗면과 아랫면에서 반사한 단색광이 간섭을 일으킨다.
ㄴ. 비누 막의 두께에 따라 보강 간섭이 일어나는 단색광의 진동수가 달라져 여러 가지 색의 무늬가 나타난다.
ㄷ. 비누 막에서 서로 간섭하는 단색광의 위상이 반대인 부분은 검게 보인다.

① ㄱ ② ㄷ ③ ㄱ, ㄴ
④ ㄴ, ㄷ ⑤ ㄱ, ㄴ, ㄷ

632

그림과 같이 단색광이 공기 중에서 매질 Ⅰ에 입사각 45°로 입사하여 매질 Ⅱ에서 공기 중으로 굴절각 θ로 진행한다. 공기에 대한 Ⅱ의 굴절률은 $\sqrt{3}$이다.

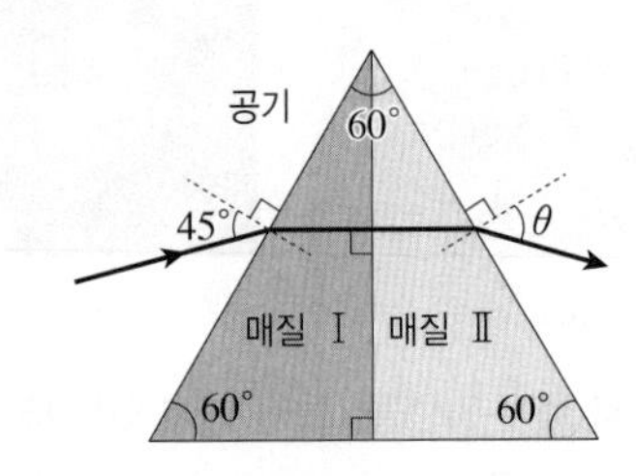

이에 대한 설명으로 옳은 것만을 〈보기〉에서 있는 대로 고른 것은?

〈 보기 〉
ㄱ. $\theta=30°$이다.
ㄴ. 공기에 대한 Ⅰ의 굴절률은 $\sqrt{2}$이다.
ㄷ. 단색광의 파장은 Ⅰ에서가 Ⅱ에서보다 길다.

① ㄱ ② ㄷ ③ ㄱ, ㄴ
④ ㄴ, ㄷ ⑤ ㄱ, ㄴ, ㄷ

633

••서술형

그림과 같이 단색광이 매질 Ⅰ에서 매질 Ⅱ와 매질 Ⅲ을 지나 다시 Ⅰ로 진행한다. 단색광이 Ⅰ에서 Ⅱ로 진행할 때 입사각은 60°, Ⅱ에서 Ⅲ으로 진행할 때 입사각은 30°, Ⅲ에서 Ⅰ로 진행할 때 입사각은 90°이다.

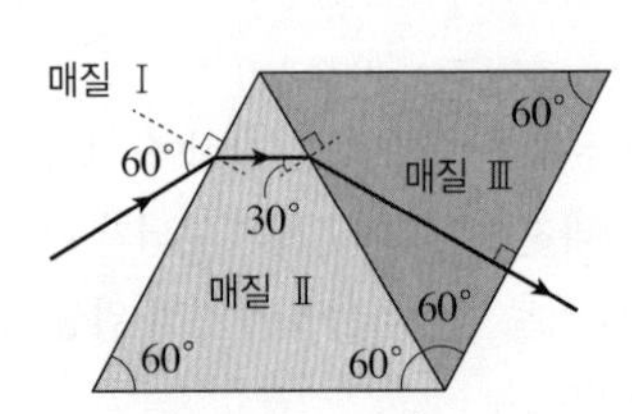

매질 Ⅰ, Ⅱ, Ⅲ의 굴절률을 각각 n_1, n_2, n_3이라고 하면, Ⅲ에 대한 Ⅰ의 굴절률을 풀이 과정과 함께 구하시오.

634

그림과 같이 진동수가 같은 단색광 A, B가 매질 Ⅰ에서 부채꼴 모양의 매질 Ⅱ로 각각 수직으로 입사한 후 점 P에서 굴절한다. A, B가 Ⅱ로 입사하는 지점과 O 사이의 거리는 각각 $4d$, $3d$이고, P에서 A, B의 굴절각은 각각 θ_A, θ_B이다.

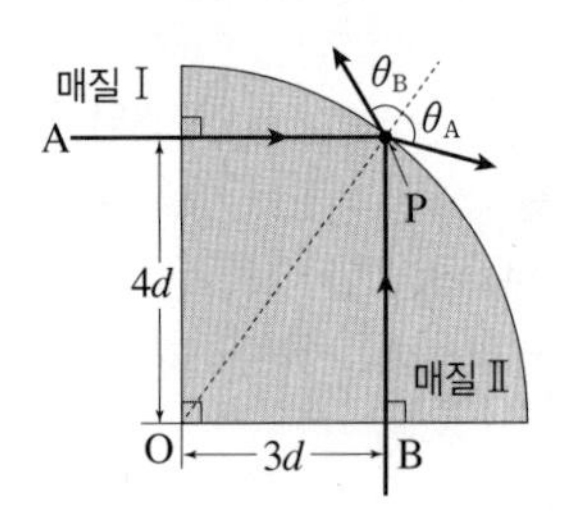

$\frac{\sin\theta_A}{\sin\theta_B}$는?

① $\frac{1}{3}$ ② $\frac{2}{3}$ ③ 1 ④ $\frac{4}{3}$ ⑤ $\frac{5}{3}$

635

그림과 같이 단색광 P가 물질 A와 물질 B의 경계면에 입사할 때 일부는 굴절하여 B로 진행하고, 일부는 반사하여 물질 C의 경계면에서 전반사한다.

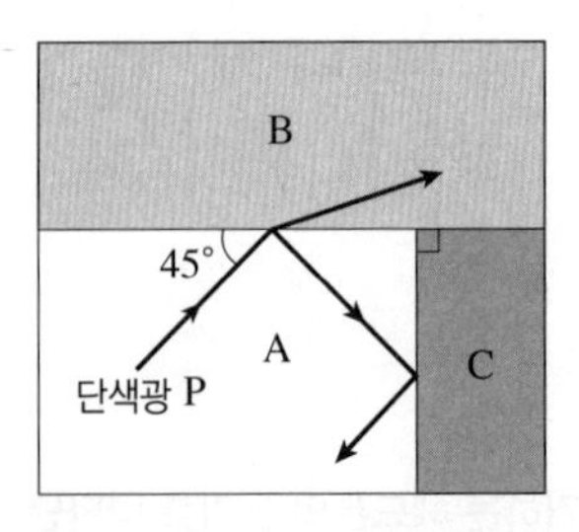

이에 대한 설명으로 옳은 것만을 〈보기〉에서 있는 대로 고른 것은?

〈 보기 〉
ㄱ. 굴절률은 A>C>B이다.
ㄴ. P의 속력은 C에서가 가장 빠르다.
ㄷ. A와 C 사이의 임계각은 45°보다 작다.
ㄹ. B와 C로 광섬유를 만든다면 B를 코어로 사용해야 한다.

① ㄱ, ㄴ ② ㄱ, ㄷ ③ ㄴ, ㄹ
④ ㄱ, ㄷ, ㄹ ⑤ ㄴ, ㄷ, ㄹ

636

그림과 같이 코어와 클래딩의 굴절률이 각각 n_1, n_2인 광섬유에 공기에서 광섬유로 입사각 θ로 입사한 단색광이 코어와 클래딩의 경계면에서 전반사하여 광섬유를 따라 진행한다. 단색광이 코어와 클래딩의 경계면에 입사할 때 입사각은 θ_1이다.

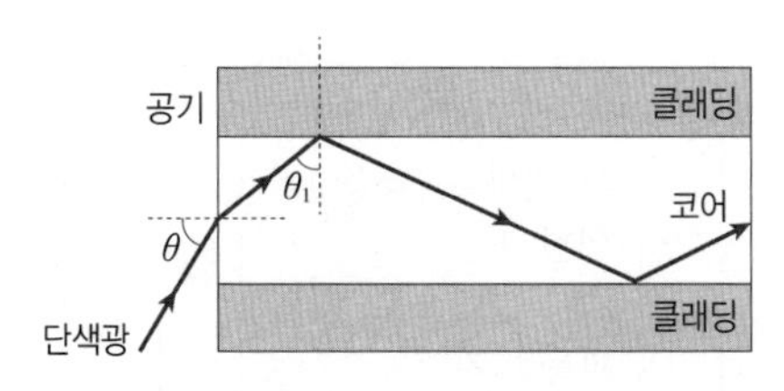

이에 대한 설명으로 옳은 것만을 〈보기〉에서 있는 대로 고른 것은? (단, 공기의 굴절률은 1이다.)

〈 보기 〉

ㄱ. $n_1 > n_2$이다.

ㄴ. n_1과 n_2의 차가 클수록 코어와 클래딩 사이의 임계각의 크기가 작아진다.

ㄷ. $\sin\theta$가 $\sqrt{n_1^2 - n_2^2}$보다 크면 코어와 클래딩 사이에서 전반사가 일어나지 않는다.

① ㄱ ② ㄷ ③ ㄱ, ㄴ ④ ㄴ, ㄷ ⑤ ㄱ, ㄴ, ㄷ

637

그림은 $t=0$인 순간, 파장과 진폭이 같고 연속적으로 발생되는 두 파동 P, Q가 같은 속력으로 서로 반대 방향으로 진행하는 모습을 나타낸 것이다. $t=5$초일 때 $x=3$ m인 지점의 변위가 처음 10 m가 된다.

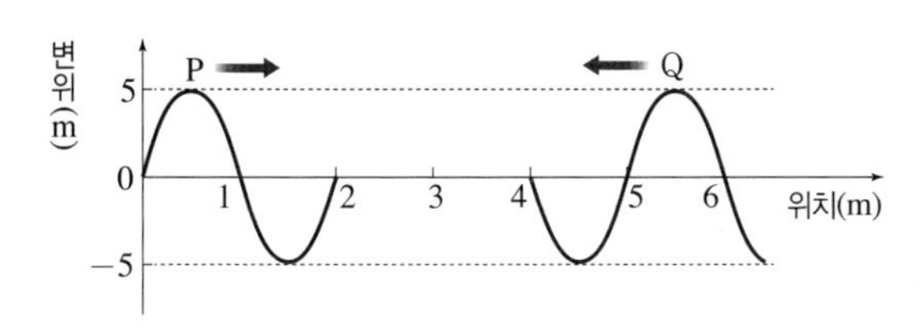

이에 대한 설명으로 옳은 것만을 〈보기〉에서 있는 대로 고른 것은?

〈 보기 〉

ㄱ. P의 주기는 2초이다.

ㄴ. $t=5$초일 때, $x=2$ m인 지점에서 보강 간섭이 일어난다.

ㄷ. $t=8$초일 때, $x=0$인 지점에서 합성파의 변위는 5 m이다.

① ㄱ ② ㄴ ③ ㄱ, ㄴ ④ ㄱ, ㄷ ⑤ ㄴ, ㄷ

638

그림과 같이 점파원 S_1, S_2에서 진동수가 4 Hz이고, 진폭이 같은 물결파를 반대 위상으로 발생시켰다. 두 물결파의 속력은 16 cm/s로 같다. 점 P, Q는 평면상의 한 지점이고, P는 S_1과 S_2로부터 각각 20 cm, 22 cm 떨어진 거리에, Q는 S_1과 S_2로부터 같은 거리에 있다. S_1, S_2 사이의 거리는 10 cm이다.

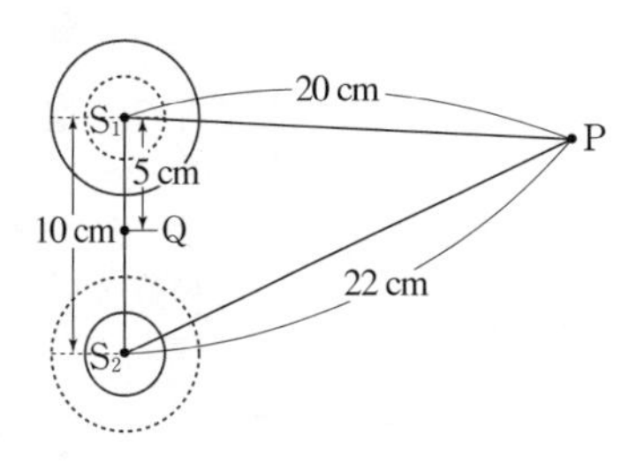

이에 대한 설명으로 옳은 것만을 〈보기〉에서 있는 대로 고른 것은?

〈 보기 〉

ㄱ. 물결파의 파장은 4 cm이다.

ㄴ. P에서는 보강 간섭이 일어난다.

ㄷ. 두 점파원에서 위상이 같은 물결파를 발생시키면 Q에서는 상쇄 간섭이 일어난다.

① ㄱ ② ㄴ ③ ㄱ, ㄴ ④ ㄱ, ㄷ ⑤ ㄴ, ㄷ

639

그림과 같이 반원의 지름상에 놓인 스피커 A, B에서 세기가 같고 진동수가 170 Hz인 소리가 같은 위상으로 발생한다. 반원의 중심 O로부터 10 m 떨어진 점 P에서부터 Q를 지나 R까지 반원의 둘레를 따라 이동하면서 소리의 세기를 측정했다. Q는 A와 B로부터 같은 거리만큼 떨어져 있는 점이고, A와 B 사이의 거리는 2 m이다.

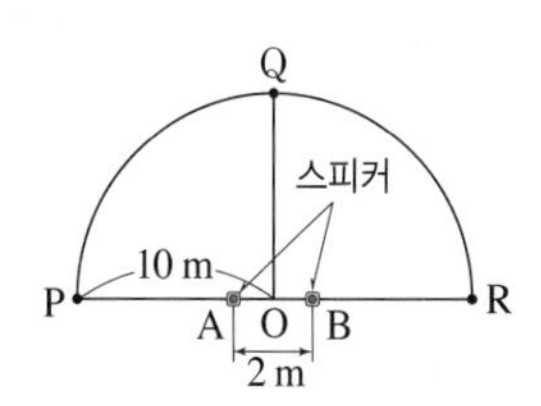

이에 대한 설명으로 옳은 것만을 〈보기〉에서 있는 대로 고른 것은? (단, 소리의 속력은 340 m/s이다.)

〈 보기 〉

ㄱ. P에서는 보강 간섭이 일어난다.

ㄴ. Q에서는 R에서보다 큰 소리를 들을 수 있다.

ㄷ. P에서 R까지 소리가 크게 들리는 지점의 수는 짝수이다.

① ㄱ ② ㄴ ③ ㄱ, ㄴ ④ ㄱ, ㄷ ⑤ ㄴ, ㄷ

빛의 이중성

A 빛의 입자성과 파동성

1 빛의 파동설과 입자설에 대한 역사

뉴턴: 빛의 입자설을 주장하며 빛의 속력이 공기에서보다 물속에서 더 빠를 것이라 예상
→ **하위헌스**: 빛의 ❶□□□을 주장하며 빛의 반사와 굴절을 설명
→ **영**: 두 개의 좁은 슬릿에 의한 ❷□□□□ 실험으로 빛의 파동설 지지
→ **프레넬**: 빛의 회절 실험으로 빛의 파동설 지지
→ **푸코**: 실험으로 공기보다 물속에서 빛의 속력이 더 느린 것을 확인하여 빛의 입자설 부정
→ **맥스웰**: 전자기파의 속력이 빛의 속력과 같다는 것을 이론적으로 입증하며 빛의 파동성 확립
→ **헤르츠**: 빛의 파동성으로 설명할 수 없는 광전 효과 발견

기출 Tip A-2

빛의 파동성과 입자성
빛은 입자성과 파동성을 모두 가지고 있지만, 입자성과 파동성이 동시에 나타나지는 않는다. 따라서 특정 순간에는 입자적 성질과 파동적 성질 중 하나만 측정할 수 있다.

2 빛의 이중성 현대에는 빛이 입자성과 파동성을 모두 가지고 있는 것으로 이해한다.

① 빛의 ❸□□□의 증거: 빛의 간섭과 회절 → 빛의 파장이 길수록 잘 나타난다.
② 빛의 ❹□□□의 증거: 광전 효과 → 빛의 파장이 짧을수록 잘 나타난다.

B 광전 효과와 광양자설

기출 Tip B-1

광전 효과 실험 장치
광전 효과의 여러 특성들을 잘 관찰하기 위해 음극과 양극을 넣어 만든 진공관인 광전관을 사용한다.

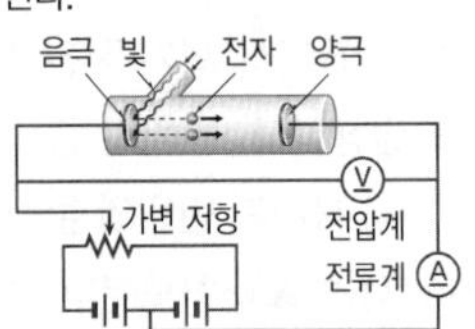

- 전류계로 측정한 전류의 세기로 광전관에서 방출되는 광전자의 수를 측정한다.
- 전압계로 측정한 전압으로 광전관에서 방출되는 광전자의 최대 운동 에너지를 측정한다.

문턱 진동수보다 작은 진동수의 빛과 광전 효과
금속의 문턱 진동수보다 작은 진동수의 빛을 금속에 비출 때는 빛의 세기를 세게 하여도 광전 효과가 나타나지 않는다.

1 광전 효과

① 광전 효과: 금속 표면에 빛을 쪼일 때 전자가 에너지를 얻어 튀어나오는 현상
- ❺□□□: 광전 효과로 튀어나온 전자
- 문턱 진동수: 금속 표면에서 전자를 방출시킬 수 있는 빛의 최소 진동수 → 한계 진동수라고도 한다.

(검전기를 이용한 광전 효과 실험)

잘 닦은 아연판을 검전기의 금속판 위에 올리고 검전기를 음(−)전하로 대전시킨 다음, 검전기 위의 아연판에 각각 자외선등과 형광등을 비추고 금속박의 변화를 관찰한다.

결과 아연판에 자외선등을 비추면 금속박이 오므라들지만, 형광등을 비추면 금속박은 변함이 없다. → 아연판에 자외선등을 비추면 광전자가 튀어나온다.

결론 금속 표면에 문턱 진동수보다 진동수가 큰 빛을 비추면 광전자가 튀어나오지만 문턱 진동수보다 진동수가 작은 빛을 비추면 광전자가 튀어나오지 않는다.

② 광전 효과의 실험적 사실
- 광전 효과가 일어나려면 금속 표면에 비추는 빛의 진동수가 ❻□□ 진동수보다 커야 한다.
- 방출된 광전자의 최대 운동 에너지는 빛의 세기와 관계없이 빛의 ❼□□□에만 관계된다.
- 진동수가 문턱 진동수보다 큰 빛을 비출 때 방출되는 광전자의 수는 빛의 ❽□□에 비례한다.

2 광양자설 아인슈타인은 빛을 진동수에 비례하는 에너지를 갖는 광자(광양자)라는 입자의 흐름으로 설명하였다.

① 광자의 에너지: 진동수가 f인 광자 1개의 에너지 E는 다음과 같다.

$$E=hf\ (h=6.63\times10^{-34}\ \text{J·s: 플랑크 상수})$$

② 광양자설에 의한 광전 효과의 해석

- 일함수(W): 금속 표면에 빛을 비출 때 전자를 떼어 내는 데 필요한 최소한의 에너지
  ➔ 금속의 문턱 진동수가 f_0일 때, 일함수는 $W=hf_0$이다.
- 빛의 세기: 빛의 세기는 광자의 ❾☐에 비례한다. ➔ 빛의 세기가 셀수록 방출되는 광전자의 수도 증가한다.
- 진동수가 큰 빛일수록 광자 1개의 에너지가 크므로, 광자로부터 에너지를 얻어 방출되는 광전자의 최대 운동 에너지(E_k)가 ❿☐다.

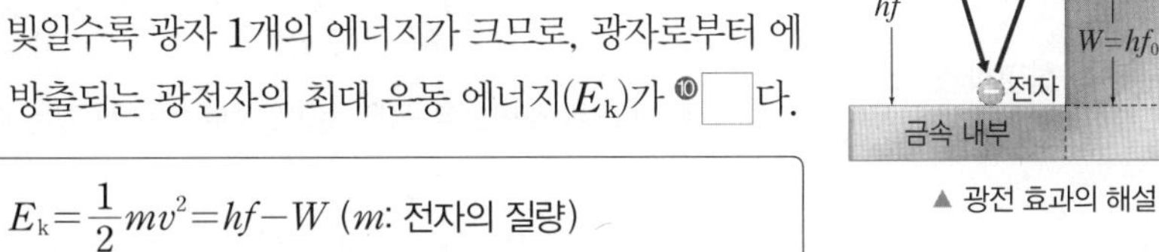

▲ 광전 효과의 해설

$$E_k=\frac{1}{2}mv^2=hf-W \quad (m\text{: 전자의 질량})$$

(최대 운동 에너지-진동수 그래프)

$E_k=hf-W$이므로 빛의 진동수와 방출되는 광전자의 최대 운동 에너지 사이의 관계는 그래프와 같이 나타낼 수 있다.

- 그래프의 기울기: 플랑크 상수 h ➔ 모든 금속에서 같다.
- 그래프가 가로축과 만나는 점: 문턱 진동수 f_0을 나타낸다. → x절편
- 그래프가 세로축과 만나는 점: 일함수 $-W$를 나타낸다. → y절편

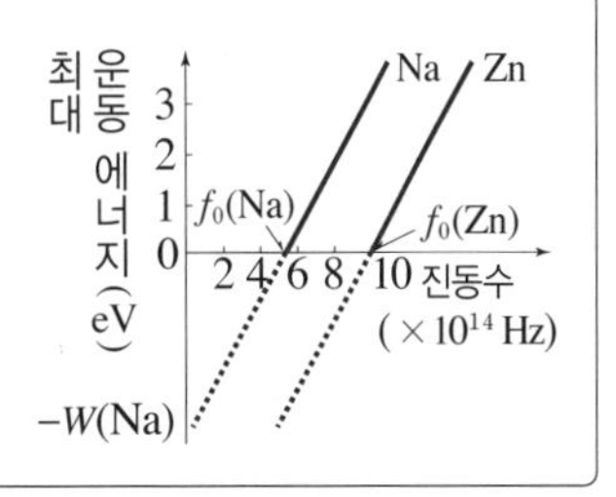

기출 Tip Ⓑ-2

빛의 세기와 광자의 수

빛의 세기가 광자의 수에 비례하므로 금속에 비추는 빛의 세기가 셀수록 금속 표면에 충돌하는 광자의 수도 증가한다.

Ⓒ 영상 정보의 기록

1 광다이오드 광전 효과를 이용해서 빛에너지를 전기 에너지로 바꾸는 광전 소자

2 전하 결합 소자(CCD) 수많은 ⓫☐☐☐☐☐가 규칙적으로 배열된 반도체 소자

(CCD의 구조)

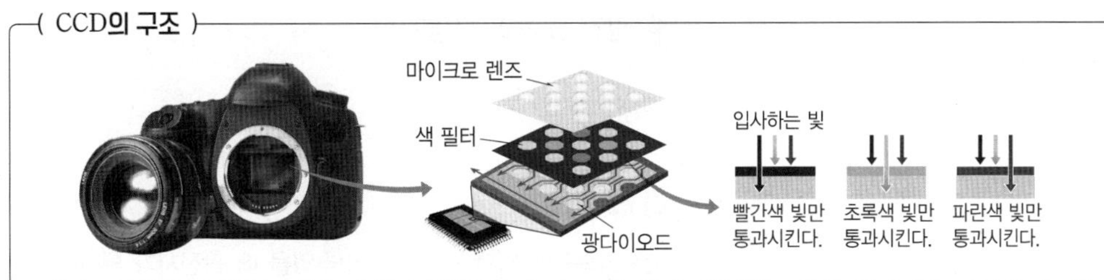

- 화소: 영상을 표현하는 최소 단위로 CCD의 단위 면적당 화소가 많을수록 더 세밀한 상을 얻을 수 있다. → 화소의 크기가 작을수록
- 색 필터: CCD는 빛의 세기만을 기록할 수 있기 때문에 색을 구분하기 위해 색 필터를 CCD 위에 배열한다.

기출 Tip Ⓒ-2

전하 결합 소자(CCD)의 이용

디지털 카메라, CCTV, 내시경 카메라, 차량용 블랙박스, 우주 천체 망원경 등

답 ❶ 파동설 ❷ 간섭무늬 ❸ 파동성 ❹ 입자성 ❺ 광전자 ❻ 문턱 ❼ 진동수 ❽ 세기 ❾ 수 ❿ 크 ⓫ 광다이오드

빈출 자료 보기

정답과 해설 82쪽

640 그림은 대전되지 않은 검전기 위에 놓인 대전되지 않은 금속판에 단색광을 비추었을 때 금속박의 변화를 관찰하는 모습을 나타낸 것이다. 표는 단색광 A, B, C를 금속판 P, Q에 비출 때 금속박의 변화를 나타낸 것이다.

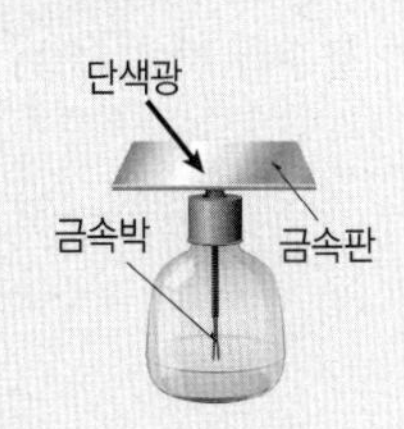

구분	금속판 P	금속판 Q
단색광 A	×	×
단색광 B	○	×
단색광 C	(가)	○

(○: 벌어진다, ×: 벌어지지 않는다)

이에 대한 설명으로 옳은 것은 ○, 옳지 않은 것은 ×로 표시하시오.

(1) 빛이 가지는 파동성을 나타내는 현상이다. ( )

(2) B를 P에 비추면 P에서 광전자가 방출된다. ( )

(3) 문턱 진동수는 Q가 P보다 크다. ( )

(4) 표에서 (가)는 ○이다. ( )

(5) 진동수가 가장 큰 단색광은 C이다. ( )

(6) P에 A의 세기를 2배로 하여 비추면 금속박이 벌어진다. ( )

(7) A와 B를 Q에 동시에 비추면 금속박이 벌어진다. ( )

A 빛의 입자성과 파동성

빈출

641 하 중 상 多 보기

빛의 입자설과 파동설에 대한 설명으로 옳지 않은 것을 모두 고르면?(3개)

① 프레넬은 회절을 이용하여 빛의 성질을 설명하였다.
② 영은 뉴턴의 입자설을 받아들여 간섭무늬를 설명하였다.
③ 아인슈타인은 광전 효과를 바탕으로 빛의 파동설을 주장하였다.
④ 하위헌스는 파동설을 주장하면서 빛의 반사와 굴절을 설명하였다.
⑤ 푸코는 물속에서 빛의 속력을 측정하여 빛의 입자설을 지지하였다.
⑥ 맥스웰은 전자기파의 속력이 광속과 같으므로 빛은 전자기파라고 주장하였다.
⑦ 뉴턴은 입자설을 바탕으로 빛의 속력은 공기 중에서보다 물속에서 더 빠르다고 주장하였다.

642 하 중 상

다음은 일상생활에서 빛과 관련된 현상을 나타낸 것이다.

(가) 만 원권 지폐의 홀로그램 이미지는 빛을 비추는 방향에 따라 색깔이 다르게 나타난다.
(나) 우주 천체 망원경은 전하 결합 소자(CCD)를 이용해 영상 정보를 전기 신호로 전환하여 저장한다.

이에 대한 설명으로 옳은 것만을 〈보기〉에서 있는 대로 고른 것은?

〈 보기 〉
ㄱ. 물 위에 뜬 기름막이 다양한 색깔을 보이는 것은 (가)에서 나타나는 빛의 성질과 관련된 현상이다.
ㄴ. (나)의 전하 결합 소자는 빛의 회절을 이용한 장치이다.
ㄷ. 빛은 입자성과 파동성이 동시에 나타난다.

① ㄱ ② ㄴ ③ ㄱ, ㄷ
④ ㄴ, ㄷ ⑤ ㄱ, ㄴ, ㄷ

643 하 중 상

그림은 단일 슬릿을 통과한 단색광이 이중 슬릿을 통과한 후 스크린에 생기는 무늬를 나타낸 것이다.

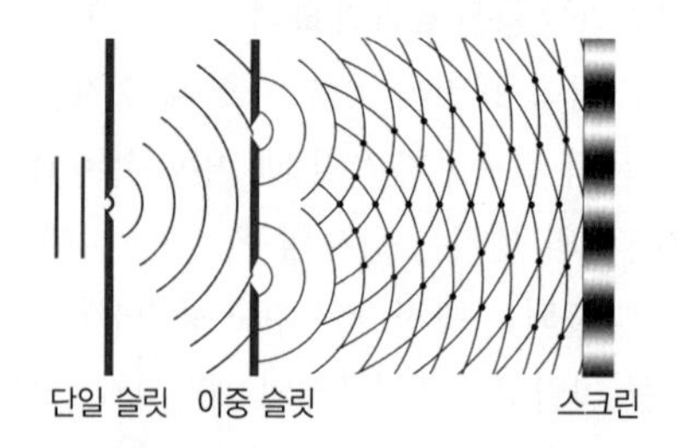

이에 대한 설명으로 옳은 것만을 〈보기〉에서 있는 대로 고른 것은?

〈 보기 〉
ㄱ. 빛의 성질 중 간섭과 관련 있는 현상이다.
ㄴ. 스크린에 무늬가 생기는 것을 광전 효과라고 한다.
ㄷ. 영은 이 현상을 근거로 빛의 파동성을 주장하였다.

① ㄱ ② ㄴ ③ ㄱ, ㄷ
④ ㄴ, ㄷ ⑤ ㄱ, ㄴ, ㄷ

B 광전 효과와 광양자설

광전 효과

빈출

644 하 중 상

그림은 금속판에 어떤 단색광을 비추었을 때 광전자가 튀어나오는 모습을 나타낸 것이다.

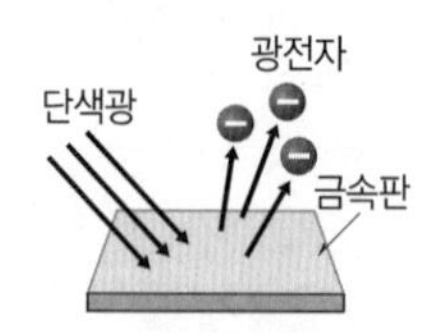

이에 대한 설명으로 옳은 것만을 〈보기〉에서 있는 대로 고른 것은?

〈 보기 〉
ㄱ. 빛이 가지는 파동성을 보여주는 현상이다.
ㄴ. 금속판의 종류에 따라 광전 효과가 일어나는 문턱 진동수가 다르다.
ㄷ. 금속판에 비추는 단색광의 진동수가 클수록 튀어나오는 광전자의 수가 증가한다.

① ㄱ ② ㄴ ③ ㄱ, ㄷ
④ ㄴ, ㄷ ⑤ ㄱ, ㄴ, ㄷ

645 하 중 상

그림은 광전 효과 실험 장치의 모습을 나타낸 것이다.

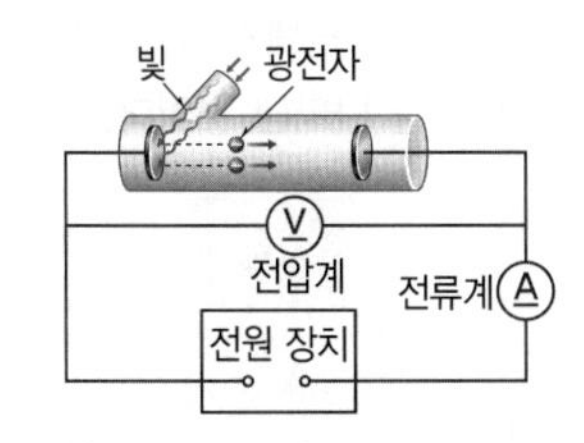

이 실험에 대한 설명으로 옳은 것만을 〈보기〉에서 있는 대로 고른 것은?

〈 보기 〉
ㄱ. 이 실험을 통해 빛의 입자성을 확인할 수 있다.
ㄴ. 전류계를 이용하여 광전자가 방출되었는지 여부와 광전자의 양을 알 수 있다.
ㄷ. 전압계를 이용하여 방출되는 광전자의 최대 운동 에너지를 알 수 있다.

① ㄱ　② ㄷ　③ ㄱ, ㄴ
④ ㄴ, ㄷ　⑤ ㄱ, ㄴ, ㄷ

646 하 중 상

다음은 검전기를 이용한 광전 효과 실험이다.

[실험 과정]
(가) 검전기를 음(−)전하로 대전시켜 금속박이 벌어져 있도록 한다.
(나) 단색광 A를 금속판에 비추고 금속박의 움직임을 관찰한다.
(다) (가) 상태의 검전기에 A와 세기가 같은 단색광 B를 비추어 금속박의 움직임을 관찰한다.
(라) (가) 상태의 검전기에 B의 세기를 (다)에서의 2배로 비추어 금속박의 움직임을 관찰한다.

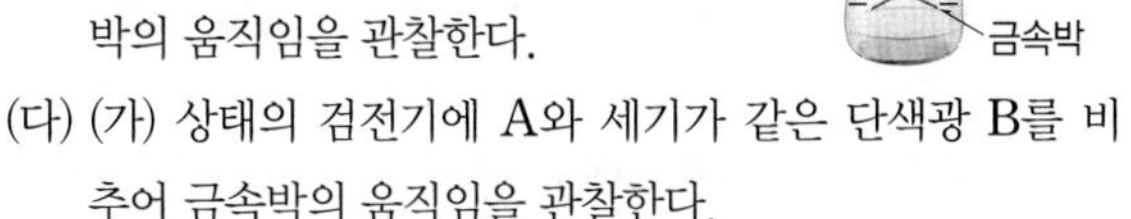

[실험 결과]

실험	(나)	(다)	(라)
금속박의 움직임	오므라든다.	변화가 없다.	㉠

이에 대한 설명으로 옳은 것만을 〈보기〉에서 있는 대로 고른 것은?

〈 보기 〉
ㄱ. (나)에서 금속판의 전자가 광전자로 방출되어 금속박이 오므라든다.
ㄴ. (라)의 실험 결과 ㉠은 '오므라든다.'이다.
ㄷ. A의 진동수는 B의 진동수보다 크다.

① ㄱ　② ㄴ　③ ㄱ, ㄷ
④ ㄴ, ㄷ　⑤ ㄱ, ㄴ, ㄷ

647 하 중 상

••서술형

광전 효과 실험에서 금속판에 특정 진동수의 빛을 오랫동안 비추어도 광전자가 방출되지 않았다. 똑같은 금속판에 더 큰 진동수의 빛을 비추자 금속판에서 광전자가 방출되었다. 광전 효과가 빛의 입자설의 증거가 되는 까닭을 빛의 파동설과 비교하여 서술하시오.

광양자설

648 하 중 상

광전 효과에 대해 아인슈타인이 해석한 내용으로 옳지 않은 것은?

① 빛은 광양자(광자)의 흐름이다.
② 빛의 세기는 광자의 수에 비례한다.
③ 광자 1개의 에너지는 진동수에 비례한다.
④ 광자의 에너지가 금속의 일함수보다 클 때 광전자가 방출될 수 있다.
⑤ 광전 효과로 방출하는 광전자의 최대 운동 에너지는 금속에 도달하는 광자의 수에 비례한다.

649 하 중 상

단색광 A의 진동수는 단색광 B의 진동수의 3배이다. A의 광자 1개가 갖는 에너지가 E_0일 때, B의 광자 6개가 갖는 에너지를 구하시오.

650 하 중 상

그림은 금속판의 표면에 단색광을 비추었을 때 방출되는 광전자의 최대 운동 에너지를 단색광의 진동수에 따라 나타낸 것이다.

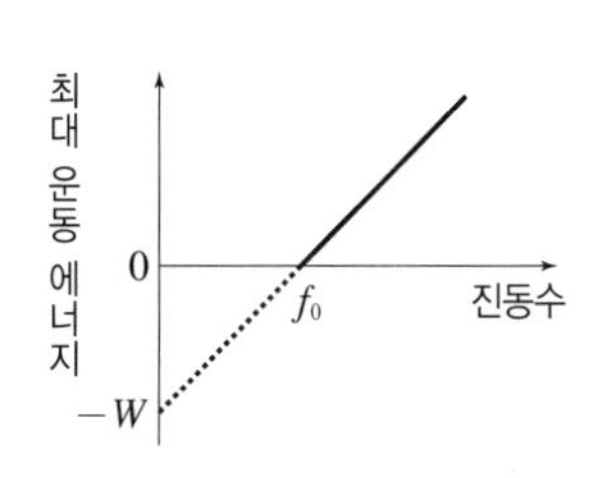

이에 대한 설명으로 옳은 것만을 〈보기〉에서 있는 대로 고른 것은?

〈 보기 〉
ㄱ. 금속판의 문턱 진동수는 f_0이다.
ㄴ. 금속판의 일함수 W는 hf_0이다.
ㄷ. 진동수가 $2f_0$인 단색광을 금속판에 비추었을 때 광전자의 최대 운동 에너지는 W이다.

① ㄱ　② ㄷ　③ ㄱ, ㄴ
④ ㄴ, ㄷ　⑤ ㄱ, ㄴ, ㄷ

651 하 중 상

그림은 금속판 P에 단색광 A, B, C를 각각 비추었을 때 광전자의 방출 여부를 나타낸 것이다. 파장은 A가 B보다 짧고, A, B를 비추었을 때 방출되는 광전자의 최대 운동 에너지는 각각 E_A, E_B이다.

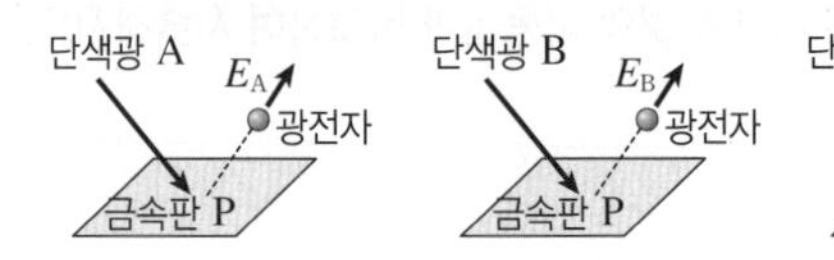

이에 대한 설명으로 옳은 것만을 〈보기〉에서 있는 대로 고른 것은?

〈 보기 〉

ㄱ. E_A는 E_B보다 크다.

ㄴ. 진동수는 C가 B보다 크다.

ㄷ. C를 오랫동안 비추면 광전자가 방출된다.

① ㄱ ② ㄷ ③ ㄱ, ㄴ ④ ㄴ, ㄷ ⑤ ㄱ, ㄴ, ㄷ

652 하 중 상 ••서술형

그림 (가), (나)는 동일한 금속판에 진동수가 $3f$, $4f$인 단색광을 각각 비추었을 때 광전자가 방출되는 모습을 나타낸 것이다. 방출되는 광전자의 최대 운동 에너지는 (나)에서가 (가)에서의 2배이다.

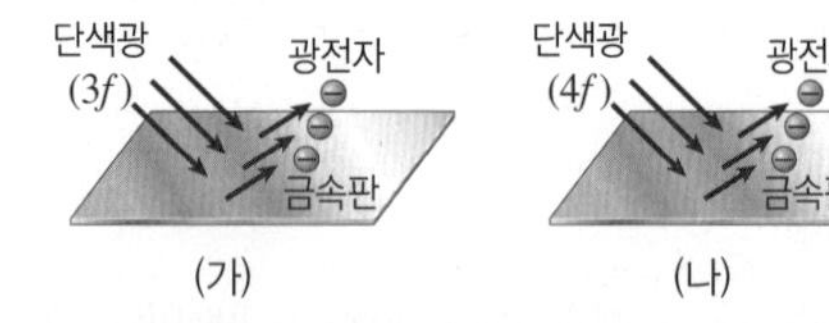

(가) (나)

이 금속판의 문턱 진동수를 풀이 과정과 함께 구하시오.

653 하 중 상

표는 금속판 X, Y에 진동수가 각각 f, $2f$인 단색광 A, B를 비추었을 때 방출되는 광전자의 최대 운동 에너지를 각각 나타낸 것이다.

빛	진동수	광전자의 최대 운동 에너지	
		금속판 X	금속판 Y
A	f	㉠	$4E_0$
B	$2f$	$7E_0$	$9E_0$

이에 대한 설명으로 옳은 것만을 〈보기〉에서 있는 대로 고른 것은?

〈 보기 〉

ㄱ. ㉠은 $2E_0$이다.

ㄴ. A와 B를 X에 함께 비추었을 때 방출되는 광전자의 최대 운동 에너지는 $9E_0$이다.

ㄷ. Y에 진동수가 $3f$인 단색광을 비추면 방출되는 광전자의 최대 운동 에너지는 $12E_0$이다.

① ㄱ ② ㄴ ③ ㄱ, ㄷ ④ ㄴ, ㄷ ⑤ ㄱ, ㄴ, ㄷ

빈출

654 하 중 상

그림은 일함수가 E_0인 금속판에 단색광을 비추어 광전자가 방출되는 모습을, 표는 금속판에 비춘 단색광 A, B, C의 세기와 방출되는 광전자의 최대 운동 에너지를 나타낸 것이다.

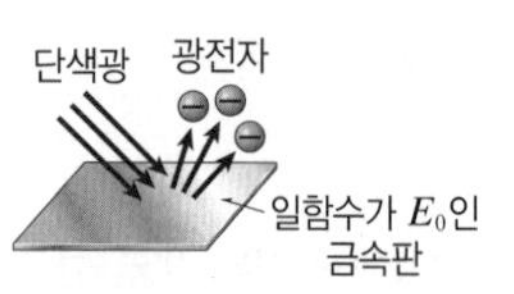

단색광	단색광의 세기	최대 운동 에너지
A	I	$3E_0$
B	$3I$	$3E_0$
C	I	E_0

이에 대한 설명으로 옳은 것만을 〈보기〉에서 있는 대로 고른 것은?

〈 보기 〉

ㄱ. 단색광의 파장은 C가 A와 B의 2배이다.

ㄴ. 단위 시간당 방출되는 광전자의 수는 B가 A보다 많다.

ㄷ. C의 세기를 $3I$로 증가시켜 금속판에 비추면 광전자의 최대 운동 에너지는 $3E_0$으로 증가한다.

① ㄱ ② ㄷ ③ ㄱ, ㄴ
④ ㄴ, ㄷ ⑤ ㄱ, ㄴ, ㄷ

655 하 중 상

그림은 광전관의 금속판에 단색광을 비추는 모습을, 표는 단색광 A, B, C를 하나씩 비추었을 때 금속판 P와 Q에서 광전자의 방출 여부를 나타낸 것이다. A를 P에 비추었을 때와 B를 Q에 비추었을 때 방출되는 광전자의 최대 운동 에너지는 서로 같다.

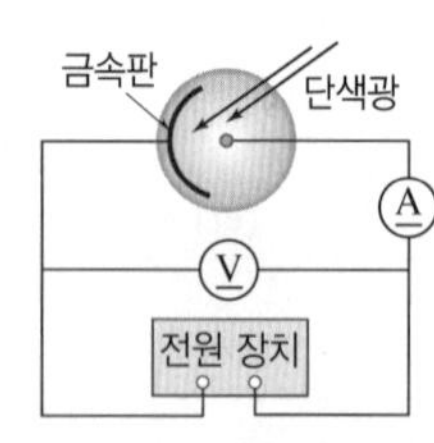

단색광	광전자 방출 여부	
	금속판 P	금속판 Q
A	○	○
B	○	○
C	×	○

(○: 방출됨, ×: 방출 안 됨)

이에 대한 설명으로 옳은 것만을 〈보기〉에서 있는 대로 고른 것은?

〈 보기 〉

ㄱ. A의 진동수는 P의 문턱 진동수보다 크다.

ㄴ. Q의 일함수는 P의 일함수보다 작다.

ㄷ. A를 Q에 비추었을 때 방출되는 광전자의 최대 운동 에너지는 B를 P에 비추었을 때보다 크다.

① ㄱ ② ㄴ ③ ㄱ, ㄷ
④ ㄴ, ㄷ ⑤ ㄱ, ㄴ, ㄷ

656 하/중/상

그림 (가)는 광전관의 금속판에 단색광을 비추는 모습을 나타낸 것이고, (나)는 단색광 A, B, C, D의 단색광의 세기와 진동수를 나타낸 것이다. 광전관의 금속판에 B를 비추었을 때는 광전자가 방출되지 않았고, C를 비추었을 때는 광전자가 방출되었다.

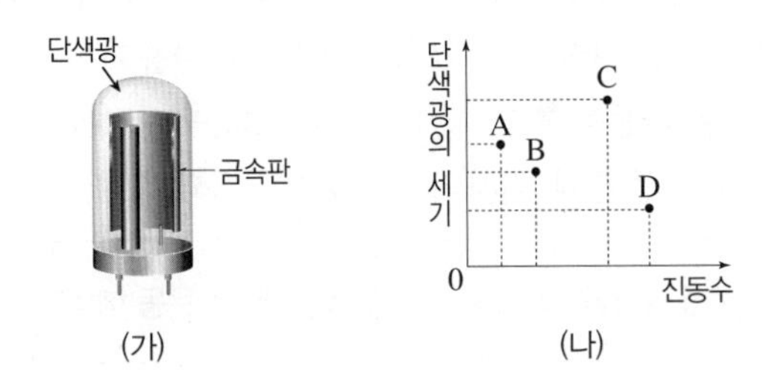

(가) (나)

이에 대한 설명으로 옳은 것만을 〈보기〉에서 있는 대로 고른 것은?

〈 보기 〉

ㄱ. 광전관의 금속판에 A를 비추면 광전자가 방출된다.

ㄴ. 방출되는 광전자의 최대 운동 에너지는 D를 비출 때가 가장 크다.

ㄷ. 1초 동안 방출되는 광전자의 수는 A와 D를 동시에 비출 때가 C만 비출 때보다 크다.

① ㄱ ② ㄴ ③ ㄱ, ㄷ
④ ㄴ, ㄷ ⑤ ㄱ, ㄴ, ㄷ

빈출

657 하/중/상

그림 (가)는 광전관의 금속판에 단색광을 비추는 모습을 나타낸 것이고, (나)는 (가)의 금속판 A와 B에 단색광을 비추었을 때 방출되는 광전자의 최대 운동 에너지를 단색광의 진동수에 따라 나타낸 것이다.

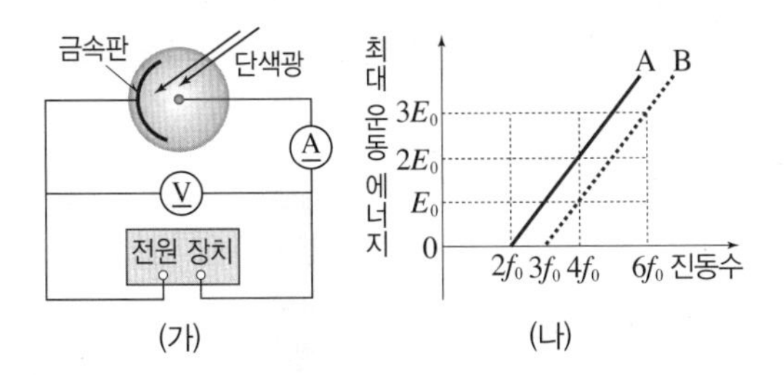

(가) (나)

이에 대한 설명으로 옳은 것만을 〈보기〉에서 있는 대로 고른 것은?

〈 보기 〉

ㄱ. (나)에서 A와 B의 기울기는 h로 같다.

ㄴ. A의 일함수는 $2E_0$이고, B의 일함수는 $3E_0$이다.

ㄷ. A에 진동수가 $6f_0$인 단색광을 비추었을 때 방출되는 전자의 최대 운동 에너지는 $3E_0$이다.

① ㄱ ② ㄷ ③ ㄱ, ㄴ
④ ㄴ, ㄷ ⑤ ㄱ, ㄴ, ㄷ

C 영상 정보의 기록

빈출

658 하/중/상

多 보기

전하 결합 소자(CCD)에 대한 설명으로 옳지 않은 것만을 모두 고르면?(2개)

① 광전 효과를 이용한다.
② 빛의 파동성을 이용한다.
③ 빛의 세기만 측정할 수 있다.
④ 전기 신호를 빛 신호로 변환한다.
⑤ 수많은 광다이오드가 규칙적으로 배열된 반도체 소자이다.
⑥ 단위 면적당 화소가 많을수록 더 선명한 사진을 찍을 수 있다.
⑦ 디지털 카메라, CCTV, 내시경 카메라, 차량용 블랙박스에 활용된다.

659 하/중/상

그림 (가)는 전하 결합 소자(CCD)를 이용한 디지털 카메라의 원리를, (나)는 전하 결합 소자(CCD)의 구조를 나타낸 것이다.

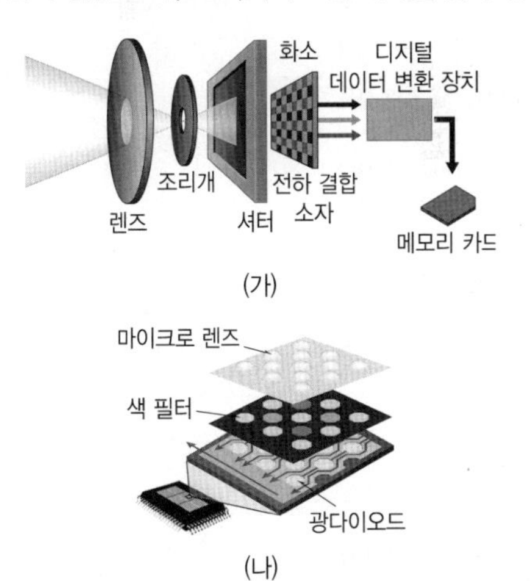

(가)
(나)

이에 대한 설명으로 옳은 것만을 〈보기〉에서 있는 대로 고른 것은?

〈 보기 〉

ㄱ. 화소의 크기가 작을수록 고화질의 세밀한 상을 얻을 수 있다.

ㄴ. 광다이오드에서 발생하는 광전자의 수는 빛의 세기에 비례한다.

ㄷ. 색 필터가 없어도 빛의 진동수에 따른 전기 신호의 차이를 이용하여 빛의 색을 구별할 수 있다.

① ㄱ ② ㄷ ③ ㄱ, ㄴ
④ ㄴ, ㄷ ⑤ ㄱ, ㄴ, ㄷ

물질의 이중성

Ⓐ 물질의 이중성

1 물질파(드브로이파) 1924년 드브로이는 파동이라고 생각했던 빛이 입자의 성질을 나타낸 것과 같이, 전자와 같은 입자도 ❶□□의 성질을 나타낼 수 있을 것이라는 가설을 제안하였다.

① 물질파: 물질 입자가 파동성을 나타낼 때 이 파동을 ❷□□□라고 한다. → 드브로이파라고도 한다.

② 물질파 파장: 질량이 m인 입자가 속력 v로 운동할 때 입자의 파장 λ는 다음과 같다.

$$\lambda=\frac{h}{mv}=\frac{h}{p}=\frac{h}{\sqrt{2mE_{\mathrm{k}}}}$$ ($h=6.6\times10^{-34}$ J·s: 플랑크 상수, p는 운동량, E_{k}는 운동 에너지)

└ $p=\sqrt{2mE_{\mathrm{k}}}$

2 물질의 ❸□□□ 물질도 빛과 마찬가지로 입자성과 파동성을 모두 가진다.

① 빛의 이중성과 같이, 물질의 이중성에서도 한 가지 현상에서 입자성과 파동성이 동시에 나타나지 않는다.

② 일상생활에서 물질파를 관측할 수 없는 까닭: 물질파 파장의 식에서 플랑크 상수 h의 값이 매우 작고, 질량이 크다. ➜ 물질파 파장이 매우 짧아 파동성을 관찰하기 어렵다.

3 물질파 확인 실험

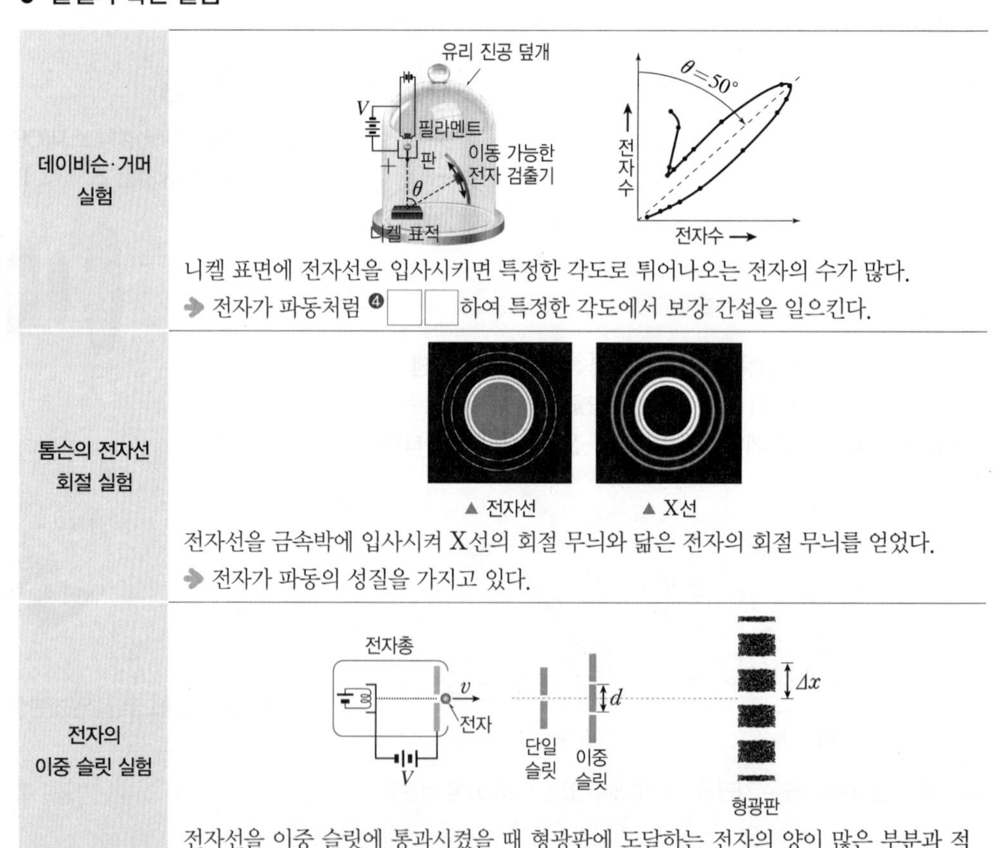

데이비슨·거머 실험	니켈 표면에 전자선을 입사시키면 특정한 각도로 튀어나오는 전자의 수가 많다. ➜ 전자가 파동처럼 ❹□□하여 특정한 각도에서 보강 간섭을 일으킨다.
톰슨의 전자선 회절 실험	전자선을 금속박에 입사시켜 X선의 회절 무늬와 닮은 전자의 회절 무늬를 얻었다. ➜ 전자가 파동의 성질을 가지고 있다.
전자의 이중 슬릿 실험	전자선을 이중 슬릿에 통과시켰을 때 형광판에 도달하는 전자의 양이 많은 부분과 적은 부분이 번갈아 나타났다. ➜ 전자가 파동의 성질을 가지고 있다.

Ⓑ 전자 현미경

1 분해능 광학 기기에서 가까이 있는 두 점을 구분하여 볼 수 있는 능력

➜ 렌즈의 크기가 같을 때 사용하는 파동의 ❺□□이 짧을수록 분해능이 우수하다.

기출 Tip Ⓐ-1

전자의 물질파 파장

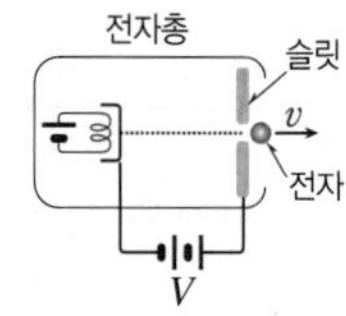

질량이 m이고, 전하량이 e인 전자를 전압 V로 가속시켰을 때 속력이 v이면, 전자가 얻는 운동 에너지는 $\frac{1}{2}mv^2=eV$이고, 전자의 운동량은 $mv=\sqrt{2meV}$이다.
➜ 전자의 물질파 파장 $\lambda=\frac{h}{\sqrt{2meV}}$

기출 Tip Ⓐ-2

야구공과 전자의 물질파 파장

- 질량이 0.14 kg인 야구공이 40 m/s의 속력으로 날아가고 있을 때 야구공의 물질파 파장은 $\frac{h}{0.14\text{ kg}\times40\text{ m/s}}=1.18\times10^{-34}$ m이다. ➜ 파동성을 관찰하기 어렵다.
- 질량이 9×10^{-31} kg인 전자의 속력이 6×10^{6} m/s일 때 전자의 물질파 파장은 $\frac{h}{(9\times10^{-31}\text{ kg})\times(6\times10^{6}\text{ m/s})}=1.22\times10^{-10}$ m이다. ➜ 파동성을 관찰할 수 있다.

기출 Tip Ⓐ-3

전자선의 운동량과 회절 무늬 사이의 간격

회절 무늬 사이의 간격 Δx는 물질파 파장에 비례한다. 전자선의 운동량이 증가할수록 물질파 파장이 짧아지므로 회절 무늬 사이의 간격도 좁아진다.

2 전자 현미경 빛 대신 전자의 ❻□□□를 이용하는 현미경이다.

① **분해능과 배율:** 전자의 물질파 파장이 가시광선보다 ❼□□ 분해능이 우수하고, 배율은 광학 현미경의 최대 배율보다 ❽□다.

② **자기렌즈:** 코일로 만든 원통형의 전자석으로, 전자가 자기장 속에서 진행 경로가 휘어지는 성질을 이용하여 전자선을 굴절시킨다.

③ **전자 현미경의 종류**

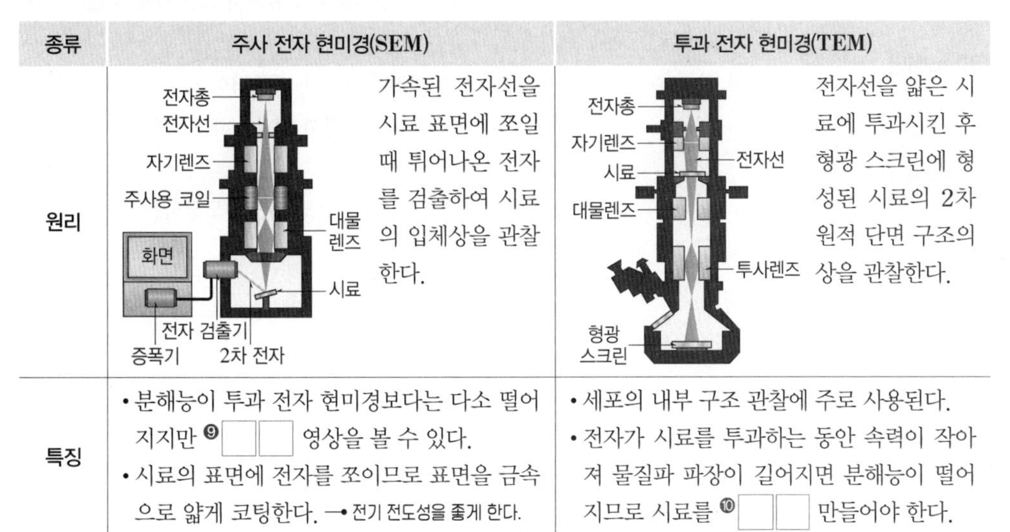

종류	주사 전자 현미경(SEM)	투과 전자 현미경(TEM)
원리	(그림: 전자총, 전자선, 자기렌즈, 주사용 코일, 대물렌즈, 화면, 시료, 전자 검출기, 증폭기, 2차 전자) 가속된 전자선을 시료 표면에 쪼일 때 튀어나온 전자를 검출하여 시료의 입체상을 관찰한다.	(그림: 전자총, 자기렌즈, 시료, 전자선, 대물렌즈, 투사렌즈, 형광 스크린) 전자선을 얇은 시료에 투과시킨 후 형광 스크린에 형성된 시료의 2차원적 단면 구조의 상을 관찰한다.
특징	• 분해능이 투과 전자 현미경보다는 다소 떨어지지만 ❾□□ 영상을 볼 수 있다. • 시료의 표면에 전자를 쪼이므로 표면을 금속으로 얇게 코팅한다. → 전기 전도성을 좋게 한다.	• 세포의 내부 구조 관찰에 주로 사용된다. • 전자가 시료를 투과하는 동안 속력이 작아져 물질파 파장이 길어지면 분해능이 떨어지므로 시료를 ❿□□ 만들어야 한다.

기출 Tip Ⓑ-2

전자선의 운동량과 전자 현미경의 분해능

전자 현미경의 분해능은 전자선의 물질파 파장이 짧을수록 좋다. 따라서 전자선의 운동량이 클수록 전자 현미경의 분해능이 좋다. → 운동량이 커지면 물질파 파장이 짧아진다.

답 ❶ 파동 ❷ 물질파 ❸ 이중성 ❹ 회절 ❺ 파장 ❻ 물질파 ❼ 짧아 ❽ 크 ❾ 입체 ❿ 얇게

빈출 자료 보기

정답과 해설 84쪽

660 그림 (가)는 금속박에 전자선을 쪼여 주었을 때 형광판에 무늬가 생기는 모습을, (나)는 (가)의 형광판에 생기는 무늬를, (다)는 (가)에서 전자선 대신 X선을 쪼여 주었을 때 생기는 무늬를 나타낸 것이다.

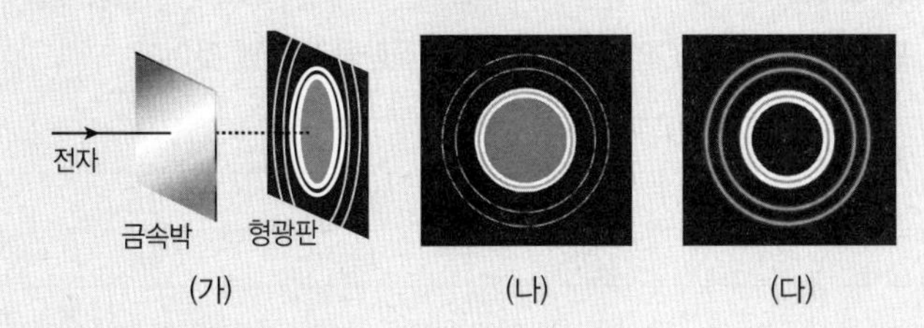

이에 대한 설명으로 옳은 것은 ○, 옳지 않은 것은 ×로 표시하시오.

(1) (가)에서 회절 현상에 의해 형광판에 무늬가 생긴다. ( )

(2) 전자선은 X선처럼 회절을 일으키지 않는다. ( )

(3) 전자의 입자성을 알 수 있다. ( )

(4) 전자의 에너지가 커지면 형광판에 생기는 무늬의 원이 작아진다. ( )

(5) 전자의 운동량이 작아지면 형광판에 생기는 무늬 사이의 간격이 좁아진다. ( )

661 그림 (가), (나)는 두 종류의 전자 현미경의 구조를 나타낸 것이다.

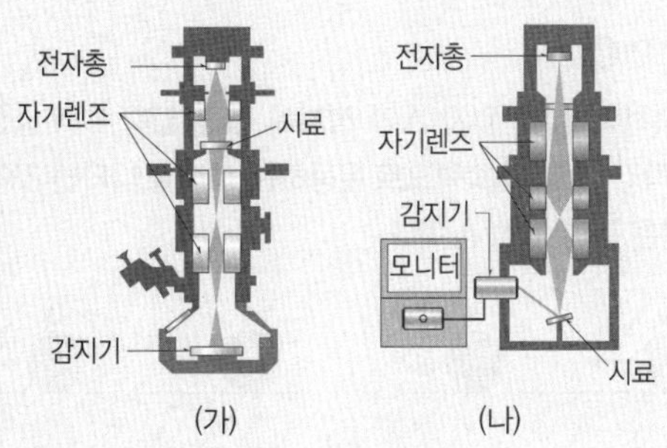

이에 대한 설명으로 옳은 것은 ○, 옳지 않은 것은 ×로 표시하시오.

(1) (가)는 투과 전자 현미경이다. ( )

(2) (가)는 시료가 두꺼울수록 뚜렷한 상을 관찰할 수 있다. ( )

(3) (나)는 전자선을 시료에 쪼일 때 시료에서 튀어나오는 전자를 측정한다. ( )

(4) (나)는 시료의 표면을 전기 전도성이 좋은 물질로 코팅을 해야 한다. ( )

(5) (가)는 시료의 입체 구조를 관찰할 수 있다. ( )

(6) (가)와 (나)는 광학 현미경보다 배율과 분해능이 좋다. ( )

상 3문항
중 7문항
하 4문항

A 물질의 이중성

물질파 파장

662 하

그림은 입자가 연직 아래로 운동하는 모습을 나타낸 것이다. 기준선 A, B를 지날 때 입자의 물질파 파장은 각각 $5\lambda_0$, $3\lambda_0$이다.
입자가 A를 지날 때 입자의 운동량이 p_0이면, 입자가 B를 지날 때 입자의 운동량은?

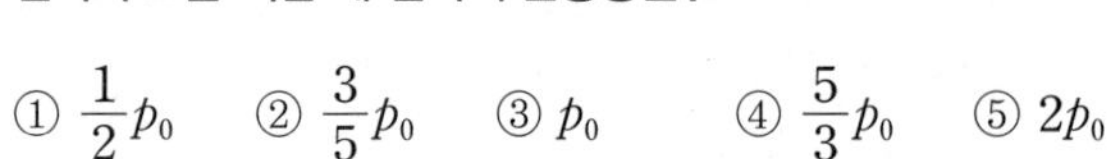

① $\frac{1}{2}p_0$ ② $\frac{3}{5}p_0$ ③ p_0 ④ $\frac{5}{3}p_0$ ⑤ $2p_0$

빈출 **663** 하

표는 입자 A와 B의 질량과 물질파 파장을 나타낸 것이다.

입자	질량	물질파 파장
A	m	6λ
B	$2m$	λ

A와 B의 속력의 비 $v_A : v_B$는?

① 1 : 1 ② 1 : 2 ③ 1 : 3 ④ 2 : 1 ⑤ 3 : 1

664 중

그림은 속력이 $2v$인 입자 A가 정지해 있던 입자 B와 충돌한 후, A, B가 각각 v, $2v$의 속력으로 운동하는 모습을 나타낸 것이다. A, B의 질량은 각각 $2m$, m이다.

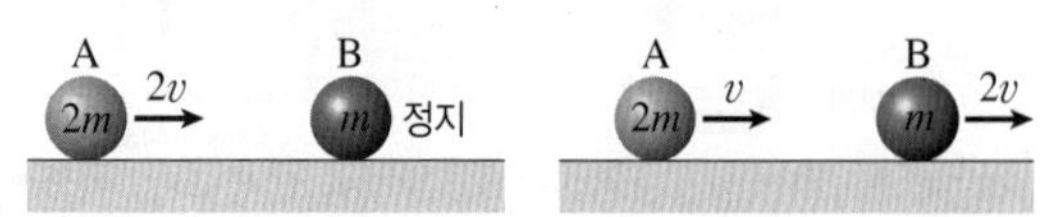

이에 대한 설명으로 옳은 것만을 〈보기〉에서 있는 대로 고른 것은?

〈 보기 〉
ㄱ. 충돌 후 물질파 파장은 B가 A의 2배이다.
ㄴ. A의 물질파 파장은 충돌 후가 충돌 전보다 길다.
ㄷ. 충돌 전 A의 물질파 파장은 충돌 후 B의 물질파 파장과 같다.

① ㄱ ② ㄴ ③ ㄱ, ㄷ ④ ㄴ, ㄷ ⑤ ㄱ, ㄴ, ㄷ

665 중

그림은 질량이 m이고, 전하량이 e인 전자를 전압 V로 가속시키는 모습을 나타낸 것이다. 전자가 양극판에 도달하는 순간 전자의 운동 에너지는 eV이고, 물질파 파장은 λ이다.

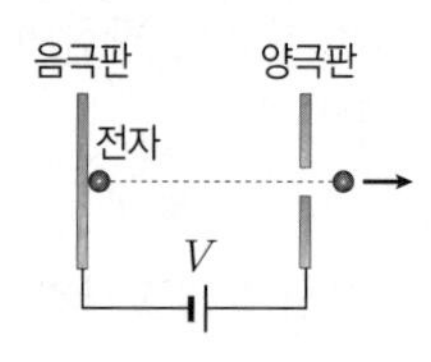

이에 대한 설명으로 옳은 것만을 〈보기〉에서 있는 대로 고른 것은?

〈 보기 〉
ㄱ. 전자의 물질파 파장은 전자의 운동량이 클수록 길다.
ㄴ. 전자가 음극판에서 양극판까지 운동하는 동안 전자의 물질파 파장은 길어진다.
ㄷ. 전압을 $4V$로 하면 전자가 양극판에 도달하는 순간의 물질파 파장은 $\frac{1}{2}\lambda$이다.

① ㄱ ② ㄷ ③ ㄱ, ㄴ
④ ㄴ, ㄷ ⑤ ㄱ, ㄴ, ㄷ

666 상 ••서술형

표는 입자 A, B, C의 운동 에너지와 질량을 나타낸 것이다.

입자	A	B	C
운동 에너지	E_0	$2E_0$	$8E_0$
질량	$2m_0$	m_0	m_0

(1) A, B, C의 운동량의 비 $p_A : p_B : p_C$를 풀이 과정과 함께 구하시오.

(2) A의 물질파 파장 λ_A를 운동 에너지와 질량, 플랑크 상수 h를 사용하여 나타내시오.

(3) A, B, C의 물질파 파장의 비 $\lambda_A : \lambda_B : \lambda_C$를 풀이 과정과 함께 구하시오.

물질의 이중성

667 하중상

그림은 전압 V로 가속된 전자가 v의 속력으로 단일 슬릿과 이중 슬릿을 통과하여 형광판에 간섭무늬를 만든 모습을 나타낸 것이다. Δx는 형광판에서 이웃한 밝은 무늬 사이의 간격이다.

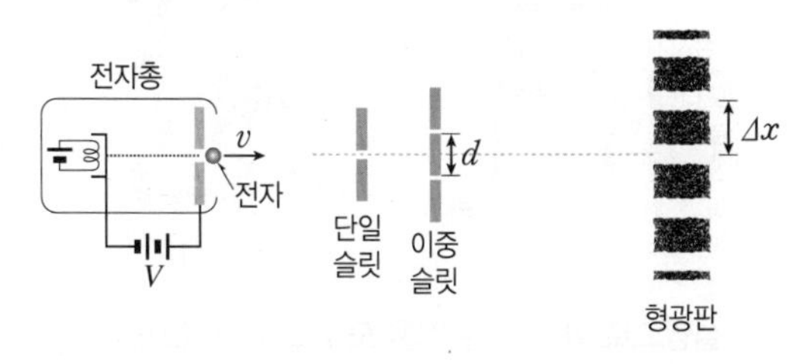

이에 대한 설명으로 옳은 것만을 <보기>에서 있는 대로 고른 것은?

〈 보기 〉
ㄱ. 전자를 가속하는 전압 V를 증가시키면 전자의 속력 v는 증가한다.
ㄴ. 전자의 속력이 증가하면 전자의 물질파 파장이 짧아진다.
ㄷ. 전자의 운동량이 감소하면 Δx는 증가한다.

① ㄱ ② ㄷ ③ ㄱ, ㄴ
④ ㄴ, ㄷ ⑤ ㄱ, ㄴ, ㄷ

668 하중상

그림 (가)는 알루미늄 박막에 전자선을 쪼여 주었을 때, (나)는 알루미늄 박막에 X선을 쪼여 주었을 때 형광 필름에 생긴 회절 무늬를 나타낸 것이다.

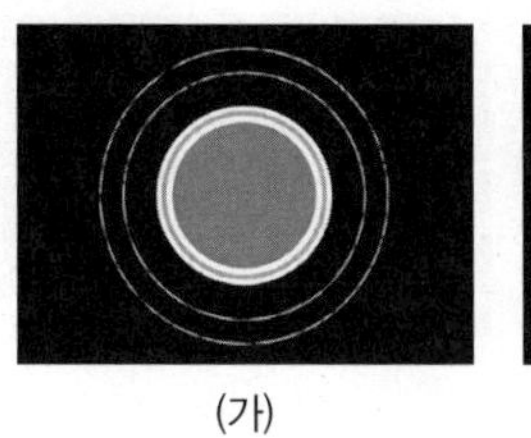
(가)

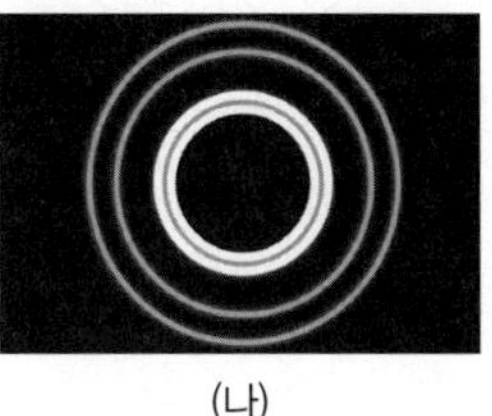
(나)

이에 대한 설명으로 옳은 것만을 <보기>에서 있는 대로 고른 것은?

〈 보기 〉
ㄱ. 전자선의 파동성을 확인할 수 있다.
ㄴ. 전자선의 물질파 파장이 짧을수록 파동성이 잘 나타난다.
ㄷ. 전자선의 속력이 빠를수록 회절 무늬 사이의 간격이 넓어진다.

① ㄱ ② ㄴ ③ ㄱ, ㄷ
④ ㄴ, ㄷ ⑤ ㄱ, ㄴ, ㄷ

669 하중상 ••서술형

같은 크기의 운동 에너지를 갖는 야구공과 전자가 운동하고 있다.

(1) 운동하고 있는 야구공과 전자의 물질파 파장의 크기를 비교하고, 그 까닭을 서술하시오.

(2) 야구공의 파동성을 관찰하기 어려운 까닭을 서술하시오.

빈출
670 하중상

그림 (가)는 전압 V로 가속된 전자선을 니켈 표면에 쏘고 검출기의 각도를 변화시키면서 니켈 표면에서 튀어나온 전자를 검출하는 실험 장치를 나타낸 것이다. 그림 (나)는 전자 검출기의 각도에 따라 튀어나온 전자의 수를 나타낸 것이다.

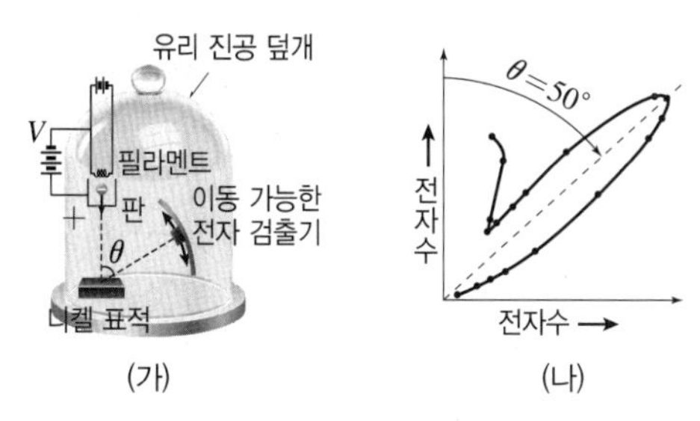

(가) (나)

이에 대한 설명으로 옳은 것만을 <보기>에서 있는 대로 고른 것은?

〈 보기 〉
ㄱ. (나)에서 전자가 특정한 각도에서 많이 검출되는 까닭은 전자가 보강 간섭을 했기 때문이다.
ㄴ. 이 실험은 전자의 입자성을 확인하기 위한 실험이다.
ㄷ. 전압 V를 높일수록 전자의 물질파 파장은 길어진다.

① ㄱ ② ㄴ ③ ㄱ, ㄷ
④ ㄴ, ㄷ ⑤ ㄱ, ㄴ, ㄷ

B 전자 현미경

빈출
671 하중상

전자 현미경에 대한 설명으로 옳은 것만을 <보기>에서 있는 대로 고른 것은?

〈 보기 〉
ㄱ. 전자선을 사용한다.
ㄴ. 유리 렌즈를 사용한다.
ㄷ. 전자의 파동적 성질을 이용한 것이다.
ㄹ. 광학 현미경보다 배율과 분해능이 높다.

① ㄱ, ㄴ ② ㄱ, ㄹ ③ ㄴ, ㄷ
④ ㄱ, ㄷ, ㄹ ⑤ ㄴ, ㄷ, ㄹ

672 하 중 상

그림은 전자 현미경의 모습을 나타낸 것이다.

이에 대한 설명으로 옳은 것만을 <보기>에서 있는 대로 고른 것은?

〈 보기 〉

ㄱ. 자기렌즈는 전자선의 경로를 바꾼다.
ㄴ. 전자선의 물질파 파장은 가시광선의 파장보다 짧다.
ㄷ. 전자 검출기는 전자선을 시료에 쪼일 때 시료에서 튀어나오는 전자를 측정한다.

① ㄱ ② ㄴ ③ ㄱ, ㄷ
④ ㄴ, ㄷ ⑤ ㄱ, ㄴ, ㄷ

673 하 중 상

그림 (가)는 인접한 두 점광원의 빛이 같은 슬릿을 지나면서 각각 회절하는 모습을, (나)는 스크린에 회절 무늬와 함께 나타난 두 점광원의 상을 나타낸 것이다. (가)에서 θ는 두 점광원의 빛이 슬릿에 입사할 때 두 빛 사이의 각이다.

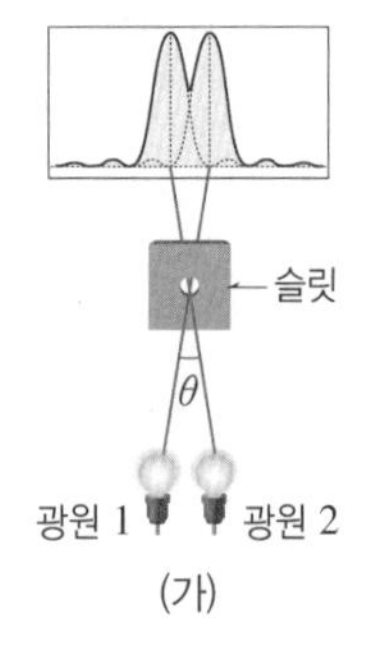

(가)

(나)

이에 대한 설명으로 옳은 것만을 <보기>에서 있는 대로 고른 것은?

〈 보기 〉

ㄱ. 현미경의 분해능은 사용하는 파동의 파장이 길수록 높다.
ㄴ. 분해능이 높으면 더 작은 θ를 갖는 상도 구분하여 관찰할 수 있다.
ㄷ. 전자 현미경에서 전자선으로 사용하는 전자의 속력이 클수록 분해능이 높다.

① ㄱ ② ㄴ ③ ㄱ, ㄷ
④ ㄴ, ㄷ ⑤ ㄱ, ㄴ, ㄷ

674 하 중 상

多 보기

그림 (가)는 주사 전자 현미경(SEM)의 구조를, (나)는 투과 전자 현미경(TEM)의 구조를 나타낸 것이다.

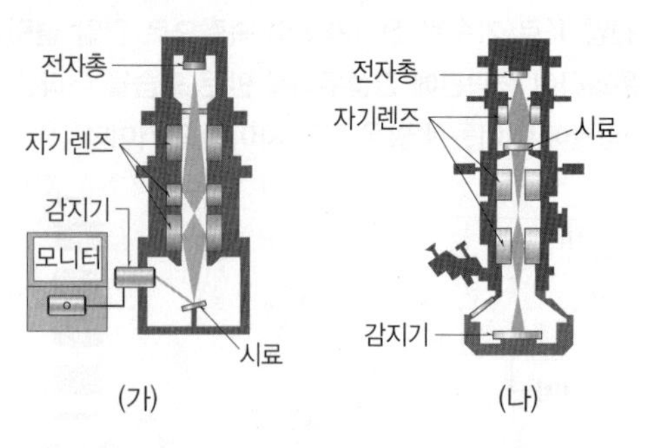

(가) (나)

이에 대한 설명으로 옳지 않은 것을 모두 고르면?(2개)

① (가)는 시료 표면의 입체 영상을 볼 수 있다.
② (가)는 시료의 표면을 금속으로 얇게 코팅해야 한다.
③ (나)는 시료의 내부 구조를 보기 어렵다.
④ (나)는 시료를 얇게 만들수록 뚜렷한 상을 볼 수 있다.
⑤ 분해능은 (나)가 (가)보다 좋다.
⑥ (가)와 (나)의 분해능을 증가시키기 위해서는 전자의 속력을 감소시켜야 한다.

675 하 중 상

그림 (가)와 (나)는 백혈구와 적혈구를 각각 광학 현미경과 전자 현미경으로 관찰한 모습을 순서 없이 나타낸 것이다. (가)와 (나)의 배율은 같다.

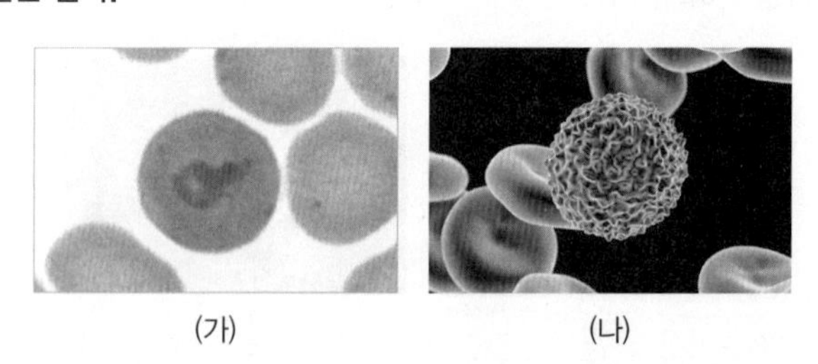

(가) (나)

이에 대한 설명으로 옳은 것만을 <보기>에서 있는 대로 고른 것은?

〈 보기 〉

ㄱ. (가)는 (나)보다 분해능이 좋다.
ㄴ. (나)는 입자의 파동적 성질을 이용하여 시료를 관찰한다.
ㄷ. (가)의 현미경은 유리로 만든 렌즈를 사용하고, (나)의 현미경은 자기렌즈를 사용한다.

① ㄱ ② ㄴ ③ ㄱ, ㄷ
④ ㄴ, ㄷ ⑤ ㄱ, ㄴ, ㄷ

최고 수준
도전 기출
(22 ~ 23강)

정답과 해설 86쪽

676

그림과 같이 대전되지 않은 금속구 A와 B가 절연된 실에 매달려 붙어있을 때, (가)와 (나)에서는 진동수가 f_1인 단색광을 비추었고, (다)에서는 진동수가 f_2인 단색광을 비추었다. (가)와 (다)에서는 두 금속구가 서로 멀어졌고, (나)에서는 변화가 없었다. 그림 (라)는 금속구 A와 B에 단색광을 비추기 전의 모습을 나타낸 것이다.

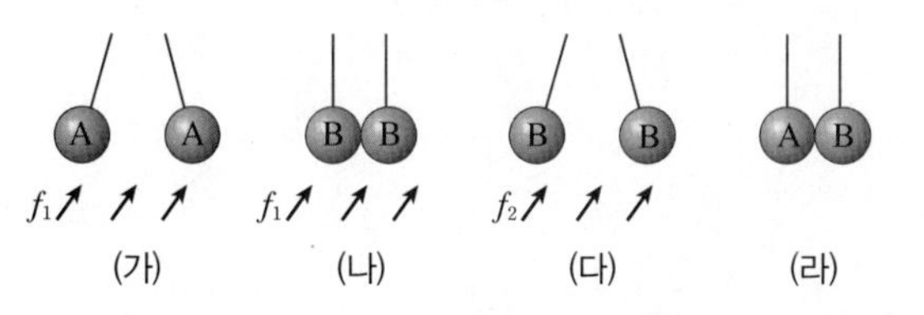

이에 대한 설명으로 옳은 것만을 〈보기〉에서 있는 대로 고른 것은? (단, 단색광의 세기는 모두 같고, h는 플랑크 상수이다.)

〈 보기 〉
ㄱ. A의 일함수는 hf_1보다 크다.
ㄴ. (가)에서 f_1인 단색광 대신 f_2인 단색광을 비추면 금속구 사이의 간격은 더 벌어진다.
ㄷ. (라)에 비춘 단색광의 진동수가 f_1일 때보다 f_2일 때 두 금속구 사이의 간격은 더 벌어진다.

① ㄱ ② ㄷ ③ ㄱ, ㄴ
④ ㄴ, ㄷ ⑤ ㄱ, ㄴ, ㄷ

677

그림 (가)와 (나)는 동일한 검전기 위에 아연판을 올려놓고 같은 전하로 대전시킨 후 아연판에 단색광 A, B를 각각 비추었을 때 금속박의 변화를 나타낸 것이다.

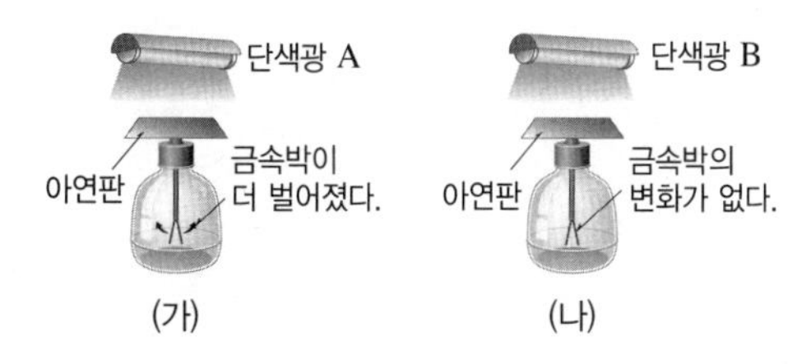

이에 대한 설명으로 옳은 것만을 〈보기〉에서 있는 대로 고른 것은?

〈 보기 〉
ㄱ. 검전기는 음(−)전하로 대전되어 있다.
ㄴ. (나)의 검전기에 B를 더 가까이 비추면 금속박이 오므라든다.
ㄷ. (나)에서 검전기에 대전된 전하의 종류를 다른 것으로 바꾸어 다시 실험해도 실험 결과는 변하지 않는다.

① ㄱ ② ㄷ ③ ㄱ, ㄴ
④ ㄴ, ㄷ ⑤ ㄱ, ㄴ, ㄷ

678

그림 (가)는 보어의 수소 원자 모형에서 양자수 n에 따른 에너지 준위의 일부와 전자가 전이할 때 방출된 빛 A, B, C를 나타낸 것이고, (나)는 (가)의 A, B, C 중 하나를 광전관의 금속판 P에 비추는 모습을 나타낸 것이다. P에 B를 비추었을 때는 광전자가 방출되었고 A를 비추었을 때는 광전자가 방출되지 않았다.

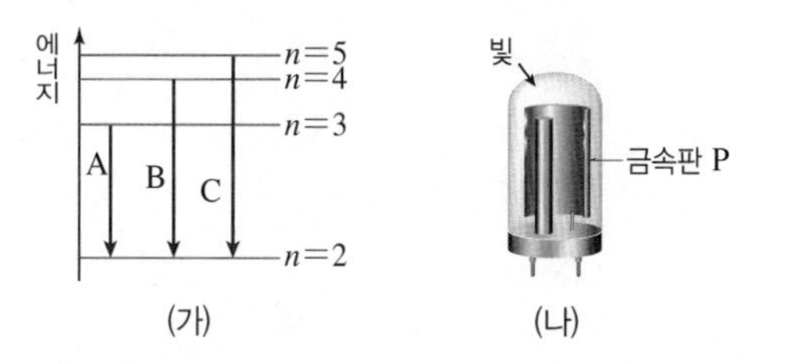

이에 대한 설명으로 옳은 것만을 〈보기〉에서 있는 대로 고른 것은?

〈 보기 〉
ㄱ. A의 세기를 증가시켜 P에 비추면 광전자가 방출된다.
ㄴ. C를 P에 비추면 광전자가 방출된다.
ㄷ. 방출되는 광전자의 최대 운동 에너지는 C를 비추었을 때가 B를 비추었을 때보다 크다.

① ㄱ ② ㄴ ③ ㄱ, ㄷ
④ ㄴ, ㄷ ⑤ ㄱ, ㄴ, ㄷ

679

문턱 진동수가 f_0인 금속판에 진동수가 f인 빛을 비추었더니 광전자가 방출되었다. 광전자의 질량은 m_0이고, 플랑크 상수는 h이다. 방출된 광전자의 물질파 파장의 최솟값을 f_0, f, m_0, h로 나타내시오.

Memo

빠른 정답 Check

01 물체의 운동

빈출 자료 보기 5쪽

1 (1) ○ (2) ○ (3) × (4) × (5) ○

난이도별 필수 기출 6~9쪽

2 ③ 3 ① 4 ③ 5 3 m/s² 6 ④ 7 ③ 8 ⑤ 9 ②, ⑤ 10 ④ 11 (1) $v_{AC}=v_C-v_A=-20-5=-25$(m/s)이므로 A가 보는 C의 속도의 크기는 25 m/s이다. (2) $v_{BA}=v_A-v_B=5-10=-5$(m/s)이므로 B가 보는 A의 속도의 크기는 5 m/s이다. 12 ② 13 ③ 14 ⑤ 15 ⑤ 16 ③ 17 ② 18 ① 19 (가) 컨베이어 벨트 (나) 스키점프, 인공위성 20 ② 21 ② 22 ⑤

02 등가속도 직선 운동

빈출 자료 보기 11쪽

23 (1) × (2) ○ (3) × (4) × (5) ○

24 (1) ○ (2) × (3) ○ (4) ○

난이도별 필수 기출 12~19쪽

25 56 m 26 (1) 10초 (2) 0.8 m/s² 27 150 m 28 ③ 29 ③ 30 ③ 31 ④ 32 ③

33

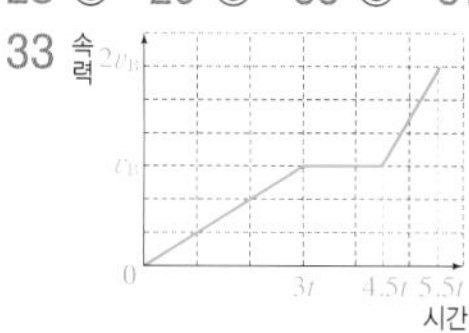

34 ② 35 ⑤ 36 (1) A가 P에서 Q까지 이동하는 데 걸린 시간은 $\frac{40\text{ m}}{20\text{ m/s}}=2$ s이고, Q에서 R까지 이동하는 데 걸린 시간은 $\frac{60\text{ m}}{10\text{ m/s}}=6$ s이다. 따라서 A가 P에서 R에 도달하는 데 걸린 시간은 2 s+6 s=8 s이다. (2) B가 P에서 Q까지 이동하는 데 걸린 시간이 $\frac{40\text{ m}}{10\text{ m/s}}=4$ s이므로 B는 Q에서 R까지 4초(=8 s−4 s)만에 도달해야 한다. 따라서 $\frac{10+v_B}{2}\times4=60$에 의해 $v_B=20$ m/s이다. (3) A는 $0=20-a_A\times6$에 의해 $a_A=\frac{10}{3}$ m/s²이고, B는 $20=10+a_B\times4$에 의해 $a_B=\frac{5}{2}$ m/s²이다. 따라서 $a_A : a_B=\frac{10}{3} : \frac{5}{2}=4 : 3$이다. 37 ④ 38 ③ 39 ③ 40 ② 41 ⑤ 42 (1) 2배 (2) 4초 (3) A: 0, B: 1 m/s² 43 ③ 44 ⑤, ⑥, ⑧

45

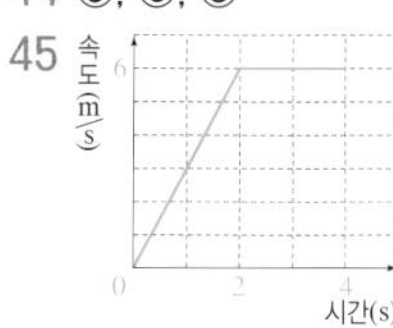

46 ② 47 ② 48 ⑤ 49 100 m/s 50 ② 51 ②, ④ 52 ③ 53 ⑤ 54 ④ 55 ⑤

56 (1) A가 지면에 닿을 때까지 걸린 시간은 $t=\sqrt{\frac{2\times20}{10}}=2$(s)이다. (2) H는 2초 동안 B의 변위이므로 $H=1\times2+\frac{1}{2}\times10\times2^2=22$(m)이다. 57 ④ 58 (1) 2 : 3 (2) 3 : 2 59 ①, ⑤ 60 ③ 61 ③ 62 ② 63 (1) 2 m/s² (2) 20 m/s (3) 10초 (4) 3.5초

03 뉴턴 운동 법칙

빈출 자료 보기 21쪽

64 (1) ○ (2) × (3) × (4) × (5) ○ (6) ×

난이도별 필수 기출 22~29쪽

65 ②, ④, ⑤ 66 ④, ⑤, ⑧ 67 ② 68 ③ 69 버스가 갑자기 출발하면 몸이 뒤로 쏠린다, 달리던 버스가 갑자기 정지하면 몸이 앞으로 쏠린다, 달리던 사람의 발이 돌부리에 걸리면 사람이 앞으로 넘어진다. 등 70 ④ 71 ⑤ 72 (1) $\frac{2}{3}$ (2) 6 m/s² 73 ③ 74 ⑤ 75 ④ 76 ① 77 ② 78 ③ 79 ⑤ 80 (1) 두 물체의 가속도는 $a=\frac{3F}{3m}=\frac{F}{m}$이므로 B에 작용하는 알짜힘의 크기는 $F_B=m\frac{F}{m}=F$이다. (2) (가)에서 B가 A를 미는 힘의 반작용은 A가 B를 미는 힘이고, 이 힘은 B에 작용하는 알짜힘이므로 F이다. (나)에서 B가 A를 미는 힘은 A에 작용하는 알짜힘이므로 $F_A=2m\frac{F}{m}=2F$이다. 따라서 B가 A를 미는 힘의 크기는 (나)에서가 (가)에서의 2배이다. 81 ② 82 ① 83 ④ 84 ④ 85 ② 86 ⑤ 87 ③ 88 ④ 89 ① 90 (1) 책이 사과를 떠받치는 힘 (2) 3 N (3) 0 91 ① 92 ③ 93 ④ 94 ① 95 ② 96 ② 97 ① 98 ④ 99 작용 반작용 관계에 있는 두 힘의 작용점은 서로 다른 물체에 있고, 힘의 평형 관계에 있는 두 힘의 작용점은 한 물체에 있다.

04 운동량과 충격량

빈출 자료 보기 31쪽

100 (1) ○ (2) × (3) ○ (4) ×

난이도별 필수 기출 32~39쪽

101 ② 102 ④ 103 ③ 104 ③ 105 6 m/s 106 오른쪽, 4 m/s 107 ① 108 ④ 109 ④ 110 ② 111 B는 충돌 전후로 정지 상태이고, 충돌 전 A의 속도는 3 m/s, 충돌 후 A의 속도는 −1 m/s, C의 속도는 2 m/s이다. A의 질량을 m_A라 하면 $3m_A=-m_A+2\times2$에서 $m_A=1$ kg이다. 112 ⑤ 113 I_A: 0.12 N·s, I_B: 0.1 N·s, I_C: 0.08 N·s 114 왼쪽으로 80 N·s 115 ③ 116 ⑤ 117 ① 118 ④ 119 8 N·s 120 ⑤ 121 ③ 122 ⑤ 123 ⑤ 124 ② 125 ① 126 ② 127 ⑥ 128 6 N 129 ⑤ 130 ④ 131 $\frac{5}{4}$배 132 ⑤ 133 ② 134 ① 135 ①, ⑥ 136 ① 137 ④ 138 ⑤ 139 (1) 같다. 충돌할 때 작용 반작용에 의해 트럭과 승용차가 받는 힘의 크기가 같고 같은 시간 동안 충돌하기 때문이다. (2) 에어백이 작동하면 충돌 시간이 길어져 탑승자가 받는 충격력이 작아지기 때문이다.

최고 수준 도전 기출 (01~04강) 40~41쪽

140 ⑤ 141 ③ 142 ⑤ 143 ④ 144 ② 145 ③ 146 ① 147 ③

05 역학적 에너지 보존

빈출 자료 보기 43쪽

148 (1) ○ (2) × (3) ○ (4) × (5) ○

난이도별 필수 기출 44~53쪽

149 ③, ⑥ 150 ②, ③, ⑤ 151 30 J 152 E_A는 $\frac{1}{2}mv^2$이고, E_B는 $\frac{1}{2}m(3v)^2=9\left(\frac{1}{2}mv^2\right)=9E_A$이므로 E_B는 E_A의 9배이다. 153 ⑤ 154 ④ 155 ② 156 ① 157 ⑤ 158 ① 159 ⑤ 160 ③ 161 ③ 162 ③ 163 ④ 164 (1) $\sqrt{2gh}$ (2) $\sqrt{gh}$ (3) $2\sqrt{\frac{gh}{3}}$ 165 ③ 166 ④ 167 ③ 168 ③ 169 (1) 250 J (2) 250 J (3) 5 m 170 ③ 171 ⑤ 172 ④ 173 ④ 174 ① 175 ④, ⑦ 176 ⑤ 177 ④ 178 ① 179 ③ 180 ②, ④ 181 5 m/s 182 ③ 183 ⑤ 184 ② 185 ② 186 ③ 187 ① 188 ② 189 ③ 190 ⑤ 191 (1) (가)에서는 아래로 내려오면서 중력 퍼텐셜 에너지는 감소하고 운동 에너지는 증가한다. (나)에서는 아래로 내려오면서 중력 퍼텐셜 에너지는 감소하지만 운동 에너지는 일정하다. (2) 역학적 에너지는 감소한다. 감소한 중력 퍼텐셜 에너지가 열에너지로 전환되기 때문이다.

06 도르래와 물체의 운동

빈출 자료 보기 55쪽

192 (1) ○ (2) ○ (3) × (4) ○ (5) × (6) ○ (7) ○

193 (1) × (2) ○ (3) ○ (4) × (5) × (6) ○ (7) ×

난이도별 필수 기출 56~59쪽

194 (1) 4 m/s² (2) 28 N (3) 42 N 195 ③ 196 ⑤ 197 (1) 200 J (2) 5 m/s 198 ① 199 ②, ⑤ 200 ③ 201 5 N 202 ㉠ 2개, ㉡ $\frac{1}{2}a$ 203 ③ 204 ③ 205 두 물체의 가

18 파동의 진행과 굴절

빈출 자료 보기 151쪽

532 (1) ○ (2) ○ (3) × (4) × (5) ○ (6) ○

난이도별 필수 기출 152~157쪽

533 ① 534 ② 535 4 m/s 536 ③ 537 ㄱ, ㄹ 538 ① 539 2 : 1 540 2 m 541 ② 542 ④ 543 ②, ③ 544 5 m 545 ⑤ 546 (1) 0.2초 (2) 20 cm/s 547 ④ 548 A, B의 굴절률을 각각 n_A, n_B라고 하면 굴절 법칙에 따라 $n_A\sin45° = n_B\sin30°$이다. 매질 A에 대한 매질 B의 상대 굴절률 $n_{AB} = \frac{n_B}{n_A}$이므로 $n_{AB} = \frac{n_B}{n_A} = \frac{\sin45°}{\sin30°} = \sqrt{2}$이다. 549 ⑤ 550 (1) $\lambda_C < \lambda_A < \lambda_B$ (2) $n_C > n_A > n_B$ 551 ③ 552 ③ 553 ㄱ, ㄷ, ㅁ 554 ⑤ 555 $\angle ABA' = i$, $\angle BA'B' = r$이므로 $\sin i = \frac{\overline{AA'}}{\overline{A'B}}$, $\sin r = \frac{\overline{BB'}}{\overline{A'B}}$이고, $\frac{\sin i}{\sin r} = \frac{\overline{AA'}}{\overline{BB'}}$이다. 이때 $\overline{AA'} = v_1t$이고, $\overline{BB'} = v_2t$이므로 $\frac{\overline{AA'}}{\overline{BB'}} = \frac{v_1}{v_2}$이다. 따라서 $\frac{\sin i}{\sin r} = \frac{\overline{AA'}}{\overline{BB'}} = \frac{v_1}{v_2}$이다. 556 ② 557 ④ 558 ①, ⑥ 559 (가)에서 매질 Ⅰ과 Ⅱ에서 파면이 경계면과 이루는 각은 각각 45°, 30°이므로 입사각과 굴절각도 각각 45°, 30°이다. 굴절 법칙에 따라 $\frac{\sin45°}{\sin30°} = \frac{v_1}{v_2} = \frac{\lambda_1}{\lambda_2}$이고, $\lambda_1 = 4$ cm이므로 $\lambda_2 = \lambda_1 \times \frac{\sin30°}{\sin45°} = \frac{4}{\sqrt{2}}$ cm이다. (나)에서 파동의 주기 T는 2초이므로 Ⅱ에서 물결파의 속력은 $\frac{\lambda_2}{T} = \frac{4}{\sqrt{2}}$ cm $\times \frac{1}{2\text{ s}} = \sqrt{2}$ cm/s이다. 560 ⑥ 561 ⑤ 562 ④ 563 ②

19 전반사

빈출 자료 보기 159쪽

564 (1) ○ (2) × (3) ○ (4) ○ (5) × (6) ○ (7) ×

난이도별 필수 기출 160~163쪽

565 ③ 566 ③ 567 $\frac{2}{3}\sqrt{3}$ 568 ② 569 ① 570 ④, ⑥ 571 ① 572 ⑤ 573 광통신, 내시경, 쌍안경 등에 이용된다. 전반사를 이용하면 빛의 세기가 약해지지 않고 빛의 진행 경로를 바꿀 수 있으며, 빛 신호를 멀리까지 전송할 수 있다. 574 ③ 575 R는 빛을 차단할 수 있는 원판의 최소 반지름이므로 원판의 끝에 도달한 빛의 입사각은 임계각과 같다. 따라서 매질의 굴절률이 n일 때 $n\sin\theta = \sin90°$이므로 $n = \frac{1}{\sin\theta} = \frac{\sqrt{d^2+R^2}}{R}$이다. 576 ② 577 A: 코어, B: 클래딩 578 ⑤ 579 ⑤, ⑥ 580 ④ 581 ② 582 ③ 583 ③

20 전자기파

빈출 자료 보기 165쪽

584 (1) × (2) ○ (3) ○ (4) × (5) ○ (6) ×

난이도별 필수 기출 166~169쪽

585 ③, ⑦ 586 ④ 587 ⑤ 588 ① 589 ① 590 가시광선 591 감마(γ)선 592 ③ 593 ⑤ 594 ② 595 ③ 596 (나) 가시광선, (가) 적외선, (다) 마이크로파 597 ④ 598 ③ 599 ② 600 ④ 601 ④ 602 식기 소독기에는 자외선이 이용된다. 자외선은 세균의 단백질 합성을 방해하여 살균 작용을 하므로 소독기에 이용할 수 있다. 603 (1) 마이크로파 (2) 125 mm

21 파동의 간섭

빈출 자료 보기 171쪽

604 (1) ○ (2) ○ (3) × (4) ○ (5) × (6) ×

난이도별 필수 기출 172~177쪽

605 ㉠ 중첩, ㉡ 독립성 606 10 cm 607 ③ 608 (1) 2 m/s (2) 2 m 609 ⑤ 610 4초 611

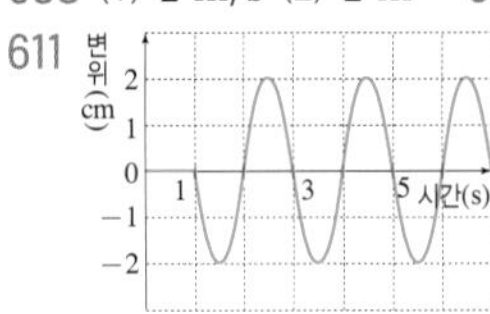

612 ③ 613 ⑤ 614 ② 615 ③ 616 ⑤ 617 ① 618 ⑤ 619 ① 620 ③ 621 ③ 622 S_1, S_2에서 위상이 같은 소리가 발생하고 B에서 두 번째로 소리가 가장 작게 들렸으므로 경로차는 반파장의 3배이다. 따라서 S_1, S_2로부터 B까지의 경로차는 $\frac{3}{2}\lambda$이다. 623 ② 624 (1) 2 m (2) 10개 625 ② 626 ② 627 ㄴ, ㄷ, ㄹ, ㅁ 628 ④ 629 소음과 위상이 반대인 파동을 발생시켜 소음과 상쇄 간섭을 하도록 한다. 630 ⑤ 631 ⑤

최고 수준 도전 기출 (18 ~ 21강) 178~179쪽

632 ④ 633 단색광이 Ⅰ에서 Ⅱ로 진행할 때 Ⅱ에서 굴절각은 30°이고, Ⅱ에서 Ⅲ으로 진행할 때 Ⅲ에서 굴절각은 60°이다. $n_1\sin60° = n_2\sin30°$이고, $n_2\sin30° = n_3\sin60°$이므로 $n_1\sin60° = n_3\sin60°$이다. 따라서 Ⅲ에 대한 Ⅰ의 굴절률은 $n_{13} = \frac{n_1}{n_3} = \frac{\sin60°}{\sin60°} = 1$이다. 634 ④ 635 ⑤ 636 ⑤ 637 ② 638 ③ 639 ①

22 빛의 이중성

빈출 자료 보기 181쪽

640 (1) × (2) ○ (3) ○ (4) ○ (5) ○ (6) × (7) ×

난이도별 필수 기출 182~185쪽

641 ②, ③, ⑤ 642 ① 643 ③ 644 ② 645 ⑤ 646 ③ 647 광전 효과 실험에서 빛의 진동수에 따라 광전자의 방출 여부가 결정되었으므로 빛을 진동수에 비례하는 에너지를 가진 입자(광자)로 설명할 수 있다. 빛의 파동설에 따르면 빛에너지는 빛의 세기에 비례하므로 빛의 진동수가 작아도 빛을 오랫동안 비추면 광전자가 방출되어야 하지만 광전자가 방출되지 않았다. 648 ⑤ 649 $2E_0$ 650 ⑤ 651 ① 652 금속판의 일함수를 W라고 하면 방출되는 광전자의 최대 운동 에너지는 (가)에서 $3hf - W$이고, (나)에서 $4hf - W$이다. 방출되는 광전자의 최대 운동 에너지는 (나)에서가 (가)에서의 2배이므로 $2 \times (3hf - W) = 4hf - W$에서 $W = 2hf$이다. 따라서 이 금속판의 문턱 진동수는 $2f$이다. 653 ① 654 ③ 655 ⑤ 656 ② 657 ③ 658 ②, ④ 659 ③

23 물질의 이중성

빈출 자료 보기 187쪽

660 (1) ○ (2) × (3) × (4) ○ (5) ×

661 (1) ○ (2) × (3) ○ (4) ○ (5) × (6) ○

난이도별 필수 기출 188~190쪽

662 ④ 663 ③ 664 ② 665 ② 666 (1) 질량이 m인 입자의 속력이 v일 때, 입자의 운동 에너지 $E_k = \frac{1}{2}mv^2$이고, 입자의 운동량 $p = mv$이므로 $p = \sqrt{2mE_k}$이다. 따라서 $p_A = \sqrt{4m_0E_0}$, $p_B = \sqrt{4m_0E_0}$, $p_C = \sqrt{16m_0E_0} = 2\sqrt{4m_0E_0}$이므로 $p_A : p_B : p_C = 1 : 1 : 2$이다. (2) $\lambda_A = \frac{h}{p_A} = \frac{h}{\sqrt{4m_0E_0}}$ (3) $p_A : p_B : p_C = 1 : 1 : 2$이고, 물질파 파장은 입자의 운동량에 반비례하므로 $\lambda_A : \lambda_B : \lambda_C = 2 : 2 : 1$이다. 667 ⑤ 668 ① 669 (1) 입자의 운동 에너지가 E일 때 물질파 파장 $\lambda = \frac{h}{p} = \frac{h}{\sqrt{2mE}}$이다. 야구공과 전자의 질량을 비교했을 때 야구공의 질량이 전자의 질량보다 크기 때문에 운동 에너지가 같을 때 야구공의 물질파 파장은 전자의 물질파 파장보다 짧다. (2) 야구공의 물질파 파장을 구하는 식에서 플랑크 상수 h의 값이 매우 작고 야구공의 질량은 크기 때문에 물질파 파장이 매우 짧아 야구공의 파동성을 관찰하기 어렵다. 670 ① 671 ④ 672 ⑤ 673 ④ 674 ③, ⑥ 675 ④

최고 수준 도전 기출 (22 ~ 23강) 191쪽

676 ② 677 ② 678 ④ 679 $\sqrt{\frac{h}{2m_0(f-f_0)}}$

367 $\frac{32}{5}f$ 368 ④ 369 ④ 370 a와 b에서 방출되는 광자 1개의 에너지는 각각 $E_2-E_1=\left(-\frac{1}{4}+1\right)E=\frac{3}{4}E$, $E_4-E_2=\left(-\frac{1}{16}+\frac{1}{4}\right)E=\frac{3}{16}E$이므로 a에서 방출되는 광자 1개의 에너지는 b에서 방출되는 광자 1개의 에너지의 4배이다.
371 ④ 372 $E_3-E_1=\frac{hc}{\lambda_1}$, $E_3-E_2=\frac{hc}{\lambda_2}$이다. 전자가 $n=2$인 상태에서 $n=1$인 상태로 전이할 때 방출하는 빛의 파장을 λ_3이라고 하면, $E_2-E_1=\frac{hc}{\lambda_3}=\frac{hc}{\lambda_1}-\frac{hc}{\lambda_2}$이므로 $\frac{1}{\lambda_3}=\frac{1}{\lambda_1}-\frac{1}{\lambda_2}$에서 $\lambda_3=\frac{\lambda_1\lambda_2}{\lambda_2-\lambda_1}$이다. 373 ① 374 ② 375 ① 376 ④ 377 ③ 378 ③ 379 ④ 380 ④ 381 ②, ⑦ 382 (1) 전자는 $n=3$인 궤도에서 $n=2$인 궤도로 전이한다. (2) 전자는 $n=5$인 궤도에서 $n=2$인 궤도로 전이한다. (3) B에 해당하는 빛의 진동수는 $E_5-E_2=(-1.44E_0)-(-9E_0)=7.56E_0=hf_B$에서 $f_B=\frac{7.56E_0}{h}$이다.
383 에너지가 가장 큰 빛의 에너지는 $E_\infty-E_1=0-(-13.6)=13.6\text{ eV}=\frac{hc}{\lambda}$이다. 에너지가 가장 큰 빛의 파장이 파장의 최솟값이므로 파장의 최솟값 $\lambda=\frac{hc}{13.6\text{ eV}}$이다.

13 에너지띠

빈출 자료 보기 109쪽

384 (1) × (2) ○ (3) × (4) ○ (5) ○ (6) × (7) ×

난이도별 필수 기출 110~113쪽

385 ①, ⑥ 386 ③ 387 ③ 388 ①, ④ 389 (1) ㉠ 전자, ㉡ 양공 (2) 띠 간격 이상의 에너지를 흡수해야 한다. 390 ④ 391 ③, ⑤, ⑥ 392 4 Ω 393 ① 394 (1) $\sigma_A>\sigma_B>\sigma_C$ (2) 물체의 전기 저항 $R=\rho\frac{l}{S}$이므로 A, B, C의 전기 저항은 각각 $R_A=\rho\frac{L}{S}$, $R_B=2\rho\frac{L}{4S}=\rho\frac{L}{2S}$, $R_C=3\rho\frac{2L}{2S}=\rho\frac{3L}{S}$이다. 따라서 전기 저항은 $R_C>R_A>R_B$이다. 395 ② 396 ①, ⑥ 397 ③ 398 ③ 399 ② 400 ②, ⑦
401 절연체는 원자가 띠와 전도띠 사이의 띠 간격이 매우 크므로 전자가 띠 간격 이상의 에너지를 얻어 전도띠로 전이하기 어렵다. 따라서 절연체에는 전류가 잘 흐르지 않는다. 402 ④

14 반도체

빈출 자료 보기 115쪽

403 (1) ○ (2) × (3) ○ (4) × (5) ○ (6) ○

난이도별 필수 기출 116~121쪽

404 ⑤ 405 ②, ③ 406 ④ 407 ② 408 고유(순수) 반도체에 원자가 전자가 5개인 원소를 첨가하면 남는 전자에 의해 전도띠 바로 아래에 새로운 에너지 준위가 생긴다. 새로운 에너지 준위에 있는 전자는 작은 에너지로도 쉽게 전도띠로 전이할 수 있어 전기 전도성이 좋아진다. 409 ③ 410 ⑤ 411 ③, ④ 412 ⑤ 413 A, B, C, D 414 ㉠ 순, ㉡ 역, ㉢ 정류 415 p-n 접합 다이오드에 순방향으로 전압을 걸면 p형 반도체의 양공과 n형 반도체의 전자가 접합면으로 이동하여 결합하고, 전원 장치에서 양공과 전자가 계속 공급되므로 회로에 전류가 흐른다. 416 ④ 417 ④ 418 ④ 419 ④, ⑥ 420 (1) 전자 (2) (−)극 (3) A>B 421 ③ 422 ③ 423 ⑤ 424 ①, ⑤ 425 ④ 426 ⑤ 427 ③ 428 원자가 띠와 전도띠 사이의 띠 간격이 더 작은 재료로 만든 LED에 전류를 흐르게 하면 방출되는 광자 1개의 에너지가 더 작아지며, 광자 1개의 에너지와 진동수는 서로 비례하므로 방출되는 빛의 진동수도 작아진다. 429 ④ 430 교류 전원 장치는 (+)극과 (−)극이 주기적으로 바뀌므로 LED에 순방향 전압과 역방향 전압이 주기적으로 반복되어 걸린다. 따라서 LED의 빨간색 빛이 깜빡거리게 된다.

최고 수준 도전 기출 (11 ~ 14강) 122~123쪽

431 ① 432 ⑤ 433 ② 434 ④ 435 ④ 436 ④ 437 ① 438 ⑤

15 전류에 의한 자기 작용

빈출 자료 보기 125쪽

439 (1) × (2) ○ (3) × (4) ○ (5) ○ (6) ×

난이도별 필수 기출 126~131쪽

440 ③, ⑤ 441 ③ 442 ② 443 ③ 444 $4B$ 445 ⑤ 446 ① 447 $B_P=k\frac{2I}{d}-k\frac{4I}{3d}=k\frac{2I}{3d}$, $B_Q=k\frac{2I}{d}+k\frac{4I}{d}=k\frac{6I}{d}$이므로 $\frac{B_Q}{B_P}=9$이다. 448 ⑤ 449 ③ 450 ② 451 ④ 452 ③ 453 ② 454 ② 455 ② 456 ④ 457 ② 458 ② 459 O에서 반지름이 $2r$인 도선에 의한 자기장의 세기는 $3B=k'\frac{I}{2r}$이다. O에서 세 원형 도선에 흐르는 전류에 의한 합성 자기장의 세기는 $k'\frac{I}{r}-k'\frac{I}{2r}+k'\frac{I}{3r}=6B-3B+2B=5B$이다. 460 ④ 461 ②, ④ 462 ④ 463 ⑤ 464 ② 465 ④ 466 ④ 467 ④

16 물질의 자성

빈출 자료 보기 133쪽

468 (1) ○ (2) × (3) ○ (4) ○ (5) × (6) ○ (7) × (8) ○

난이도별 필수 기출 134~137쪽

469 ④ 470 ② 471 ⑤, ⑥ 472 A: 반자성체, B: 강자성체, C: 상자성체 473 ④ 474 ⑤ 475 ④ 476 공통점: 외부 자기장과 같은 방향으로 자기화되며, 자석을 가까이 하면 자석과 자성체 사이에 서로 당기는 힘이 작용한다.
차이점: 강자성체가 상자성체보다 더 강하게 자기화되며, 강자성체는 외부 자기장을 제거하여도 자기화된 상태를 오래 유지하지만 상자성체는 외부 자기장을 제거하면 자기화된 상태가 사라진다.
477 물질 내부에서 하나하나의 원자는 자석 역할을 하는데, 이 원자 자석이 외부 자기장의 영향으로 일정한 방향으로 정렬될 때 정렬되는 방향과 정도가 물질마다 다르기 때문이다. 478 ④ 479 ② 480 ㉠<㉡<㉢ 481 ③ 482 ④ 483 ① 484 ① 485 ③ 486 ④

17 전자기 유도

빈출 자료 보기 139쪽

487 (1) × (2) ○ (3) × (4) ○ (5) ○ (6) ×

난이도별 필수 기출 140~147쪽

488 ㉠ 자기 선속, ㉡ 유도 489 a → R → b 490 ① 491 ③ 492 ③ 493 더 강한 자석을 사용한다, 자석을 더 빠르게 움직인다, 감은 수가 더 많은 솔레노이드를 사용한다. 494 (1) p ← q (2) $V_A<V_B$ 495 (1) 알루미늄관, 구리관 (2) 플라스틱관<알루미늄관<구리관 (3) 플라스틱관>알루미늄관>구리관 496 200 V 497 ③ 498 ③, ⑤ 499 ⑤, ⑥ 500 ② 501 ③ 502 ② 503 ④ 504 ⑤ 505 ② 506 ② 507 ⑤ 508 A, E 509 ③ 510 c>d>a=b 511 ② 512 ③ 513 ⑤ 514 ① 515 (1) 도선은 θ가 증가하는 방향으로 회전하고 있고, $\theta=45°$일 때는 도선 내부를 오른쪽 방향으로 지나는 자기 선속이 증가하므로 유도 전류에 의한 자기장은 왼쪽으로 형성되어야 한다. 따라서 도선에 흐르는 유도 전류의 방향은 p → q → r이다. (2) θ가 0°에서 90°까지는 오른쪽 방향의 자기 선속이 증가하고, 90°에서 180°까지는 오른쪽 방향의 자기 선속이 감소하므로, $\theta=90°$인 순간 자기 선속이 증가하다가 감소한다. 따라서 $\theta=90°$인 순간 도선에 흐르는 유도 전류의 방향이 바뀐다. 516 ② 517 ③ 518 ① 519 ② 520 ③ 521 ③ 522 ③ 523 소리가 진동판을 진동시키면 진동판에 부착된 코일이 함께 진동하게 된다. 이때 코일이 영구 자석 주위를 움직이면서 전자기 유도에 의해 코일에 유도 전류가 흐르게 된다. 이 유도 전류가 소리를 전기 신호로 변환한 것이다.

최고 수준 도전 기출 (15 ~ 17강) 148~149쪽

524 ② 525 ⑤ 526 ③ 527 ④ 528 ③ 529 ⑤ 530 ④ 531 ②

속도는 $a=\frac{50\text{ N}}{(3+7)\text{kg}}=5\text{ m/s}^2$이다. 실의 장력을 T라 하고 A에 대해 운동 방정식을 세워 보면, $T-20=3\times5$가 되어 $T=35$ N이다. 206 $2m$ 207 ③ 208 ④, ⑥ 209 2 kg 210 (1) 2 m/s^2 (2) 12 m (3) 8 N 211 ③

07 열역학 제1법칙

빈출 자료 보기 61쪽

212 (1) ○ (2) ○ (3) × (4) × (5) ○ (6) ○

난이도별 필수 기출 62~67쪽

213 ①, ⑥ 214 ④ 215 ③ 216 ③ 217 ③ 218 ②, ③ 219 ③ 220 ④ 221 ② 222 ①, ⑤ 223 ① 224 ④ 225 ③ 226 ③ 227 ② 228 ③ 229 ③ 230 ② 231 ①, ⑤ 232 ㄱ 233 ㄱ, ㄴ 234 ② 235 ⑤ 236 ③ 237 ④ 238 ⑤ 239 ③ 240 (1) (나)에서 피스톤을 빠르게 당기면 플라스크 내부의 기체는 단열 팽창을 하게 된다. 이때 기체는 외부에 한 일만큼 내부 에너지가 감소하므로 온도가 감소한다. (2) (나)에서는 단열 팽창에 의해 내부 에너지가 감소하고 온도가 내려가면 기체 속에 있던 수증기가 응결하여 물방울이 되기 때문에 내부가 뿌옇게 흐려진다.

08 열역학 제2법칙

빈출 자료 보기 69쪽

241 (1) ○ (2) × (3) ○ (4) ○ (5) ○ (6) ○ (7) × (8) ×

난이도별 필수 기출 70~73쪽

242 ④, ⑦ 243 ② 244 ② 245 ⑤ 246 (1) 일을 하기 위해서는 에너지가 필요한데, 에너지 공급 없이 일을 계속할 수 있는 제1종 영구 기관은 열역학 제1법칙에 위배되기 때문에 불가능하다. (2) 열은 스스로 고온에서 저온으로 흐르므로, 열효율이 100 %인 제2종 영구 기관은 열역학 제2법칙에 위배되기 때문에 불가능하다. 247 ④ 248 $\frac{1}{3}$ 249 ③ 250 (1) A의 열효율$=\frac{3Q}{12Q}=\frac{1}{4}$이므로 ㉠은 $\frac{1}{4}$이다. (2) 열효율$=\frac{㉡}{4Q}=\frac{1}{4}$이므로 B가 한 일 ㉡은 Q이다. (3) 열효율$=\frac{9Q}{㉢}=\frac{1}{4}$이므로 C가 흡수한 열 ㉢은 $36Q$이다. 251 ③ 252 ① 253 ⑤ 254 ③ 255 ④ 256 ③ 257 ② 258 ② 259

압력, $3P_0$, $2P_0$, P_0, 0, B, C, A, D, $3T_0$, $2T_0$, T_0, V_0, $2V_0$, $3V_0$, 부피

최고 수준 도전 기출 (05~08강) 74~75쪽

260 ③ 261 ④ 262 (1) $\frac{4}{5}v$ (2) $\frac{2}{25}mv^2$ (3) $\frac{9mv^2}{50L}$ 263 ④ 264 ④ 265 ③ 266 ② 267 ④

09 특수 상대성 이론

빈출 자료 보기 77쪽

268 (1) × (2) ○ (3) × (4) ○ (5) × (6) ×

난이도별 필수 기출 78~83쪽

269 상대성 원리, 광속 불변 원리 270 ④ 271 ① 272 ③ 273 ④ 274 ④, ⑥ 275 ④ 276 ④, ⑤ 277 ⑤ 278 ⑤ 279 ⑤ 280 ① 281 ⑤ 282 ①, ④ 283 ③ 284 ② 285 (1) 상대 속도가 빠를수록 길이 수축이 크게 일어나므로 우주선의 속도가 v보다 크면 관찰자가 본 x 방향에 대한 우주선의 길이는 더욱 짧아진다. (2) 길이 수축은 운동 방향과 나란한 방향으로만 일어나므로 우주선의 속도가 v보다 클 때, 관찰자가 본 y 방향에 대한 우주선의 길이는 변화가 없다. 286 ②, ③, ⑥ 287 ③ 288 ③ 289 ③ 290 ② 291 수영이가 관찰했을 때, 광원에서 발생한 빛이 진행하는 동안 A는 빛이 오는 방향으로부터 멀어지고 B는 빛이 오는 방향으로 접근하므로 수영이는 빛이 A보다 B에 먼저 도달하는 것으로 관측한다. 292 ①, ⑤ 293 ③ 294 (1) (가) 좌표계에서 관측하면 뮤온의 수명이 시간 지연에 의해 고유 수명보다 길기 때문에 뮤온이 지표면에 도달할 수 있다. (2) (나) 좌표계에서 관측하면 에베레스트 산의 높이가 길이 수축에 의해 고유 길이보다 낮아지기 때문에 뮤온이 지표면에 도달할 수 있다. 295 ④

10 질량과 에너지

빈출 자료 보기 85쪽

296 (1) × (2) ○ (3) ○ (4) ○ (5) ×

난이도별 필수 기출 86~88쪽

297 ②, ⑤ 298 ④ 299 ② 300 ② 301 ⑤ 302 ② 303 ⑤ 304 ② 305 핵분열에서 반응 전의 총질량보다 반응 후의 총질량이 줄어드는 질량 결손(Δm)이 발생하는데, 이 결손된 질량이 질량 에너지 동등성($E=\Delta mc^2$)에 의해 에너지로 발생한다. 306 ④ 307 ③ 308 ④ 309 ⑤ 310 ③ 311 (1) 핵반응 전과 후의 전하량과 질량수가 보존된다. (가)에서 반응 전의 총전하량은 2이고, 총질량수는 4이므로 ㉠의 양성자수는 2, 질량수는 4이다. (2) 핵반응 과정에서 발생하는 에너지는 질량 결손에 비례한다. 발생하는 에너지가 (나)에서가 (가)에서보다 크므로 질량 결손도 (나)에서가 (가)에서보다 크다.

최고 수준 도전 기출 (09~10강) 89쪽

312 ④ 313 ③ 314 ② 315 ③

11 원자와 전기력

빈출 자료 보기 91쪽

316 (1) ○ (2) ○ (3) × (4) ○ (5) × (6) ○

난이도별 필수 기출 92~97쪽

317 ④ 318 ③ 319 (1) (나) → (다) → (라) → (가) (2) 톰슨 원자 모형은 양(+)전하를 띤 원자의 바다에 전자가 균일하게 분포하는 것이 특징이다. 320 ⑤ 321 (1) 전자 (2) 입자는 질량을 갖는다. (3) 입자는 음(−)전하를 띤다. 322 ③ 323 ① 324 ②, ⑦ 325 ①, ④ 326 ② 327 $4F$ 328 $k\frac{3Q^2}{r^2}$ 329 ⑤ 330 ③ 331 $x=0$에서 전기장의 세기가 0이므로, $x=0$에 $+1$ C의 전하를 놓을 경우 A와 B로부터 받는 전기력의 크기는 같고 방향은 서로 반대이다. 즉, 쿨롱 법칙에 따라 $k\frac{q_1}{(2d)^2}=k\frac{q_2}{d^2}$이므로 $\frac{q_1}{q_2}=4$이다. 332 ① 333 ④ 334 ④ 335 오른쪽 방향을 (+)라고 하면 A와 B가 C에 작용하는 전기력은 $k\frac{8Q^2}{9d^2}-k\frac{4Q^2}{4d^2}=-k\frac{Q^2}{9d^2}$이므로 $F=k\frac{Q^2}{9d^2}$이다. A와 C가 B에 작용하는 전기력은 $-k\frac{2Q^2}{d^2}+k\frac{4Q^2}{4d^2}=-k\frac{Q^2}{d^2}$이므로, 전기력의 크기는 $k\frac{Q^2}{d^2}=9F$이다. 336 ① 337 ④ 338 ③ 339 ④ 340 ③ 341 ③ 342 ② 343 ③ 344 ② 345 ④ 346 ③ 347 ④ 348 $k\frac{Ze^2}{r^2}$

12 원자의 스펙트럼

빈출 자료 보기 99쪽

349 (1) × (2) × (3) ○ (4) ○ (5) × (6) ○ (7) ×

난이도별 필수 기출 100~107쪽

350 ④ 351 ⑤ 352 ⑤ 353 (1) 원자의 안정성과 기체의 선 스펙트럼을 설명할 수 없다. (2) 원자 속의 전자는 특정한 궤도에만 존재할 수 있으며, 각각의 궤도에서 원운동을 할 때 빛을 방출하지 않고 안정한 상태로 존재할 수 있다. 전자가 궤도 사이를 전이할 때, 두 궤도의 에너지 차에 해당하는 에너지를 빛의 형태로 흡수 또는 방출한다. 354 ③ 355 ① 356 ⑤ 357 ② 358 ③ 359 ④, ⑥ 360 ② 361 ③ 362 ① 363 ③ 364 ④ 365 ④ 366 $E_4-E_2=hf_a$, $E_3-E_2=hf_c$이고 $E_n=-\frac{E_1}{n^2}$이므로 $hf_a=-E_1\times\left(\frac{1}{4^2}-\frac{1}{2^2}\right)=\frac{3}{16}E_1$, $hf_c=-E_1\times\left(\frac{1}{3^2}-\frac{1}{2^2}\right)=\frac{5}{36}E_1$에서 $f_c=\frac{20}{27}f_a$이다.

기출PICK

15개정 교육과정

정답과 해설

물리학Ⅰ 679제

책 속의 가접 별책 (특허 제 0557442호)

'정답과해설'은 본책에서 쉽게 분리할 수 있도록 제작되었으므로 유통 과정에서 분리될 수 있으나 파본이 아닌 정상제품입니다.

visang

우리는 남다른 상상과 혁신으로
교육 문화의 새로운 전형을 만들어
모든 이의 행복한 경험과 성장에 기여한다

완자

기출 PICK

정답과 해설

물리학 I

정답과 해설

물체의 운동

빈출 자료 보기 5쪽

1 (1) ○ (2) ○ (3) × (4) × (5) ○

1 (1) 0초일 때 위치가 4 m이고, 4초일 때 위치가 8 m이므로 0초부터 4초까지 변위=나중 위치−처음 위치=8 m−4 m=4 m이다.
(2) 0초부터 2초까지 이동 거리는 8 m(=12 m−4 m)이고, 2초부터 4초까지 이동 거리는 4 m(=12 m−8 m)이고, 4초부터 6초까지 이동 거리는 4 m(=12 m−8 m)이다. 따라서 0초부터 6초까지 이동 거리=8 m+4 m+4 m=16 m이다.
(5) 직선 운동을 하는 물체의 위치가 2초일 때 증가에서 감소로 바뀌었으므로 2초일 때 물체의 운동 방향이 바뀐 것이다.
바로알기 | (3) 0초부터 4초까지 이동 거리가 12 m이므로 0초부터 4초까지 평균 속력$=\dfrac{12\text{ m}}{4\text{ s}}=3\text{ m/s}$이다.
(4) 0초부터 6초까지 변위의 크기가 8 m(=12 m−4 m)이다. 따라서 0초부터 6초까지 평균 속도의 크기$=\dfrac{\text{변위의 크기}}{\text{걸린 시간}}=\dfrac{8}{6}=\dfrac{4}{3}(\text{m/s})$이다.

난이도별 필수 기출 6~9쪽

2 ③	3 ①	4 ③	5 3 m/s²	6 ④	7 ③
8 ⑤	9 ②, ⑤	10 ④	11 해설 참조		12 ②
13 ③	14 ⑤	15 ⑤	16 ③	17 ②	18 ①
19 (가) 컨베이어 벨트 (나) 스키점프, 인공위성				20 ②	21 ②
22 ⑤					

2 ① 물체의 변위는 출발점에서 도착점까지의 직선 거리와 방향을 나타내는 물리량이다.
② 속력은 단위 시간 동안의 이동 거리, 속도는 단위 시간 동안의 변위로 속력과 속도의 단위는 m/s로 같다.
④ 속도는 단위 시간 동안의 변위이므로 물체의 빠르기와 운동 방향을 함께 나타낸다.
⑤ 물체의 운동 방향이 변하지 않으면 속력과 속도의 크기는 항상 같은 값이다.
바로알기 | ③ 속도는 $\dfrac{\text{변위}}{\text{걸린 시간}}$이므로 변위를 이동하는 데 걸린 시간으로 나누어 구한다.

3 ② 철수가 곡선 경로를 따라 움직였으므로 운동 방향이 변한 것이다. 만약 운동 방향이 변하지 않았다면 직선 경로를 움직이게 된다.
③ 빠르기는 일정하지만 운동 방향이 변하였으므로 철수의 속도는 일정하지 않다.
④ 변위의 크기는 P와 Q를 이은 직선 거리이므로, 이동 거리는 변위의 크기보다 크다.
⑤ 철수가 곡선 경로를 운동하므로 변위의 크기가 이동 거리보다 작다. 따라서 철수의 평균 속도의 크기는 평균 속력보다 작다.
바로알기 | ① 가속도는 단위 시간 동안의 속도 변화량이다. 속도는 빠르기와 운동 방향을 함께 나타내는 물리량이므로 빠르기나 운동 방향이 변해도 가속도 운동이고, 빠르기와 운동 방향이 동시에 변해도 가속도 운동이다. 철수의 운동 방향이 변하므로 철수의 가속도는 0이 아니다.

4 10초 동안 물체의 이동 거리는 50 m이고, 변위는 오른쪽으로 10 m이므로 변위의 크기는 10 m이다. 따라서 평균 속력은 $\dfrac{50\text{ m}}{10\text{ s}}=5\text{ m/s}$이고, 평균 속도의 크기는 $\dfrac{10\text{ m}}{10\text{ s}}=1\text{ m/s}$이다.

5 가속도는 단위 시간 동안의 속도 변화량이므로 속도 변화량을 걸린 시간으로 나누어 구한다. 직선 운동에서 한쪽 방향을 (+)로 정하면 반대 방향은 (−)가 된다. 처음 속도와 나중 속도 모두 (+)값이므로 운동 방향이 변하지 않았음을 알 수 있다.
가속도$=\dfrac{\text{속도 변화량}}{\text{걸린 시간}}=\dfrac{\text{나중 속도}-\text{처음 속도}}{\text{걸린 시간}}=\dfrac{15-3}{4}=3(\text{m/s}^2)$이므로 가속도의 크기는 3 m/s^2이다.

6 ㄴ. 20초 동안 변위가 동쪽으로 50 m이므로 평균 속도의 크기$=\dfrac{\text{변위의 크기}}{\text{걸린 시간}}=\dfrac{50}{20}=2.5(\text{m/s})$이다.
ㄹ. 동쪽으로 달리던 마라톤 선수가 도중에 서쪽으로 방향을 바꾸었으므로 속도의 방향은 한 번 바뀌었다.
바로알기 | ㄱ. 변위의 크기는 50 m이고, 이동 거리가 150 m이다.
ㄷ. 이동 거리와 변위의 크기가 다르므로 평균 속력과 평균 속도의 크기는 다르다.

7 ㄱ. A에서 B까지 영수는 곡선 경로로 운동하였고, 스케이트보드는 직선 경로로 운동하였으므로 이동 거리는 영수가 스케이트보드보다 크다.
ㄴ. 영수와 스케이트보드 모두 A에서 출발하여 B에 도착하였으므로 변위의 크기가 같다. 따라서 평균 속도의 크기는 같다.
바로알기 | ㄷ. 영수는 빠르기와 운동 방향이 변하는 운동을 하였으므로 속도가 일정한 운동을 한 것이 아니다.

8

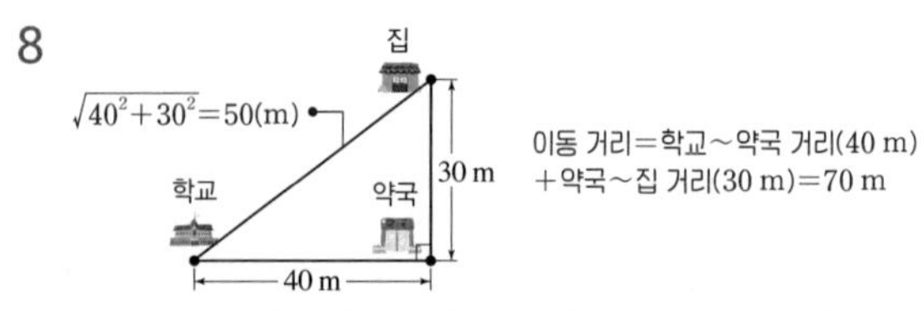

ㄱ. 이동 거리는 이동한 경로의 총 길이이므로 70 m이다.
ㄴ. 변위의 크기는 학교에서 집까지의 직선 거리인 50 m이다.
ㄹ. 평균 속도의 크기는 $\dfrac{50\text{ m}}{100\text{ s}}=0.5\text{ m/s}$이다.
바로알기 | ㄷ. 평균 속력은 $\dfrac{70\text{ m}}{100\text{ s}}=0.7\text{ m/s}$이다.

9 ② 가속도는 단위 시간 동안의 속도 변화량이므로 속도가 일정하면 속도 변화량이 0이다. 따라서 가속도는 0이다.
⑤ 속도의 방향과 가속도의 방향이 같으면 속도의 크기가 증가하고, 속도의 방향과 가속도의 방향이 반대이면 속도의 크기가 감소한다.
바로알기 | ① 가속도는 단위 시간 동안 물체의 속도 변화량이다.

③ 속도의 방향은 물체의 운동 방향과 같고 가속도의 방향은 물체가 받는 알짜힘의 방향과 같다. 가속도의 방향은 속도의 방향과 관계없이 물체가 받는 알짜힘의 방향에 따라 결정된다.
④ 속도의 크기가 증가하는 경우는 속도의 방향과 가속도의 방향이 같은 경우이다. 가속도의 크기가 일정하거나 감소하더라도 속도의 방향과 가속도의 방향이 같으면 속도의 크기가 증가한다.
⑥ 물체의 빠르기와 운동 방향을 함께 표시하는 물리량은 속도이다.

10 동쪽을 (+)방향으로 정하면 서쪽은 (−)방향이 된다. 0초부터 5초까지 자동차의 평균 가속도$=\frac{\text{속도 변화량}}{\text{걸린 시간}}=\frac{\text{나중 속도}-\text{처음 속도}}{\text{걸린 시간}}$ $=\frac{-5\text{ m/s}-20\text{ m/s}}{5\text{ s}}=-5\text{ m/s}^2$이다. 따라서 0초부터 5초까지 자동차의 평균 가속도의 크기는 5 m/s^2이고, 방향은 서쪽이다.

11 관찰자 A를 기준으로 한 물체 B의 상대 속도 v_{AB}는 $v_{AB}=v_B+(-v_A)=v_B-v_A$로 구할 수 있다.

모범 답안 (1) $v_{AC}=v_C-v_A=-20-5=-25$(m/s)이므로 A가 보는 C의 속도의 크기는 25 m/s이다.
(2) $v_{BA}=v_A-v_B=5-10=-5$(m/s)이므로 B가 보는 A의 속도의 크기는 5 m/s이다.

개념 보충
- **상대 속도** : 관찰자를 기준으로 한 물체의 속도이다.
- 움직이는 관찰자(A)가 물체(B)를 보면 상대 속도(v_{AB})는 물체의 속도(v_B)에 관찰자의 속도(v_A)가 반대 방향으로 더해져 보인다. ➡ $v_{AB}=v_B-v_A$

12 ㄴ. 이동 거리는 A가 B의 2배이고, 걸린 시간도 A가 B의 2배이므로 평균 속력은 A와 B가 같다.
바로알기 | ㄱ. 원둘레의 길이는 $2\pi r$이므로 반지름 r가 2배이면 원둘레의 길이도 2배이다. 반지름이 A가 B의 2배이므로 이동 거리도 A가 B의 2배이다.
ㄷ. A, B가 각각 한 바퀴씩 돌았으므로 변위는 A, B 모두 0이다. 따라서 평균 속도의 크기는 A와 B가 모두 0이다.

13

시간(s)	0	0.1	0.2	0.3	⋯	t_1	⋯	t_2
속도 (m/s)	0	0.98	1.96	2.94	⋯	5.88	⋯	8.82

속도 변화량 0.98 0.98 0.98 … 2.94 ← t_1~t_2 동안의 속도 변화량

ㄱ. 속도가 (+)값으로 크기가 계속 증가하고 있으므로 가속도의 방향은 운동 방향과 같은 경우이고 가속도의 방향도 (+)방향이다.
ㄷ. 0.1초마다 속도의 크기가 0.98 m/s(=0.98−0=1.96−0.98=2.94−1.96=⋯)씩 증가하고 있다. t_1~t_2 동안 속도 변화량이 2.94 m/s(=8.82−5.88)이고 2.94는 0.98의 3배이므로 t_2-t_1=0.3초이다.
바로알기 | ㄴ. 0.1초마다 속도의 크기가 0.98 m/s씩 증가하므로 가속도의 크기$=\frac{\text{속도 변화량의 크기}}{\text{걸린 시간}}=\frac{0.98\text{ m/s}}{0.1\text{ s}}=9.8\text{ m/s}^2$이다.

14 ㄷ. 1초일 때는 위치가 증가하고 있고, 5초일 때는 위치가 감소하고 있으므로 1초일 때와 5초일 때의 운동 방향은 서로 반대이다.
ㄹ. 4초부터 6초까지 변위가 −18 m(=−6−12)이므로 물체의 평균 속도는 $\frac{-18\text{ m}}{2\text{ s}}=-9$ m/s이다. 따라서 평균 속도의 크기는 9 m/s이다.

바로알기 | ㄱ. 0초부터 2초까지 변위는 12 m이다. 0초부터 2초까지 한쪽 방향으로만 운동하였으므로 이동 거리도 12 m이다. 따라서 0초부터 2초까지 물체의 속력은 $\frac{12\text{ m}}{2\text{ s}}=6$ m/s이다.
ㄴ. 0초일 때 위치는 0, 6초일 때 위치는 −6 m이므로 0초부터 6초까지 물체의 변위는 −6 m이다. 따라서 평균 속도는 $\frac{-6\text{ m}}{6\text{ s}}=$ −1 m/s이고 평균 속도의 크기는 1 m/s이다.

15 ㄱ. 0초일 때 위치는 0, 6초일 때 위치는 6 m이므로 0초부터 6초까지 물체의 변위는 6 m이다.
ㄴ. 0초부터 6초까지 변위가 6 m이므로 평균 속도는 $\frac{6\text{ m}}{6\text{ s}}=1$ m/s이다.
ㄷ. 0초부터 4초까지 위치가 증가하다가 4초부터 위치가 감소한다. 따라서 4초일 때 운동 방향이 한 번 바뀐다.

16 ① 위치−시간 그래프의 각 점에서 접선의 기울기가 순간 속도이고, 순간 속도의 크기는 순간 속력이다. 0초부터 5초까지 접선의 기울기가 점점 작아지므로 A의 순간 속력은 점점 느려진다.
② 0초부터 10초까지 A의 이동 거리는 50 m이고, 변위는 10 m이다. 따라서 0초부터 10초까지 A의 평균 속력은 $\frac{50\text{ m}}{10\text{ s}}=5$ m/s이고, 평균 속도의 크기는 $\frac{10\text{ m}}{10\text{ s}}=1$ m/s이므로 평균 속력이 평균 속도의 크기보다 크다.
④ 5초일 때와 10초일 때 A의 운동 방향이 바뀌므로 운동 방향은 총 두 번 바뀐다.
⑤ 0초부터 15초까지 B의 위치가 일정하므로 B는 정지해 있다.
바로알기 | ③ 0초부터 10초까지 A의 변위의 크기는 10 m이고, B의 변위의 크기는 0이다.

17 위치 − 시간 그래프의 각 점에서 접선의 기울기는 순간 속도이고, 순간 속도의 크기는 순간 속력과 같다.

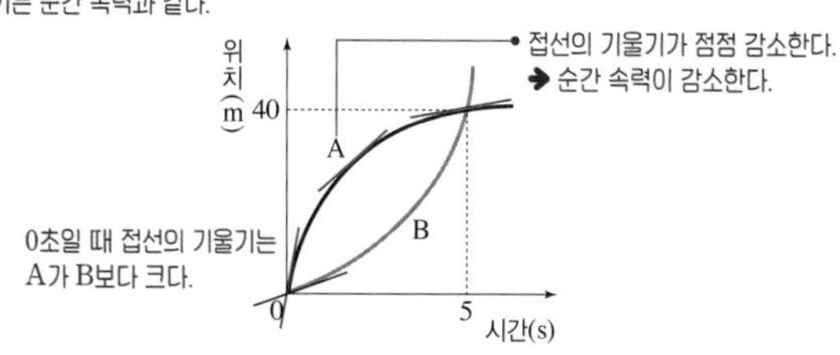
위치(m)
40
A
B
0
5
시간(s)
접선의 기울기가 점점 감소한다.
➡ 순간 속력이 감소한다.
0초일 때 접선의 기울기는 A가 B보다 크다.

ㄷ. 0초부터 5초까지 A와 B의 이동 거리가 똑같이 40 m이므로 평균 속력은 $\frac{40\text{ m}}{5\text{ s}}=8$ m/s로 같다.
바로알기 | ㄱ. 0초일 때 각 그래프의 접선의 기울기를 비교해 보면 A가 B보다 크다. 따라서 0초일 때 순간 속력은 A가 B보다 크다.
ㄴ. A의 접선의 기울기가 점점 작아지고 있으므로 순간 속력은 점점 느려진다.

18 ㄱ. 회전하는 대관람차는 속력이 일정하고 운동 방향이 변하는 운동을 한다.
바로알기 | ㄴ. 운행 중인 에스컬레이터는 속력과 운동 방향이 일정한 운동을 한다.
ㄷ. 연직 아래로 낙하하는 다이빙 선수의 속력은 빨라지고 운동 방향은 변하지 않는다.

19 속도는 빠르기와 방향을 포함하는 물리량이므로 빠르기나 운동 방향이 변하면 속도가 변하는 운동이다.

• 마찰이 없는 경사면을 따라 내려오는 스키점프는 운동 방향은 변하지 않아도 속력이 빨라지므로 속도가 변하는 운동이다.

• 지구 주위를 공전하는 인공위성은 운동 방향이 변하므로 속도가 변하는 운동이다.

• 직선 레일을 따라 물건을 이동시키는 컨베이어 벨트는 빠르기가 일정하고 운동 방향도 변하지 않으므로 속도가 일정한 운동이다.

20

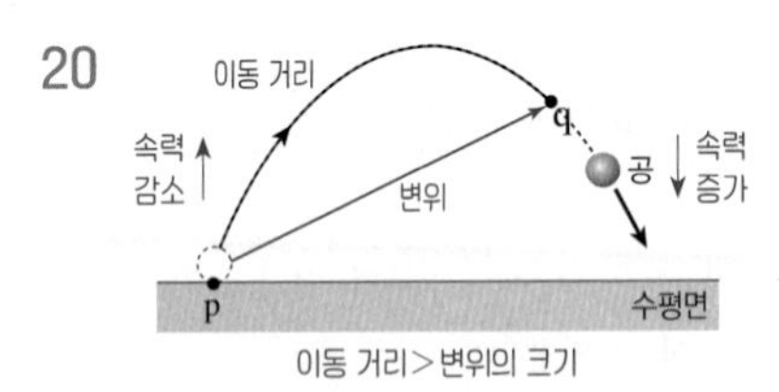

이동 거리>변위의 크기

ㄴ. 공이 곡선 경로를 따라 운동하므로 운동 방향이 변하는 운동이다.

바로알기 | ㄱ. 공의 속력은 위로 올라가는 동안 감소하고 아래로 내려오는 동안 증가하므로 속력이 변한다.

ㄷ. 곡선 경로를 운동하는 물체의 변위의 크기는 이동 거리보다 작다.

개념 보충

비스듬히 던져 올린 공의 운동

• 지표면 근처에서 비스듬히 위로 던져 올린 물체가 운동하는 경로가 포물선이므로 포물선 운동이라고 한다.

• 포물선 운동의 속도를 수평 방향과 연직 방향으로 분해하였을 때, 연직 방향의 속도의 크기는 올라가면서 감소하여 최고점에서 0이 된 후 내려오면서 증가하고, 수평 방향의 속도는 일정하다.

21

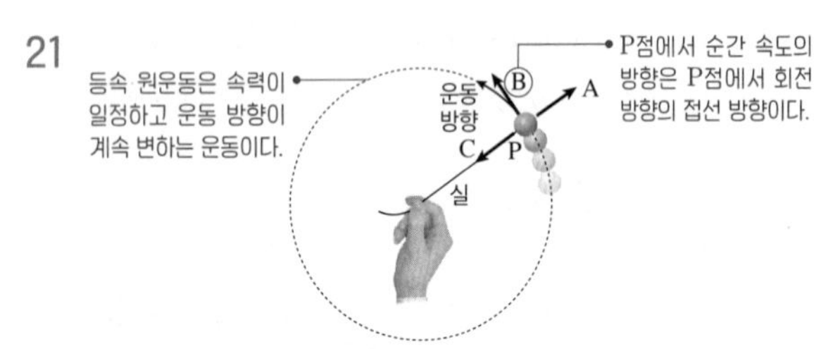

ㄴ. 물체의 운동 방향이 변하지 않으면 물체는 직선 운동을 한다. 따라서 물체의 운동 경로가 곡선이면 물체의 운동 방향은 계속 변한다.

바로알기 | ㄱ. 물체의 운동 방향이 계속 변하므로 속도가 일정하지 않다.

ㄷ. 실이 끊어지면 물체는 그 지점에서 순간 속도의 방향(접선 방향)으로 날아간다. P점에서 물체의 접선 방향은 B이므로 실이 끊어지면 물체는 B 방향으로 날아간다.

22 ㄴ. 회전목마는 운동 방향이 변하고 속력이 일정한 운동을 한다. 리프트의 경우 직선 경로를 갈 때는 운동 방향과 속력이 일정한 운동을 하고, 곡선 경로를 갈 때는 운동 방향이 변하고 속력이 일정한 운동을 한다.

ㄷ. 자이로드롭은 연직 아래로 낙하하므로 운동 방향이 일정하고 속력이 변하는 운동을 한다.

ㄹ. 바이킹은 속력과 운동 방향이 계속 변하는 운동을 한다.

바로알기 | ㄱ. 회전목마는 등속 원운동을 하므로 속력이 일정하고 운동 방향이 변하는 운동을 한다.

02 등가속도 직선 운동

빈출 자료 보기 11쪽

23 (1) × (2) ○ (3) × (4) × (5) ○

24 (1) ○ (2) × (3) ○ (4) ○

23 (2) 속도-시간 그래프와 시간축 사이의 넓이는 변위이고 같은 방향으로 이동한 경우 변위의 크기는 이동 거리와 같다. 0초부터 5초까지는 (+)방향으로 이동하였고, 5초부터 10초까지는 (−)방향으로 이동하였다. 0초일 때와 10초일 때 물체의 위치가 같다고 하였으므로 0초부터 5초까지 이동한 거리와 5초부터 10초까지 이동한 거리가 같다. 5초부터 10초까지 이동한 거리가 32 m이므로 0초부터 5초까지 물체가 이동한 거리도 32 m이다.

(5) 5초를 전후하여 속도의 부호가 (+)에서 (−)로 바뀌므로 5초일 때 물체의 운동 방향이 바뀐다.

바로알기 | (1) 속도-시간 그래프에서 시간축에 나란한 구간은 등속 직선 운동을 한다. 7초부터 10초까지 물체는 등속 직선 운동을 하지만 0초부터 2초까지 물체의 속도는 계속 증가한다.

(3) 직선 운동에서 속도의 부호가 운동 방향을 나타낸다. 1초일 때와 3초일 때 속도의 부호가 (+)로 같으므로 물체의 운동 방향은 같다. 0초부터 5초까지의 운동 방향과 5초부터 10초까지의 운동 방향이 반대이다.

(4) 2초부터 5초까지 속도-시간 그래프의 기울기, 즉 가속도가 일정하므로 4초일 때 가속도는 2초부터 5초까지 그래프의 기울기와 같은 $-4\ \mathrm{m/s^2}$이다. 따라서 4초일 때 가속도의 크기는 $4\ \mathrm{m/s^2}$이다.

24 (1) 같은 거리를 같은 시간에 통과하였으므로 (가)에서 (나)까지 A와 B의 평균 속력은 같다.

(3) 가속도의 크기는 A가 B의 2배이고 A와 B의 가속도의 방향이 반대이므로 A의 가속도를 a라고 하면 B의 가속도는 $-\frac{1}{2}a$가 된다. 따라서 $v+at=v_1$, $4v-\frac{1}{2}at=v_2$가 된다. at가 소거되도록 두 식을 연립하여 풀면 $9v=v_1+2v_2$…①이 된다. (가)에서 (나)까지 A와 B는 등가속도 직선 운동을 하고 평균 속력이 같으므로 $\frac{v+v_1}{2}=\frac{4v+v_2}{2}$에서 $v_2=v_1-3v$…②가 된다. ②식을 ①식에 대입하면 $v_1=5v$, $v_2=2v$이다. A와 B의 평균 속력은 $\frac{v+5v}{2}=\frac{4v+2v}{2}=3v$로 같다. 따라서 A와 B가 (가)에서 (나)까지 가는 데 걸린 시간은 $\frac{L}{3v}$이다. 등가속도 운동에서 평균 속력은 구간 시간의 중간 속력과 같으므로 A가 (가)를 통과한 순간부터 A와 B의 속력이 같아질 때까지 걸린 시간은 $\frac{1}{2}\times\frac{L}{3v}=\frac{L}{6v}$이다.

(4) (나)에 도달하는 순간 A의 속력은 $5v$이다.

바로알기 | (2) (가)에서 (나)까지 같은 거리를 A와 B가 동시에 통과하려면 A는 속력이 빨라지는 운동을 하고 B는 속력이 느려지는 운동을 해야 한다. A는 속력이 빨라지는 운동을 하므로 가속도의 방향이 운동 방향과 같고, B는 속력이 느려지는 운동을 하므로 운동 방향과 가속도의 방향이 반대이다.

난이도별 필수 기출

12~19쪽

25 56 m	26 (1) 10초 (2) $0.8\ m/s^2$		27 150 m	
28 ③	29 ③	30 ③	31 ④	32 ③
33 해설 참조		34 ②	35 ⑤	36 해설 참조
37 ④	38 ③	39 ③	40 ②	41 ⑤
42 (1) 2배 (2) 4초 (3) A: 0, B: $1\ m/s^2$			43 ③	
44 ⑤, ⑥, ⑧		45 해설 참조	46 ②	47 ②
48 ⑤	49 100 m/s		50 ②	51 ②, ④
52 ③	53 ⑤	54 ④	55 ⑤	56 해설 참조
57 ④	58 (1) 2 : 3 (2) 3 : 2	59 ①, ⑤	60 ③	61 ③
62 ②	63 (1) $2\ m/s^2$ (2) 20 m/s (3) 10초 (4) 3.5초			

25 4초 동안 A가 이동한 거리와 B가 이동한 거리를 더한 값이 처음 A와 B 사이의 거리이므로 $s=10\times4+4\times4=56(\text{m})$이다.

26 등가속도 직선 운동에서 평균 속력은 처음 속력과 나중 속력의 중간값과 같다.

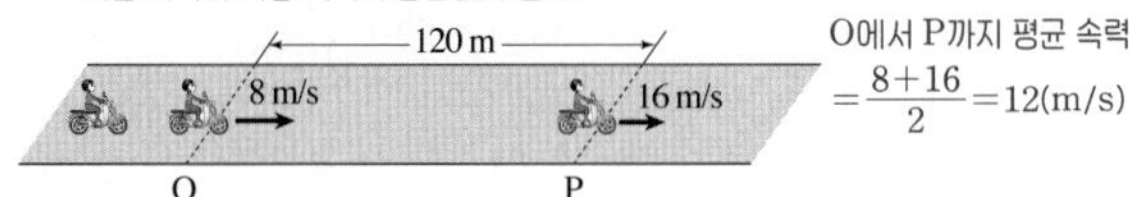

(1) O에서 P까지 이동하는 데 걸린 시간$=\frac{\text{이동 거리}}{\text{평균 속력}}=\frac{120\ \text{m}}{12\ \text{m/s}}=$ 10 s이다.

(2) 가속도의 크기$=\frac{v_P-v_Q}{t}=\frac{16-8}{10}=0.8(\text{m/s}^2)$이다.

27 자동차의 평균 속력$=\frac{30+0}{2}=15(\text{m/s})$이다. 따라서 10초 동안 자동차가 이동한 거리는 15 m/s×10 s=150 m이다.

28 ㄱ. 속도와 가속도의 방향이 같으면 속력이 증가하고, 속도와 가속도의 방향이 반대이면 속력이 감소한다. 터널을 지나는 동안 자동차의 속력이 증가하였으므로 자동차의 속도와 가속도의 방향은 같다.
ㄴ. 자동차는 등가속도 직선 운동을 하므로 터널을 지나는 동안 자동차의 평균 속력$=\frac{20+30}{2}=25(\text{m/s})$이다.

바로알기 | ㄷ. 터널의 길이는 평균 속력×걸린 시간=25 m/s×20 s =500 m이다.

다른 해설 ㄷ. 자동차의 가속도는 $\frac{30\ \text{m/s}-20\ \text{m/s}}{20\ \text{s}}=0.5\ \text{m/s}^2$이다. 자동차는 등가속도 직선 운동을 하므로 $v^2-v_0{}^2=2as$에서 터널의 길이 $s=\frac{v^2-v_0{}^2}{2a}=\frac{30^2-20^2}{2\times0.5}=500(\text{m})$이다.

29 ㄱ. 비행기는 등가속도 직선 운동을 하므로 가속도는 $a=\frac{v^2-v_0{}^2}{2s}=\frac{0-v^2}{2\times3L}=-\frac{v^2}{6L}$이다. 따라서 가속도의 크기는 $\frac{v^2}{6L}$이다.
ㄷ. A에서 D까지 평균 속력$=\frac{v+0}{2}=\frac{v}{2}$이다. 따라서 A에서 D까지 걸린 시간$=\frac{\text{A에서 D까지 거리}}{\text{평균 속력}}=\frac{3L}{\frac{v}{2}}=\frac{6L}{v}$이다.

바로알기 | ㄴ. C에서 속력을 v_C라고 하면, A에서 C까지 등가속도 직선 운동을 하므로 $v_C{}^2-v^2=2as=2\times\left(-\frac{v^2}{6L}\right)\times2L$에 의해 $v_C{}^2=\frac{1}{3}v^2$이 된다. 따라서 C에서 속력 $v_C=\frac{1}{\sqrt{3}}v$이다.

30 동시에 터널을 빠져 나온다. ➔ A와 B의 평균 속력이 같다.

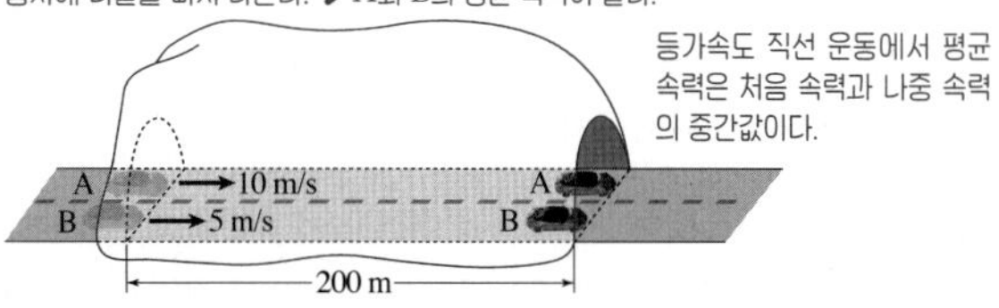

ㄱ. B가 터널을 빠져 나오는 순간의 속력을 v라고 하면 평균 속력이 10 m/s이므로 $\frac{5+v}{2}=10$에 의해 $v=15$ m/s이다.
ㄴ. A는 등속 직선 운동을 하므로 터널을 빠져 나오는 데 걸린 시간은 $\frac{200\ \text{m}}{10\ \text{m/s}}=20$초이다. B가 터널을 빠져 나오는 순간의 속력은 15 m/s이므로 B의 가속도의 크기는 $\frac{15-5}{20}=0.5(\text{m/s}^2)$이다.

바로알기 | ㄷ. A가 10초 동안 이동한 거리는 100 m이다. B가 터널에 들어간 후 10초 동안 이동한 거리는 $s=v_0t+\frac{1}{2}at^2=5\times10+\frac{1}{2}\times0.5\times10^2=75(\text{m})$이다. 따라서 터널에 들어간 후 10초 동안 이동한 거리는 A가 B의 $\frac{4}{3}(=\frac{100}{75})$배이다.

31 다음은 2초 간격으로 비행기의 운동을 분석한 것이다.

시간(s)	0	2	4	6
위치(m)	0	190	360	510
구간 거리(m)	190	170	150	
구간 평균 속력(m/s)	95	85	75	
구간 속력 변화(m/s)		−10	−10	
가속도(m/s^2)		−5	−5	

ㄴ. 비행기가 등가속도 직선 운동을 하므로 0초부터 2초까지 구간 평균 속력은 1초일 때 순간 속력과 같다. 착륙하는 순간의 속력을 v_0이라 하고, 가속도가 $-5\ \text{m/s}^2$이므로 $v=v_0+at$에서 $95=v_0+(-5)\times1$에 의해 $v_0=100$ m/s이다.
ㄷ. $v=v_0+at$에서 $v_0=100$ m/s, 정지할 때 속력 $v=0$이므로 $0=100+(-5)t$에 의해 정지할 때까지 걸린 시간 $t=20$초이다.

바로알기 | ㄱ. 비행기의 가속도는 구간 속력 변화를 걸린 시간 2초로 나누면 $\frac{-10\ \text{m/s}}{2\ \text{s}}=-5\ \text{m/s}^2$이다. 따라서 가속도의 크기는 $5\ \text{m/s}^2$이다.

32 구간 A : 등가속도 직선 운동
구간 B : 등속 직선 운동
구간 C : 등가속도 직선 운동
구간을 지나는 데 걸린 시간은 A에서가 C에서의 3배이다. ➔ 구간 평균 속력은 C에서가 A에서의 3배이다.

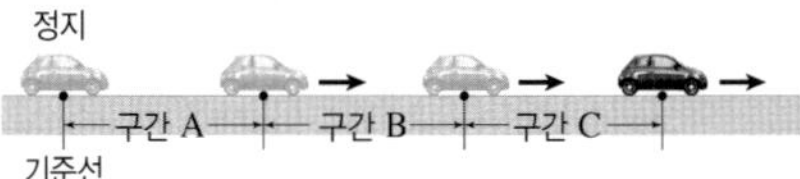

ㄱ. 자동차가 정지 상태에서 등가속도 직선 운동을 한 후 구간 A를 지날 때의 마지막 속력으로 구간 B를 등속 직선 운동을 한다. B에서 자동차의 속력을 v_B라고 하면 A에서 평균 속력은 $\frac{v_B}{2}$이므로 평균 속력은 B에서가 A에서의 2배이다.
ㄷ. 구간을 지나는 데 걸린 시간은 A에서가 C에서의 3배이므로 구간 평균 속력은 C에서가 A에서의 3배이다. 따라서 C에서 구간 평균 속력은 $\frac{3}{2}v_B$이므로 구간 C를 지날 때의 마지막 속력은 $2v_B$임을 알 수 있다. A와 C에서의 속도 변화량이 v_B로 같은데 걸린 시간은 C에서가 A에서의 $\frac{1}{3}$배이므로 가속도의 크기는 C에서가 A에서의 3배이다.

바로알기 | ㄴ. A에서 속력이 빨라지는 운동을 하고, C에서도 속력이 빨라지는 운동을 하므로 A와 C에서 모두 가속도의 방향은 운동 방향과 같다. 따라서 A와 C에서 가속도의 방향은 같다.

33 구간 거리가 모두 같고, 평균 속력은 B에서가 A에서의 2배, C에서가 A에서의 3배이므로 각 구간을 지나는 데 걸린 시간은 B에서가 A에서의 $\frac{1}{2}$배, C에서가 A에서의 $\frac{1}{3}$배가 된다. 따라서 A와 C 구간에서의 마지막 속력은 각각 v_B, $2v_B$이고 A, B, C를 지나는 데 걸린 시간은 각각 $3t$, $1.5t$, t이다.

모범 답안

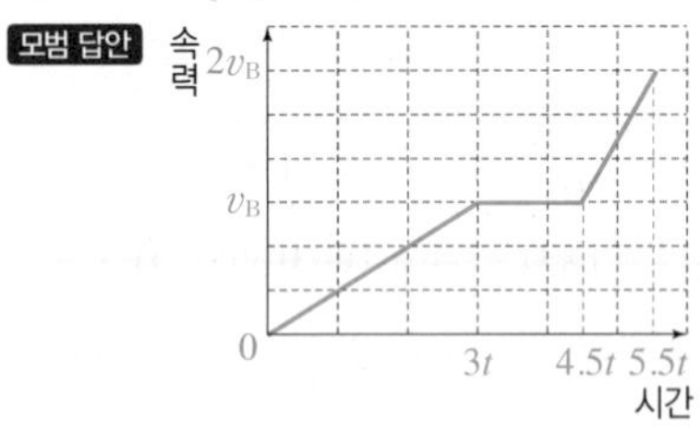

34 ㄴ. 같은 거리를 이동하는 데 걸린 시간이 A가 B의 2배이므로 평균 속력은 B가 A의 2배이다. 둘 다 정지 상태에서 P점을 출발해서 등가속도 직선 운동을 하여 Q점을 통과하고 평균 속력이 B가 A의 2배이므로 Q점을 지날 때 속력은 B가 A의 2배이다.

바로알기 | ㄱ. 정지 상태에서 등가속도 직선 운동을 하는 경우 이동 거리 $s=\frac{1}{2}at^2$이므로 $a=\frac{2s}{t^2}$이다. s는 같고 t는 B가 A의 $\frac{1}{2}$배이므로 가속도의 크기는 B가 A의 4배이다.

ㄷ. P에서 Q까지 같은 거리를 이동하는 데 걸린 시간이 다르므로 평균 속력은 A와 B가 다르다.

35 ① A의 이동 거리가 B의 3배일 때 B의 속력을 v_t, 걸린 시간을 t라고 하면, B는 정지 상태에서 등가속도 직선 운동을 하므로 B의 평균 속력은 $\frac{1}{2}v_t$이다. $vt=3\times\frac{1}{2}v_tt$에 의해 $v_t=\frac{2}{3}v$이다.

② A는 등속 직선 운동을 하므로 A가 P를 출발하여 R를 지나는 데 걸린 시간$=\frac{\text{이동 거리}}{\text{속력}}=\frac{4L}{v}$이다.

③ A와 B가 R에 도달하는 데 걸린 시간을 t, B의 가속도를 a라고 하면, $vt=4L$…①, $3L=\frac{1}{2}at^2$…②이 된다. ①식에서 $t=\frac{4L}{v}$이므로 이를 ②식에 대입하면 B의 가속도의 크기 $a=\frac{3v^2}{8L}$이다.

④ A와 B의 속도가 같아지는 데 걸린 시간은 B의 속도가 v가 되는 데 걸린 시간과 같으므로 $v=\frac{3v^2}{8L}t$에 의해 $t=\frac{8L}{3v}$이다.

바로알기 | ⑤ A가 Q를 지나는 순간 A와 B 사이의 거리는 그동안 B가 이동한 거리와 같다. A가 Q를 지날 때까지 걸린 시간 $t=\frac{L}{v}$이므로 그동안 B가 이동한 거리 $s=\frac{1}{2}at^2=\frac{1}{2}\left(\frac{3v^2}{8L}\right)\left(\frac{L}{v}\right)^2=\frac{3}{16}L$이다.

36 (1) A가 P에서 Q까지 이동하는 데 걸린 시간은 $\frac{40\text{ m}}{20\text{ m/s}}=2\text{ s}$이다. A가 Q에서 20 m/s로 출발하여 등가속도 직선 운동을 한 후 R에서 정지하므로 Q에서 R까지 A의 평균 속력은 10 m/s이다. A가 Q에서 R까지 이동하는 데 걸린 시간은 $\frac{60\text{ m}}{10\text{ m/s}}=6\text{ s}$이다. 따라서 A가 P에서 R에 도달하는 데 걸린 시간은 2 s+6 s=8 s이다.

(2) B가 P에서 R까지 이동하는 데 걸린 시간은 A와 똑같이 8초이다. B가 P에서 Q까지 이동하는 데 걸린 시간이 $\frac{40\text{ m}}{10\text{ m/s}}=4\text{ s}$이므로 B는 Q에서 R까지 4초만에 도달해야 한다. B는 Q에서 R까지 등가속도 직선 운동을 하므로 평균 속력은 $\frac{10+v_B}{2}$이다. 이 속력으로 60 m를 4초에 통과하므로 $\frac{10+v_B}{2}\times4=60$에 의해 $v_B=20\text{ m/s}$이다.

(3) 각각 $v=v_0+at$에 대입하여 가속도를 구한다. Q에서 R까지 통과하는 데 걸린 시간이 A는 6초, B는 4초이므로 A는 $0=20-a_A\times6$에 의해 $a_A=\frac{10}{3}\text{ m/s}^2$이고, B는 $20=10+a_B\times4$에 의해 $a_B=\frac{5}{2}\text{ m/s}^2$이다. 따라서 $a_A:a_B=\frac{10}{3}:\frac{5}{2}=4:3$이다.

모범 답안 (1) A가 P에서 Q까지 이동하는 데 걸린 시간은 $\frac{40\text{ m}}{20\text{ m/s}}=2\text{ s}$이고, Q에서 R까지 이동하는 데 걸린 시간은 $\frac{60\text{ m}}{10\text{ m/s}}=6\text{ s}$이다. 따라서 A가 P에서 R에 도달하는 데 걸린 시간은 2 s+6 s=8 s이다.

(2) B가 P에서 Q까지 이동하는 데 걸린 시간이 $\frac{40\text{ m}}{10\text{ m/s}}=4\text{ s}$이므로 B는 Q에서 R까지 4초(=8 s−4 s)만에 도달해야 한다. 따라서 $\frac{10+v_B}{2}\times4=60$에 의해 $v_B=20\text{ m/s}$이다.

(3) A는 $0=20-a_A\times6$에 의해 $a_A=\frac{10}{3}\text{ m/s}^2$이고, B는 $20=10+a_B\times4$에 의해 $a_B=\frac{5}{2}\text{ m/s}^2$이다. 따라서 $a_A:a_B=\frac{10}{3}:\frac{5}{2}=4:3$이다.

37

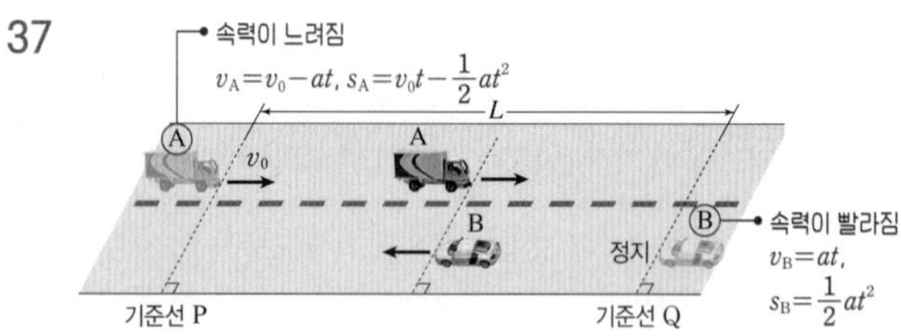

A와 B의 속력이 같은 순간 스쳐 지나가므로 속력이 같아지기 위해서는 v_0의 속력으로 출발한 A는 속력이 점점 느려지고 정지 상태에서 출발한 B는 속력이 점점 빨라져야 한다. 따라서 A는 운동 방향과 가속도의 방향이 반대이다.

가속도의 크기를 a, 속력이 같아진 시간을 t, 이때의 속력을 각각 v_A, v_B, 이때까지 이동한 거리를 각각 s_A, s_B라고 하면,

$v_A=v_0-at$, $v_B=at$, $s_A=v_0t-\frac{1}{2}at^2$, $s_B=\frac{1}{2}at^2$이다. $v_A=v_B$이므로 $v_0-at=at$에서 $t=\frac{v_0}{2a}$이다. 또 $s_A+s_B=L$이므로 $v_0t-\frac{1}{2}at^2+\frac{1}{2}at^2=L$에서 $v_0t=L$이 된다. 여기에 $t=\frac{v_0}{2a}$을 대입하면 $v_0\times\frac{v_0}{2a}=L$에서 $a=\frac{{v_0}^2}{2L}$이다. B가 Q에서 P까지 가는 데 걸린 시간을 t_B라고 하면 $\frac{1}{2}a{t_B}^2=L$이고 여기에 $a=\frac{{v_0}^2}{2L}$을 대입하면 $\frac{1}{2}\times\frac{{v_0}^2}{2L}\times{t_B}^2=L$에서 $t_B=\frac{2L}{v_0}$이다.

38

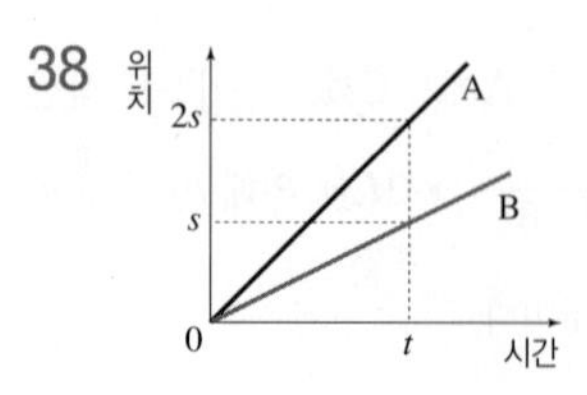

위치－시간 그래프의 기울기는 속도이다.

A, B 모두 기울기가 일정하므로 등속 직선 운동을 한다.

➜ 등속 직선 운동은 가속도가 0인 운동이다.

ㄱ. 그래프의 기울기가 일정하므로 A와 B는 등속도 운동, 즉 등속 직선 운동을 한다.
ㄷ. A와 B의 속력(속도의 크기)이 일정하므로 속력 차이도 일정하다.
바로알기 | ㄴ. A와 B의 속력 변화량이 0이므로 가속도도 0이다.

39 0초부터 3초까지 물체의 평균 속도$=\dfrac{\text{전체 변위}}{\text{걸린 시간}}=\dfrac{9\text{ m}}{3\text{ s}}=$ 3 m/s이다.

40 다음은 1초 간격으로 물체의 운동을 분석한 것이다.

시간(s)	0		1		2		3
변위(m)	0		1		4		9
구간 거리(m)		1		3		5	
구간 평균 속력(m/s)		1		3		5	
구간 속력 변화(m/s)			2		2		
가속도(m/s^2)			2		2		

따라서 물체의 가속도는 2 m/s^2이다.

41

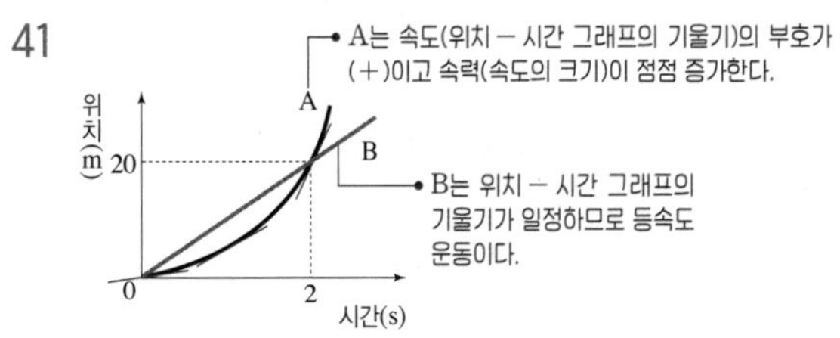

① A는 속력(접선의 기울기)이 점점 증가하므로 1초일 때 A의 가속도 방향은 운동 방향과 같다.
② 0초부터 2초까지 A의 위치는 0에서 20 m까지 계속 증가하였다. 따라서 2초 동안 A가 이동한 거리는 변위의 크기와 같은 20 m이다.
③ B는 등속도 운동을 하였으므로 가속도가 0이다. 따라서 2초 동안 B에 작용한 알짜힘도 0이다.
④ 2초 동안 A와 B의 변위가 같으므로 이동 거리가 같다. 따라서 평균 속력도 같다.
바로알기 | ⑤ 2초일 때 A의 순간 속력은 접선의 기울기와 같고, B의 순간 속력은 0초부터 2초까지 기울기와 같으므로 2초일 때 순간 속력은 A가 B보다 크다.

42

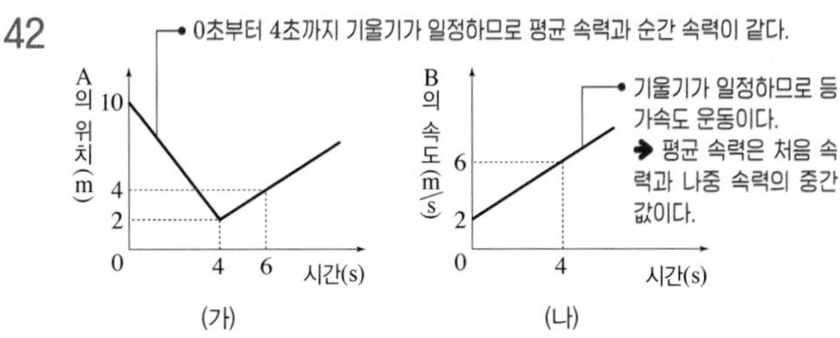

(1) 0초부터 4초까지 A의 평균 속력은 위치–시간 그래프의 기울기의 크기이므로 $\dfrac{10-2}{4}=2$(m/s)이고, 0초부터 4초까지 B의 평균 속력은 $\dfrac{2+6}{2}=4$(m/s)이다. 따라서 0초부터 4초까지 평균 속력은 B가 A의 2배이다.
(2) 위치–시간 그래프의 기울기는 속도이고 속도의 부호가 운동 방향을 나타낸다. A의 위치–시간 그래프에서 4초를 전후로 속도의 부호가 (–)에서 (+)로 바뀌었으므로 A의 운동 방향이 바뀌는 시간은 4초이다.
(3) A는 4초 이후 기울기가 일정하므로 속도가 일정하다. 따라서 5초일 때 A의 가속도는 0이다. B는 속도–시간 그래프의 기울기가 일정하므로 가속도가 일정한 운동이다. 5초일 때 B의 가속도는 0초부터 4초까지 가속도의 크기와 같은 $\dfrac{6-2}{4}=1$(m/s^2)이다.

43 ㄷ. 그래프의 기울기가 일정한 등가속도 직선 운동을 하므로 0초부터 2초까지 평균 속도의 크기는 $\dfrac{20+0}{2}=10$(m/s)이다.
ㄹ. 0초부터 2초까지 (+)방향의 변위의 크기(그래프 아랫부분의 넓이)와 2초부터 4초까지 (–)방향의 변위의 크기가 같으므로 0초부터 4초까지 변위는 0이다.
바로알기 | ㄱ. 0초부터 4초까지 가속도는 $\dfrac{-20-20}{4}=-10$(m/s^2)이므로 가속도의 크기는 10 m/s^2이다.
ㄴ. 속도의 방향은 운동 방향과 같고, 가속도의 방향은 알짜힘의 방향과 같다. 0초부터 2초까지 속도의 부호는 (+)인데 가속도(속도–시간 그래프의 기울기)의 부호는 (–)이다. 따라서 알짜힘의 방향은 운동 방향과 반대이다.

44 ① 0초부터 2초까지 가속도(속도–시간 그래프의 기울기)는 2 m/s^2으로 일정하다. 따라서 1초일 때 가속도의 크기는 2 m/s^2이다.
② 0초부터 2초까지 속도가 계속 (+)값이므로 한쪽 방향으로만 이동하였다. 따라서 이동 거리와 변위의 크기가 같다.
③ 0초부터 3초까지 속도–시간 그래프와 시간축 사이의 넓이가 이동 거리이다. 따라서 이동 거리는 $\dfrac{1}{2}\times(1+3)\times4=8$(m)이다.
④ 0초부터 4초까지 속도의 부호가 계속 (+)값이므로 물체는 한쪽 방향으로만 이동하였다. 따라서 변위는 계속 증가한다.
⑦ 0초부터 4초까지 (+)방향 변위(속도–시간 그래프와 시간축 사이의 넓이)와 4초부터 9초까지 (–)방향 변위의 크기가 같으므로 0초부터 9초까지 변위는 0이다. 따라서 평균 속도는 0이다.
바로알기 | ⑤ 2초부터 3초까지 속도가 일정하므로 등속도 운동을 한다.
⑥ 2초부터 3초까지 가속도가 0이므로 알짜힘이 0이다.
⑧ 4초일 때 속도의 부호가 바뀌므로 운동 방향이 바뀐다.

45 0초부터 2초까지 가속도가 일정하므로 0초부터 2초까지 속도는 일정하게 증가하고 2초일 때 속도는 3 $m/s^2\times2$ s$=6$ m/s이다. 2초 이후 가속도가 0이므로 2초일 때의 속도로 등속도 운동을 한다.

모범 답안

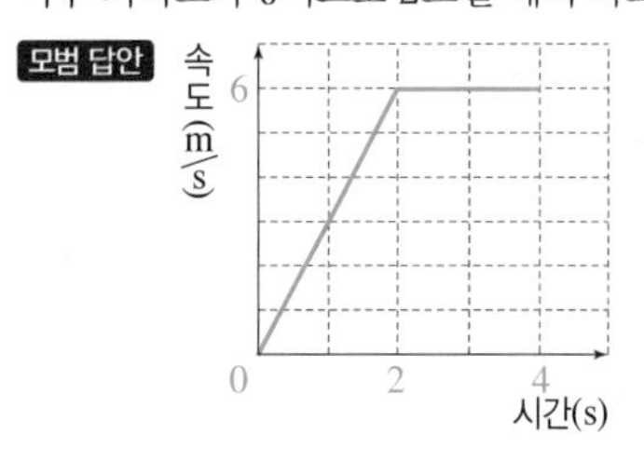

46 가속도–시간 그래프를 속도–시간 그래프로 전환하면 그림과 같다.

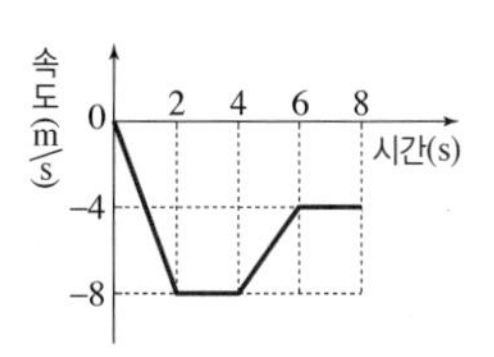

ㄴ. 4초부터 6초까지 속도의 부호는 (−)인데 가속도의 부호가 (+)이므로 운동 방향과 가속도의 방향이 반대이다. 따라서 속력이 감소한다.
ㄹ. 0초부터 7초까지 속도-시간 그래프와 시간축 사이의 넓이가 변위의 크기이므로 변위의 크기는 40 m이다.
바로알기 | ㄱ. 2초일 때의 속력은 $4\times2=8$(m/s)이다. 2초부터 4초까지 가속도가 0이므로 4초일 때의 속력은 2초일 때의 속력과 같은 8 m/s이다.
ㄷ. 처음부터 8초까지 속도의 부호가 계속 (−)이므로 5초일 때 운동 방향은 출발할 때의 운동 방향과 같다.

47 ㄷ. 속력이 같은 12초에 A와 B가 스쳐 지나가므로 12초까지 A와 B가 이동한 거리의 합이 L이다. 속력-시간 그래프와 시간축 사이의 넓이가 이동 거리이므로 12초까지 A가 이동한 거리는 64 m이고, B가 이동한 거리는 32 m이므로 L은 64 m+32 m=96 m이다.
바로알기 | ㄱ. 0초부터 12초까지 A가 이동한 거리는 64 m이므로 A의 평균 속력은 $\frac{64\text{ m}}{12\text{ s}}=\frac{16}{3}$ m/s이다.
ㄴ. 4초부터 8초까지 속력-시간 그래프의 기울기가 같으므로 가속도의 크기는 A와 B가 같다.

48 ㄱ. 가속도-시간 그래프와 시간축 사이의 넓이는 속도 변화량이다. 0초부터 4초까지 속도 변화량$=2a\times2+(-3a)\times2=-2a=$ 4 m/s−6 m/s=−2 m/s이므로 $a=1\text{ m/s}^2$이다. 따라서 1초일 때 자동차의 가속도의 크기는 $2a=2\times1\text{ m/s}^2=2\text{ m/s}^2$이다.
ㄴ. 2초일 때 자동차의 속력은 $v_0+at=6+2\times2=10$(m/s)이다.
ㄷ. 2초일 때 속력이 10 m/s이고, 2초부터 4초까지 가속도가 -3 m/s^2이므로 4초일 때 속력은 $v_0+at=10+(-3)\times2=4$(m/s)이다. 등가속도 직선 운동에 관한 식 $v^2-v_0{}^2=2as$에서 $s=\frac{v^2-v_0{}^2}{2a}$이므로 0초부터 2초까지 이동한 거리 $s_1=\frac{10^2-6^2}{2\times2}=16$(m)이고, 2초부터 4초까지 이동한 거리 $s_2=\frac{4^2-10^2}{2\times(-3)}=14$(m)이다. 따라서 0초부터 4초까지 자동차가 이동한 거리는 16 m+14 m=30 m이다.
다른 해설 ㄷ. 가속도-시간 그래프를 속도-시간 그래프로 전환하면 그림과 같다. 속도-시간 그래프와 시간축 사이의 넓이가 이동 거리이므로 0초부터 4초까지 넓이를 구하면 30 m이다.

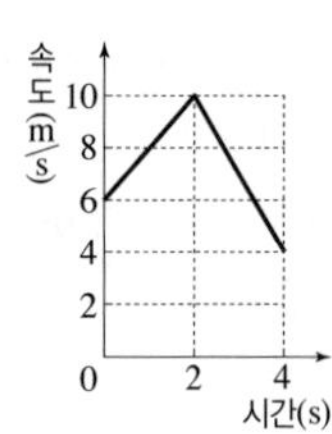

49 $s=\frac{1}{2}gt^2$에서 빗방울이 500 m를 낙하하는 데 걸린 시간 $t=\sqrt{\frac{2s}{g}}=\sqrt{\frac{2\times500}{10}}=10$(s)이다. 따라서 지면에 도달하는 시간이 10초이므로 이때의 속력은 $gt=10\times10=100$(m/s)이다.

50

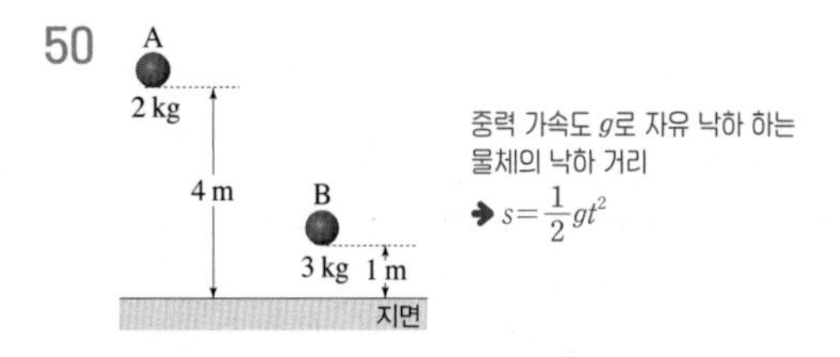

A가 지면에 닿을 때까지 걸린 시간은 $t_A=\sqrt{\frac{2s}{g}}=\sqrt{\frac{2\times4}{g}}=\sqrt{\frac{8}{g}}$이고, B가 지면에 닿을 때까지 걸린 시간은 $t_B=\sqrt{\frac{2\times1}{g}}=\sqrt{\frac{2}{g}}$이다. A를 놓은 후 t_A-t_B 시간 후에 B를 놓으므로 그동안 A가 낙하한 거리는 $s_A=\frac{1}{2}gt^2=\frac{1}{2}g(t_A-t_B)^2=\frac{1}{2}g\left(\sqrt{\frac{8}{g}}-\sqrt{\frac{2}{g}}\right)^2=\frac{1}{2}g\left(\frac{8}{g}-2\sqrt{\frac{8}{g}}\sqrt{\frac{2}{g}}+\frac{2}{g}\right)=1$(m)이다. 따라서 B를 놓는 순간 A의 높이는 처음 높이−낙하한 거리=4 m−1 m=3 m이다.

51 ② 같은 높이에서 출발하였고, 연직 방향의 가속도가 같으므로 A, B는 바닥에 동시에 도달한다.
④ A, B에 작용하는 힘은 중력으로 똑같이 연직 방향으로 작용한다.
바로알기 | ①, ③ A는 속력이 빨라지고 운동 방향은 변하지 않는다. B는 속력이 빨라지고 운동 방향도 변한다.
⑤ A, B에 작용하는 중력의 방향이 같기 때문에 가속도의 방향도 같다.
⑥ A는 속력만 변하고, B는 운동 방향뿐만 아니라 속력도 변한다.

52 ㄱ. 가속도 방향은 힘의 방향과 같으므로 공의 가속도 방향은 중력 방향과 같은 연직 아래 방향이다.
ㄷ. 물체는 수평 방향으로는 힘을 받지 않기 때문에 속력이 일정한 등속 운동을 하고, 연직 방향으로는 일정한 힘을 받기 때문에 등가속도 운동을 한다.
바로알기 | ㄴ. 물체가 수평면에 닿을 때까지 곡선 경로를 운동하므로 이동 거리가 변위의 크기(출발점에서 도착점까지 직선 거리)보다 크다. 따라서 던져진 순간부터 t까지 물체의 평균 속력은 평균 속도의 크기보다 크다.

53 ① 공이 연직 위로 올라가는 동안 운동 반대 방향으로 중력을 받기 때문에 속력이 느려져 최고점에 도달했을 때 공의 속력은 0이 된다.
② $v=v_0-gt$에서 최고점에서 속력 $v=0$이므로 $0=20-10t$에 의해 최고점에 도달하는 데 걸린 시간 $t=2$ s이다. 2초 동안의 변위가 최고점까지의 높이(s)이므로 $s=v_0t-\frac{1}{2}gt^2=20\times2-\frac{1}{2}\times10\times2^2=20$(m)이다.
③ 공이 처음 위치인 지면에 도달했을 때 변위가 0이 되므로 $s=v_0t-\frac{1}{2}gt^2=20t-\frac{1}{2}\times10t^2=0$에 의해 $t=0$ 또는 $t=4$ s이다. $t=0$은 처음 출발 시간이므로 공이 지면에 도달할 때까지 걸린 시간은 4초이다.
④ 공이 최고점에 올라갈 때까지 속력이 느려지고, 최고점에서 운동 방향을 바꾸어 아래로 낙하하면서 속력이 빨라진다. 따라서 지면에 도달하는 동안 속력과 운동 방향이 바뀐다.
바로알기 | ⑤ 공이 최고점에서 지면에 내려오는 동안 속력이 증가하고 가속도는 중력 가속도로 일정하다.

개념 보충
• **연직 위로 던진 물체의 운동:** 처음 속도가 v_0일 때 시간 t 후 속도 v와 변위 h는 다음과 같다.
$$v=v_0-gt \quad h=v_0t-\frac{1}{2}gt^2 \quad v^2-v_0{}^2=-2gh$$

54 ㄴ. A가 P에서 Q까지 이동하는 데 걸린 시간이 $\frac{L}{4v}$이므로 A의 가속도$=\dfrac{5v-3v}{\frac{L}{4v}}=\dfrac{8v^2}{L}$이다.

ㄷ. (나)의 순간 A와 B의 높이 차는 (가)의 순간에서 (나)의 순간까지 B가 낙하한 거리와 같다. 가속도가 같으므로 B의 속도 변화량은 A의 속도 변화량과 같은 $2v$이다. 따라서 (나)의 순간 B의 속력은 $3v$이고 (가)에서 (나)까지 B의 평균 속력은 $\frac{v+3v}{2}=2v$이고, 걸린 시간은 A와 같은 $\frac{L}{4v}$이다. 따라서 (가)에서 (나)의 순간까지 B가 낙하한 거리 $=$평균 속력$\times$걸린 시간$=2v\times\frac{L}{4v}=\frac{L}{2}$이다.

바로알기 | ㄱ. A가 P에서 Q까지 이동하는 동안 평균 속력이 $4v$이므로 걸린 시간 $t=\dfrac{\text{이동 거리}}{\text{평균 속력}}=\dfrac{L}{4v}$이다.

55

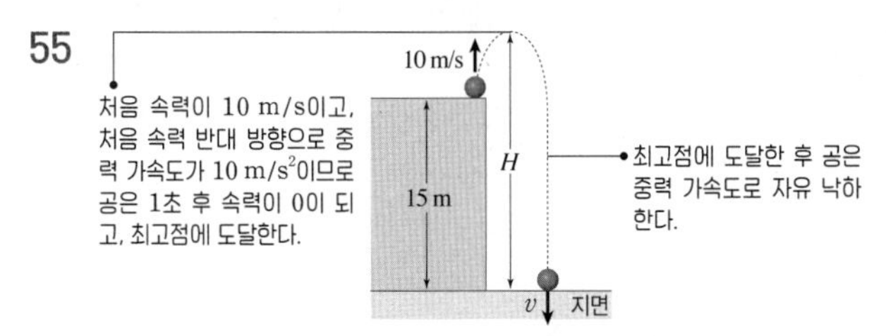

10 m/s
처음 속력이 10 m/s이고, 처음 속력 반대 방향으로 중력 가속도가 10 m/s²이므로 공은 1초 후 속력이 0이 되고, 최고점에 도달한다.
H
15 m
최고점에 도달한 후 공은 중력 가속도로 자유 낙하한다.
v
지면

ㄱ. 공이 최고점에 도달하는 시간이 1초 후이므로 1초 동안 공의 변위는 $s=v_0t-\frac{1}{2}gt^2=10\times1-\frac{1}{2}\times10\times1^2=5$(m)이다. 따라서 최고점의 높이 $H=15\text{ m}+5\text{ m}=20\text{ m}$이다.

ㄴ. 공은 최고점에서 자유 낙하 하여 지면에 도달한다. 공이 최고점에서 지면에 도달할 때까지 걸린 시간은 $t=\sqrt{\frac{2H}{g}}=\sqrt{\frac{2\times20}{10}}=2$(s)이다. 따라서 공이 출발하여 지면에 도달할 때까지 걸린 시간은 최고점까지 올라간 시간 1초에 낙하 시간 2초를 더한 3초이다.

ㄷ. 최고점에서 지면에 도달하는 데 걸린 시간이 2초이므로 공이 지면에 도달했을 때의 속력 $v=gt=10\times2=20$(m/s)이다.

56 (1) A가 지면에 닿을 때까지 걸린 시간은 $t=\sqrt{\frac{2s}{g}}=\sqrt{\frac{2\times20}{10}}=2$(s)이다.

(2) A와 B가 지면에 동시에 도달하였다면, 건물의 높이 H는 2초 동안 B의 변위이다. 따라서 $H=1\times2+\frac{1}{2}\times10\times2^2=22$(m)이다.

모범 답안 (1) A가 지면에 닿을 때까지 걸린 시간은 $t=\sqrt{\frac{2\times20}{10}}=2$(s)이다.

(2) H는 2초 동안 B의 변위이므로 $H=1\times2+\frac{1}{2}\times10\times2^2=22$(m)이다.

57 0.5초 간격으로 이동 거리가 4 m, 3 m, 2 m, 1 m이므로 평균 속력은 8 m/s, 6 m/s, 4 m/s, 2 m/s가 된다. 평균 속력 변화량이 -2 m/s로 일정하므로 등가속도 운동임을 알 수 있다. 가속도$=\dfrac{\text{속력 변화량}}{\text{걸린 시간}}=\dfrac{-2\text{ m/s}}{0.5\text{ s}}=-4\text{ m/s}^2$이므로 가속도의 크기는 4 m/s^2이다.

58 (1) P와 Q를 동시에 통과하여 각각 등속 직선 운동을 하였으므로 충돌 직전의 A와 B의 속력의 비는 이동 거리의 비와 같다. 따라서 충돌 직전의 A와 B의 속력의 비는 $v_A : v_B=2s : 3s=2 : 3$이다.

(2) A와 B의 가속도를 각각 a_A, a_B라고 하면 $v_A=a_At_A$…①, $v_B=a_Bt_B$…②이다. 또 $L=\frac{1}{2}a_At_A^2=\frac{1}{2}a_Bt_B^2$…③이다. ③식에 ①식, ②식을 대입하면 $v_At_A=v_Bt_B$가 된다. 따라서 $t_A : t_B=v_B : v_A=3 : 2$이다.

59 다음은 0.1초 간격으로 수레의 운동을 분석한 것이다.

시간(s)	0	0.1	0.2	0.3	0.4	0.5
위치(cm)	0	8	18	30	㉠44	60
구간 거리(cm)	8	10	12	14	16	
구간 평균 속력(cm/s)	80	100	120	140	160	
구간 속력 변화(cm/s)		20	20	20	20	
가속도(cm/s²)		200	200	200	200	

② 수레의 가속도가 일정하고 직선 운동을 하므로 수레는 등가속도 직선 운동을 한다.

③ 수레의 평균 가속도는 $200\text{ cm/s}^2=2\text{ m/s}^2$이다.

④ 0.3초인 순간 수레의 속력은 0.2초와 0.3초 사이의 평균 속력 120 cm/s와 0.3초와 0.4초 사이의 평균 속력 140 cm/s의 평균값이다. 따라서 0.3초인 순간 수레의 속력은 130 cm/s$=$1.3 m/s이다.

⑥ 0.5초 동안 이동 거리가 60 cm이므로 수레의 평균 속력은 $\frac{60\text{ cm}}{0.5\text{ s}}=120\text{ cm/s}=1.2\text{ m/s}$이다.

바로알기 | ① 구간 거리가 2 cm씩 일정하게 증가하고 있으므로 ㉠은 44이다.

⑤ 0.3초인 순간 수레의 속력이 1.3 m/s이고, 가속도가 2 m/s^2이므로 $v=v_0+at$에 대입하면 $1.3=v_0+2\times0.3$에 의해 0초인 순간 수레의 속력 $v_0=0.7$ m/s이다.

60 ㄱ. P점에서 Q점까지 등가속도 직선 운동을 하므로 $v^2-v_0^2=2as$에 의해 가속도 $a=\frac{v^2-v_0^2}{2s}=\frac{6^2-0}{2\times3}=6(\text{m/s}^2)$이다.

ㄴ. R점에서 속력을 v라고 하고, P점에서 R점까지 등가속도 직선 운동을 하므로 $v^2-0=2\times6\times12$에 의해 $v=12$(m/s)이다. 따라서 P점에서 R점까지의 평균 속력은 $\frac{0+12}{2}=6$(m/s)이다.

바로알기 | ㄷ. Q점에서 R점까지 등가속도 직선 운동을 하므로 $t=\frac{v-v_0}{a}=\frac{12-6}{6}=1$(s)이다. 즉, Q점에서 R점까지 이동하는 데 걸린 시간은 1초이다.

61 ㄱ. 빗면에서 운동하는 동안 가속도 $a=\frac{0-v^2}{2s}=-\frac{v^2}{2s}$이다. 따라서 가속도의 크기는 $\frac{v^2}{2s}$이다.

ㄴ. P점에서 R점까지 평균 속력이 $\frac{v}{2}$이므로 P점에서 R점까지 운동하는 데 걸린 시간은 $\dfrac{s}{\frac{v}{2}}=\dfrac{2s}{v}$이다.

바로알기 | ㄷ. Q점에서의 속력을 v_Q라 하면, Q점에서 R점까지 등가속도 직선 운동을 하므로 $0-v_Q^2=2\times\left(-\frac{v^2}{2s}\right)\times\frac{s}{2}$에 의해 $v_Q=\frac{\sqrt{2}}{2}v$이다.

62 빗면에서 중력에 의해 운동하는 물체의 가속도는 질량에 관계없이 같다. 즉, P와 Q의 가속도는 같다.

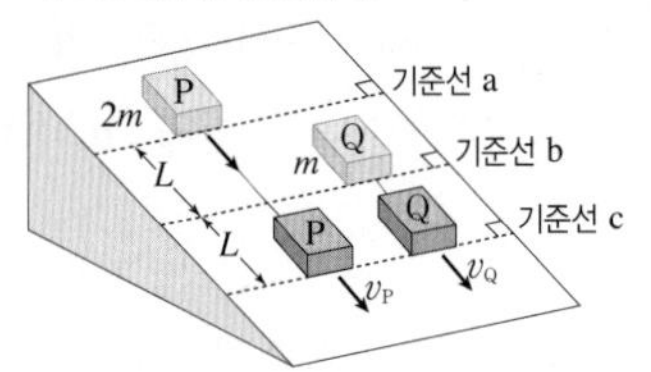

같은 시간 동안 P가 $2L$만큼 이동하는 동안 Q는 L만큼 이동하였으므로 평균 속력은 P가 Q의 2배이다.

ㄴ. Q가 등가속도 운동을 하므로 b에서 c까지 Q의 평균 속력은 $\frac{0+v_Q}{2}=\frac{v_Q}{2}$이다. P는 같은 시간 동안 Q의 이동 거리의 2배를 이동하였으므로 평균 속력은 P가 Q의 2배이다. 따라서 a에서 c까지 P의 평균 속력은 v_Q이다.

바로알기 | ㄱ. 경사가 같은 빗면에서 중력을 받아 운동하므로 가속도의 크기는 P와 Q가 같다.

ㄷ. P의 처음 속력을 v_0이라고 하면 P의 평균 속력이 v_Q이므로 $\frac{v_0+v_P}{2}=v_Q$에 의해 $v_0+v_P=2v_Q$…①이 된다. 또한 P와 Q의 가속도가 같으므로 같은 시간 동안의 속력 변화량도 같다. 즉, $v_P-v_0=v_Q-0$에 의해 $v_0=v_P-v_Q$…②가 된다. ②식을 ①식에 대입하면 $2v_P=3v_Q$가 되므로 $\frac{v_Q}{v_P}=\frac{2}{3}$이다.

다른 해설 ㄷ. v_P가 v_Q보다 빠르므로 $\frac{v_Q}{v_P}<1$이다. 따라서 $\frac{v_Q}{v_P}=\frac{3}{2}$이 될 수 없다.

63

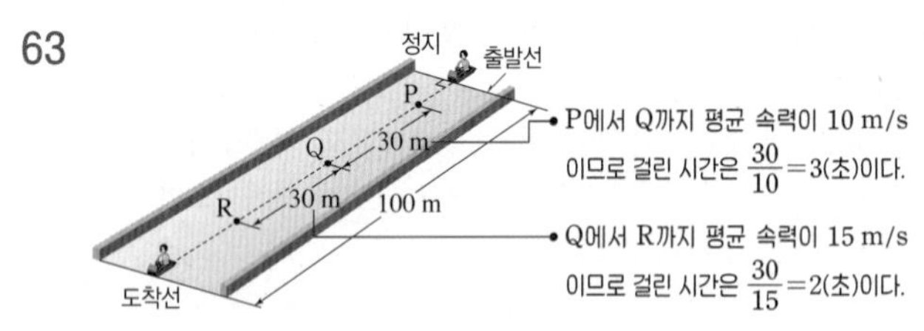

(1) P, Q, R에서 속력을 각각 v_P, v_Q, v_R라 하면 $\frac{v_P+v_Q}{2}=10$ m/s, $\frac{v_Q+v_R}{2}=15$ m/s이므로 두 식을 연립하여 풀면 $v_R-v_P=10$…①이 된다. 또, P에서 Q까지, Q에서 R까지 이동하는 데 걸린 시간이 각각 3초, 2초이므로 $v_Q=v_P+3a$, $v_R=v_Q+2a$이고, 두 식을 연립하여 풀면 $v_R-v_P=5a$…②가 된다. ①식과 ②식에 의해 $5a=10$이므로 눈썰매의 가속도 $a=2$ m/s^{2}이다.

(2) 출발선에서 도착선까지 등가속도 직선 운동을 하므로 $v^2-0=2\times2\times100$에 의해 눈썰매가 도착선에 도달했을 때의 속력 $v=20$ m/s이다.

(3) 정지 상태에서 출발한 썰매가 도착선에서 속력이 20 m/s이고 가속도가 2 m/s^{2}이므로 $20=0+2t$에 의해 출발선에서 도착선까지 눈썰매가 운동하는 데 걸린 시간 $t=10$ s이다.

(4) P에서 R까지 60 m를 5초에 지나갔으므로 5초 동안의 평균 속력은 12 m/s이다. 등가속도 운동에서 구간 평균 속력은 구간 중간 시간(2.5초)의 순간 속력과 같으므로 구간 평균 속력 12 m/s는 Q점에 도달하기 0.5초 전의 속력과 같다. 따라서 $v=v_0+at$에 대입하면 $v_Q=12+2\times0.5=13$(m/s)가 된다. v_Q는 v_P에서 3초 후 속력이므로 $v_Q=13=v_P+2\times3$에 의해 $v_P=7$ m/s가 된다. 정지 상태에서 출발해 2 m/s^{2}의 등가속도로 운동하여 7 m/s의 속력이 되는 데 걸린 시간은 $v=at$에 의해 $7=2t$가 되므로 출발선에서 P점까지 이동하는 데 걸린 시간 $t=3.5$ s이다.

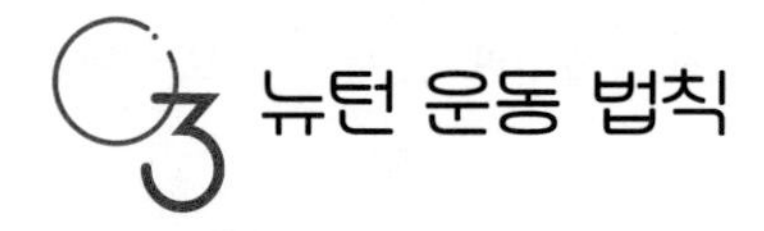

03 뉴턴 운동 법칙

빈출 자료 보기 21쪽

64 (1) ○ (2) × (3) × (4) × (5) ○ (6) ×

64 (1) 전체 질량이 3 kg, 알짜힘이 9 N이므로 가속도는 $a=\frac{F}{m}=\frac{9}{3}=3$(m/s^2)이다.

(5) A가 B에 작용하는 힘이 B에 작용하는 알짜힘이므로 6 N이다.

바로알기 | (2) A와 B가 정지 상태에서 등가속도 직선 운동을 하므로 4초 동안 이동한 거리는 $s=\frac{1}{2}at^2=\frac{1}{2}\times3\times4^2=24$(m)이다.

(3) A에 작용하는 알짜힘의 크기는 A의 질량×가속도$=1\times3=3$(N)이다.

(4) B에 작용하는 알짜힘의 크기는 B의 질량×가속도$=2\times3=6$(N)이다.

(6) B가 A에 작용하는 힘은 A가 B에 작용하는 힘의 반작용이므로 힘의 크기는 6 N이다.

난이도별 필수 기출 22~29쪽

65 ②, ④, ⑤ 66 ④, ⑤, ⑧ 67 ② 68 ③
69 해설 참조 70 ④ 71 ⑤
72 (1) $\frac{2}{3}$ (2) 6 m/s^2 73 ③ 74 ⑤ 75 ④ 76 ①
77 ② 78 ③ 79 ⑤ 80 해설 참조 81 ②
82 ① 83 ④ 84 ④ 85 ② 86 ⑤ 87 ③
88 ④ 89 ① 90 (1) 책이 사과를 떠받치는 힘 (2) 3 N
(3) 0 91 ① 92 ③ 93 ④ 94 ① 95 ②
96 ② 97 ① 98 ④ 99 해설 참조

65 ①, ③ 질량이 클수록 관성이 크고, 관성이 클수록 가속시키기 어렵다.

⑥ 관성은 물체가 자신의 운동 상태를 계속 유지하려는 성질을 말한다.

⑦, ⑧ 운동하던 물체에 작용하는 알짜힘이 0이면 물체는 등속 직선 운동을 하고, 정지해 있던 물체에 작용하는 알짜힘이 0이면 물체는 계속 정지 상태를 유지한다.

바로알기 | ② 관성은 물체의 온도와 관계가 없다.

④ 물체가 정지 상태일 때나 운동 상태일 때나 관성이 있다.

⑤ 일정한 속력을 유지하려면 알짜힘이 0이어야 한다.

66 ① 달리는 사람의 발이 돌에 걸려 정지할 때 힘을 받지 않은 상체는 계속 앞으로 나아가기 때문에 앞으로 넘어진다.

② 이불을 막대기로 두드리면 먼지가 관성에 의해 이불과 분리된다.

③ 선풍기를 꺼도 날개가 계속 움직이려는 관성에 의해 회전이 즉시 멈추지 않고 마찰이 작용하여 멈추게 된다.

⑥ 화장실 두루마리 휴지를 한 손으로 재빨리 당기면 화장지 뭉치가 관성에 의해 빨리 움직이지 않기 때문에 힘을 크게 받은 화장지가 끊어진다.

⑦ 망치 자루를 바닥에 내리치면 망치 자루가 멈출 때 망치 머리는 계속 운동하기 때문에 망치 자루에 단단히 박힌다.

바로알기 | ④ 운동장 위를 굴러가는 축구공은 운동 방향과 반대 방향으로 마찰력을 받기 때문에 속력이 점점 줄어든다. 뉴턴 운동 제2법칙으로 설명할 수 있다.

⑤, ⑧ 노를 저으면 물이 뒤로 밀려나고 그 반작용으로 배가 앞으로 나아가고, 수영 선수가 손과 발로 물을 뒤로 밀면 그 반작용으로 수영 선수의 속력이 빨라진다. 뉴턴 운동 제3법칙으로 설명할 수 있다.

67 ㄷ. 버스가 갑자기 출발할 때 몸이 뒤로 쏠리는 것은 정지해 있던 몸이 계속 정지해 있으려는 관성 때문이고, 중력이 작용하지 않는 우주 공간에서 운동하는 물체가 등속 직선 운동을 하는 것은 힘을 받지 않은 물체가 계속 운동하려는 관성으로 설명할 수 있다.

바로알기 | ㄱ. 뉴턴 운동 제3법칙은 작용 반작용 법칙으로 힘이 작용하는 원리를 설명하는 법칙이다.

ㄴ. 질량이 클수록 관성도 커지므로, 사람의 질량이 작을수록 몸이 느끼는 관성의 크기는 더 작아진다.

68

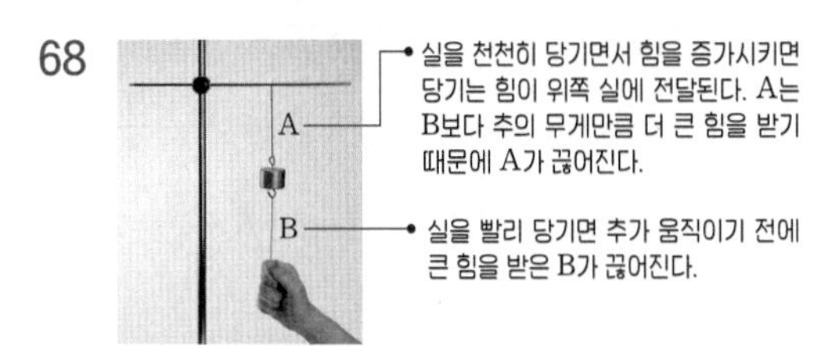

A
B
실을 천천히 당기면서 힘을 증가시키면 당기는 힘이 위쪽 실에 전달된다. A는 B보다 추의 무게만큼 더 큰 힘을 받기 때문에 A가 끊어진다.
실을 빨리 당기면 추가 움직이기 전에 큰 힘을 받은 B가 끊어진다.

ㄱ. 실을 빠르게 당기면 추가 움직이기 전에 큰 힘을 받은 실 B가 끊어진다.

ㄴ. 실을 천천히 당기면 추의 무게만큼 더 큰 힘을 받은 실 A가 끊어진다.

바로알기 | ㄷ. 실을 빠르게 당길 때 일어나는 현상은 추의 관성 때문에 일어나는 현상이다. 로켓이 가스를 분출하며 날아가는 현상은 뉴턴 운동 제3법칙으로 설명할 수 있는 원리이다.

69 힘을 받은 종이는 앞으로 날아가고 힘을 받지 않은 동전은 제자리에 있다가 종이가 빠져나가면 중력에 의해 아래로 떨어진다. 힘을 받지 않은 물체의 운동 상태가 변하지 않는 것은 물체가 가진 관성 때문이다. 정지해 있던 물체가 힘을 받지 않으면 계속 정지해 있고, 운동하던 물체가 힘을 받지 않으면 등속 직선 운동을 계속한다.

모범 답안 버스가 갑자기 출발하면 몸이 뒤로 쏠린다, 달리던 버스가 갑자기 정지하면 몸이 앞으로 쏠린다, 달리던 사람의 발이 돌부리에 걸리면 사람이 앞으로 넘어진다. 등

70 ㄴ. ㉡에서 물체에 작용하는 알짜힘은 0이므로 물체는 운동 상태가 변하지 않고 등속 직선 운동을 계속한다.

ㄷ. ㉢에 해당하는 성질은 관성으로 뉴턴 운동 제1법칙인 관성 법칙으로 설명할 수 있다.

바로알기 | ㄱ. ㉠에서 물체의 속력이 빨라지는 등가속도 운동을 하는 경우에는 물체에 작용하는 알짜힘의 방향이 물체의 운동 방향과 같다. 물체에 작용하는 알짜힘의 방향이 물체의 운동 방향과 반대이면 물체의 속력이 감소한다.

71 일정한 힘이 운동 방향으로 계속 작용하였으므로 장난감 자동차는 등가속도 직선 운동을 한다. 장난감 자동차의 가속도 $a=\frac{F}{m}$ $=\frac{10\text{ N}}{5\text{ kg}}=2\text{ m/s}^2$이므로, 이동 거리 $s=\frac{1}{2}at^2=\frac{1}{2}\times2\times4^2=$ 16(m)이고, 속도 $v=at=2\times4=8$(m/s)이다.

72

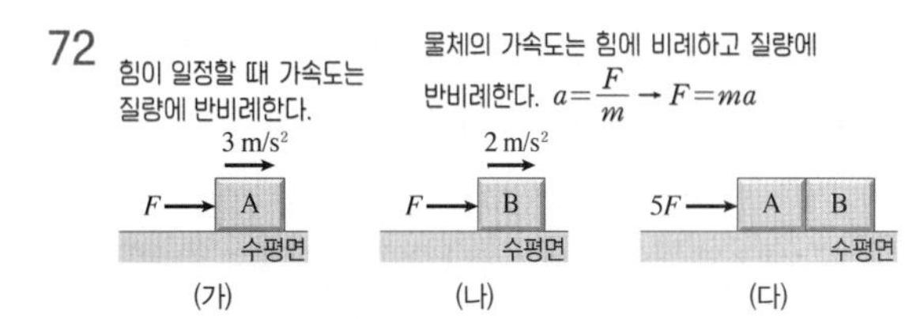

(1) (가)와 (나)에서는 힘의 크기가 F로 같고 A와 B의 가속도의 비가 3 : 2이다. 힘이 일정할 때 가속도는 질량에 반비례하므로 $m_A : m_B$ =2 : 3이다. 따라서 $\frac{m_A}{m_B}=\frac{2}{3}$이다.

(2) A의 질량을 $2m$, B의 질량을 $3m$이라고 하면 (가)에서 $3=\frac{F}{2m}$, (나)에서 $2=\frac{F}{3m}$이므로 $\frac{F}{m}=6$이다. 따라서 (다)에서 A, B의 가속도의 크기$=\frac{5F}{2m+3m}=\frac{F}{m}=6(\text{m/s}^2)$이 된다.

73 세 물체가 함께 운동하므로 먼저 세 물체의 가속도를 구한다. 각 질량에 가속도를 곱하여 각 물체에 작용하는 알짜힘을 구한다.

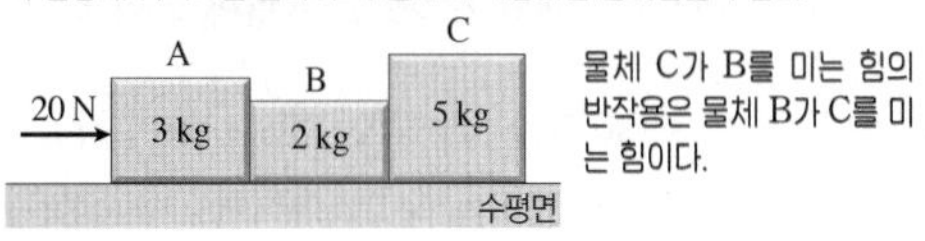

전체 질량이 10 kg이고, 전체 알짜힘이 20 N이므로 가속도 $a=\frac{F}{m}$ $=\frac{20}{10}=2(\text{m/s}^2)$이다. 따라서 B에 작용하는 알짜힘의 크기는 $2\text{ kg}\times2\text{ m/s}^2=4\text{ N}$이다.

74 C가 B를 미는 힘의 반작용이 B가 C를 미는 힘이고, 이 힘은 C에 작용하는 알짜힘과 같다. 따라서 C가 B를 미는 힘의 크기는 C의 질량에 가속도를 곱한 값이므로 $5\text{ kg}\times2\text{ m/s}^2=10\text{ N}$이다.

75 ㄴ. 물체에 작용하는 알짜힘의 크기가 10 N이므로 물체의 가속도의 크기는 $\frac{10\text{ N}}{5\text{ kg}}=2\text{ m/s}^2$이다.

ㄷ. 정지 상태에서 2 m/s^2의 가속도로 운동할 때 3초 후의 속력 $v=at=2\times3=6$(m/s)이다.

바로알기 | ㄱ. 물체에 오른쪽으로 30 N, 왼쪽으로 20 N의 힘이 작용하고 있으므로 물체에 작용하는 알짜힘의 크기는 30 N−20 N= 10 N이다.

76 ㄱ. 두 물체가 함께 운동하므로 두 물체의 가속도도 같다. 전체 질량이 7 kg이고, 전체 알짜힘이 35 N이므로 두 물체의 가속도는 $\frac{35\text{ N}}{7\text{ kg}}=5(\text{m/s}^2)$이다.

ㄷ. 실이 B를 당기는 힘의 크기는 실이 A를 당기는 힘의 크기와 같다. 실이 A를 당기는 힘이 A에 작용하는 알짜힘이므로 실이 A를 당기는 힘의 크기는 A의 질량에 가속도를 곱한 $3\text{ kg}\times5\text{ m/s}^2=15\text{ N}$이다.

바로알기 | ㄴ. B에 작용하는 알짜힘의 크기는 B의 질량에 가속도를 곱한 $4\text{ kg}\times5\text{ m/s}^2=20\text{ N}$이다.

ㄹ. 운동하는 동안 실이 끊어지면 A에 작용하는 알짜힘이 0이 되므로 A는 실이 끊어진 순간의 속도로 등속 직선 운동을 계속한다.

77 세 물체가 같은 가속도로 운동하므로 전체 질량과 전체 알짜힘으로 가속도를 구한다.

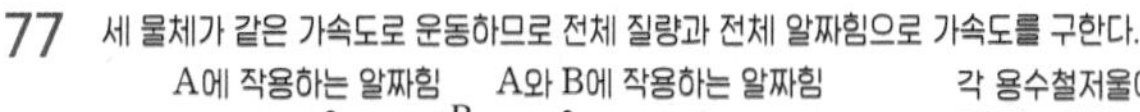

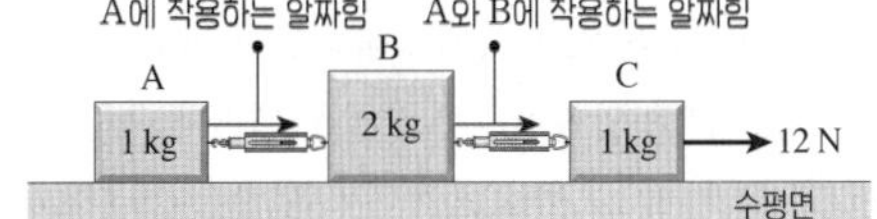

각 용수철저울이 가리키는 값은 뒤에 매달려 오는 물체에 작용하는 알짜힘의 크기이다.

전체 질량이 4 kg이고, 전체 알짜힘이 12 N이므로 세 물체의 가속도는 $\frac{12}{4}=3(\text{m/s}^2)$이다. (가) A와 B 사이 용수철저울이 가리키는 값은 A에 작용하는 알짜힘의 크기와 같다. A에 작용하는 알짜힘=A의 질량×가속도=1×3=3(N)이다. (나) B와 C 사이 용수철저울이 가리키는 값은 뒤에 매달려오는 A와 B에 작용하는 알짜힘의 크기와 같다. A와 B에 작용하는 알짜힘=A와 B의 질량의 합×가속도=(1+2)×3=9(N)이다.

78 ㄱ. (가)에서 10 N의 힘이 작용하였을 때 가속도의 크기가 2 m/s^2이므로 수레의 질량은 $\frac{F}{a}=\frac{10}{2}=5(\text{kg})$이다.

ㄴ. ㉠은 (가)에서 힘의 크기만 2배로 증가시켰으므로 가속도의 크기는 (가)에서의 2배인 4 m/s^2이고, ㉡은 (가)에서 전체 질량만 2배로 증가시켰으므로 가속도의 크기는 (가)에서의 $\frac{1}{2}$배인 1 m/s^2이다.

바로알기 | ㄷ. 질량이 일정할 때 물체의 가속도는 물체에 작용하는 힘에 비례한다. 힘이 일정할 때 물체의 가속도는 질량에 반비례한다.

79 물체에는 위 방향으로 30 N, 아래 방향으로 10 N이 작용하므로 물체에 작용하는 알짜힘은 위 방향으로 20 N이다. 따라서 가속도 $a=\frac{F}{m}=\frac{20}{1}=20(\text{m/s}^2)$이다. 물체는 정지 상태에서 일정한 가속도로 운동을 하므로 $v^2=2as$에서 1 m 이동하였을 때 속력은 $v=\sqrt{2as}=\sqrt{2\times20\times1}=2\sqrt{10}$ m/s이다.

80

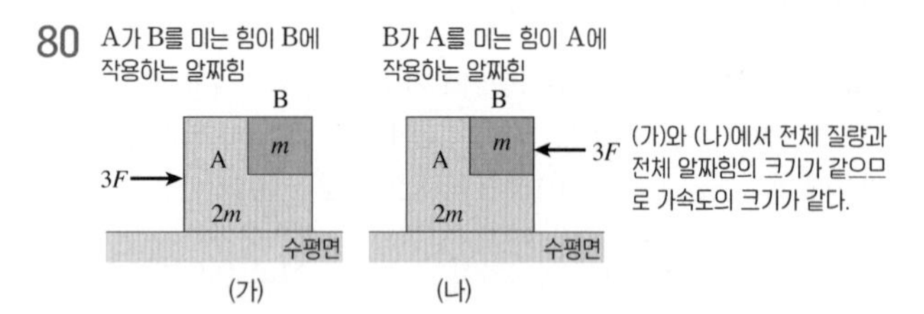

(1) (가)에서 두 물체의 가속도는 $a=\frac{3F}{3m}=\frac{F}{m}$이다. B에 작용하는 알짜힘의 크기는 B의 질량에 가속도를 곱한 값이다.

(2) (가)에서 B가 A를 미는 힘의 크기는 A가 B를 미는 힘의 크기와 같고, A가 B를 미는 힘은 B에 작용하는 알짜힘이므로 F이다. (나)에서 B가 A를 미는 힘은 A에 작용하는 알짜힘이다.

모범 답안 (1) 두 물체의 가속도는 $a=\frac{3F}{3m}=\frac{F}{m}$이므로 B에 작용하는 알짜힘의 크기는 $F_\text{B}=m\frac{F}{m}=F$이다.

(2) (가)에서 B가 A를 미는 힘의 반작용은 A가 B를 미는 힘이고, 이 힘은 B에 작용하는 알짜힘이므로 F이다. (나)에서 B가 A를 미는 힘은 A에 작용하는 알짜힘이므로 $F_\text{A}=2m\frac{F}{m}=2F$이다. 따라서 B가 A를 미는 힘의 크기는 (나)에서가 (가)에서의 2배이다.

81 ㄷ. 두 물체를 가속시키는 전체 알짜힘 F는 각 물체에 작용하는 알짜힘의 합과 같으므로 F는 A에 작용하는 알짜힘 4 N과 B에 작용하는 알짜힘 2 N을 더한 6 N이다.

바로알기 | ㄱ. (가)와 (나)에서 전체 질량, 전체 알짜힘이 같으므로 가속도가 같고, A, B에 작용하는 알짜힘도 (가)와 (나)에서 같다.

ㄴ. (가)에서 용수철저울이 당기는 힘이 B에 작용하는 알짜힘이고, (나)에서 용수철저울이 당기는 힘이 A에 작용하는 알짜힘이다. (가)와 (나)에서 가속도가 같으므로 알짜힘은 질량에 비례한다. 따라서 질량은 A가 B의 2배이다.

82 ㄱ. A에 작용하는 마찰력을 f라고 하면 A에 작용하는 알짜힘은 3 N$-f$이다. A의 가속도가 1 m/s^2이므로 $F=ma$에 대입하면 3 N$-f=$2 kg×1 m/s^2에서 $f=$1 N이다.

바로알기 | ㄴ. 접촉면의 재질이 같을 때 마찰력의 크기는 접촉면에 수직으로 작용하는 힘의 크기에 비례하므로 B에 작용하는 마찰력은 A에 작용하는 마찰력의 2배인 2 N이다. B에 대해 운동 방정식을 세우면 $F-$2 N=4 kg×1 m/s^2에서 $F=$6 N이다.

ㄷ. 같은 수평면에서 A, B를 접촉시키고 함께 운동시킬 때 마찰력의 크기는 A와 B에 작용하는 마찰력의 합과 같은 3 N이다. 알짜힘의 크기는 $F-3=6-3=3$(N)이고, 전체 질량은 6 kg이므로 가속도의 크기는 $\frac{3}{6}=\frac{1}{2}(\text{m/s}^2)$이다.

83

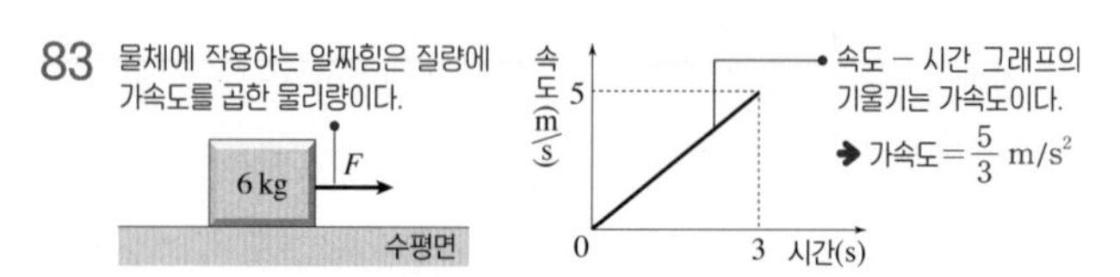

속도-시간 그래프의 기울기는 가속도이므로 가속도의 크기는 $\frac{5}{3}$ m/s^2이다. 물체에 작용하는 알짜힘은 F이므로 $F=ma=6\times\frac{5}{3}=10$(N)이다.

84 ㄴ. 3초일 때 물체가 받은 알짜힘은 물체의 질량에 가속도를 곱한 5 kg×10 m/s^2=50 N이다.

ㄷ. 0초부터 8초까지 전체 변위의 크기(그래프와 시간축 사이의 넓이)가 200 m이고, 걸린 시간이 8초이므로 평균 속도의 크기는 $\frac{200}{8}=$25(m/s)이다.

바로알기 | ㄱ. 0초부터 4초까지 가속도(그래프의 기울기)가 $\frac{40}{4}=$10(m/s^2)으로 일정하므로 1초일 때 가속도의 크기는 0초부터 4초까지 가속도의 크기와 같은 10 m/s^2이다.

85

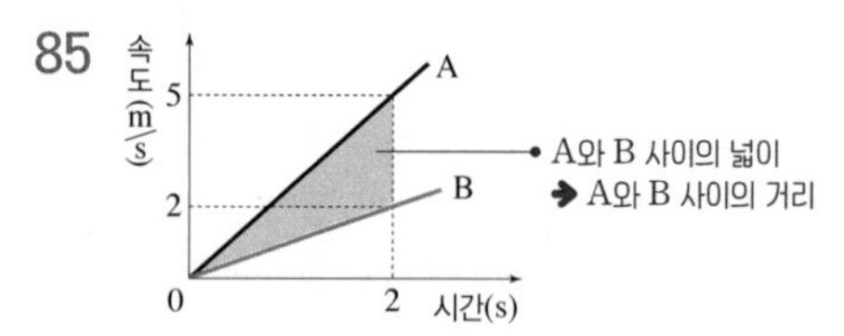

ㄷ. 알짜힘이 일정할 때 물체의 가속도는 질량에 반비례한다. A의 가속도는 $\frac{5}{2}$ m/s^2이고, B의 가속도는 1 m/s^2이므로 $m_\text{A} : m_\text{B}=1 : \frac{5}{2}=2 : 5$이다.

바로알기 | ㄱ. A와 B의 그래프 사이의 넓이는 A와 B 사이의 거리이다. 이 넓이가 증가하므로 A와 B 사이의 거리는 증가한다.

ㄴ. 속도-시간 그래프의 기울기는 가속도이므로 A의 가속도의 크기는 $\frac{5}{2}$ m/s^2이고, B의 가속도의 크기는 1 m/s^2이다. 따라서 A와 B의 가속도 크기의 차는 $\frac{5}{2}$ m/s^2-1 $\text{m/s}^2=\frac{3}{2}$ m/s^2이다.

86 ㄱ. 1초일 때 가속도의 크기는 2 m/s^2이고 전체 질량은 7 kg이므로 $F=ma=7\times2=14$(N)이다.

ㄷ. 0초부터 2초까지 정지 상태에서 2 m/s^2의 가속도로 등가속도 직선 운동을 하므로 A가 이동한 거리는 $s=\frac{1}{2}\times2\times2^2=4$(m)이다.

ㄹ. 0초부터 2초까지는 변위의 크기(이동 거리)가 4 m이고, 2초부터 4초까지는 2초일 때의 속도 4 m/s로 등속도 운동을 하므로 변위의 크기는 4 m/s×2 s=8 m이다. 0초부터 4초까지 전체 변위의 크기는 4 m+8 m=12 m이고 걸린 시간이 4초이므로 B의 평균 속도의 크기는 $\frac{12}{4}=3$(m/s)이다.

바로알기 | ㄴ. 1초일 때 A가 B에 작용하는 힘이 B에 작용하는 알짜힘이므로 A가 B에 작용하는 힘의 크기는 4 kg×2 m/s^2=8 N이다.

87 로봇이 수직 봉에 힘을 가하여 그 반작용으로 운동하게 된다.
➡ 로봇의 가속도가 위 방향일 때는 봉에 아래 방향으로 힘을 가하고, 가속도가 아래 방향일 때는 봉에 위 방향으로 힘을 가한다.

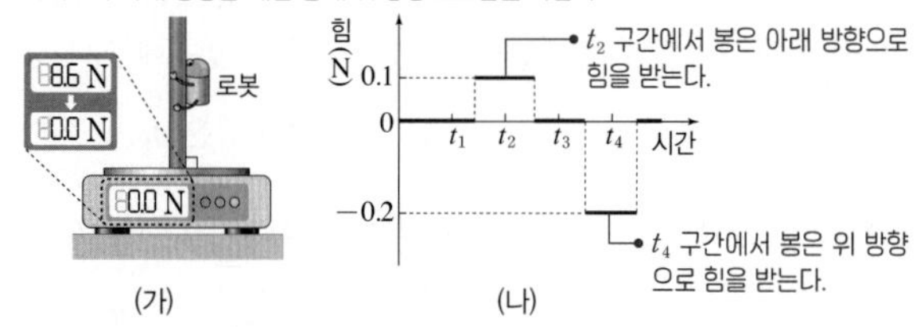

ㄱ. 로봇이 봉에 힘을 가하면 봉도 로봇에 힘을 가하므로 t_2일 때 로봇이 받는 힘의 크기는 0.1 N이다. 따라서 로봇의 가속도의 크기는 $a=\frac{F}{m}=\frac{0.1}{0.1}=1$(m/s^2)이다.

ㄷ. t_1 구간에서 정지해 있던 로봇은 t_2 구간에서 위로 속력이 빨라지는 가속도 운동, t_3 구간에서 등속도 운동, t_4 구간에서 속력이 느려지는 가속도 운동을 한다. 따라서 t_4일 때, 로봇에 작용하는 알짜힘의 방향은 연직 아래 방향이다.

바로알기 | ㄴ. t_3 구간에서 로봇에 작용하는 알짜힘이 0이므로 t_3일 때 로봇은 t_2 구간의 마지막 속력으로 등속 운동을 한다.

88 작용 반작용 관계인 두 힘은 크기가 같고 방향이 반대이며 서로 다른 물체에 작용한다.

89 지구가 화분을 당기는 힘(F_1)과 반작용 관계인 힘은 화분이 지구를 당기는 힘(F_2)이다. 지구가 화분을 당기는 힘(F_1)과 책상이 화분을 떠받치는 힘(F_4)은 화분에 작용하는 두 힘으로 작용점이 화분에 있다. 이 두 힘의 크기가 같고 방향이 반대이므로 합력이 0이다. 따라서 두 힘은 힘의 평형 관계이다.

90 (1) 지구가 사과를 당기는 힘과 평형을 이루는 힘은 작용점이 사과에 있어야 하고 지구가 사과를 당기는 힘과 크기는 같고 방향이 반대이어야 한다.

(2) 작용과 반작용 관계인 두 힘은 주어와 목적어가 뒤바뀌는 두 힘이다. 지구가 사과를 당기는 힘의 반작용력은 사과가 지구를 당기는 힘이다. 두 힘의 크기가 같으므로 힘의 크기는 사과의 무게인 0.3 kg×10 m/s^2=3 N이다.

(3) 사과가 정지 상태를 유지하고 있으므로 운동 상태가 변하지 않는다. 따라서 사과에 작용하는 알짜힘은 0이다.

91 ㄱ. 액자에는 지구가 액자를 당기는 힘(W_1)과 텔레비전이 액자를 떠받치는 힘(W_3)이 작용한다. 액자가 정지 상태를 유지하고 있으므로 액자에 작용하고 있는 두 힘은 힘의 평형 상태이다. 따라서 $W_1=W_3$이다.

바로알기 | ㄴ. 탁자가 텔레비전을 떠받치는 힘의 크기는 텔레비전과 액자의 무게의 합과 같다. 즉, $W_1+W_2=W_4$이다.

ㄷ. W_1과 W_3은 작용점이 액자에 있고 힘의 방향이 반대이므로 힘의 평형 관계이다.

92

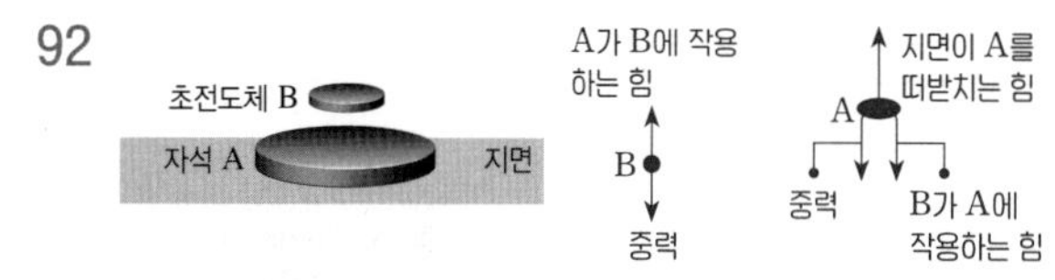

• A가 B에 작용하는 힘과 B에 작용하는 중력은 B에 작용하는 두 힘으로 힘의 크기가 같고 방향이 반대이므로 합력이 0이다. 따라서 두 힘은 ㉠(힘의 평형) 관계이다.

• A가 B에 작용하는 힘과 B가 A에 작용하는 힘은 A와 B 사이에 상호 작용 하는 힘으로 ㉡(작용 반작용) 관계이다. A가 B에 작용하는 힘의 반작용으로 B가 A에 작용하는 힘은 B에 작용하는 중력과 크기가 같다.

• A에는 아래 방향으로 지구가 A를 당기는 힘, B가 A에 작용하는 힘이 작용하고 두 힘의 합과 같은 크기로 지면이 A를 떠받치고 있다. 따라서 지면이 A를 떠받치는 힘은 A에 작용하는 중력과 B에 작용하는 중력의 합㉢(과 같다).

93

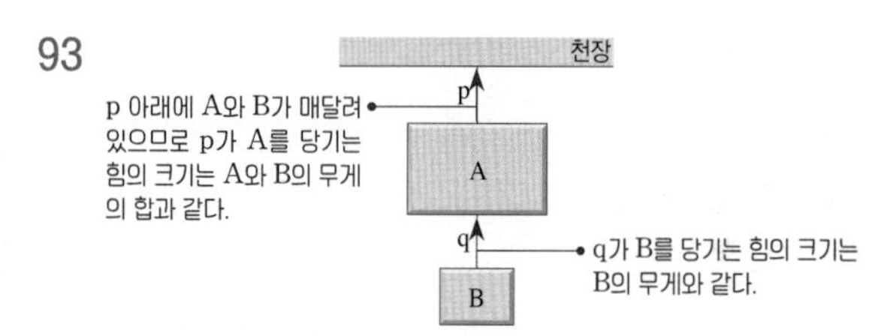

ㄴ. q가 B를 당기는 힘과 B가 q를 당기는 힘은 작용 반작용 관계이므로 크기가 같다.

ㄷ. A가 q를 당기는 힘과 B가 q를 당기는 힘은 q에 작용하는 두 힘으로 합력이 0이므로 힘의 평형 관계이다.

바로알기 | ㄱ. p가 A를 당기는 힘의 크기는 A와 B의 무게의 합과 같고, q가 B를 당기는 힘의 크기는 B의 무게와 같다. 따라서 p가 A를 당기는 힘의 크기가 q가 B를 당기는 힘의 크기보다 크다.

94 ㄱ. 철수가 등속 직선 운동을 하고 있으므로 철수에게 작용하는 알짜힘은 0이다.

바로알기 | ㄴ. 철수에게 작용하는 중력과 스케이트보드가 철수를 떠받치는 힘은 철수에 작용하는 두 힘으로 합력이 0이므로 힘의 평형 관계이다.

ㄷ. 수평면이 스케이트보드를 떠받치는 힘의 크기는 철수의 무게에 스케이트보드의 무게를 더한 값과 같다.

95

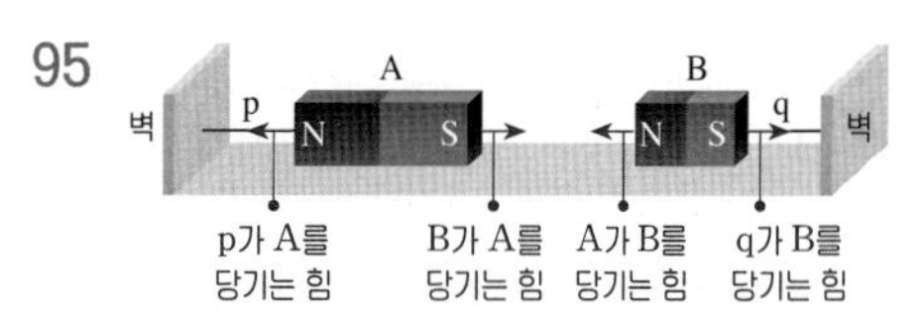

ㄴ. 힘은 두 물체 사이에서 상호 작용 한다. A가 B를 당기는 힘과 B가 A를 당기는 힘은 작용 반작용 관계이다.

바로알기 | ㄱ. A와 B 모두 정지 상태에 있기 때문에 두 물체에 작용하는 알짜힘은 모두 0이다.

ㄷ. p가 A를 당기는 힘은 B가 A를 당기는 힘과 힘의 평형 상태이고, q가 B를 당기는 힘은 A가 B를 당기는 힘과 힘의 평형 상태이다. A가 B를 당기는 힘과 B가 A를 당기는 힘의 크기가 같기 때문에 p가 A를 당기는 힘의 크기와 q가 B를 당기는 힘의 크기는 같다.

96 영희와 철수 사이에 작용하는 힘은 작용 반작용 관계이므로 크기가 같고 방향이 반대이다.

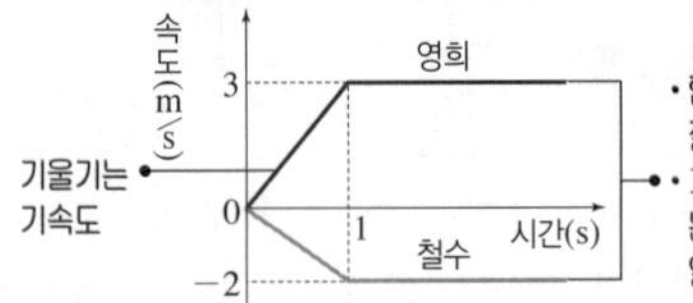

• 힘의 크기가 같을 때 가속도는 질량에 반비례한다.
• 1초 이후 등속 직선 운동을 하는 것은 두 사람에게 작용하는 알짜힘이 0이기 때문이다.

ㄴ. 0초부터 1초까지 두 사람이 받은 힘의 크기가 같고 영희와 철수의 가속도 크기의 비가 3 : 2이므로 영희와 철수의 질량의 비는 2 : 3이다. 따라서 철수의 질량은 영희의 $\frac{3}{2}$배이다.

바로알기 | ㄱ. 0초부터 1초까지 철수와 영희 사이에 작용하는 힘은 작용 반작용 관계이므로 힘의 크기가 같다.
ㄷ. 등속도 운동하는 물체에 작용하는 알짜힘은 0이다. 따라서 1초 이후에 두 사람에게 작용하는 알짜힘은 0이다.

97 (가)에서 A에는 아래 방향으로, 중력과 B가 A에 작용하는 자기력이 작용한다. 두 힘을 합한 크기로 A가 B를 누르고 그 반작용으로 B가 A를 밀어올린다.

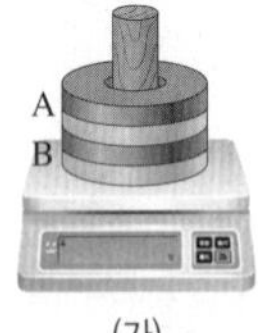

(가)

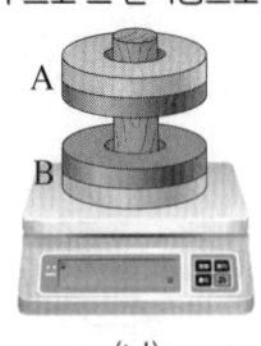

(나)

(나)에서 A에는 아래 방향으로 중력과 B가 A에 위 방향으로 작용하는 자기력이 평형을 이루고 있다.

ㄱ. (가)에서 A에 작용하는 알짜힘은 0이므로 A에 작용하는 모든 힘의 합력은 0이다. (가)에서 A에는 아래 방향으로 중력과 B가 A를 당기는 자기력이 작용하고, 위 방향으로 B가 A를 떠받치는 힘이 작용한다. 따라서 B가 A를 떠받치는 힘의 크기는 A에 작용하는 중력과 자기력의 합의 크기와 같다.

바로알기 | ㄴ. (나)에서 A에 작용하는 중력과 B가 A에 작용하는 자기력은 A에 작용하는 두 힘으로, 힘의 평형 관계이다.
ㄷ. w_1과 w_2는 (가)와 (나)에서 B가 저울을 누르는 힘의 크기이고, 그 반작용으로 저울은 각각 B를 위로 떠받치는 힘을 작용한다. (가)에서 B에는 아래 방향으로 A가 B를 누르는 힘(A의 무게+B가 A를 당기는 자기력의 크기)과 B의 무게가 작용하고, 위 방향으로 A가 B에 작용하는 자기력과 저울이 B를 떠받치는 힘(w_1)이 작용한다. 모든 힘의 합력이 0이므로 w_1=(A의 무게+B의 무게)가 된다. (나)에서 B에는 아래 방향으로 B의 무게와 A가 B에게 작용하는 자기력(=A의 무게)이 작용하고 위 방향으로 저울이 B를 떠받치는 힘(w_2)이 작용한다. B에 작용하는 모든 힘의 합력이 0이므로 w_2=(A의 무게+B의 무게)가 된다. 따라서 $w_1=w_2$이다.

98 ㄴ. A와 B 사이에는 서로 당기는 자기력이 작용하고 두 물체의 질량이 같기 때문에 두 물체에 작용하는 중력의 크기도 같다. A에는 아래 방향으로 중력과 B가 A를 당기는 자기력이 작용한다. 두 힘을 합한 크기의 힘으로 A가 컵을 누른다. 따라서 A가 컵을 누르는 힘의 크기는 B에 작용하는 중력의 크기(=A에 작용하는 중력의 크기)보다 크다.
ㄷ. B를 제거하면 A에 작용하는 자기력이 없어지므로 A는 자신의 무게와 같은 크기의 힘으로 컵을 누른다.

바로알기 | ㄱ. A와 B 사이에 작용하는 자기력은 작용 반작용 관계이다.

99 모범 답안 작용 반작용 관계에 있는 두 힘의 작용점은 서로 다른 물체에 있고, 힘의 평형 관계에 있는 두 힘의 작용점은 한 물체에 있다.

04 운동량과 충격량

빈출 자료 보기 31쪽

100 (1) ○ (2) × (3) ○ (4) ×

100 (1) 시간 t일 때 B의 위치가 변하기 시작하였으므로 두 물체는 시간 t일 때 충돌하였다. 0부터 t까지 A의 속도(위치-시간 그래프의 기울기)가 $\frac{d}{t}$이므로 충돌 전 A의 운동량은 $m_A\frac{d}{t}$이다.
(3) 충돌 전 B는 정지해 있었으므로 운동량 보존 법칙에 의해 충돌 후 A와 B의 운동량의 합은 충돌 전 A의 운동량과 같은 $m_A\frac{d}{t}$이다.

바로알기 | (2) 충돌 전 정지해 있던 B가 충돌 후 $\frac{d}{2t}$(t부터 $5t$까지 B의 기울기)의 속도로 운동하므로 B의 운동량 변화량은 $m_B\frac{d}{2t}$이다. 따라서 충돌하는 동안 B가 받은 충격량은 $m_B\frac{d}{2t}$이다.
(4) 충돌 전 A의 운동량은 충돌 후 A와 B의 운동량의 합과 크기가 같다.

난이도별 필수 기출 32~39쪽

101 ②	102 ④	103 ③	104 ③	105 6 m/s
106 오른쪽, 4 m/s		107 ①	108 ④	109 ④	110 ②
111 해설 참조		112 ⑤		
113 I_A: 0.12 N·s, I_B: 0.1 N·s, I_C: 0.08 N·s				
114 왼쪽으로 80 N·s		115 ③	116 ⑤	117 ①	118 ④
119 8 N·s		120 ⑤	121 ③	122 ⑤	123 ⑤
124 ②	125 ①	126 ②	127 ⑥	128 6 N	129 ⑤
130 ④	131 $\frac{5}{4}$배	132 ⑤	133 ②	134 ①	
135 ①, ⑥	136 ①	137 ④	138 ⑤	139 해설 참조	

101 질량이 0.2 kg(=200 g)인 물체의 속력이 5 m/s일 때 물체의 운동량의 크기는 $p=mv=0.2\times5=1$(kg·m/s)이다.

102 ㄴ. 운동량=질량×속도이므로 속도=$\frac{운동량}{질량}$이다. 따라서 운동량-시간 그래프를 속도-시간 그래프로 전환하면 그림과 같다. 그래프에서 0초부터 5초까지 물체가 이동한 거리는 20 m이다.

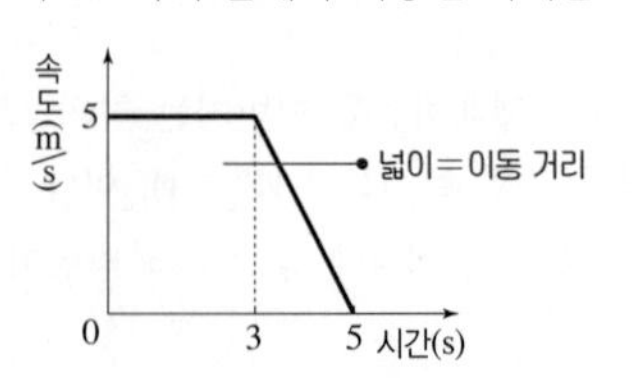

ㄷ. 운동량-시간 그래프의 기울기가 물체에 작용한 알짜힘이다. 3초부터 5초까지 물체에 작용한 알짜힘은 $F=\frac{\Delta p}{\Delta t}=\frac{0-10}{5-3}=-5$(N)이므로 알짜힘의 크기는 5 N이다.

바로알기 | ㄱ. 0초부터 3초까지 운동량이 일정하므로 기울기가 0이다. 따라서 물체에 작용하는 알짜힘은 0이다.

103

A, B 두 물체가 함께 운동하므로 두 물체의 가속도는 같다.

기울기는 물체에 작용한 알짜힘이다. ➔ A에 작용하는 알짜힘은 20 N이다.

(가) (나)

ㄱ. A의 운동량-시간 그래프의 기울기가 알짜힘이므로 A에 작용하는 알짜힘은 20 N이다. 따라서 A의 가속도의 크기는 $\frac{20\ \text{N}}{2\ \text{kg}}=10\ \text{m/s}^2$이다.

ㄴ. B의 가속도는 A의 가속도와 같은 $10\ \text{m/s}^2$이므로 B에 작용한 알짜힘의 크기는 $F_B=ma=1\times10=10$(N)이다.

바로알기 | ㄷ. F는 전체 질량에 가속도를 곱한 값이므로 $F=ma=(2+1)\times10=30$(N)이다.

104

① 정지 상태에서 사격을 하면 총알이 발사되기 전 총과 총알의 운동량의 합은 0이다.

② 운동량 보존 법칙에 따라 총알이 발사된 후에도 운동량의 합은 0이다.

④, ⑤ 총알이 발사된 후 총과 총알의 운동량이 크기는 같고($m_{총}v_{총}=m_{총알}v_{총알}$) 방향은 반대이다. 총의 질량이 총알의 질량보다 훨씬 크기 때문에($m_{총}\gg m_{총알}$) 총알에 비해 총의 속력이 느리다($v_{총}\ll v_{총알}$).

바로알기 | ③ 총알이 발사될 때 총과 총알은 서로 반대 방향으로 힘을 받아 운동량이 변하므로 총과 총알의 운동량은 크기가 같고 방향이 반대이다. 따라서 총은 총알이 발사되는 방향과 반대 방향으로 움직인다.

105

운동량은 방향이 있는 물리량이므로 직선상에서 한쪽을 (+)로 표시하면 반대쪽은 (−)로 표시한다.

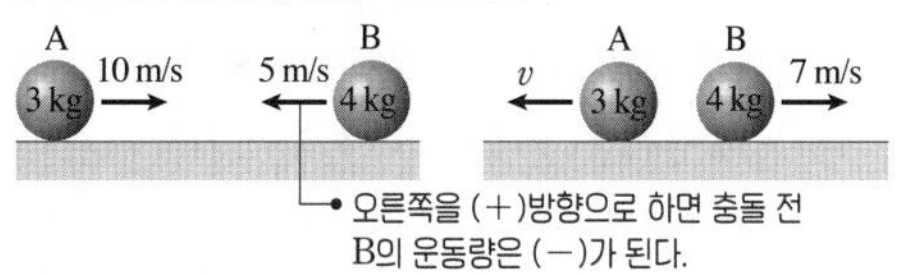

오른쪽을 (+)방향으로 하면 충돌 전 B의 운동량은 (−)가 된다.

오른쪽을 (+)방향으로 정하고, 충돌 후 A의 속도를 v라고 하면 운동량 보존 법칙에 따라 $3\times10+4\times(-5)=3v+4\times7$에 의해 $v=-6$ m/s이다. 따라서 충돌 후 A는 왼쪽으로 6 m/s의 속력으로 운동한다.

개념 보충

- 직선상의 운동에 대한 운동량을 계산할 때 각 물체의 운동 방향을 알 때에는 운동 방향에 따라 (+) 또는 (−) 부호를 붙여 계산하고, 방향을 모르는 미지수는 계산 결과에 따라 방향을 파악한다.
- 이 문제의 경우처럼 충돌 후 A가 왼쪽으로 운동하면 충돌 후 A의 속도를 $-v$로 표시할 수 있는데, 이때 −로 방향을 표시하였으므로 v는 속력이 된다.

106

충돌뿐만 아니라 한 물체가 두 개로 분열(폭발)하는 경우에도 분열(폭발)하는 물체 사이의 상호 작용 외에 외력이 작용하지 않으면 운동량 보존 법칙이 성립한다. 분열 전 물체의 운동량이 0이었으므로 운동량 보존 법칙에 따라 $0=2\times(-6)+3v$에 의해 폭발 후 B의 속도 $v=4$ m/s이다. 따라서 폭발 후 B는 오른쪽으로 4 m/s의 속력으로 운동한다.

107

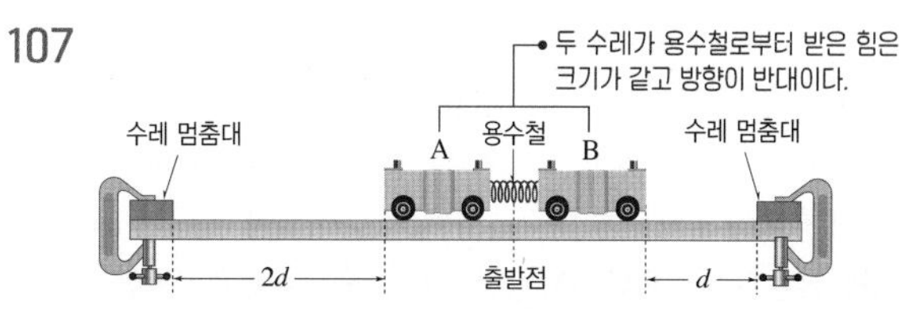

가속도가 질량에 반비례하므로 속도 변화량과 이동 거리도 질량에 반비례한다.

ㄱ. 용수철은 양쪽으로 똑같은 크기의 힘을 작용하므로 A와 B가 받는 힘의 크기는 같다.

ㄴ. 같은 시간 동안 A와 B의 이동 거리의 비는 속력의 비와 같고, 속력의 비는 가속도의 비와 같다. A와 B의 이동 거리의 비가 2 : 1이므로 가속도의 비도 2 : 1이다. 가속도는 질량에 반비례하므로 가속도의 비가 2 : 1이면 A와 B의 질량의 비는 1 : 2이다.

바로알기 | ㄷ. 분리된 후 A와 B의 속력의 비는 같은 시간 동안 이동한 거리의 비와 같은 2 : 1이다.

ㄹ. 두 수레가 같은 시간 동안 같은 크기의 힘을 받으므로 두 수레가 받은 충격량이 같고, 충격량이 같으면 두 수레의 운동량의 변화량도 같다. 따라서 수레 멈춤대에 도달하기 직전 두 수레의 운동량의 크기는 같다.

108

ㄴ. 두 물체의 상호 작용 외의 외력이 없으므로 운동량이 보존된다. 따라서 충돌 전 A, B의 운동량의 합은 충돌 후 A, B의 운동량의 합과 같다.

ㄷ. 충돌하는 동안 A와 B 사이에 작용하는 힘은 작용 반작용 관계이므로 크기가 같고 방향이 반대이다.

바로알기 | ㄱ. 충돌 후 A가 정지하였으므로 충돌 전 A의 운동량은 충돌 후 B의 운동량과 같다. 두 물체의 질량이 같으므로 충돌 후 B의 속력은 충돌 전 A의 속력과 같은 8 m/s이다.

109

ㄴ. 운동량 보존 법칙에 따라 충돌 전 운동량의 합은 충돌 후 운동량의 합과 같으므로 $1\times3=(1+2)v$에 의해 충돌 후 찰흙과 수레의 속력은 $v=1$ m/s이다.

ㄷ. 충돌 전 찰흙의 운동 에너지는 $\frac{1}{2}\times1\times3^2=\frac{9}{2}$(J)이고, 충돌 후 한 덩어리가 된 물체의 운동 에너지는 $\frac{1}{2}\times3\times1^2=\frac{3}{2}$(J)이므로 운동 에너지의 합은 보존되지 않는다.

바로알기 | ㄱ. 충돌 전 찰흙의 운동량은 $p=mv=1\ \text{kg}\times3\ \text{m/s}=3\ \text{kg}\cdot\text{m/s}$이다.

110

(나)에서 그래프의 기울기는 A에 대한 B의 상대 속도이다.
➔ 0초부터 2초까지 그래프의 기울기가 −2 m/s이므로 $v_{AB}=-2\ \text{m/s}=v_B-v_A=v_B-4$ m/s에 의해 $v_B=2$ m/s이다.

2초 이후에 상대 속도가 1 m/s이므로 B의 속도가 A의 속도보다 1 m/s 빠르다.

(가) (나)

그래프의 기울기를 통해 A에 대한 B의 상대 속도를 알 수 있다. (가)에서 B의 속도가 2 m/s이고, 2초 이후에 A의 속도를 v라고 하면 B의 속도는 $v+1$이다. 운동량 보존 법칙에 의해 $1\times4+2\times2=1\times v+2(v+1)$이므로 충돌 후 A의 속도는 $v=2$ m/s이다. 따라서 충돌 후 B의 속도는 $2+1=3$(m/s)이다. 2초 이후 등속도 운동을 하였으므로 4초일 때 B의 속력은 충돌 후 B의 속력을 의미하므로 3 m/s이다.

111 (나)에서 B의 위치는 충돌 전후로 변화가 없으므로 계속 정지 상태이다. 충돌 전 A의 속도는 3 m/s이고, 충돌 후 A의 속도는 -1 m/s, C의 속도는 2 m/s이다. A의 질량을 m_A라 하면 운동량 보존 법칙에 의해 $3m_A = m_A \times (-1) + 2 \times 2$가 되어 $m_A = 1$ kg이다.

모범 답안 B는 충돌 전후로 정지 상태이고, 충돌 전 A의 속도는 3 m/s, 충돌 후 A의 속도는 -1 m/s, C의 속도는 2 m/s이다. A의 질량을 m_A라 하면 $3m_A = -m_A + 2 \times 2$에서 $m_A = 1$ kg이다.

112 (나)의 위치－시간 그래프의 기울기를 통해 충돌 전후 두 물체의 속도를 구한다.

충돌 전: A의 속도$=\frac{s}{t}$, B의 속도$=0$

충돌 후: A의 속도$=0$, B의 속도$=\frac{s}{t}$

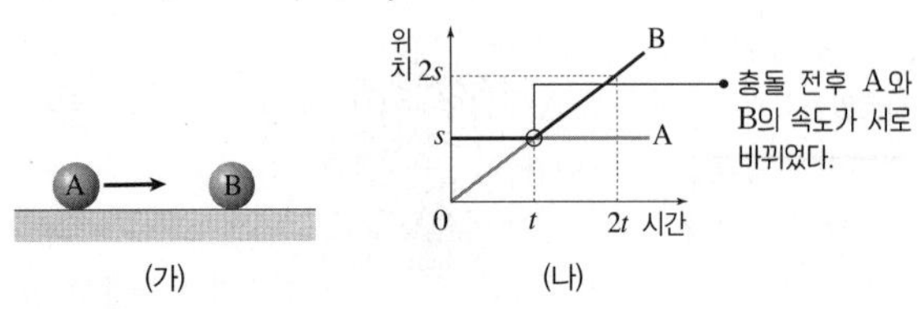

ㄱ. 운동량 보존 법칙에 의해 충돌 전 A의 운동량은 충돌 후 B의 운동량과 같다.

ㄴ. $m_A \frac{s}{t} = m_B \frac{s}{t}$이므로 $m_A = m_B$이다. 따라서 A와 B의 질량은 같다.

ㄷ. 충돌 전 A의 질량과 속도, 충돌 후 B의 질량과 속도가 같으므로 충돌 전 A의 운동 에너지와 충돌 후 B의 운동 에너지는 같다.

113 정지해 있던 물체가 빨대를 빠져 나갈 때의 운동량은 물체가 받은 충격량과 같다. 따라서 충격량의 크기는 다음과 같다.

$I_A = 0.04\ \text{kg} \times 3\ \text{m/s} = 0.12\ \text{N·s}$

$I_B = 0.05\ \text{kg} \times 2\ \text{m/s} = 0.1\ \text{N·s}$

$I_C = 0.02\ \text{kg} \times 4\ \text{m/s} = 0.08\ \text{N·s}$

114 A가 받은 충격량은 물체가 받은 충격량과 크기가 같고 방향이 반대이다. A가 던진 물체의 속도가 오른쪽으로 $4\left(=\frac{20}{5}\right)$ m/s이므로 물체의 운동량 변화량은 오른쪽으로 $20\ \text{kg} \times 4\ \text{m/s} = 80\ \text{kg·m/s}$이고, 물체가 받은 충격량과 같다. 따라서 A가 받은 충격량은 왼쪽으로 80 N·s이다.

115 ㄱ. 투수가 야구공을 빠르게 던질수록 공의 속도가 커지므로 공의 운동량은 커진다.

ㄷ. 방망이로 친 야구공이 방망이로부터 받은 충격량은 야구공의 운동량 변화량과 같으므로 $I = \Delta p = 0.2 \times (-50-35) = -17$(kg·m/s)이다. 따라서 야구공이 방망이로부터 받은 충격량의 크기는 17 N·s이다.

바로알기 | ㄴ. 야구공의 운동량 변화량은 야구공이 받은 충격량의 크기와 같다.

116 0초일 때 공의 운동량은 6 kg·m/s, 2초일 때 공의 운동량은 12 kg·m/s → 2초 동안 운동량 변화량은 6 kg·m/s

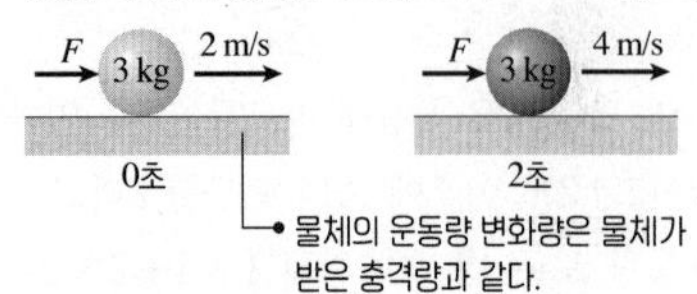

물체의 운동량 변화량은 물체가 받은 충격량과 같다.

ㄱ. 0초일 때 공의 운동량의 크기는 $3\ \text{kg} \times 2\ \text{m/s} = 6\ \text{kg·m/s}$이다.

ㄴ. 공에 작용한 충격량은 공의 운동량 변화량과 같으므로 $F \times 2\ \text{s} = 12\ \text{kg·m/s} - 6\ \text{kg·m/s} = 6\ \text{kg·m/s}$에 의해 $F = 3$ N이다.

ㄹ. 운동량의 단위는 kg·m/s이고, 충격량의 단위는 N·s이다. $\text{kg·m/s} = \text{kg·m/s}^2\text{·s} = \text{N·s}$이므로 운동량의 단위는 충격량의 단위와 같다.

바로알기 | ㄷ. 0초부터 2초까지 공의 운동량 변화량이 6 kg·m/s이므로 공에 작용한 충력량의 크기는 6 N·s이다.

117 ㄱ. 운동량 보존 법칙에 의해 $1 \times 3 + 2 \times (-2) = 1 \times (-3) + 2v$에서 충돌 후 B의 속력 v는 1 m/s이다.

바로알기 | ㄴ. 충돌 후 A, B의 운동량 총합은 $1 \times (-3) + 2 \times 1 = -1$(kg·m/s)이다. 따라서 충돌 후 A, B의 운동량 합의 크기는 1 kg·m/s이다.

ㄷ. A가 B로부터 받은 충격량은 A의 운동량 변화량과 같으므로 $1 \times (-3) - 1 \times 3 = -6$(kg·m/s)이다. 따라서 A가 B로부터 받은 충격량의 크기는 6 N·s이다.

118

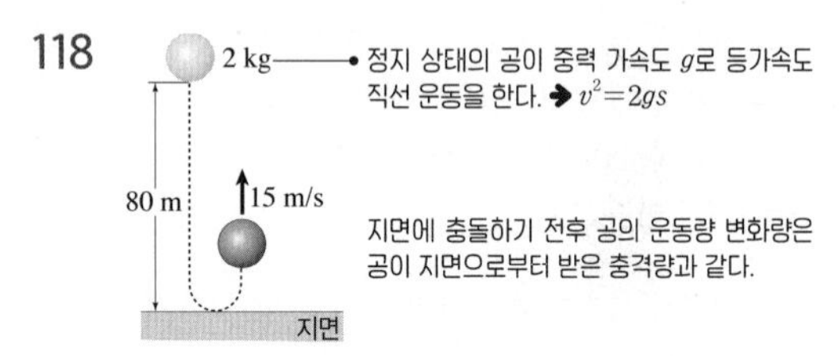

2 kg
정지 상태의 공이 중력 가속도 g로 등가속도 직선 운동을 한다. ➔ $v^2=2gs$
80 m
15 m/s
지면에 충돌하기 전후 공의 운동량 변화량은 공이 지면으로부터 받은 충격량과 같다.
지면

① 지면에 닿을 때의 속력을 v라고 하면 $v^2 = 2gs = 2 \times 10 \times 80$에서 지면에 충돌하기 직전 공의 속력 $v = 40$ m/s이다.

② 지면에 충돌하기 직전 공의 운동량의 크기는 $2\ \text{kg} \times 40\ \text{m/s} = 80\ \text{kg·m/s}$이다.

③ 지면과 충돌한 직후 공의 운동량의 크기는 $2\ \text{kg} \times 15\ \text{m/s} = 30\ \text{kg·m/s}$이다.

⑤ 공이 지면으로부터 받은 힘의 방향이 위 방향이므로 공이 받은 충격량의 방향도 위 방향이다. 따라서 공이 받은 충격량의 방향과 공에 작용하는 중력의 방향은 서로 반대이다.

바로알기 | ④ 지면이 공으로부터 받은 충격량의 크기는 공이 지면으로부터 받은 충격량과 크기가 같다. 아래 방향을 (+)로 하면 위 방향은 (−)이므로 공이 지면에 충돌하기 직전 운동량은 80 kg·m/s이고, 지면에 충돌한 직후 운동량은 -30 kg·m/s이다. 따라서 공이 지면으로부터 받은 충격량=공의 운동량 변화량=충돌 후 운동량−충돌 전 운동량$=-30-80=-110$(N·s)이므로 지면이 공으로부터 받은 충격량의 크기는 110 N·s이다.

119 힘－시간 그래프와 시간축 사이의 넓이는 물체가 받은 충격량을 의미한다. 따라서 3초 동안 물체가 받은 충격량의 크기는 $(1 \times 4) + \frac{1}{2}(2 \times 4) = 8$(N·s)이다.

120 ① 물체의 질량이 1 kg이므로 운동량의 값과 속도의 값이 같다. 운동량－시간 그래프를 속도－시간 그래프로 전환하면 그림과 같다. 0초부터 4초까지 그래프와 시간축 사이의 넓이가 이동 거리이므로 물체가 이동한 거리는 20 m이다.

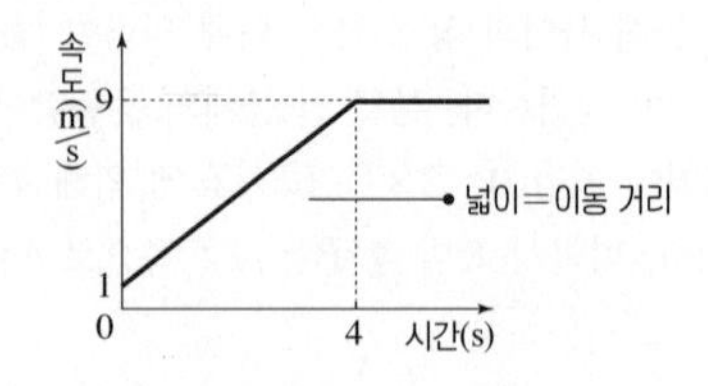

② 0초부터 4초까지 물체의 가속도는 속도-시간 그래프의 기울기이므로 $\frac{8\text{ m/s}}{4\text{ s}}=2\text{ m/s}^2$이다.

③ 0초부터 4초까지 물체가 받은 충격량의 크기는 물체의 운동량 변화량의 크기와 같으므로 $9\text{ kg}\cdot\text{m/s}-1\text{ kg}\cdot\text{m/s}=8\text{ N}\cdot\text{s}$이다.

④ 4초일 때 물체의 속력은 $9\text{ kg}\cdot\text{m/s}=1\text{ kg}\times v$에서 $v=9\text{ m/s}$이다.

바로알기 | ⑤ 4초 이후에 운동량이 일정하므로 물체에 작용하는 알짜 힘은 0이다.

121 ㄱ. 충돌 전 공의 운동량은 mv이고 충돌 후 공의 운동량은 $-\frac{1}{2}mv$이다. 따라서 공의 운동량의 크기는 충돌 전이 충돌 후보다 크다.

ㄴ. 물체가 받은 충격량은 물체의 운동량 변화량과 같으므로 공의 운동량 변화량은 공이 받은 충격량과 같다.

바로알기 | ㄷ. 공이 벽으로부터 받은 충격량은 공의 운동량 변화량과 같다. 공의 운동량 변화량$=-\frac{1}{2}mv-mv=-\frac{3}{2}mv$이므로 공이 벽으로부터 받은 충격량의 크기는 $\frac{3}{2}mv$이다.

122

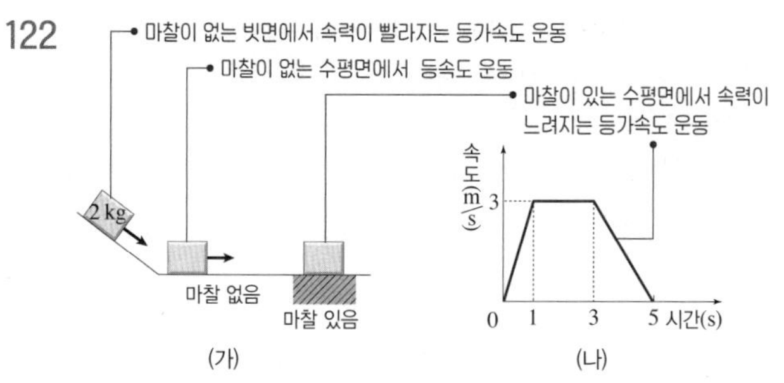

ㄱ. 2초일 때 속도의 크기가 3 m/s이므로 2초일 때 운동량의 크기는 $2\text{ kg}\times3\text{ m/s}=6\text{ kg}\cdot\text{m/s}$이다.

ㄴ. 3초부터 5초까지 물체의 운동량 변화량$=0-6\text{ kg}\cdot\text{m/s}=-6\text{ kg}\cdot\text{m/s}$이다. 따라서 3초부터 5초까지 물체가 받은 충격량의 크기는 $6\text{ N}\cdot\text{s}$이다.

ㄹ. 마찰력이 물체에 작용한 충격량의 크기는 물체의 운동량 변화량의 크기와 같으므로 마찰력의 크기를 f라고 하면 $f\times2\text{ s}=6\text{ kg}\cdot\text{m/s}$에서 f는 3 N이다.

바로알기 | ㄷ. 0초부터 1초까지 물체가 받은 충격량의 크기는 운동량 변화량의 크기와 같은 $6\text{ N}\cdot\text{s}$이고, 3초부터 5초까지 물체가 받은 충격량의 크기도 운동량 변화량과 같은 $6\text{ N}\cdot\text{s}$이다. 따라서 0초부터 1초까지 물체가 받은 충격량의 크기는 3초부터 5초까지 물체가 받은 충격량의 크기와 같다.

123 ㄱ. 충돌 전 A의 운동량은 $m\times4v=4mv$이다.

ㄷ. 충돌 후 A의 운동량=충돌 전 A의 운동량+A가 받은 충격량이고, A는 B와 충돌할 때 운동 반대 방향으로 힘을 받으므로 충돌 후 A의 운동량$=4mv+(-6mv)=-2mv$이다. 따라서 충돌 후 A의 운동 방향은 충돌 전과 반대 방향이다.

ㄹ. 충돌 후 B의 운동량=충돌 전 B의 운동량+B가 받은 충격량$=0+6mv$이고, B의 질량이 $3m$이므로 $6mv=3m\times v'$에서 충돌 후 B의 속력 v'는 $2v$이다.

바로알기 | ㄴ. 그래프와 시간축 사이의 넓이 $6mv$는 A가 받은 충격량이다. 충돌 과정에서 B가 받은 충격량의 크기는 A가 받은 충격량과 크기가 같고 방향이 반대이다. 따라서 충돌 과정에서 B가 받은 충격량의 크기는 $6mv$이다.

124 운동량의 크기=질량×속력이므로 운동량의 비와 질량 비를 알면 속력 비를 구할 수 있다.

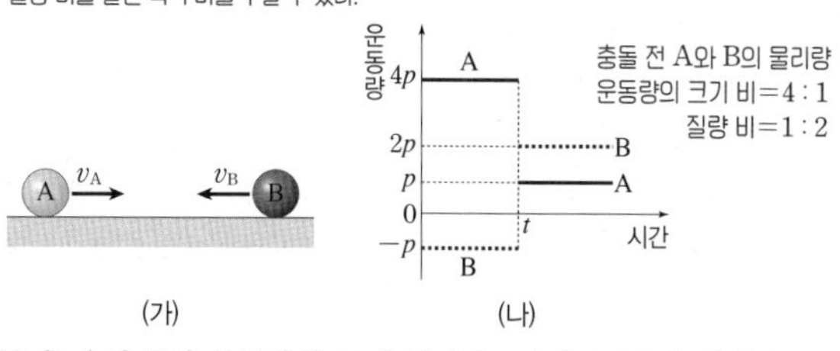

ㄴ. 충돌 후 A와 B의 운동량의 크기 비가 1 : 2이고, 질량 비가 1 : 2이므로 속력 비는 $\frac{1}{1}:\frac{2}{2}=1:1$임을 알 수 있다. 충돌 후 속력이 같으므로 A와 B는 한 덩어리가 되어 운동한다.

바로알기 | ㄱ. 충돌 전 A와 B의 운동량의 크기 비가 4 : 1이고, 질량 비가 1 : 2이므로 속력 비는 $\frac{4}{1}:\frac{1}{2}=8:1$임을 알 수 있다. 따라서 충돌 전 속력은 A가 B의 8배이다.

ㄷ. 충돌하는 동안 두 물체가 서로에게 작용하는 힘은 작용 반작용 관계이므로 크기가 같고 방향이 반대이다. 따라서 충돌하는 동안 A가 받은 충격량의 크기는 B가 받은 충격량의 크기와 같다.

125 ㄱ. 위치-시간 그래프의 기울기를 통해 A와 B의 속도를 알 수 있다. 1초일 때 충돌하였고, 충돌 전 A의 속도는 4 m/s, B의 속도는 1 m/s이다. 충돌 후 두 물체는 한 덩어리가 되어 3 m/s의 속력으로 운동하였다. A, B의 질량을 m_A, m_B라고 하면 운동량 보존 법칙에 의해 $4m_A+m_B=(m_A+m_B)\times3$이 되므로 $m_A=2m_B$이다. 따라서 질량은 A가 B의 2배이다.

바로알기 | ㄴ. 충돌 전 A의 운동량은 $m_A\times4=4m_A=8m_B$이고, B의 운동량은 $m_B\times1=m_B$이므로 충돌 전 운동량의 크기는 A가 B의 8배이다.

ㄷ. 충돌하는 동안 A가 받은 충격량의 크기는 B가 받은 충격량의 크기와 같다.

126 힘-시간 그래프와 시간축 사이의 넓이는 물체가 받은 충격량을 의미한다.

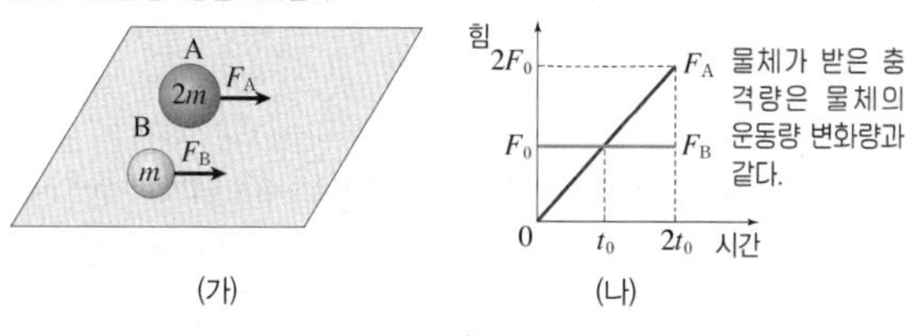

ㄴ. 0부터 t_0까지 A가 받은 충격량은 $\frac{1}{2}F_0t_0$이고, 이 값은 t_0일 때 A의 운동량과 같다. A의 질량이 $2m$이므로 $\frac{1}{2}F_0t_0=2m\times v$에서 t_0일 때 A의 속력 $v=\frac{F_0t_0}{4m}$이다.

바로알기 | ㄱ. 0부터 t_0까지 물체가 받은 충격량은 힘-시간 그래프와 시간축 사이의 넓이이므로 충격량의 크기는 B가 A의 2배이다.

ㄷ. 0부터 $2t_0$까지 A와 B가 받은 충격량이 같으므로 A와 B의 운동량 변화량이 같다. 운동량 변화량이 같고 A의 질량이 B의 2배이므로 속도 변화량은 B가 A의 2배이다.

127 ① 충격량의 단위는 힘의 단위에 시간의 단위를 곱한 $\text{N}\cdot\text{s}$이다.

② 충격량은 힘과 시간을 곱한 물리량이므로 충격량의 방향은 충격력(힘)의 방향과 같다.

③ 두 물체가 충돌할 때 주고받는 힘이 작용 반작용 관계이므로 힘의 크기가 같다. 따라서 두 물체가 서로에게 주는 충격량의 크기는 같다.
④ 충격량=힘(충격력)×충돌 시간이므로 충격량이 같을 때 충돌 시간을 길게 하면 충격력이 작아진다.
⑤ 충격량=힘×시간이므로 힘의 크기가 일정하지 않을 때 물체가 받은 충격량의 크기를 힘을 받은 시간으로 나누면 물체가 받은 평균 힘의 크기를 구할 수 있다.

바로알기 | ⑥ 테니스 선수가 테니스채를 길게 휘두르는 까닭은 충돌 시간을 늘려 공에 작용하는 충격량을 증가시키기 위해서이다.

128 탁구공이 받은 충격량=탁구공의 운동량 변화량=탁구공의 질량×속도 변화량=0.003 kg×(−70 m/s−50 m/s)=−0.36 kg·m/s이다. 따라서 탁구공이 받은 평균 힘의 크기$=\frac{\text{충격량의 크기}}{\text{걸린 시간}}=\frac{0.36}{0.06}$=6(N)이다.

129 ㄱ. 발이 축구공에 가한 충격량=축구공의 운동량 변화량=0.45 kg×(−6−4)m/s=−4.5 kg·m/s이다. 따라서 발이 축구공에 가한 충격량의 크기는 4.5 N·s이다.
ㄴ. 발이 축구공에 가한 충격력의 방향은 처음 공의 운동 방향과 반대인 왼쪽이다.
ㄷ. 발이 축구공에 가한 평균 힘의 크기$=\frac{\text{충격량}}{\text{걸린 시간}}=\frac{4.5\text{ N·s}}{0.1\text{ s}}=$45 N이다.

130

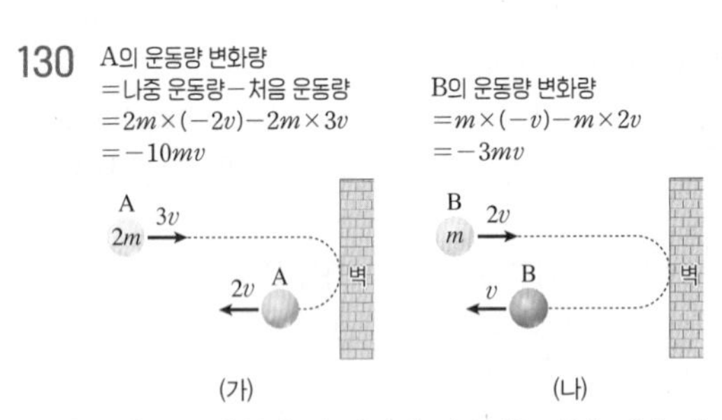

ㄴ. 충돌하는 동안 B와 벽 사이에 작용하는 힘은 작용 반작용 관계이므로 B가 벽에 작용한 힘과 벽이 B에 작용한 힘은 크기가 같고 방향이 반대이다.
ㄷ. 벽이 공으로부터 받은 평균 힘의 크기는 A와 B가 각각 벽으로부터 받은 평균 힘의 크기와 같다. 또한 공이 벽으로부터 받은 충격량은 공의 운동량 변화량과 같다. 벽과 충돌하는 시간이 A가 B의 2배이므로 공이 벽으로부터 받은 평균 힘의 크기 비 $F_A : F_B=\frac{10mv}{2} : \frac{3mv}{1}$ $=5 : 3$이다. 따라서 충돌하는 동안 벽이 공으로부터 받은 평균 힘의 크기는 (가)에서가 (나)에서의 $\frac{5}{3}$배이다.

바로알기 | ㄱ. 벽과 충돌 전후 B가 받은 충격량의 크기는 B의 운동량 변화량의 크기와 같은 $3mv$이다.

131

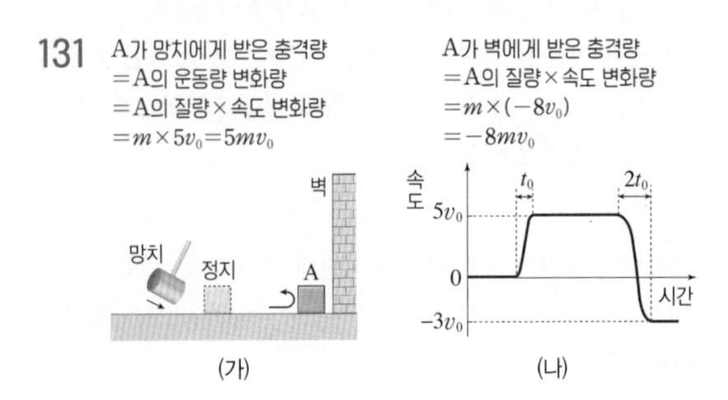

A가 망치에게 받은 충격량
=A의 운동량 변화량
=A의 질량×속도 변화량
$=m\times5v_0=5mv_0$
A가 벽에게 받은 충격량
=A의 질량×속도 변화량
$=m\times(-8v_0)$
$=-8mv_0$
벽
망치
정지
A
속도
t_0
$2t_0$
$5v_0$
0
$-3v_0$
시간
(가)
(나)

A의 질량을 m이라고 하면 망치와 충돌하는 t_0 동안 A의 운동량 변화량의 크기는 $5mv_0$, 벽과 충돌하는 $2t_0$ 동안 A의 운동량 변화량의 크기는 $8mv_0$이다. 따라서 $F_1 : F_2=\frac{5mv_0}{t_0} : \frac{8mv_0}{2t_0}=5 : 4$이므로 F_1은 F_2의 $\frac{5}{4}$배이다.

132 ㄱ. S_1, S_2는 공이 받은 충격량과 같다. A와 B의 처음 운동량은 0이므로 각각의 공이 받은 충격량은 나중 운동량과 같다. 따라서 S_1, S_2는 각각 등속 직선 운동을 하는 동안 A, B의 운동량의 크기와 같다.
ㄴ. A가 받은 충격량이 B가 받은 충격량의 2배이므로 A의 운동량이 B의 운동량의 2배이다. A와 B의 속력이 같으므로 질량은 A가 B의 2배이다.
ㄷ. A가 받은 평균 힘은 $\frac{S_1}{2t}=\frac{2S_2}{2t}=\frac{S_2}{t}$이고, B가 받은 평균 힘은 $\frac{S_2}{3t}$이다. 따라서 A가 받은 평균 힘은 B가 받은 평균 힘의 3배이다.

133 그래프를 보면
A는 t_1까지 운동량이 변했고 이후 일정하다.
B는 t_2까지 운동량이 변했고 이후 일정하다.
A와 B의 운동량 변화량은 p로 같다.
➔ A와 B가 받은 충격량이 p로 같다.

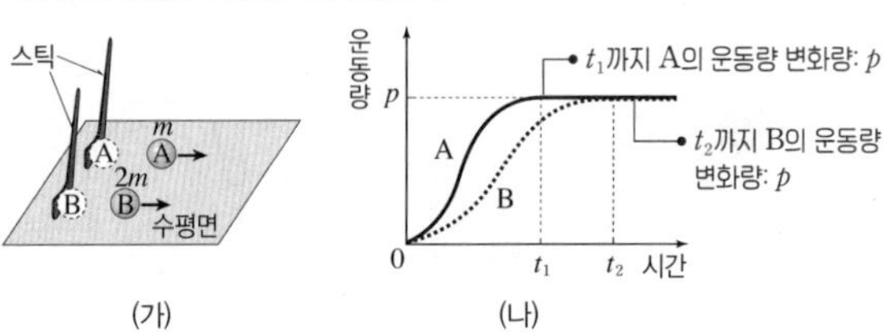

ㄴ. t_2일 때 A와 B의 운동량이 같고, 질량은 B가 A의 2배이므로 속력은 A가 B의 2배이다.

바로알기 | ㄱ. A와 B의 처음 운동량은 0이었고, t_1일 때 운동량은 A가 B보다 크다. 따라서 0부터 t_1까지 운동량 변화량의 크기는 A가 B보다 크다.
ㄷ. 0부터 t_1까지 A가 받은 평균 힘의 크기는 $F_A=\frac{p}{t_1}$이고, 0부터 t_2까지 B가 받은 평균 힘의 크기는 $F_B=\frac{p}{t_2}$이다. 따라서 $t_1<t_2$이므로 $F_A> F_B$이다.

134

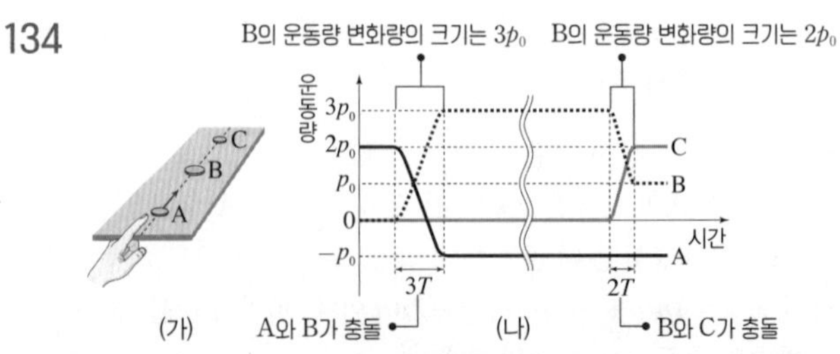

ㄱ. A의 충돌 전 운동량은 $2p_0$, 충돌 후 운동량은 $-p_0$이므로 A는 B와 충돌 후 충돌 전과 반대 방향으로 운동한다.

바로알기 | ㄴ. B와 C가 충돌한 후 B의 운동량은 p_0, C의 운동량은 $2p_0$이다. B의 질량이 C의 2배이므로 충돌한 후 C의 속력은 B의 4배이다.
ㄷ. $3T$ 동안 B의 운동량 변화량의 크기는 $3p_0$이고, $2T$ 동안 B의 운동량 변화량의 크기는 $2p_0$이므로 $F_1 : F_2=\frac{3p_0}{3T} : \frac{2p_0}{2T}=1 : 1$이다.

135 ②, ③, ④, ⑤ 물풍선을 받을 때 손을 뒤로 빼면서 받으면 충돌 시간이 길어져 충격력이 줄어든다. 배의 몸체에 타이어를 붙이고, 자전거를 탈 때 안전모를 착용하고, 번지 점프를 할 때 잘 늘어나는 줄을 사용하고, 높은 곳에서 뛰어내릴 때는 무릎을 구부려 착지하는 것은 모두 충격량이 일정할 때 충돌 시간을 길게 하여 충격력을 줄이는 방법이다.

바로알기 | ① 대포의 포신을 길게 만드는 것은 포탄이 힘을 받는 시간을 길게 하여 포탄이 받는 충격량을 크게 하는 것이다.
⑥ 방망이를 끝까지 휘둘러 공을 치는 것은 공이 힘을 받는 시간을 길게 해서 공이 받는 충격량을 크게 하고 그 결과 공이 빠른 속력으로 운동할 수 있게 하는 것이다.

136 ㄱ. 충격량=충격력×충돌 시간이므로 충돌할 때 받는 충격량이 일정할 때 충격을 받는 시간을 길게 하면 충격력이 작아진다.

바로알기 | ㄴ. 자동차의 범퍼가 찌그러지는 것을 방지하기 위해 범퍼 앞에 딱딱한 바를 설치하면 충돌 시 충돌 시간이 짧아져 더 큰 충격력을 받아 위험하다.
ㄷ. 두 물체가 충돌할 때 서로에게 작용하는 힘은 작용 반작용 관계이므로 질량에 관계없이 충격량의 크기가 같다. 충돌 시 같은 크기의 힘을 받으므로 질량이 작은 물체가 질량이 큰 물체보다 더 큰 가속도로 운동한다.

137 ㄴ. 물체가 받은 충격량은 물체의 운동량 변화량과 같다.
ㄷ. 충격량=충격력×충돌 시간이므로 충격량이 일정할 때 야구공과 글러브의 충돌 시간을 길게 하면 글러브에 작용하는 충격력의 크기를 줄일 수 있다.

바로알기 | ㄱ. 충격량은 운동량과 관련이 있으므로 공을 받기 전에 결정된다. 충격량이 일정할 때 두꺼운 글러브를 사용하면 충돌 시간이 길어져 손이 받는 충격력(힘)을 줄일 수 있다.

138 ㄱ. 같은 높이에서 자유 낙하 하기 때문에 A와 B의 가속도가 같고 바닥에 충돌하기 직전의 속력도 같다.
ㄴ. 두 달걀의 운동량 변화량이 같고 충격량이 같다. 그래프와 시간축 사이의 넓이는 충격량이므로 A와 B의 그래프와 시간축 사이의 넓이는 같다.
ㄷ. 방석에 떨어진 달걀이 받은 힘을 나타낸 것은 단단한 바닥보다 충돌 시간이 긴 B이다.

139 (1) 트럭과 승용차가 받는 충격량의 크기는 같다. 충돌할 때 서로에게 작용하는 힘이 작용 반작용 관계이므로 트럭과 승용차가 받는 힘의 크기가 같고 같은 시간 동안 충돌하기 때문에 충격량의 크기가 같다.
(2) 에어백이 작동하면 충격량은 같은데 충돌 시간이 길어져 탑승자가 받는 충격력이 작아진다. 따라서 에어백이 작동하지 않는 경우보다 안전하다.

모범 답안 (1) 같다. 충돌할 때 작용 반작용에 의해 트럭과 승용차가 받는 힘의 크기가 같고 같은 시간 동안 충돌하기 때문이다.
(2) 에어백이 작동하면 충돌 시간이 길어져 탑승자가 받는 충격력이 작아지기 때문이다.

최고 수준 도전 기출 (01 ~ 04강)

40~41쪽

140 ⑤ 141 ③ 142 ⑤ 143 ④ 144 ② 145 ③
146 ① 147 ③

140 평균 속력$=\frac{10\text{ m}}{2\text{ s}}=5\text{ m/s}$ 평균 속력$=\frac{40\text{ m}}{2\text{ s}}=20\text{ m/s}$

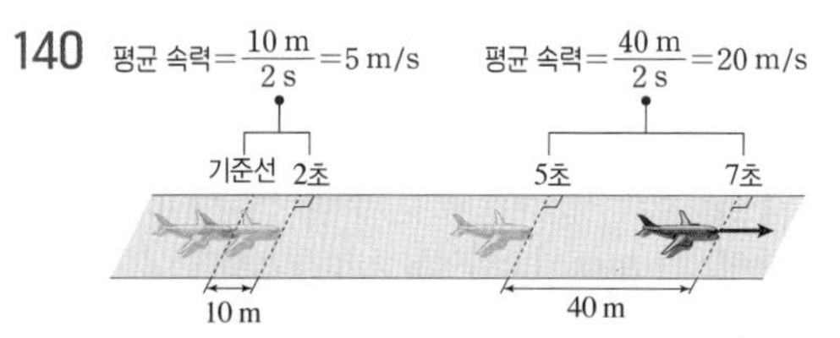

ㄱ. 등가속도 직선 운동에서 한 구간의 평균 속력은 그 구간의 중간 시간에서의 순간 속력과 같다. 0초부터 2초까지 평균 속력이 5 m/s이고, 이 속력은 1초일 때의 속력과 같으므로 1초일 때의 속력은 $v_1=v_0+a=5\text{ m/s}$…①이 된다.
마찬가지로 5초에서 7초까지 평균 속력은 20 m/s이고 이 속력은 6초일 때의 속력과 같으므로 6초일 때의 속력은 $v_6=v_0+6a=20\text{ m/s}$…②이다. ②식에서 ①식을 빼면 $5a=15$(m/s)이므로 $a=3\text{ m/s}^2$이다.
ㄴ. $a=3\text{ m/s}^2$을 ②식에 대입하면 기준선을 통과할 때 속력 $v_0=2\text{ m/s}$이다.
ㄷ. 2초일 때의 속력 $v_2=2+3\times2=8$(m/s)이고, 4초일 때의 속력 $v_4=2+3\times4=14$(m/s)이다. 비행기는 등가속도 직선 운동을 하므로 $v^2-v_0{}^2=2as$에서 $s=\frac{v^2-v_0{}^2}{2a}=\frac{14^2-8^2}{2\times3}=22$(m)이다. 즉, 2초부터 4초까지 이동 거리는 22 m이다.

141 A와 B는 등가속도 운동을 하므로 속력이 v가 될 때까지 A의 평균 속력은 $\frac{10+v}{2}$이고, B의 평균 속력은 $\frac{v}{2}$이다.

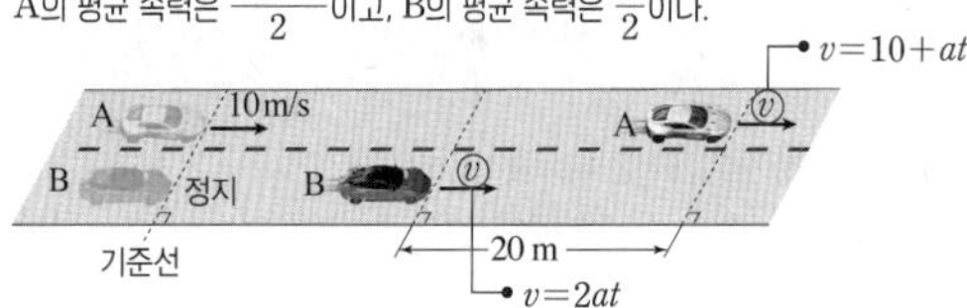

ㄱ. 속력이 v가 될 때까지 걸린 시간을 t라고 하면 A의 이동 거리는 B의 이동 거리보다 20 m가 크므로 $\left(\frac{10+v}{2}\right)t-\frac{v}{2}t=20$에 의해 $t=4$ s이다. 4초 후, A의 속력 $v=10+4a$…①이고 B의 속력 $v=2a\times4=8a$…②이다. ①식과 ②식을 연립하여 풀면 $a=2.5\text{ m/s}^2$이다.
ㄷ. 4초 후 속력이 v로 같아지므로 B가 달린 거리는 $s_B=\frac{1}{2}\times2a\times4^2=\frac{1}{2}\times5\times4^2=40$(m)이다.

바로알기 | ㄴ. ②식에서 $v=2a\times4=8a=8\times2.5=20$(m/s)이다.

142 같은 경사면에서 운동하므로 두 물체의 가속도가 같다.

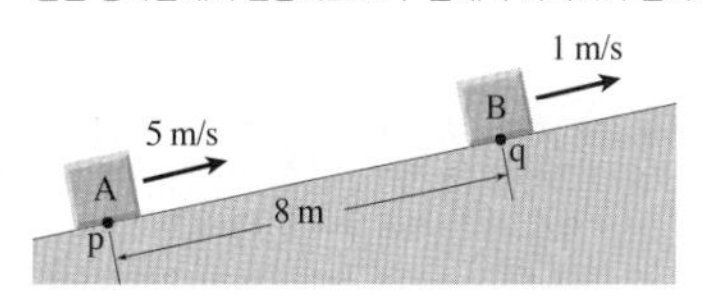

가속도가 일정하므로 B가 q에서 최고점에 도달할 때까지 걸린 시간과 최고점에서 q까지 내려오는 데 걸린 시간, 속도 변화량은 같다.

ㄱ. 최고점에서 B의 속도는 0이므로 B가 최고점까지 올라가는 동안 속도가 1 m/s 감소한다. 최고점에서 다시 q점까지 내려오면서 1 m/s가 감소하여 q점에서 속도는 −1 m/s가 된다. 따라서 q점에서 만나는 순간, B의 속력은 1 m/s이다.

ㄴ. B가 다시 q점에 도달할 때까지 속도 변화량이 -2 m/s이고, A와 B의 가속도가 같으므로 A의 속도 변화량도 -2 m/s이다. 따라서 B가 다시 q점에 도달하였을 때 A의 속도는 3 m/s가 된다. 이 시간 동안 A의 평균 속도는 $\frac{5+3}{2}=4$(m/s)이고 8 m를 이동하는 데 걸린 시간은 $\frac{8\text{ m}}{4\text{ m/s}}=2$ s이다. 즉, A가 p점을 지나는 순간부터 2초 후 B와 만난다.

ㄷ. B가 최고점에 도달했을 때, B의 속도 변화량이 -1 m/s이므로 A의 속력도 5 m/s에서 1 m/s 감소하여 4 m/s가 된다.

143 A가 빗면 아래에 도착한 시간을 기준으로 하면 B는 2초 후에 빗면 아래에 도달한다.

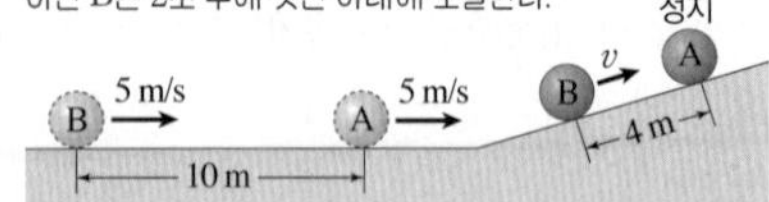

B가 빗면 아래에 도달하고 t초 후에 A가 정지하였다고 하여 속력과 이동 거리를 분석한다.

빗면에서 가속도의 크기를 a라고 하자. 물체가 빗면을 올라가면서 정지할 때까지 가속도의 방향은 운동 반대 방향이다. A가 빗면 아래에 도달한 시간을 기준으로 하면 B는 2초 후 빗면 아래에 도달하고, 그로부터 t초 후 A가 정지하였다고 하면, v는 B가 빗면 아래에 도달한 순간부터 t초 후 속력이다. 따라서 $v=5-at$…①이다.

A가 빗면 아래에 도달한 이후 빗면에서 정지할 때의 속력은 $v_A=5-a(2+t)=0$이므로 $5=a(2+t)$…②이다.

A가 빗면 아래에 도달한 이후 정지할 때까지 빗면에서 이동한 거리를 s_A라고 하면, $s_A=5(2+t)-\frac{1}{2}a(2+t)^2$이고, B가 2초 후 빗면 아래에 도달하여 t초 동안 빗면에서 이동한 거리를 s_B라고 하면 $s_B=5t-\frac{1}{2}at^2$이다. $s_A-s_B=4=5(2+t)-\frac{1}{2}a(2+t)^2-\left(5t-\frac{1}{2}at^2\right)$ $=10-2a-2at$가 되어 $a+at=3$…③이 된다. ②식에서 ③식을 빼면 $a=2\text{ m/s}^2$이 된다. 이를 ③식에 대입하면 $t=\frac{1}{2}$ s이다. $a=2\text{ m/s}^2$, $t=\frac{1}{2}$ s를 ①식에 대입하면 $v=4$ m/s이다.

144

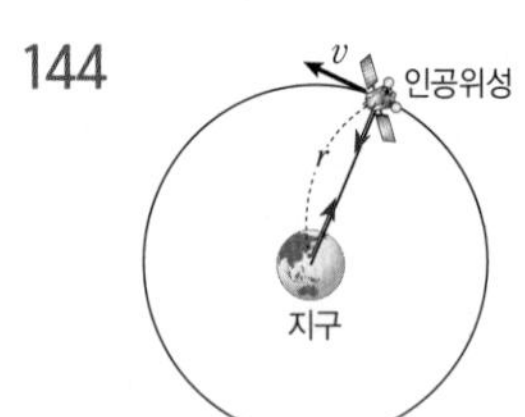

• 반지름이 r인 원의 원둘레 길이는 $2\pi r$이다.
• 인공위성은 지구가 인공위성을 당기는 중력에 의해 지구 주위를 원운동 한다.
• 지구가 인공위성을 당기는 힘과 같은 크기로 인공위성도 지구를 당긴다.

ㄴ. 인공위성이 지구를 한 바퀴 도는 데 걸리는 시간은 $\frac{\text{이동 거리}}{\text{속력}}$ $=\frac{2\pi r}{v}$이다.

바로알기 | ㄱ. 인공위성이 지구를 한 바퀴 돌았을 때 출발 위치와 도착 위치가 같으므로 변위는 0이다.

ㄷ. 지구가 인공위성을 당기는 힘과 인공위성이 지구를 당기는 힘은 작용 반작용 관계이므로 힘의 크기가 같다.

145 마찰을 무시하므로 p가 A를 당기는 힘이 알짜힘이 되어 A가 운동한다.
• 물체는 p가 왼쪽으로 당기는 힘(T_p)과 q가 오른쪽으로 당기는 힘(T_q)의 합력에 의해 운동한다.
• q가 당기는 힘에 의해 B가 운동한다.

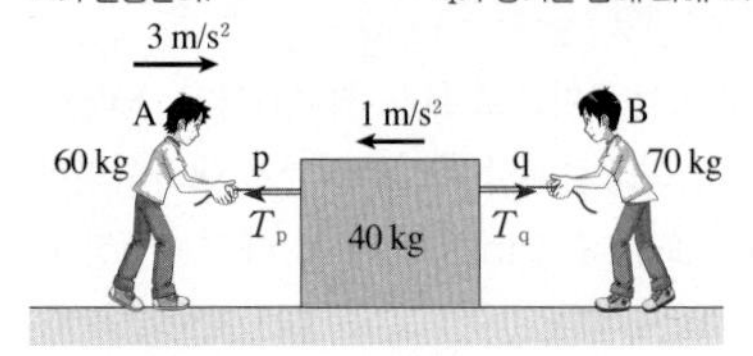

ㄱ. p가 A를 당기는 힘이 알짜힘이 되어 A가 운동하므로 p가 A를 당기는 힘의 크기$=$A의 질량$\times$A의 가속도$=60\text{ kg}\times3\text{ m/s}^2=180$ N이다. 상자에 작용하는 알짜힘은 (T_p-T_q)이므로 $T_p-T_q=180-T_q=40\times1$에 의해 $T_q=140$ N이다. 따라서 $\frac{T_p}{T_q}=\frac{180}{140}$ $=\frac{9}{7}$이다.

ㄴ. B에 작용하는 알짜힘은 q가 당기는 힘 140 N이므로 B의 가속도는 $a=\frac{140}{70}=2(\text{m/s}^2)$이다.

바로알기 | ㄷ. T_p의 크기와 T_q의 크기가 다르기 때문에 두 힘은 평형 관계가 아니다.

146 가속도-시간 그래프를 보면, 0초부터 2초까지 상자는 위 방향으로 4 m/s^2의 가속도로 운동한다.
• 2초부터 4초까지 가속도가 0이므로 상자는 2초일 때의 속력으로 등속 운동을 한다.
• 4초부터 8초까지 상자는 속력이 감소하는 운동을 한다.

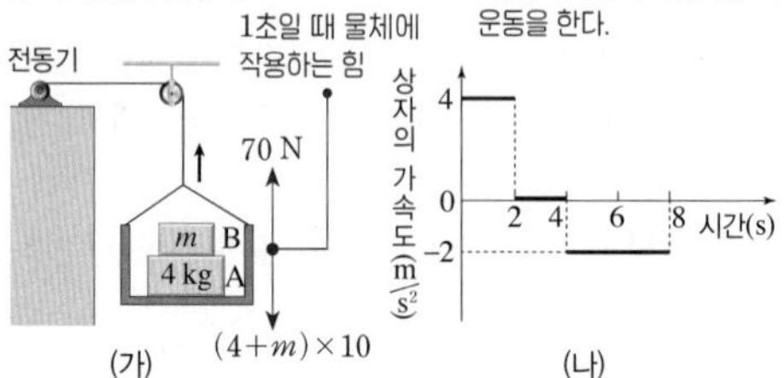

ㄱ. 정지 상태에 있던 상자가 0초부터 2초까지 4 m/s^2의 가속도로 등가속도 운동을 하므로 1초일 때의 속력은 $v=at=4\times1=4$(m/s)이다. 2초일 때의 속력은 $v=at=4\times2=8$(m/s)이고 이 속력으로 2초부터 4초까지 등속 운동을 하다가 4초부터 8초까지 -2 m/s^2의 가속도로 등가속도 운동을 하므로 7초일 때의 속력은 $v=v_0+at=8+(-2)\times(7-4)=2$(m/s)이다. 따라서 상자의 속력은 1초일 때가 7초일 때보다 크다.

바로알기 | ㄴ. 1초일 때 두 물체의 위 방향으로 상자가 70 N의 힘을 작용하고 아래 방향으로는 두 물체의 무게 $(4+m)\times10$이 작용한다. 두 물체에 대해 운동 방정식을 세워 보면, $70-(4+m)\times10=(4+m)\times4$에 의해 B의 질량 m은 1 kg이다.

ㄷ. 3초일 때 등속도 운동을 하므로 두 물체에 작용하는 알짜힘은 0이다. 따라서 1초일 때 상자가 A를 떠받치는 힘의 크기는 두 물체의 무게의 합과 같으므로 50 N이다. 6초일 때는 상자가 A를 떠받치는 힘이 위 방향으로 작용하고 아래 방향으로 두 물체의 무게가 작용하여 가속도가 -2 m/s^2인 운동을 하므로, (상자가 A를 떠받치는 힘)$-50=5\times(-2)$에 의해 (상자가 A를 떠받치는 힘)$=40$ N이다. 따라서 상자가 A를 떠받치는 힘의 크기는 3초일 때가 6초일 때의 $\frac{50}{40}=\frac{5}{4}$배이다.

147 A와 B가 충돌 후 A에 대한 B의 속도가 v이다.
➔ 충돌 후, A의 속도를 v_A라 하면 B의 속도는 v_A+v이다.

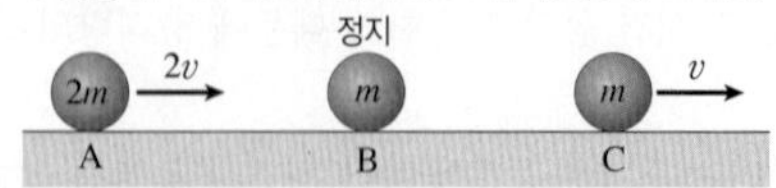

충돌 후 B와 C는 한 덩어리가 되어 운동한다.

충돌 후 A의 속력을 v_A라 하고 A와 B의 충돌에 운동량 보존 법칙을 적용하면 $2m\times2v=2m\times v_A+m(v_A+v)$에서 $v_A=v$이다. 따라서 A와 충돌 후 B의 속도는 $2v$가 된다. B와 C의 충돌에서 한 덩어리가 된 물체의 속도를 v'라 하고 운동량 보존 법칙을 적용하면 $m\times2v+mv=2m\times v'$에서 $v'=\frac{3}{2}v$이다.

역학적 에너지 보존

빈출 자료 보기 43쪽

148 (1) ○ (2) × (3) ○ (4) × (5) ○

148 (1) 물체의 중력 퍼텐셜 에너지는 $E_\mathrm{p}=mgh=3\times10\times5=150(\mathrm{J})$이다.

(3) 처음 위치에서 중력 퍼텐셜 에너지는 물체가 수평면에 내려와서 운동 에너지로 전환된다. 이 운동 에너지가 용수철에 충돌하기 직전까지 유지되다가 용수철이 최대로 압축되었을 때 모두 용수철의 탄성 퍼텐셜 에너지로 전환된다.

(5) $150(\mathrm{J})=\frac{1}{2}kx^2=\frac{1}{2}\times300\times x^2$에 의해 용수철이 최대로 압축된 길이는 $x=1\ \mathrm{m}$이다.

바로알기 | (2) 용수철에 충돌하기 직전 물체의 속력 v는 $150(\mathrm{J})=\frac{1}{2}mv^2=\frac{1}{2}\times3\times v^2$에 의해 $v=10\ \mathrm{m/s}$이다.

(4) 용수철에 충돌한 직후부터 정지할 때까지 물체는 용수철로부터 점점 커지는 탄성력을 운동 반대 방향으로 받기 때문에 가속도가 점점 커지는 가속도 운동을 한다.

난이도별 필수 기출 44~53쪽

149 ③, ⑥	150 ②, ③, ⑤		151 30 J	152 해설 참조	
153 ⑤	154 ④	155 ②	156 ①	157 ⑤	158 ①
159 ⑤	160 ③	161 ③	162 ③	163 ④	
164 (1) $\sqrt{2gh}$ (2) $\sqrt{gh}$ (3) $2\sqrt{\frac{gh}{3}}$				165 ③	166 ④
167 ③	168 ③	169 (1) 250 J (2) 250 J (3) 5 m			170 ③
171 ⑤	172 ④	173 ④	174 ①	175 ④, ⑦	
176 ⑤	177 ④	178 ①	179 ③	180 ②, ④	
181 5 m/s		182 ③	183 ⑤	184 ②	185 ②
186 ③	187 ①	188 ②	189 ③	190 ⑤	
191 해설 참조					

149 ③ 힘을 작용하여도 벽이 움직이지 않으므로 이동 거리가 0이다. 따라서 힘이 한 일은 0이다.

⑥ 책을 드는 힘과 이동 방향이 수직이므로 힘의 방향으로 이동한 거리가 0이다. 따라서 책을 드는 힘이 한 일은 0이다.

바로알기 | ①, ②, ⑤ 농구공과 로켓, 유모차는 힘의 방향으로 이동하였다.

④ 버스의 이동 방향과 마찰력의 방향이 반대이므로 마찰력이 한 일은 (−)이다.

150 ② 일과 에너지의 단위는 똑같이 J(줄)을 사용한다.

③ 일은 작용한 힘의 크기에 힘의 방향으로 이동한 거리를 곱한 값이다.

⑤ 물체에 작용하는 알짜힘이 한 일은 물체의 운동 에너지 변화량과 같다. 이것을 일·운동 에너지 정리라고 한다.

바로알기 | ① 일은 에너지로, 에너지는 일로 상호 전환된다.

④ 운동 에너지는 물체의 속력의 제곱에 비례한다.

⑥ 운동 에너지와 퍼텐셜 에너지를 합한 것을 역학적 에너지라고 한다.

⑦ 역학적 에너지는 마찰력이나 공기 저항이 있으면 보존되지 않는다.

151 물체에 작용한 알짜힘이 한 일은 물체의 운동 에너지 변화량과 같으므로 한 일은 $W=\Delta E_\mathrm{k}=\frac{1}{2}\times3\times(6^2-4^2)=30(\mathrm{J})$이다.

152 모범 답안 E_A는 $\frac{1}{2}mv^2$이고, E_B는 $\frac{1}{2}m(3v)^2=9\left(\frac{1}{2}mv^2\right)=9E_\mathrm{A}$이므로 E_B는 E_A의 9배이다.

153 마찰력은 물체의 운동 반대 방향으로 작용하여 (−)의 일을 한다.

정지
2 kg
4 m/s
f p
16 m
q 수평면
마찰력이 물체에 한 일만큼 물체의 운동 에너지가 감소한다.

ㄴ. 운동하던 물체가 마찰력이 한 일 때문에 정지하였으므로 처음의 운동 에너지는 마찰력이 물체에 한 일과 같다. 따라서 $\frac{1}{2}\times2\times4^2=f\times16$에 의해 물체에 작용하는 마찰력의 크기는 $f=1\ \mathrm{N}$이다.

ㄷ. 처음 운동량이 $2\ \mathrm{kg}\times4\ \mathrm{m/s}=8\ \mathrm{kg\cdot m/s}$이었다가 정지하였으므로 물체의 운동량 변화량은 $8\ \mathrm{kg\cdot m/s}$이다.

ㄹ. 물체는 등가속도 직선 운동을 하므로 16 m를 이동하는 동안 평균 속력은 $\frac{4+0}{2}=2(\mathrm{m/s})$이다. 따라서 16 m를 이동하는 데 걸린 시간은 $\frac{16\ \mathrm{m}}{2\ \mathrm{m/s}}=8$초이다.

바로알기 | ㄱ. 물체는 일정한 크기의 마찰력을 받았으므로 등가속도 직선 운동을 한다.

154 물체가 운동 방향으로 일정한 힘을 받았으므로 등가속도 직선 운동을 한다.

물체가 운동 방향으로 알짜힘을 받았으므로 물체의 운동 에너지는 증가한다.

ㄴ. 2초 동안 힘이 수레에 한 일은 물체의 운동 에너지 변화량과 같다. 2초 후 수레의 속력이 4 m/s이므로 수레에 한 일$=\frac{1}{2}\times2\times(4^2-1^2)=15(\mathrm{J})$이다.

ㄷ. 3 N의 힘이 한 일이 수레의 운동 에너지 변화량과 같으므로 $3\ \mathrm{N}\times s=15\ \mathrm{J}$에 의해 이동한 거리 $s=5\ \mathrm{m}$이다.

바로알기 | ㄱ. 질량이 2 kg인 물체에 3 N의 힘이 작용하였으므로 가속도는 $\frac{3}{2}=1.5(\mathrm{m/s^2})$이다. 따라서 2초 후 수레의 속력은 $v=v_0+at=1+1.5\times2=4(\mathrm{m/s})$이다.

155 ㄴ. $x=0$에서 $x=L$까지 힘이 한 일은 $x=0$에서 $x=2L$까지 힘이 한 일의 $\frac{1}{2}$이다. 따라서 $x=0$에서 $x=L$까지 힘이 한 일은 $\frac{3}{2}E_0$이다. $E_0=\frac{1}{2}mv^2$이고, 힘이 한 일은 운동 에너지 변화량과 같으므로 $x=L$에서 물체의 속력을 v'라고 하면, $\frac{3}{2}E_0=\frac{3}{2}\times\frac{1}{2}mv^2=\frac{1}{2}mv'^2-\frac{1}{2}mv^2$에 의해 $v'=\sqrt{\frac{5}{2}}v$이다.

바로알기 | ㄱ. $E_0=\frac{1}{2}mv^2$이고, $x=0$에서 $x=2L$까지 알짜힘이 물체에 한 일은 물체의 운동 에너지 증가량과 같으므로 알짜힘이 물체에 한 일$=\frac{1}{2}m(2v)^2-\frac{1}{2}mv^2=\frac{3}{2}mv^2=3E_0$이다.

ㄷ. $x=L$에서 물체의 운동 에너지는 $\frac{1}{2}mv'^2=\frac{1}{2}m\left(\sqrt{\frac{5}{2}}v\right)^2=\frac{5}{4}mv^2$ $=\frac{5}{2}E_0$이다.

156 ㄱ. 물체가 1 m 이동했을 때 물체가 받은 힘이 6 N이고, 물체의 질량이 1 kg이므로 물체의 가속도의 크기는 $a=\frac{F}{m}=\frac{6}{1}=6(\text{m/s}^2)$이다.

바로알기 | ㄴ. 힘-이동 거리 그래프 아래 부분의 넓이는 물체가 받은 일을 의미한다. 따라서 3 m 이동하는 동안 물체에 작용한 힘이 한 일은 12 J+4 J=16 J이다.

ㄷ. 물체가 3 m 이동한 순간 운동 에너지는 물체가 받은 일과 같으므로 $16\text{ J}=\frac{1}{2}mv^2=\frac{1}{2}\times1\times v^2$에 의해 물체의 속력은 $v=4\sqrt{2}$ m/s이다.

157 비탄성 충돌에서 운동량은 보존되지만 운동 에너지는 보존되지 않는다.

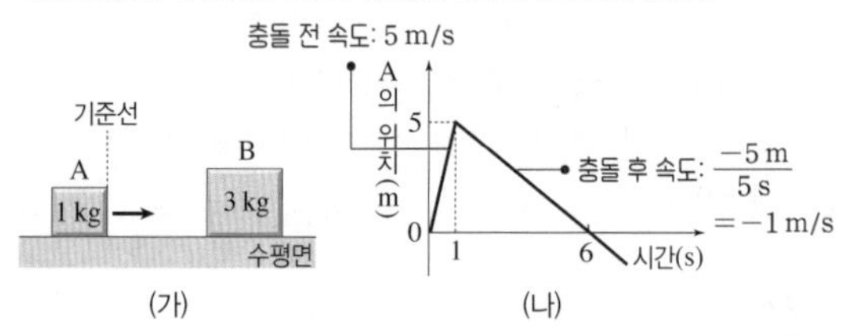

ㄱ. 충돌 후 B의 속도를 v라 하면 운동량 보존 법칙에 의해 $1\text{ kg}\times5\text{ m/s}=1\text{ kg}\times(-1\text{ m/s})+3\text{ kg}\times v$이므로 충돌 후 B의 속도는 $v=2$ m/s이다. 따라서 충돌 후 B의 운동 에너지는 $\frac{1}{2}\times3\times2^2=6(\text{J})$이다.

ㄴ. 충돌 전 전체 운동 에너지는 A의 운동 에너지로 $E_{전}=\frac{1}{2}\times1\times5^2=12.5(\text{J})$이고, 충돌 후 A와 B의 운동 에너지 총합은 $E_{후}=\frac{1}{2}\times1\times(-1)^2+\frac{1}{2}\times3\times2^2=6.5(\text{J})$이다. 따라서 충돌 후 운동 에너지 총합은 충돌 전보다 감소한다.

ㄷ. 충돌하는 과정에서 A가 B로부터 받은 충격량은 A의 운동량 변화량과 같다. A의 운동량 변화량$=1\times(-1)-1\times5=-(6\text{ kg}\cdot\text{m/s})$이다. 따라서 충돌하는 과정에서 A가 B로부터 받은 충격량의 크기는 6 N·s이다.

158 ㄱ. 중력의 방향과 물체의 이동 방향이 수직이므로 중력이 물체에 한 일은 0이다.

바로알기 | ㄴ. 물체에 작용하는 마찰력을 f라고 하면 물체에 작용한 알짜힘은 $(F-f)$이다. 0초부터 1초까지 이 알짜힘이 물체에 한 일은 1초일 때의 운동 에너지와 같으므로 $\frac{1}{2}mv^2=\frac{1}{2}\times1\times2^2=2(\text{J})$에서 F가 물체에 한 일은 2 J보다 크다.

ㄷ. 속도-시간 그래프의 기울기가 가속도이므로 0초부터 1초까지 물체의 가속도는 2 m/s^{2}이다. 물체에 작용하는 알짜힘은 $(F-f)$이므로 운동 방정식을 세워 보면 $F-f=1\text{ kg}\times2\text{ m/s}^2$이 되어 $F=2\text{ N}+f$이다. 따라서 F의 크기는 2 N보다 크다.

159 ① 일정한 속력으로 들어 올리는 것은 등속도로 들어 올리는 것을 뜻한다. 등속도로 운동하는 물체에 작용하는 알짜힘은 0이므로 물체를 들어 올리는 힘은 물체의 무게 mg와 같은 크기이다.

② 물체에 크기가 mg인 힘을 주어 높이 h만큼 들어 올리는 동안 한 일은 mgh이다.

③ 물체를 기준면에서부터 어떤 높이까지 등속도로 들어 올리는 데 한 일은 그 위치에서 기준면에 대한 중력 퍼텐셜 에너지 mgh가 된다.

④ 정지해 있는 물체의 운동 에너지는 0이므로 역학적 에너지는 중력 퍼텐셜 에너지 mgh가 된다.

바로알기 | ⑤ 물체를 들어 올리는 높이(h)가 증가하면 물체의 역학적 에너지(mgh)가 증가한다.

160 ㄱ. (가)에서 20 N의 힘으로 1 m 이동시켰으므로 물체가 받은 일은 $W=Fs=20\times1=20(\text{J})$이다. 이 일만큼 물체의 운동 에너지가 증가하였다.

ㄷ. (나)에서 힘이 물체에 한 일만큼 물체의 역학적 에너지가 증가한다. 힘이 물체에 한 일은 $W=Fs=20\times1=20(\text{J})$이다. 따라서 (가)와 (나)에서 물체의 역학적 에너지 변화량은 같다.

바로알기 | ㄴ. (나)에서 물체의 중력 퍼텐셜 에너지 변화량은 $mgh=1\text{ kg}\times10\text{ m/s}^2\times1\text{ m}=10\text{ J}$이다. (나)에서 물체에는 위 방향으로 20 N의 힘이 작용하고 아래 방향으로는 10 N의 중력이 작용한다. 따라서 물체에 작용하는 알짜힘은 위 방향으로 10 N이고 알짜힘에 의한 일은 운동 에너지 변화량과 같으므로 물체가 1 m 올라갔을 때 운동 에너지는 10 J이다. 즉, (나)에서 힘이 한 일 20 J 가운데 10 J은 중력 퍼텐셜 에너지, 10 J은 운동 에너지로 전환되었다.

161 물체에는 위 방향으로 줄을 통해 전동기가 잡아당기는 힘 120 N이 작용하고, 아래 방향으로 중력 100 N이 작용한다.

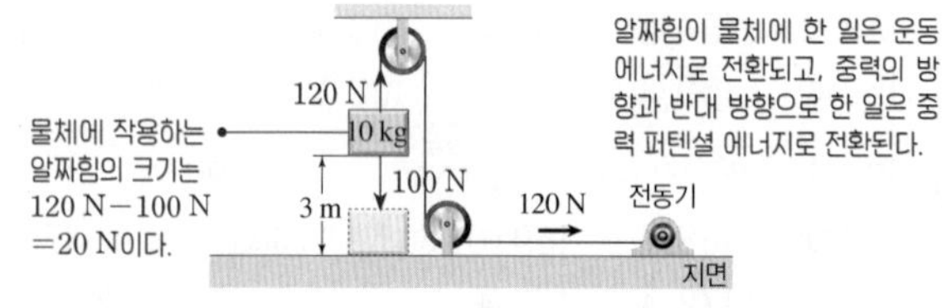

ㄱ. 전동기가 물체에 한 일은 $W=Fs=120\times3=360(\text{J})$이다.

ㄴ. 물체의 중력 퍼텐셜 에너지 증가량은 $mgh=10\times10\times3=300(\text{J})$이다.

바로알기 | ㄷ. 3 m 이동했을 때 운동 에너지는 물체에 작용하는 알짜힘에 의한 일 $W=Fs=20\times3=60(\text{J})$과 같다. $E_k=\frac{1}{2}mv^2$이므로 $60=\frac{1}{2}\times10\times v^2$에 의해 물체의 속력은 $v=2\sqrt{3}$ m/s이다.

162 물체에 위 방향으로 힘 F, 아래 방향으로 중력 30 N이 작용한다. 0초부터 1초까지 수평면에 정지해 있던 물체의 속력이 증가하고, 1초부터 4초까지 속력이 감소하였다.

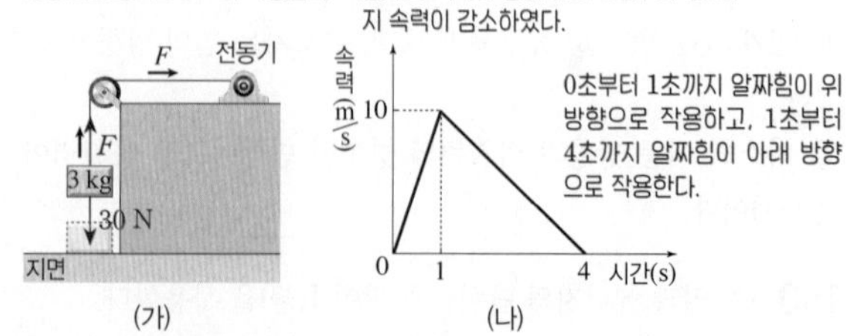

ㄱ. 알짜힘이 물체에 한 일은 물체의 운동 에너지 변화량과 같다. 0초부터 1초까지 물체의 속력이 0에서 10 m/s로 증가하였으므로 운동 에너지 증가량은 $\frac{1}{2}\times3\times10^2=150(\text{J})$이다. 따라서 0초부터 1초까지 알짜힘이 한 일은 150 J이다.

ㄴ. 1초부터 4초까지 물체가 올라간 높이는 속력-시간 그래프 아래 부분의 넓이이므로 15 m이다. 따라서 1초부터 4초까지 물체의 중력 퍼텐셜 에너지 증가량은 $3\times10\times15=450$(J)이다.

바로알기 | ㄷ. 속력-시간 그래프에서 1초부터 4초까지 가속도가 $-\frac{10}{3}(\mathrm{m/s^2})$임을 알 수 있다. 1초부터 4초까지 물체에 대한 운동 방정식을 세워 보면 $F-30=3\times\left(-\frac{10}{3}\right)$에 의해 F의 크기는 20 N이다. 따라서 1초부터 4초까지 힘 F가 한 일은 $W=Fs=20\times15=300$(J)이다.

163 물체에 작용하는 알짜힘에 의한 일은 물체의 운동 에너지 변화량과 같다.

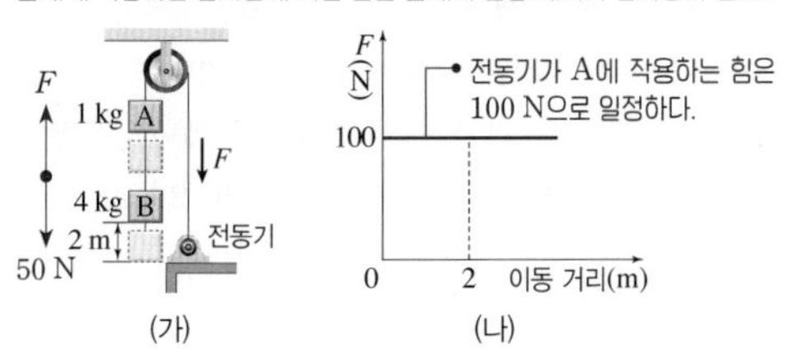

A와 B를 한 덩어리로 생각하면 두 물체에는 위 방향으로 힘 F와 아래 방향으로 A, B의 무게가 작용하므로 두 물체에 작용하는 알짜힘은 $100\ \mathrm{N}-10\ \mathrm{N}-40\ \mathrm{N}=50\ \mathrm{N}$이다. 물체에 작용하는 알짜힘에 의한 일은 운동 에너지 변화량과 같으므로 $50\ \mathrm{N}\times2\ \mathrm{m}=100\ \mathrm{J}$이다. 따라서 전동기가 실을 2 m 당긴 순간 A, B의 운동 에너지는 100 J이다. 두 물체의 속력이 같으므로 운동 에너지는 질량에 비례한다. 따라서 A의 운동 에너지는 20 J, B의 운동 에너지는 80 J이다.

164 (1) h에서 중력 퍼텐셜 에너지는 물체가 지면에 도달할 때 운동 에너지로 전환된다. 즉, $mgh=\frac{1}{2}mv^2$에 의해 $v=\sqrt{2gh}$이다.

(2) 물체의 중력 퍼텐셜 에너지가 감소한 만큼 운동 에너지가 증가하므로 지면을 기준으로 자유 낙하 하는 물체의 운동 에너지와 중력 퍼텐셜 에너지가 같아지는 지점은 낙하 높이가 처음 높이의 $\frac{1}{2}$인 곳이다. 따라서 $mg\times\frac{1}{2}h=\frac{1}{2}mv^2$에 의해 $v=\sqrt{gh}$이다.

(3) 지면을 기준으로 자유 낙하 하는 물체의 운동 에너지가 중력 퍼텐셜 에너지의 2배가 되는 지점은 높이가 처음 높이의 $\frac{1}{3}$인 곳이다. 따라서 $mg\times\left(h-\frac{1}{3}h\right)=mg\times\frac{2}{3}h=\frac{1}{2}mv^2$에 의해 $v=2\sqrt{\frac{gh}{3}}$이다.

165 ㄱ. 공이 낙하하면서 받는 힘의 크기는 중력의 크기이다. 공에 작용하는 중력의 크기는 $3\ \mathrm{kg}\times10\ \mathrm{m/s^2}=30\ \mathrm{N}$이다.

ㄴ. 지면에 도달할 때까지 감소한 중력 퍼텐셜 에너지는 처음 위치에서의 중력 퍼텐셜 에너지와 같으므로 $3\times10\times6=180$(J)이다.

바로알기 | ㄷ. 처음 위치에서의 중력 퍼텐셜 에너지가 지면에 도달하여 운동 에너지로 전환되므로 지면에 도달하는 순간 운동 에너지는 180 J이다.

166 ㄱ. 중력이 A에 작용하는 알짜힘이므로 A가 지면에 도달할 때까지 중력이 A에 한 일은 A의 운동 에너지로 전환된다.

ㄴ. A가 높이 h인 곳을 지날 때 운동 에너지는 감소한 중력 퍼텐셜 에너지 $mg\times3h$이고, 이때 중력 퍼텐셜 에너지는 $mg\times h$이다. 따라서 운동 에너지는 중력 퍼텐셜 에너지의 3배이다.

ㄹ. A의 처음 위치에서의 역학적 에너지는 중력 퍼텐셜 에너지 $mg\times4h=4mgh$이고, B의 처음 위치에서의 역학적 에너지는 중력 퍼텐셜 에너지 $4mg\times h=4mgh$이다. 처음 위치에서의 두 물체의 역학적 에너지가 같으므로 역학적 에너지 보존 법칙에 따라 지면에 닿는 순간 역학적 에너지도 A와 B가 같다.

바로알기 | ㄷ. (나)의 순간 A는 아래 방향의 속력을 가지고 있고, B는 정지 상태이다. 두 물체의 가속도가 같으므로 같은 높이를 낙하하는 데 걸리는 시간은 A가 B보다 짧다. 즉, A가 먼저 지면에 도달한다.

167

0 a
t b
$2t$ c
$3t$ d

a에서 c까지 낙하 거리 $s_c=\frac{1}{2}g(2t)^2$
a에서 d까지 낙하 거리 $s_d=\frac{1}{2}g(3t)^2$

감소한 중력 퍼텐셜 에너지는 낙하 거리에 비례한다.
감소한 중력 퍼텐셜 에너지만큼 운동 에너지가 증가한다.

ㄱ. 정지 상태에서 출발한 물체의 감소한 중력 퍼텐셜 에너지만큼 운동 에너지로 전환되므로 c에서 물체의 속력은 $16\ \mathrm{J}=\frac{1}{2}\times2\times v^2$에 의해 $v=4\ \mathrm{m/s}$이다.

ㄴ. 감소한 중력 퍼텐셜 에너지는 낙하 거리에 비례하므로 $16 : x=s_c : s_d=\frac{1}{2}g(2t)^2 : \frac{1}{2}g(3t)^2=4 : 9$이다. 따라서 a에서 d까지 감소한 중력 퍼텐셜 에너지는 $x=36$ J이다.

바로알기 | ㄷ. $\frac{s_d}{s_c}=\frac{\frac{1}{2}g(3t)^2}{\frac{1}{2}g(2t)^2}=\frac{9}{4}$이므로 a와 d 사이 거리는 a와 c 사이 거리의 $\frac{9}{4}$배이다.

168 ③ 두 물체의 질량과 속력이 같으므로 물체의 운동 에너지가 같다.

바로알기 | ①, ② 지민이가 물체에 작용한 힘은 (가)에서가 (나)에서보다 크다. 이동 거리가 같으므로 지민이가 물체에 한 일도 (가)에서가 (나)에서보다 크다.

④ 물체의 중력 퍼텐셜 에너지 변화량은 수직 높이 변화가 큰 (가)에서가 (나)에서보다 크다.

⑤ 운동 에너지가 변함이 없으므로 물체의 역학적 에너지는 중력 퍼텐셜 에너지 변화량이 더 큰 (가)에서가 (나)에서보다 크다.

169 알짜힘이 물체에 한 일은 운동 에너지 변화량과 같고, 중력 퍼텐셜 에너지 변화량은 높이 변화에 비례한다.

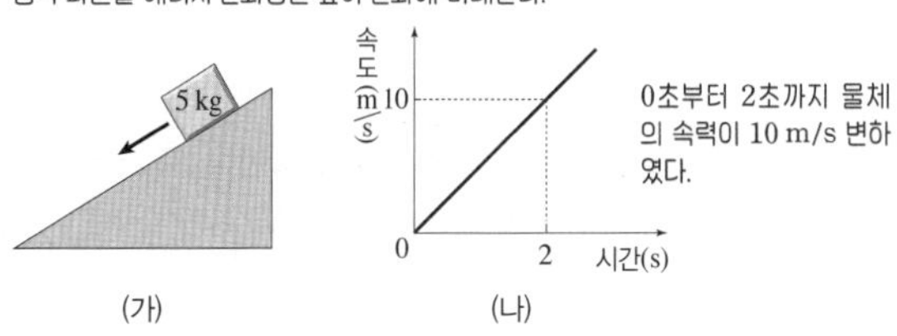

(1) 알짜힘이 한 일은 운동 에너지 변화량과 같으므로 0초부터 2초까지 물체에 작용한 알짜힘이 한 일은 $W=\Delta E_k=\left(\frac{1}{2}\times5\times10^2\right)-0=250$(J)이다.

(2) 중력이 물체에 한 일만큼 물체의 중력 퍼텐셜 에너지가 감소하고, 감소한 중력 퍼텐셜 에너지만큼 운동 에너지가 증가한다. 따라서 0초부터 2초까지 중력이 물체에 한 일은 운동 에너지 증가량과 같은 250 J이다.

(3) 0초부터 2초까지 감소한 중력 퍼텐셜 에너지가 250 J이므로 $250\ \text{J}=5\ \text{kg}\times10\ \text{m/s}^2\times\Delta h$에 의해 높이 변화 $\Delta h=5$ m이다.

170 ㄱ. 물체가 일정한 속력으로 운동하므로 가속도가 0이고, 물체에 작용하는 알짜힘은 0이다.

ㄴ. 운동 에너지가 일정하므로 전동기가 물체에 한 일은 물체의 중력 퍼텐셜 에너지 증가량인 $1\ \text{kg}\times10\ \text{m/s}^2\times1\ \text{m}=10$ J이다. 전동기가 물체에 작용하는 힘의 크기를 F라고 하면 $F\times2\ \text{m}=10$ J에 의해 $F=5$ N이다.

바로알기 | ㄷ. 전동기가 물체에 한 일은 물체의 중력 퍼텐셜 에너지 증가량과 같은 10 J이다.

171 ㄴ. 높이가 $\frac{h}{2}$인 지점에서의 속력을 v'라고 하면 감소한 중력 퍼텐셜 에너지가 운동 에너지로 전환되므로 $mg\times\frac{h}{2}=\frac{1}{2}mv'^2$에 의해 $v'=\sqrt{gh}$이다. $v=\sqrt{2gh}$이므로 $v'=\frac{\sqrt{2}}{2}v$이다.

ㄷ. 중력 가속도가 일정한 지표면에서 중력 퍼텐셜 에너지는 높이에 비례하므로 높이가 h인 지점에서 미나의 중력 퍼텐셜 에너지는 높이가 $\frac{h}{2}$인 지점에서의 2배이다.

ㄹ. 중력이 미나에게 한 일만큼 중력 퍼텐셜 에너지가 감소한다. 따라서 수평면에 내려오는 동안 중력이 미나에게 한 일은 높이가 h인 처음 위치에서의 중력 퍼텐셜 에너지와 같다.

바로알기 | ㄱ. 역학적 에너지가 보존되므로 $mgh=\frac{1}{2}mv^2$에 의해 $v=\sqrt{2gh}$이다.

172 A와 B가 충돌하여 한 덩어리가 된 물체의 속력을 v라고 하면 운동량 보존 법칙에 의해 $1\ \text{kg}\times8\ \text{m/s}=2\ \text{kg}\times v$가 되어 $v=4$ m/s이다. 수평면에서 물체의 운동 에너지는 최고점에서 모두 중력 퍼텐셜 에너지로 전환되므로 $\frac{1}{2}\times2\times4^2=2\times10\times h$에 의해 $h=0.8$ m이다.

173 빗면의 경사각이 클수록 가속도가 크다. 경사각: B>A

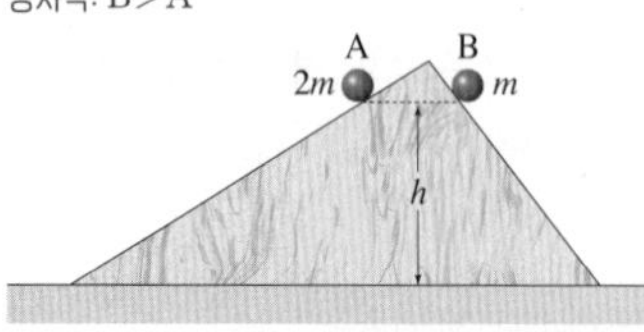

수평면까지 이동 거리는 A가 B보다 크다. 이동 거리: A>B

ㄴ. 처음 위치에서 중력 퍼텐셜 에너지가 수평면에 도달하는 순간 모두 운동 에너지로 전환되므로 질량이 m인 물체는 $mgh=\frac{1}{2}mv^2$에 의해 수평면에 도달하는 순간 속력 $v=\sqrt{2gh}$이다. 즉, A와 B의 처음 높이가 같으므로 수평면에 도달하는 순간 A와 B의 속력은 질량에 관계없이 $\sqrt{2gh}$로 같다.

ㄷ. 수평면에 도달하는 순간 속력이 같으므로 운동 에너지는 질량에 비례한다. 따라서 운동 에너지는 A가 B의 2배이다.

바로알기 | ㄱ. B가 A보다 가속도가 크고 이동 거리가 짧으므로 B가 A보다 먼저 수평면에 도달한다.

174

정지 2 kg 1.8 m v 5 m 3 m/s

마찰이 있는 면에서 마찰력이 물체에 한 일만큼 역학적 에너지가 감소한다.

물체가 수평면에서 운동할 때 중력 퍼텐셜 에너지는 변하지 않는다.

마찰이 있는 수평면

ㄱ. 역학적 에너지 보존 법칙에 의해 $mgh=\frac{1}{2}mv^2$이므로 $v=\sqrt{2gh}=\sqrt{2\times10\times1.8}$에 의해 $v=6$ m/s이다.

바로알기 | ㄴ. 마찰이 있는 구간을 지날 때 마찰력이 물체에 한 일만큼 운동 에너지가 감소하므로 마찰력의 크기를 f라고 하면, $-f\times5\ \text{m}=\frac{1}{2}\times2\times3^2-\frac{1}{2}\times2\times6^2=-27$(J)이 되어 $f=\frac{27}{5}$ N이다.

ㄷ. 처음 위치에서 중력 퍼텐셜 에너지는 수평면에서 운동 에너지로 전환되고, 이 운동 에너지는 마찰이 있는 면을 지나면서 −27 J만큼 감소하여 마찰이 있는 면을 지난 후 물체의 운동 에너지가 된다. 마찰이 있는 면을 지난 후 물체의 속력을 v라고 하면, $2\ \text{kg}\times10\ \text{m/s}^2\times2.5\ \text{m}-27\ \text{J}=\frac{1}{2}\times2\times v^2$이 되어 $v=\sqrt{23}$ m/s이다.

175 ① A에서 B까지 운동하는 동안 중력이 한 일만큼 중력 퍼텐셜 에너지가 감소하고 그만큼 운동 에너지가 증가한다.

② 역학적 에너지가 보존되므로 처음 A에서의 역학적 에너지인 중력 퍼텐셜 에너지는 C에서 중력 퍼텐셜 에너지와 운동 에너지의 합과 같다. 즉, $1\times10\times4=1\times10\times2+\frac{1}{2}\times1\times v_C{}^2$이므로 C에서의 속력은 $v_C=2\sqrt{10}$ m/s이다.

③ 중력 퍼텐셜 에너지는 높이가 높을수록 크므로 높이가 더 높은 B에서가 D에서보다 크다.

⑤ A와 C에서의 높이 차가 2 m이므로 중력 퍼텐셜 에너지 차이는 $1\times10\times2=20$(J)이다.

⑥ 높이가 가장 낮은 D에서 중력 퍼텐셜 에너지는 최소이고, 운동 에너지는 최대이다.

바로알기 | ④ A에서 중력 퍼텐셜 에너지와 B에서 역학적 에너지가 같다. $1\times10\times4=1\times10\times1+\frac{1}{2}\times1\times v_B{}^2$이므로 B에서의 속력은 $v_B=2\sqrt{15}$ m/s이다. 따라서 B에서 속력은 C에서의 $\sqrt{\frac{3}{2}}$배이다.

⑦ 역학적 에너지가 보존되므로 D에서와 C에서 역학적 에너지는 같다.

176 ㄱ. B, C에서의 속력을 각각 v_B, v_C라 하고 역학적 에너지 보존 법칙을 적용하면,

A점과 B점에 대해 $3mgh+\frac{1}{2}mv^2=\frac{1}{2}mv_B{}^2\cdots$①,

A점과 C점에 대해 $3mgh+\frac{1}{2}mv^2=2mgh+\frac{1}{2}mv_C{}^2\cdots$②,

B점과 C점에 대해 $\frac{1}{2}mv_B{}^2=2mgh+\frac{1}{2}mv_C{}^2\cdots$③이다.

또 운동 에너지는 B에서가 C에서의 2배이므로 $\frac{1}{2}mv_B{}^2=2\times\frac{1}{2}mv_C{}^2\cdots$④가 된다. ③, ④에서 좌변이 같으므로 $2mgh+\frac{1}{2}mv_C{}^2=2\times\frac{1}{2}mv_C{}^2$에 의해 $\frac{1}{2}mv_C{}^2=2mgh$가 된다. 이 값을 ③에 대입하면 $\frac{1}{2}mv_B{}^2=4mgh$이므로 $mgh=\frac{1}{8}mv_B{}^2$이다. 이 값을 ①에 대입하면 $\frac{3}{8}mv_B{}^2+\frac{1}{2}mv^2=\frac{1}{2}mv_B{}^2$에 의해 $v_B=2v$이다.

ㄴ. $v_B=2v$를 ④에 대입하면 $v_C=\sqrt{2}v$이다. 따라서 C에서 물체의 운동 에너지는 $\frac{1}{2}mv_C{}^2=\frac{1}{2}m(\sqrt{2}v)^2=mv^2$이다.

ㄷ. 물체의 역학적 에너지는 B에서 운동 에너지와 같으므로 $\frac{1}{2}mv_B{}^2=\frac{1}{2}m(2v)^2=2mv^2$이다.

177

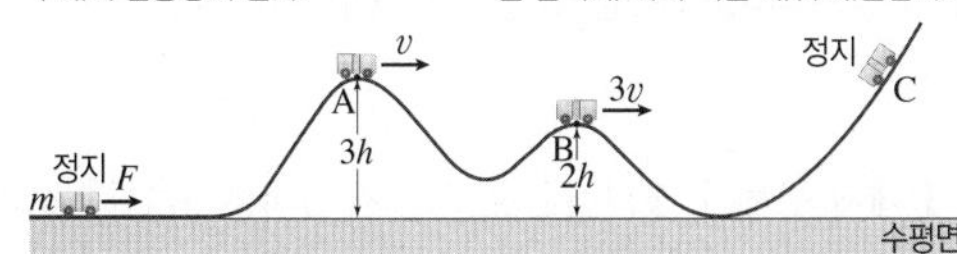

수평면에서 물체가 받은 충격량만큼 물체의 운동량이 변한다. 수평면에서 나중 속력을 v_0이라고 하면 수레가 처음 정지 상태이었으므로 $F\Delta t=\Delta p=mv_0$…①이다. 처음 역학적 에너지는 $\frac{1}{2}mv_0{}^2$이고, A와 B에서 역학적 에너지가 보존되므로 $3mgh+\frac{1}{2}mv^2=2mgh+\frac{1}{2}m(3v)^2$…②이다. B와 C에서 역학적 에너지가 보존되므로 $2mgh+\frac{1}{2}m(3v)^2=mgh_C$…③이 된다. ②에 의해 $mv^2=\frac{1}{4}mgh$…④이고 ④를 ③에 대입하면 $h_C=\frac{25}{8}h$가 된다. 한편 수평면에서의 운동 에너지가 A에서의 역학적 에너지이므로 $\frac{1}{2}mv_0{}^2=3mgh+\frac{1}{2}mv^2$…⑤이고, ④에서 $mgh=4mv^2$이므로 이를 ⑤에 대입하면 $v_0=5v$이다. 이를 ①에 대입하면 $F\Delta t=F\times5\text{ s}=m\times5v$가 되어 $F=mv$이다.

178

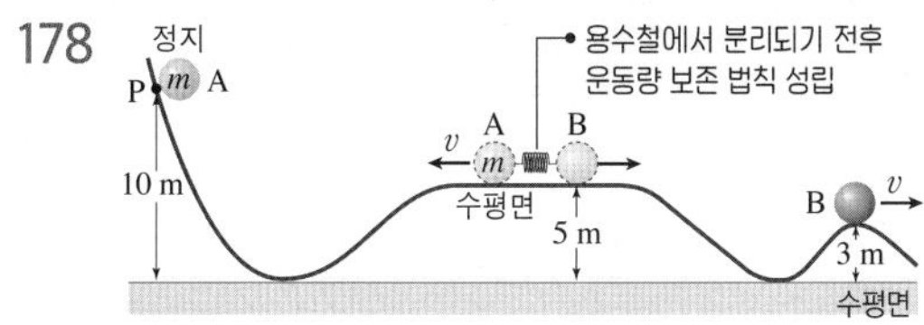

ㄱ. A의 역학적 에너지가 보존되므로 $m\times10\times10=m\times10\times5+\frac{1}{2}mv^2$에 의해 용수철에서 분리된 직후 A의 속력은 $v=10$ m/s이다.

바로알기 | ㄴ. 운동량 보존 법칙에 의해 용수철에서 분리된 직후 A와 B의 운동량의 크기가 같으므로 B의 질량을 m_B, 용수철에서 분리된 직후 B의 속력을 v_B라고 하면 $m\times10=m_Bv_B$…①이다. 또한 B의 역학적 에너지가 보존되므로 $m_B\times10\times5+\frac{1}{2}m_Bv_B{}^2=m_B\times10\times3+\frac{1}{2}m_B\times10^2$에 의해 $v_B=2\sqrt{15}$ m/s이다.

ㄷ. ①에 $v_B=2\sqrt{15}$를 대입하면 $m_B=\sqrt{\frac{5}{3}}m$이다. 따라서 질량은 B가 A의 $\sqrt{\frac{5}{3}}$배이다.

179 ㄱ. 물체가 p를 지날 때 속력을 v_p라고 하면, 역학적 에너지가 보존되므로 $mg\times2h=\frac{1}{2}mv_p{}^2$에 의해 $v_p=2\sqrt{gh}$…①이다. 물체가 q를 지날 때 속력을 v_q, 높이가 $4h$인 지점에서의 속력을 v라고 하면 $\frac{1}{2}mv^2=2\times\frac{1}{2}mv_p{}^2$…②이다. ②에 ①을 대입하면 $v^2=8gh$…③이다. 역학적 에너지 보존 법칙에 따라 $\frac{1}{2}mv_q{}^2=4mgh+\frac{1}{2}mv^2$…④이고, ③을 ④에 대입하면 $v_q=4\sqrt{gh}$이다.

ㄷ. p에서 q까지 물체가 받은 일은 운동 에너지 변화량과 같으므로 $Fs=\frac{1}{2}m(v_q{}^2-v_p{}^2)=\frac{1}{2}m(16gh-4gh)=6mgh$이고, $F=\frac{2m\sqrt{gh}}{t}$이므로 p에서 q 사이의 거리 $s=\frac{6mgh}{F}=3t\sqrt{gh}$이다.

바로알기 | ㄴ. p에서 q까지 물체가 받은 충격량은 운동량 변화량과 같으므로 $Ft=m(v_q-v_p)=m(4\sqrt{gh}-2\sqrt{gh})=2m\sqrt{gh}$이다. 따라서 물체에 작용하는 힘 F의 크기는 $\frac{2m\sqrt{gh}}{t}$이다.

180 ① 물체를 잡아당기는 힘의 크기는 용수철의 탄성력과 크기가 같은 kA이다.
③ E_p는 물체를 O에서부터 늘어난 길이 A만큼 등속으로 잡아당길 때 힘이 한 일과 같다. $W=\frac{1}{2}kA^2=E_p$이다.
⑤ O에서 탄성 퍼텐셜 에너지는 0이므로 O에서 물체의 역학적 에너지는 모두 운동 에너지이다. 따라서 물체의 속력은 O에서 가장 크다.
⑥ 탄성 퍼텐셜 에너지는 늘어난 길이가 0인 O에서 0이다.
⑦ 탄성 퍼텐셜 에너지가 $\frac{1}{2}E_p$인 지점은 $\frac{1}{2}kx^2=\frac{1}{2}\times\frac{1}{2}kA^2$에서 용수철이 늘어난 길이 $x=\frac{\sqrt{2}}{2}A$인 지점이다.

바로알기 | ② 물체를 당기는 힘이 한 일은 물체가 가지고 있는 탄성 퍼텐셜 에너지와 같은 $\frac{1}{2}kA^2$이다.
④ 탄성력만을 받아 운동하는 물체의 역학적 에너지는 보존된다.

181 30 cm 잡아당겼을 때 탄성력의 크기가 60 N이므로 용수철 상수 $k=\frac{60\text{ N}}{0.3\text{ m}}=200$ N/m이다. 50 cm 잡아당겼을 때 탄성 퍼텐셜 에너지가 평형점 O에서 모두 운동 에너지로 전환되고 이때의 속력이 최고 속력이다. 따라서 $\frac{1}{2}\times200\times0.5^2=\frac{1}{2}\times2\times v^2$에서 $v=5$ m/s이다.

182 물체의 운동 에너지가 모두 탄성 퍼텐셜 에너지로 전환될 때가 최대로 압축시킨 길이이다. 물체가 용수철을 최대로 압축시킨 길이를 각각 $x_{(가)}$, $x_{(나)}$라고 하면 (가)에서 $\frac{1}{2}m(3v)^2=\frac{1}{2}kx_{(가)}{}^2$이므로 $x_{(가)}=3v\sqrt{\frac{m}{k}}$이고, (나)에서 $\frac{1}{2}mv^2=\frac{1}{2}kx_{(나)}{}^2$이므로 $x_{(나)}=v\sqrt{\frac{m}{k}}$이다. 따라서 최대로 압축시킨 길이는 (가)에서가 (나)에서의 3배이다.

183 용수철을 잡아당기는 힘의 크기는 용수철의 탄성력과 같고 $F=kx$이므로 그래프의 기울기는 용수철 상수 k이다. $k=\frac{10\text{ N}}{0.05\text{ m}}=200$ N/m이므로 용수철을 0.4 m 압축시켰을 때 용수철에 저장된 탄성 퍼텐셜 에너지 $E_p=\frac{1}{2}kx^2=\frac{1}{2}\times200\times(0.4)^2=16$(J)이다.

184 0.2 m만큼 압축시켰을 때 용수철에 저장된 탄성 퍼텐셜 에너지가 정지한 높이에서 모두 중력 퍼텐셜 에너지로 전환되므로 $\frac{1}{2}kx^2=mgh$에 대입하면, $\frac{1}{2}\times1000\times(0.2)^2=1\times10\times h$에 의해 $h=2$ m이다.

185 ① $mgh=\frac{1}{2}mv^2$에 의해 수평면에서 공의 속력은 $v=\sqrt{2gh}$이다.

③ 용수철에 저장된 탄성 퍼텐셜 에너지의 최댓값은 처음 위치에서 중력 퍼텐셜 에너지와 같은 mgh이다.

④ 처음 위치에서 중력 퍼텐셜 에너지가 용수철이 최대로 압축된 순간 모두 탄성 퍼텐셜 에너지로 전환되므로 $mgh=\frac{1}{2}k(3h)^2$에 의해 용수철 상수는 $k=\frac{2mg}{9h}$이다.

⑤ 공을 높이 $2h$에서 가만히 놓으면 $mg(2h)=\frac{1}{2}kx^2$이고 $k=\frac{2mg}{9h}$이므로 용수철이 최대로 압축되는 길이는 $x=3\sqrt{2}h$이다.

바로알기 | ② 용수철이 $3h$만큼 압축되는 동안 탄성력의 크기는 압축된 길이에 비례하여 점점 커진다.

186

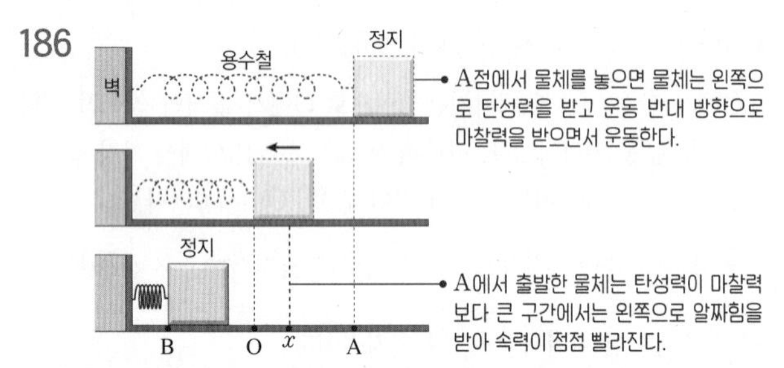

ㄴ. A에서 출발한 물체는 x까지 왼쪽으로 알짜힘을 받아 속력이 점점 빨라지지만 x를 지나고 나면 마찰력이 탄성력보다 커서 운동 반대 방향인 오른쪽으로 알짜힘을 받아 속력이 느려진다. O점을 지나면 탄성력까지 오른쪽으로 작용하기 때문에 물체는 B점에서 정지하게 된다. 따라서 물체의 속력은 x에서 가장 빠르고 물체의 운동 에너지도 x에서 가장 크다.

ㄷ. 마찰력이 작용하기 때문에 역학적 에너지가 보존되지 않아 물체는 A에서의 탄성 퍼텐셜 에너지를 다시 가질 수 없다. 따라서 A에서 O까지 거리는 O에서 B까지 거리보다 크다.

바로알기 | ㄱ. 용수철의 탄성 퍼텐셜 에너지는 길이 변화가 가장 큰 A에서 가장 크다.

ㄹ. A에서 B까지 운동하는 동안 역학적 에너지는 점점 감소한다. 감소한 역학적 에너지는 마찰에 의해 열에너지로 전환된다.

187

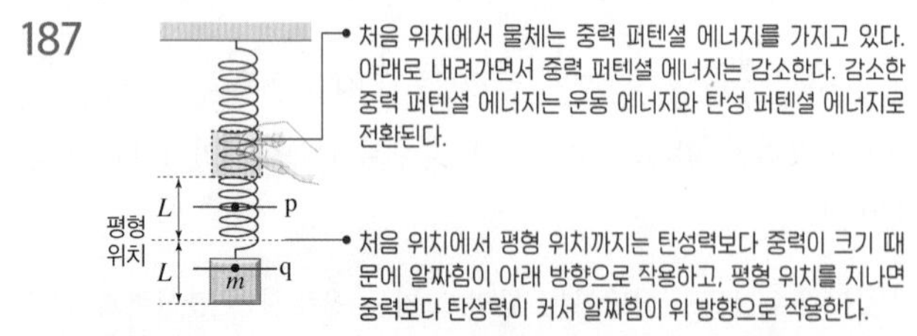

ㄱ. 물체가 처음 위치에서 평형 위치까지 운동하는 동안 알짜힘이 아래 방향으로 작용하므로 물체의 속력이 빨라지고, 평형 위치를 지나면 알짜힘이 위 방향으로 작용하기 때문에 물체의 속력이 느려진다. 평형 위치에서 물체의 속력이 가장 빠르므로 물체의 운동 에너지도 평형 위치에서 가장 크다.

ㄴ. 용수철이 $2L$만큼 늘어난 위치에서 중력 퍼텐셜 에너지가 0이라고 하면, 처음 위치에서 중력 퍼텐셜 에너지는 용수철이 $2L$만큼 늘어난 위치에서 모두 탄성 퍼텐셜 에너지로 전환된다. 따라서 $mg(2L)=\frac{1}{2}k(2L)^2$에 의해 용수철 상수는 $k=\frac{mg}{L}$이다.

바로알기 | ㄷ. 역학적 에너지 보존 법칙에 의해 처음 위치에서 중력 퍼텐셜 에너지는 평형 위치에서 운동 에너지, 탄성 퍼텐셜 에너지, 중력 퍼텐셜 에너지의 합과 같다. 따라서 $mg(2L)=\frac{1}{2}mv^2+\frac{1}{2}kL^2+mgL$이고, 여기에 $k=\frac{mg}{L}$를 대입하면 평형 위치에서 물체의 속력은 $v=\sqrt{gL}$이다.

ㄹ. 용수철의 탄성 퍼텐셜 에너지는 $\frac{1}{2}kx^2$이므로 늘어난 길이 x의 제곱에 비례한다. 따라서 용수철의 탄성 퍼텐셜 에너지는 q에서가 p에서보다 크다.

188 ㄴ. P에서 물체가 정지하므로 운동 에너지는 0이다. 따라서 P에서 용수철의 탄성 퍼텐셜 에너지는 중력 퍼텐셜 에너지 감소량과 같은 $mg(h+d)$이다.

바로알기 | ㄱ. 물체가 O에서 h만큼 낙하할 때까지는 중력만을 받아 속력이 빨라진다. 낙하 거리가 h보다 커지면 중력뿐만 아니라 위 방향으로 탄성력을 받는데 탄성력보다 중력이 큰 구간에서는 알짜힘이 아래 방향으로 작용하므로 속력이 빨라지고 평형 위치(탄성력과 중력이 같은 위치)를 지나면 탄성력이 중력보다 커서 알짜힘이 위 방향으로 작용하므로 속력이 느려져 결국 멈추게 된다. 따라서 낙하했을 때 운동 에너지가 최대인 지점은 중력과 탄성력의 크기가 같은 평형 위치이다.

ㄷ. P점은 평형 위치보다 낮은 위치이다. 따라서 P에서는 물체에 작용하는 중력보다 탄성력의 크기가 크다.

189 용수철을 L만큼 압축시킨 상태에서 역학적 에너지는 용수철의 탄성 퍼텐셜 에너지와 지면을 기준으로 한 중력 퍼텐셜 에너지의 합이다. 이 역학적 에너지가 p점에서 운동 에너지로 전환된다.

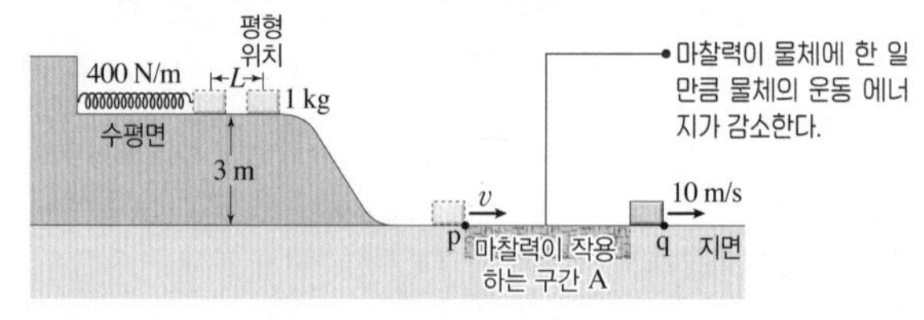

ㄱ. 물체의 운동 반대 방향으로 5 N의 마찰력이 작용하여 6 m를 이동하였으므로 A에서 마찰력이 한 일은 $W=(-5)\times6=-30$(J)이다.

ㄷ. 처음 위치에서 역학적 에너지가 p에서 모두 운동 에너지로 전환되므로 $\frac{1}{2}\times400\times L^2+1\times10\times3=\frac{1}{2}\times1\times v^2$이 된다. $v=4\sqrt{10}$ m/s이므로 용수철을 압축시킨 길이 $L=0.5$ m이다.

바로알기 | ㄴ. 구간 A에서 마찰력이 한 일만큼 물체의 운동 에너지가 감소하므로 $-30=\frac{1}{2}\times1\times(10^2-v^2)$에 의해 p에서 물체의 속력 $v=4\sqrt{10}$ m/s이다.

190 ㄴ, ㄷ, ㄹ. 마찰이나 공기 저항을 받으며 운동하는 물체는 역학적 에너지가 보존되지 않는다. 이때 감소한 역학적 에너지는 열에너지나 소리 에너지 등으로 전환된다.

바로알기 | ㄱ. 인공위성이 도는 궤도는 공기가 없어 공기 저항을 받지 않으므로 인공위성의 역학적 에너지는 보존된다.

191 모범 답안 (1) (가)에서는 아래로 내려오면서 중력 퍼텐셜 에너지는 감소하고 운동 에너지는 증가한다. (나)에서는 아래로 내려오면서 중력 퍼텐셜 에너지는 감소하지만 운동 에너지는 일정하다.

(2) 역학적 에너지는 감소한다. 감소한 중력 퍼텐셜 에너지가 열에너지로 전환되기 때문이다.

도르래와 물체의 운동

빈출 자료 보기 55쪽

192 (1) ○ (2) ○ (3) × (4) ○ (5) × (6) ○ (7) ○
193 (1) × (2) ○ (3) ○ (4) × (5) × (6) ○ (7) ×

192 (1) 도르래를 기준으로 A의 무게 mg는 시계 반대 방향으로, B의 무게 $3mg$는 시계 방향으로 작용하므로 A, B에는 $3mg$에서 mg를 뺀 알짜힘 $2mg$가 시계 방향으로 작용한다.
(2) 두 물체가 함께 움직이므로 두 물체의 가속도는 같다. 알짜힘이 $2mg$이고 전체 질량이 $4m$이므로 두 물체의 가속도는 $a=\frac{2mg}{4m}=\frac{1}{2}g$이다. 따라서 A의 가속도의 크기는 $\frac{1}{2}g$이다.
(4) A에는 실이 A에 작용하는 힘이 위 방향으로 작용하고 중력이 아래 방향으로 작용하여 A는 위로 가속도 운동을 한다. 따라서 A에 작용하는 알짜힘은 '실이 A에 작용하는 힘(T_A)−A의 무게'이다. A에 대한 운동 방정식을 세우면, $T_A-mg=m\times\frac{1}{2}g$에 의해 $T_A=\frac{3}{2}mg$이다.
(6) B가 h만큼 이동하면 B의 중력 퍼텐셜 에너지가 $3mgh$만큼 감소한다. 역학적 에너지가 보존되므로 B의 중력 퍼텐셜 에너지 감소량 $3mgh$만큼 증가하는 에너지가 있어야 한다. A의 중력 퍼텐셜 에너지가 mgh만큼 증가하므로 A와 B의 운동 에너지가 $2mgh$만큼 증가한다. A와 B의 속력이 같으므로 운동 에너지는 질량에 비례한다. 따라서 A의 운동 에너지는 $2mgh$의 $\frac{1}{4}$인 $\frac{1}{2}mgh$이다.
(7) B가 h만큼 이동했을 때 두 물체의 운동 에너지의 합은 $2mgh$이므로 $2mgh=\frac{1}{2}\times4m\times v^2$에 의해 두 물체의 속력(B의 속력과 같다.)은 $v=\sqrt{gh}$이다.
바로알기 | (3) B에 작용하는 알짜힘의 크기는 B의 질량에 가속도를 곱한 값이므로 $3m\times\frac{1}{2}g=\frac{3}{2}mg$이다.
(5) B가 h만큼 이동하는 동안 A의 중력 퍼텐셜 에너지는 mgh만큼 증가하고 B의 중력 퍼텐셜 에너지는 $3mgh$만큼 감소한다. 따라서 두 물체의 전체 중력 퍼텐셜 에너지는 $2mgh$만큼 감소한다.

193 (2) 두 물체는 같은 가속도로 운동한다. 두 물체를 운동시키는 알짜힘은 B의 무게 10 N이다. 따라서 두 물체의 가속도는 $a=\frac{F}{m}=\frac{10\text{ N}}{4\text{ kg}}=2.5\text{ m/s}^2$이다.
(3) 실이 A에 작용하는 힘이 A에 작용하는 알짜힘이므로 실이 A에 작용하는 힘의 크기는 $F=ma=3\times2.5=7.5$(N)이다.
(6) 역학적 에너지가 보존되므로 B의 중력 퍼텐셜 에너지 감소량은 A와 B의 운동 에너지 변화량과 같다. 두 물체의 속력이 같기 때문에 운동 에너지는 질량에 비례한다. 따라서 A가 q를 지날 때 A의 운동 에너지는 $10\text{ J}\times\frac{3}{4}=7.5$ J이다.
바로알기 | (1) A, B에 작용하는 알짜힘의 크기는 B의 무게와 같은 10 N이다.
(4) A가 p에서 q까지 운동하는 동안 B는 1 m 아래로 내려가기 때문에 B의 중력 퍼텐셜 에너지 감소량은 $1\times10\times1=10$(J)이다.
(5) A가 q를 지날 때 A, B의 운동 에너지의 합은 B의 중력 퍼텐셜 에너지 감소량과 같은 10 J이다.
(7) B의 중력 퍼텐셜 에너지 감소량은 A와 B의 운동 에너지 증가량과 같다.

난이도별 필수 기출 56~59쪽

194 (1) 4 m/s^2 (2) 28 N (3) 42 N **195** ③ **196** ⑤
197 (1) 200 J (2) 5 m/s **198** ① **199** ②, ⑤
200 ③ **201** 5 N **202** ㉠ 2개, ㉡ $\frac{1}{2}a$ **203** ③ **204** ③
205 해설 참조 **206** $2m$ **207** ③ **208** ④, ⑥
209 2 kg **210** (1) 2 m/s^2 (2) 12 m (3) 8 N **211** ③

194 (1) 두 물체가 함께 운동하기 때문에 A와 B의 가속도는 같다. 두 물체를 운동시키는 알짜힘은 도르래를 기준으로 시계 방향으로 40 N이므로 두 물체의 가속도의 크기는 $a=\frac{F}{m}=\frac{40}{3+7}=4(\text{m/s}^2)$이다.
(2) B에 작용하는 알짜힘의 크기는 $F_B=m_Ba=7\times4=28$(N)이다.
(3) 실이 A에 작용하는 장력의 크기와 실이 B에 작용하는 장력의 크기는 같다. 실의 장력을 T라 하고 A에 대한 운동 방정식을 세워 보면, $T-30=3\times4$에 의해 $T=42$(N)이다.

195

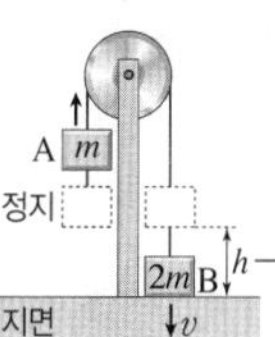
A m
정지
$2m$ B
h
v
지면
역학적 에너지가 보존되므로 B의 감소한 중력 퍼텐셜 에너지만큼 A의 중력 퍼텐셜 에너지와 A, B의 운동 에너지가 증가한다.
B의 중력 퍼텐셜 에너지가 $2mgh$만큼 감소

㉠ B의 중력 퍼텐셜 에너지 감소량은 B의 질량×중력 가속도×낙하 높이이므로 $2mgh$이다.
㉡ B의 중력 퍼텐셜 에너지 감소량이 $2mgh$이고, A의 중력 퍼텐셜 에너지 증가량이 mgh이므로 A와 B 전체적으로 중력 퍼텐셜 에너지 감소량이 $mgh(=2mgh-mgh)$이다. 따라서 전체 중력 퍼텐셜 에너지 감소량 mgh만큼 A와 B의 전체 운동 에너지가 mgh만큼 증가해야 한다.
㉢ B가 지면에 도달할 때 두 물체의 운동 에너지의 합이 mgh이고 두 물체의 속력이 같으므로 각 물체의 운동 에너지는 질량에 비례한다. 따라서 지면에 도달할 때 B의 운동 에너지는 $mgh\times\frac{2}{3}=\frac{2}{3}mgh$이므로 $\frac{2}{3}mgh=\frac{1}{2}\times2m\times v_B{}^2$에 의해 지면에 도달할 때 B의 속력은 $v_B=\sqrt{\frac{2}{3}gh}$가 된다.

196 ㄴ. 두 물체를 운동시키는 알짜힘의 크기는 B의 무게에서 A의 무게를 뺀 10 N이다. 따라서 두 물체 A, B의 가속도의 크기는 $a=\frac{F}{m}=\frac{10}{5}=2(\text{m/s}^2)$이다.

ㄷ. A, B의 높이가 같아지는 순간은 A는 1 m 올라가고 B는 1 m 내려온 순간이다. 그동안 A의 중력 퍼텐셜 에너지는 20 J 증가하고, B의 중력 퍼텐셜 에너지는 30 J 감소한다. 전체 중력 퍼텐셜 에너지 감소량이 10 J이므로 두 물체의 운동 에너지의 합이 10 J이 되어야 한다. $10\text{ J}=\frac{1}{2}\times(2+3)\text{kg}\times v^2$에 의해 A, B의 높이가 같아지는 순간 두 물체의 속력 $v=2\text{ m/s}$이다.

ㄹ. B가 지면에 도달할 때 A는 2 m 올라가므로 A와 B 전체 중력 퍼텐셜 에너지 감소량은 20 J이고, 이만큼 A와 B의 운동 에너지가 증가한다. A, B의 속력이 같으므로 운동 에너지는 질량에 비례한다. 따라서 20 J의 운동 에너지 중 B의 운동 에너지는 $20\text{ J}\times\frac{3}{5}=12\text{ J}$이다.

바로알기 | ㄱ. A와 B가 함께 운동하므로 A와 B 전체 역학적 에너지가 보존된다. B의 중력 퍼텐셜 에너지 감소량만큼 B의 운동 에너지가 증가하지 않기 때문에 B의 역학적 에너지는 감소한다. B의 중력 퍼텐셜 에너지 감소량만큼 A의 중력 퍼텐셜 에너지와 A와 B의 운동 에너지의 합이 증가한다.

197

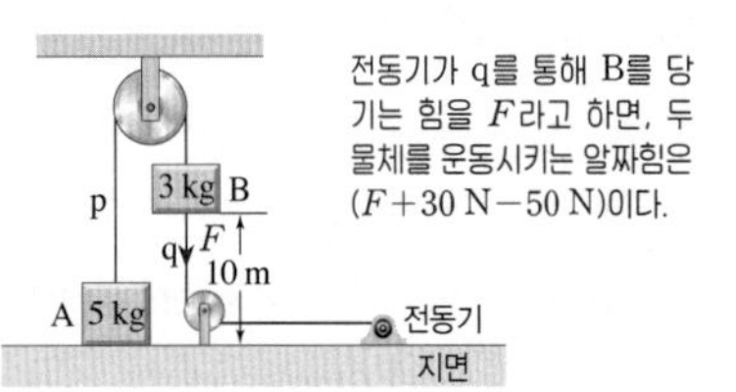

• 전동기가 한 일만큼 두 물체의 역학적 에너지가 증가한다.
• 두 물체에 작용하는 알짜힘이 한 일은 두 물체의 운동 에너지 증가량과 같다.
전동기가 q를 통해 B를 당기는 힘을 F라고 하면, 두 물체를 운동시키는 알짜힘은 (F+30 N−50 N)이다.
3 kg B
p
q
F
10 m
A 5 kg
전동기
지면

(1) 전동기가 q를 통해 B에 가한 힘을 F라고 하면, 두 물체를 움직이는 전체 알짜힘은 $F+30\text{ N}-50\text{ N}$이고, 두 물체의 가속도가 2.5 m/s^2이므로 $F+30\text{ N}-50\text{ N}=(5+3)\text{kg}\times2.5\text{ m/s}^2$에 의해 $F=40\text{ N}$이다. A, B의 높이가 같아지는 순간은 B가 5 m 내려오는 순간이므로 그때까지 전동기가 한 일은 $W=Fs=40\times5=200(\text{J})$이다.

(2) A, B의 높이가 같아지는 순간 두 물체의 운동 에너지의 합은 알짜힘이 한 일과 같다. 두 물체를 운동시키는 알짜힘은 $40+30-50=20(\text{N})$이므로 A, B의 높이가 같아지는 순간까지 알짜힘이 한 일은 $20\text{ N}\times5\text{ m}=100\text{ J}$이다. 따라서 $100\text{ J}=\frac{1}{2}\times8\times v^2$에 의해 A, B의 속력은 $v=5\text{ m/s}$이다.

198

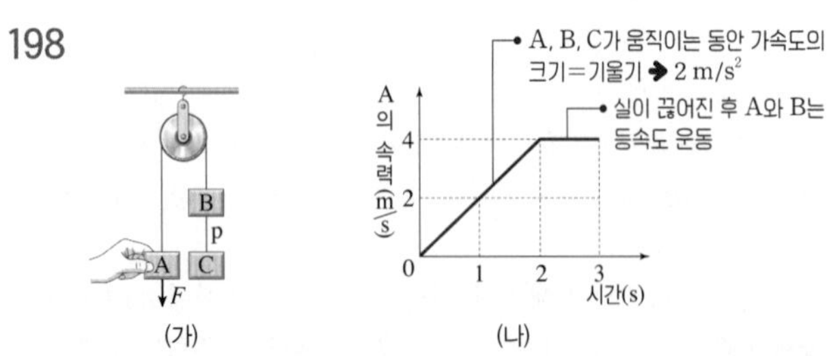

B
p
A
C
F
(가)
A, B, C가 움직이는 동안 가속도의 크기=기울기 ➔ 2 m/s²
실이 끊어진 후 A와 B는 등속도 운동
A의 속력(m/s)
4
2
0
1
2
3
시간(s)
(나)

ㄱ. 2초 후 실이 끊어졌을 때 A와 B가 등속 운동을 한다. 이때 A, B의 전체 알짜힘($F_{알짜힘}=m_Ag-m_Bg$)은 0이므로 A와 B의 질량은 같다. 따라서 처음 정지 상태일 때 F의 크기와 C의 무게(C에 작용하는 중력)가 같았다는 것을 알 수 있다.

바로알기 | ㄴ. 세 물체가 함께 운동하는 0초부터 2초까지 가속도(속력−시간 그래프의 기울기)는 2 m/s^2이다. A, B의 질량을 각각 m이라 하고 C의 질량을 m_C라고 하면, A와 B의 질량이 같으므로 세 물체를 움직이는 알짜힘은 C의 무게인 $10m_C$이다. $10m_C=(2m+m_C)\times2$에 의해 $m_C=\frac{1}{2}m$이 된다. 즉, C의 질량은 A의 $\frac{1}{2}$배이다.

ㄷ. 0초부터 2초까지 B의 역학적 에너지 변화를 살펴보자. 0초일 때 정지 상태이었으므로 운동 에너지는 0이고, 중력 퍼텐셜 에너지를 가지고 있다. 속력−시간 그래프와 시간축 사이의 넓이는 이동 거리이므로 0초부터 2초까지 B는 4 m 낙하한다. 따라서 B의 중력 퍼텐셜 에너지 감소량은 $m\times10\times4=40m(\text{J})$이므로 이때 운동 에너지 증가량은 $\frac{1}{2}m\times4^2=8m(\text{J})$이다. 0초부터 2초까지 B의 역학적 에너지가 감소하므로 1초일 때 B의 역학적 에너지도 감소한다.

199 ① 두 물체를 움직이는 알짜힘은 B의 무게인 20 N이다. 따라서 A와 B의 가속도는 $a=\frac{F}{m}=\frac{20}{(3+2)}=4(\text{m/s}^2)$이다.

③ A가 자신의 무게와 같은 30 N의 힘으로 수평면을 누르면 그에 대한 반작용으로 수평면이 30 N의 힘으로 A를 떠받친다.

④ 처음에 정지 상태에서 가속도가 4 m/s^2이므로 2초 후 B의 속력은 $v=at=4\times2=8(\text{m/s})$이다.

⑥ 실이 B를 잡아당기는 힘의 크기를 T라 하고 B에 대한 운동 방정식을 세워 보면 $20-T=2\times4$에 의해 $T=12\text{ N}$이다.

바로알기 | ② A는 B와 함께 가속도가 4 m/s^2인 등가속도 운동을 한다.

⑤ B에 작용하는 알짜힘의 크기는 B의 질량과 B의 가속도의 곱이므로 $F=ma=2\times4=8(\text{N})$이다.

200 B가 낙하할 때 B의 중력 퍼텐셜 에너지 감소량은 A와 B의 운동 에너지 증가량과 같다. 따라서 B가 거리 s만큼 낙하할 때 감소한 중력 퍼텐셜 에너지 $2mgs$는 A와 B의 운동 에너지로 전환된다. 두 물체의 속력이 같기 때문에 운동 에너지는 질량에 비례한다. 따라서 B의 운동 에너지 증가량은 $2mgs\times\frac{2}{3}=\frac{4}{3}mgs$이다.

201 세 물체는 A의 무게인 30 N의 알짜힘으로 함께 운동하므로 세 물체의 가속도는 $a=\frac{F}{m}=\frac{30\text{ N}}{(3+2+1)\text{kg}}=5\text{ m/s}^2$이다. 작용 반작용 법칙에 의해 C가 B를 당기는 힘은 B가 C를 당기는 힘과 크기가 같고, B가 C를 당기는 힘이 C에 작용하는 알짜힘이므로 $F=ma$ =C의 질량×가속도$=1\text{ kg}\times5\text{ m/s}^2=5\text{ N}$이다. 따라서 C가 B를 당기는 힘의 크기는 5 N이다.

202 ㉠ 추의 무게가 알짜힘이 되어 수레와 추가 함께 운동한다. 실험 Ⅱ는 실험 Ⅰ과 가속도가 같다. 실험 Ⅱ에서 수레 위 추의 개수가 2개이므로 실에 매단 추의 개수가 늘어나야 한다. 실에 매단 추의 개수를 2개로 하면 알짜힘이 2배가 되고 전체 질량도 실험 Ⅰ의 2배이므로 가속도가 같아진다. 따라서 ㉠은 2개이다.

㉡ 실험 Ⅲ은 실험 Ⅰ과 비교하여 실에 매단 추의 개수는 같고, 수레 위의 추의 개수가 3개이다. 알짜힘은 같고, 전체 질량이 2배가 되었으므로 실험 Ⅲ의 가속도 ㉡은 실험 Ⅰ의 $\frac{1}{2}$배인 $\frac{1}{2}a$이다.

다른 해설 실험 Ⅰ에서 $mg=(2m+m)a$이므로 $a=\frac{1}{3}g$이다. 실험 Ⅱ에서 실에 매단 추의 개수를 x라고 하면 $xmg=(4m+xm)a$이므로 $a=\frac{xg}{4+x}=\frac{1}{3}g$이다. 따라서 $x=2$이므로 ㉠은 2개이다. 실험 Ⅲ에서 $mg=(5m+m)\times$㉡이므로 ㉡$=\frac{1}{6}g=\frac{1}{2}a$이다.

203 (가)에서 A와 B의 가속도는 같다.
A에 작용하는 알짜힘이 8 N이므로 가속도를 구하고, B의 질량을 구할 수 있다.
(나)에서는 B의 무게가 알짜힘이 되어 두 물체가 운동한다.

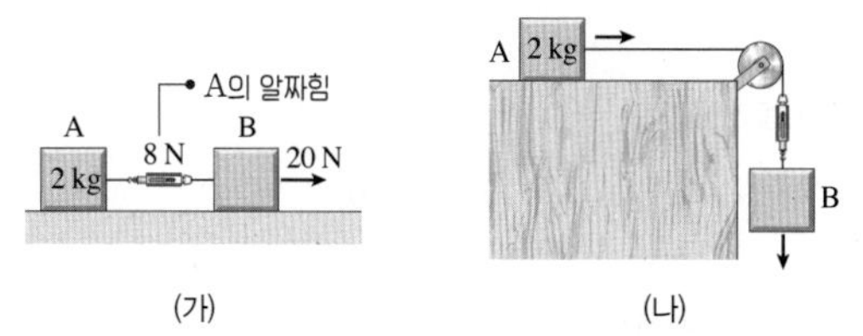

(가) (나)

ㄱ. (가)에서 A의 가속도가 $a=\frac{F}{m}=\frac{8}{2}=4(\mathrm{m/s^2})$이므로 B의 가속도도 $4\ \mathrm{m/s^2}$이다. 따라서 B의 질량은 $m=\frac{F}{a}=\frac{20-8}{4}=3(\mathrm{kg})$이다.

ㄴ. (나)에서는 B의 무게가 알짜힘이 되어 두 물체가 등가속도 운동을 한다. B의 질량은 3 kg이므로 가속도는 $a=\frac{F}{m}=\frac{30}{(2+3)}=6(\mathrm{m/s^2})$이다. 따라서 (가)에서와 (나)에서 A의 가속도의 비((가) : (나))는 4 : 6 = 2 : 3이다.

바로알기 | ㄷ. (나)에서 용수철저울로 측정한 힘의 크기가 A에 작용하는 알짜힘이다. A의 가속도는 $6\ \mathrm{m/s^2}$이므로 $F=ma=2\times6=12(\mathrm{N})$이다.

204 ㄱ. A, B의 질량을 각각 m_A, m_B라고 하자. (가)에서는 $(m_\mathrm{B}-m_\mathrm{A})g$가 알짜힘이 되어 두 물체가 함께 운동하므로 가속도는 $a_{(가)}=\frac{(m_\mathrm{B}-m_\mathrm{A})g}{m_\mathrm{A}+m_\mathrm{B}}$이고, (나)에서는 $m_\mathrm{B}g$가 알짜힘이 되어 두 물체가 함께 운동하므로 가속도는 $a_{(나)}=\frac{m_\mathrm{B}g}{m_\mathrm{A}+m_\mathrm{B}}$이다. $a_{(나)}=2a_{(가)}$이므로 $\frac{m_\mathrm{B}g}{m_\mathrm{A}+m_\mathrm{B}}=2\times\frac{(m_\mathrm{B}-m_\mathrm{A})g}{m_\mathrm{A}+m_\mathrm{B}}$에 의해 $m_\mathrm{B}=2m_\mathrm{A}$이다. 즉, B의 질량은 A의 2배이다.

ㄷ. 가속도는 (나)에서가 (가)에서의 2배이므로 B에 작용하는 알짜힘의 크기도 (나)에서가 (가)에서의 2배이다.

바로알기 | ㄴ. (가)와 (나)에서 실의 장력을 각각 $T_{(가)}$, $T_{(나)}$라 하고 각각 물체 B에 대해 운동 방정식을 세워 보면,
$m_\mathrm{B}g-T_{(가)}=m_\mathrm{B}\times a_{(가)}$에서 $T_{(가)}=m_\mathrm{B}g-m_\mathrm{B}\times a_{(가)}$이고,
$m_\mathrm{B}g-T_{(나)}=m_\mathrm{B}\times a_{(나)}$에서 $T_{(나)}=m_\mathrm{B}g-m_\mathrm{B}\times a_{(나)}=m_\mathrm{B}g-m_\mathrm{B}\times 2a_{(가)}$이다. 따라서 (가)와 (나)에서 실의 장력 $T_{(가)}$, $T_{(나)}$의 크기는 다르다.

205 물체 B의 무게 70 N과 A의 운동 반대 방향으로 작용하는 20 N의 마찰력에 의해 두 물체에 작용하는 알짜힘의 크기는 50 N이다.

모범 답안 두 물체의 가속도는 $a=\frac{50\ \mathrm{N}}{(3+7)\mathrm{kg}}=5\ \mathrm{m/s^2}$이다. 실의 장력을 T라 하고 A에 대해 운동 방정식을 세워 보면, $T-20=3\times5$가 되어 $T=35$ N이다.

206 B의 질량을 m_B라 하자. A와 B를 연결하고 있던 실이 끊어진 후 A는 중력만을 받아 운동하므로 A의 가속도는 $a_\mathrm{A}=g$이다. B와 C는 C의 무게가 알짜힘이 되어 같은 가속도로 운동하므로 B의 가속도는 $a_\mathrm{B}=\frac{mg}{m+m_\mathrm{B}}$이다. $a_\mathrm{A}=3a_\mathrm{B}$이므로 $g=3\left(\frac{mg}{m+m_\mathrm{B}}\right)$에 의해 $m_\mathrm{B}=2m$이다.

207 A와 B가 등가속도 운동을 하면서 B의 중력 퍼텐셜 에너지는 감소한다. 감소한 중력 퍼텐셜 에너지만큼 A와 B의 운동 에너지가 증가한다.

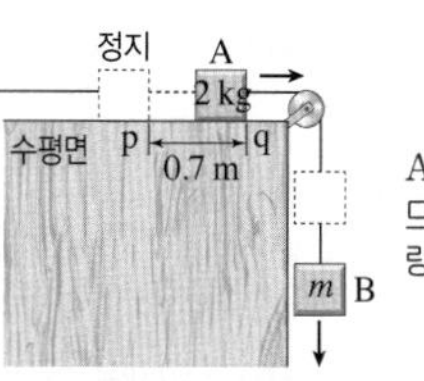

A와 B의 속력이 같으므로 운동 에너지는 질량에 비례한다.

ㄴ. A가 p에서 q까지 운동하는 동안 감소한 B의 중력 퍼텐셜 에너지 $mgh=\frac{4}{5}\times10\times0.7=5.6(\mathrm{J})$이 A와 B의 운동 에너지로 전환되기 때문에 $5.6=\frac{1}{2}\times\left(2+\frac{4}{5}\right)v^2$에 의해 A와 B의 속력은 $v=2\ \mathrm{m/s}$이다. 따라서 A가 q에 도달하는 순간 B의 속력은 2 m/s이다.

ㄹ. 역학적 에너지가 보존되기 때문에 A의 역학적 에너지 증가량은 B의 역학적 에너지 감소량과 같다. A가 p에서 q까지 운동하는 동안 A의 역학적 에너지는 모두 운동 에너지이므로 A의 운동 에너지 증가량은 B의 역학적 에너지 감소량과 같다.

바로알기 | ㄱ. B의 중력 퍼텐셜 에너지 감소량만큼 A와 B의 운동 에너지가 증가한다. 이때 두 물체가 같은 속력으로 운동하므로 운동 에너지는 질량에 비례한다. B의 운동 에너지 증가량이 B의 중력 퍼텐셜 에너지 감소량의 $\frac{2}{7}$배인 것은 B의 운동 에너지가 전체 운동 에너지의 $\frac{2}{7}$배라는 것을 의미한다. 이것은 전체 질량에 대한 B의 질량이 $\frac{2}{7}$배라는 것을 의미하기 때문에 $\frac{m}{2+m}=\frac{2}{7}$에 의해 B의 질량 $m=\frac{4}{5}$ kg이다.

ㄷ. 실이 A를 당기는 힘이 A에 작용하는 알짜힘이므로 p에서 q까지 실이 A를 당기는 힘이 한 일은 A의 운동 에너지 증가량과 같다. A의 운동 에너지 증가량$=\frac{1}{2}\times2\times2^2=4(\mathrm{J})$이다.

208 ① C의 무게 $2mg$에서 B의 무게 mg를 뺀 mg가 알짜힘이 되어 세 물체가 같은 가속도로 움직이므로 A의 가속도는 $a=\frac{mg}{4m}=\frac{1}{4}g$이다.

② A와 B 사이의 실이 B에 작용하는 힘을 T라 하고, B에 대한 운동 방정식을 세우면 $T-mg=m\left(\frac{1}{4}g\right)$에 의해 $T=\frac{5}{4}mg$이다.

③ A와 C 사이의 실이 C에 작용하는 힘을 T'라 하고, C에 대한 운동 방정식을 세우면 $2mg-T'=2m\left(\frac{1}{4}g\right)$에 의해 $T'=\frac{3}{2}mg$이다.

⑤ p에서 q까지 가속도 $\frac{1}{4}g$로 등가속도 운동을 하므로 등가속도 직선 운동 식 $2as=v^2-v_0^{\ 2}$을 이용하면 $2\times\frac{1}{4}g\times l=v^2-0$에 의해 q에서 A의 속력은 $v=\sqrt{\frac{gl}{2}}$이다.

⑦ B의 중력 퍼텐셜 에너지는 mgl만큼 증가하고, 운동 에너지는 $\frac{1}{2}m\left(\sqrt{\frac{gl}{2}}\right)^2=\frac{1}{4}mgl$만큼 증가하므로 B의 역학적 에너지 증가량은 $mgl+\frac{1}{4}mgl=\frac{5}{4}mgl$이다.

바로알기 | ④ A는 등가속도 운동을 하므로 $s=\frac{1}{2}at^2$을 이용하면 $l=\frac{1}{2}\times\frac{1}{4}g\times t^2$에 의해 A가 p에서 q까지 이동하는 데 걸린 시간은 $t=2\sqrt{\frac{2l}{g}}$이다.

⑥ C의 중력 퍼텐셜 에너지 감소량은 $2mgl$이고, A의 운동 에너지 증가량은 $\frac{1}{2}m\left(\sqrt{\frac{gl}{2}}\right)^2=\frac{1}{4}mgl$이다. 따라서 C의 중력 퍼텐셜 에너지 감소량은 A의 운동 에너지 증가량의 8배이다.

209 B의 중력 퍼텐셜 에너지가 mgh만큼 감소하고, A와 B의 운동 에너지 합이 mgh만큼 증가한다.

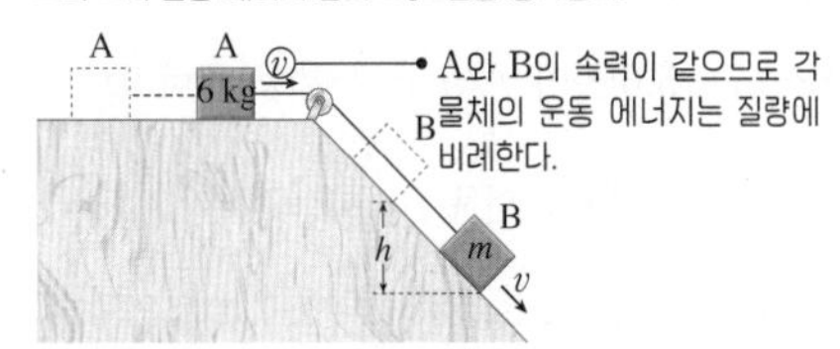

B의 중력 퍼텐셜 에너지 감소량은 mgh이다. 이때 A와 B의 운동 에너지 합의 증가량은 mgh이다. A와 B의 속력이 같으므로 운동 에너지는 질량에 비례한다. 따라서 B의 운동 에너지는 $\frac{m}{6+m}\times mgh$이다. B의 중력 퍼텐셜 에너지 감소량은 B의 운동 에너지 증가량의 4배이므로 $mgh=4\left(\frac{m}{6+m}\right)mgh$가 되어, B의 질량은 $m=2$ kg이다.

210 (1) 0초부터 2초까지 $F=6$ N일 때 B가 정지해 있었으므로 빗면 아래 방향으로 B에 작용하는 힘이 6 N임을 알 수 있다. 2초부터 4초까지 $F=10$ N일 때 두 물체를 움직이는 알짜힘은 4 N(=10−6)이고, 두 물체가 같은 가속도로 운동하므로 B의 가속도는 $a=\frac{4\text{ N}}{(1+1)\text{kg}}=2\text{ m/s}^2$이다.

(2) B는 정지 상태에서 2초부터 4초까지 2 m/s^2의 가속도로 등가속도 운동을 하고, 4초부터 6초까지 알짜힘이 0이므로 4초일 때의 속력 4 m/s로 등속 운동을 한다. 따라서 2초부터 6초까지 B가 이동한 거리 $L=\frac{1}{2}\times2\times2^2+4\times2=12$(m)이다.

(3) 3초일 때 가속도가 2 m/s^2이고, B에는 빗면 위 방향으로 실이 B를 당기는 힘(T)이 작용하고, 빗면 아래 방향으로 6 N이 작용하므로 B에 대한 운동 방정식을 세워 보면 $T-6=1\times2$가 되어 $T=8$ N이다.

211

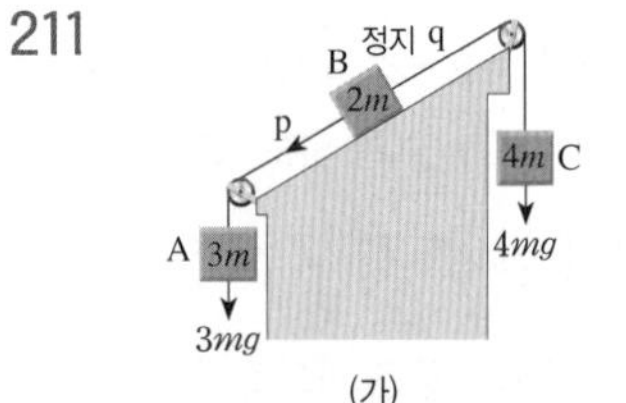
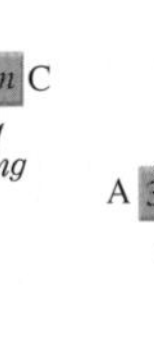

(가) (나)

(가)에서 물체들이 정지해 있으므로 B에 작용하는 중력의 빗면 방향으로의 분력이 mg임을 알 수 있다.

(나)에서 A는 자유 낙하 하고, B와 C는 $3mg(=4mg-mg)$의 알짜힘으로 함께 운동한다.

ㄱ. (나)에서 A의 가속도는 중력 가속도 g이고, B와 C의 가속도는 $a=\frac{(4m-m)g}{2m+4m}=\frac{1}{2}g$이다. 따라서 가속도의 크기는 A가 C의 2배이다.

ㄷ. (가)에서 q의 장력은 C의 무게와 같은 $4mg$이다. (나)에서 q의 장력을 T라 하여 C에 대한 운동 방정식을 세워 보면 $4mg-T=4m\times\frac{1}{2}g$에 의해 $T=2mg$이다. 따라서 q의 장력은 (가)에서가 (나)에서의 2배이다.

바로알기 | ㄴ. (나)에서 B에 작용하는 알짜힘은 $F=2m\times\frac{1}{2}g=mg$이다.

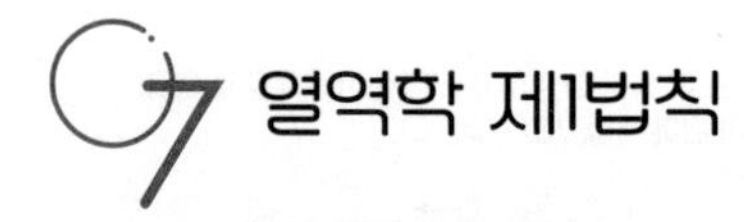

07 열역학 제1법칙

빈출 자료 보기 61쪽

212 (1) ○ (2) ○ (3) × (4) × (5) ○ (6) ○

212 (1) A → B 과정은 압력이 일정한 등압 과정이다. 등압 과정에서 기체가 한 일은 $W=P\Delta V$이므로 A → B 과정에서 기체가 외부에 한 일은 $W=P\Delta V=P(V_2-V_1)=100\text{ N/m}^2\times(2-1)\text{m}^3=100$ J이다.

(2) 온도가 일정할 때 압력과 부피는 반비례한다. 그러나 A → B 과정에서 기체의 부피가 증가해도 압력이 일정하므로 기체의 온도는 증가한다.

(5) C → D 과정에서 온도가 일정하므로 내부 에너지도 일정하다. 따라서 기체가 외부로부터 받은 일만큼 기체는 외부로 열을 방출한다.

(6) D → A 과정은 등적 과정이므로 $W=0$이다. 기체의 부피가 일정하게 유지되면서 압력이 감소하였으므로 기체의 온도가 감소하였고, 이는 기체의 내부 에너지가 감소한 것이다. 따라서 D → A 과정에서 기체는 내부 에너지 감소량만큼 외부에 열을 방출한다.

바로알기 | (3) B → C 과정은 등적 과정이므로 $W=0$이다. B → C 과정에서 기체의 부피는 일정한데 압력이 증가하므로 기체의 온도는 증가하고 이것은 기체의 내부 에너지가 증가한 것을 의미한다.

(4) C → D 과정에서 기체의 부피가 감소하였으므로 기체는 외부로부터 일을 받았다.

난이도별 필수 기출 62~67쪽

213 ①, ⑥		214 ④	215 ③	216 ③	217 ③
218 ②, ③		219 ③	220 ④	221 ②	
222 ①, ⑤		223 ①	224 ④	225 ③	226 ③
227 ②	228 ③	229 ③	230 ②	231 ①, ⑤	
232 ㄱ	233 ㄱ, ㄴ		234 ②	235 ⑤	236 ③
237 ④	238 ⑤	239 ③	240 해설 참조		

213 ② 물체를 이루는 분자들은 끊임없이 운동하고 있다. 물체를 이루는 분자들의 운동에 의해 나타나는 에너지를 열에너지라고 한다.

③ 물체는 열에너지를 가지고 있고, 온도가 높은 물체에서 온도가 낮은 물체로 이동하는 에너지를 열이라고 한다.

④ 기체의 내부 에너지는 절대 온도에 비례하기 때문에 기체의 온도가 높아지면 기체의 내부 에너지가 증가한 것이다.

⑤ 이상 기체의 내부 에너지는 절대 온도와 기체 분자의 수에 비례한다.

바로알기 | ① 온도가 높을수록 분자들이 활발하게 움직인다. 온도가 낮을수록 분자들의 움직임이 느려진다.

⑥ 이상 기체는 분자들의 인력이 없고 분자의 크기가 없는 이상적인 기체이므로 퍼텐셜 에너지가 없다. 이상 기체의 내부 에너지는 기체 분자의 운동 에너지의 총합을 말한다.

214

열의 이동 방향

A의 온도가 B의 온도 보다 높다.
➔ 열은 온도가 높은 물체(A)에서 낮은 물체(B)로 이동한다.

A B

열을 잃은 물체(A)는 온도가 내려가고 열을 얻은 물체(B)는 온도가 올라간다.

두 물체의 온도가 같아지면 더 이상 열의 이동이 없는 열평형 상태가 된다.

ㄴ. B는 A로부터 열을 얻어 분자의 운동 에너지가 점점 증가한다. 따라서 온도가 증가하므로 내부 에너지도 증가한다.

ㄷ. 열을 잃은 A의 온도는 내려가고 열을 얻은 B의 온도는 올라가기 때문에 충분한 시간이 흐른 뒤 A와 B의 온도가 같아지는 열평형 상태에 도달한다.

바로알기 | ㄱ. A가 열을 잃어 온도가 내려가기 때문에 A의 내부 에너지는 감소한다.

215 ㄱ. (가)에서는 풍선이 팽창하므로 풍선 속 기체가 외부에 일을 한 것이다.

ㄷ. 풍선 속 기체의 내부 에너지는 열을 얻은 (가)에서는 증가하고, 열을 잃은 (나)에서는 감소한다.

바로알기 | ㄴ. 열은 스스로 온도가 높은 물체에서 온도가 낮은 물체로 이동한다. 따라서 (나)에서 열은 온도가 높은 풍선 속 기체에서 온도가 낮은 얼음물로 이동한다.

216 ㄱ. 기체 분자의 운동 에너지는 $\frac{1}{2}mv^2$이므로 속력 v에 따라 다양한 값을 갖는다.

ㄴ. 절대 온도는 다양한 값을 갖는 기체 분자의 운동 에너지의 평균값에 비례하는 것으로 정의하였다.

바로알기 | ㄷ. 기체 분자의 속도의 크기가 평균적으로 (나)가 (가)보다 크다. 따라서 기체의 온도는 (나)가 (가)보다 높다.

217 압력이 P이고 피스톤의 단면적이 A일 때, 피스톤이 받는 힘 $F=PA$이다.

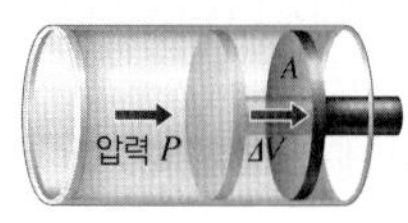

압력이 P로 일정하게 유지되면서 기체의 부피가 ΔV 만큼 팽창하였을 때, 기체가 한 일은 $W=P\Delta V$이다. 열역학 제1법칙 $Q=\Delta U+W$에서 $\Delta U=Q-W$이다.

(가) 이상 기체가 피스톤을 미는 힘은 압력에 피스톤의 단면적을 곱한 값이므로 $F=2\times10^5\ \mathrm{N/m^2}\times0.03\ \mathrm{m^2}=6\times10^3\ \mathrm{N}$이다.

(나) 이상 기체가 외부에 한 일은 $W=P\Delta V=2\times10^5\times0.003=600(\mathrm{J})$이다.

(다) 열역학 제1법칙 $Q=\Delta U+W$에서 $\Delta U=Q-W$이므로 이상 기체의 내부 에너지 증가량 $\Delta U=1.5\times10^3\ \mathrm{J}-600\ \mathrm{J}=900\ \mathrm{J}$이다.

218 ① 열역학 제1법칙은 열에너지와 역학적 에너지를 포함한 에너지 보존 법칙이다.

④ 등온 과정에서는 내부 에너지가 변하지 않기 때문에 기체가 흡수한 열은 모두 외부에 일을 하는 데 사용된다.

⑤ 단열 과정에서는 열을 흡수하거나 방출하지 않기 때문에 기체가 한 일만큼 내부 에너지가 감소한다. 반대로 기체가 일을 받으면 내부 에너지가 증가한다.

바로알기 | ② 등적 과정에서 기체가 한 일이 0이므로 기체가 흡수한 열은 모두 내부 에너지 증가에 사용된다.

③ 등압 과정에서 기체가 흡수한 열은 내부 에너지 증가량과 외부에 한 일의 합과 같다.

219 ㄱ. 등압 팽창에서는 기체가 열을 흡수하면서 외부에 일을 하고 내부 에너지가 증가한다. 이와 반대로 등압 압축에서는 기체가 열을 방출하면서 외부로부터 일을 받고 내부 에너지도 감소한다.

ㄷ. 단열 팽창에서는 기체가 외부에 한 일만큼 내부 에너지가 감소한다.

바로알기 | ㄴ. 등온 팽창에서는 온도가 일정하기 때문에 내부 에너지가 일정하고, 기체가 외부에 한 일만큼 열을 흡수한다.

220 추의 개수를 늘리면 외부 압력이 증가한다.

피스톤이 정지 상태일 때 내부 압력과 외부 압력이 같은 상태이다.
➔ 어느 한쪽의 압력이 증가하면 압력이 큰 쪽에서 작은 쪽으로 피스톤이 움직인다.

ㄴ. 실린더 내부에 열을 가하면 내부 기체 분자의 압력이 증가하여 피스톤을 밀어올리면서 부피가 증가한다.

ㄷ. 실린더 내부에 같은 온도의 기체를 주입하면 내부 기체의 압력이 증가하므로 피스톤을 밀어올려 부피가 증가한다.

바로알기 | ㄱ. 추를 하나 추가하면 외부 압력이 내부 압력보다 크기 때문에 피스톤이 아래로 내려가 내부 기체의 부피가 감소한다.

221 ㄱ. 열을 받은 기체 분자의 운동이 활발해지므로 기체들의 충돌에 의해 발생하는 기체의 압력은 증가한다.

ㄹ. 부피가 일정하므로 등적 과정에 해당한다. $W=0$이므로 $Q=\Delta U$가 되어 내부 에너지 증가량은 Q이다.

바로알기 | ㄴ. 기체 분자의 운동이 활발해지므로 평균 운동 에너지, 기체의 내부 에너지, 기체의 온도가 모두 증가한다.

ㄷ. 기체의 부피가 일정하므로 기체가 하는 일 $W=P\Delta V=0$이다.

222 ② 압력이 일정한 상태로 팽창하였으므로 등압 과정에 해당한다. 압력이 일정할 때 기체의 부피는 절대 온도에 비례하므로 기체의 절대 온도가 증가하였고, 이것은 기체의 내부 에너지가 증가한 것이다.

③ 기체의 온도가 증가한 것은 기체 분자의 평균 속력이 증가하였기 때문이다. 온도는 기체 분자의 평균 운동 에너지에 비례하므로 평균 속력이 증가한 것은 기체의 온도가 증가한 것이다.

④ 기체가 피스톤을 미는 힘은 압력에 피스톤의 단면적을 곱한 값이다. 압력이 일정하게 유지되면서 팽창하였으므로 이 힘은 일정하다.

⑥ 압력이 일정할 때 기체가 외부에 한 일은 $W=P\Delta V=P(V_2-V_1)$이다.

바로알기 | ① 등압 팽창 과정에서 기체가 흡수한 열의 일부는 일을 하는 데 사용되고 나머지는 기체의 내부 에너지 증가에 사용된다. 기체의 내부 에너지가 증가하였으므로 기체의 온도가 증가한 것이다.

⑤ 기체가 흡수한 열량(Q)은 내부 에너지 증가량(ΔU)과 기체가 한 일($W=P(V_2-V_1)$)을 더한 값과 같다.

223

모래를 부으면 피스톤 바깥쪽의 압력이 증가하여 내부 기체의 부피가 감소한다.

실린더와 피스톤이 단열된 상태라면 외부에서 받은 일만큼 기체의 내부 에너지가 증가하므로 온도가 증가해야 한다.

ㄱ. 기체의 온도가 일정할 때 기체의 부피와 압력은 반비례한다. 기체의 부피가 감소하였으므로 기체의 압력이 증가한다.

바로알기 | ㄴ. 기체의 부피가 감소하였으므로 기체가 외부에서 일을 받았다($W=P\Delta V<0$).

ㄷ. 온도가 일정하게 유지되므로 기체의 내부 에너지는 일정하다. 이것은 외부에서 받은 일만큼 기체가 열을 방출하는 경우에 해당한다.

224 ①, ②, ③ 단열 팽창에 해당하므로 기체가 한 일만큼 내부 에너지가 감소한다. 내부 에너지가 감소한 것은 기체 분자의 평균 속력이 감소한 것이므로 기체의 온도, 기체의 압력은 모두 감소한다.
⑤ 열역학 제1법칙 $Q=\Delta U+W$에서 단열 팽창이므로 $Q=0$이다. $0=\Delta U+W$에서 $\Delta U=-W$가 되므로 기체가 외부에 한 일만큼 기체의 내부 에너지가 감소한다.
바로알기 | ④ 내부 에너지가 감소하였으므로 기체 분자의 평균 속력이 감소한 것이고, 기체의 온도가 감소한 것이다.

225

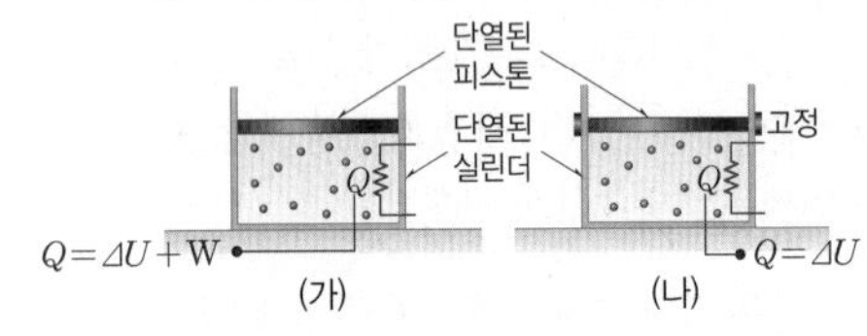
(가)에서는 받은 열 Q의 일부가 일을 하는 데 사용되고 나머지는 내부 에너지 증가에 사용된다.
(나)에서는 받은 열 Q가 모두 내부 에너지 증가에 사용된다.
단열된 피스톤
단열된 실린더
고정
Q=ΔU+W
Q=ΔU
(가)
(나)

ㄱ. (가)에서 열량을 받은 기체 분자의 평균 속력이 증가하여 압력이 커지므로 피스톤을 위로 밀어올리는 일을 하게 된다. 압력이 일정할 때 기체의 부피는 온도에 비례한다. 최종적으로 외부 압력과 내부 압력이 같은 상태에서 부피가 팽창한 상태로 피스톤이 멈추게 되므로 기체의 온도가 증가한 것이고, 이것은 기체 분자의 평균 속력이 증가한 것을 의미한다.
ㄴ. (나)에서는 부피 변화가 없으므로 기체가 받은 열량은 모두 기체의 내부 에너지 증가에 사용된다. 내부 에너지가 증가하였으므로 기체 분자의 평균 속력이 증가한 것이고 기체의 압력은 증가한다.
바로알기 | ㄷ. 같은 열량을 받았는데 (가)에서는 일부 일을 하고 나머지가 내부 에너지 증가에 사용되고, (나)에서는 받은 열량이 모두 기체의 내부 에너지 증가에 사용되므로 (나)에서 내부 에너지 증가량이 더 크다. 내부 에너지 증가량이 더 큰 (나)에서 온도 변화가 더 크므로 두 기체의 처음 온도는 (가)에서가 (나)에서보다 높다. 즉, $T_1>T_2$이다.

226 ㄱ. (가)에서 (나)로 변하는 과정에서 내부 압력의 변화에 관계없이 외부 압력이 일정하다. 피스톤은 내부 압력과 외부 압력이 같은 상태에서 멈추게 되므로 결과적으로 (가) → (나) 과정은 등압 과정으로 볼 수 있다.
ㄴ. (가) → (나) 과정에서 압력이 일정한데 기체의 부피가 팽창하였으므로 기체의 온도가 증가하였다. (나) → (다) 과정은 단열 압축 과정으로, 기체의 내부 에너지가 증가하므로 온도가 증가하였다.
바로알기 | ㄷ. 기체가 하거나 받은 일은 $W=P\Delta V$이다. (가) → (나) 과정과 (나) → (다) 과정에서 부피 변화(ΔV)가 같은데 압력(P)은 (가) → (나) 과정보다 (나) → (다) 과정에서 더 크다. 따라서 한 일은 (가) → (나) 과정에서보다 (나) → (다) 과정에서 더 크다.

227 ㄷ. 단열 과정이기 때문에 A가 B에 일을 한만큼 내부 에너지가 감소하고, B는 A로부터 받은 일만큼 내부 에너지가 증가한다. 따라서 A의 내부 에너지 감소량은 B의 내부 에너지 증가량과 같다.
바로알기 | ㄱ. 핀을 제거하기 전 기체의 압력은 A가 B보다 크다. A와 B의 압력이 같다면 칸막이가 움직이지 않았을 것이다.
ㄴ. 핀을 제거한 후 B는 A로부터 일을 받으므로 B의 내부 에너지가 증가하기 때문에 기체 분자의 평균 속력, 절대 온도가 증가한다.

228 ㄱ. B의 기체는 단열 압축되었기 때문에 내부 에너지가 증가하고 절대 온도가 증가한다.
ㄷ. A에 가해진 Q의 일부는 피스톤을 통해 B에 일을 하고 나머지는 내부 에너지 증가에 사용된다. 이때 B는 A로부터 받은 일만큼 내부 에너지가 증가하므로 A와 B의 기체 내부 에너지 변화량의 합은 Q이다.
바로알기 | ㄴ. (나)에서 피스톤은 A와 B의 압력이 같은 상태에서 정지한다.

229 같은 양의 이상 기체의 온도가 같을 때 압력과 부피는 반비례한다.

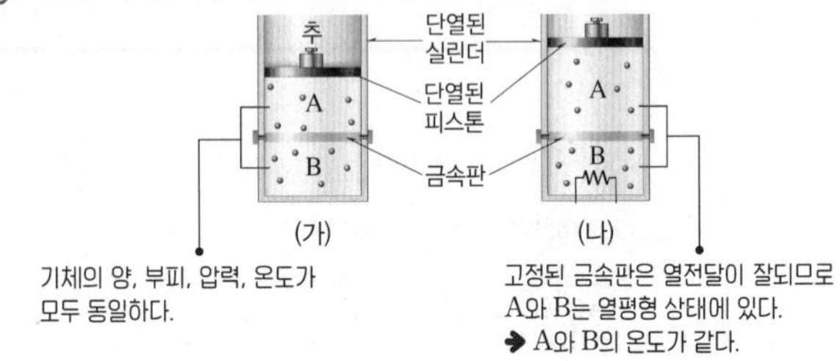
추
단열된 실린더
단열된 피스톤
금속판
A
B
(가)
(나)
기체의 양, 부피, 압력, 온도가 모두 동일하다.
고정된 금속판은 열전달이 잘되므로 A와 B는 열평형 상태에 있다.
➜ A와 B의 온도가 같다.

ㄱ. 고정된 금속판은 열전달이 잘되므로 (나)에서 A와 B는 열평형 상태에 도달하여 피스톤이 정지한다.
ㄴ. A와 B의 기체의 양이 같고 온도가 같으므로 압력과 부피는 반비례한다. 따라서 (나)에서 기체의 압력은 부피가 큰 A가 B보다 작다.
바로알기 | ㄷ. B에 가한 열량 Q는 A와 B의 내부 에너지 변화량과 A가 팽창하면서 한 일에 사용되었다. A와 B의 온도 변화가 같으므로 내부 에너지 변화량이 같다. 따라서 (가) → (나) 과정에서 A가 흡수한 열량은 $\frac{1}{2}Q$보다 많다.

230 ㄷ. B가 A로부터 받은 일은 B와 C의 내부 에너지 증가에 사용된다. B와 C는 열전달이 잘되는 금속판을 통해 (가)의 상태와 (나)의 상태에서 모두 열평형 상태이다. B와 C의 온도 변화량이 같으므로 B와 C의 내부 에너지 변화량도 같다. 따라서 B가 A로부터 받은 일은 B의 내부 에너지 증가량의 2배이다.
바로알기 | ㄱ. Q는 A가 B에 한 일과 A의 내부 에너지 증가량의 합과 같다.
ㄴ. (나)에서 A와 B의 압력은 같다. (나)에서 B와 C는 기체의 양, 온도가 같은데 부피는 B가 더 작으므로 B의 압력이 C보다 크다. 따라서 C의 압력은 B보다 작으므로 A보다 작다.

231 A → B 과정은 등압 과정이다. 등압 과정에서 기체는 외부에 일을 하고 내부 에너지가 증가한다.

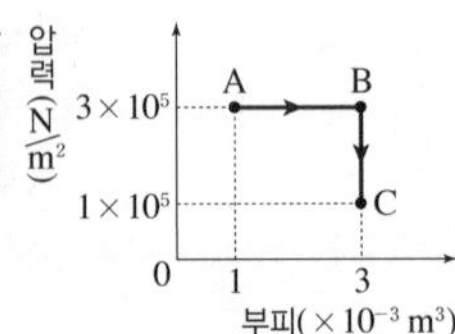
압력 (N/m²)
3×10⁵
1×10⁵
A
B
C
0
1
3
부피(×10⁻³ m³)

B → C 과정은 등적 과정이다. 압력이 감소하였으므로 온도가 감소하고, 내부 에너지가 감소한다.
➜ 내부 에너지 감소량만큼 열을 방출한다.

② A → B 과정은 압력이 일정한 상태로 부피가 팽창하므로 기체의 온도가 증가하고, 내부 에너지가 증가한다.
③ A → B 과정에서 기체가 외부에 한 일은 $W=P\Delta V=3\times10^5\times2\times10^{-3}=6\times10^2$(J)이다.
④ B → C 과정에서 기체의 부피는 일정하고 압력이 감소하므로 기체의 온도는 감소한다.
⑥ B → C 과정은 등적 과정이므로 기체가 한 일(W)이 0이다. 열역학 제1법칙에 의해 $Q=\Delta U$이므로 B → C 과정에서 방출한 열은 기체의 내부 에너지 변화량과 같다.

⑦ A 상태와 C 상태에서 압력과 부피의 곱(PV)이 같으므로 기체의 온도가 같다.

바로알기 | ① A → B 과정은 등압 팽창 과정이므로 기체는 외부에 한 일과 내부 에너지 증가량을 더한 양만큼 열을 흡수한다.

⑤ B → C 과정에서 부피가 변하지 않으므로($\Delta V=0$) 기체는 외부에 일($W=P\Delta V=0$)을 하지 않는다.

232 ㄱ. 기체가 외부에 일을 하는 것은 기체의 부피가 증가할 때이므로 기체가 외부에 일을 하는 과정은 A → B 과정이다.

233 ㄱ. A → B 과정은 등압 팽창 과정이므로 기체의 내부 에너지 증가량과 외부에 한 일만큼 열을 흡수한다.

ㄴ. B → C 과정은 등적 과정이고 압력이 증가하므로 내부 에너지가 증가한다. 이 과정에서 내부 에너지 증가량만큼 열을 흡수한다.

바로알기 | ㄷ. C → D 과정은 등온 수축 과정이다. 내부 에너지는 변하지 않고 외부로부터 일을 받았다. 이 과정에서 기체는 외부로부터 받은 일만큼 열을 방출한다.

ㄹ. D → A 과정은 등적 과정이다. 압력이 감소하므로 내부 에너지가 감소한다. 내부 에너지 감소량만큼 열을 방출한다.

234 ㄴ. B → C 과정에서 기체의 부피가 감소하므로 기체는 외부로부터 일을 받는다. 등온 과정이므로 내부 에너지는 변하지 않고 기체가 외부로부터 받은 일만큼 열을 방출한다.

바로알기 | ㄱ. A → B 과정은 등압 팽창 과정이므로 기체는 외부에 일을 하고 내부 에너지도 증가한다. A → B 과정에서 기체가 흡수한 열은 기체의 내부 에너지 증가량과 외부에 한 일의 합과 같다.

ㄷ. B → C 과정은 등온 과정이므로 기체의 내부 에너지는 변하지 않는다.

235 A → B 과정은 단열 수축 과정이므로 $0=\Delta U+W$에서 $\Delta U=-W$이다.
➜ 외부에서 받은 일만큼 내부 에너지가 증가한다.

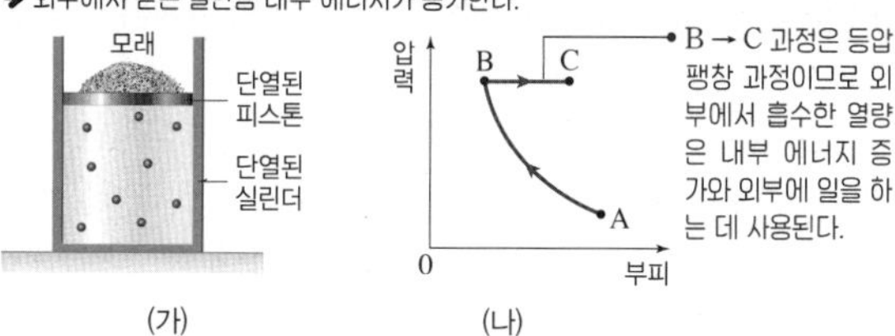

ㄱ. 피스톤은 내부 기체 압력과 외부 압력이 같은 위치에서 정지한다. A → B 과정에서 기체의 부피는 줄어들고 압력이 증가하였으므로 모래의 양을 증가시킨 것이다.

ㄴ. A → B 과정은 단열 수축 과정이므로 기체가 외부로부터 받은 일만큼 기체의 내부 에너지가 증가한다.

ㄷ. B → C 과정은 등압 팽창 과정이므로 기체는 내부 에너지가 증가하고 외부에 일을 한다. 따라서 기체는 열을 흡수한다.

236 ㄱ. B → C 과정에서 기체의 부피는 일정하고 압력이 감소하였으므로 기체의 온도가 감소하였고 내부 에너지가 감소하였다. 기체는 내부 에너지 감소량만큼 열을 방출한다.

ㄴ. C → A 과정에서 기체가 외부로부터 받은 일은 $W=P\Delta V=P_0\times 2V_0=2P_0V_0$이다.

바로알기 | ㄷ. A → B → C → A 과정은 순환 과정이다. 순환 과정에서 기체가 외부에 한 일은 압력-부피 그래프의 닫힌 부분의 넓이에 해당한다. 그래프에서 삼각형의 넓이이므로 기체가 외부에 한 일은 P_0V_0이다.

237

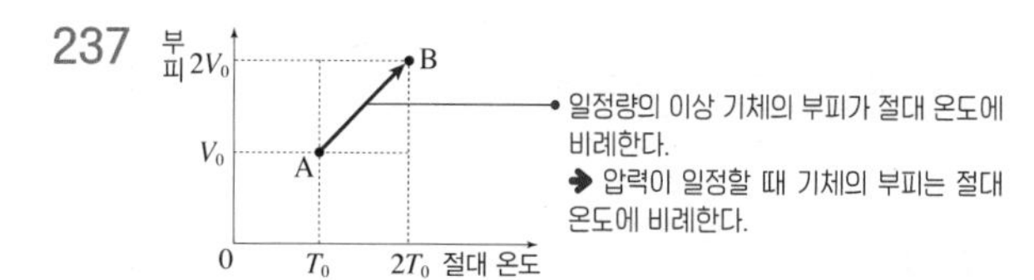

일정량의 이상 기체의 부피가 절대 온도에 비례하여 증가하는 경우는 $PV\propto T$에서 압력이 일정하게 유지되는 상태이다. 따라서 A에서 B로 변할 때 압력은 P_0으로 일정하므로 외부에 한 일은 $P_0(2V_0-V_0)=P_0V_0$이다.

238 A → B 과정은 압력이 일정한 상태로 절대 온도가 증가한다.
➜ 등압 팽창 과정이다.

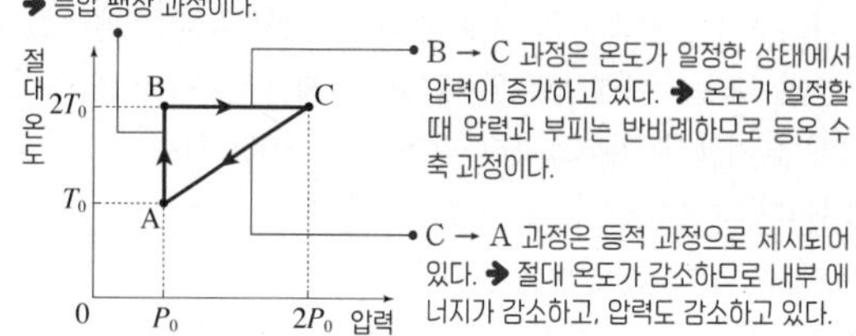

절대 온도
$2T_0$
T_0
B
C
A
0
P_0
$2P_0$ 압력
B → C 과정은 온도가 일정한 상태에서 압력이 증가하고 있다. ➜ 온도가 일정할 때 압력과 부피는 반비례하므로 등온 수축 과정이다.
C → A 과정은 등적 과정으로 제시되어 있다. ➜ 절대 온도가 감소하므로 내부 에너지가 감소하고, 압력도 감소하고 있다.

ㄱ. C → A 과정은 등적 과정이므로 C 상태에서 기체의 부피는 A 상태에서와 같은 V_0이다.

ㄴ. B → C 과정은 등온 과정이므로 내부 에너지는 변하지 않는다. 온도가 일정한 상태에서 압력이 증가하였으므로 부피는 감소하였다. 따라서 B → C 과정에서 기체가 외부로부터 받은 일만큼 기체는 열을 방출한다.

ㄷ. A → B 과정과 C → A 과정에서 온도 변화가 같으므로 기체의 내부 에너지 변화량의 크기는 A → B 과정에서와 C → A 과정에서가 같다.

239 ① 공기가 산을 타고 올라가는 경우 단열 팽창에 해당하기 때문에 기체가 한 일만큼 내부 에너지가 감소한다. 따라서 부피가 팽창하면서 온도가 낮아진다.

② 단열 팽창하면서 상승하던 기체의 온도가 내려가면 수증기가 응결하여 구름이 생성된다.

④ 공기가 영서 지방으로 넘어온 이후 단열 압축되기 때문에 내부 에너지가 증가하고 기온이 오르면서 습도가 낮아진다. 따라서 공기 ㉠은 고온 건조한 공기이다.

⑤ 산 아래로 내려올수록 기압이 커지기 때문에 산을 넘어 내려오는 공기의 상태는 단열 압축 과정으로 설명할 수 있다.

바로알기 | ③ 산을 넘어 내려오는 공기는 압축되므로 외부로부터 일을 받는다.

240 **모범 답안** (1) (나)에서 피스톤을 빠르게 당기면 플라스크 내부의 기체는 단열 팽창을 하게 된다. 이때 기체는 외부에 한 일만큼 내부 에너지가 감소하므로 온도가 감소한다.

(2) (나)에서는 단열 팽창에 의해 내부 에너지가 감소하고 온도가 내려가면 기체 속에 있던 수증기가 응결하여 물방울이 되기 때문에 내부가 뿌옇게 흐려진다.

개념 보충

구름의 생성 과정

① 공기 덩어리가 상승하는 동안 주변 기압이 낮아지므로 부피가 팽창하고 온도가 낮아진다.

② 공기 덩어리가 더욱 냉각되어 이슬점에 도달하면 수증기가 응결된다.

③ 수증기가 응결하여 생긴 작은 물방울이나 얼음 알갱이가 모여 구름이 된다.

열역학 제2법칙

빈출 자료 보기 69쪽

241 (1) ○ (2) × (3) ○ (4) ○ (5) ○ (6) ○ (7) × (8) ×

241 (1) A → B 과정은 부피가 일정한 상태에서 압력이 증가하는 등적 과정이다. 등적 과정에서 이상 기체는 외부에서 흡수한 열량만큼 내부 에너지가 증가한다.

(3) D → A 과정은 압력이 일정하게 유지되면서 부피가 감소하는 과정이다. 부피가 감소하는 경우 기체는 외부로부터 일을 받는다. 압력-부피 그래프 아래 부분의 넓이가 기체가 받은 일이므로 D → A 과정에서 기체가 외부로부터 받은 일은 100 $N/m^2 \times (4-2)m^3=$ 200 J이다.

(4) 순환 과정으로 작동되는 열기관이 한 번의 순환 과정에서 한 일 W는 압력-부피 그래프에서 닫힌 부분의 넓이, 즉 사각형의 넓이이므로 $(300-100)N/m^2 \times 2\ m^3=400$ J이다.

(5) C → D 과정은 부피가 일정한 상태로 압력이 감소하므로 기체가 열을 방출하면서 내부 에너지가 감소하고, D → A 과정은 압력이 일정한 상태로 부피가 감소하므로 내부 에너지 감소량과 외부에서 받은 일만큼의 열을 방출한다. 따라서 기체가 열을 방출하는 과정은 C → D → A 과정이다.

(6) 열기관이 방출한 열 $Q_2=Q_1-W=1000-400=600$(J)이다.

바로알기 | (2) B → C 과정에서 기체가 외부에 한 일은 그래프 아래 부분의 넓이이므로 300 $N/m^2 \times (4-2)m^3=600$ J이다.

(7) 열기관의 열효율은 $e=\frac{W}{Q_1}=\frac{400}{1000}=0.4$이므로 40 %이다.

(8) Q_2가 0인 열기관은 열효율이 100 %인 열기관이다. 열역학 제2법칙에 따라 이러한 열기관은 만들 수 없다.

난이도별 필수 기출 70~73쪽

242 ④, ⑦	243 ②	244 ②	245 ⑤	
246 해설 참조	247 ④	248 $\frac{1}{3}$	249 ③	
250 해설 참조	251 ③	252 ①	253 ⑤	254 ③
255 ④ 256 ③	257 ②	258 ②	259 해설 참조	

242 ① 고온에서 저온으로 이동하는 에너지가 열이므로 열은 스스로 고온에서 저온으로 이동한다.

② 열은 스스로 고온에서 저온으로 흐르므로 열효율이 100 %인 열기관은 존재할 수 없다.

③ 자발적으로(스스로) 일어나는 자연 현상에는 방향성이 있다는 것을 설명하는 법칙이 열역학 제2법칙이다.

⑤ 열이 스스로 고온에서 저온으로 이동하기 때문에 차가운 물과 뜨거운 물을 섞고 충분한 시간이 지나면 열평형 상태가 되어 물의 온도가 같아진다.

⑥ 향수병의 뚜껑을 열어두면 향수 분자가 확산하여 온 방에 향기가 퍼지지만 그 반대의 현상, 즉 흩어진 향수 분자가 다시 향수병으로 모이는 현상은 스스로 일어나지 않는다.

바로알기 | ④ 모든 자연 현상은 무질서도가 증가하는 방향으로 일어난다.

⑦ 역학적 에너지는 모두 열에너지로 전환될 수 있지만 열에너지가 모두 역학적 에너지로 전환되는 것은 불가능하다.

243 기체가 진공으로 확산될 때는 일을 하지 않기 때문에 내부 에너지가 감소하지 않는다.

(가)에서 (나)로는 저절로 일어나지만 (나)에서 (가)로는 저절로 일어나지 않는다.

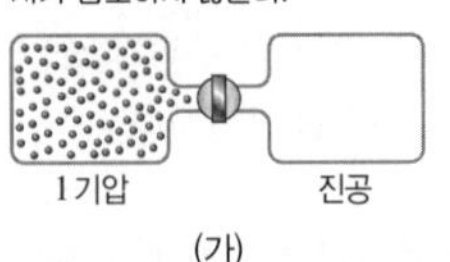

(가)

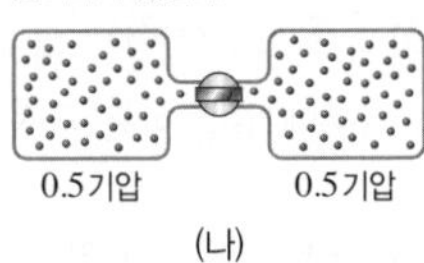

(나)

ㄴ. (가) 상태보다 (나) 상태가 무질서도가 더 크다. 따라서 (가)에서 (나)로는 스스로 일어나지만 (나)에서 (가)로는 아무리 오랜 시간이 지나도 스스로 일어나지 않는다.

바로알기 | ㄱ. 기체가 퍼지는 과정은 한쪽 방향으로만 일어나는 비가역 과정이다.

ㄷ. 기체가 일(힘을 주어서 힘의 방향으로 이동시키는 것)을 할 때는 내부 에너지가 감소하지만 기체가 진공으로 확산될 때는 일을 하지 않기 때문에 내부 에너지가 감소하지 않는다. 따라서 기체의 온도는 처음 상태와 똑같이 유지된다.

244 B: 자연 현상은 스스로 무질서도가 증가하는 방향, 확률이 증가하는 방향으로 일어난다. 잉크가 좁은 공간에 존재하는 확률보다 넓은 공간에 존재하는 확률이 더 크기 때문에 잉크가 퍼지는 것은 확률이 증가하는 방향으로 일어나는 현상이다.

바로알기 | A: 잉크가 골고루 퍼지는 것은 잉크 분자의 운동에 의한 것이다.

C: 아무리 시간이 지나도 잉크가 스스로 다시 한 곳으로 모이는 일은 일어나지 않는다.

245 ① 공기 중에서 운동하는 진자는 공기 분자와 계속 충돌하여 역학적 에너지가 열에너지로 전환된다.

② 진자가 정지하면 진자의 역학적 에너지는 0이 되지만 역학적 에너지가 전환된 열에너지가 밀폐된 상자 안에 남아 있기 때문에 열에너지를 포함한 전체 에너지는 보존된다.

③, ④ 감소한 진자의 역학적 에너지는 모두 공기 분자에 전달되어 공기 분자의 내부 에너지 증가에 사용된다.

바로알기 | ⑤ 무질서한 방향으로 운동하던 많은 수의 공기 분자가 스스로 모두 같은 방향으로 운동하여 다시 진자를 움직이는 일은 일어나지 않는다.

246 **모범 답안** (1) 일을 하기 위해서는 에너지가 필요한데, 에너지 공급 없이 일을 계속할 수 있는 제1종 영구 기관은 열역학 제1법칙에 위배되기 때문에 불가능하다.

(2) 열은 스스로 고온에서 저온으로 흐르므로, 열효율이 100 %인 제2종 영구 기관은 열역학 제2법칙에 위배되기 때문에 불가능하다.

247 ① 열기관은 열에너지를 유용한 일로 바꾸는 장치이다.

② 열기관의 열효율은 $\frac{\text{한 일}}{\text{공급한 열량}}$로 공급한 열량 중에서 열기관이 한 일의 비율이다.

③ 열효율이 높을수록 같은 열량으로 더 많은 일을 할 수 있기 때문에 쓸모없이 방출하는 열에너지의 양이 줄어든다.

⑤ 카르노 기관은 열효율이 가장 높은 이상적인 열기관이다.

바로알기 | ④ 열효율이 1인 열기관은 제2종 영구 기관으로 열역학 제2법칙에 위배되기 때문에 제작할 수 없다.

248 $Q_1=1.5Q_2$이므로 열효율 $e=\dfrac{W}{Q_1}=\dfrac{Q_1-Q_2}{Q_1}=\dfrac{1.5Q_2-Q_2}{1.5Q_2}=\dfrac{1}{3}$이다.

249 ㄱ. $Q_1=W+Q_2$이므로 $W=Q_1-Q_2$이다.

ㄴ. 열효율은 $e=\dfrac{W}{Q_1}=\dfrac{Q_1-Q_2}{Q_1}=1-\dfrac{Q_2}{Q_1}$이므로 $\dfrac{Q_2}{Q_1}$가 작을수록 크다.

바로알기 | ㄷ. 열은 스스로 고온에서 저온으로 흐르므로 T_1이 T_2보다 크다.

250

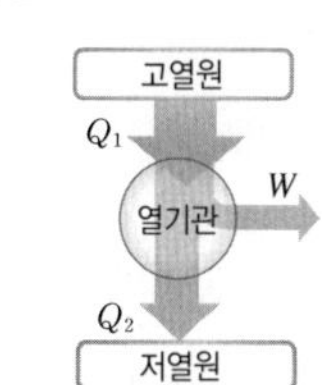

열효율 $e=\dfrac{W}{Q_1}$이므로 A의 열효율은 $e=\dfrac{3Q}{12Q}=\dfrac{1}{4}$이다.

열효율이 모두 같으므로 $\dfrac{㉡}{4Q}=\dfrac{9Q}{㉢}=㉠=\dfrac{1}{4}$이다.

구분	A	B	C
Q_1	$12Q$	$4Q$	㉢
W	$3Q$	㉡	$9Q$
열효율(%)	㉠	㉠	㉠

모범 답안 (1) A의 열효율$=\dfrac{3Q}{12Q}=\dfrac{1}{4}$이므로 ㉠은 $\dfrac{1}{4}$이다.

(2) 열효율$=\dfrac{㉡}{4Q}=\dfrac{1}{4}$이므로 B가 한 일 ㉡은 Q이다.

(3) 열효율$=\dfrac{9Q}{㉢}=\dfrac{1}{4}$이므로 C가 흡수한 열 ㉢은 $36Q$이다.

251 ㄱ. 열효율이 60 %이므로 $\dfrac{W}{250\ \mathrm{J}}\times100=60$ %에 의해 열기관이 한 일 W는 150 J이다.

ㄴ. $W=250$ J인 열기관의 열효율은 100 %이므로 열역학 제2법칙에 위배된다.

바로알기 | ㄷ. 한 번의 순환 과정을 거친 후 열기관 내부 기체는 처음 상태로 되돌아오기 때문에 내부 에너지는 변함이 없다.

252 ㄱ. A의 열효율은 $e=\dfrac{W}{Q_1}=\dfrac{Q_1-Q_2}{Q_1}=\dfrac{E_0-0.7E_0}{E_0}=0.3$이다.

바로알기 | ㄴ. A의 열효율은 B의 3배이므로 $0.3=3\left(\dfrac{㉠-0.9E_0}{㉠}\right)$에 의해 ㉠은 E_0이다.

ㄷ. 열기관이 한 일은 열효율이 높은 A가 B보다 크다.

253

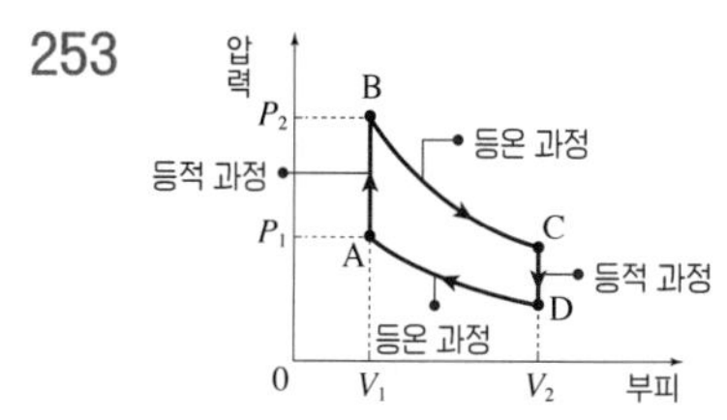

등적 과정인 A → B 과정과 C → D 과정에서는 기체가 한 일이 0이다.

등온 과정인 B → C 과정과 D → A 과정에서는 내부 에너지가 변하지 않는다.

① 등적 과정에서 $W=0$이므로 A → B 과정에서 흡수한 열량은 모두 기체의 내부 에너지 증가에 사용된다.

② B → C 과정에서 온도가 일정하므로 기체의 내부 에너지는 일정하다.

③ 부피가 일정할 때 기체의 온도는 압력이 클수록 크므로 온도는 C에서가 D에서보다 높다.

④ D → A 과정에서 기체는 외부로부터 받은 일만큼 열을 방출한다.

바로알기 | ⑤ 열효율이 1인 열기관은 존재할 수 없다.

254 ㄱ. A → B 과정에서 부피가 일정할 때 압력이 4배가 되었으므로 B에서 절대 온도는 $4T_0$이고, B → C 과정에서 압력이 일정할 때 부피가 2배가 되었으므로 C에서의 절대 온도는 B에서의 2배인 $8T_0$이다.

ㄷ. 한 번의 순환 과정에서 기체가 한 일은 A → B → C → D → A 과정이 그리는 사각형의 넓이에 해당하므로 $300\ \mathrm{N/m^2}\times2\ \mathrm{m^3}=600$ J이다.

바로알기 | ㄴ. D → A 과정에서 기체가 외부로부터 받은 일이 200 J이고, 이때 기체의 내부 에너지도 감소하므로 D → A 과정에서 기체가 방출한 열은 200 J보다 크다.

255 ㄴ. B → C 과정에서 기체가 한 일은 B → C 과정 그래프 아랫부분의 넓이이고, D → A 과정에서 기체가 받은 일은 D → A 과정 그래프 아랫부분의 넓이이므로 B → C 과정에서 기체가 한 일은 D → A 과정에서 기체가 받은 일보다 크다는 것을 알 수 있다.

ㄷ. 한 번의 순환 과정에서 기체가 한 일은 그래프에서 닫힌 부분의 넓이에 해당하므로 S와 같다.

바로알기 | ㄱ. A → B 과정에서 부피 변화가 없으므로 기체는 외부에 일을 하지 않는다.

256 ㄱ. A → B 과정은 등온 과정이므로 내부 에너지가 변하지 않는다. 따라서 이 과정에서 외부로부터 흡수한 열은 모두 일로 전환된다.

ㄴ. 이 열기관의 열효율이 30 %이므로 $\dfrac{500-Q_2}{500}\times100=30$에 의해 C → D 과정에서 기체가 방출한 열량은 $Q_2=350$ J이다.

바로알기 | ㄷ. A → B 과정과 C → D 과정이 각각 등온 과정이므로 B → C 과정과 D → A 과정의 온도 변화가 같다. 따라서 기체의 내부 에너지 변화량의 크기는 B → C 과정과 D → A 과정에서 같다.

257 한 번의 순환 과정에서 기체가 외부에 한 일은 흡수한 열량에서 방출한 열량을 뺀 값이다.

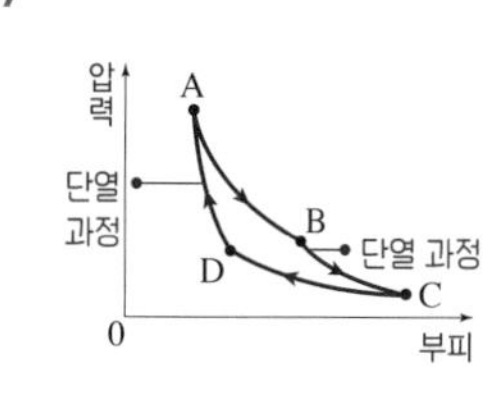

과정	흡수 또는 방출하는 열량(J)
A → B	200
B → C	0
C → D	160
D → A	0

열을 흡수하거나 방출하지 않기 때문에 단열 과정이다.

ㄷ. 열기관의 열효율은 $e=\dfrac{W}{Q_1}=\dfrac{200-160}{200}=0.2$이다.

바로알기 | ㄱ. 한 순환 과정에서 기체가 한 일 $W=Q_1-Q_2=200-160=40$(J)이고, 이 값은 A → B → C → D → A 과정에서 그래프로 둘러싸인 부분의 넓이이다. 따라서 기체가 A → B → C 과정에서 외부에 한 일은 40 J보다 크다.

ㄴ. D → A 과정에서 기체의 부피가 감소하였으므로 기체가 외부로부터 받은 일은 0이 아니다.

258 ㄷ. 열기관의 열효율은 $e=\dfrac{W}{Q_1}=\dfrac{Q_1-Q_2}{Q_1}=\dfrac{5Q-3Q}{5Q}=0.4$이므로 40 %이다.

바로알기 | ㄱ. B → C 과정이 단열 과정이므로 A → B 과정에서 열기관이 흡수한 열량은 $5Q$이다. 이때 열기관이 흡수한 열량은 모두 내부 에너지 증가에 쓰인다.

ㄴ. 그래프로 둘러싸인 부분의 넓이가 한 번의 순환 과정에서 기체가 한 일 $2Q(=5Q-3Q)$이므로 B → C 과정에서 열기관이 한 일은 $2Q$ 보다 크다.

259

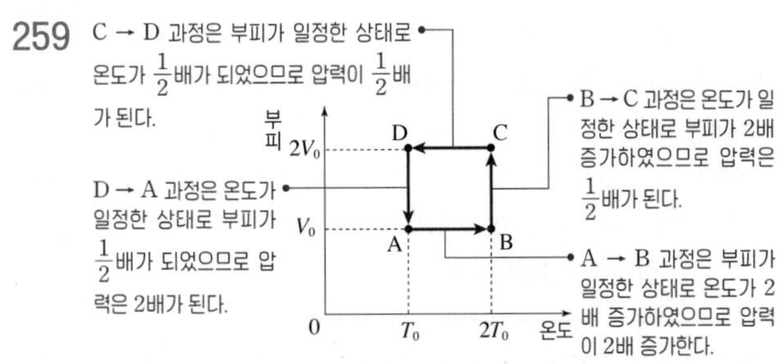

C → D 과정은 부피가 일정한 상태로 온도가 $\frac{1}{2}$배가 되었으므로 압력이 $\frac{1}{2}$배가 된다.
부피
$2V_0$
V_0
D
C
A
B
D → A 과정은 온도가 일정한 상태로 부피가 $\frac{1}{2}$배가 되었으므로 압력은 2배가 된다.
B → C 과정은 온도가 일정한 상태로 부피가 2배 증가하였으므로 압력은 $\frac{1}{2}$배가 된다.
A → B 과정은 부피가 일정한 상태로 온도가 2배 증가하였으므로 압력이 2배 증가한다.
0
T_0
$2T_0$
온도

A → B 과정은 부피가 V_0인 상태에서 압력이 $2P_0$까지 증가하고, B → C 과정은 B 상태에서 $2T_0$인 곡선을 따라 P_0까지 내려온다. C → D 과정은 부피가 $2V_0$인 상태에서 압력이 $\frac{1}{2}P_0$까지 감소한다. D → A 과정은 T_0인 곡선을 따라 A점인 P_0까지 올라간다.

모범 답안

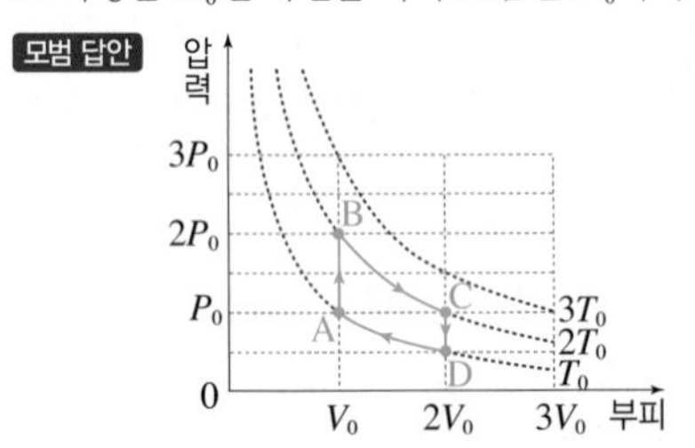

개념 보충

- **부피와 온도의 관계:** 압력이 일정할 때 부피는 절대 온도에 비례한다. ➡ $V \propto T$
- **부피와 압력의 관계:** 온도가 일정할 때 부피는 압력에 반비례한다. ➡ $V \propto \frac{1}{P}$

최고 수준 도전 기출 (05~08강)

74~75쪽

260 ③	261 ④	262 (1) $\frac{4}{5}v$ (2) $\frac{2}{25}mv^2$ (3) $\frac{9mv^2}{50L}$		
263 ④	264 ④	265 ③	266 ②	267 ④

260 A가 빗면을 내려가는 시간을 t라고 하면 같은 시간 동안 B는 4 m를 이동한다.

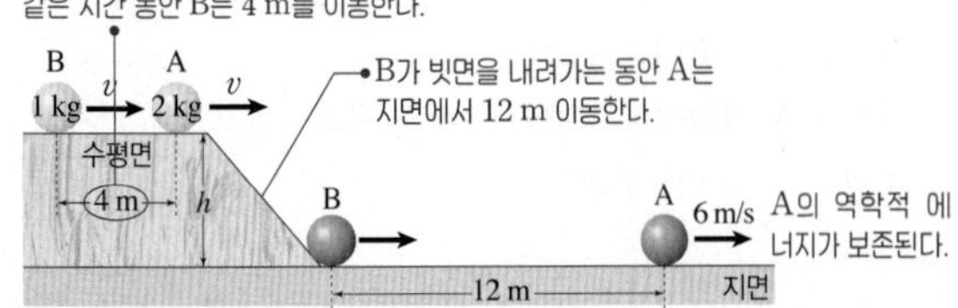

ㄱ. A가 빗면을 내려가는 데 걸린 시간을 t라고 하면 그 시간 동안 B가 4 m를 이동하기 때문에 $vt=4$ m…①이다. A와 B의 처음 속력이 같으므로 B가 빗면을 내려가는 데 걸린 시간도 t이다. B가 빗면을 내려가는 동안 A는 지면에서 12 m를 이동하므로 6 m/s×t=12 m에서 t=2 s이다. 이 값을 ①에 대입하면 v=2 m/s이다.

ㄷ. 빗면에서 A의 가속도는 $a=\frac{\Delta v}{\Delta t}=\frac{6-2}{2}=2(\text{m/s}^2)$이다. 따라서 빗면에서 A에 작용한 알짜힘은 $F=ma=2\times2=4(\text{N})$이다.

바로알기 | ㄴ. 지면을 중력 퍼텐셜 에너지의 기준으로 정할 때, 역학적 에너지 보존 법칙에 의해 A의 수평면에서 역학적 에너지(중력 퍼텐셜 에너지+운동 에너지)는 지면에서 역학적 에너지(운동 에너지)와 같다. 따라서 $2\times10\times h+\frac{1}{2}\times2\times v^2=\frac{1}{2}\times2\times6^2$이고, v=2 m/s이므로 h=1.6 m이다.

261 B가 바닥에 닿기 전에는 B의 무게에서 A의 무게를 뺀 힘이 알짜힘으로 작용하여 두 물체가 함께 운동한다.

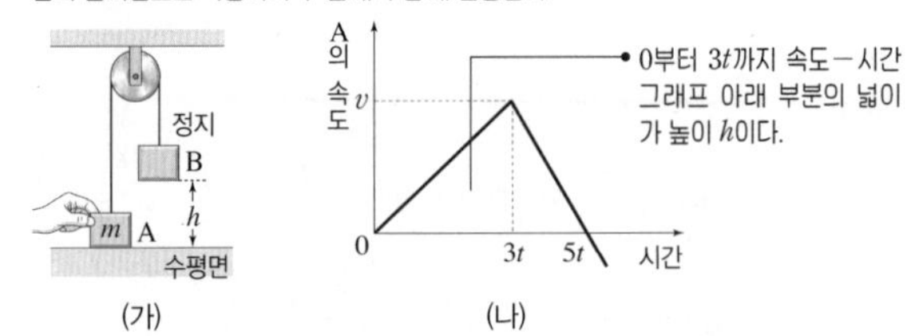

① 0부터 $3t$까지 속도－시간 그래프 아래 부분의 넓이가 h이므로 $h=\frac{3}{2}vt$이고, $vt=\frac{2}{3}h$…①이다. A가 올라가는 최고점의 높이는 0부터 $5t$까지 속도－시간 그래프 아래 부분의 넓이이므로 $h_A=\frac{5}{2}vt$이다. 여기에 ①을 대입하면 $h_A=\frac{5}{2}vt=\frac{5}{2}\left(\frac{2}{3}h\right)=\frac{5}{3}h$이다.

② A와 B의 높이가 같아지는 순간은 A의 높이가 $\frac{h}{2}$가 되는 순간이다. 출발하여 높이가 같아지는 순간까지 A는 $\frac{v}{3t}$의 가속도로 등가속도 직선 운동을 하므로 $v^2-v_0^2=2as$에 대입하면 $v_A^2=2\times\frac{v}{3t}\times\frac{h}{2}=\frac{vh}{3t}$…②이다. ①에서 $\frac{h}{t}=\frac{3}{2}v$이므로 이를 ②에 대입하면 A와 B의 높이가 같아지는 순간 A의 속력은 $v_A=\frac{1}{\sqrt{2}}v$이다.

③ $2t$일 때 A의 가속도는 0부터 $3t$까지 속도－시간 그래프의 기울기와 같은 $\frac{v}{3t}$이다. $3t$ 이후 A는 중력만을 받아 운동하기 때문에 $3t$ 이후 그래프의 기울기의 크기는 중력 가속도의 크기와 같다. 따라서 $\frac{v}{2t}=g$이고, $\frac{v}{t}=2g$이므로 $2t$일 때 A의 가속도는 $\frac{v}{3t}=\frac{1}{3}\times2g=\frac{2}{3}g$이다.

⑤ B의 질량을 M, 실의 장력을 T라 하여 0부터 $3t$까지 B에 대한 운동 방정식을 세워 보면, $Mg-T=M\times\frac{2}{3}g$이고 $T=\frac{5}{3}mg$이므로 $Mg-\frac{5}{3}mg=\frac{2}{3}Mg$에 의해 $M=5m$이다.

바로알기 | ④ 실의 장력을 T라 하여 $2t$일 때 A에 대한 운동 방정식을 세워 보면, $T-mg=m\times\frac{2}{3}g$에 의해 실의 장력은 $T=\frac{5}{3}mg$이다.

262 B가 처음에 정지해 있었으므로 B가 받은 충격량은 충돌 후 B의 운동량이 된다.

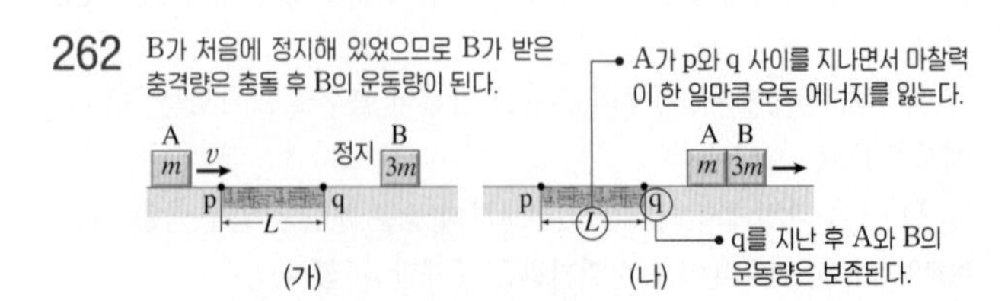

(1) B가 받은 충격량은 충돌 후 B의 운동량이 되므로 충돌 후 B의 속력을 v_B라고 하면 $\frac{3}{5}mv=3m\times v_B$에 의해 $v_B=\frac{1}{5}v$이다. 이 속력은 충돌 후 한 덩어리가 된 A와 B의 속력이므로 A가 q를 지나는 순간의 속력을 v_A라 하고, 운동량 보존 법칙을 적용하면 $mv_A=(m+3m)\times\frac{1}{5}v$에 의해 $v_A=\frac{4}{5}v$이다.

(2) A와 B가 충돌한 후 한 덩어리가 된 물체의 운동 에너지는 $\frac{1}{2}\times4m\times\left(\frac{1}{5}v\right)^2=\frac{2}{25}mv^2$이다.

(3) 마찰력이 한 일만큼 A의 운동 에너지가 감소하므로 마찰력의 크기를 f라고 하면, '마찰력이 한 일=q점에서 운동 에너지−p점에서 운동 에너지'이므로 $-fL=\frac{1}{2}m\left(\frac{4}{5}v\right)^2-\frac{1}{2}mv^2=-\frac{9}{50}mv^2$이다.

따라서 점 p와 q 사이 구간에서 마찰력의 크기 $f=\frac{9mv^2}{50L}$이다.

263

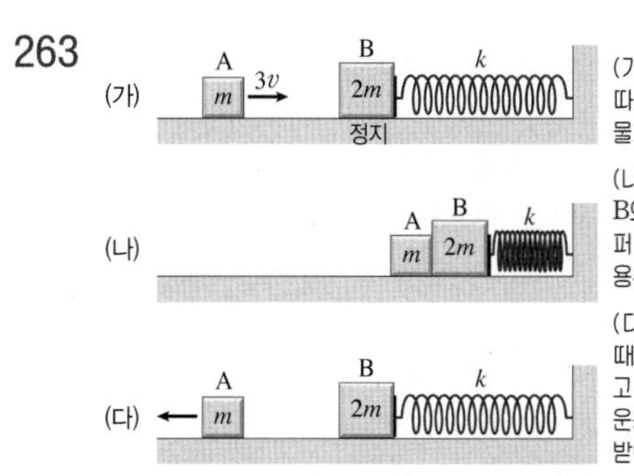

(가)에서 운동량 보존 법칙에 따라 충돌 후 한 덩어리가 된 물체의 속력을 구한다.

(나)에서 한 덩어리가 된 A와 B의 운동 에너지가 모두 탄성 퍼텐셜 에너지로 전환될 때 용수철이 최대로 압축된다.

(다)에서 평형 위치에 왔을 때 A와 B의 속력이 최대이고 평형 위치를 지나면 B는 운동 반대 방향으로 탄성력을 받아 속력이 느려진다.

ㄴ. (나)에서 두 물체의 운동 에너지가 모두 용수철의 탄성 퍼텐셜 에너지로 전환될 때가 용수철이 최대로 압축되는 길이이므로 $\frac{1}{2}\times3m\times v^2=\frac{1}{2}kx^2$에 의해 용수철이 최대로 압축된 길이는 $x=\sqrt{\frac{3m}{k}}v$이다.

ㄷ. (다)에서 A가 최대 속력일 때 B와 분리된다. A의 최대 속력은 용수철에 충돌 전 한 덩어리가 된 A와 B의 속력과 같은 v이다. (가)에서 A의 속력이 (다)에서보다 3배 빠르므로 속력의 제곱에 비례하는 운동 에너지는 (가)에서가 (다)에서의 9배이다.

바로알기 | ㄱ. (가)에서 운동량 보존 법칙에 따라 $m\times3v=(m+2m)\times v'$에 의해 충돌 후 한 덩어리가 된 A, B의 속력은 $v'=v$이다.

264

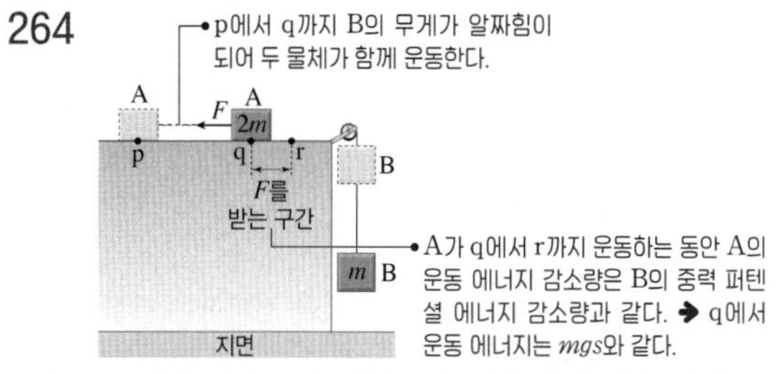

p에서 q까지 B의 무게가 알짜힘이 되어 두 물체가 함께 등가속도로 운동하므로 $mg=3ma$에 의해 가속도 $a=\frac{1}{3}g$이다. q에서 A의 속력을 v라 하고 등가속도 직선 운동에 관한 식 $v^2-v_0{}^2=2as$를 이용하면 $v^2=2\times\frac{1}{3}g\times l$…①이 된다. A가 q에서 r까지 운동하는 동안 A의 운동 에너지 감소량은 B의 중력 퍼텐셜 에너지 감소량과 같다고 하였으므로 q에서 A의 운동 에너지는 B의 중력 퍼텐셜 에너지 감소량 mgs와 같다. 즉, $\frac{1}{2}\times2mv^2=mgs$…②이다. ②에 ①을 대입하여 정리하면 $\frac{l}{s}=\frac{3}{2}$이 된다.

265

0초부터~2초까지 F에서 B에 작용하는 중력의 빗면 아래 방향으로의 분력을 뺀 값이 알짜힘이 되어 두 물체가 같은 가속도로 운동한다.

B의 가속도의 크기는 실이 끊어지기 전과 후가 같다. ➔ 2초 이후 B의 가속도는 0초부터 2초까지의 가속도 5 m/s²과 같다.

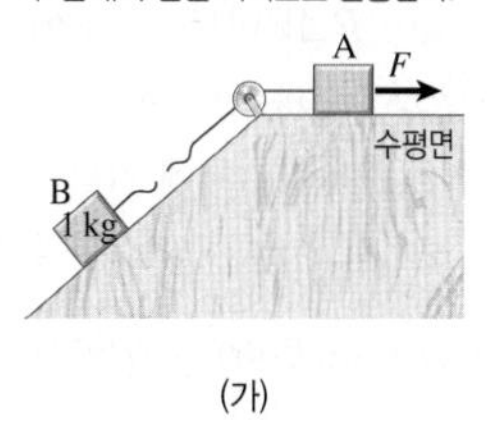

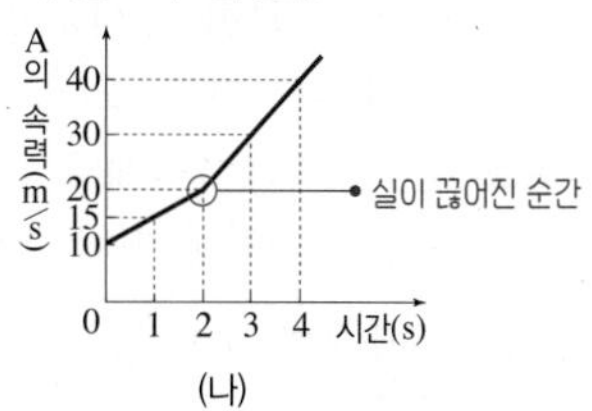

(가) (나)

ㄱ. 0초부터 2초까지 두 물체의 가속도는 5 m/s²이다. B의 가속도는 실이 끊어지기 전과 후가 같다고 하였으므로 2초 이후 B의 가속도의 크기는 5 m/s²이다. B에 작용하는 중력의 빗면 아래 방향으로의 분력을 F_B라 하면, $F_B=1\text{ kg}\times5\text{ m/s}^2=5\text{ N}$이다. A의 질량을 m이라 하고 0초부터 2초까지 운동 방정식을 세워 보면, $F-F_B=(1+m)\times a$이므로 $F-5=(1+m)\times5$…①이다. 2초 이후 A의 가속도가 10 m/s²이므로 $F=10m$…②이다. ②를 ①에 대입하면 A의 질량은 $m=2\text{ kg}$이다.

ㄴ. 1초일 때 실이 B를 당기는 힘의 크기를 T라 하고 1초일 때 B에 대한 운동 방정식을 세워 보면, $T-F_B=T-5=1\times5$에 의해 $T=10\text{ N}$이다.

바로알기 | ㄷ. 0초부터 2초까지 F가 한 일은 A와 B의 운동 에너지 증가량과 B의 중력 퍼텐셜 에너지 증가량의 합과 같다.

266

0부터 t_0까지 등속 운동이므로 두 물체에 작용하는 알짜힘이 0이다.
➔ B에 작용하는 중력의 빗면 아래 방향으로의 분력은 F와 크기가 같다.

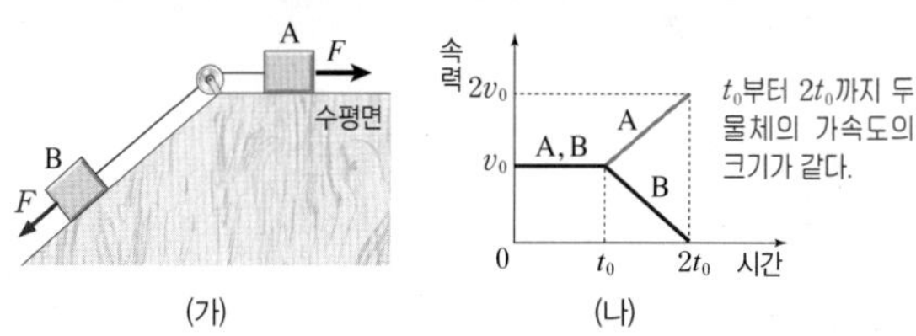

(가) (나)

ㄷ. 0부터 t_0까지 두 물체가 등속 운동을 하고 있으므로 B에 작용하는 중력의 빗면 아래 방향으로의 분력의 크기 F_B는 A에 작용하는 힘 F와 크기가 같다. 즉, $F_B=F$이다. 따라서 실이 끊어진 이후인 t_0부터 $2t_0$까지 B에 작용하는 알짜힘의 크기인 F_B는 F와 같다.

바로알기 | ㄱ. 0부터 t_0까지 A, B의 이동 거리는 속력−시간 그래프 아래 부분의 넓이와 같으므로 F가 한 일은 $W=Fs=F\times v_0t_0$이다.

ㄴ. t_0부터 $2t_0$까지 각 물체에 작용하는 알짜힘의 크기와 가속도의 크기가 같으므로 A와 B의 질량도 같다.

267

(가)에서 (나)로 진행하는 과정은 등압 팽창 과정이다.

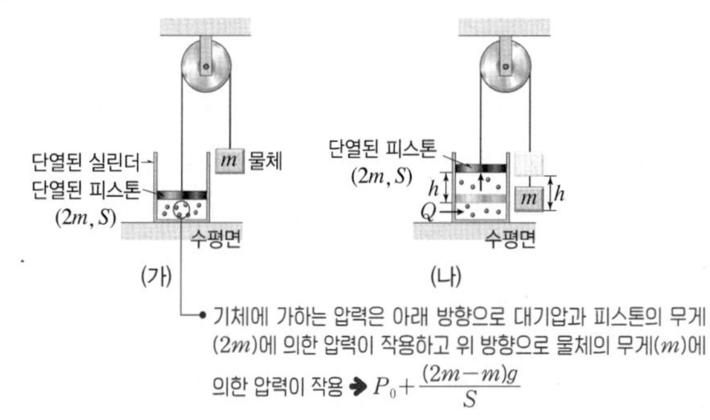

기체에 가하는 압력은 아래 방향으로 대기압과 피스톤의 무게($2m$)에 의한 압력이 작용하고 위 방향으로 물체의 무게(m)에 의한 압력이 작용 ➔ $P_0+\frac{(2m-m)g}{S}$

ㄴ. (가)와 (나)에서 기체의 압력은 같다. 압력이 같을 때 부피는 절대 온도에 비례하므로 절대 온도는 (나)에서가 (가)에서보다 크다. 절대 온도는 기체 분자의 평균 운동 에너지에 비례하므로 기체 분자의 평균 운동 에너지는 (나)에서가 (가)에서보다 크다.
ㄷ. (가)에서 (나)로 변하는 열역학 과정은 등압 팽창 과정이다. 이때 기체가 외부에 한 일 $W=P\Delta V=\left(P_0+\frac{mg}{S}\right)\times Sh=P_0Sh+mgh$이다. $Q=\Delta U+P\Delta V$에 의해 $\Delta U=Q-P\Delta V$이므로 (나)에서 기체의 내부 에너지 증가량은 $\Delta U=Q-(P_0Sh+mgh)$이다.
바로알기 | ㄱ. (가)에서 기체의 압력은 외부에서 기체에 가하는 압력과 같다. 외부에서 기체에 가하는 압력은 대기압 P_0과 피스톤과 물체의 무게 차이에 의한 압력 $\frac{mg}{S}$를 합한 값이다. 따라서 (가)에서 기체의 압력은 $P_0+\frac{mg}{S}$이다.

개념 보충

압력
단위 넓이에 작용하는 힘의 크기로, 넓이가 S인 물체에 크기가 F인 힘이 수직으로 작용할 때 압력 P는 다음과 같다. ➜ $P=\frac{F}{S}$

특수 상대성 이론

빈출 자료 보기 77쪽

268 (1) × (2) ○ (3) × (4) ○ (5) × (6) ×

268 (2) 민수가 볼 때 영희가 점점 자신에게 가까워지고 있으므로 영희의 속력이 민수보다 빠르다. 따라서 철수가 볼 때 영희가 탄 우주선의 속력은 민수의 우주선 속력 $0.9c$보다 빠르다.
(4) 다른 좌표계의 시간은 고유 시간보다 느리게 간다. 따라서 철수가 측정할 때, 다른 좌표계에 있는 영희의 시간은 철수의 시간(고유 시간)보다 느리게 간다.
바로알기 | (1) 민수가 볼 때, 민수 자신은 정지해 있고 철수는 민수 자신의 운동 방향과 반대 방향으로 $0.9c$의 속력으로 운동하는 것으로 관찰한다.
(3) 광속 불변 원리에 의해 진공에서 빛의 속력은 모든 관성 좌표계에서 동일하게 관찰되므로 영희가 쏜 레이저 광선의 속력은 c이다.
(5) 속도가 다른 두 관성 좌표계에서 관찰할 때, 서로 상대방의 시간이 느리게 가는 것으로 관찰한다. 따라서 민수가 측정할 때, 철수의 시간은 민수의 시간보다 느리게 간다.
(6) 철수가 측정할 때, 상대적으로 속력이 빠른 영희의 우주선의 길이가 민수의 우주선의 길이보다 짧다. 즉 $L_1<L_2$이다.

난이도별 필수 기출 78~83쪽

269 상대성 원리, 광속 불변 원리		270 ④	271 ①	272 ③
273 ④	274 ④, ⑥	275 ④	276 ④, ⑤	
277 ⑤	278 ⑤	279 ⑤	280 ①	281 ⑤
282 ①, ④		283 ③	284 ②	285 해설 참조
286 ②, ③, ⑥		287 ③	288 ③	289 ③	290 ②
291 해설 참조		292 ①, ⑤		293 ③
294 해설 참조		295 ④		

269 특수 상대성 이론을 탄생시킨 두 가지 가정은 상대성 원리와 광속 불변 원리이다.

270 진공에서 빛의 속력은 광원이나 관찰자의 속도에 관계없이 c로 일정하다.

271 관성 좌표계는 정지 상태이거나 등속도로 운동하는 좌표계이다. 가속도 운동하는 좌표계는 가속 좌표계이다.

272 (가)는 상대성 원리, (나)는 광속 불변 원리에 대한 설명이다.
ㄱ. 관성 좌표계는 정지해 있거나 등속도로 움직이는 좌표계이다. 한 관성 좌표계에 대해 상대 속도가 일정한 좌표계는 모두 관성 좌표계이다.
ㄷ. (나)는 광속 불변 원리에 해당한다.
바로알기 | ㄴ. 물체의 속력은 다른 관성 좌표계에서 측정하면 달라진다. 상대성 원리에 따르면 관성 좌표계에 따라 물체의 속력 등 물리량은 달라지더라도 물리량 사이의 관계를 나타내는 물리 법칙은 관성 좌표계에 관계없이 동일하게 성립한다.

273 트럭 위의 사람이 관찰할 때 공은 똑바로 위로 올라갔다가 내려온다. 지면에 정지해 있는 사람이 관찰할 때 공은 포물선 경로를 그리며 운동한다.

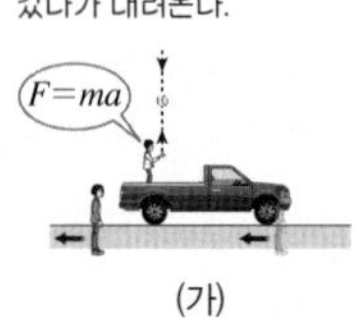

(가)

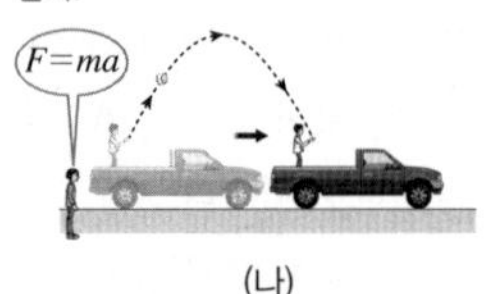

(나)

ㄱ. 등속도로 운동하는 트럭이나 정지해 있는 지면은 관성 좌표계이다.
ㄷ. (가)와 (나)에서 공의 운동 상태를 변화시키는 원인은 중력으로 같다.
ㄹ. (가)와 (나)에서 공의 운동을 설명하는 물리 법칙은 $F=mg$(g: 중력 가속도)로 동일하다.
바로알기 | ㄴ. (가)에서 트럭 위의 사람은 공이 연직 위로 똑바로 올라갔다가 내려오는 것으로 관찰하지만 (나)에서 지면에 서 있는 사람은 공이 포물선 경로를 그리며 운동하는 것으로 관찰한다.

274 ①, ② 마이컬슨과 몰리의 실험은 빛을 전파하는 매질이 에테르라고 가정하고 에테르의 존재를 증명하기 위한 실험이었다.
③ 에테르가 존재하고 빛이 에테르를 통하여 전파된다면 에테르의 흐름에 따라 빛의 속력이 달라질 것이라고 가정하였다.
⑤ 실험 결과 에테르의 존재를 확인할 수 없었다.
바로알기 | ④ 에테르의 흐름에 대하여 다른 경로로 이동하여 빛 검출기에 도달하는 빛의 속력은 차이가 없었다.
⑥ 마이컬슨과 몰리의 실험 결과는 아인슈타인의 광속 불변 원리를 이끌어 내는 데 기여하였다.

275 ㄱ. 빛의 속도에 비해 매우 느린 물체들의 운동에서는 관찰자에 따라 속도가 다르게 보인다. (가)에서 기차 안의 민규가 관찰한 화살의 속도는 100 km/h이지만 지면의 관찰자가 본 화살의 속도는 기차의 속도에 화살의 속도를 더한 300 km/h이다.
ㄴ. 빛의 속도는 광원이나 관찰자의 속도에 관계없이 똑같이 c로 관찰된다.
ㄷ. 관찰자가 본 기차의 속도가 오른쪽으로 100 km/h일 때, 기차 안에 있는 민규가 본 관찰자의 속도는 (가)와 (나)에서 왼쪽으로 100 km/h이다.
바로알기 | ㄹ. 빛의 속력은 광원이나 관찰자의 속도에 관계없이 같은 속력으로 관찰된다.

276 ① 관성 좌표계는 정지 또는 등속도로 운동하는 좌표계로 관성 좌표계에서는 관성 법칙(힘을 받지 않은 물체는 운동 상태가 변하지 않는다.)이 성립한다.
② 특수 상대성 이론의 현상으로 서로 속도가 다른 좌표계를 관찰할 때 상대방의 길이가 수축되어 보이는데 길이 수축은 좌표계가 운동하는 방향으로만 일어난다.
③ 상대성 원리는 모든 관성 좌표계에서 물리 법칙이 동일하게 성립한다는 것을 설명한다.
⑥ 서로 다른 좌표계의 시간은 느리게 가는 것으로 관찰한다.
⑦ 어떤 관성 좌표계에서 동시에 일어난 사건도 다른 관성 좌표계에서는 동시에 일어난 사건이 아닐 수 있다. 이것을 동시성의 상대성이라고 한다.
바로알기 | ④ 고유 길이는 물체와 같은 좌표계에 있는 관찰자가 측정한 물체의 길이이다. 관찰자에 대하여 운동하는 물체의 길이는 고유 길이보다 짧아진다.
⑤ 특수 상대성 이론은 관성 좌표계에 대해 적용되고, 속도가 변하는 운동을 하는 좌표계에 대한 이론은 일반 상대성 이론이다.

277 서로 다른 좌표계의 관찰자에 따라 다르게 측정될 수 있는 물리량은 길이(거리), 시간, 질량이고, 빛의 속력은 관찰자에 관계없이 일정하다.

278

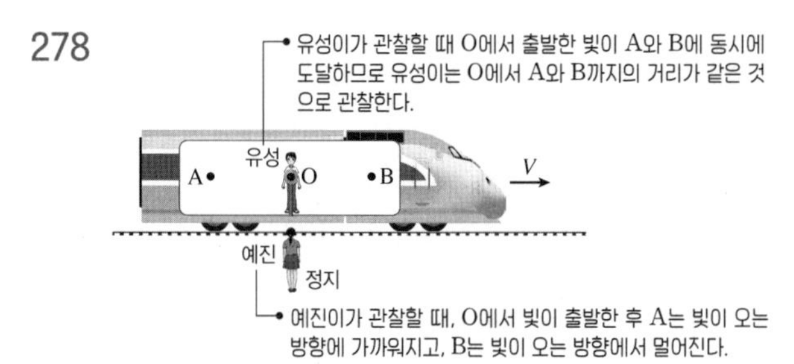

유성이가 관찰할 때 O에서 출발한 빛이 A와 B에 동시에 도달하므로 유성이는 O에서 A와 B까지의 거리가 같은 것으로 관찰한다.
유성
A
O
B
V
예진
정지
예진이가 관찰할 때, O에서 빛이 출발한 후 A는 빛이 오는 방향에 가까워지고, B는 빛이 오는 방향에서 멀어진다.

① 빛의 속력은 광원이나 관찰자의 속도에 관계없이 일정하므로 유성이가 볼 때 A와 B를 향한 빛의 속력은 같다.
② 유성이가 볼 때, O에서 출발한 빛이 같은 속력으로 진행하여 동시에 A와 B에 도달하므로 A와 B가 O에서 같은 거리에 있다고 본다.
③ 광속 불변 원리에 따라 유성이와 예진이가 측정한 빛의 속력은 같다.
④ 예진이는 빛이 A에 도달할 때 A의 위치가 전구를 켰을 때보다 오른쪽으로 이동한 것으로 관측한다.
바로알기 | ⑤ 예진이가 볼 때, 전구에서 나온 빛은 상대적으로 이동 거리가 짧은 A에 먼저 도달하고 상대적으로 이동 거리가 긴 B에 나중에 도달한다.

279 S′가 볼 때 막대의 길이는 $L_{고유}$보다 짧게 관측된다. / S′가 볼 때 막대가 왼쪽으로 v의 속력으로 운동하는 것으로 관측된다.

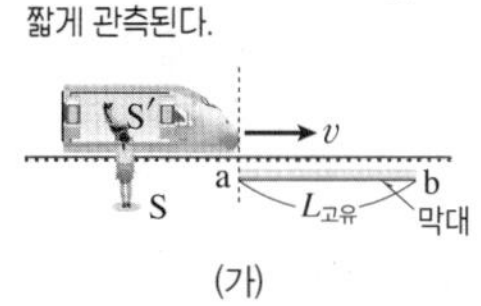

(가)

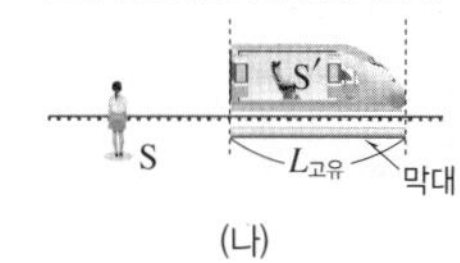

(나)

ㄱ. S가 볼 때 속도가 v인 기차가 막대의 a와 b를 지나는 데 걸리는 시간은 막대의 고유 길이를 기차의 속력으로 나눈 값인 $\frac{L_{고유}}{v}$이다.
ㄴ. 막대가 S′가 운동하는 방향과 나란하게 있으므로 길이 수축이 일어난다. 따라서 S′가 볼 때 막대의 길이는 $L_{고유}$보다 작다.
ㄷ. S′가 볼 때 막대가 왼쪽으로 v의 속력으로 운동하는 것으로 관측된다. 막대의 a와 b가 기차를 지나는 데 걸리는 시간은 S′가 볼 때 막대의 길이인 L을 막대의 속력 v로 나눈 값인 $\frac{L}{v}$이다. $L < L_{고유}$이므로 S′가 볼 때 막대의 a와 b가 기차를 지나는 데 걸리는 시간은 $\frac{L_{고유}}{v}$보다 작다.

280 민수가 관찰할 때 빛은 거울 사이를 수직으로 왕복하는 것으로 보이지만 수지가 관찰할 때 빛은 그림과 같이 비스듬히 진행하는 것으로 보인다.

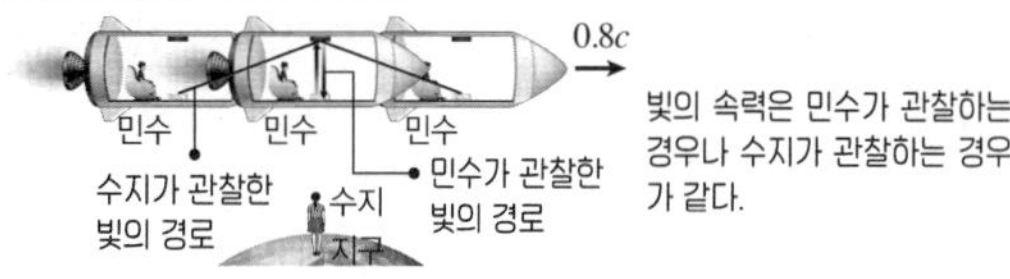

ㄱ. 수지가 볼 때 우주선에 탄 민수는 오른쪽으로 0.8c의 속력으로 운동하고, 민수가 볼 때 수지는 왼쪽으로 0.8c의 속력으로 운동한다.
바로알기 | ㄴ. 빛의 속력은 누구에게나 같은데 빛이 두 거울 사이를 왕복하는 거리는 민수가 관찰할 때보다 수지가 관찰할 때가 더 길다. 따라서 빛이 두 거울 사이를 왕복하는 시간은 민수가 측정한 것보다 수지가 측정한 것이 더 길다.
ㄷ. 수지가 볼 때 민수의 시간은 자신의 시간보다 느리게 간다. 민수가 볼 때 수지의 시간은 자신의 시간보다 느리게 간다. 이처럼 서로 상대방의 시간이 느리게 가는 것으로 관측한다.

281 ㄱ. 동호와 지구, 목성은 같은 좌표계에 있으므로 동호가 측정한 지구와 목성 사이의 거리가 고유 거리이다. 따라서 다른 좌표계에 있는 민호가 측정하는 지구와 목성 사이의 거리는 고유 거리(동호가 측정하는 거리)보다 짧다.
ㄴ. 동호에 대해 빠르게 움직이는 우주선의 길이를 동호가 측정하면 고유 길이보다 짧게 측정된다.
ㄷ. 민호가 측정할 때 우주선이 목성에 도착하는 데 걸린 시간은 고유 시간이다. 다른 좌표계에 있는 동호가 측정하는 시간은 고유 시간보다 길다. 따라서 우주선이 목성에 도착하는 데 걸린 시간은 민호가 측정할 때가 동호가 측정할 때보다 짧다.

282 ② 우주선과 같은 좌표계에 있는 영수가 측정한 우주선의 길이는 고유 길이이다.
③ 우주선과 다른 좌표계에 있는 지수가 측정했을 때, 우주선의 길이는 고유 길이보다 짧다.
⑤ 빛이 이동한 거리는 영수가 측정했을 때 바닥과 천장 사이를 수직으로 왕복하는 거리이고, 지수가 측정했을 때는 비스듬히 진행하는 거리이므로 지수가 측정했을 때가 영수가 측정했을 때보다 길다.

⑥ 빛의 속력은 영수가 측정했을 때와 지수가 측정했을 때가 같지만 빛이 거울 사이를 왕복하는 거리는 지수가 측정했을 때가 영수가 측정했을 때보다 길기 때문에 빛이 거울 사이를 왕복하는 데 걸린 시간은 지수가 측정했을 때가 영수가 측정했을 때보다 길다. 따라서 지수가 측정했을 때, 영수의 시간은 자신의 시간보다 느리게 간다.
⑦ 서로 다른 좌표계의 시간이 느리게 가는 것으로 측정되므로 영수가 측정했을 때는 지수의 시간이 자신의 시간보다 느리게 간다.
바로알기 | ① 속도는 서로 상대적이므로 영수가 볼 때 지수는 왼쪽으로 광속에 가까운 속력으로 가는 것으로 보인다.
④ 빛의 속력은 광원이나 관찰자의 속도에 관계없이 모든 좌표계에서 같은 속력으로 관측된다. 따라서 지수가 측정했을 때 빛의 속력과 영수가 측정했을 때 빛의 속력은 같다.

283 ㄱ. 지구와 관찰자 B, 행성은 같은 좌표계에 있고, A는 다른 좌표계이다. 서로 다른 좌표계를 관찰하면 속도가 바뀌어 관측된다. 따라서 A가 관측할 때 행성은 v의 속력으로 다가온다.
ㄷ. A가 측정한 지구에서 행성까지의 거리 L은 길이 수축 때문에 고유 길이 L_0보다 짧다($L<L_0$). 따라서 A가 측정한 행성까지 가는 데 걸리는 시간은 $\frac{L}{v}$이므로 $\frac{L_0}{v}$보다 짧다.
바로알기 | ㄴ. A가 측정한 지구에서 행성까지의 거리는 고유 길이인 L_0보다 짧다.

284

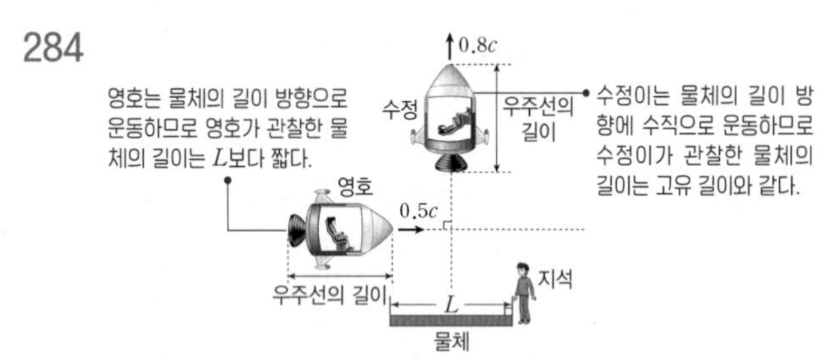

0.8c
영호는 물체의 길이 방향으로 운동하므로 영호가 관찰한 물체의 길이는 L보다 짧다.
수정
우주선의 길이
수정이는 물체의 길이 방향에 수직으로 운동하므로 수정이가 관찰한 물체의 길이는 고유 길이와 같다.
영호
0.5c
우주선의 길이
L
지석
물체

ㄷ. 두 우주선이 모두 우주선의 길이 방향으로 운동하고 있기 때문에 지석이가 측정한 우주선의 길이는 고유 길이보다 짧다. 이때 속력이 빠를수록 길이 수축 효과가 크므로 속력이 더 빠른 수정이가 탄 우주선의 길이가 영호가 탄 우주선의 길이보다 짧게 관측된다.
바로알기 | ㄱ. 영호가 측정한 물체의 길이는 길이 수축이 일어나 고유 길이인 L보다 짧다.
ㄴ. 수정이는 물체의 길이 방향에 수직으로 운동하고 있으므로 수정이가 측정한 물체의 길이는 길이 수축이 일어나지 않기 때문에 고유 길이인 L과 같다.

285 **모범 답안** (1) 상대 속도가 빠를수록 길이 수축이 크게 일어나므로 우주선의 속도가 v보다 크면 관찰자가 본 x 방향에 대한 우주선의 길이는 더욱 짧아진다.
(2) 길이 수축은 운동 방향과 나란한 방향으로만 일어나므로 우주선의 속도가 v보다 클 때, 관찰자가 본 y 방향에 대한 우주선의 길이는 변화가 없다.

286 ① P가 관찰한 A, B의 길이는 길이 수축이 일어나기 때문에 고유 길이보다 짧다. 길이 수축은 B보다 속력이 빠른 A에서 더 크게 일어난다. P가 관찰한 두 우주선의 길이가 같으므로 고유 길이는 A가 B보다 길다는 것을 알 수 있다.
④ 상대 속도가 클수록 길이 수축이 크게 일어나므로 P의 길이는 A에서 볼 때가 B에서 볼 때보다 짧다.
⑤ 상대 속도가 클수록 시간 지연이 크게 일어나므로 P에서 볼 때, A의 시간이 B의 시간보다 느리게 간다.
바로알기 | ② 속도는 서로 상대적이다. P에서 볼 때 A의 속도와 A에서 볼 때 P의 속도는 크기는 같고 방향이 반대이다. 따라서 A에서 볼 때 P의 속력과 P에서 볼 때 A의 속력은 $0.5c$로 같다.
③ 상대 속도가 빠를수록 상대방의 시간이 느리게 간다. A에 대한 상대 속도는 P보다 B가 크기 때문에 A에서 볼 때 B의 시간이 P의 시간보다 느리게 간다.
⑥ 빛의 속력은 어느 관성계에서 측정하여도 같다.

287 점 p, 점 q, A는 같은 좌표계에 있고, 양성자와 B가 같은 좌표계에 있다.

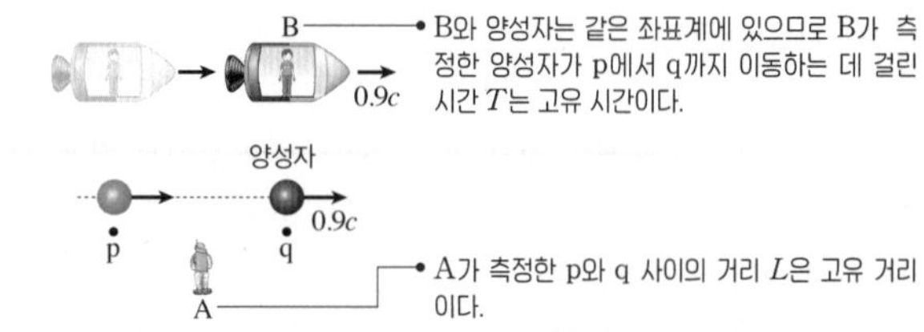

ㄱ. $0.9cT$는 다른 좌표계에 있는 B가 측정한 p에서 q까지의 거리이므로 길이 수축이 일어나 고유 거리인 L보다 작다.
ㄷ. B가 관측할 때 양성자는 정지해 있으므로 B가 측정한 양성자의 질량은 정지 질량이다.
바로알기 | ㄴ. 상대적으로 운동하는 물체의 질량은 정지 질량보다 크다. 따라서 A가 측정한 양성자의 질량은 m_0보다 크다.

개념 보충
- **질량 증가:** 정지해 있을 때 질량(정지 질량)이 m_0인 물체가 움직일 때의 질량 m은 속도가 빠를수록 커진다.

288 ㄱ. 다른 좌표계에 있는 수연이의 시간은 자신의 고유 시간보다 느리게 간다.
ㄷ. 운동 방향에 나란한 방향으로 길이 수축이 일어나 준수가 관측한 A와 B 사이의 거리는 고유 거리인 $2L$보다 짧다.
바로알기 | ㄴ. 수연이가 관측할 때 광원에서 발생한 빛은 A와 B에 동시에 도달한다. 그러나 준수가 관측할 때, A는 빛이 오는 방향으로 접근하므로 거리가 짧아지고, B는 빛이 오는 방향으로부터 멀어지므로 거리가 길어진다. 따라서 준수가 관측할 때 광원에서 발생한 빛은 B보다 A에 먼저 도달한다.

289 ㄱ, ㄴ. 은수가 관측할 때 A는 광원으로 접근하고 B는 광원에서 멀어지는데 광원에서 방출된 빛이 A와 B에 동시에 도달했다는 것은 광원에서 A까지의 거리가 광원에서 B까지의 거리보다 길기 때문이다. 따라서 A, B와 같은 좌표계에 있는 동수가 관측할 때 광원에서 나온 빛은 A보다 B에 먼저 도달한다.
바로알기 | ㄷ. 은수가 측정한 우주선의 길이는 길이 수축이 일어나 고유 길이인 L_0보다 짧다.

290 ㄷ. 광원에서 A까지 거리는 신영이가 관측할 때 길이 수축이 일어나고 A가 광원으로 접근하고 있으므로 광원에서 동시에 방출된 빛은 D보다 A에 먼저 도달한다.
바로알기 | ㄱ. A와 C 사이의 거리는 우주선의 진행 방향과 나란하므로 길이 수축이 일어나고, B와 D 사이의 거리는 우주선의 진행 방향에 수직이므로 길이 수축이 일어나지 않는다. 따라서 B와 D 사이의 거리가 A와 C 사이의 거리보다 길게 관측된다.

ㄴ. 광원에서 빛이 방출된 이후 A는 빛이 오는 방향으로 접근하고 C는 빛이 오는 방향으로부터 멀어지므로 광원에서 동시에 방출된 빛은 C보다 A에 먼저 도달한다.

291 인호가 관찰했을 때 광원에서 발생한 빛이 검출기 A와 B에 동시에 도달하였다면 광원에서 A까지의 거리와 광원에서 B까지의 거리가 같다. 수영이가 관찰했을 때 인호의 좌표계는 왼쪽으로 v의 속력으로 운동한다.

모범 답안 수영이가 관찰했을 때, 광원에서 발생한 빛이 진행하는 동안 A는 빛이 오는 방향으로부터 멀어지고 B는 빛이 오는 방향으로 접근하므로 수영이는 빛이 A보다 B에 먼저 도달하는 것으로 관측한다.

292

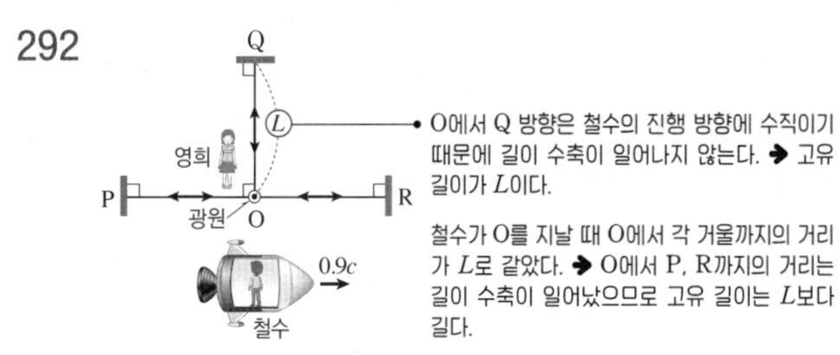

Q
영희
P
R
광원
O
0.9c
철수
O에서 Q 방향은 철수의 진행 방향에 수직이기 때문에 길이 수축이 일어나지 않는다. ➜ 고유 길이가 L이다.
철수가 O를 지날 때 O에서 각 거울까지의 거리가 L로 같았다. ➜ O에서 P, R까지의 거리는 길이 수축이 일어났으므로 고유 길이는 L보다 길다.

② 영희가 측정할 때, O에서 P와 R 사이의 거리가 같기 때문에 O에서 P와 R를 향해 동시에 발생한 빛은 P와 R에 동시에 도달한다.
③ O에서 Q 사이의 거리는 고유 거리가 L이므로 영희가 측정할 때, 광원에서 발생한 빛이 O와 Q 사이를 왕복하는 데 걸린 시간은 $\frac{2L}{c}$이다.
④ 빛의 속력은 광원이나 관찰자의 속도에 관계없이 일정하므로 철수가 측정할 때, O에서 P, Q, R를 향해 발생한 빛의 속력은 모두 같다.
바로알기 | ① 영희가 측정할 때, P와 O 사이의 거리는 Q와 O 사이의 거리보다 길다.
⑤ 철수가 측정할 때, 광원에서 발생한 빛이 O와 Q 사이를 왕복하는 데 걸린 시간은 영희가 측정할 때보다 길다.

293 ㄱ. 특수 상대성 이론을 이해하기 전에는 뮤온이 발생한 지점에서 지상까지의 거리, 뮤온의 수명을 고려하였을 때 지상까지 도달할 수 없는데도 지상에서 관측되는 현상을 이해할 수 없었다.
ㄷ. 뮤온의 관성 좌표계에서 측정할 때 길이 수축이 일어나기 때문에 뮤온이 생성된 지점에서 지표면까지 거리는 H보다 짧다.
바로알기 | ㄴ. 뮤온과 다른 좌표계에 있는 민수가 측정한 뮤온의 수명은 시간 지연이 일어나기 때문에 고유 수명 t보다 길다.

294 **모범 답안** (1) (가) 좌표계에서 관측하면 뮤온의 수명이 시간 지연에 의해 고유 수명보다 길기 때문에 뮤온이 지표면에 도달할 수 있다.
(2) (나) 좌표계에서 관측하면 에베레스트 산의 높이가 길이 수축에 의해 고유 길이보다 낮아지기 때문에 뮤온이 지표면에 도달할 수 있다.

295 ㄴ. A가 측정한 산의 높이는 길이 수축에 의해 낮아진다. 뮤온과 같은 좌표계에 있는 A가 측정한 산의 높이는 지표면이 자신에게 다가오는 속력 $0.99c$에 뮤온의 고유 수명 t를 곱한 $0.99ct$와 같다. 이 높이는 H보다 작다.
ㄷ. B가 측정할 때, A가 지표면에 도달하는 데 걸리는 시간은 시간 지연이 일어나 고유 수명인 t보다 길다.
바로알기 | ㄱ. 뮤온과 같은 좌표계에 있는 A가 측정한 뮤온의 수명은 고유 수명 t와 같다.

10 질량과 에너지

빈출 자료 보기 85쪽

296 (1) × (2) ○ (3) ○ (4) ○ (5) ×

296 (2) (가)는 핵융합 반응으로, 핵융합로에서 일어나는 핵반응이다.
(3) (나)는 원자력 발전소의 원자로에서 일어나는 핵반응 중의 한 가지이다.
(4) (나)에서 핵반응 전의 전하량은 $^{235}_{92}U$의 92이고, 핵반응 후의 전하량은 $^{92}_{36}Kr$과 $^{141}_{56}Ba$의 전하량을 합한 92이다. 따라서 ㉠의 전하량은 0이다. (나)에서 핵반응 전의 질량수는 $^{235}_{92}U$과 $^{1}_{0}n$의 질량수를 합한 236이고, 핵반응 후의 질량수는 $^{92}_{36}Kr$과 $^{141}_{56}Ba$의 질량수를 합한 233이다. 따라서 ㉠ 3개의 질량수의 합은 3이므로 ㉠은 전하량이 0이고 질량수가 1인 중성자($^{1}_{0}n$)임을 알 수 있다.
바로알기 | (1) (가)는 가벼운 원자핵이 융합하여 무거운 원자핵이 되는 핵융합 반응이다.
(5) 핵융합 반응과 핵분열 반응 모두 에너지를 방출한다.

난이도별 필수 기출 86~88쪽

297 ②, ⑤		298 ④	299 ②	300 ②	301 ⑤
302 ②	303 ⑤	304 ②	305 해설 참조		306 ④
307 ③	308 ④	309 ⑤	310 ③	311 해설 참조	

297 ① 질량 에너지 동등성은 질량과 에너지가 본질적으로 같다는 뜻으로, 질량과 에너지는 상호 전환된다.
③ 핵분열과 핵융합에서 반응 전 질량보다 반응 후 질량이 줄어드는 질량 결손이 발생하는데, 이때 줄어든 질량이 에너지로 전환된다.
④ 물체의 질량은 속력이 빠를수록 크다.
⑥ 관찰자가 보았을 때 정지해 있는 물체의 질량을 정지 질량, 정지 질량에 해당하는 에너지를 정지 에너지라고 한다.
바로알기 | ② 에너지가 질량으로 전환될 수 있고 질량도 에너지로 전환될 수 있다.
⑤ 입자 가속기 안에서 양성자를 가속시키면 속력이 빨라질수록 질량이 커진다. 따라서 빛의 속력으로 가속시키는 것은 불가능하고 빛의 속력보다 빠르게 가속시키는 것도 불가능하다.

298

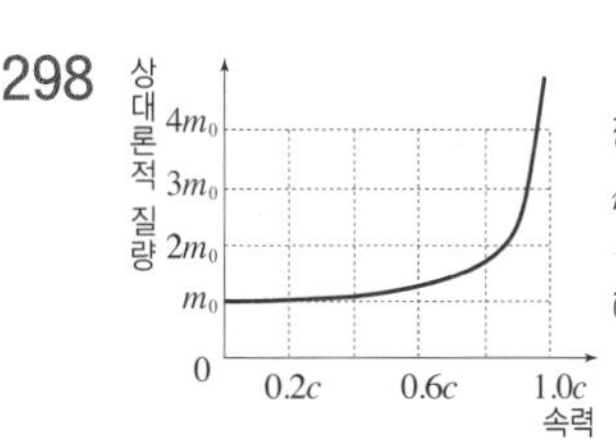

정지 질량이 m_0인 물체의 속력이 v일 때 질량 $m=\frac{m_0}{\sqrt{1-\frac{v^2}{c^2}}}$이다. v가 c에 접근할수록 급격하게 질량이 증가한다.

ㄴ. 물체의 속력이 증가할수록 물체의 질량이 증가하기 때문에 물체를 가속시키는 데 더 큰 에너지가 필요하다.
ㄷ. 질량이 있는 물체의 속력이 c에 접근하면 질량이 무한대로 커지기 때문에 c가 되는 것은 불가능하다.
바로알기 | ㄱ. 정지해 있는 물체의 에너지는 $E=m_0c^2$이다.

299

정지 질량의 비$=E:2E:3E=1:2:3$

입자	A	B	C
정지 에너지	E	$2E$	$3E$
총에너지	$3E$	$6E$	$6E$

운동할 때 질량의 비$=3E:6E:6E=1:2:2$

정지 질량의 비는 정지 에너지의 비와 같고, 운동할 때의 질량의 비는 운동할 때의 총에너지의 비와 같다. 따라서 A, B, C가 운동할 때 질량의 비 $m_A:m_B:m_C=3E:6E:6E=1:2:2$이다.

300 • B: 태양 에너지의 근원은 핵융합 반응에서 발생하는 질량 결손이 에너지로 전환되어 발생한 에너지이다.

바로알기 | • A: 핵분열에서 반응 전의 총질량보다 반응 후의 총질량이 줄어든다.

• C: 핵융합은 가벼운 원자핵들이 융합하여 무거운 원자핵으로 전환되는 반응이고, 핵융합 반응에서 반응 전의 총질량보다 반응 후의 총질량이 줄어든다.

301 ㄱ. ㉠은 질량 에너지 동등성 $E=mc^2$이다.

ㄴ. 핵분열 반응에서 우라늄 원자핵에 느린 속도의 중성자를 충돌시켜 핵분열을 일으키므로 ㉡은 중성자이다.

ㄷ. 핵분열 반응에서 나타나는 질량 결손(Δm)이 $E=\Delta mc^2$에 의해 에너지로 전환되므로 ㉢은 질량 결손이다.

302 핵반응 전후에 전하량이 보존되므로 $92=$㉠$+56$에 의해 ㉠은 36이다. 핵반응 전후에 질량수가 보존되므로 $235+1=92+$㉡$+3\times1$에 의해 ㉡은 141이다.

303 ㄱ. 원자력 발전소에서 우라늄의 핵분열 반응을 이용하여 전기 에너지를 생산한다.

ㄴ. 핵분열 반응에서 반응 전후에 질량수는 일정하게 보존된다.

ㄷ. 핵반응 과정에서 반응 전의 질량보다 반응 후의 질량이 줄어드는데 이때 손실되는 질량이 에너지로 전환되어 방출된다.

304 ㄷ. 핵반응 후 방출된 중성자가 주변에 있던 다른 우라늄 원자핵과 충돌하여 연쇄 반응이 일어난다. 이때 반응 속도를 조절하기 위해 중성자를 흡수하는 제어봉을 설치하고, 고속의 중성자를 저속으로 만들어주는 감속재를 사용한다. 고속의 중성자보다는 저속의 중성자가 연쇄 반응을 더 잘 일으키기 때문이다.

바로알기 | ㄱ. 태양 중심부에서는 핵분열 반응이 아닌 핵융합 반응이 일어나고 있다.

ㄴ. 핵분열 반응 전 질량의 합보다 반응 후 질량의 합이 더 작다. 이때 줄어든 질량이 에너지로 전환된다.

305 **모범 답안** 핵분열에서 반응 전의 총질량보다 반응 후의 총질량이 줄어드는 질량 결손(Δm)이 발생하는데, 이 결손된 질량이 질량 에너지 동등성($E=\Delta mc^2$)에 의해 에너지로 발생한다.

306 ㄴ. 수소 원자핵은 (+)전하를 띠고 있기 때문에 전기력을 극복하고 충돌하기 위해서는 매우 빠른 속도가 필요하다. 태양에서는 초고온 상태의 매우 빠른 수소 원자핵들이 충돌하여 핵융합 반응이 일어난다.

ㄷ. 태양을 이루는 물질의 질량이 핵융합 반응에 의해 일부 에너지로 전환되므로 핵융합 반응이 일어날수록 태양의 질량은 점차 감소한다.

바로알기 | ㄱ. 원자력 발전소의 원자로에서는 핵분열 반응이 일어난다.

307

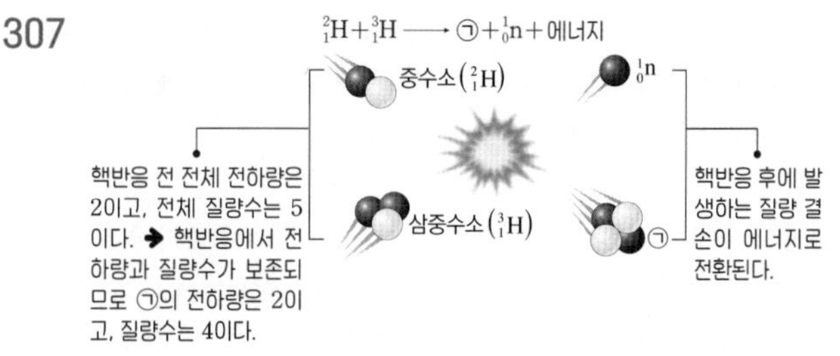

ㄱ. 질량이 작은 중수소와 삼중수소가 융합하여 헬륨 원자핵으로 전환되는 핵융합 반응이다.

ㄷ. 핵반응 후 발생하는 질량 결손(Δm)이 $E=\Delta mc^2$에 해당하는 에너지로 전환된다.

바로알기 | ㄴ. ㉠은 전하량이 2이고 질량수가 4인 ^4_2He이다.

308 ㄴ. 핵반응 후에 발생하는 17.6 MeV의 에너지는 질량 결손에 의한 것이다.

ㄷ. 반응 전 질량의 합이 반응 후 질량의 합보다 크다. 즉, 핵반응 후 질량이 줄어든다.

바로알기 | ㄱ. X는 전하량이 0이고 질량수가 1이므로 중성자(^1_0n)이다.

309

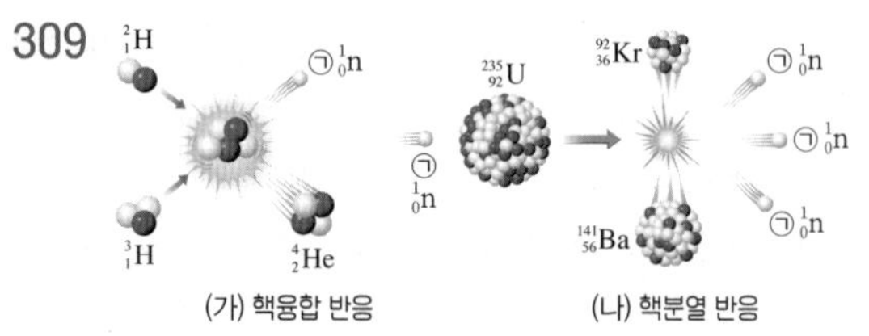

(가) 핵융합 반응　　(나) 핵분열 반응

ㄱ. ㉠은 전하량이 0이고, 질량수가 1인 중성자이다.

ㄴ. (다)는 원자로의 구조를 나타낸 것으로, (다)에서 일어나는 핵반응은 핵분열 반응인 (나)이다.

ㄷ. (가)의 핵융합 반응과 (나)의 핵분열 반응에서 모두 질량 결손이 일어난다. 이 질량 결손이 에너지로 전환된다.

310 (가)와 (나)에서 발생하는 에너지는 질량 결손에 의한 것이다.
➔ 발생하는 에너지는 (나)에서가 (가)에서보다 크다.
➔ 질량 결손은 (나)에서가 (가)에서보다 크다.

핵반응	원자핵	질량
(가) $^3_1H+^3_1H \longrightarrow X+2^1_0n+11.3\,MeV$	^3_1H	M_1
	^1_0n	M_2
(나) $^3_2He+^3_2He \longrightarrow X+2^1_1H+12.9\,MeV$	^3_2He	M_3
	^1_1H	M_4

(가)와 (나)에서 공통으로 X가 발생한다. ➔ ^4_2He

ㄱ. (가)와 (나) 모두 질량수가 작은 원자핵이 융합하여 질량수가 큰 원자핵이 되는 핵반응이다.

ㄴ. 핵반응 전후에 전하량과 질량수가 보존되므로 X는 원자 번호가 2이고, 질량수가 4인 헬륨 원자핵(^4_2He)이다.

바로알기 | ㄷ. 질량 결손은 반응 전의 총질량에서 반응 후의 총질량을 뺀 값이다. X의 질량을 M이라고 하면 (가)에서 질량 결손은 $\Delta m_{(가)}=2M_1-M-2M_2$이고, (나)에서 질량 결손은 $\Delta m_{(나)}=2M_3-M-2M_4$이다. $\Delta m_{(가)}<\Delta m_{(나)}$이므로 $2M_1-M-2M_2<2M_3-M-2M_4$를 정리하면 $M_1-M_2<M_3-M_4$이다.

311 **모범 답안** (1) 핵반응 전과 후의 전하량과 질량수가 보존된다. (가)에서 반응 전의 총전하량은 2이고, 총질량수는 4이므로 ㉠의 양성자수는 2, 질량수는 4이다.

(2) 핵반응 과정에서 발생하는 에너지는 질량 결손에 비례한다. 발생하는 에너지가 (나)에서가 (가)에서보다 크므로 질량 결손도 (나)에서가 (가)에서보다 크다.

최고 수준 도전 기출 (09 ~ 10강)

89쪽

312 ④ 313 ③ 314 ② 315 ③

312

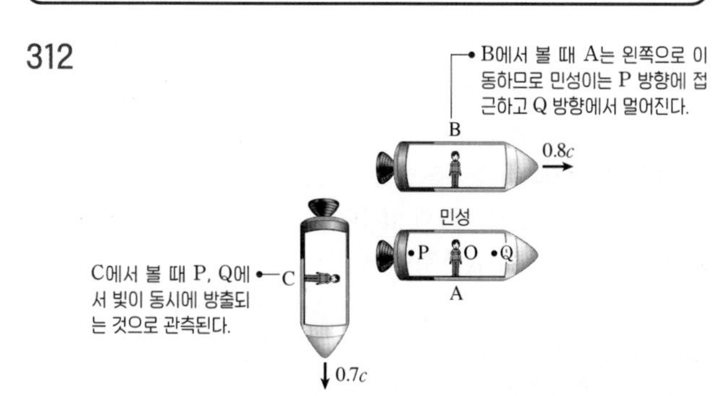

B에서 볼 때 A는 왼쪽으로 이동하므로 민성이는 P 방향에 접근하고 Q 방향에서 멀어진다.
B
0.8c
민성
P O Q
A
C에서 볼 때 P, Q에서 빛이 동시에 방출되는 것으로 관측된다.
C
0.7c

ㄱ. 민성이에게 빛이 동시에 도달한 사건은 한 장소에서 일어난 사건이므로 B에서도 똑같이 관측된다. B에서 측정할 때, A는 왼쪽으로 $0.8c$의 속력으로 이동한다. B에서 측정할 때, 광원에서 빛이 방출된 이후 민성이는 P 방향에 접근하고 Q 방향에서 멀어지므로 Q에서 먼저 빛이 방출되고 그 후 P에서 빛이 방출되어 민성이에게 빛이 동시에 도달하는 것으로 관측된다.

ㄷ. A에서 측정할 때, 길이 수축은 상대 속력이 빠른 B에서가 C에서보다 크게 일어난다. A에서 측정할 때 B와 C의 길이가 같았으므로 고유 길이는 B가 C보다 크다.

바로알기 | ㄴ. C는 빛의 진행 방향에 수직으로 운동하므로 P와 Q에서 빛이 동시에 방출된 후 대각선 방향으로 같은 거리를 진행하여 O에 있는 민성이에게 동시에 도달하는 것으로 관측한다.

313

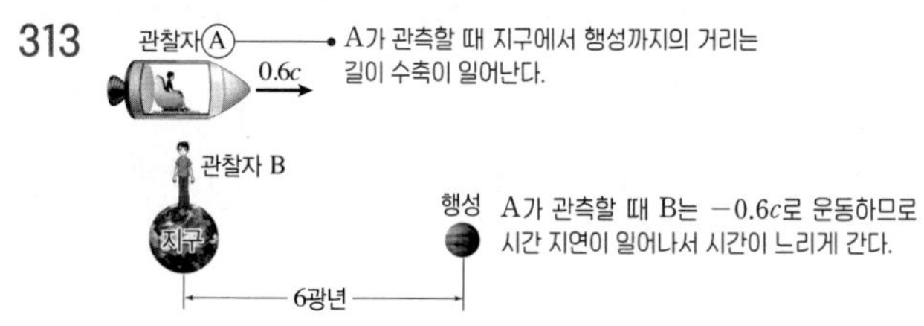

관찰자 A
0.6c
A가 관측할 때 지구에서 행성까지의 거리는 길이 수축이 일어난다.
관찰자 B
지구
행성
A가 관측할 때 B는 −0.6c로 운동하므로 시간 지연이 일어나서 시간이 느리게 간다.
6광년

ㄱ. 서로 다른 좌표계의 시간은 고유 시간보다 느리게 가는 것으로 관측되므로 B가 측정할 때 A의 시간은 B의 시간보다 느리게 간다.

ㄴ. B가 자신의 좌표계의 시간을 기준으로 측정한 1년 단위의 시간은 고유 시간이다. A가 측정한 B의 시간은 A의 시간보다 느리게 가므로 B가 측정한 1년 단위의 시간을 A가 측정하면 1년보다 길다. 따라서 A가 B의 신호를 수신하는 시간 간격은 1년보다 길다.

바로알기 | ㄷ. A가 측정할 때 지구에서 행성까지 거리는 길이 수축이 일어나 6광년보다 짧다. 1광년은 빛이 1년 동안 진행하는 거리이므로 A가 $0.6c$의 속력으로 6광년의 거리를 가는 데 걸리는 시간은 10년이다. 그러나 길이 수축이 일어나므로 A가 측정할 때, 지구에서 행성까지 가는 데는 10년보다 적게 걸린다.

314 A가 관찰할 때, B의 시간이 C의 시간보다 빠르게 간다.
➡ B가 C보다 시간 지연이 적게 발생한다.
➡ B가 C보다 느리다.

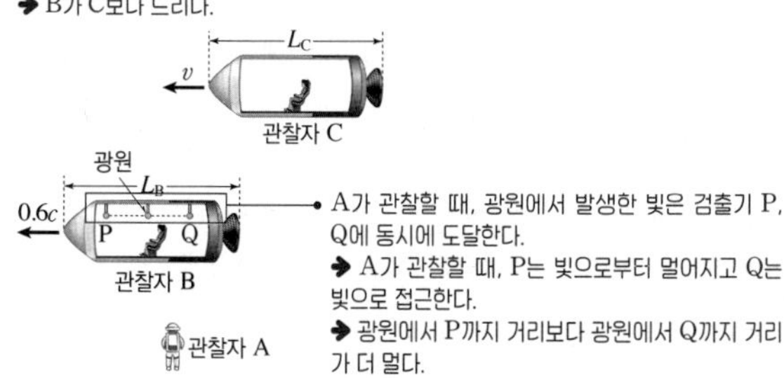

L_C
v
관찰자 C
광원
L_B
0.6c
P Q
관찰자 B
관찰자 A
A가 관찰할 때, 광원에서 발생한 빛은 검출기 P, Q에 동시에 도달한다.
➡ A가 관찰할 때, P는 빛으로부터 멀어지고 Q는 빛으로 접근한다.
➡ 광원에서 P까지 거리보다 광원에서 Q까지 거리가 더 멀다.

ㄴ. C가 B보다 빠르므로 A가 관찰할 때 길이 수축은 C가 B보다 크게 일어난다. B와 C의 고유 길이가 같으므로 A가 관찰할 때 B가 탄 우주선의 길이는 상대적으로 길이 수축이 많이 일어난 C가 탄 우주선의 길이보다 길다.

바로알기 | ㄱ. A가 관찰할 때 C는 B보다 시간 지연이 크게 일어나므로 C의 속력이 B의 속력보다 빠르다. 따라서 C의 속력 v는 B의 속력 $0.6c$보다 크다.

ㄷ. C가 B보다 빠르므로 C가 관찰할 때 B는 오른쪽으로 운동하는 것으로 관측된다. C가 관찰할 때 P는 빛 쪽으로 접근하고 Q는 빛에서 멀어진다. 또한 실제 거리도 광원에서 P까지의 거리보다 광원에서 Q까지의 거리가 더 크므로 C가 관찰할 때 광원에서 발생한 빛이 Q보다 P에 먼저 도달하는 것으로 관측된다.

315 $m=\dfrac{1}{\sqrt{1-\dfrac{v^2}{c^2}}}m_0$이다.

정지 에너지는 m_0c^2이므로 정지 질량 m_0에 비례한다.

입자	A	B	C
정지 에너지	E	$2E$	$3E$
총에너지	$2E$	$6E$	$5E$

총에너지는 mc^2으로 운동할 때의 질량 m에 비례한다.

ㄱ. A, B, C의 정지 질량의 비는 정지 에너지의 비와 같으므로 1 : 2 : 3이다.

ㄷ. C의 정지 에너지와 총에너지의 비는 정지 질량(m_0)과 운동할 때의 질량(m)의 비와 같으므로 $m_0 : m=3E : 5E=3 : 5$이다. $m_0 : m=m_0 : \dfrac{1}{\sqrt{1-\dfrac{v^2}{c^2}}}m_0=\sqrt{1-\dfrac{v^2}{c^2}} : 1=3 : 5$이므로 $\sqrt{1-\dfrac{v^2}{c^2}}=0.6$에 의해 $v=0.8c$이다.

바로알기 | ㄴ. 운동할 때 질량은 총에너지에 비례한다. B의 총에너지가 $6E$이고 A의 총에너지가 $2E$이므로 운동할 때의 질량은 B가 A의 3배이다.

첫 단원 I. 역학과 에너지가 끝났어!
남은 두 단원도 힘내보자!

11 원자와 전기력

빈출 자료 보기 91쪽

316 (1) ○ (2) ○ (3) × (4) ○ (5) × (6) ○

316 **바로알기 |** (3) 왼쪽 방향을 (−), 오른쪽 방향을 (+)라고 하고, A와 B, B와 C 사이의 거리를 d라고 하면, A가 B와 C로부터 받는 전기력은 각각 $-k\frac{2q^2}{d^2}$, $+k\frac{q^2}{(2d)^2}$이므로 A에 작용하는 전기력은 $-k\frac{2q^2}{d^2}+k\frac{q^2}{4d^2}=-k\frac{7q^2}{4d^2}$이다. 따라서 A에 작용하는 전기력의 방향은 왼쪽이다.
(5) B가 A에 작용하는 전기력의 방향과 C가 A에 작용하는 전기력의 방향은 서로 반대 방향이고, B가 C에 작용하는 전기력의 방향과 A가 C에 작용하는 전기력의 방향은 서로 같은 방향이므로 A에 작용하는 전기력의 크기는 C에 작용하는 전기력의 크기보다 작다.

난이도별 필수 기출 92~97쪽

317 ④	318 ③	319 해설 참조		320 ⑤	
321 해설 참조		322 ③	323 ①	324 ②, ⑦	
325 ①, ④		326 ②	327 $4F$	328 $k\frac{3Q^2}{r^2}$	
329 ⑤	330 ③	331 해설 참조		332 ①	333 ④
334 ④	335 해설 참조		336 ①	337 ④	338 ③
339 ④	340 ③	341 ③	342 ②	343 ③	344 ②
345 ④	346 ③	347 ④	348 $k\frac{Ze^2}{r^2}$		

317 (가)는 전자가 원자핵을 중심으로 임의의 궤도에서 원운동을 하는 원자 모형으로 러더퍼드가 제안한 원자 모형이다.
(나)는 양(+)전하를 띤 원자의 바다에 전자가 균일하게 분포하는 원자 모형으로 톰슨이 제안한 원자 모형이다.
(다)는 전자가 원자핵을 중심으로 특정한 궤도에서만 원운동을 하는 모형으로 보어가 제안한 원자 모형이다.

318 ㄱ. (가)는 러더퍼드 원자 모형으로 알파(α) 입자 산란 실험의 결과로 제안되었다. 러더퍼드는 알파 입자를 금박에 입사시키는 실험에서 대부분의 알파 입자는 금박을 통과하여 직진하였으나, 소수의 알파 입자가 큰 각도로 산란하는 것으로부터 원자의 중심에 양(+)전하를 띠며 원자 지름에 비해 지름이 매우 작지만 원자 질량의 대부분을 차지하는 원자핵의 존재를 발견했다.
ㄷ. (다)는 보어 원자 모형으로 전자가 원자핵을 중심으로 하는 특정한 궤도에서만 원운동을 한다.
바로알기 | ㄴ. (나)는 톰슨 원자 모형으로 양(+)전하를 띤 원자의 바다에 전자가 균일하게 분포한다. 톰슨 원자 모형은 원자핵의 존재가 밝혀지기 이전의 모형이다.

319 **모범 답안** (1) (나) → (다) → (라) → (가)
(2) 톰슨 원자 모형은 양(+)전하를 띤 원자의 바다에 전자가 균일하게 분포하는 것이 특징이다.

320 ㄱ. 톰슨은 음극선이 전기장과 자기장에 의해 휘어지는 현상으로부터 음극선이 음(−)전하를 띤 입자의 흐름임을 알아내었다.
ㄴ. 음(−)전하를 띤 음극선이 a 쪽으로 휘어졌으므로 a는 전원 장치의 (+)극에 연결되어 있음을 알 수 있다.
ㄷ. 음극선은 음(−)전하를 띤 입자의 흐름이므로 음극선에 전기장을 걸면 전기력의 영향을 받아 휘어진다.

321 **모범 답안** (1) 전자
(2) 입자는 질량을 갖는다.
(3) 입자는 음(−)전하를 띤다.

322 ㄱ. 알파 입자는 헬륨 원자핵이며, 양(+)전하를 띤다.
ㄴ. 금박에 입사된 대부분의 알파 입자가 금박을 통과하여 직진하는 실험 결과로부터 원자의 대부분은 빈 공간이라는 것을 알 수 있으며, 소수의 알파 입자가 큰 각도로 산란되거나 거의 정반대 방향으로 되돌아 나오는 실험 결과로부터 원자의 중심부에 양(+)전하를 띤 원자핵이 존재한다는 것을 알 수 있다.
바로알기 | ㄷ. 원자 질량의 대부분을 차지하는 것은 원자핵의 질량이다.

323 ㄱ. 형광막에 충돌한 입자 대부분이 B에 분포하는 것은 알파 입자 대부분이 금박을 통과하여 직진했기 때문이다. 이를 통해 원자의 대부분은 빈 공간임을 알 수 있다.
바로알기 | ㄴ. 알파 입자가 가장 많이 충돌한 부분은 B이다.
ㄷ. 일부 알파 입자의 경로가 크게 휘어지는 까닭은 원자 중심에 양(+)전하를 띤 원자핵이 존재하기 때문이다.

324 ① 원자핵은 양(+)전하를 띠는 양성자와 전하를 띠지 않는 중성자로 이루어져 있으므로 양(+)전하를 띤다.
③, ④ 원자는 전자와 원자핵으로 구성되어 있으며, 원자핵은 양성자와 중성자로 이루어져 있다.
⑤ 양성자 1개의 전하량의 크기는 기본 전하량과 같으므로 원자핵의 전하량은 기본 전하량의 정수 배이다.
⑥ 전자 1개의 전하량의 크기는 1.6×10^{-19} C이며, 이 값을 기본 전하량이라고 한다.
바로알기 | ② 톰슨의 음극선 실험을 통해 전자의 존재가 먼저 발견된 후, 러더퍼드의 알파(α) 입자 산란 실험으로 원자핵이 발견되었다.
⑦ 러더퍼드는 알파(α) 입자 산란 실험으로 원자핵을 발견했다.

325 ①, ④ 전기를 띤 물체 사이에는 전기력이 작용하고, 두 전하 사이에 작용하는 전기력의 크기는 두 전하의 전하량의 곱에 비례한다.
바로알기 | ②, ③ 같은 종류의 전하 사이에는 서로 미는 전기력(척력)이 작용하고, 다른 종류의 전하 사이에는 서로 당기는 전기력(인력)이 작용한다.
⑤ 두 전하 사이에 작용하는 전기력의 크기는 두 전하 사이의 거리의 제곱에 반비례한다. 전기력의 크기를 쿨롱 법칙에 따라 식으로 나타내면 $F=k\frac{q_1q_2}{r^2}$이다.

326 ㄷ. 두 전하 사이에 작용하는 전기력의 크기는 두 전하 사이의 거리의 제곱에 반비례하므로, 두 전하 사이의 거리가 멀어지면 전기력의 크기는 작아진다.

바로알기 | ㄱ. A와 B는 서로 다른 종류의 전하이므로 A와 B 사이에는 인력이 작용한다.

ㄴ. A가 B로부터 받는 전기력의 크기가 F이므로 작용 반작용 법칙에 따라 B가 A로부터 받는 전기력의 크기도 F이다.

327 처음 위치에서 A와 B 사이의 거리는 $2r$이고 A, B의 전하량의 크기가 각각 Q, $2Q$이므로 A가 B로부터 받는 전기력의 크기는 쿨롱 법칙에 따라 $F=k\frac{2Q^2}{(2r)^2}=k\frac{2Q^2}{4r^2}$이다. A를 점 p 위치로 옮기면 두 전하 사이의 거리가 r가 되므로 A가 B로부터 받는 전기력의 크기는 $k\frac{2Q^2}{r^2}=4F$이다.

328 A와 B 사이에 작용하는 전기력의 크기는 쿨롱 법칙에 따라 $k\frac{3Q^2}{r^2}$이다.

329 (가)에서 두 점전하 사이에 작용하는 전기력의 크기는 $F=k\frac{2Q^2}{(2d)^2}=k\frac{2Q^2}{4d^2}=k\frac{Q^2}{2d^2}$이다. 따라서 (나)에서 두 점전하 사이에 작용하는 전기력의 크기는 $k\frac{4Q^2}{d^2}=8F$이다.

330 ㄱ. 전기장의 세기가 0인 지점은 그 지점에 놓인 단위 양전하(+1 C)가 두 점전하로부터 받는 전기력의 합력이 0인 지점이다. 즉, $x=0$에 +1 C의 전하를 놓으면 A, B로부터 받는 전기력의 방향이 서로 반대이므로 A와 B는 같은 종류의 전하이다.

ㄴ. 전기장의 세기가 0인 지점으로부터 떨어진 거리는 A가 B보다 크므로 전하량의 크기는 A가 B보다 크다.

바로알기 | ㄷ. $x=-d$에서 전기장의 세기가 0이 아니므로 $x=-d$인 지점에 +1 C의 전하를 놓으면 전하는 전기장의 방향으로 힘을 받아 운동한다.

개념 보충

전기장

- 전기장: 전하 주변에 형성된 공간을 전기장이라고 한다. 전기장이 형성되면 그 공간에 있는 전하는 전기력을 받는다.
- 전기장의 세기: 전기장이 형성된 공간에 놓인 단위 양전하(+1 C)당 작용하는 전기력의 크기를 전기장의 세기라고 한다. 전기장의 세기가 0인 지점에서는 전기력의 크기도 0이다.
- 전기장의 방향: 전기장 안에서 양(+)전하가 받는 전기력의 방향이다.

331 모범 답안 $x=0$에서 전기장의 세기가 0이므로, $x=0$에 +1 C의 전하를 놓을 경우 A와 B로부터 받는 전기력의 크기는 같고 방향은 서로 반대이다. 즉, 쿨롱 법칙에 따라 $k\frac{q_1}{(2d)^2}=k\frac{q_2}{d^2}$이므로 $\frac{q_1}{q_2}=4$이다.

332 ㄱ. A가 B에 작용하는 전기력의 방향은 오른쪽이고, B에 작용하는 전기력이 0이므로 C가 B에 작용하는 전기력의 방향은 왼쪽이어야 한다. 따라서 C는 양(+)전하이다.

ㄴ. 전기력은 두 점전하의 전하량의 곱에 비례하고 두 점전하 사이의 거리의 제곱에 반비례하므로, B와의 거리가 더 큰 C의 전하량이 A의 전하량보다 커야 B에 작용하는 전기력이 0이 될 수 있다. 따라서 전하량의 크기는 C가 A보다 크다.

바로알기 | ㄷ. A와 B는 같은 종류의 전하이므로 A와 B 사이에는 서로 미는 전기력(척력)이 작용한다.

ㄹ. B에 작용하는 전기력이 0이므로 A와 B 사이에 작용하는 전기력의 크기와 B와 C 사이에 작용하는 전기력의 크기는 서로 같다.

333 ㄱ. B가 A에 작용하는 전기력의 방향은 오른쪽이고, C가 A에 작용하는 전기력의 방향은 왼쪽이다. A와 B 사이의 거리가 A와 C 사이의 거리보다 작으므로 B가 A에 작용하는 전기력의 크기가 C가 A에 작용하는 전기력의 크기보다 크다. 따라서 A에 작용하는 전기력의 방향은 오른쪽이다.

ㄴ. A와 C 모두 B에 인력을 작용하지만 A의 전하량이 C의 전하량보다 크므로 A가 B에 작용하는 전기력의 크기가 C가 B에 작용하는 전기력의 크기보다 크다. 따라서 B에 작용하는 전기력의 방향은 왼쪽이다.

ㄹ. A와 B, B와 C 사이의 거리를 d라고 하면 쿨롱 법칙에 따라 A와 B 사이에 작용하는 전기력의 크기는 $k\frac{2Q^2}{d^2}$이고, B와 C 사이에 작용하는 전기력의 크기는 $k\frac{Q^2}{d^2}$이다. 따라서 A와 B 사이에 작용하는 전기력의 크기는 B와 C 사이에 작용하는 전기력 크기의 2배이다.

바로알기 | ㄷ. 왼쪽 방향을 (−), 오른쪽 방향을 (+)라고 하고, A와 B, B와 C 사이의 거리를 d라고 하면 A, B, C에 작용하는 전기력은 다음과 같다.

A: $k\frac{2Q^2}{d^2}-k\frac{2Q^2}{4d^2}=k\frac{6Q^2}{4d^2}=k\frac{3Q^2}{2d^2}$

B: $-k\frac{2Q^2}{d^2}+k\frac{Q^2}{d^2}=-k\frac{Q^2}{d^2}=-k\frac{2Q^2}{2d^2}$

C: $k\frac{2Q^2}{4d^2}-k\frac{Q^2}{d^2}=-k\frac{2Q^2}{4d^2}=-k\frac{Q^2}{2d^2}$

따라서 A에 작용하는 전기력의 크기가 가장 크다.

334 $F_A=k\frac{3Q^2}{2d^2}$, $F_C=k\frac{Q^2}{2d^2}$이므로 $F_A : F_C=3 : 1$이다.

335 모범 답안 오른쪽 방향을 (+)라고 하면 A와 B가 C에 작용하는 전기력은 $k\frac{8Q^2}{9d^2}-k\frac{4Q^2}{4d^2}=-k\frac{Q^2}{9d^2}$이므로 $F=k\frac{Q^2}{9d^2}$이다. A와 C가 B에 작용하는 전기력은 $-k\frac{2Q^2}{d^2}+k\frac{4Q^2}{4d^2}=-k\frac{Q^2}{d^2}$이므로, 전기력의 크기는 $k\frac{Q^2}{d^2}=9F$이다.

336 ㄱ. B가 C에 작용하는 전기력의 방향은 $+x$ 방향이다. 이때 C가 받는 전기력의 크기가 0이 되려면 A가 C에 작용하는 전기력의 방향이 $-x$ 방향이 되어야 한다. 따라서 A는 C와 다른 종류의 전하인 음(−)전하이다.

ㄴ. B가 C에 작용하는 전기력의 크기와 A가 C에 작용하는 전기력의 크기가 같으므로 A의 전하량의 크기는 $4q$이다.

바로알기 | ㄷ. A의 전하량이 $-4q$이므로 $+x$ 방향을 (+)라고 하면 B에 작용하는 전기력은 $-k\frac{4q^2}{d^2}-k\frac{q^2}{d^2}=-k\frac{5q^2}{d^2}$이다. 따라서 B에 작용하는 전기력의 크기는 $k\frac{5q^2}{d^2}$이다.

ㄹ. C를 $x=2d$로 옮겨 고정시켜도 A와 C가 각각 B에 작용하는 전기력의 방향이 바뀌지 않으므로 B에 작용하는 전기력의 방향은 바뀌지 않는다.

337 ④ X를 $x=0$에 가만히 놓았을 때 X가 정지해 있으므로 X에 작용하는 전기력의 크기는 0이다.

바로알기 | ① X가 정지해 있으려면 A가 X에 작용하는 전기력의 방향과 B가 X에 작용하는 전기력의 방향이 서로 반대여야 한다. 따라서 전하의 종류는 A와 B가 서로 다르다.

② 전하의 종류는 A와 B가 다르므로 $x=2d$에 단위 양전하(+1 C)를 놓을 경우 A와 B가 단위 양전하(+1 C)에 작용하는 전기력의 방향은 같다. 따라서 $x=2d$에서 전기장의 세기는 0이 아니다.

③ X가 정지해 있으므로 A가 X에 작용하는 전기력의 크기와 B가 X에 작용하는 전기력의 크기가 서로 같다. X, A, B의 전하량의 크기를 각각 q_X, q_A, q_B라고 하면 $\frac{q_Xq_A}{d^2}=\frac{q_Xq_B}{9d^2}$이므로 $9q_A=q_B$이다. 따라서 전하량의 크기는 B가 A의 9배이다.

⑤ A와 B 사이에서 X에 작용하는 전기력의 크기는 일정하지 않으므로 X는 가속도가 변하는 운동을 한다. 따라서 X를 $x=2d$에 놓으면 등가속도 직선 운동을 하지 않는다.

338 ㄱ. 전하량의 크기는 A와 C가 같고, A와 B 사이의 거리와 B와 C 사이의 거리는 d로 같으므로 A가 B에 작용하는 전기력의 크기와 C가 B에 작용하는 전기력의 크기는 서로 같다. B가 받는 전기력이 0이 아니므로 A와 C가 각각 B에 작용하는 전기력의 방향은 $+x$ 방향으로 같다. 따라서 A는 양(+)전하, C는 음(−)전하이므로, B와 C는 서로 다른 종류의 전하이다.

ㄷ. A와 B가 각각 C에 인력을 작용하므로 C에 작용하는 전기력의 방향은 $-x$ 방향이다.

바로알기 | ㄴ. A는 양(+)전하이고 C는 음(−)전하이므로 B와 C가 A에 각각 작용하는 전기력의 방향은 서로 반대이고 A와 B가 C에 각각 작용하는 전기력의 방향은 서로 같다. 따라서 A에 작용하는 전기력의 크기는 C에 작용하는 전기력의 크기보다 작다.

339 B를 $x=3d$로 옮기면 A와 B 사이의 거리는 3배가 되고 B와 C 사이의 거리는 변하지 않으므로, A가 B에 작용하는 힘의 크기는 $\frac{1}{9}\times\frac{3}{2}F$가 되고 C가 B에 작용하는 힘의 크기는 B를 옮기기 전과 같은 $\frac{3}{2}F$이다. A는 B에 척력을, C는 B에 인력을 작용하므로 A와 C가 B에 작용하는 전기력의 크기는 $\frac{3}{2}F-\frac{1}{9}\times\frac{3}{2}F=\frac{4}{3}F$이다.

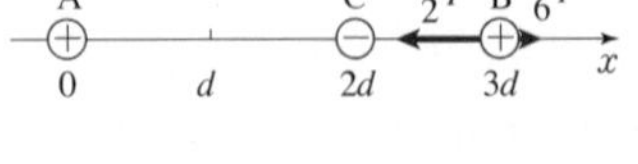

A C $\frac{3}{2}F$ B $\frac{1}{6}F$
0 d $2d$ $3d$ x

340 ㄱ, ㄴ. A와 B가 E에 척력을 작용하고, C가 E에 인력을 작용하므로 E가 P 방향으로 움직이기 위해서는 D는 양(+)전하이며 전하량의 크기가 B보다 커야 한다. A와 B의 전하량이 같으므로 전하량의 크기는 D가 A보다 크다.

바로알기 | ㄷ. A와 E는 서로 같은 종류의 전하이므로 척력을 작용하고, C와 E는 서로 다른 종류의 전하이므로 인력을 작용한다. 따라서 A와 C가 E에 작용하는 전기력의 방향은 $+x$ 방향으로 서로 같다.

341 ㄱ. (가)에서 A와 B 사이의 거리와 (나)에서 A와 C 사이의 거리가 d로 같고, 두 전하 사이에 작용하는 전기력의 크기는 A와 C 사이에서가 더 크므로 전하량의 크기는 C가 B보다 크다.

ㄴ. (가)에서 B에 작용하는 전기력의 방향과 (나)에서 C에 작용하는 전기력의 방향이 서로 반대이므로 B와 C는 서로 다른 종류의 전하이다.

바로알기 | ㄷ. A와 C 사이의 거리는 (다)에서가 (나)에서의 2배이므로, 쿨롱 법칙에 따라 A와 C 사이에 작용하는 전기력의 크기는 (다)에서가 (나)에서의 $\frac{1}{4}$배이다. 따라서 (다)에서 A와 C 사이에 작용하는 전기력의 크기는 $\frac{1}{2}F$이다.

342 ㄱ. 작용 반작용 법칙에 따라 (가)에서 A에 작용하는 전기력의 크기와 B에 작용하는 전기력의 크기는 같고 방향은 반대이다.

ㄹ. (가)에서 B에 작용하는 전기력의 방향은 왼쪽이고, (나)에서 B에 작용하는 전기력의 방향은 A와 C 사이의 거리보다 B와 C 사이의 거리가 더 작으므로 C가 B에 작용하는 전기력의 방향과 같은 오른쪽이다. 따라서 (가)와 (나)에서 B에 작용하는 전기력의 방향은 서로 반대이다.

바로알기 | ㄴ. (나)에서 A가 C에 작용하는 전기력의 방향과 B가 C에 작용하는 전기력의 방향은 모두 왼쪽이므로, C에는 왼쪽 방향으로 전기력이 작용한다. 따라서 (나)에서 C에 작용하는 전기력은 0이 아니다.

ㄷ. (나)의 A에 작용하는 전기력의 크기는 B가 A에 작용하는 전기력의 크기에 C가 A에 작용하는 전기력의 크기를 더한 값이다. 따라서 (가)와 (나)에서 A에 작용하는 전기력의 크기는 다르다.

343 ㄱ. B가 양(+)전하라고 가정하면 A가 B에 작용하는 전기력이 D가 B에 작용하는 전기력보다 크므로 C가 양(+)전하여야 B가 받는 전기력의 합력이 0이 된다. 이때 B와 C의 전하량이 같다면 C가 받는 전기력의 합력도 0이 되므로 문제 조건을 만족한다. B가 음(−)전하라고 가정하면 C가 양(+)전하일 때 B가 받는 전기력의 합력은 0이 될 수 있지만 C가 받는 전기력의 합력은 $-x$ 방향이 되므로 문제 조건을 만족하지 못한다. 따라서 B와 C는 모두 양(+)전하이다.

ㄷ. A가 B에 작용하는 전기력의 크기와 C와 D가 B에 작용하는 전기력의 합력의 크기가 서로 같아야 하므로 B, C의 전하량의 크기를 각각 Q_B, Q_C라고 할 때 $\frac{QQ_B}{d^2}=\frac{Q_BQ_C}{d^2}+\frac{QQ_B}{4d^2}$에서 $Q_C=\frac{3}{4}Q$이다. 즉, C의 전하량의 크기는 $\frac{3}{4}Q$이다.

바로알기 | ㄴ. C는 양(+)전하이다.

344 ② (가)에서 C가 정지해 있으므로 전하량의 크기는 B가 A의 4배이고, A와 B는 서로 같은 종류의 전하이다. (나)에서 A와 B가 D에 작용하는 전기력의 방향은 서로 반대이고, D가 정지해 있으므로 C와 A는 서로 같은 종류의 전하이다. 따라서 B와 C는 서로 같은 종류의 전하이다.

바로알기 | ① (가)에서 C가 정지해 있으므로 A가 C에 작용하는 전기력의 크기와 B가 C에 작용하는 전기력의 크기가 같다. B와 C 사이의 거리가 A와 C 사이 거리의 2배이므로 전하량의 크기는 B가 A의 4배이다.

③ (나)에서 D를 가만히 놓았더니 D가 정지해 있으므로 D에 작용하는 전기력의 크기는 0이다.

④ A와 B 사이에 작용하는 전기력은 작용 반작용 법칙에 따라 크기가 같고, (가)의 조건에 의해 C가 A에 작용하는 힘의 크기와 B에 작용하는 힘의 크기는 같다. 그런데 D가 A에 작용하는 힘의 크기와 B에 작용하는 힘의 크기는 서로 다르므로 (나)에서 A와 B에 작용하는 전기력의 크기도 서로 다르다.

⑤ (나)에서 D가 정지해 있으므로 A의 전하량의 크기를 q라고 하고 C, D의 전하량의 크기를 각각 Q_C, Q_D라고 하면 $\frac{qQ_D}{4d^2}+\frac{Q_CQ_D}{d^2}=\frac{4qQ_D}{d^2}$에서 $Q_C=\frac{15}{4}q$이다. 즉, C의 전하량의 크기는 $\frac{15}{4}q$이다.

345 ㄴ. B와 C 사이의 거리는 $2d$이므로 $F=k\frac{Q^2}{4d^2}$이다. A와 B 사이의 거리는 $\sqrt{2}d$이므로 A와 B 사이에 작용하는 전기력의 크기는 $k\frac{2Q^2}{2d^2}=k\frac{Q^2}{d^2}=4F$이다.

ㄷ. O에 전하량이 $+2Q$인 점전하 D를 고정하면 D는 B와 C로부터 크기가 같고 방향이 반대인 전기력을 받으므로 두 힘은 서로 상쇄되고, A가 D를 미는 전기력이 D에 작용하는 알짜힘이 된다. 따라서 D에 작용하는 전기력의 크기는 $k\frac{4Q^2}{d^2}=16F$이다.

바로알기 | ㄱ. A, B, C가 모두 양(+)전하이므로 A, B, C 사이에서는 서로 미는 전기력이 작용한다. C가 A를 미는 전기력의 크기 F_{AC}와 B가 A를 미는 전기력의 크기 F_{AB}가 서로 같으므로 A에 작용하는 전기력의 합력은 다음 그림에서와 같이 $+y$ 방향이다.

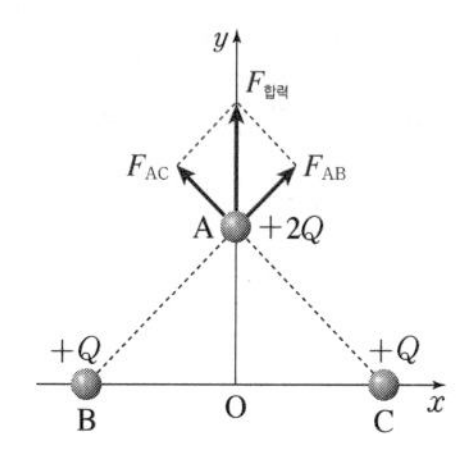

346 ㄱ. (가)에서 B가 정지해 있고 A가 B에 인력을 작용하므로 C도 B에 인력을 작용해야 한다. 따라서 전하의 종류는 B와 C가 서로 다르다.

ㄷ. (가)와 (나)에서 A와 B의 전하량과 위치가 같으므로 A와 B 사이에 작용하는 전기력은 같다. 따라서 (가)에서 B와 C 사이에 작용하는 전기력과 (나)에서 B와 D 사이에 작용하는 전기력은 서로 같다. B, C, D의 전하량을 각각 Q_B, Q_C, Q_D라고 하면 $\frac{Q_BQ_C}{4r^2}=\frac{Q_BQ_D}{9r^2}$이므로 $Q_C=\frac{4}{9}Q_D$이다. 즉, 전하량의 크기는 C가 D의 $\frac{4}{9}$배이다.

바로알기 | ㄴ. (나)에서 B가 정지해 있고 A가 B에 인력을 작용하므로 D도 B에 인력을 작용해야 한다. 즉, 전하의 종류는 B와 D가 서로 다르고 A와 D는 같으므로 A와 D 사이에는 척력이 작용한다.

347 ㄴ. 원자 번호 Z는 원자핵의 양성자수와 같고, 양성자의 전하량은 e이므로 원자 번호가 Z일 때 원자핵의 전하량은 Ze이다.

ㄷ. 전기력의 크기는 두 전하 사이의 거리의 제곱에 반비례하므로 전자가 원자핵에 가까울수록 전자와 원자핵 사이에 작용하는 전기력의 크기가 크다. 따라서 전자가 원자핵에 가까울수록 전자를 원자핵으로부터 분리하기가 어렵다.

바로알기 | ㄱ. 전자는 음(−)전하를, 원자핵은 양(+)전하를 띠므로 전자와 원자핵 사이에는 인력이 작용한다.

348 전자의 전하량은 $-e$, 원자핵의 전하량은 Ze이고, 전자와 원자핵 사이의 거리는 r이므로 쿨롱 법칙에 따라 전자와 원자핵 사이에 작용하는 전기력의 크기는 $k\frac{Ze^2}{r^2}$이다.

12 원자의 스펙트럼

빈출 자료 보기 99쪽

349 (1) × (2) × (3) ○ (4) ○ (5) × (6) ○ (7) ×

349 (3) 백열등에서 나오는 빛의 스펙트럼은 연속 스펙트럼이므로, A는 백열등에서 나오는 빛의 스펙트럼이다.

(4) B는 연속 스펙트럼에 특정 파장의 빛들만 흡수되어 검은 선으로 나타난 것으로 보아 흡수 스펙트럼이다.

(6) C는 수소 기체 방전관에서 나오는 빛의 스펙트럼으로, 파장이 짧은 영역에서 스펙트럼선 사이의 간격이 더 좁다. 따라서 C에서 오른쪽에 있는 스펙트럼선일수록 빛의 파장이 길다.

수소 기체 방전관에서 나오는 빛의 파장에 따른 스펙트럼선의 위치는 다음 그림과 같다.

바로알기 | (1) 수소 원자의 에너지 준위는 불연속적이므로 수소 기체 방전관에서 나오는 빛을 분광기로 관찰하면 C와 같이 불연속적인 선 스펙트럼이 나타난다.

(2) 백열등 빛이 저온 기체관을 통과하면 관에 들어 있는 기체의 선 스펙트럼과 같은 위치에 흡수선(검은 선)이 나타난다. 흡수 스펙트럼은 B이며 수소 기체의 선 스펙트럼인 C와 스펙트럼선의 위치가 다르므로 저온 기체관에 들어 있는 기체는 수소가 아니다.

(5) B는 저온 기체관을 통과한 백열등 빛의 스펙트럼이고, C는 수소 기체 방전관에서 나오는 빛의 스펙트럼이다.

(7) 햇빛을 분광기로 관찰하면 백열등에서 나오는 빛과 마찬가지로 A와 같은 연속 스펙트럼이 나타난다.

난이도별 필수 기출 100~107쪽

350 ④ 351 ⑤ 352 ⑤ 353 해설 참조 354 ③
355 ① 356 ⑤ 357 ② 358 ③ 359 ④, ⑥
360 ② 361 ③ 362 ① 363 ③ 364 ④ 365 ④
366 해설 참조 367 $\frac{32}{5}f$ 368 ④ 369 ④
370 해설 참조 371 ④ 372 해설 참조 373 ①
374 ② 375 ① 376 ④ 377 ③ 378 ③ 379 ④
380 ④ 381 ②, ⑦ 382 해설 참조
383 해설 참조

350 ⑤ 백색광을 저온의 기체에 통과시키면 특정한 파장의 빛들만 흡수되어 연속 스펙트럼에 검은색 흡수선이 나타나며, 이를 흡수 스펙트럼이라고 한다.

바로알기 | ④ 선 스펙트럼에 나타나는 선의 위치와 수는 원소의 특성으로 모든 원소마다 고유한 스펙트럼을 가지고 있으며, 이를 통해 특정 원소를 판별해 낼 수도 있다.

351

(가)	모든 파장의 빛의 색이 연속적으로 나타나 있으므로 연속 스펙트럼이며, 햇빛이나 백열등 빛에서 관찰된다.
(나)	특정 파장의 빛이 띄엄띄엄 나타나 있으므로 선 스펙트럼이며, 고온의 기체 방전관에서 방출되는 빛에서 관찰되는 방출 스펙트럼이다.
(다)	연속 스펙트럼 사이사이에 검은 선이 나타난다. 검은 선은 백열등 빛이 저온의 기체관을 통과할 때 특정 파장의 빛이 흡수되어 생긴다. 이를 흡수 스펙트럼이라고 한다.

ㄱ. (가)는 모든 파장의 빛의 색이 연속적으로 나타나는 연속 스펙트럼이다.
ㄴ. (나)에서 특정 파장의 빛이 밝은 선으로 띄엄띄엄 나타나는 것을 통해 수소 원자의 에너지 준위는 불연속적임을 알 수 있다.
ㄷ. (다)는 저온 기체 방전관을 통과한 백열등 빛의 흡수 스펙트럼이다. 저온의 기체에 흡수된 빛의 파장 부분이 검은 선으로 나타난다.

352 ① 전자가 $n=1$인 궤도에 있을 때를 바닥상태라고 하며, 전자는 바닥상태에 있을 때 가장 안정하다.
② 전자는 양자수 n에 따라 결정되는 불연속적인 에너지 값을 갖는다.
③ 전자는 원자핵을 중심으로 특정한 궤도에서만 원운동을 하며 이때 빛을 방출하지 않고 안정한 상태로 존재한다.
④ 양자수가 커질수록 전자는 원자핵으로부터 멀리 떨어진 궤도를 돌게 되므로 전자를 원자핵으로부터 분리하는 데 필요한 에너지가 작아 분리시키기 쉽다.
바로알기 | ⑤ 전자가 에너지를 얻으면 다른 궤도로 전이할 수는 있지만 궤도와 궤도 사이에는 존재할 수 없다.

353 **모범 답안** **(1) 원자의 안정성과 기체의 선 스펙트럼을 설명할 수 없다.**
(2) 원자 속의 전자는 특정한 궤도에만 존재할 수 있으며, 각각의 궤도에서 원운동을 할 때 빛을 방출하지 않고 안정한 상태로 존재할 수 있다. 전자가 궤도 사이를 전이할 때, 두 궤도의 에너지 차에 해당하는 에너지를 빛의 형태로 흡수 또는 방출한다.

354 ㄱ, ㄷ. 전자가 양자수가 큰 궤도로 올라가거나 작은 궤도로 내려가는 것과 같이 궤도를 옮기는 것을 전자의 전이라고 한다. 전자가 전이할 때 흡수하거나 방출하는 광자 1개의 에너지는 두 궤도의 에너지 준위의 차와 같다.
바로알기 | ㄴ. 전자가 전이할 때 흡수하거나 방출하는 광자 1개의 에너지(E)는 빛의 진동수(f)에 비례한다($E=hf$).

355 ㄱ. 전자는 각 궤도에서 정해진 에너지 값만을 가지며, 이를 에너지의 양자화라고 한다.
ㄴ. 원자핵에서 멀어질수록 전자의 에너지 준위가 높아지며 전자가 갖는 에너지가 커진다.
바로알기 | ㄷ. $n=1$인 궤도는 원자핵과 가장 가까운 궤도이며, 이때 전자의 상태를 바닥상태라고 한다.
ㄹ. 전자는 특정한 궤도에서 일정하게 원운동을 할 때 에너지를 흡수하거나 방출하지 않으며 안정한 상태로 존재한다.

356 ① 원자가 전기적으로 중성이므로 궤도에서 원운동을 하는 전자의 수와 원자핵 속의 양성자 수가 서로 같다. 따라서 전자가 3개이므로 원자핵의 전하량은 $+3e$이다.
② n을 양자수라고 하며 양자수가 커질수록 궤도에서 원운동을 하는 전자의 에너지가 커진다.
③ 원자핵은 양(+)전하를, 전자는 음(−)전하를 띤다. 원자핵과 전자는 서로 다른 종류의 전하를 띠므로 원자핵과 전자 사이에는 서로 당기는 전기력이 작용한다.
④ 전하 사이에 작용하는 전기력의 크기는 전하 사이의 거리의 제곱에 반비례하므로 원자핵으로부터 받는 전기력의 크기는 A가 C보다 크다.
바로알기 | ⑤ 원자 내 전자가 양자수 $n=1$, $n=2$와 같이 특정한 궤도에만 존재하므로 이 원자 구조는 러더퍼드 원자 모형 이후에 제안된 보어 원자 모형의 모습이다. 보어 원자 모형에서 정해진 궤도를 따라 원운동을 하는 전자는 전자기파를 방출하지 않고 안정적인 상태를 유지한다.

357 ① 전자가 $n=1$인 궤도에 있을 때를 바닥상태, 전자가 $n\geq2$인 궤도에 있을 때를 들뜬상태라고 한다.
③ 전자가 양자수가 큰 궤도에서 작은 궤도로 전이할 때 광자가 방출되므로 $n=3$인 궤도에서 $n=1$인 궤도로 전이하면 광자가 방출된다.
④ 전자가 양자수가 큰 궤도에서 작은 궤도로 전이할 때 궤도의 에너지 차에 해당하는 만큼의 에너지를 빛(광자)으로 방출하므로 수소 원자의 에너지는 감소한다.
⑤ 전자가 $n=1$인 궤도로 전이할 때 에너지 준위 차가 더 크다. 광자의 에너지(E)는 진동수(f)에 비례하므로($E=hf$) 방출되는 광자의 진동수도 전자가 $n=1$인 궤도로 전이할 때가 더 크다.
바로알기 | ② 수소 원자 모형에서 양자수에 따른 전자의 에너지 준위는 $E=-\frac{13.6}{n^2}$ eV ($n=1, 2, 3, \cdots$)이므로 n이 커질수록 에너지 준위 사이의 간격은 작아진다.

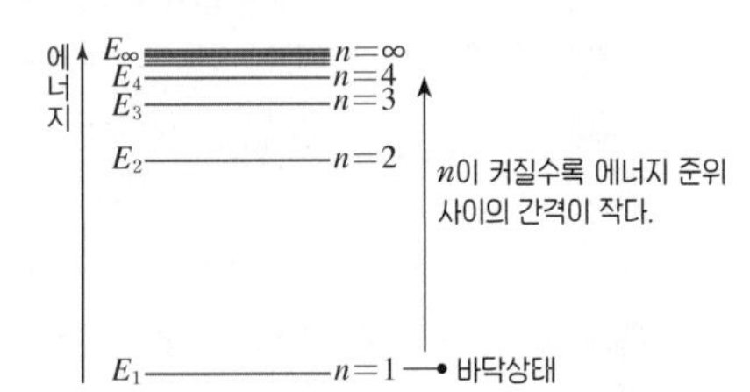

358 ㄱ. 전자가 $n=1$인 궤도에 있을 때가 에너지가 가장 작고 안정한 상태이다. 이 상태를 바닥상태라고 한다.
ㄷ. 양자수가 작은 궤도일수록 전자와 원자핵 사이의 거리가 가까우므로 원자핵과 전자 사이에 작용하는 전기력의 크기는 $n=1$인 궤도에서가 $n=3$인 궤도에서보다 크다.
바로알기 | ㄴ. 전자가 양자수가 큰 궤도에서 작은 궤도로 전이할 때 에너지를 방출한다. 따라서 전자가 $n=3$에서 $n=2$인 궤도로 전이할 때 에너지를 방출한다.

359 ① a는 에너지 준위가 낮은 궤도로의 전이이므로 a일 때 전자의 에너지는 감소한다.
② a는 $n=3$에서 $n=1$인 궤도로의 전이이므로 a에서는 자외선 영역의 빛을 방출한다.
③ b와 c는 에너지 준위가 높은 궤도로의 전이이므로 전자는 빛을 흡수한다.

⑤ 양자수가 $n=1, 2, 3$인 궤도의 에너지 준위를 각각 E_1, E_2, E_3이라고 하면, $E_b=E_2-E_1$이고 $E_c=E_3-E_2$이므로 $E_b+E_c=E_3-E_1$이다. 따라서 E_3은 E_1보다 E_b+E_c만큼 크다.

바로알기 | ④ 전자의 전이 전후 에너지 준위 차와 같은 크기의 에너지가 흡수되거나 방출된다. 빛의 파장(λ)은 에너지(E)에 반비례하므로 $\left(E=\frac{hc}{\lambda}\right)$ 흡수하거나 방출하는 빛의 파장은 b에서가 a에서보다 길다.

⑥ 3개의 에너지 준위만 갖는 원자에서 에너지 방출이 가능한 전자의 전이는 아래 그림과 같이 3개이므로, 방출되는 빛의 스펙트럼선은 최대 3개이다.

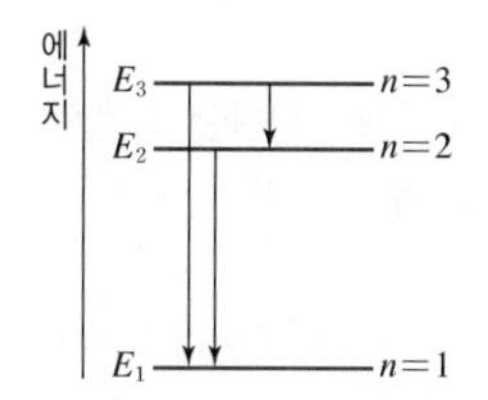

360 ㄴ. 수소 원자 모형에서 양자수에 따른 전자의 에너지 준위는 $E_n=-\frac{13.6}{n^2}$ eV ($n=1, 2, 3, \cdots$)이므로 E_3이 E_2보다 크다.

바로알기 | ㄱ. $hf_1=hf_2+hf_3$이므로 $\frac{hc}{\lambda_1}=\frac{hc}{\lambda_2}+\frac{hc}{\lambda_3}$이다. 즉, $\frac{1}{\lambda_1}=\frac{1}{\lambda_2}+\frac{1}{\lambda_3}$이므로 $\lambda_1\neq\lambda_2+\lambda_3$이다.

ㄷ. 파장이 λ_3인 빛은 가시광선 영역의 빛이다.

361 ㄴ. 방출하는 빛의 에너지는 c에서가 b에서보다 크므로 진동수도 c에서가 b에서보다 크다.

ㄹ. a와 b에서 전이 전후 에너지 준위 차가 같으므로 전이 과정에서 흡수하거나 방출하는 광자 1개의 에너지는 a에서와 b에서가 같다.

바로알기 | ㄱ. a일 때, 전자는 $E_3-E_2=-1.51-(-3.40)=1.89$(eV)의 에너지를 흡수한다.

ㄷ. 흡수하거나 방출하는 빛의 에너지는 a~c 중 c가 가장 크므로 파장은 c가 가장 짧다.

362 표에서 $E_2-E_1=10.2$ eV이고, $E_3-E_2=1.89$ eV이다. 전자가 전이할 때 흡수하거나 방출하는 광자 1개의 에너지(E)는 진동수(f)에 비례하고 파장(λ)에 반비례한다$\left(E=hf=\frac{hc}{\lambda}\right)$.

ㄱ. $E_2-E_1=\frac{hc}{\lambda_a}$, $E_3-E_2=\frac{hc}{\lambda_b}$이므로 $\lambda_a<\lambda_b$이다.

바로알기 | ㄴ. hf_a와 hf_b는 각각 a와 b의 에너지이므로 $hf_a+hf_b=E_3-E_1=12.09$ eV이다.

ㄷ. 전자가 $n=1$인 궤도에 있을 때를 바닥상태라고 하며, 바닥상태의 전자는 $n=1$인 궤도와 다른 궤도의 에너지 준위 차에 해당하는 만큼의 에너지를 흡수할 수 있다. 따라서 바닥상태의 전자는 10.2 eV, 12.09 eV의 에너지는 흡수할 수 있지만 3.40 eV인 빛은 흡수할 수 없다.

363 ㄱ. 전자가 에너지 준위가 높은 궤도에서 낮은 궤도로 전이할 때 방출하는 빛의 에너지는 궤도의 에너지 준위 차와 같다. 따라서 $E_3-E_1=hf_a$, $E_3-E_2=hf_b$, $E_2-E_1=hf_c$이고, $E_n=-\frac{13.6}{n^2}$ eV ($n=1, 2, 3, \cdots$)이므로 $f_b<f_c<f_a$이다.

ㄷ. a는 $n=3$에서 $n=1$인 궤도로의 전이이므로 a에서 방출되는 빛은 라이먼 계열로 자외선 영역의 빛이다.

바로알기 | ㄴ. $E_n=-\frac{13.6}{n^2}$ eV이므로 $E_3\neq E_1+E_2$이다.

364 ㄱ. $E_A=1.9$ eV$=hf_A=E_3-E_2$, $E_B=$(가)$=hf_B=E_2-E_1$, $E_C=12.1$ eV$=hf_C=E_3-E_1$이므로 $E_A+E_B=E_C$이고, $f_A+f_B=f_C$이다.

ㄴ. $E_A+E_B=E_C$이므로 $E_B=E_C-E_A=12.1-1.9=10.2$(eV)이다. 즉, (가)는 10.2이다.

ㄹ. $n=3$에서 $n=2$인 상태로 전이할 때 방출되는 빛의 진동수는 표에서 f_A이므로 $f_A+f_B=f_C$에서 $f_A=f_C-f_B$이다.

바로알기 | ㄷ. 수소 원자에서 전자의 에너지 준위는 불연속적이며, 수소 원자에서 방출되는 빛의 에너지는 전자의 전이 전후 에너지 준위 차와 같으므로 수소 원자에서 방출되는 빛의 스펙트럼은 불연속적이다.

365 ㄴ. 전자가 양자수가 2보다 큰 궤도에서 양자수가 2인 궤도로 전이하는 경우를 발머 계열이라고 하고, 발머 계열에서 에너지가 가장 작은 4개의 빛(양자수 3, 4, 5, 6에서 양자수 2인 궤도로 전이하는 경우)은 가시광선 영역이다. a, c는 발머 계열에서 에너지가 가장 작은 2개의 빛이므로 가시광선 영역의 빛이다.

ㄷ. $n=\infty$에서 $n=3$인 궤도로 전이하는 경우 방출되는 빛의 에너지가 $n=3$에서 $n=2$인 궤도로 전이할 때 방출되는 빛의 에너지보다 작다. 따라서 a, b, c 중 광자 1개의 에너지가 가장 작은 빛은 b이다. 즉, 광자 1개의 에너지는 E_b가 가장 작다.

바로알기 | ㄱ. $E_a=E_4-E_2=\frac{hc}{\lambda_a}$, $E_b=E_4-E_3=\frac{hc}{\lambda_b}$, $E_c=E_3-E_2=\frac{hc}{\lambda_c}$이므로 $E_b<E_c<E_a$이고, $\lambda_a<\lambda_c<\lambda_b$이다.

366 모범 답안 $E_4-E_2=hf_a$, $E_3-E_2=hf_c$이고 $E_n=-\frac{E_1}{n^2}$이므로 $hf_a=-E_1\times\left(\frac{1}{4^2}-\frac{1}{2^2}\right)=\frac{3}{16}E_1$, $hf_c=-E_1\times\left(\frac{1}{3^2}-\frac{1}{2^2}\right)=\frac{5}{36}E_1$에서 $f_c=\frac{20}{27}f_a$이다.

367 전자의 전이 b에서 방출되는 빛의 에너지는 $E_3-E_2=-13.6\left(\frac{1}{3^2}-\frac{1}{2^2}\right)$ eV$=13.6\times\frac{5}{36}$ eV$=hf$이다. 전이 a에서 방출되는 빛의 진동수를 f_a라고 하면, a에서 방출되는 빛의 에너지는 $E_3-E_1=-13.6\left(\frac{1}{3^2}-1\right)$ eV$=13.6\times\frac{8}{9}$ eV$=hf_a$이므로 $f_a=\frac{32}{5}f$이다.

368 $n=1$인 상태의 전자에 a가 흡수되므로 a의 에너지는 E_2-E_1이다. 따라서 b의 에너지는 E_3-E_2이다.

①, ② $E_2-E_1>E_3-E_2$이므로 a의 에너지는 b보다 크고, 광자의 에너지(E)와 파장(λ)은 반비례하므로$\left(E=\frac{hc}{\lambda}\right)$ 파장은 a가 b보다 짧다.

③ a와 b의 진동수를 각각 f_a, f_b라고 하면 $E_2-E_1=hf_a$, $E_3-E_2=hf_b$이므로 $f_a+f_b=\frac{E_3-E_1}{h}$이다.

⑤ $n=2$인 상태와 $n=3$인 상태의 에너지 준위 차는 E_3-E_2이므로 $n=2$인 상태의 전자가 E_3-E_2의 에너지를 흡수하면 $n=3$인 상태로 전이한다.

바로알기 | ④ 전자는 궤도의 에너지 준위 차에 해당하는 만큼의 에너지만 흡수할 수 있다. 따라서 $n=1$인 상태의 전자에 b는 흡수되지 않는다.

369 ㄱ. f_A는 전자가 $n=3$에서 $n=2$인 상태로 전이할 때 방출되는 빛의 진동수이다. $E=hf$이므로 $f_A=\frac{E_3-E_2}{h}$이다. $E_3-E_2<E_2-E_1$이므로 $f_A<\frac{E_2-E_1}{h}$이다.
ㄴ. 파장은 진동수에 반비례하므로 진동수가 f_A인 빛이 f_B인 빛보다 길다.
ㄹ. 전자가 E_4인 상태에서 E_3인 상태로 전이할 때 방출되는 빛의 진동수는 f_B-f_A이다.
바로알기 | ㄷ. $n=3$인 상태와 $n=2$인 상태의 전자의 에너지 준위 차는 hf_A이다.

370 전이 a는 전자의 에너지 준위가 $n=2$에서 $n=1$로 낮아지는 과정이고, b는 $n=4$에서 $n=2$로 낮아지는 과정이다. 전자가 높은 에너지 준위에서 낮은 에너지 준위로 전이할 때 방출되는 광자 1개의 에너지는 두 궤도의 에너지 준위 차와 같다.
모범 답안 a와 b에서 방출되는 광자 1개의 에너지는 각각 $E_2-E_1=\left(-\frac{1}{4}+1\right)E=\frac{3}{4}E$, $E_4-E_2=\left(-\frac{1}{16}+\frac{1}{4}\right)E=\frac{3}{16}E$이므로 a에서 방출되는 광자 1개의 에너지는 b에서 방출되는 광자 1개의 에너지의 4배이다.

371 ㄱ. $E_4-E_2=hf_a$이고, $E_4-E_3=hf_b$이므로 $\frac{E_4-E_2}{f_a}=\frac{E_4-E_3}{f_b}$이다.
ㄴ. 양자수 n에 따른 전자의 에너지는 $E_n=-\frac{13.6}{n^2}$ eV이므로 n이 클수록 에너지도 크다. 따라서 전자의 에너지는 $n=4$인 상태가 $n=2$인 상태보다 크다.
ㄷ. $n=4$인 상태의 전자가 진동수 f_b인 빛을 방출하며 $n=3$인 상태로 전이하므로 $n=3$인 상태의 전자는 진동수 f_b인 빛을 흡수하여 $n=4$인 상태로 전이할 수 있다.
바로알기 | ㄹ. $n=3$인 상태의 전자가 진동수 f_a-f_b인 빛을 방출하면 $n=2$인 상태로 전이한다. $E_4-E_2>E_4-E_3$이므로 $f_a>f_b$이다. 따라서 진동수 f_b-f_a인 빛은 존재할 수 없다.

372 **모범 답안** $E_3-E_1=\frac{hc}{\lambda_1}$, $E_3-E_2=\frac{hc}{\lambda_2}$이다. 전자가 $n=2$인 상태에서 $n=1$인 상태로 전이할 때 방출하는 빛의 파장을 λ_3이라고 하면, $E_2-E_1=\frac{hc}{\lambda_3}=\frac{hc}{\lambda_1}-\frac{hc}{\lambda_2}$이므로 $\frac{1}{\lambda_3}=\frac{1}{\lambda_1}-\frac{1}{\lambda_2}$에서 $\lambda_3=\frac{\lambda_1\lambda_2}{\lambda_2-\lambda_1}$이다.

373 ㄱ. $E_3-E_2=\frac{hc}{\lambda_b}$, $E_4-E_3=\frac{hc}{\lambda_c}$이고, $E_3-E_2=1.89$ eV, $E_4-E_3=0.66$ eV이므로 $\lambda_b<\lambda_c$이다.
ㄴ. $E_4-E_2=\frac{hc}{\lambda_a}$이므로 $\frac{hc}{\lambda_a}=\frac{hc}{\lambda_b}+\frac{hc}{\lambda_c}$에서 $\frac{1}{\lambda_a}=\frac{1}{\lambda_b}+\frac{1}{\lambda_c}$이다.
바로알기 | ㄷ. 전자가 $n\geq2$인 궤도에서 $n=1$인 궤도로 전이할 때 방출되는 빛을 라이먼 계열이라고 하며, $n\geq3$인 궤도에서 $n=2$인 궤도로 전이할 때 방출되는 빛을 발머 계열이라고 한다. 따라서 a와 b에서는 발머 계열의 빛을 방출한다.
ㄹ. c에서 흡수되는 광자 1개의 에너지는 $n=3$인 궤도와 $n=4$인 궤도의 에너지 준위 차와 같으므로 $E_4-E_3=(-0.85)-(-1.51)=0.66$(eV)이다.

374 ① 파장은 b가 a보다 짧으므로 진동수는 b가 a보다 크다.
③ 방출되는 광자 1개의 에너지는 파장에 반비례하므로 a가 b보다 작다.
④ 전자가 전이할 때 궤도의 에너지 준위 차에 해당하는 만큼의 빛에너지를 방출하므로 에너지가 작은 빛인 a를 방출할 때가 b를 방출할 때보다 에너지 변화량이 작다.
⑤ 전자가 낮은 에너지 준위의 궤도로 전이할 때 빛을 방출하며, 이때 방출하는 빛의 에너지가 불연속적이므로 선 스펙트럼이 나타난다.
바로알기 | ② 러더퍼드 원자 모형은 기체 방전관에서 방출된 빛이 선 스펙트럼을 보이는 것을 설명하지 못한다.

375 ㄱ. 수소 기체에 의해 나타나는 스펙트럼선이 띄엄띄엄하게 분포되어 있는 것으로부터 수소 원자의 에너지 준위가 양자화되어 있음을 알 수 있다.
ㄴ. 빛의 진동수(f)는 파장(λ)에 반비례한다($c=f\lambda$). 따라서 파장은 A에 해당하는 빛이 B에 해당하는 빛보다 짧으므로 진동수는 A에 해당하는 빛이 B에 해당하는 빛보다 크다.
바로알기 | ㄷ. 스펙트럼선의 개수와 위치는 기체의 종류에 따라 다르다.
ㄹ. B에 해당하는 빛은 가시광선이며, 수소 원자 스펙트럼에서 가시광선은 전자가 $n=3, 4, 5, 6$인 궤도에서 $n=2$인 궤도로 전이할 때 방출된다.

376 ㄱ. 빛의 진동수(f)는 파장(λ)에 반비례한다($c=f\lambda$). 파장은 발머 계열이 파셴 계열보다 작으므로 빛의 진동수는 발머 계열이 파셴 계열보다 크다.
ㄴ. 라이먼 계열에서 방출되는 빛의 영역은 자외선 영역이다.
ㄷ. 전자가 $n\geq3$인 궤도에서 $n=2$인 궤도로 전이할 때 방출되는 빛의 스펙트럼은 발머 계열이다. 라이먼 계열은 $n\geq2$인 궤도에서 $n=1$인 궤도로 전이할 때, 파셴 계열은 $n\geq4$인 궤도에서 $n=3$인 궤도로 전이할 때 방출되는 빛의 스펙트럼이다.
바로알기 | ㄹ. 전자가 $n=\infty$에서 $n=3$인 궤도로 전이할 때 방출되는 빛은 파셴 계열 중 에너지가 가장 크므로 빛의 진동수가 가장 큰 경우이다.

377 ㄷ. c는 가시광선 영역에서 파장이 두 번째로 긴 빛에 의한 흡수 스펙트럼선이므로 $n=2$에서 $n=4$인 궤도로의 전이 과정에서 나타난다. 따라서 c는 ㉡에 의해 나타난 스펙트럼선이다.
ㄹ. 파장이 같으므로 에너지가 같은 빛에 의한 스펙트럼선이다. 따라서 d에서 흡수하는 에너지와 b에서 방출하는 에너지는 같다.
바로알기 | ㄱ. 광자 1개의 에너지(E)와 파장(λ)은 반비례하므로 $\left(E=\frac{hc}{\lambda}\right)$ 광자 1개의 에너지는 a>c>b=d이다.
ㄴ. b는 ㉠에 의해 나타난 스펙트럼선이므로 광자의 진동수는 $\frac{E_3-E_2}{h}$이다.

378 수소 원자의 가시광선 영역의 선 스펙트럼은 다음과 같이 4개이다.

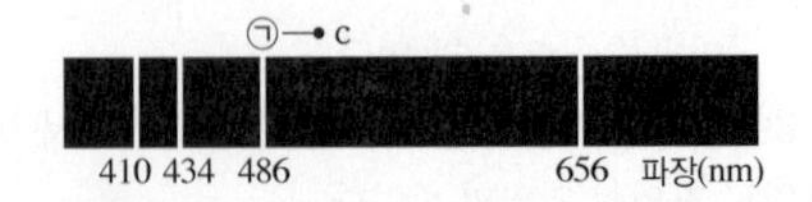

ㄱ. ㉠은 가시광선 영역의 선 스펙트럼 중 파장이 두 번째로 큰 빛이므로 $n=4$에서 $n=2$인 궤도로 전이하는 c에서 방출되는 빛이다.

ㄷ. b, c, d에서 방출되는 광자 1개의 에너지를 각각 E_b, E_c, E_d라고 하면, $E_c=E_4-E_2$, $E_b=E_3-E_2$, $E_d=E_4-E_3$이므로 $E_c=E_b+E_d$이다. 즉, c에서 방출되는 광자 1개의 에너지는 b와 d에서 각각 방출되는 광자 1개의 에너지의 합과 같다.

바로알기 | ㄴ. 전이 과정에서 방출되는 빛(광자 1개)의 에너지는 전이 전후 궤도의 에너지 준위 차와 같고, 빛의 진동수는 에너지에 비례한다. 전이 전후 궤도의 에너지 준위 차는 c에서가 d에서보다 크므로 방출되는 빛의 진동수도 c에서가 d에서보다 크다.

379 ㄱ. 발머 계열은 전자가 $n\geq3$인 궤도에서 $n=2$인 궤도로 전이할 때 방출하는 빛의 영역이다. ㉠은 발머 계열 중 파장이 가장 긴 빛이므로 발머 계열 중 에너지가 가장 작은 빛이다. 즉, ㉠은 전자가 $n=3$에서 $n=2$인 궤도로 전이하는 c에서 방출되는 빛이다.

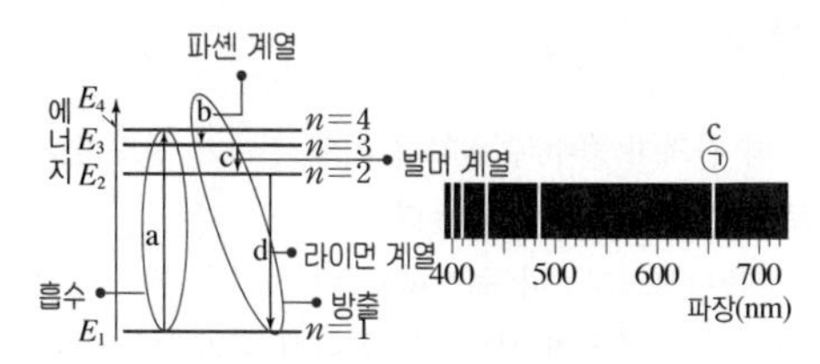

ㄴ. ㉠은 c에서 방출되는 빛이고 c는 $n=3$에서 $n=2$인 궤도로의 전이이므로 ㉠의 파장을 λ_c라고 하면, $E_3-E_2=\dfrac{hc}{\lambda_c}$에서 $\lambda_c=\dfrac{hc}{E_3-E_2}$이다.

ㄹ. 전자가 a에서 흡수하는 에너지는 E_4-E_1이고, b, c, d에서 방출하는 에너지는 각각 E_4-E_3, E_3-E_2, E_2-E_1이므로 전자가 a에서 흡수하는 에너지는 b, c, d에서 방출하는 에너지의 합과 같다.

바로알기 | ㄷ. a에서 흡수되는 빛의 에너지가 d에서 방출되는 빛의 에너지보다 크고, 빛의 에너지(E)와 파장(λ)은 반비례하므로$\left(E=\dfrac{hc}{\lambda}\right)$, a에서 흡수되는 빛의 파장은 d에서 방출되는 빛의 파장보다 작다.

380 ① 스펙트럼의 각 선은 다음과 같은 전이를 통해 방출된 빛에 의한 것이다. 따라서 $N=4$임을 알 수 있다.

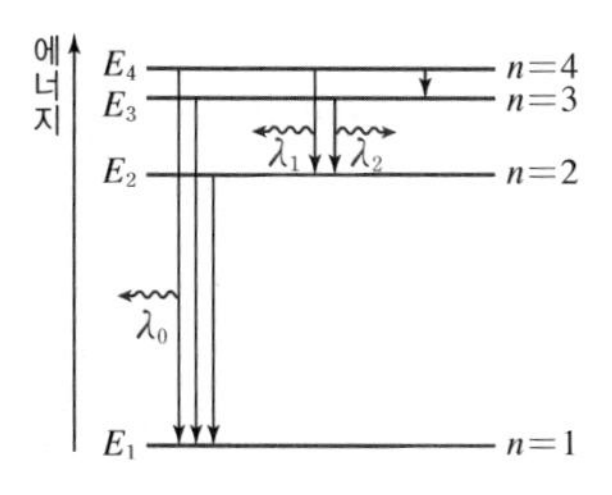

② 빛의 진동수(f), 파장(λ) 사이의 관계는 $c=f\lambda$이다. 따라서 파장은 진동수에 반비례한다.

③ 전자가 $n\geq2$인 궤도에서 $n=2$인 궤도로 전이할 때 방출하는 빛을 발머 계열이라고 하며, λ_1, λ_2는 발머 계열 중 파장이 가장 긴 두 빛의 파장으로 가시광선 영역의 빛의 파장이다.

⑤ $c=f\lambda$이므로 $\dfrac{hc}{\lambda_0}-\dfrac{hc}{\lambda_1}=hf_0-hf_1$이고, 이는 $n=2$인 궤도와 $n=1$인 궤도 사이의 에너지 차이므로 $n=1$인 궤도에 있는 전자는 에너지가 $\dfrac{hc}{\lambda_0}-\dfrac{hc}{\lambda_1}$인 광자를 흡수할 수 있다.

바로알기 | ④ $n=2$인 궤도에서 $n=1$인 궤도로 전이할 때 방출하는 빛의 파장을 λ_3이라고 하면 $\dfrac{1}{\lambda_0}=\dfrac{1}{\lambda_1}+\dfrac{1}{\lambda_3}$이다. $\dfrac{1}{\lambda_0}=\dfrac{1}{\lambda_1}+\dfrac{1}{\lambda_2}$은 성립하지 않는 관계식이다.

381 ① a에서 방출되는 빛의 에너지는 $E_a=E_5-E_2$이고, b에서 방출되는 빛의 에너지는 $E_b=E_4-E_2$이므로 $E_a>E_b$이다. 따라서 $\lambda_a<\lambda_b$이다.

③, ⑥ $E_4-E_2=13.6\times\left(\dfrac{1}{2^2}-\dfrac{1}{4^2}\right)\text{eV}=hf_b$, $E_3-E_2=13.6\times\left(\dfrac{1}{2^2}-\dfrac{1}{3^2}\right)\text{eV}=hf_c$이므로 $f_b : f_c=27 : 20$이다. 따라서 방출되는 빛의 진동수는 b에서가 c에서보다 크다.

④ c에서 방출되는 빛의 파장이 가장 길고, (나)의 스펙트럼에서 파장이 가장 긴 스펙트럼선의 파장이 600 nm보다 크므로 λ_c는 600 nm보다 크다.

⑤ (나)의 ㉠은 세 전이 중 에너지, 진동수, 파장이 중간 크기이므로 b에 의해 나타난 스펙트럼선이다.

바로알기 | ② $E_5-E_2=hf_a$, $E_4-E_2=hf_b$, $E_3-E_2=hf_c$이므로 $f_a\neq f_b+f_c$이다.

⑦ 전자가 $n=4$에서 $n=3$인 상태로 전이할 때 방출되는 빛의 파장을 λ_d라고 하면 $\dfrac{hc}{\lambda_d}=E_4-E_3=(E_4-E_2)-(E_3-E_2)=\dfrac{hc}{\lambda_b}-\dfrac{hc}{\lambda_c}$이므로 $\lambda_d=\dfrac{\lambda_b\lambda_c}{\lambda_c-\lambda_b}$이다.

382 A에 해당하는 빛은 수소 원자의 가시광선 영역 스펙트럼에서 파장이 가장 긴 빛이므로, $n=2$인 궤도로의 전이 중 에너지가 가장 작은 전이인 $n=3$에서 $n=2$인 궤도로 전자가 전이할 때 A에 해당하는 빛이 방출된다. 이때 에너지 준위 차가 $E_3-E_2=(-4E_0)-(-9E_0)=5E_0=hf_A$이므로 진동수는 $\dfrac{5E_0}{h}$이라는 문제 조건도 만족한다.

B에 해당하는 빛은 가시광선 영역의 빛이며, A보다 에너지가 두 단계 큰 빛이므로 전자가 $n=5$인 궤도에서 $n=2$인 궤도로 전이할 때 방출되는 빛이다.

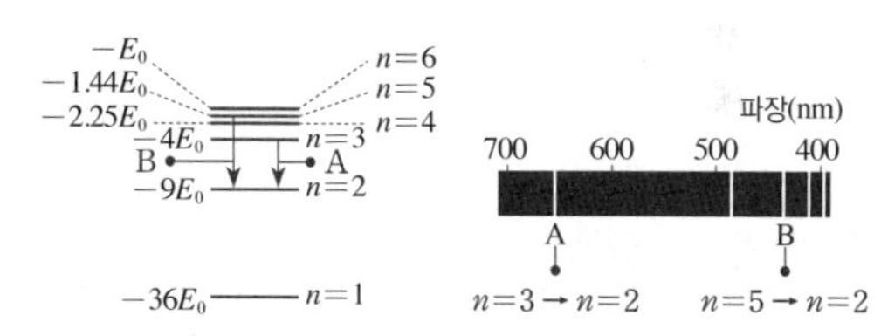

모범 답안 (1) 전자는 $n=3$인 궤도에서 $n=2$인 궤도로 전이한다.
(2) 전자는 $n=5$인 궤도에서 $n=2$인 궤도로 전이한다.
(3) B에 해당하는 빛의 진동수는 $E_5-E_2=(-1.44E_0)-(-9E_0)=7.56E_0=hf_B$에서 $f_B=\dfrac{7.56E_0}{h}$이다.

383 방출되는 빛의 에너지(E)와 파장(λ)은 반비례하므로$\left(E=\dfrac{hc}{\lambda}\right)$ 파장의 최솟값은 에너지가 가장 큰 빛의 파장에 해당한다. 에너지가 가장 큰 빛은 전자가 $n=\infty$인 궤도에서 $n=1$인 궤도로 전이할 때 방출된다.

모범 답안 에너지가 가장 큰 빛의 에너지는 $E_\infty-E_1=0-(-13.6)=13.6\text{ eV}=\dfrac{hc}{\lambda}$이다. 에너지가 가장 큰 빛의 파장이 파장의 최솟값이므로 파장의 최솟값 $\lambda=\dfrac{hc}{13.6\text{ eV}}$이다.

개념 보충

eV(전자볼트)
에너지의 단위로, 1 eV는 전자와 같은 기본 전하량(e)을 갖는 입자를 1 V의 전압으로 가속시킬 때 입자가 얻는 운동 에너지이다. 표준 단위인 J로 환산하면 1 eV$=1.6\times10^{-19}$ J이다.

13 에너지띠

빈출 자료 보기 109쪽

384 (1) × (2) ○ (3) × (4) ○ (5) ○ (6) × (7) ×

384 (2) 원자가 띠에 있던 전자가 띠 간격 이상의 에너지를 흡수하여 전도띠로 전이하면 자유롭게 움직일 수 있는 자유 전자가 된다.
(4) (가)는 띠 간격이 없어서 약간의 에너지만 흡수해도 전자가 쉽게 이동하여 전도띠에 전자가 존재하지만, (나)는 띠 간격이 매우 커서 전자가 전도띠로 이동하기 어렵다. 따라서 상온에서 전도띠에 존재하는 전자는 (가)에서가 (나)에서보다 많다.
(5) (나)는 절연체로 원자가 띠가 전자로 모두 채워져 있고 띠 간격이 매우 크다. 따라서 (나)에서 전자는 자유롭게 이동할 수 없다.
바로알기 | (1) 전자는 낮은 에너지 준위에서부터 위로 채워진다.
(3) 에너지 준위는 전도띠가 원자가 띠보다 높으므로 원자가 띠의 전자가 전도띠로 전이하려면 띠 간격에 해당하는 만큼의 에너지를 흡수해야 한다.
(6) (가)~(다) 중 전기 전도성이 가장 좋은 물질은 (가)이다. (나)는 띠 간격이 가장 크므로 전기 전도성이 가장 나쁘다.
(7) 원자가 띠의 전자가 에너지를 흡수하여 전도띠로 전이하면 원자가 띠에 전자의 빈자리인 양공이 생긴다. 반도체인 (다)에서는 온도가 높을수록 열에너지를 얻어 전도띠로 전이하는 전자의 수가 많아지므로 양공의 수도 늘어난다.

난이도별 필수 기출 110~113쪽

385 ①, ⑥	386 ③	387 ③	388 ①, ④
389 해설 참조	390 ④	391 ③, ⑤, ⑥	
392 4 Ω 393 ①	394 해설 참조		395 ②
396 ①, ⑥	397 ③	398 ③	399 ②
400 ②, ⑦	401 해설 참조		402 ④

385 ② 전자는 가장 낮은 에너지 준위부터 높은 에너지 준위로 순서대로 채워진다.
③ 전자가 존재할 수 있는 에너지띠를 허용된 띠라고 하고, 에너지띠 사이의 간격을 띠 간격(띠틈)이라고 한다.
④ 고체는 수많은 원자들이 모여 있으므로 각 원자의 에너지 준위들이 촘촘하게 모여서 띠 형태의 에너지 준위를 이루며, 이를 에너지띠라고 한다.
⑤ 전자가 채워진 에너지띠 중 가장 바깥에 있는 에너지띠를 원자가 띠라고 하며, 원자가 띠 위에 전도띠가 위치한다.
바로알기 | ① 띠 간격에는 전자가 존재할 수 없다.
⑥ 고체는 수많은 원자들이 모여 있고, 원자 사이의 거리가 매우 가까우므로 한 원자가 다른 원자에 영향을 준다. 이로 인해 에너지띠가 형성된다.

386 ① a와 b는 각각 전도띠와 원자가 띠 중 하나이므로 원자핵과 더 가까이 있는 b가 원자가 띠이고, 원자가 띠 바로 위의 에너지띠인 a가 전도띠이다.
② 원자핵에서 멀리 있을수록 에너지 준위가 높다. 그림에서 에너지 준위가 높을수록 띠 간격이 좁아짐을 알 수 있다.
④, ⑤ 파울리의 배타 원리는 한 원자에서 같은 양자 상태에 2개 이상의 전자가 동시에 있을 수 없다는 것이며, 이에 따라 두 원자가 가까워지면 고립된 각각의 에너지 준위들은 2개의 준위로 나누어지고, 인접한 원자가 3개로 늘어나면 에너지 준위도 3개로 늘어난다. 따라서 인접한 원자의 개수가 증가하면 각각의 에너지 준위가 증가한 원자 수만큼 더 갈라진다.
바로알기 | ③ 전자는 낮은 에너지 준위부터 높은 에너지 준위로 순서대로 채워진다. 따라서 절대 온도 0 K에서 전자는 b부터 채워진 후 a에 채워진다.

387 ㄴ. 띠 간격이 클수록 원자가 띠의 전자가 전도띠로 전이하기 어려우므로 전류가 잘 흐르지 않는다.
ㄷ. 원자가 띠가 전도띠보다 원자핵과 더 가까운 에너지 준위이므로 원자가 띠의 에너지 준위가 전도띠의 에너지 준위보다 낮다.
바로알기 | ㄱ. 기체 상태에서는 원자들이 서로 멀리 떨어져 있어 한 원자가 다른 원자에 영향을 주지 않으므로 에너지띠가 나타나지 않는다. 에너지띠는 고체 상태에서 나타난다.
ㄹ. 전자는 띠 간격에 존재할 수 없으며, 원자가 띠의 전자가 띠 간격의 $\frac{1}{2}$에 해당하는 에너지를 흡수하는 것은 불가능하다.

388 ① A는 A, B, C 중 에너지 준위가 가장 높으므로 전도띠이다.
④ C는 A, B, C 중 에너지 준위가 가장 낮으므로 원자가 띠이다.
바로알기 | ② B는 띠 간격이며, 띠 간격이 클수록 원자가 띠(C)의 전자가 전도띠(A)로 전이하기 어려우므로 전기 전도성이 나쁘다.
③ 띠 간격인 B에 해당하는 에너지를 가지는 전자는 존재할 수 없다.
⑤ C는 원자가 띠이며, 원자가 띠는 전자가 채워져 있는 띠 중 가장 바깥에 위치하는 에너지띠이다. 즉, C에는 전자가 존재한다.
⑥ 에너지띠는 각 원자의 에너지 준위가 미세한 차를 두면서 존재하므로 비록 그 차가 크지는 않을지라도 에너지 준위는 모두 다르다. 따라서 원자가 띠인 C에 있는 전자의 에너지 준위는 모두 같지 않다.

389 원자가 띠의 전자가 띠 간격 이상의 에너지를 흡수하면 전도띠로 전이할 수 있다. 원자가 띠의 전자가 전도띠로 전이하면 전자가 있던 자리에 전자의 빈자리인 양공이 생긴다.
모범 답안 (1) ㉠ 전자, ㉡ 양공
(2) 띠 간격 이상의 에너지를 흡수해야 한다.

390 B는 에너지 준위가 띠의 형태를 이루고 있으므로 고체 상태이다.
ㄱ. A는 기체 상태, B는 고체 상태일 때의 에너지 준위이다.
ㄷ. 고체 상태에서는 인접한 원자가 서로 영향을 주어 에너지 준위가 미세하게 갈라진 상태로 존재하며, 갈라진 에너지 준위는 서로 매우 가깝게 위치하여 연속적인 것으로 취급할 수 있어 에너지띠라고 부른다. 따라서 ⓒ에 있는 전자의 에너지 준위는 거의 연속적으로 분포한다.
바로알기 | ㄴ. B에서 ⓐ와 ⓑ, ⓑ와 ⓒ 사이를 띠 간격이라고 하며, 띠 간격에는 전자가 존재할 수 없다.

391 (가)는 원자가 다른 원자와 멀리 떨어져 있어 서로 영향을 주지 않고 에너지 준위가 형성되어 있는 모습을, (나)는 원자 사이의 거리가 가까워 인접한 원자 사이에 영향을 준 결과 에너지 준위가 미세한 차를 두고 갈라져 에너지띠를 이루는 모습을 나타낸 것이다.

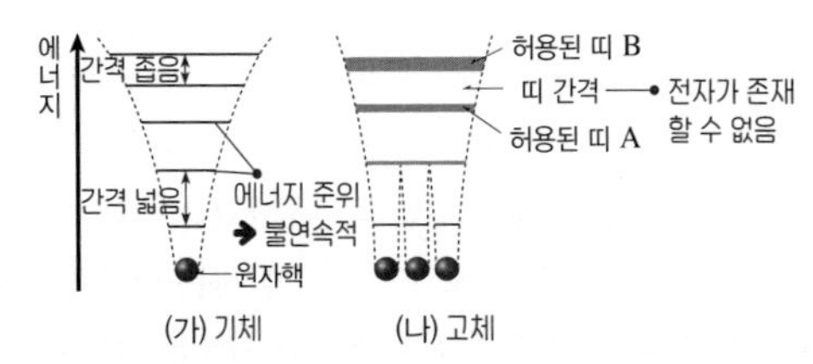

① (가)에서 에너지 준위는 실선으로 표현되어 있으며, 특정한 에너지 값만을 가질 수 있어 불연속적이다.
② (가)는 원자가 다른 원자와 멀리 떨어져 있어 서로 영향을 주지 않는 상태이므로 기체 원자의 에너지 준위이다.
④ (가)에서 원자핵에서 멀어질수록 인접한 에너지 준위 사이의 간격이 좁아지는 것을 알 수 있다.
⑦ (나)에서 원자 사이의 거리가 매우 가까워 인접한 원자가 서로 영향을 주기 때문에 에너지 준위가 띠의 형태를 이룬다.
바로알기 | ③ 원자들 사이의 거리가 충분히 먼 경우 서로 영향을 주지 않아 에너지띠가 형성되지 않는다.
⑤ 띠 간격에는 전자가 존재할 수 없다.
⑥ (나)에서 전자가 A에서 B로 전이하기 위해서는 띠 간격 이상의 에너지를 흡수해야 한다.

392 옴의 법칙에 따르면 전압(V), 전류(I), 전기 저항(R) 사이에는 $V=IR$의 관계가 있다. 그래프에서 $V=12$ V일 때 $I=3$ A이므로 $R=\frac{V}{I}=\frac{12\text{ V}}{3\text{ A}}=4\ \Omega$이다.

393 ㄱ. 전기 전도도는 물질 내에서 전류가 잘 흐르는 정도를 나타내는 양이다. 전기 전도도가 클수록 전류가 잘 흐른다.
바로알기 | ㄴ. 전기 전도도와 비저항은 역수 관계이므로, 전기 전도도는 비저항이 작을수록 크다.
ㄷ. 도체인 철은 온도가 높을수록 전기 전도도가 작아지고, 반도체인 규소는 온도가 높을수록 전기 전도도가 커진다.

394 전기 전도도(σ)는 비저항(ρ)과 역수 관계이므로 $\sigma=\frac{1}{\rho}=\frac{l}{RS}$로 나타낼 수 있다.

모범 답안 (1) $\sigma_A>\sigma_B>\sigma_C$
(2) 물체의 전기 저항 $R=\rho\frac{l}{S}$이므로 A, B, C의 전기 저항은 각각 $R_A=\rho\frac{L}{S}$, $R_B=2\rho\frac{L}{4S}=\rho\frac{L}{2S}$, $R_C=3\rho\frac{2L}{2S}=\rho\frac{3L}{S}$이다. 따라서 전기 저항은 $R_C>R_A>R_B$이다.

395 A는 원자가 띠이고, B는 전도띠이다.
ㄷ. 원자가 띠와 전도띠가 서로 겹쳐 있으므로 띠 간격이 존재하지 않아 원자가 띠의 전자가 약간의 에너지만 흡수해도 전도띠로 이동할 수 있어 전류가 잘 흐른다.
바로알기 | ㄱ. 원자가 띠와 전도띠가 서로 겹쳐 있는, 전류가 잘 흐르는 물질이다.
ㄴ. 다이아몬드는 대표적인 절연체(부도체)이다. 전류가 잘 흐르지 않는 절연체는 띠 간격이 매우 큰 특징을 가지고 있다.

396 (가)는 띠 간격이 없으므로 도체이고, (나)는 반도체이다.
② 상온에서 전기 전도성은 도체가 반도체보다 좋다.
③ 반도체는 온도가 높아질수록 원자가 띠의 전자가 전도띠로 많이 전이할 수 있으므로 전기 전도성이 좋아진다.
④ 띠 간격에 따라 원자가 띠의 전자가 전도띠로 전이할 수 있는 정도가 달라지므로, 띠 간격은 고체를 전기적 성질에 따라 분류하는 기준이 된다.
⑤ 반도체에 띠 간격 이상의 에너지를 공급하면 원자가 띠의 전자가 에너지를 흡수하여 전도띠로 전이할 수 있다. 양공은 전자의 전이로 인해 원자가 띠에 생기는 전자의 빈자리이므로 (나)에 띠 간격 이상의 에너지를 공급하면 원자가 띠에 양공이 생긴다.
바로알기 | ① (가)는 원자가 띠와 전도띠 사이의 띠 간격이 없으므로 도체이다.
⑥ 원자가 띠의 전자가 전도띠로 전이하기 위해 필요한 최소한의 에너지는 띠 간격의 크기와 같으므로 (가)에서가 (나)에서보다 작다.

개념 보충

온도에 따른 고체의 전기 전도도
- **도체:** 온도가 높아지면 원자의 운동이 활발해져 전자가 원자 사이를 통과하기 어려워진다. ➔ 온도가 높아지면 전기 전도도가 작아진다.(전기 전도성이 나빠진다.)
- **반도체:** 온도가 높아지면 전도띠로 전이한 전자의 수가 많아지므로 전류를 잘 흐르게 한다. ➔ 온도가 높아지면 전기 전도도가 커진다.(전기 전도성이 좋아진다.)
- **온도에 따른 비저항 그래프:** 비저항과 전기 전도도는 역수 관계이므로 비저항이 클수록 전기 전도도는 작다. ➔ 전류가 잘 흐르지 않는다.

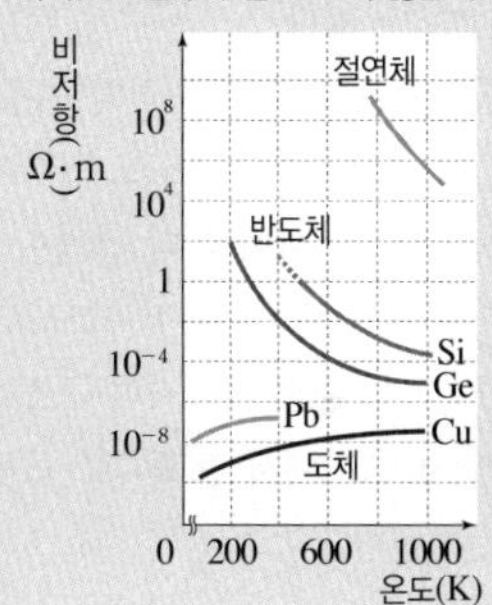

397 ㄴ. 띠 간격이 클수록 전기 전도도가 작으므로 전기 전도도는 (가)가 (나)보다 작다.
ㄹ. 원자가 띠의 전자는 띠 간격 이상의 에너지를 흡수하면 전도띠로 전이할 수 있다. 따라서 (가)에서 원자가 띠의 전자가 1.14 eV 이상의 에너지를 흡수하면 전도띠로 전이할 수 있다.
바로알기 | ㄱ. (나)는 띠 간격이 없으므로 도체이다.
ㄷ. (가)는 원자가 띠와 전도띠 사이에 띠 간격이 있고, 띠 간격이 2 eV보다 작으므로 반도체이다. 절대 온도 0 K에서 반도체에는 자유 전자가 존재하지 않는다. 따라서 절대 온도 0 K에서 도체인 (나)에는 자유 전자가 존재하지만, 반도체인 (가)에는 자유 전자가 존재하지 않는다.

398 ㄴ. 띠 간격이 작은 물질일수록 전기 전도도가 크므로 규소가 다이아몬드보다 전기 전도도가 크다.
ㄷ. 양공은 원자가 띠에서 전도띠로 전이한 전자에 의해 원자가 띠에 생기는 전자의 빈자리이므로 규소의 원자가 띠의 전자가 전도띠로 전이하면 원자가 띠에 양공이 생긴다.
바로알기 | ㄱ. 다이아몬드는 대표적인 절연체로 띠 간격이 매우 크기 때문에 원자가 띠의 전자가 전도띠로 거의 전이하지 않는다.
ㄹ. 띠 간격에는 전자가 존재할 수 없고 다이아몬드의 띠 간격 크기는 5.33 eV이므로 원자가 띠에 있는 전자는 띠 간격보다 작은 5 eV의 에너지를 흡수하여 전도띠로 전이할 수 없다.

399 도체는 띠 간격이 없고 절연체는 띠 간격이 가장 크다. 따라서 A는 절연체, B는 반도체, C는 도체이다.
다미: 반도체는 온도가 높을수록 전도띠로 전이하는 전자의 수가 많아져 전기 전도도가 커진다.
현지: 반도체에서 전자가 원자가 띠에서 전도띠로 전이하면 원자가 띠에 전자의 빈자리인 양공이 생긴다.
바로알기 | 수경: 절연체는 띠 간격이 커서 상온에서는 전도띠로 전이하는 전자가 거의 없다.
한솔: 전기 전도도가 큰 순서대로 나열하면 도체>반도체>절연체이므로 C>B>A이다.

400 고체의 에너지띠 구조에서는 띠 간격에 따라 도체, 절연체, 반도체를 구분할 수 있다. 띠 간격이 없는 (나)는 도체이고, 띠 간격이 가장 큰 (가)는 절연체, 띠 간격이 (가)와 (나)의 중간 정도인 (다)는 반도체이다.
① 나무는 전류가 잘 흐르지 않는 물질인 절연체이므로 (가)와 같은 에너지띠 구조를 가진다.
③ (나)는 띠 간격이 없어 원자가 띠의 전자가 전도띠로 쉽게 이동하고, (가)는 띠 간격이 크므로 원자가 띠의 전자가 전도띠로 쉽게 이동하지 못한다. 따라서 (나)는 (가)보다 전기 전도성이 좋다.
④ (나)는 (가)보다 전기 전도성이 좋으므로, 상온에서 원자가 띠에서 전도띠로의 전자의 전이가 더 많이 일어난다. 따라서 상온에서 자유 전자의 수는 (나)가 (가)보다 많다.
⑤ (나)는 온도가 높아질수록 원자의 움직임이 활발해져 전자가 원자 사이를 움직이기 어려워지므로 전기 전도도가 작아진다.
⑥ (나)는 원자가 띠와 전도띠 사이의 띠 간격이 없으므로 도체의 에너지띠 구조이고, (가)는 띠 간격이 가장 크므로 절연체의 에너지띠 구조이다. 따라서 (다)는 반도체의 에너지띠 구조이다.
바로알기 | ② 전자가 원자가 띠에서 전도띠로 쉽게 이동할 수 있어 전류가 잘 흐르는 것은 (나)이다.
⑦ 절대 온도 0 K에서는 (다)에 자유 전자가 없지만, 상온에서는 적은 수의 자유 전자와 양공이 있다. 따라서 상온에서 (다)의 원자가 띠에는 양공이 존재한다.

401 원자가 띠에서 전도띠로 전이하는 전자의 수가 많을수록 전류가 잘 흐른다.
모범 답안 절연체는 원자가 띠와 전도띠 사이의 띠 간격이 매우 크므로 전자가 띠 간격 이상의 에너지를 얻어 전도띠로 전이하기 어렵다. 따라서 절연체에는 전류가 잘 흐르지 않는다.

402 A에 연결된 스위치를 열어도 B에 연결된 스위치는 닫혀 있으므로 회로에는 B만 연결된 상태이다. 이때 전구에 불이 꺼지므로 B는 전류가 흐르지 않는 절연체이고, A는 전류가 잘 흐르는 도체임을 알 수 있다.
① 스위치를 모두 닫으면 전구에 불이 켜지고 A에 연결된 스위치를 열면 전구에 불이 꺼지므로 A는 도체이다.
② A는 도체이므로 A의 에너지띠 구조는 띠 간격이 없는 Y이다.
③ 띠 간격이 작을수록 전기 전도성이 좋으므로 전기 전도성은 도체인 A가 절연체인 B보다 좋다.
⑤ 고무는 대표적인 절연체로서 X와 같은 에너지띠 구조를 갖는다.
바로알기 | ④ 원자가 띠의 전자가 에너지를 얻어 전도띠로 전이한 것을 자유 전자라고 한다. 도체에는 자유 전자의 수가 많아 전류가 잘 흐른다. 따라서 자유 전자의 수는 도체인 A가 절연체인 B보다 많다.

14 반도체

빈출 자료 보기 115쪽

403 (1) ○ (2) × (3) ○ (4) × (5) ○ (6) ○

403 (1) p−n 접합 다이오드는 한쪽 방향으로는 전류를 흐르게 하지만 반대 방향으로는 전류를 흐르지 못하게 하는 반도체 소자이다. 이처럼 한쪽 방향으로만 전류를 흐르게 하는 작용을 정류 작용이라고 한다.
(3) 스위치를 a에 연결하면 p형 반도체에는 (−)극이, n형 반도체에는 (+)극이 연결되어 다이오드에 역방향 전압이 걸린다. 따라서 회로에 전류가 흐르지 않으므로 저항에 전류가 흐르지 않는다.
(5), (6) 스위치를 b에 연결하면 p형 반도체에는 (+)극이, n형 반도체에는 (−)극이 연결되어 다이오드에 순방향 전압이 걸린다. 따라서 p−n 접합면을 통해 p형 반도체의 양공이 (−)극 쪽으로, n형 반도체의 전자가 (+)극 쪽으로 이동하여 결합한다.
바로알기 | (2) 원자가 띠보다 전도띠의 에너지 준위가 더 높으므로 n형 반도체에서 원자가 띠의 전자가 전도띠로 전이하려면 에너지를 흡수해야 한다.
(4) 스위치를 a에 연결하면 p형 반도체에는 (−)극이, n형 반도체에는 (+)극이 연결되므로 다이오드에 역방향 전압이 걸린다.

난이도별 필수 기출 116~121쪽

404 ⑤ 405 ②, ③ 406 ④ 407 ②
408 해설 참조 409 ③ 410 ⑤ 411 ③, ④ 412 ⑤
413 A, B, C, D 414 ㉠ 순, ㉡ 역, ㉢ 정류
415 해설 참조 416 ④ 417 ④ 418 ④
419 ④, ⑥ 420 (1) 전자 (2) (−)극 (3) A>B 421 ③
422 ③ 423 ⑤ 424 ①, ⑤ 425 ④ 426 ⑤
427 ③ 428 해설 참조 429 ④ 430 해설 참조

404 ㄱ. 반도체는 절연체보다는 전기 저항이 작고 도체보다는 전기 저항이 크다.
ㄴ. 규소(Si)는 원자가 전자가 4개인 원소이며, 원자가 전자 4쌍이 공유 결합을 하여 안정된 결정 구조를 이룬다.
ㄷ. 고유(순수) 반도체에 원자가 전자가 3개인 13족 원소를 첨가하면 p형 반도체가, 원자가 전자가 5개인 15족 원소를 첨가하면 n형 반도체가 된다.

405 ① ㉠은 (가)의 원자가 전자가 1개 부족하여 생긴 빈자리이므로 양공이다.
④, ⑤ 고유(순수) 반도체는 원자가 전자가 4개인 반도체 원자(규소, 저마늄)가 결정 구조를 이루고 있는 것이다. (가)는 고유(순수) 반도체를 이루는 원소보다 원자가 전자가 1개 부족하므로 1쌍이 공유 결합을 하지 못하고, 이로 인해 양공이 형성된다. 즉, 규소(Si)의 원자가 전자는 4개이고, (가)의 원자가 전자는 3개이다.

⑥ p형 반도체의 주요 전하 운반자는 양공이다.
⑦ p형 반도체에 첨가하는 불순물 원소에는 13족 원소인 붕소(B), 알루미늄(Al), 갈륨(Ga), 인듐(In) 등이 있다.
바로알기 | ② 원자가 전자가 3개인 원소를 불순물로 첨가하였으므로 p형 반도체이다.
③ (가)는 원자가 전자가 3개이므로 13족 원소이다.

406 저마늄(Ge)은 원자가 전자가 4개인 원소로, 저마늄 결정은 이웃한 원자의 원자가 전자와 공유 결합을 하여 안정된 구조를 이루고 있다. 그림에서 인(P) 주위에 공유 결합에 참여하지 못하고 남는 전자 1개가 있는 것으로 보아, 인(P)이 원자가 전자가 5개인 15족 원소임을 알 수 있다.

407 ㄴ. 저마늄(Ge)은 고유(순수) 반도체, 인(P)은 불순물이고, 고유 반도체에 불순물을 첨가하는 과정을 도핑이라고 한다.
바로알기 | ㄱ. 공유 결합에 참여하지 못하고 남는 전자가 존재하므로 A는 n형 반도체이다.
ㄷ. 인(P)이 남는 전자 하나를 인접한 원자에 주면 양(+)이온이 된다.

408 **모범 답안** 고유(순수) 반도체에 원자가 전자가 5개인 원소를 첨가하면 남는 전자에 의해 전도띠 바로 아래에 새로운 에너지 준위가 생긴다. 새로운 에너지 준위에 있는 전자는 작은 에너지로도 쉽게 전도띠로 전이할 수 있어 전기 전도성이 좋아진다.

409 ㄴ. 상온에서 전기 전도성은 불순물 반도체인 Y가 순수 반도체인 X보다 좋다.
ㄷ. Y는 n형 반도체이며, n형 반도체의 주요 전하 운반자는 전자이다. 따라서 Y에 전압을 걸어 전류가 흐를 때 주로 전자가 전류를 흐르게 한다.
바로알기 | ㄱ. X는 불순물이 섞이지 않은 고유(순수) 반도체이다.
ㄹ. p−n 접합 다이오드는 p형 반도체와 n형 반도체를 접합하여 만든 것이다. X는 순수 반도체이다.

410 (가)는 공유 결합에 참여하지 않는 전자가 1개 있으므로 n형 반도체, (나)는 양공이 있으므로 p형 반도체이다.
ㄱ. A는 원자가 전자가 5개인 15족 원소이고 B는 원자가 전자가 3개인 13족 원소이다. 따라서 원자가 전자는 A가 B보다 2개 많다.
ㄴ. (가), (나) 모두 순수한 규소 반도체보다 전기 전도성이 좋다.
ㄷ. n형 반도체는 전도띠 바로 아래에 불순물로 인한 에너지 준위가 만들어지며, 이 에너지 준위에 있는 전자가 전도띠로 쉽게 전이하여 전류를 잘 흐르게 한다.

411 ① (가)는 n형 반도체, (나)는 p형 반도체이다.
② p형 반도체는 양공이 주로 전하를 운반한다.
⑤ A는 남는 전자에 의해, B는 양공에 의해 만들어진 에너지 준위이다.
바로알기 | ③ 저마늄(Ge)에 15족 원소를 도핑하면 (가)와 같은 에너지띠 구조가 만들어진다. (나)는 저마늄에 13족 원소를 도핑한 반도체에서 만들어지는 에너지띠 구조이다.
④ A는 저마늄(Ge)에 원자가 전자가 5개인 원소를 도핑했을 때 만들어지는 에너지 준위이다.

412 ①, ④ 다이오드는 전류를 한쪽 방향으로만 흐르게 하는 정류 작용을 한다. 이러한 성질 때문에 다이오드는 정류 회로에 사용된다.
② 다이오드에 순방향 전압이 걸릴 때만 전류가 흐른다.
③ p형 반도체와 n형 반도체를 접합하여 만든 다이오드를 p−n 접합 다이오드라고 한다.
바로알기 | ⑤ 역방향 전압이 걸린 다이오드에서는 양공과 전자가 접합면으로부터 멀어진다.

413 다이오드는 순방향 전압을 걸어 주었을 때만 전류가 흐른다. 따라서 (가), (나)에서 전류가 흐르는 방향은 화살표 방향과 같고, 불이 켜지는 전구는 A, B, C, D이다.

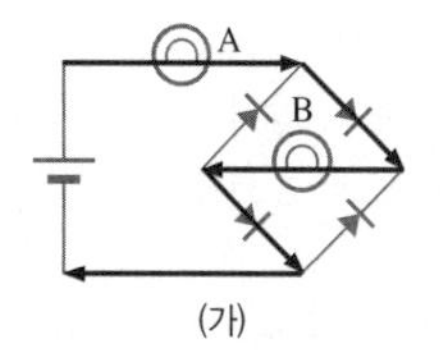

(가)

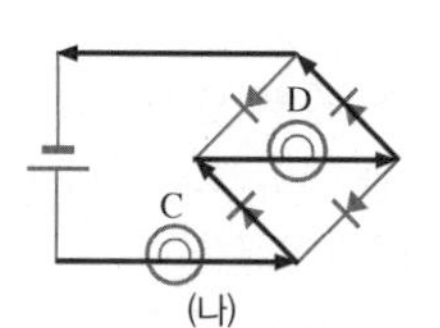

(나)

414 p−n 접합 다이오드에서 p형 반도체를 전원의 (+)극에 연결하고 n형 반도체를 (−)극에 연결하면, 양공이 n형 반도체 쪽으로 이동하고 전자가 p형 반도체 쪽으로 이동한다. 이때 전자와 양공이 p−n 접합면을 쉽게 통과하므로 다이오드에는 전류가 흐르게 된다. 이러한 연결을 순방향 연결이라고 한다. p형 반도체를 전원의 (−)극에 연결하고 n형 반도체를 (+)극에 연결하면, n형 반도체의 전자들이 (+)극 쪽에 모이고 p형 반도체의 양공들은 (−)극 쪽에 모여 전자와 양공이 p−n 접합면을 통해 이동할 수 없어 전류가 흐르지 않는다. 이러한 연결을 역방향 연결이라고 한다. 이처럼 한 방향으로만 전류를 흐르게 하는 것을 정류 작용이라고 한다.

415 **모범 답안** p−n 접합 다이오드에 순방향으로 전압을 걸면 p형 반도체의 양공과 n형 반도체의 전자가 접합면으로 이동하여 결합하고, 전원 장치에서 양공과 전자가 계속 공급되므로 회로에 전류가 흐른다.

416 ㄴ. (나)에서 붕소(B) 주위에 전자가 부족하여 생긴 빈자리(양공)가 있으므로 붕소의 원자가 전자는 3개이다. 불순물 X 주위에는 공유 결합에 참여하지 못한 남는 전자가 있으므로 X의 원자가 전자는 5개이다. 따라서 원자가 전자의 수는 X가 붕소보다 많다.
ㄷ. p−n 접합 다이오드에 역방향 전압을 걸면 p형 반도체에 있는 양공과 n형 반도체에 있는 전자는 p−n 접합면에서 멀어진다.
바로알기 | ㄱ. 저마늄(Ge) 결정은 고유(순수) 반도체이다. 따라서 반도체인 (가)의 띠 간격은 도체보다 크다.

417 ㄱ. X의 인듐(In) 주위에 양공이 존재하므로 X는 p형 반도체이다.
ㄷ. (나)에서 다이오드에 순방향 바이어스가 걸려 있으므로 X(p형 반도체)의 양공과 Y(n형 반도체)의 전자는 p−n 접합면으로 이동한다.
바로알기 | ㄴ. X는 p형 반도체, Y는 n형 반도체이다. (나)에서 p형 반도체에 전원 장치의 (+)극이, n형 반도체에 (−)극이 연결되어 있으므로 (나)는 순방향 바이어스로 연결되어 있다.

418 ㄴ. 스위치를 a에 연결하면 p형 반도체에 전지의 (−)극이, n형 반도체에 (+)극이 연결되므로 다이오드에 역방향 전압이 걸린다.
ㄷ. 스위치를 b에 연결하면 다이오드에 순방향 전압이 걸리므로 p형 반도체에 있는 양공과 n형 반도체에 있는 전자가 p−n 접합면으로 이동한다.
바로알기 | ㄱ. 스위치를 a에 연결하면 다이오드에 역방향 전압이 걸리므로 저항에 전류가 흐르지 않는다.

419 스위치 S를 b에 연결하면 저항에 전압이 걸린다고 하였으므로 S를 b에 연결할 때 다이오드에 순방향 전압이 걸린다. 이 회로에서 저항에 전압이 걸린다는 것은 전류가 흐른다는 것과 같은 의미이다.

① S를 b에 연결할 때 다이오드에 순방향 전압이 걸리므로 X는 p형 반도체, Y는 n형 반도체이다.

② Y는 n형 반도체이므로 Y의 주요 전하 운반자는 전자이다.

③ S를 a에 연결하면 X(p형 반도체)에 전원 장치의 (−)극이 연결되고, Y(n형 반도체)에 (+)극이 연결되므로 다이오드에 역방향 전압이 걸린다.

⑤ S를 b에 연결하면 다이오드에 순방향 전압이 걸리고, 전류는 (+)극에서 나와 (−)극으로 들어가는 방향으로 흐르므로 회로에 시계 방향으로 전류가 흐른다.

바로알기 | ④ S를 a에 연결하면 다이오드에 역방향 전압이 걸리므로 전자와 양공이 접합면으로부터 멀어져 결합하지 않는다.

⑥ S를 b에 연결하면 다이오드에 순방향 전압이 걸리고, 순방향 전압이 걸리면 X(p형 반도체)의 전하 운반자인 양공과 Y(n형 반도체)의 전하 운반자인 전자가 접합면 쪽으로 이동하여 결합한다.

420 저항에 흐르는 전류의 방향으로부터 반도체 X, Y와 전원 장치의 극을 판단할 수 있다.

(1) 저항에 흐르는 전류의 방향으로부터 Y가 p형 반도체이고 X가 n형 반도체임을 알 수 있다. n형 반도체의 주요 전하 운반자는 전자이다.

(2) 다이오드에 전류가 흐르므로 순방향 전압이 걸린 상태이다. 순방향 전압이 걸렸을 때 n형 반도체에는 (−)극이 연결되어 있으므로 X(n형 반도체)에 연결된 단자 ㉠은 (−)극이다.

(3) n형 반도체는 원자가 전자가 5개인 원소를 도핑하고 p형 반도체는 원자가 전자가 3개인 원소를 도핑하므로 A, B의 원자가 전자 수는 각각 5, 3이다. 따라서 원자가 전자의 수는 A>B이다.

421 스위치를 a에 연결할 때 B와 C에 순방향 전압이 걸리므로 전류가 흐르는 방향은 아래 그림에서 화살표 방향과 같다.

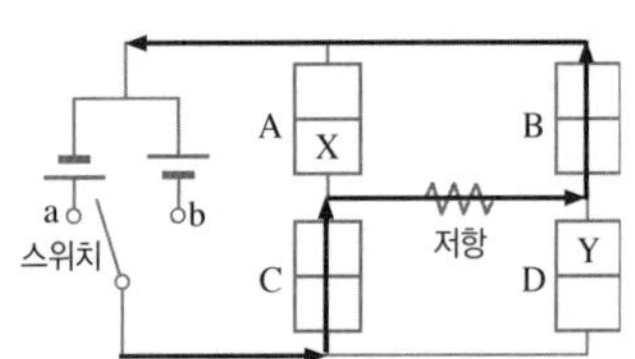

ㄴ. 스위치 a, b에 연결된 전지의 방향이 서로 반대이므로 a에 연결할 때 역방향 전압이 걸린 A, D는 b에 연결할 때 순방향 전압이 걸린다.

ㄷ. 스위치를 b에 연결하면 A에는 순방향 전압이 걸리므로 X(n형 반도체) 내부에 있는 전자는 p−n 접합면 쪽으로 이동한다.

바로알기 | ㄱ. 스위치를 a에 연결할 때 A에는 역방향 전압이 걸리므로 전지의 (+)극 쪽에 연결된 X는 n형 반도체이다.

ㄹ. 스위치를 b에 연결할 때 A와 D에 순방향 전압이 걸리므로 전류가 흐르는 방향은 아래 그림에서 화살표 방향과 같다.

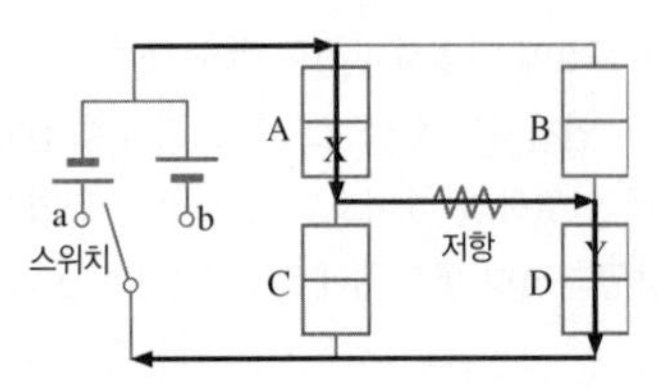

따라서 스위치를 a에 연결할 때와 b에 연결할 때 저항에 흐르는 전류의 방향은 오른쪽으로 같다.

422 p에 흐르는 전류의 방향에 따라 다이오드 A~D에 흐르는 전류의 방향은 아래 그림과 같다.

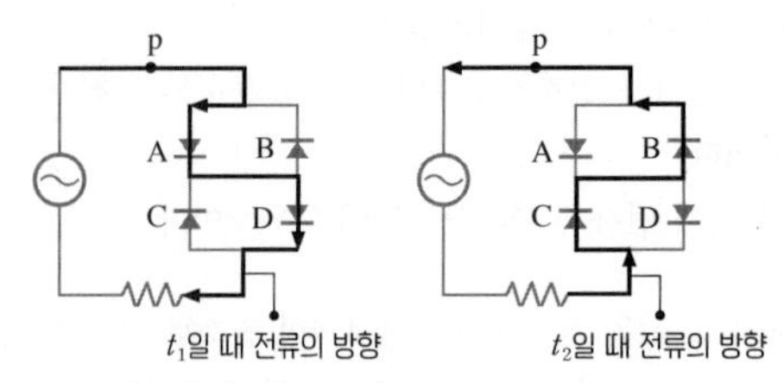

ㄷ. C와 D는 연결 방향이 서로 반대이므로 하나에 순방향 바이어스가 걸리면 다른 하나에는 역방향 바이어스가 걸리게 된다. 따라서 C에 전류가 흐를 때 D에는 전류가 흐르지 않는다.

ㄹ. (나)에서 p에 흐르는 전류의 방향은 t_1일 때와 t_2일 때가 서로 반대이므로 저항에 흐르는 전류의 방향도 t_1일 때와 t_2일 때가 서로 반대이다.

바로알기 | ㄱ. (나)에서 t_1일 때 p에 흐르는 전류가 (+)이므로 전류의 방향은 오른쪽이다. 따라서 t_1일 때, A에는 순방향 바이어스가 걸린다.

ㄴ. (나)에서 t_2일 때 p에 흐르는 전류가 (−)이므로 전류의 방향은 왼쪽이다. 따라서 t_2일 때, B에는 전류가 흐른다.

423 ㄱ. (나)에서 고유(순수) 반도체인 저마늄(Ge) 결정에 원자가 전자가 5개인 15족 원소 인(P)을 도핑하여, 원자가 전자 4쌍이 공유 결합하고 전자 1개가 남는 것으로 보아 A는 n형 반도체이다.

ㄴ. A는 n형 반도체, B는 p형 반도체이므로 스위치를 a에 연결하면 역방향 전압이 걸려 저항에 전류가 흐르지 않는다.

ㄷ. 스위치를 b에 연결하면 LED에 순방향 전압이 걸려 전류가 흐르므로 빛이 방출된다.

424 스위치를 a에 연결했을 때 발광 다이오드(LED)에서 빛이 방출되므로 LED에 순방향 전압이 걸린 것이며, 이때 전류의 방향은 아래 그림에서 화살표 방향과 같다. 따라서 X는 양공, Y는 전자이다. X, Y가 접합면 쪽으로 이동하는 모습도 순방향 전압임을 판단하는 근거가 된다.

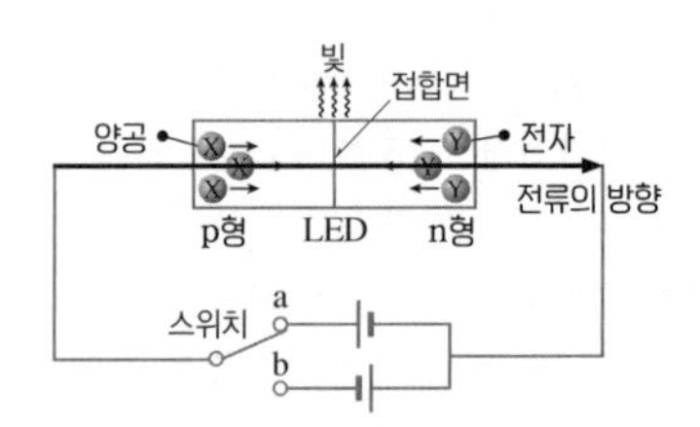

② 스위치 a, b에 각각 연결된 전원 장치의 방향이 서로 반대이다. a에 연결했을 때 LED에 순방향 전압이 걸렸으므로 스위치를 b에 연결하면 LED에는 역방향 전압이 걸린다.

③ 스위치를 b에 연결하면 LED에 역방향 전압이 걸리므로 X(양공)와 Y(전자)는 접합면으로부터 멀어진다.

④ LED에 순방향 전압이 걸리면 Y(전자)는 에너지 준위가 더 낮은 원자가 띠로 전이하면서 X(양공)와 결합하게 된다.

⑥ 접합면에서 전자가 더 낮은 에너지 준위로 전이하면서 감소한 에너지를 빛(광자)의 형태로 방출한다. 즉, LED에서 방출되는 광자 1개의 에너지의 크기는 접합면에서 전자가 전이할 때 감소한 에너지의 크기와 같다.

바로알기 | ① Y는 전자이다.

⑤ 스위치를 b에 연결하면 LED에 역방향 전압이 걸리면서 전류가 흐르지 않으므로 빛이 방출되지 않는다.

425 ①, ③ A에서 빛이 방출되었으므로 A에는 순방향 전압(바이어스)이 걸려 있다. 따라서 X는 n형 반도체, Y는 p형 반도체이다.
② Y는 p형 반도체이고, p형 반도체의 주요 전하 운반자는 양공이다.
⑤ 전원 장치의 극을 반대로 연결하면 A에는 역방향 전압이 걸리므로 n형 반도체에 있는 전자와 p형 반도체에 있는 양공은 p-n 접합면으로부터 멀어진다.
⑥ LED에서는 전자가 전이할 때 띠 간격에 해당하는 에너지를 빛으로 방출한다. 이때 띠 간격의 크기에 따라 방출하는 빛의 진동수가 달라져서 서로 다른 색의 빛을 방출하게 된다.
바로알기 | ④ LED에 전류가 흐르면 전자가 전이하며 띠 간격에 해당하는 에너지를 갖는 빛을 방출한다. 파란색 빛의 진동수가 빨간색 빛의 진동수보다 크고, 빛의 에너지는 진동수에 비례하므로 원자가 띠와 전도띠 사이의 띠 간격은 A가 B보다 크다.

426 ㄱ. 스위치를 a에 연결했을 때 회로에 전류가 흐르고, b에 연결했을 때 전류가 흐르지 않았으므로 다이오드 A와 B는 서로 반대 방향으로 연결되어 있음을 알 수 있다. 따라서 X는 p형 반도체이다.
ㄴ. 스위치를 a에 연결했을 때 다이오드 A에 순방향 전압이 걸리므로 전원 장치의 ㉠은 (+)극이다.
ㄷ. p형 반도체인 X는 원자가 전자가 3개인 원소로 도핑되어 있다.

427 ① LED A, B에 모두 전류가 흐르므로 순방향 전압이 걸려 있고, Y에 전지의 (−)극이 연결되어 있으므로 Y는 n형 반도체이다.
② 진동수는 빨간색 빛이 파란색 빛보다 작고, 빛의 진동수와 파장은 서로 역수 관계이므로 파장은 빨간색 빛이 파란색 빛보다 크다.
④ 그림과 같은 연결 상태가 A, B에 순방향 전압이 걸리는 상태이므로, 전지의 극을 반대로 연결하면 A, B에 모두 역방향 전압이 걸리게 되어 빛이 방출되지 않는다.
⑤ LED에서 방출되는 광자 1개의 에너지(E)는 빛의 진동수(f)에 비례하고($E=hf$), 빛의 진동수는 파란색 빛이 빨간색 빛보다 크므로 LED에서 방출되는 광자 1개의 에너지는 B에서가 A에서보다 크다.
바로알기 | ③ S를 열면 다이오드에는 전압이 걸리지 않으므로 순방향 전압, 역방향 전압 모두 걸리지 않는다.

428 LED에 전류가 흐를 때 전도띠에 있는 전자가 원자가 띠로 전이하면서 띠 간격에 해당하는 만큼의 에너지를 빛(광자)으로 방출한다. 따라서 LED에서 방출되는 광자 1개의 에너지는 띠 간격의 크기와 같고, $E=hf$에 따라 광자 1개의 에너지(E)와 진동수(f)는 서로 비례한다.
모범 답안 원자가 띠와 전도띠 사이의 띠 간격이 더 작은 재료로 만든 LED에 전류를 흐르게 하면 방출되는 광자 1개의 에너지가 더 작아지며, 광자 1개의 에너지와 진동수는 서로 비례하므로 방출되는 빛의 진동수도 작아진다.

429 ㄱ. 빛이 방출되는 LED에는 순방향 전압이 걸려 있다. X는 직류 전원 장치의 (+)극에 연결되어 있으므로 X는 p형 반도체이다.
ㄷ. LED에 순방향 전압이 걸려 있으므로 X(p형 반도체)의 양공과 Y(n형 반도체)의 전자는 p-n 접합면 쪽으로 이동한다. 따라서 LED 내에서 양공은 X에서 Y 쪽으로 이동한다.
바로알기 | ㄴ. LED에서 빨간색 빛이 방출되려면 전류가 흘러야 하고, 전류가 흐르기 위해서는 순방향 전압이 걸려야 한다.

430 **모범 답안** 교류 전원 장치는 (+)극과 (−)극이 주기적으로 바뀌므로 LED에 순방향 전압과 역방향 전압이 주기적으로 반복되어 걸린다. 따라서 LED의 빨간색 빛이 깜빡거리게 된다.

최고 수준 도전 기출 (11 ~ 14강)

122~123쪽

431 ①	432 ⑤	433 ②	434 ④	435 ④	436 ④
437 ①	438 ⑤				

431 B에 작용하는 전기력이 0이므로 A와 C는 같은 종류의 전하이다. A에 작용하는 전기력이 $+x$ 방향이므로 A와 C는 음(−)전하이다.
ㄱ. A는 음(−)전하이고 B는 양(+)전하이므로 A와 B 사이에는 인력이 작용한다.
바로알기 | ㄴ. B에 작용하는 전기력이 0이므로 A가 B에 작용하는 전기력의 크기와 C가 B에 작용하는 전기력의 크기는 같다. 전기력의 크기는 두 전하 사이의 거리의 제곱에 반비례하고 두 전하의 전하량의 곱에 비례한다. 따라서 B와 C 사이의 거리가 A와 B 사이의 거리의 2배이므로 전기력의 크기가 같으려면 전하량의 크기는 C가 A의 4배이어야 한다.
ㄷ. 그림과 같이 A와 B, A와 C, B와 C 사이에 작용하는 전기력의 크기를 각각 F_1, F_2, F_3이라고 하고 $+x$ 방향을 (+)로 하면 A에 작용하는 전기력은 F_1-F_2이고 방향은 $+x$ 방향이므로 $F_1>F_2$이다. B에 작용하는 힘이 0이므로 $F_1=F_3$이고, $F_3>F_2$이다. 따라서 C에는 $-x$ 방향으로 전기력이 작용하므로, C에 작용하는 전기력은 0이 아니다.

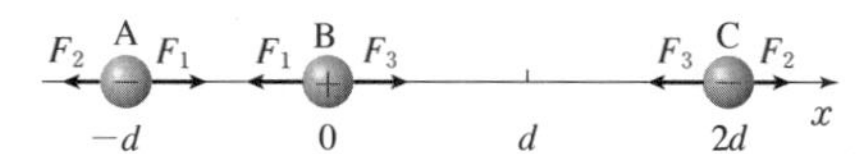

다른 해설 A, B, C에 작용하는 전기력은 각각 F_1-F_2, $-F_1+F_3$, F_2-F_3이다. 따라서 A, B, C에 작용하는 전기력을 모두 더하면 0이고, 이 원리를 적용하면 B에 작용하는 전기력이 0이고 A에 작용하는 전기력이 $+x$ 방향이므로 C에 작용하는 전기력은 $-x$ 방향이어야 한다. 이는 작용 반작용 법칙에 의해 물체 계에 속한 물체 사이에 작용하는 내부 힘의 총합은 항상 0이 된다는 일반 원리이므로 일반적으로 적용이 가능하며, 이러한 유형의 문제 풀이에 유용하게 적용할 수 있다.

432 ㄱ. (가)에서 A와 B의 전하량의 크기가 같고, C와의 거리는 B가 A보다 작다. C에 작용하는 전기력이 $-x$ 방향이므로 B와 C는 서로 다른 종류의 전하이다. (가)에서 B에 작용하는 전기력이 0이고, (나)에서 양(+)전하 X를 추가한 결과 B에 작용하는 전기력의 방향이 $-x$ 방향이 되었으므로 B와 X는 같은 종류의 전하이다. 따라서 B는 양(+)전하이다.
ㄴ. (가)에서 B에 작용하는 전기력이 0이므로 A가 B에 작용하는 전기력의 크기와 C가 B에 작용하는 전기력의 크기는 서로 같다. B와 C 사이의 거리가 A와 B 사이의 거리의 2배이므로 전하량의 크기는 C가 A의 4배이다.
ㄷ. (가)에서 B에 작용하는 전기력이 0이므로 A와 C는 같은 종류의 전하이다. B는 양(+)전하, C는 음(−)전하이므로 네 점전하의 전하의 종류는 아래 그림과 같다.

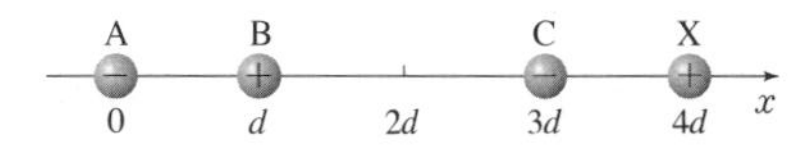

A와 B의 전하량의 크기는 같고, C의 전하량 크기가 A, B의 4배이므로 X에 작용하는 전기력의 방향은 C가 X에 작용하는 전기력의 방향과 같은 $-x$ 방향이다.

433 ① $E=hf=\frac{hc}{\lambda}$이므로 $E_3-E_2=\frac{hc}{\lambda_a}$, $E_5-E_4=\frac{hc}{\lambda_c}$에서 $\frac{\lambda_a}{\lambda_c}=\frac{E_5-E_4}{E_3-E_2}$이다.
③ 방출되는 빛의 진동수는 전이 전후 에너지 준위 차에 비례하므로 b에서가 c에서보다 크다.
④ a에서 흡수되는 광자 1개의 에너지는 $(-1.51)-(-3.40)=1.89$(eV)이다.
⑤ $n=\infty$일 때의 에너지는 0이므로 전자가 $n=\infty$에서 $n=2$인 궤도로 전이할 때 방출하는 광자 1개의 에너지는 $0-(-3.40)=3.40$(eV)이다.
바로알기 | ② b는 전자가 $n=3$보다 큰 궤도에서 $n=3$인 궤도로 전이하는 과정이므로 b에서 방출되는 빛은 적외선이다.

434 전자가 낮은 에너지 준위에서 높은 에너지 준위로 전이할 때 에너지를 흡수하므로 (가)에서 a, b, c가 에너지를 흡수하는 전자의 전이이다.
ㄱ. 전자가 전이할 때 흡수하거나 방출하는 에너지의 크기는 에너지 준위 차와 같고, 파장에 반비례한다. ㉠은 세 스펙트럼선 중 파장이 중간 크기이므로 b에 의해 나타난 스펙트럼선이다.
ㄷ. 양자수 n에 따른 전자의 에너지 준위 $E_n=-\frac{13.6}{n^2}$ eV이므로 a에서 흡수되는 빛의 진동수를 f라고 하면, a에서 흡수되는 빛의 에너지는 $E_2-E_1=13.6\left(1-\frac{1}{2^2}\right)=hf$이다. d에서 방출되는 빛의 진동수를 f_d라고 하면 $E_4-E_2=13.6\left(\frac{1}{2^2}-\frac{1}{4^2}\right)=hf_d$이므로 $f_d=\frac{1}{4}f$이다.
바로알기 | ㄴ. 전자가 전이할 때 흡수하거나 방출하는 에너지의 크기는 에너지 준위 차와 같고, 흡수하거나 방출하는 빛의 진동수에 비례한다. 흡수되는 빛의 에너지는 c에서가 a에서보다 크므로 진동수도 c에서가 a에서보다 크다.

435 원자가 띠의 전자가 띠 간격 이상의 에너지를 흡수하면 전도띠로 전이할 수 있다. 원자가 띠의 전자가 전도띠로 전이하면 전자가 있던 자리에 양공이 생긴다.
① (가)는 원자가 띠와 전도띠 사이에 띠 간격이 없으므로 도체이다.
② 전도띠로 전이한 전자의 수가 많을수록 양공의 수도 많다. 띠 간격이 작을수록 전자가 전도띠로 전이하기 쉬우므로 상온에서 양공의 수는 (다)가 (나)보다 많다.
③ (다)는 반도체이다. 반도체는 온도가 높을수록 원자가 띠의 전자가 에너지를 얻어 전도띠로 전이하기 쉬우므로 전기 전도성이 좋다.
⑤ 원자가 띠에 있던 전자가 전도띠로 전이할 때 필요한 최소한의 에너지는 띠 간격과 같으므로 (가)에서 가장 작다.
바로알기 | ④ (나)의 원자가 띠는 수많은 에너지 준위가 미세하게 갈라져 있는 상태이므로 원자가 띠에 있는 전자들의 에너지는 모두 같지 않다.

436 물체의 전기 저항 $R=\rho\frac{l}{S}$이다. 즉, 비저항(ρ)이 클수록 물체의 전기 저항(R)도 커진다. 비저항은 절연체가 가장 크고, 반도체, 도체 순으로 작다. 절연체와 반도체는 온도가 높아지면 비저항이 작아지는 특징이 있으며, 도체는 반대로 온도가 높아지면 비저항도 커진다.
ㄱ. A는 A~C 중 비저항이 가장 큰 것으로 보아 절연체이고, B는 비저항이 A와 C의 중간 정도이므로 반도체이다. 띠 간격은 절연체인 A가 반도체인 B보다 크다.
ㄷ. 반도체인 B에 불순물을 도핑하면 전하 운반자의 수가 많아지므로 전기 전도도가 커진다.
바로알기 | ㄴ. 전기 전도도(σ)는 비저항(ρ)과 역수 관계($\sigma=\frac{1}{\rho}$)이므로 A, B, C 중 비저항이 가장 큰 A의 전기 전도도가 가장 작고, 비저항이 가장 작은 C의 전기 전도도가 가장 크다.

437 ② S_1, S_2를 각각 a, c에 연결하면 파란색 빛을 내므로 파란색 LED에만 순방향 전압이 걸린 상태이다. B에는 역방향 전압이 걸려 있으므로 B의 X는 n형 반도체이다.
③ S_1, S_2를 각각 a, d에 연결하면 청록색 빛을 내므로 파란색 빛과 초록색 빛이 합성된 것이고, A가 파란색 빛을 내므로 C는 초록색 빛을 낸다. 또한 C에는 순방향 전압이 걸려 있으므로 Y는 n형 반도체이다. n형 반도체는 주로 전자가 전하를 운반한다.
④ A는 파란색, C는 초록색 LED이므로 B는 빨간색 LED이다. S_1, S_2를 각각 b, c에 연결하면 A에는 역방향 전압이, B에는 순방향 전압이 걸리므로 조명은 빨간색 빛을 낸다.
⑤ S_1, S_2를 각각 b, d에 연결하면 a, d에 연결했을 때와 전압의 방향이 반대이므로 A, C 모두에 역방향 전압이 걸린다. 따라서 조명에서 빛이 방출되지 않는다.
바로알기 | ① S_1, S_2를 각각 a, c에 연결하면 조명이 파란색 빛을 내므로 파란색 LED에만 순방향 전압이 걸린 상태이다. 따라서 순방향 전압이 걸린 A는 파란색 LED이다.

개념 보충

빛의 삼원색
빛의 삼원색은 빨간색, 초록색, 파란색이다. 빛의 삼원색을 합성할 때 나타나는 빛의 색은 다음 그림과 같다.

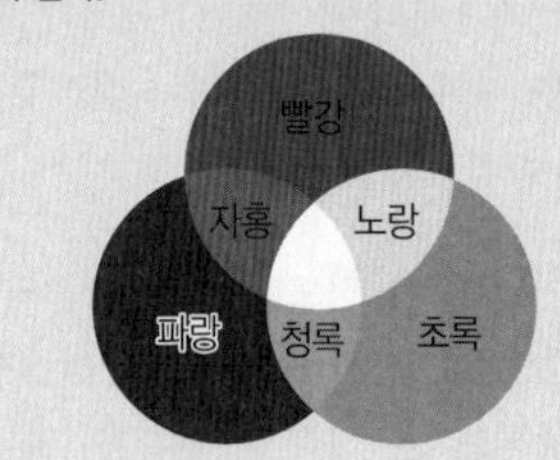

438 ① 1초일 때 A에서만 빛이 방출되므로 A에만 순방향 전압이 걸린다. 순방향 전압이 걸렸을 때 다이오드 내부에서 전류는 p형 반도체에서 n형 반도체 쪽으로 흐르므로 저항에 흐르는 전류의 방향은 ㉡ 방향이다.
② 5초일 때 전압의 방향이 1초일 때와 같으므로 A에는 순방향 전압이 걸린다. 따라서 A의 p-n 접합면에서 전자와 양공이 결합한다.
③ 7초일 때는 전압의 방향이 1초일 때와 반대이므로 A에는 역방향 전압이, B에는 순방향 전압이 걸린다.
④ LED에서 방출되는 빛의 에너지의 크기는 LED의 띠 간격의 크기와 같다. 따라서 원자가 띠와 전도띠 사이의 띠 간격은 파란색 빛을 방출하는 A가 빨간색 빛을 방출하는 B보다 크다.
바로알기 | ⑤ 회로에 걸리는 전압의 방향이 바뀌면 저항에 흐르는 전류의 방향도 바뀌므로 0초부터 8초까지 저항에 흐르는 전류의 방향은 일정하지 않다.

15 전류에 의한 자기 작용

빈출 자료 보기 125쪽

439 (1) × (2) ○ (3) × (4) ○ (5) ○ (6) ×

439 (2) a와 c에서 A에 의한 자기장과 B에 의한 자기장의 세기의 차가 서로 같으므로 합성 자기장의 세기가 같다.
(4) a에서 자기장의 방향은 종이면에서 수직으로 나오는 방향이고, b에서 자기장의 방향은 종이면에 수직으로 들어가는 방향이므로 서로 반대이다.
(5) A로부터 떨어진 거리는 b가 c보다 가까우므로 A에 의한 자기장의 세기는 b에서가 c에서보다 세다.
바로알기 | (1) b에서 A와 B에 의한 자기장의 방향이 서로 같으므로 b에서 합성 자기장의 세기는 0이 아니다.
(3) 직선 도선에 흐르는 전류에 의한 자기장의 세기(B)는 전류의 세기(I)에 비례하고 도선으로부터 떨어진 거리(r)에 반비례한다$\left(B=k\frac{I}{r}\right)$. 따라서 각 도선에 의한 자기장의 방향을 고려하여 합성 자기장의 세기를 구하면 b에서 자기장의 세기는 $k\frac{2I}{d}$이고 a에서 자기장의 세기는 $k\frac{I}{d}-k\frac{I}{3d}=k\frac{2I}{3d}$이다. 따라서 a에서 합성 자기장의 세기는 b에서의 $\frac{1}{3}$배이다.
(6) A에 흐르는 전류의 방향으로 오른손 엄지손가락 방향을 향하게 하면 나머지 네 손가락이 감아쥐는 방향이 자기장의 방향과 같다. 따라서 c에서 A에 의한 자기장의 방향은 종이면에 수직으로 들어가는 방향이다.

난이도별 필수 기출 126~131쪽

440 ③, ⑤		441 ③	442 ②	443 ③	
444 $4B$	445 ⑤	446 ①	447 해설 참조		448 ⑤
449 ③	450 ②	451 ④	452 ③	453 ②	454 ②
455 ②	456 ④	457 ②	458 ②	459 해설 참조	
460 ④	461 ②, ④		462 ④	463 ⑤	464 ②
465 ④	466 ④	467 ④			

440 ①, ②, ④ 자기력선은 도중에 끊기거나 분리되지 않고, 서로 교차하지 않으며, 자석의 N극에서 나와 S극으로 들어가는 폐곡선이다.
바로알기 | ③ 자기력선의 간격이 넓을수록 자기장의 세기가 약하고, 간격이 좁을수록 자기장의 세기가 세다.
⑤ 자기력선은 자기장 내에서 자침의 N극이 가리키는 방향을 연속적으로 이은 선이다.

441 ㄱ. 자기장의 세기(B)는 전류의 세기(I)에 비례한다$\left(B=k\frac{I}{r}\right)$.
ㄷ. 자기장의 세기가 도선으로부터의 수직 거리에 반비례하므로 같은 수직 거리에 있는 모든 위치에서 자기장의 세기는 같다. 따라서 자기력선의 모양은 도선을 중심으로 하는 동심원 모양이다.
바로알기 | ㄴ. 자기장의 세기(B)는 도선으로부터의 수직 거리(r)에 반비례한다$\left(B=k\frac{I}{r}\right)$.

442 지구 자기장의 방향은 북쪽 방향이고, 나침반이 놓인 위치에서 직선 전류에 의한 자기장의 방향은 오른나사 법칙에 의해 동쪽 방향이다. 지구 자기장과 전류에 의한 자기장의 세기가 같으므로 합성 자기장의 방향은 북동쪽이며, 나침반의 N극이 가리키는 방향은 합성 자기장의 방향과 같으므로 북동쪽이 된다.

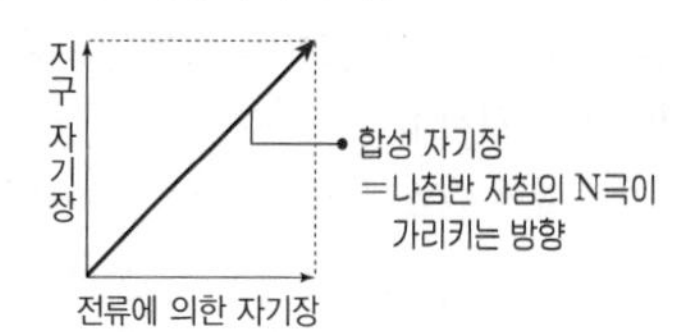

443 ㄱ. 수평면 위에서 보았을 때 자기장의 방향이 시계 반대 방향이므로 오른나사 법칙에 의해 오른손 네 손가락을 시계 반대 방향으로 감아쥐면 엄지손가락의 방향이 a인 것으로 보아 도선에 흐르는 전류의 방향은 a이다.
ㄴ. 전류의 방향이 반대가 되면 자기장의 방향도 반대가 된다. 오른손 엄지손가락의 방향을 반대로 하면 오른나사 법칙에 따라 나머지 네 손가락의 방향도 반대가 됨을 알 수 있다.
바로알기 | ㄷ. 나침반이 도선을 중심으로 한 원 위에 놓여 있으므로 나침반 자침의 N극은 원의 접선 방향을 향하게 된다. 도선에 흐르는 전류의 세기가 세져도 나침반이 놓인 위치에서 자기장의 방향은 변하지 않으므로 자침의 회전 정도도 변하지 않는다.

444 $B=k\frac{I}{r}$이므로 전류의 세기가 $4I$가 되면 ㉠에서 자기장의 세기는 $4B$가 된다.

445 ㄱ. 전원 장치에 연결된 극의 방향을 보면 도선에 흐르는 전류의 방향은 남쪽 방향이므로 오른나사 법칙에 따라 나침반의 중심에서 직선 도선에 흐르는 전류에 의한 자기장의 방향은 동쪽이다.
ㄴ. 가변 저항의 저항값을 감소시키면 도선에 흐르는 전류의 세기가 증가하므로 전류에 의한 자기장의 세기도 증가한다. 나침반의 중심에서 직선 도선에 흐르는 전류에 의한 자기장의 방향은 동쪽이므로 전류의 세기가 증가하면 나침반이 동쪽으로 더 회전하게 된다. 따라서 가변 저항의 저항값을 감소시키면 자침의 N극과 북쪽이 이루는 각의 크기는 증가한다.
ㄷ. 오른나사 법칙에 따라 전류에 의한 자기장 방향은 도선 위와 아래에서 서로 반대이다. 따라서 나침반을 도선 위쪽으로 옮기면 자침이 가리키는 방향이 달라진다.

446 ㄱ. P에서 A에 의한 자기장의 세기는 B에 의한 자기장의 세기보다 세므로 P에서 자기장의 방향은 A에 의한 자기장의 방향과 같은 방향인 종이면에서 수직으로 나오는 방향이다. Q에서는 A와 B에 의한 자기장의 방향이 서로 같으므로 자기장의 방향은 종이면에 수직으로 들어가는 방향이다. 따라서 자기장의 방향은 P와 Q에서 서로 반대이다.

바로알기 | ㄴ. 자기장의 세기는 Q에서 $B_Q=k\frac{2I}{d}+k\frac{4I}{d}=k\frac{6I}{d}$이고, R에서 $B_R=k\frac{4I}{d}-k\frac{2I}{3d}=k\frac{10I}{3d}$이므로 Q에서가 R에서의 $\frac{9}{5}$배이다.
ㄷ. R에서는 B에 의한 자기장의 세기가 A에 의한 자기장의 세기보다 세므로 R에서 자기장의 방향은 B에 의한 자기장 방향과 같다. 따라서 R에서 자기장의 방향은 종이면에서 수직으로 나오는 방향이다.

447 모범 답안 $B_P=k\frac{2I}{d}-k\frac{4I}{3d}=k\frac{2I}{3d}$, $B_Q=k\frac{2I}{d}+k\frac{4I}{d}=k\frac{6I}{d}$이므로 $\frac{B_Q}{B_P}=9$이다.

448 ㄱ. p에서 A, B에 흐르는 전류에 의한 자기장은 세기가 같고 방향이 서로 반대이다. 따라서 p에서 전류에 의한 자기장은 0이다.
ㄴ. A, B에 흐르는 전류에 의한 자기장의 방향이 q에서는 xy 평면에서 수직으로 나오는 방향으로 같고, r에서는 xy 평면에 수직으로 들어가는 방향으로 같다. 또한 A, B로부터의 거리는 q와 r에서 같으므로 전류에 의한 자기장의 세기는 q와 r에서 같다.
ㄷ. r에서 전류에 의한 자기장의 방향은 xy 평면에 수직으로 들어가는 방향이다. s에서 자기장의 방향은 거리가 더 가까운 도선인 A에 흐르는 전류에 의한 자기장의 방향과 같으므로 xy 평면에서 수직으로 나오는 방향이다. 따라서 전류에 의한 자기장의 방향은 r와 s에서 서로 반대이다.

449 ㄴ. a에서 전류에 의한 자기장이 0이므로 P에 흐르는 전류에 의한 자기장의 방향과 Q에 흐르는 전류에 의한 자기장의 방향이 서로 반대이어야 한다. 따라서 전류의 방향은 P에서와 Q에서가 서로 반대이다.
ㄷ. b에서 P에 흐르는 전류에 의한 자기장의 방향과 Q에 흐르는 전류에 의한 자기장의 방향이 같고, c에서 P에 흐르는 전류에 의한 자기장의 방향과 Q에 흐르는 전류에 의한 자기장의 방향이 서로 반대이다. 전류의 세기가 더 센 도선인 Q와의 거리는 b와 c가 같으므로 전류에 의한 자기장의 세기는 b에서가 c에서보다 세다.
바로알기 | ㄱ. a에서 전류에 의한 자기장이 0이므로 P에 흐르는 전류에 의한 자기장 세기와 Q에 흐르는 전류에 의한 자기장 세기가 같다. a와 떨어진 거리는 Q가 P의 3배이므로 도선에 흐르는 전류의 세기도 Q가 P의 3배이다. 따라서 Q에 흐르는 전류의 세기는 $3I$이다.
ㄹ. 도선에 흐르는 전류의 세기는 Q가 P보다 세고, Q와의 거리는 b와 c가 같으므로 두 점에서 전류에 의한 자기장의 방향은 Q에 흐르는 전류에 의한 자기장의 방향과 같다. 따라서 전류에 의한 자기장의 방향은 b에서와 c에서가 서로 반대이다.

450 원점 O에서 A, B에 흐르는 전류에 의한 자기장의 방향은 x축과 나란하므로 A, B, C에 흐르는 전류에 의한 자기장의 방향이 y축과 나란한 방향이 되려면 원점 O에서 A, B에 흐르는 전류에 의한 자기장이 0이 되어야 한다.
ㄷ. O에서 자기장의 방향은 C에 흐르는 전류에 의한 자기장 방향과 같으므로 C에 흐르는 전류의 방향은 xy 평면에 수직으로 들어가는 방향이다.
바로알기 | ㄱ. 원점 O에서 A, B에 흐르는 전류에 의한 자기장은 0이므로 전류의 세기는 A와 B가 같다.
ㄴ. O에서 A, B에 흐르는 전류에 의한 자기장이 0이므로 C에 흐르는 전류에 의한 자기장의 방향은 $+y$ 방향이다.

451 ㄱ. q, r에서 전류에 의한 자기장의 방향이 서로 반대이므로 도선에 흐르는 전류의 세기는 A가 B보다 커야 한다. 자기장의 세기가 전류의 세기에 비례하고 거리에 반비례하기 때문에 B와 가까운 q에서는 B에 흐르는 전류의 영향이 더 크고, 도선에서 멀어질수록 거리에 의한 차이보다 전류에 의한 차이가 더 크므로 r에서는 전류의 세기가 더 큰 A의 영향이 더 커지게 된다. 따라서 $I_A>I_B$이다.

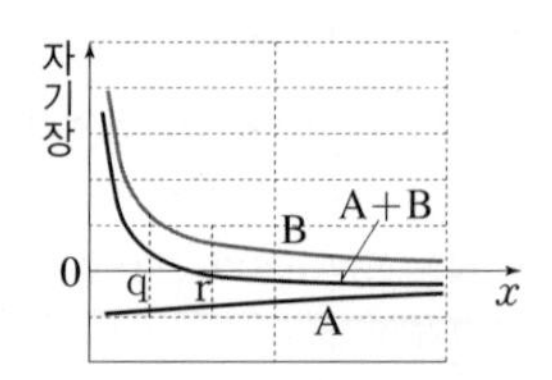

ㄷ. r에서 자기장의 방향은 A에 흐르는 전류에 의한 자기장 방향과 같으므로 A에 흐르는 전류의 방향은 종이면에 수직으로 들어가는 방향이다.
ㄹ. q에서 자기장의 방향은 B에 흐르는 전류에 의한 자기장 방향과 같으므로 B에 흐르는 전류의 방향은 종이면에서 수직으로 나오는 방향이다.
바로알기 | ㄴ. p에서 A, B에 의한 자기장의 방향은 서로 같고, r에서 자기장의 방향은 A에 흐르는 전류에 의한 자기장 방향과 같으므로, 전류에 의한 자기장의 방향은 p와 r에서가 같다.

452 ㄱ. p에서 B에 흐르는 전류에 의한 자기장 방향은 $+y$ 방향이고, A와 B에 의한 합성 자기장의 방향은 $-y$ 방향이므로 A에 의한 자기장의 방향이 $-y$ 방향이어야 한다. 따라서 A에 흐르는 전류의 방향은 xy 평면에서 수직으로 나오는 방향이다.
ㄴ. p에서 A, B에 의한 자기장의 방향은 서로 반대이고, q에서는 서로 같으므로, A, B의 전류의 세기가 같은 t_1일 때 전류에 의한 자기장의 세기는 p에서가 q에서보다 작다.
바로알기 | ㄷ. r와 도선 사이의 거리는 B가 A보다 가깝고, 시간에 따른 전류의 세기는 B가 A보다 세거나 같으므로 r에서 전류에 의한 자기장의 방향은 항상 B에 흐르는 전류에 의한 자기장의 방향과 같다. 따라서 r에서 전류에 의한 자기장의 방향은 t_1일 때와 t_2일 때가 서로 같다.

453 P, Q에서 A에 흐르는 전류에 의한 자기장은 세기와 방향이 같고, B에 흐르는 전류에 의한 자기장은 세기는 같으나 방향이 서로 반대이므로, B에는 $-x$ 방향으로 전류가 흐르는 것을 알 수 있다. P, Q에서 A, B에 흐르는 전류에 의한 자기장의 세기를 각각 B_A, B_B라고 하면 $2B_0=B_A+B_B$, $B_0=B_A-B_B$이므로 $B_A=\frac{3}{2}B_0$, $B_B=\frac{1}{2}B_0$이다.
ㄷ. P에서 자기장의 방향은 xy 평면에 수직으로 들어가는 방향이고, R에서 자기장의 방향은 xy 평면에서 수직으로 나오는 방향이므로, P에서와 R에서 자기장의 방향은 서로 반대이다.
바로알기 | ㄱ. $B_R=\frac{3}{4}B_0+\frac{1}{2}B_0=\frac{5}{4}B_0$이므로 B_R는 B_0보다 크다.
ㄴ. A, B로부터 떨어진 거리가 같은 P, Q에서 A, B에 흐르는 전류에 의한 자기장의 세기 B_A, B_B는 $B_A=3B_B$의 관계가 있으므로 B에 흐르는 전류의 세기는 $\frac{2}{3}I$이다.

454 ㄷ. $I=0$일 때 B는 P, Q의 전류에 의한 자기장이고, P의 전류에 의한 자기장의 세기가 Q의 전류에 의한 자기장의 세기보다 세므로 B의 방향은 P의 전류에 의한 자기장의 방향과 같다. 따라서 $I=0$일 때 B의 방향은 xy 평면에서 수직으로 나오는 방향이다.

바로알기 | ㄱ. 원점 O에서 P, Q의 전류에 의한 자기장의 세기는 $k\frac{4I_0}{2d}-k\frac{I_0}{d}=k\frac{2I_0}{2d}$이다. $I=a$일 때 $B=0$이므로 $I=a$일 때 R의 전류에 의한 자기장의 세기가 $k\frac{2I_0}{2d}$이 되어야 한다. 따라서 $k\frac{2I_0}{2d}=k\frac{a}{2d}$이므로 $a=2I_0$이다.

ㄴ. O에서 P, Q의 전류에 의한 자기장 방향은 xy 평면에서 수직으로 나오는 방향이므로, $B=0$일 때 R의 전류에 의한 자기장 방향은 xy 평면에 수직으로 들어가는 방향이어야 한다. 따라서 $B=0$일 때 I의 방향은 $-y$ 방향이다.

455 ㄴ. 원형 도선의 중심에서 전류에 의한 자기장의 세기는 도선의 반지름에 반비례하므로 R를 증가시키면 O에서 자기장의 세기는 감소한다.

바로알기 | ㄱ. 오른손의 엄지손가락을 ㉡ 방향으로 해야 네 손가락이 감아쥐는 방향이 그림에서 나침반의 N극이 가리키는 방향과 같으므로, 도선에 흐르는 전류의 방향은 ㉡이다.

ㄷ. 오른나사 법칙에 따라 P에서 자기장의 방향은 원형 도선의 중심에서와 반대이다. 따라서 나침반의 N극이 가리키는 방향은 O에서와 P에서 서로 반대이다.

456 ㄴ. P에 흐르는 전류의 방향을 반대로 하면 P와 Q에 흐르는 전류에 의한 자기장의 방향이 서로 같아지므로 O에서 자기장의 세기가 증가한다.

ㄷ. O에서 자기장의 방향은 P에 흐르는 전류에 의한 자기장의 방향과 같고, Q에 흐르는 전류에 의한 자기장과는 반대 방향이다. 따라서 Q에 흐르는 전류의 세기를 감소시키면 O에서 자기장의 세기가 증가한다.

바로알기 | ㄱ. 원형 도선의 중심에서 전류에 의한 자기장의 세기는 도선의 반지름에 반비례하므로 r를 증가시키면 O에서 자기장의 세기가 감소한다.

457 O에서 P, Q에 의한 자기장의 세기는 각각 $k'\frac{I}{r}$, $k'\frac{I}{2r}$이고 각 도선에 흐르는 전류의 방향이 반대임을 고려하면 $B=k'\frac{I}{r}-k'\frac{I}{2r}=k'\frac{I}{2r}$이다. 따라서 O에서 Q에 의한 자기장의 세기는 B이다.

458 ㄴ. O에서 전류에 의한 자기장이 0이므로 A와 B에 흐르는 전류의 방향은 서로 반대이다. 따라서 B에 흐르는 전류의 방향은 시계 반대 방향이다.

바로알기 | ㄱ. O에서 전류에 의한 자기장이 0이므로 B에 흐르는 전류의 세기를 I_B라고 할 때 $\frac{I}{2a}=\frac{I_B}{3a}$이다. 따라서 B에 흐르는 전류의 세기는 $\frac{3}{2}I$이다.

ㄷ. A와 B에 흐르는 전류에 의한 자기장의 세기가 서로 같은 상황에서 A의 반지름만 더 작아지면 O에서 A에 흐르는 전류에 의한 자기장의 세기가 더 세지므로 O에서 자기장의 방향은 A에 흐르는 전류에 의한 자기장의 방향과 같아진다. 따라서 O에서 자기장의 방향은 종이면에 수직으로 들어가는 방향이 된다.

459 모범 답안 O에서 반지름이 $2r$인 도선에 의한 자기장의 세기는 $3B=k'\frac{I}{2r}$이다. O에서 세 원형 도선에 흐르는 전류에 의한 합성 자기장의 세기는 $k'\frac{I}{r}-k'\frac{I}{2r}+k'\frac{I}{3r}=6B-3B+2B=5B$이다.

460 ㄴ, ㄷ. 중심 O에서 A, B에 흐르는 전류에 의한 자기장의 방향은 종이면에서 수직으로 나오는 방향이므로 O에서 자기장이 0이 되려면 C에 흐르는 전류에 의한 자기장의 방향이 종이면에 수직으로 들어가는 방향이어야 한다. 따라서 전류의 방향은 B와 C에서 서로 반대이다.

바로알기 | ㄱ. 원형 도선이 없는 경우에 O에서 자기장이 0이 되려면 B와 C에 흐르는 전류에 의한 자기장의 세기가 같아야 하므로 $k\frac{I}{2r}=k\frac{I_C}{3r}$에서 $I_C=\frac{3}{2}I$가 성립하지만, 원형 도선이 있는 상황이므로 I_C는 $\frac{3}{2}I$가 아니다.

461 전류는 전원 장치의 (+)극에서 (−)극으로 흐르므로 솔레노이드에 흐르는 전류의 방향과 솔레노이드 내부에서 자기장의 방향은 다음 그림과 같다.

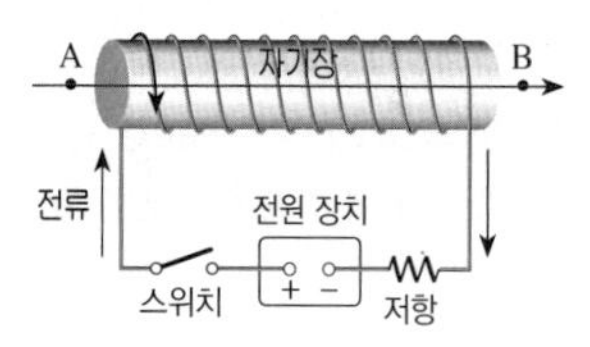

⑤, ⑥ 솔레노이드 내부에서 자기장의 세기는 전류의 세기에 비례하고 단위 길이당 코일의 감은 수에 비례한다.

바로알기 | ② A와 B에서 솔레노이드에 의한 자기장의 방향은 모두 오른쪽으로 같다.

④ 솔레노이드 내부의 자기력선의 방향은 자기장의 방향과 같은 오른쪽 방향이므로 A에서 B를 향한다.

462 ① 솔레노이드에 흐르는 전류의 방향으로 오른손의 네 손가락을 감아쥘 때 엄지손가락의 방향이 자기장의 방향과 같으므로 p에서 자기장의 방향은 $+x$ 방향이다.

② 솔레노이드에 흐르는 전류에 의한 자기장의 세기는 솔레노이드 내부에서 가장 세다.

바로알기 | ④ 가변 저항의 저항값을 증가시키면 솔레노이드에 흐르는 전류의 세기가 감소하므로 솔레노이드 내부 자기장의 세기도 감소한다.

463 길이가 L이고 감은 수가 N인 솔레노이드에 흐르는 전류(I)에 의해 솔레노이드 내부에 생기는 자기장의 세기(B)는 $B=k''nI$이다. B에 흐르는 전류의 세기를 I_B라고 하면 $2B=k''\frac{2N}{L}I$, $3B=k''\frac{N}{3L}I_B$이므로 $I_B=9I$이다.

464 길이가 같은 원통에 코일을 감았으므로 단위 길이당 감은 수는 B가 A의 2배이다. A, B는 코일이 감긴 방향과 전류의 방향이 모두 같으므로 A, B에 흐르는 전류에 의한 자기장의 방향도 서로 같다.

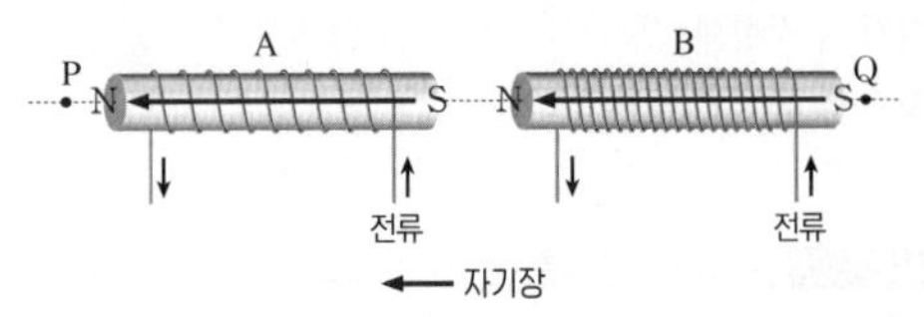

ㄷ. 솔레노이드 내부에서 자기장의 세기는 전류의 세기에 비례하고, 단위 길이당 코일의 감은 수에 비례한다. A, B에 흐르는 전류의 세기가 같고, 단위 길이당 코일의 감은 수는 B가 A의 2배이므로 A와 B 내부에서 자기장의 세기의 비 $B_A : B_B = 1 : 2$이다.

바로알기 | ㄱ. 솔레노이드 내부에서 A, B에 흐르는 전류에 의한 자기장은 모두 왼쪽 방향이므로 A의 오른쪽은 S극, B의 왼쪽은 N극을 띤다. 따라서 A와 B 사이에는 인력이 작용한다.

ㄴ. P와 Q에서 자기장의 방향은 왼쪽으로 서로 같다.

465 ① 스피커는 코일에 흐르는 전류의 세기와 방향이 변할 때 자석과 코일 사이 자기력의 크기와 방향이 바뀌어 진동판이 진동하면서 소리를 낸다.

② 전자석 기중기는 전자석을 이용한 장치로 전류가 흐를 때는 자기력이 작용하여 자석에 달라붙는 물체를 들어 올릴 수 있고, 전류가 흐르지 않으면 자기력이 작용하지 않으므로 물체를 내려놓을 수 있다.

③ 자기 부상 열차에 있는 전자석과 레일에 설치된 영구 자석 사이의 자기력의 크기를 조절하여 열차가 레일 위에 뜬 상태로 마찰 없이 달릴 수 있다.

⑤ 자기 공명 영상(MRI) 장치는 코일에 전류가 흐를 때 발생하는 강한 자기장을 이용하여 인체 내부의 영상을 얻는 장치이다.

바로알기 | ④ 발광 다이오드(LED)는 전류가 순방향으로 흐를 때 빛을 방출하는 반도체 소자로, p형 반도체와 n형 반도체를 접합한 p-n 접합 다이오드를 이용하여 만든다.

466 ㄱ. 코일의 AB 부분에는 B → A 방향으로 전류가 흐르고 자석이 만드는 자기장의 방향은 오른쪽이므로, 오른손 네 손가락을 오른쪽으로 하고 엄지손가락을 B → A 방향으로 하면 손바닥은 위쪽을 향한다. 따라서 코일의 AB 부분은 위쪽으로 힘을 받는다.

ㄴ. 코일의 CD 부분에는 D → C 방향으로 전류가 흐르고 자석이 만드는 자기장의 방향은 오른쪽이므로, 오른손 네 손가락을 오른쪽으로 하고 엄지손가락을 D → C 방향으로 하면 손바닥은 아래쪽을 향한다. 따라서 코일의 CD 부분은 아래쪽으로 힘을 받는다.

ㄹ. 정류자는 코일이 반 바퀴 회전할 때마다 전류의 방향을 바꾸어 코일이 한쪽 방향으로 계속 회전하게 한다.

바로알기 | ㄷ. 코일의 AB 부분은 위쪽으로 힘을 받고 CD 부분은 아래쪽으로 힘을 받으므로 코일은 시계 방향으로 회전한다.

467 ㄴ. 코일에 화살표 방향으로 전류가 흐르면 코일의 왼쪽이 S극이 되므로 코일과 자석 사이에는 서로 당기는 자기력이 작용한다.

ㄷ. 코일에 흐르는 전류의 방향이 바뀌면 자석과 코일 사이에 작용하는 자기력의 방향도 바뀌므로 진동판이 진동하여 소리가 발생한다.

바로알기 | ㄱ. 자석의 세기가 세면 자기력의 크기가 커지므로 진동판의 진폭도 커진다. 따라서 자석의 세기가 셀수록 진동판이 크게 진동하여 큰 소리가 발생한다.

16 물질의 자성

빈출 자료 보기 133쪽

468 (1) ○ (2) × (3) ○ (4) ○ (5) × (6) ○ (7) × (8) ○

468 A는 상자성체, B는 반자성체, C는 강자성체이다.

(1), (3) A는 외부 자기장을 제거한 후 자기화된 상태가 사라지며 원자 자석의 정렬이 흐트러졌으므로 상자성체이다. 상자성을 띠는 물질로는 종이, 알루미늄, 마그네슘, 텅스텐, 산소, 아연 등이 있다.

(4) 반자성체인 B 내부에는 자기장을 갖는 원자 자석이 없다.

(6) 영구 자석은 강자성체가 자기화된 상태를 오래 유지하는 성질을 이용해 만든다. C는 강자성체이므로 C를 이용하여 영구 자석을 만들 수 있다.

(8) C와 같은 강자성을 띠는 물체에 자석을 가까이 하면 물체와 자석 사이에 서로 당기는 힘이 작용한다.

바로알기 | (2) 자기 구역이 존재하는 것은 강자성체인 C이며, 상자성체인 A에는 자기 구역이 존재하지 않는다.

(5) 하드디스크에 정보를 저장할 때 이용되는 물질은 강자성체인 C이다. 하드디스크는 외부 자기장을 제거하여도 자기화된 상태를 오래 유지하는 강자성체의 특징을 이용하여 정보를 저장한다.

(7) 원자 내에서 서로 반대 스핀을 갖는 전자가 짝을 이루게 되며, 서로 반대되는 스핀에 의한 자기 효과는 서로 상쇄된다. 짝을 이루지 않는 전자가 있을 때 강자성이나 상자성이 나타나고, 모두 짝을 이루어 자기장이 완전히 상쇄될 때 반자성이 나타난다. 따라서 강자성체인 C는 원자 내의 전자 중 짝을 이루지 않는 전자가 존재한다.

난이도별 필수 기출 134~137쪽

469 ④ 470 ② 471 ⑤, ⑥
472 A: 반자성체, B: 강자성체, C: 상자성체 473 ④ 474 ⑤
475 ④ 476 해설 참조 477 해설 참조 478 ④
479 ② 480 ㉠<㉡<㉢ 481 ③ 482 ④ 483 ①
484 ① 485 ③ 486 ④

469 **바로알기 |** ④ 물질이 자성을 띠는 원인은 물질을 구성하는 원자 내 전자의 궤도 운동과 스핀으로 전류가 흐르는 효과가 생김으로써 자기장이 형성되기 때문이다.

470 ㄷ. 전류는 (+)극에서 (−)극으로 흐르므로 전자의 운동 방향과 전류가 흐르는 방향은 서로 반대이다. 전자의 운동 방향이 시계 방향이므로 전류의 방향은 시계 반대 방향이다.

바로알기 | ㄱ. 물질의 자성은 원자 내 전자의 궤도 운동과 스핀에 의해서 생긴다.

ㄴ. 원형 전류에 의한 자기장의 방향으로 이해하면 전자의 궤도 운동에 의한 자기장의 방향은 위쪽이다.

471 전류는 (+)극에서 (−)극으로 흐르므로 전자의 운동 방향과 전류가 흐르는 방향은 서로 반대이다.

① (가)에서 A는 S극, B는 N극을 띤다.

② (가)에서 전자의 회전 방향과 반대 방향으로 오른손 네 손가락을 감아쥐면 엄지손가락의 방향이 A에서 B를 향하므로, 전자의 스핀에 의한 자기장은 A에서 B를 향하는 방향으로 형성된다.
③ (나)에서 자기장의 방향이 위쪽이므로 전류의 방향은 D이고, 전류의 방향과 전자의 운동 방향은 서로 반대이므로 전자의 운동 방향은 C이다.
④ (가)의 전자의 스핀과 (나)의 전자의 궤도 운동의 효과로 물질에 자성이 나타난다.
바로알기 | ⑤ 물질의 자성은 전자의 스핀에 의한 효과가 궤도 운동에 의한 효과보다 크다.
⑥ 원자 내에서 전자가 서로 반대 방향의 스핀으로 짝을 이루는 경우 자기적 효과가 서로 상쇄된다. 따라서 원자 내에 서로 반대 방향의 스핀으로 짝을 이루는 전자가 많을수록 물질의 자성이 약하다.

472 외부 자기장의 방향과 반대 방향으로 자기화되는 것은 반자성체만이 가지는 특징이므로 A는 반자성체이다. 외부 자기장의 방향과 같은 방향으로 자기화되는 것은 강자성체와 상자성체인데, 그중 강자성체는 강하게 자기화되며 외부 자기장을 제거해도 자기화된 상태를 오래 유지한다. 따라서 B는 강자성체이고, C는 상자성체이다.

473 ④ 강자성체인 B와 상자성체인 C는 외부 자기장과 같은 방향으로 자기화되므로 자석을 가까이 하면 자석과 서로 당기는 자기력이 작용한다.
바로알기 | ① 내부에 자기 구역이 있는 것은 강자성체인 B이다.
② 강자성체는 외부 자기장을 제거해도 자기화된 상태를 오래 유지하며, 이러한 성질 때문에 영구 자석을 만드는 데 사용한다.
③ 유리는 반자성체인 A에 해당하는 물질이다.
⑤ 철, 니켈, 코발트는 강자성체인 B에 해당하는 물질이다.

474 ㄱ. (나)에서 외부 자기장을 가했을 때 외부 자기장과 같은 방향으로 자기화되며, (다)에서 외부 자기장을 제거했을 때 자기화된 상태를 유지하므로 이 물질은 강자성체임을 알 수 있다.
ㄴ. 강자성체는 외부 자기장을 제거하여도 자기화된 상태를 오래 유지하는 성질을 가지고 있으므로 하드디스크와 같은 정보 저장 매체에 이용된다.
ㄷ. (다)에서와 같이 강자성체는 외부 자기장을 제거해도 자기화된 상태를 오래 유지한다.

475 ㄱ. 반자성체는 외부 자기장과 반대 방향으로 자기화되는 성질이 있고, 그림에서 원자 자석의 N극이 오른쪽 방향으로 정렬되어 있으므로 균일한 자기장의 방향은 왼쪽이다.
ㄷ. 반자성체는 원자 내에서 전자의 스핀이 서로 반대인 것들끼리 모두 짝을 이루어 스핀에 의한 자기 효과가 상쇄되는 물질이다.
ㄹ. 반자성체는 외부 자기장의 반대 방향으로 약하게 자기화되므로, 자석을 가까이 하면 반자성체와 자석 사이에 서로 미는 자기력이 작용한다.
바로알기 | ㄴ. 균일한 자기장을 제거해도 물질 내부의 자기장이 오래 유지되는 것은 강자성체이다.

476 모범 답안 공통점: 외부 자기장과 같은 방향으로 자기화되며, 자석을 가까이 하면 자석과 자성체 사이에 서로 당기는 힘이 작용한다.
차이점: 강자성체가 상자성체보다 더 강하게 자기화되며, 강자성체는 외부 자기장을 제거하여도 자기화된 상태를 오래 유지하지만 상자성체는 외부 자기장을 제거하면 자기화된 상태가 사라진다.

477 모범 답안 물질 내부에서 하나하나의 원자는 자석 역할을 하는데, 이 원자 자석이 외부 자기장의 영향으로 일정한 방향으로 정렬될 때 정렬되는 방향과 정도가 물질마다 다르기 때문이다.

478 ㄴ. 강자성체인 철은 외부 자기장과 같은 방향으로 자기화되므로, (가)에서 철못의 자기화 방향은 다음 그림과 같이 오른쪽 방향이다. 따라서 철못의 끝은 N극을 띤다.

ㄷ. 강자성체는 외부 자기장과 같은 방향으로 자기화되고, 외부 자기장을 제거하여도 자기화된 상태를 유지하므로 (나)에서도 철못의 내부는 자석에 의한 자기장과 같은 방향으로 자기화되어 있다.
바로알기 | ㄱ. 자석이 만드는 자기장에 의해 자기화된 철못이 자석을 제거하여도 자기화된 상태를 유지하는 것으로 보아 철못은 강자성체이다.

479 (가)에서 자석과 A 사이에 서로 밀어내는 자기력이 작용하고, (나)에서 자석과 B 사이에 서로 당기는 자기력이 작용하는 것으로 보아 A는 반자성체, B는 강자성체이다.
ㄴ. 자석과 A 사이에 서로 밀어내는 자기력이 작용하려면 A의 P 쪽이 N극이어야 한다. 따라서 자기화된 A의 P 쪽은 N극이다.
바로알기 | ㄱ. A는 반자성체이다.
ㄷ. 강자성체인 B는 외부 자기장과 같은 방향으로 자기화된다.

480 그림과 같은 상황에서 자석과 물체가 서로 당기는 자기력을 작용하면 아크릴 관이 저울을 미는 힘이 감소하여 저울 측정값이 작아지고, 자석과 물체가 서로 미는 자기력을 작용하면 아크릴 관이 저울을 미는 힘이 증가하여 저울 측정값이 커진다. 따라서 저울 측정값의 크기는 ㉠<㉡<㉢이다.

481 외부 자기장이 제거된 상태에서 나침반의 N극이 막대를 향하는 것으로 보아 막대는 자기화된 상태를 오래 유지하는 강자성체임을 알 수 있다. 나침반의 방향으로 막대의 자기화 방향을 유추할 수 있고, 이로부터 전원 장치의 극을 알 수 있다.

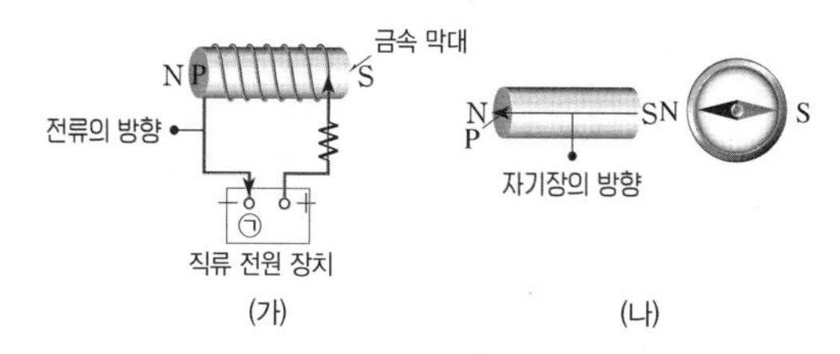

ㄱ, ㄷ. (나)에서 나침반의 N극이 막대를 향하므로 막대의 자기화 방향은 왼쪽이고, 막대의 P 쪽은 N극, 반대쪽은 S극이다. (가)에서 강자성체가 왼쪽 방향으로 자기화되려면 솔레노이드 내부에서 자기장의 방향이 왼쪽 방향이어야 한다. 따라서 ㉠은 (−)극이다.
바로알기 | ㄴ. 막대는 강자성체이다.

482

상자성 막대 / 강자성 막대 / S N p S N / x / 스위치 / I / I

ㄴ. 상자성 막대의 오른쪽이 N극, 강자성 막대의 왼쪽이 S극이 된다. 따라서 p점에서 자기장의 방향은 $+x$ 방향이다.

ㄷ. 스위치를 열면 상자성 막대는 자기화된 상태가 사라지지만 강자성 막대는 자기화된 상태를 유지하고, 상자성 막대는 강자성 막대에 의한 자기장과 같은 방향으로 자기화되므로 두 막대 사이에는 인력이 작용한다.

바로알기 | ㄱ. 두 막대에 감긴 도선의 방향과 도선에 흐르는 전류의 방향이 서로 같으므로 도선 내부에서 자기장의 방향이 같다. 상자성체와 강자성체는 모두 외부 자기장과 같은 방향으로 자기화되므로 두 막대 사이에는 인력이 작용한다.

483 A와 솔레노이드 사이에는 서로 당기는 자기력이, B와 솔레노이드 사이에는 서로 밀어내는 자기력이 작용하므로 A는 강자성체, B는 반자성체이다.

ㄱ. B는 솔레노이드에 흐르는 전류에 의한 자기장의 방향과 반대 방향으로 자기화되는 반자성체이다.

바로알기 | ㄴ. 스위치를 ㉠에 연결하면 솔레노이드에 흐르는 전류에 의한 자기장의 방향은 왼쪽 방향이므로, 강자성체인 A의 오른쪽 면은 S극으로 자기화된다.

ㄷ. 스위치를 ㉡에 연결하면 솔레노이드에 흐르는 전류의 방향이 반대가 되고, 솔레노이드에 흐르는 전류에 의한 자기장의 방향도 반대가 되어 솔레노이드의 왼쪽 면에는 S극, 오른쪽 면에는 N극이 형성된다. B는 반자성체이므로 B의 왼쪽 면에는 N극이 형성되고, 솔레노이드와 B 사이에 서로 밀어내는 자기력이 작용한다. 따라서 스위치를 ㉡에 연결하면 B는 오른쪽으로 운동한다.

484 실험 결과 B와 C를 가까이 했을 때 자기력이 작용하지 않으므로 B, C는 상자성체, 반자성체 중 하나이다. A와 C를 가까이 했을 때 척력이 작용하므로 C가 반자성체이고, 자기화된 상태를 유지하는 A는 강자성체이다. 따라서 B는 상자성체이다.

ㄱ. A는 강자성체, B는 상자성체이므로 ㉠은 인력이다.

바로알기 | ㄴ. 상자성체인 B는 외부 자기장과 같은 방향으로 자기화되므로 (가)에서 B의 윗면은 N극으로 자기화된다.

ㄷ. C는 반자성체이므로 (가)에서 외부 자기장과 반대 방향으로 자기화된다.

485 ㄱ. 초전도체는 임계 온도 이하에서 전기 저항이 0이 되므로 전력 손실이 없고, 외부 자기장을 밀어내는 성질이 있어 자기 부상 열차에 이용된다.

ㄷ. 강자성체는 외부 자기장과 같은 방향으로 강하게 자기화되므로 강한 자기장을 필요로 하는 전자석에 이용된다.

바로알기 | ㄴ. 냉장고 자석에 쓰이는 고무 자석은 영구 자석으로, 외부 자기장을 제거하여도 자기화된 상태를 유지하는 강자성체 분말을 고무에 섞어 만든다.

486 ㄴ, ㄷ. 디스크 원판이 코일이 감겨 있는 헤드를 지나면, 코일에 흐르는 전류에 의해 형성된 자기장에 의해 디스크 표면이 자기화되면서 정보가 기록된다.

바로알기 | ㄱ. 하드디스크의 디스크 원판의 표면은 강자성체를 얇게 입힌 구조이다. 하드디스크는 외부 자기장을 제거하여도 자기화된 상태를 오래 유지하는 강자성체의 성질을 이용하여 정보를 저장하는 장치이다.

17 전자기 유도

빈출 자료 보기 139쪽

487 (1) × (2) ○ (3) × (4) ○ (5) ○ (6) ×

487 (4) 막대자석에 의한 자기장의 세기는 자석의 극에 가까워질수록 세지므로, 자석의 N극을 코일에 가까이 하면 솔레노이드를 통과하는 자기 선속은 증가한다.

(5) 자석의 S극을 솔레노이드에서 멀리 하면 자석의 운동을 방해하기 위해 솔레노이드의 오른쪽이 N극이 되도록 유도 전류가 흐른다. 따라서 막대자석의 N극을 가까이 할 때와 유도 전류의 방향이 같다.

바로알기 | (1) 솔레노이드에 흐르는 유도 전류는 자석의 운동을 방해하는 방향으로 흐르므로 솔레노이드의 오른쪽이 N극이 되도록 전류가 흐른다. 따라서 유도 전류의 방향은 B → Ⓖ → A이다.

(3) 렌츠 법칙에 따르면 유도 전류가 만드는 자기장은 자석의 운동을 방해하므로 자석과 솔레노이드 사이에는 서로 미는 힘이 작용한다.

(6) 막대자석이 만드는 자기장의 모양을 볼 때 자석이 일정한 속도로 운동해도 코일 내부를 통과하는 자기 선속의 시간에 따른 변화율은 일정하지 않다. 따라서 유도 전류의 세기도 일정하지 않다.

난이도별 필수 기출 140~147쪽

488 ㉠ 자기 선속, ㉡ 유도 489 a → R → b 490 ①
491 ③ 492 ③ 493 해설 참조
494 (1) p ← q (2) $V_A < V_B$ 495 (1) 알루미늄관, 구리관
(2) 플라스틱관 < 알루미늄관 < 구리관 (3) 플라스틱관 > 알루미늄관 > 구리관 496 200 V 497 ③ 498 ③, ⑤
499 ⑤, ⑥ 500 ② 501 ③ 502 ② 503 ④
504 ⑤ 505 ② 506 ② 507 ⑤ 508 A, E 509 ③
510 c > d > a = b 511 ② 512 ③ 513 ⑤ 514 ①
515 해설 참조 516 ② 517 ③ 518 ① 519 ②
520 ③ 521 ③ 522 ③ 523 해설 참조

488 코일 근처에서 자석과 코일의 상대적인 운동으로 코일 내부를 통과하는 자기 선속이 변할 때 코일에 전류가 흐르는 현상을 전자기 유도라고 하고, 이때 흐르는 전류를 유도 전류라고 한다.

489 솔레노이드에는 자기 선속의 변화를 방해하는 방향으로 유도 전류가 흐르므로 솔레노이드의 왼쪽이 S극이 되도록 유도 전류가 흐른다. 따라서 저항 R에 흐르는 유도 전류의 방향은 a → R → b이다.

490 (가) 코일에 발생하는 유도 기전력의 크기는 패러데이 법칙에 따라 코일의 감은 수가 많을수록, 코일을 통과하는 자기 선속의 시간에 따른 변화율이 클수록 크다.

(나) 유도 전류는 렌츠 법칙에 따라 코일을 통과하는 자기 선속의 변화를 방해하는 방향으로 흐른다.

491 ㄱ. 솔레노이드에 막대자석을 가까이 할 때는 솔레노이드 내부를 통과하는 자기 선속이 증가하므로 유도 전류가 흐른다.

ㄴ. 솔레노이드에서 막대자석을 멀리 할 때는 솔레노이드 내부를 통과하는 자기 선속이 감소하므로 유도 전류가 흐른다.

바로알기 | ㄷ. 솔레노이드 내부에 막대자석을 가만히 정지시켜 놓았을 때는 솔레노이드 내부를 통과하는 자기 선속이 변하지 않으므로 유도 전류가 흐르지 않는다.

492 솔레노이드에서 막대자석의 N극을 멀리 하는 순간 솔레노이드의 위쪽에 S극이 유도되는 방향으로 유도 전류가 흐르며, 이때 검류계 바늘이 왼쪽으로 움직였다.

ㄱ. 자석의 S극을 멀리 할 때 솔레노이드의 위쪽에 N극이 유도되는 방향으로 유도 전류가 흐르므로, 검류계 바늘이 오른쪽으로 움직인다.

ㄷ. 자석의 N극을 가까이 할 때 솔레노이드의 위쪽에 N극이 유도되는 방향으로 유도 전류가 흐르므로, 검류계 바늘이 오른쪽으로 움직인다.

바로알기 | ㄴ. 자석의 S극을 가까이 할 때 솔레노이드의 위쪽에 S극이 유도되는 방향으로 유도 전류가 흐르므로, 검류계 바늘이 왼쪽으로 움직인다.

493 유도 기전력이 클수록 유도 전류가 세지므로 검류계 바늘이 더 크게 움직인다. 유도 기전력은 코일의 감은 수에 비례하고, 코일 내부를 통과하는 자기 선속의 시간에 따른 변화율에 비례한다.

모범 답안 더 강한 자석을 사용한다. 자석을 더 빠르게 움직인다. 감은 수가 더 많은 솔레노이드를 사용한다.

494 (1) 코일에 자석이 가까워질 때 코일에 흐르는 유도 전류의 방향은 자석의 운동을 방해하는 방향이다. (가)에서 자석의 N극이 코일에 가까워지고 있으므로 코일의 왼쪽이 N극이 되도록 유도 전류가 흐른다. 따라서 유도 전류에 의한 자기장의 방향은 p ← q이다.

(2) 동일한 자석이 코일로부터 같은 거리만큼 떨어진 지점을 같은 속도로 지나고 있으므로 A와 B를 통과하는 자기 선속의 시간에 따른 변화율은 같고, 코일의 감은 수는 B가 A보다 많다. 따라서 유도되는 기전력의 크기는 B가 A보다 크므로 $V_A < V_B$이다.

495 (1) 알루미늄관, 구리관은 도체이므로 네오디뮴 자석을 관 속으로 낙하시키면 관 내부에 자기 선속의 변화를 방해하는 방향으로 유도 전류가 발생한다. 플라스틱관은 절연체이므로 자석을 관 속으로 낙하시켜도 유도 전류가 흐르지 않는다.

(2) 플라스틱관에서는 자석에 자기력이 작용하지 않는다. 알루미늄의 전기 저항은 구리의 전기 저항보다 크므로 구리관에 흐르는 유도 전류의 세기는 알루미늄관에 흐르는 유도 전류의 세기보다 세다. 유도 전류가 셀수록 자석에 작용하는 자기력도 크므로 자석에 작용하는 자기력은 구리관에서가 알루미늄관에서보다 크다. 자기력은 자석의 운동을 방해하는 방향으로 작용하므로 자석이 바닥에 도달하는 데 걸리는 시간은 플라스틱관 < 알루미늄관 < 구리관이다.

(3) 자석이 잃은 역학적 에너지가 클수록 바닥에 도달하기 직전의 속력이 작다. 자석이 잃은 역학적 에너지는 전자기 유도에 의해 발생한 전기 에너지와 같으므로 관에 흐르는 유도 전류의 세기가 셀수록 자석이 잃은 역학적 에너지가 크다. 따라서 자석이 바닥에 도달하기 직전의 속력은 플라스틱관 > 알루미늄관 > 구리관이다.

496 유도 기전력의 크기 V는 코일의 감은 수 N에 비례하고, 코일 내부를 통과하는 자기 선속의 시간에 따른 변화율 $\frac{\Delta\Phi}{\Delta t}$에 비례하므로 $V=N\frac{\Delta\Phi}{\Delta t}$이다. $N=100$, $\Delta\Phi=4\ \mathrm{Wb}$, $\Delta t=2\ \mathrm{s}$이므로 코일에 유도되는 기전력의 크기 $V=N\frac{\Delta\Phi}{\Delta t}=100\times\frac{4\ \mathrm{Wb}}{2\ \mathrm{s}}=200\ \mathrm{V}$이다.

497 ① 자석이 솔레노이드의 중심축을 통과할 때, 솔레노이드에 흐르는 유도 전류는 자석의 운동을 방해하는 방향으로 흐르므로 자석의 속력은 p에서가 q에서보다 빠르다.

② 전자기 유도가 일어나면서 자석의 역학적 에너지 일부가 전기 에너지로 전환되므로 자석의 역학적 에너지는 p에서가 q에서보다 크다.

④ 자석의 속력은 p에서가 q에서보다 크고, 자석의 속력이 빠를수록 솔레노이드 내부를 지나는 자기 선속의 시간에 따른 변화율이 크므로 저항에 흐르는 유도 전류의 세기는 자석이 p를 지날 때가 q를 지날 때보다 크다.

⑤ 자석이 p를 지날 때는 솔레노이드의 왼쪽에 N극이 유도되고, 자석이 q를 지날 때는 솔레노이드의 오른쪽에 N극이 유도된다. 따라서 솔레노이드 내부에서 유도 전류에 의한 자기장의 방향은 자석이 p를 지날 때와 q를 지날 때가 서로 다르다.

바로알기 | ③ 자석이 p를 지날 때 자석의 N극이 솔레노이드의 왼쪽에 가까워지므로 솔레노이드의 왼쪽이 N극이 되도록 유도 전류가 흐른다. 따라서 자석이 p를 지날 때, 솔레노이드에 흐르는 유도 전류의 방향은 a → 저항 → b이다.

498 ① (가)에서 막대자석의 N극이 코일에 가까워지므로 코일의 위쪽이 N극이 되도록 유도 전류가 흐른다. 따라서 코일에 흐르는 전류의 방향은 a → LED → b이다.

② (나)에서 막대자석의 S극이 코일에서 멀어지므로 LED 없이 전선으로 연결되어 있다면 코일의 아래쪽이 N극이 되도록 유도 전류가 흘러야 한다. (가)에서 LED에 순방향 전압이 걸리고, (나)에서 코일에 유도되는 기전력의 방향은 (가)에서와 반대이므로 (나)에서는 역방향 전압이 걸린다. 따라서 (나)의 LED에서는 빛이 방출되지 않는다.

④ 전자기 유도가 일어나면 자석의 역학적 에너지 일부가 전기 에너지로 전환된다. 따라서 자석의 역학적 에너지는 (가)에서가 (나)에서보다 크다.

바로알기 | ③ (나)에서는 LED에 역방향 전압이 걸리므로 코일에 전류가 흐르지 않는다.

⑤ (나)에서는 LED에 역방향 전압이 걸려 코일에 유도 전류가 흐르지 않으므로 자석에 자기력이 작용하지 않는다.

499

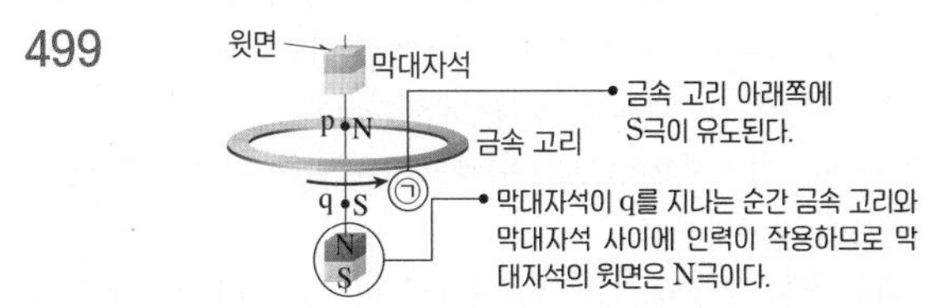

① 렌츠 법칙에 따라 금속 고리에 흐르는 유도 전류는 자석의 운동을 방해하는 방향으로 흐르므로 막대자석이 q를 지날 때 금속 고리와 막대자석 사이에 인력이 작용한다. 따라서 막대자석의 윗면은 N극이다.

② 막대자석이 p를 지나는 순간은 금속 고리에 S극이 점점 가까워지므로 금속 고리의 윗면이 S극이 되도록 유도 전류가 흐른다. 따라서 금속 고리에 유도되는 전류의 방향은 ㉡이다.

③, ④ 유도 전류에 의한 자기장이 막대자석의 운동을 방해하므로 막대자석이 p를 지나는 순간에는 막대자석과 금속 고리 사이에는 척력이 작용하고, 막대자석이 q를 지나는 순간에는 막대자석과 금속 고리 사이에는 인력이 작용한다.

바로알기 | ⑤ 막대자석이 p에서 q까지 운동하는 동안 금속 고리 내부를 지나는 자기 선속의 시간에 따른 변화율이 일정하지 않으므로 금속 고리에 흐르는 유도 전류의 세기도 일정하지 않다.

⑥ 막대자석이 p에서 q까지 운동하는 동안 막대자석의 역학적 에너지 일부가 전기 에너지로 전환되므로 역학적 에너지는 보존되지 않는다.

개념 보충

움직이는 막대자석에 의한 자기 선속 변화
막대자석 주변의 자기 선속은 균일하지 않다. 따라서 솔레노이드 주변에서 막대자석이 일정한 속도로 움직여도 막대자석에 의한 자기 선속의 변화는 일정하지 않다.

500 ㄴ. 자석이 A, B의 중심축을 따라 운동할 때 전자기 유도가 일어나면서 자석의 역학적 에너지의 일부가 전기 에너지로 전환된다. 따라서 자석의 역학적 에너지는 감소하여 q에서가 a에서보다 작다.
바로알기 | ㄱ. 렌츠 법칙에 따라 원형 도선은 자석의 운동을 방해하는 방향으로 자기력을 자석에게 작용하므로 자석의 속력은 p에서 r까지 운동하는 동안 느려진다. 따라서 자석의 속력은 p에서가 r에서보다 빠르다.
ㄷ. 자석이 q를 지날 때 A와 자석 사이에는 인력이 작용하고, B와 자석 사이에는 척력이 작용한다. 따라서 A, B가 자석에 작용하는 자기력의 방향은 같다.

501 ㄱ. t_1일 때 원형 도선과 원형 자석은 서로 가까워지고 있으므로 서로 밀어내는 자기력이 작용한다.
ㄴ. t_1일 때 원형 도선과 원형 자석은 서로 가까워지고 있고, t_5일 때는 서로 멀어지고 있으므로 원형 도선과 원형 자석 사이에 작용하는 자기력의 방향은 서로 반대이다. 따라서 원형 도선에 흐르는 유도 전류의 방향도 t_1일 때와 t_5일 때가 서로 반대이다.
바로알기 | ㄷ. t_3일 때는 원형 도선이 B의 위치에 정지해 있으므로 원형 도선에 흐르는 유도 전류가 0이다. t_5일 때는 원형 도선 내부에 자기 선속의 변화가 있으므로 유도 전류가 흐른다.

502

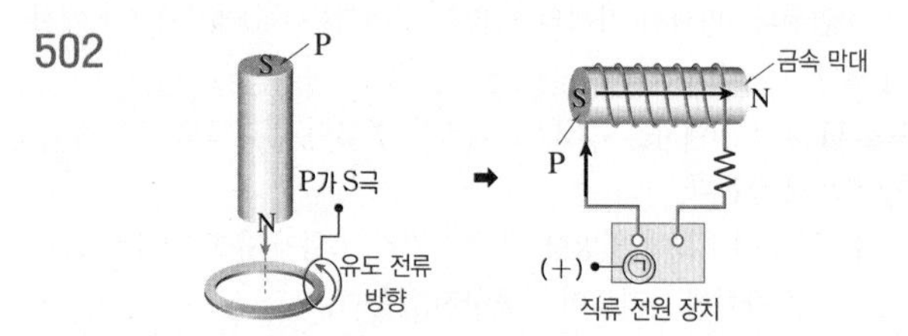

① (나)에서 원형 도선에 유도 전류가 흐르므로 금속 막대는 자기화되어 있다. 금속 막대를 (가)의 솔레노이드에서 꺼낸 뒤에도 자기화된 상태를 유지하므로 금속 막대는 강자성체이다.
③ 금속 막대는 강자성체이므로 (가)에서 금속 막대는 외부 자기장과 같은 방향으로 자기화된다.
④ (나)에서 유도 전류에 의한 자기장 방향이 위쪽 방향이므로 금속 막대의 아래쪽이 N극이고, P 쪽이 S극이다.
⑤ (나)에서 유도 전류에 의한 자기장이 금속 막대의 운동을 방해하는 방향으로 형성되므로 금속 막대에 작용하는 자기력의 방향은 위쪽이다.
바로알기 | ② (가)에서 금속 막대의 P가 S극이 되었으므로 솔레노이드 내부 자기장의 방향은 오른쪽 방향이다. 따라서 (가)에서 전원 장치의 단자 ㉠은 (+)극이다.

503 ㄱ. (가)에서 강자성 막대는 솔레노이드에 의한 자기장과 같은 방향으로 자기화되므로 A는 S극으로 자기화된다.
ㄷ. (나)에서 강자성 막대를 코일에서 멀리 하면 코일의 오른쪽에서 S극이 멀어지므로 코일의 오른쪽이 N극이 되도록 유도 전류가 흘러야 한다. 하지만 이 방향은 다이오드에 역방향 전압이 걸리는 방향이므로 회로에 전류가 흐르지 않는다. 따라서 전구에 불이 켜지지 않는다.
바로알기 | ㄴ. (나)에서 코일의 오른쪽에 S극이 가까워지므로 코일의 오른쪽이 S극이 되도록 유도 전류가 흐른다. 따라서 유도 전류의 방향은 다이오드에서 X → Y 방향이고, X는 p형 반도체, Y는 n형 반도체이다.

504 ㄴ. X는 강자성체이고, (가)에서 강자성체는 외부 자기장과 같은 방향으로 자기화되므로 A는 N극이다.
ㄷ. (나)에서 X가 p를 지날 때, 원형 도선에서 N극이 멀어지므로 원형 도선의 아래쪽이 S극이 되도록 유도 전류가 흐른다. 따라서 원형 도선에 흐르는 유도 전류의 방향은 ㉡이다.
ㄹ. (다)에서 X는 자기화된 강자성체이고, Y는 반자성체이므로 서로 미는 자기력이 작용한다.
바로알기 | ㄱ. (나)에서 외부 자기장을 제거한 X의 운동에 의해 원형 도선에 유도 전류가 흘렀으므로 X는 자기화된 상태를 유지하고 있다. 따라서 X는 강자성체이다.

505

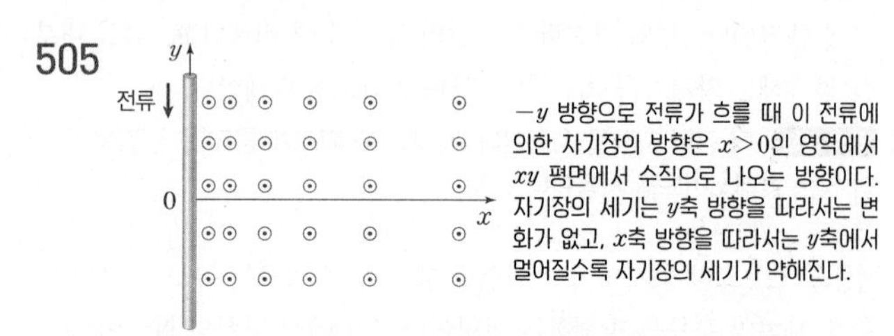

y
전류
0
x
$-y$ 방향으로 전류가 흐를 때 이 전류에 의한 자기장의 방향은 $x>0$인 영역에서 xy 평면에서 수직으로 나오는 방향이다. 자기장의 세기는 y축 방향을 따라서는 변화가 없고, x축 방향을 따라서는 y축에서 멀어질수록 자기장의 세기가 약해진다.

ㄷ. P를 $-y$ 방향으로 일정한 속력으로 움직이면, P 내부를 지나는 자기 선속의 변화가 없으므로 P에 유도 전류가 흐르지 않는다.
바로알기 | ㄱ. P를 $+x$ 방향으로 일정한 속력으로 움직이면, P 내부에서 수직으로 나오는 자기 선속의 크기가 점점 작아지므로 유도 전류에 의한 자기장의 방향은 P 내부에서 수직으로 나오는 방향이 된다. 따라서 P에 시계 반대 방향으로 유도 전류가 흐른다.
ㄴ. P를 $+y$ 방향으로 일정한 속력으로 움직이면, P 내부를 지나는 자기 선속의 변화가 없으므로 P에 유도 전류가 흐르지 않는다.

506 ㄷ. 가변 저항의 저항값을 점점 작게 하면 A에 흐르는 전류의 세기가 증가하므로 B에는 아래 방향의 자기 선속이 증가한다. 따라서 B에 흐르는 유도 전류에 의한 자기장이 B 내부에 위쪽 방향으로 형성된다.
바로알기 | ㄱ. A에 연결한 전원 장치의 전압과 가변 저항의 저항값을 일정하게 유지하면 A에 흐르는 전류가 일정하여 전류에 의한 자기장의 세기도 일정하다. 따라서 B 내부를 지나는 자기 선속의 변화가 없으므로 B에 유도 전류가 흐르지 않는다.
ㄴ. 가변 저항의 저항값을 점점 크게 하면 A에 흐르는 전류의 세기가 감소하므로 B 내부에 아래 방향의 자기 선속이 감소한다. 따라서 B에 흐르는 유도 전류에 의한 자기장은 아래 방향이 되므로 검류계에는 a → Ⓖ → b 방향으로 유도 전류가 흐른다.

507 ㄱ. A에서 도선이 자기장 영역으로 들어가고 있으므로 자기장의 세기 B는 일정하고 자기장이 도선을 통과하는 면적 S는 증가한다. 자기 선속 $\Phi=BS$이므로 A에서 도선을 통과하는 자기 선속은 증가한다.
ㄴ. B에서는 도선을 통과하는 자기 선속의 변화가 없으므로 유도 전류가 흐르지 않는다.
ㄷ. A에서는 자기 선속이 증가하였지만 C에서는 자기 선속이 감소하고 있으므로 C에서 유도 전류의 방향은 A에서와 서로 반대이다.

508 원형 도선에 흐르는 유도 전류의 방향이 시계 방향이면 유도 전류에 의한 자기장의 방향은 종이면에 수직으로 들어가는 방향이다. 이는 A와 같이 원형 도선에 수직으로 나오는 방향의 자기 선속이 점점 증가하거나, E와 같이 원형 도선에서 수직으로 들어가는 방향의 자기 선속이 점점 감소하는 경우에 흐르게 되는 유도 전류의 방향이다. 따라서 원형 도선에 흐르는 유도 전류의 방향이 시계 방향인 경우는 A, E이다. 원형 도선이 B, D를 지나는 경우에는 자기 선속의 변화가 없으므로 유도 전류가 흐르지 않고, C를 지나는 경우에는 시계 반대 방향으로 유도 전류가 흐른다.

509 영역 Ⅰ, Ⅱ에서 자기장의 방향은 xy 평면에서 수직으로 나오는 방향이므로 도선 내부를 지나는 자기 선속이 증가하면 유도 전류에 의한 자기장의 방향은 xy 평면에 수직으로 들어가는 방향이다. 따라서 a에 흐르는 유도 전류의 방향은 시계 방향이다. b와 c는 xy 평면에서 수직으로 나오는 방향의 자기 선속이 증가하므로 시계 방향으로 유도 전류가 흐른다. d는 도선 내부를 지나는 자기 선속이 감소하므로 유도 전류에 의한 자기장의 방향은 xy 평면에서 수직으로 나오는 방향이다. 따라서 d에 흐르는 유도 전류의 방향은 시계 반대 방향이다.

510 동일한 정사각 도선 a~d가 같은 속력으로 운동하고 있으므로 시간에 따른 자기장 영역에 걸쳐있는 도선의 면적 변화는 같다. 따라서 유도 전류의 세기는 자기장의 변화에 비례한다. a는 자기장이 0인 곳에서 B인 곳으로 운동하고, b는 자기장의 세기가 B인 곳에서 $2B$인 곳으로 운동하므로 a, b에 흐르는 유도 전류의 세기는 B에 비례한다. c는 자기장이 0인 곳에서 $2B$인 곳으로 운동하므로 c에 흐르는 유도 전류의 세기는 $2B$에 비례한다. d는 도선이 영역 Ⅰ, Ⅱ에 절반씩 걸쳐 있는 채로 자기장이 0인 곳으로 운동하므로 d에 흐르는 유도 전류의 세기는 $\frac{1}{2}B+B=\frac{3}{2}B$에 비례한다. 따라서 a~d에 흐르는 유도 전류의 세기는 c>d>a=b이다.

511

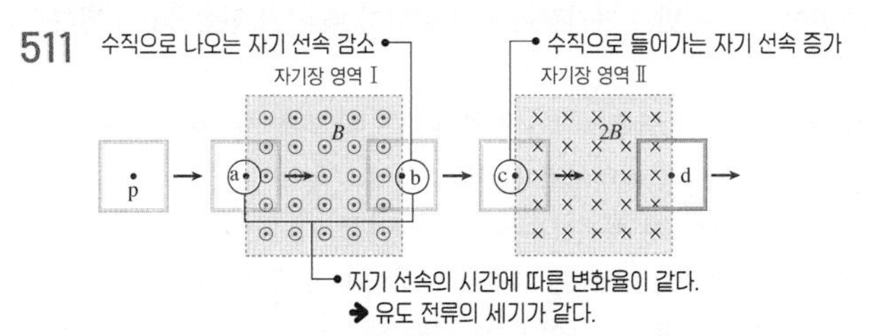

① p가 b를 지날 때는 정사각형 도선을 통과하는 자기 선속의 크기가 감소하고, p가 c를 지날 때는 정사각형 도선을 통과하는 자기 선속의 크기가 증가하는데, 도선에 흐르는 유도 전류의 방향은 같으므로 자기장의 방향은 Ⅰ에서와 Ⅱ에서가 서로 반대이다.

③ 도선이 일정한 속도로 운동하므로 p가 a를 지날 때와 b를 지날 때 자기 선속의 시간에 따른 변화율의 크기도 같다. 따라서 유도 전류의 세기도 같다.

④ p가 b를 지날 때와 d를 지날 때 도선을 통과하는 자기 선속의 크기는 감소하지만 자기 선속의 방향이 반대이므로 자기 선속의 시간에 따른 변화율의 부호가 반대이다. 따라서 p가 b를 지날 때와 d를 지날 때 도선에 흐르는 유도 전류의 방향은 반대이다.

⑤ p가 b를 지날 때는 자기장의 세기가 B인 영역에서 0인 영역으로 이동하고 있고, p가 c를 지날 때는 자기장의 세기가 0인 영역에서 $2B$인 영역으로 이동하고 있으므로, 자기 선속의 시간에 따른 변화율은 p가 c를 지날 때가 b를 지날 때의 2배이다. 따라서 유도 전류의 세기는 p가 c를 지날 때가 b를 지날 때의 2배이다.

바로알기 | ② p가 a를 지날 때 정사각형 도선이 자기장 영역으로 들어가므로 도선을 통과하는 자기 선속은 시간에 따라 증가한다.

512 ㄱ. 1초일 때 p는 $x=d$를 지나므로 정사각형 도선에서 수직으로 나오는 방향의 자기 선속이 증가한다. 따라서 유도 전류에 의한 자기장의 방향이 도선에 수직으로 들어가는 방향이 되도록 유도 전류가 흐르므로, 유도 전류의 방향은 시계 방향이다.

ㄷ. 1초일 때는 p가 $x=d$를 지나므로 도선에서 수직으로 나오는 방향의 자기 선속이 증가하고, 5초일 때는 p가 $x=4.5d$를 지나므로 도선에서 수직으로 나오는 방향의 자기 선속이 감소한다. 자기 선속이 변하는 방향이 서로 반대이므로 p점에 흐르는 유도 전류의 방향도 서로 반대이다.

바로알기 | ㄴ. 3초일 때 p의 위치는 $x=4d$에 머물러 있으므로 도선의 위치가 변하지 않는다. 따라서 도선을 지나는 자기 선속의 변화가 없으므로 도선에 유도 전류가 흐르지 않는다.

513 ㄴ. 자기장의 세기가 일정한 자기장 영역에 고정된 도선 위에서 도체 막대가 $+x$ 방향으로 운동하면 자기장이 통과하는 도선의 면적이 증가하므로 도선 내부에서 수직으로 나오는 방향의 자기 선속이 증가한다. 따라서 저항 R에 흐르는 유도 전류에 의한 자기장의 방향은 도선 내부에 수직으로 들어가는 방향이므로 저항 R에 흐르는 유도 전류의 방향은 b → R → a이다.

ㄷ. 도체 막대의 속력을 $2v$로 하면 자기 선속의 시간에 따른 변화율도 2배로 커진다. 따라서 유도 전류의 세기도 세진다.

ㄹ. 도체 막대를 $-x$ 방향으로 운동시키면 도선 내부에서 수직으로 나오는 방향의 자기 선속이 감소하므로 유도 전류에 의한 자기장의 방향은 도선 내부에서 수직으로 나오는 방향이다. 따라서 저항 R에 흐르는 유도 전류의 방향은 a → R → b이므로 도체 막대가 $+x$ 방향으로 운동할 때와 반대가 된다.

바로알기 | ㄱ. 렌츠 법칙에 따라 유도 전류는 자기 선속의 변화를 방해하는 방향으로 흐르므로 도체 막대에는 운동을 방해하는 방향으로 자기력이 작용한다. 따라서 도체 막대에는 $-x$ 방향으로 자기력이 작용한다.

514 ㄴ. p의 위치가 $x=0.5d$일 때 유도 전류의 방향이 시계 반대 방향이므로 영역 Ⅰ에서 자기장의 방향은 종이면에 수직으로 들어가는 방향이다. p의 위치가 $x=0.5d$일 때와 $x=1.5d$일 때 도선에 흐르는 유도 전류의 방향은 서로 반대이므로 Ⅱ에서 자기장의 방향은 종이면에서 수직으로 나오는 방향이다.

바로알기 | ㄱ. 정사각형 도선의 속력을 v라고 하고, 자기장이 종이면에 수직으로 들어가는 방향을 (+)라고 하면, p의 위치가 $x=0.5d$일 때 도선은 자기장이 0인 영역에서 자기장이 $+B$인 영역으로 이동하고 있으므로 도선 내부를 지나는 자기 선속의 1초당 변화량은 자기장의 세기×도선의 면적$=B\times vd$이다. p의 위치가 $x=1.5d$일 때 도선에 유도되는 전류의 세기가 $x=0.5d$일 때의 2배이므로 자기 선속의 1초당 변화량의 크기도 2배가 되어야 하고, 자기장의 방향은 영역 Ⅰ, Ⅱ에서 서로 반대이다. 따라서 도선 내부를 지나는 자기 선속의 1초당 변화량은 $(-2B)\times vd=(-B-B)\times vd$이고, Ⅱ에서 자기장의 세기는 B이다.

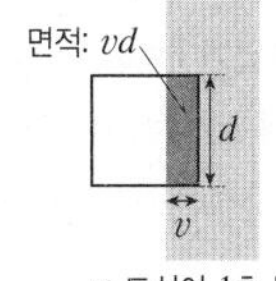

ㄷ. p의 위치가 $x=d$일 때는 도선이 영역 Ⅰ에만 놓여 있으므로 도선을 통과하는 자기 선속의 변화가 없다. 따라서 p의 위치가 $x=d$일 때 도선에 흐르는 유도 전류의 세기는 0이다.

515 자기 선속은 도선이 이루는 면과 자기장이 이루는 각도에 따라 달라진다. 그림과 같이 도선이 이루는 면과 자기장이 서로 수직일 때 ($\theta=90°$) 도선이 이루는 면을 통과하는 자기력선이 가장 많으므로 자기 선속이 가장 크고, 도선이 이루는 면과 자기장이 서로 나란할 때 ($\theta=0°$) 도선이 이루는 면을 통과하는 자기력선이 없으므로 자기 선속은 0이다.

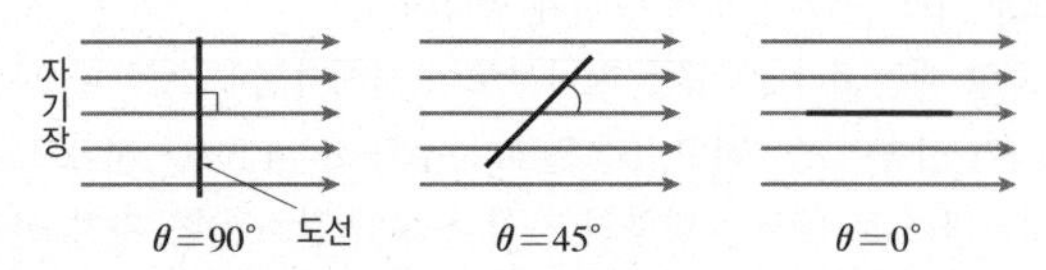

모범 답안 (1) 도선은 θ가 증가하는 방향으로 회전하고 있고, $\theta=45°$일 때는 도선 내부를 오른쪽 방향으로 지나는 자기 선속이 증가하므로 유도 전류에 의한 자기장은 왼쪽으로 형성되어야 한다. 따라서 도선에 흐르는 유도 전류의 방향은 p → q → r이다.
(2) θ가 0°에서 90°까지는 오른쪽 방향의 자기 선속이 증가하고, 90°에서 180°까지는 오른쪽 방향의 자기 선속이 감소하므로, $\theta=90°$인 순간 자기 선속이 증가하다가 감소한다. 따라서 $\theta=90°$인 순간 도선에 흐르는 유도 전류의 방향이 바뀐다.

516 ㄷ. 도선의 면적 변화가 없을 때, 유도 기전력의 크기는 시간에 따른 자기장의 변화에 비례한다. 시간에 따른 자기장의 변화량은 (나)의 기울기이므로 2초일 때는 $\frac{3B_0}{3\text{ s}}$이고, 4초일 때는 $\frac{3B_0}{2\text{ s}}$이다. 따라서 유도 기전력의 크기는 4초일 때가 2초일 때보다 크다.
바로알기 | ㄱ. 1초일 때, 도선에는 종이면에서 수직으로 나오는 자기 선속이 증가하고 있으므로 도선에 흐르는 유도 전류에 의한 자기장의 방향은 종이면에 수직으로 들어가는 방향이다. 따라서 1초일 때, 도선에 흐르는 유도 전류의 방향은 시계 방향이다.
ㄴ. 1초일 때와 4초일 때, 자기장의 방향은 종이면에서 수직으로 나오는 방향으로 같다. 1초일 때는 도선을 통과하는 자기 선속이 증가하고, 4초일 때는 자기 선속이 감소하므로 유도 전류의 방향은 1초일 때와 4초일 때가 서로 반대이다.

517 ㄱ. (가)에서 t_0일 때 유도 전류는 시계 방향으로 흐르므로 유도 전류에 의한 자기장은 종이면에 수직으로 들어가는 방향이고, (나)에서 t_0일 때 자기장은 증가한다. 유도 전류는 자기장 영역의 자기장 변화를 방해하는 방향으로 흐르므로 t_0일 때 자기장의 방향은 종이면에서 수직으로 나오는 방향이다.
ㄴ. $2t_0$일 때 자기장의 변화가 없으므로 자기 선속의 변화도 없다. 따라서 유도 전류의 세기는 0이다.
바로알기 | ㄷ. 자기 선속의 방향이 같을 때, t_0일 때는 자기 선속의 크기가 증가하고, $3t_0$일 때는 자기 선속의 크기가 감소하므로 유도 전류의 방향은 서로 반대이다.

518 자기 선속 Φ는 자기장의 세기 B와 도선 면적 S의 곱이므로 자기장 영역 Ⅰ, Ⅱ에서 자기장의 세기를 각각 B_1, B_2라고 하면 도선 내부를 지나는 자기 선속 $\Phi=2B_1S+B_2S$이다.
ㄱ. 1초일 때 B_1은 일정하고, B_2는 감소하므로 유도 전류에 의한 자기장이 종이면에서 수직으로 나오는 방향이 되도록 유도 전류가 흐른다. 따라서 유도 전류의 방향은 시계 반대 방향이다.
바로알기 | ㄴ. 자기 선속의 시간에 따른 변화율은 1초일 때와 4초일 때가 각각 $S\frac{\Delta B_2}{\Delta t}$, $2S\frac{\Delta B_1}{\Delta t}$이다. $\frac{\Delta B}{\Delta t}$는 (나)의 기울기와 같다. 1초일 때 Ⅱ의 기울기와 4초일 때 Ⅰ의 기울기가 같으므로 도선 내부를 지나는 자기 선속의 시간에 따른 변화율은 4초일 때가 1초일 때의 2배이다. 따라서 유도 전류의 세기는 4초일 때가 1초일 때의 2배이다.
ㄷ. (나)에서 3초일 때와 5초일 때 모두 B_2는 일정하고 B_1의 시간에 따른 변화율은 같다. 따라서 유도 기전력의 크기는 3초일 때와 5초일 때가 같다.

519 ① 발전기는 자석 주위에서 코일이 회전하는 구조로 이루어져 있다. 코일이 회전할 때 코일 내부를 지나는 자기 선속의 변화로 전자기 유도가 일어나며, 이때 운동 에너지가 전기 에너지로 전환된다.
③ 전자 기타는 기타줄 아래에 영구자석과 코일이 있고, 영구 자석에 의해 자기화된 기타줄이 진동하면서 코일 내부를 지나는 자기 선속이 변하게 되어 유도 전류가 발생한다. 이 전기 신호를 증폭하여 스피커로 보내면 기타줄에서 나는 소리와 같은 소리가 재생된다.
④ 자이로드롭에 사용되는 자기 브레이크는 탑승 의자가 낙하할 때 의자에 붙어 있는 영구 자석에 의해 금속판에 유도 전류가 발생하여 의자의 속력을 줄인다.
⑤ 무선 충전기 패드에 있는 1차 코일에 교류가 흐르면, 전류에 의한 자기장의 세기와 방향이 계속 변하게 되고, 스마트폰 내부의 2차 코일에 전자기 유도가 일어나 유도 전류가 발생하여 배터리가 충전된다.
바로알기 | ② 전동기는 전류에 의한 자기장을 이용한 장치이다. 코일에 전류를 흘려 주면 자기장이 형성되고, 영구 자석과의 상호 작용으로 발생하는 자기력에 의해 회전하는 힘을 받는다.

520 ㄱ. 유도 기전력의 크기는 코일의 감은 수에 비례하므로 코일의 감은 수가 많을수록 유도 전류의 세기가 세진다.
ㄴ. 코일을 반대 방향으로 회전시켜도 코일 내부를 지나는 자기 선속이 시간에 따라 변하므로 유도 전류가 흘러 전구에 불이 켜진다.
바로알기 | ㄷ. 코일을 통과하는 자기 선속은 증가와 감소를 반복한다. 코일이 이루는 면과 자기장이 서로 수직일 때 자기 선속은 최대이며, 코일이 이루는 면과 자기장이 서로 나란할 때 자기 선속은 0이 된다.

521 ㄱ. 소형 발전기에서 전자기 유도에 의해 자석이 회전하는 운동 에너지가 전기 에너지로 전환된다.
ㄷ. 자석이 빠르게 회전할수록 코일 내부를 지나는 자기 선속의 시간에 따른 변화율이 커진다. 따라서 자석이 빠르게 회전할수록 유도 전류의 세기가 세져 전조등이 밝아진다.
바로알기 | ㄴ. 자석이 회전하면서 코일 내부를 지나는 자기 선속의 시간에 따른 변화율이 계속 변하므로 전류의 세기와 방향이 계속 변한다.

522 ㄱ. 교통 카드 내부에는 코일이 있어 판독기에서 방출하는 자기장의 변화에 의해 유도 전류가 흐르게 된다.
ㄷ. 판독기에서 세기와 방향이 변하는 자기장을 방출하면 교통 카드 내부의 코일에 전자기 유도가 일어나 교통 카드의 IC칩을 작동시키고, IC칩에서 발생시킨 신호를 판독기가 읽으며 신호를 주고받는다.
바로알기 | ㄴ. 판독기에서 방출하는 자기장은 세기와 방향이 계속 변한다.

523 **모범 답안** 소리가 진동판을 진동시키면 진동판에 부착된 코일이 함께 진동하게 된다. 이때 코일이 영구 자석 주위를 움직이면서 전자기 유도에 의해 코일에 유도 전류가 흐르게 된다. 이 유도 전류가 소리를 전기 신호로 변환한 것이다.

최고 수준 도전 기출 (15~17강)

148~149쪽

524 ② 525 ⑤ 526 ③ 527 ④ 528 ③ 529 ⑤
530 ④ 531 ②

524 ㄴ. a에서 자기장이 0이 되려면 R에 의한 자기장의 방향이 xy 평면에 수직으로 들어가는 방향이므로 P와 Q에 의한 합성 자기장의 방향은 xy 평면에서 수직으로 나오는 방향이 되어야 한다. 또 b에서 자기장이 0이 되려면 R에 의한 자기장의 방향이 xy 평면에서 수직으로 나오는 방향이므로 P와 Q에 의한 합성 자기장의 방향은 xy 평면에 수직으로 들어가는 방향이 되어야 한다. 이때 a와 b에서 R에 의한 자기장의 세기는 같으므로 a와 b에서 P와 Q에 의한 합성 자기장의 세기도 같아야 한다. 따라서 전류의 방향은 P에서와 Q에서 $-y$ 방향으로 같고, 전류의 세기도 P에서와 Q에서가 같다.

바로알기 | ㄱ. P, Q에 흐르는 전류의 세기를 I_0이라고 하면 눈금 한 칸의 간격이 d이므로 a에서 P, Q에 흐르는 전류에 의한 자기장의 세기는 $k\frac{I_0}{d}-k\frac{I_0}{3d}=k\frac{2I_0}{3d}$이다. 이 값이 R에 흐르는 전류에 의한 자기장의 세기와 같으므로 $k\frac{2I_0}{3d}=k\frac{I}{d}$에서 $I_0=\frac{3}{2}I$이다.

ㄷ. c에서 P, R에 흐르는 전류에 의한 자기장의 방향이 xy 평면에서 수직으로 나오는 방향이고, P, R에 의한 자기장의 세기가 Q에 흐르는 전류에 의한 자기장의 세기보다 크므로 c에서 P, Q, R에 흐르는 전류에 의한 자기장의 방향은 xy 평면에서 수직으로 나오는 방향이다.

525 p에서 A, B에 의한 자기장의 세기가 0이고, 전류의 세기는 B가 A의 2배이므로 처음 A, B 사이의 거리를 $3d$라고 하면 B와 p 사이의 거리는 $2d$이다. B를 $+x$ 방향으로 5 m 이동하여 고정시켰을 때를 B′이라고 하고 이때 자기장의 세기가 0이 되는 지점을 q라고 하면, q는 A와 B′ 사이를 1 : 2로 내분하는 점이므로 q와 B′ 사이의 거리는 $\frac{2}{3}\times(3d+5)$이다. 따라서 p와 q 사이의 거리는 $\frac{1}{3}\times(3d+5)-d=\frac{5}{3}$(m)이다.

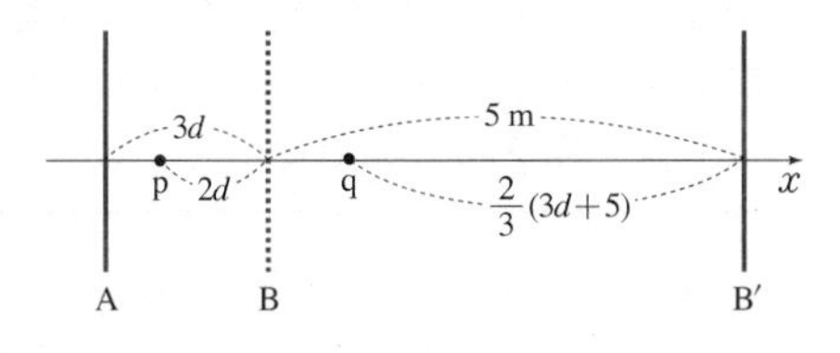

526 직선 전류에 의한 자기장의 세기는 도선으로부터의 수직 거리에 반비례하므로, 도선과 가까운 지점에서는 전류에 의한 영향보다 거리에 의한 영향이 훨씬 크게 나타난다.

ㄱ. (나)에서 Q와 가까운 지점에서 자기장의 방향은 Q에 의한 자기장의 방향과 같지만 거리가 멀어질수록 전류가 큰 P에 의한 영향이 더 크게 나타나 자기장의 방향이 바뀌는 것을 알 수 있다. 따라서 Q에 흐르는 전류의 세기는 I보다 작다.

ㄷ. P, Q에 흐르는 전류의 방향이 서로 반대이고 전류의 세기는 P가 Q보다 크므로 $x=-\frac{1}{2}d$에서 P, Q에 의한 자기장의 방향은 xy 평면에 수직으로 들어가는 방향이고, $x=-\frac{3}{2}d$에서는 xy 평면에서 수직으로 나오는 방향이다. 따라서 P, Q에 흐르는 전류에 의한 자기장의 방향은 $x=-\frac{1}{2}d$에서와 $x=-\frac{3}{2}d$에서가 서로 반대이다.

바로알기 | ㄴ. (나)에서 자기장의 방향이 바뀌는 지점이 존재하므로 $x>0$ 영역에서 P에 의한 자기장의 방향과 Q에 의한 자기장의 방향은 서로 반대이다. 따라서 Q에 흐르는 전류의 방향은 $-y$ 방향이다.

527 t일 때 P에서 A, B에 흐르는 전류에 의한 자기장이 0이므로 A에 흐르는 전류의 세기가 I일 때 P에서 A, B에 흐르는 전류에 의한 자기장의 세기는 서로 같다.

ㄴ. $3t$일 때 A에 흐르는 전류의 세기는 t일 때의 2배이므로 $3t$일 때는 A에 의한 자기장의 세기가 B에 의한 자기장의 세기보다 크다. 따라서 $3t$일 때 P에서 자기장의 방향은 xy 평면에 수직으로 들어가는 방향이다.

ㄷ. t일 때 P에서 A에 흐르는 전류에 의한 자기장의 세기를 B라고 하면, P에서 A, B에 흐르는 전류에 의한 자기장의 세기는 $3t$, $5t$일 때 각각 B, $2B$이므로 $5t$일 때가 $3t$일 때의 2배이다.

바로알기 | ㄱ. t일 때 A에 흐르는 전류에 의한 자기장의 방향은 xy 평면에 수직으로 들어가는 방향이므로, B에 흐르는 전류에 의한 자기장의 방향은 xy 평면에서 수직으로 나오는 방향이어야 한다. 따라서 B에 흐르는 전류의 방향은 $+y$ 방향이다.

528 솔레노이드의 중심축이 동-서 방향으로 놓여 있으므로 나침반의 N극이 북쪽을 가리켰다는 것은 나침반이 놓인 위치에서 솔레노이드 A, B에 의한 합성 자기장이 0이라는 의미이다.

ㄱ. 솔레노이드에 의한 자기장의 세기는 단위 길이당 감은 수에 비례하고, 전류의 세기에 비례한다. 단위 길이당 감은 수는 B가 A의 2배이고, 나침반이 가운데 지점에 놓여 있는 상황에서 A, B에 의한 자기장의 세기가 서로 같으므로 I_1은 I_2보다 크다.

ㄷ. I_2를 크게 하면 나침반이 놓인 위치에서 B에 의한 자기장의 세기가 A에 의한 자기장의 세기보다 커지므로 A, B에 의한 자기장의 방향은 서쪽이 되고, 지구 자기장 방향이 북쪽이므로 나침반은 북서쪽 방향을 가리킨다. 따라서 I_2를 크게 하면 나침반의 N극은 시계 반대 방향으로 회전한다.

바로알기 | ㄴ. 나침반이 놓인 위치에서 솔레노이드 A와 B에 의한 합성 자기장이 0이 되려면 A, B에 의한 자기장의 방향이 서로 반대여야 한다. 즉, 나침반이 놓인 위치에서 B에 의한 자기장의 방향이 서쪽이므로 A에 의한 자기장의 방향은 동쪽이 되어야 한다. 따라서 A에 흐르는 전류의 방향은 ㉡이다.

529 ① 자석이 a에서 b까지 운동하는 동안 솔레노이드에 유도 전류가 흐르므로 유도 전류에 의해 생기는 자기장의 영향으로 자석은 왼쪽 방향의 자기력을 받게 된다. 따라서 자석은 a에서 b까지 속력이 작아지는 가속도 운동을 한다.

② 자석이 b를 지날 때 솔레노이드에 유도되는 전류에 의해 자석의 운동이 방해를 받게 되므로 솔레노이드의 왼쪽이 N극이 되도록 유도 전류가 흐른다. 따라서 자석이 b를 지날 때 저항에 유도되는 전류의 방향은 왼쪽 방향이다.

③ 자석이 c를 지날 때, 솔레노이드에는 자석의 운동을 방해하기 위해 솔레노이드의 오른쪽에 N극이 형성되는 방향으로 유도 전류가 흐른다. 솔레노이드 내부에서 자기장의 방향은 S극 → N극이므로 자석이 c를 지날 때 솔레노이드 내부에 유도되는 자기장의 방향은 b → c 방향이다.

④ 자석이 b에서 c까지 운동하는 동안 솔레노이드는 자석의 운동을 방해하는 방향으로 자기력을 작용하므로 자석의 속력은 계속 감소한다. 따라서 자석의 속력은 b를 지날 때가 c를 지날 때보다 크다.

바로알기 | ⑤ 솔레노이드가 자석에 작용하는 자기력의 방향은 자석의 운동을 방해하는 방향이므로 자석이 b를 지날 때와 c를 지날 때 모두 왼쪽 방향으로 같다.

530 ① 3초일 때 도선의 중심의 위치가 $x=3$ cm이므로 영역 Ⅰ에 걸쳐 있으며, 이때 도선 내부를 통과하는 자기 선속은 종이면에서 수직으로 나오는 방향(•)으로 세기가 점점 증가하고 있으므로 도선은 자기 선속의 증가를 방해하기 위해 종이면에 수직으로 들어가는 방향(×)의 유도 자기장을 만든다. 따라서 3초일 때 도선에 흐르는 유도 전류의 방향은 시계 방향이다.
② 10초일 때 도선의 중심의 위치는 $x=10$ cm이고 이때 도선은 영역 Ⅱ 내에 있으므로 도선 내부를 통과하는 자기 선속의 변화가 없다. 따라서 10초일 때 유도 전류는 0이다.
③ 유도 전류의 세기는 유도 기전력의 크기에 비례하고, 유도 기전력의 크기는 코일을 통과하는 자기 선속의 시간에 따른 변화율에 비례한다. 도선의 단면적은 일정하므로 자기장의 세기의 변화를 비교하면 유도 전류의 세기를 비교할 수 있다. 종이면에서 수직으로 나오는 방향의 자기장을 (+)라고 하면, 두 영역의 자기장 차는 Ⅰ, Ⅱ에 걸쳐 있는 7초일 때는 $2B-B=B$이고, Ⅱ, Ⅲ에 걸쳐 있는 12초일 때는 $-B-2B=-3B$이다. 따라서 유도 전류의 세기는 7초일 때가 12초일 때보다 작다.
⑤ 12초일 때 도선은 Ⅱ, Ⅲ에 걸쳐 있고, 두 영역의 자기장 차는 $-B-2B=-3B$이다. 17초일 때 도선은 영역 Ⅲ에서 자기장이 없는 영역으로 나오고 있으며, 두 영역의 자기장 차는 $0-(-B)=B$이다. 따라서 유도 기전력의 크기는 12초일 때가 17초일 때보다 크다.
바로알기 | ④ 도선 내부를 지나는 자기 선속은 3초일 때는 종이면에서 수직으로 나오는 방향으로 세기가 점점 증가하고, 17초일 때는 종이면에 수직으로 들어가는 방향으로 세기가 점점 감소한다. 이러한 변화를 방해하기 위해서 유도 전류는 모두 시계 방향으로 흐른다. 즉, 유도 전류의 방향은 3초일 때와 17초일 때가 시계 방향으로 서로 같다.

531 ㄴ. 3초일 때 도선은 자기장 영역을 통과하고 있으므로 도선을 통과하는 자기장의 세기가 변한다. 도선의 감은 수는 1이고 자기장이 통과하는 도선의 면적은 변하지 않으므로, 3초일 때 유도 기전력의 크기 $V=-N\dfrac{\Delta\Phi}{\Delta t}=-\dfrac{\Delta(BA)}{\Delta t}=-\dfrac{(-5\ \mathrm{T})\times16\ \mathrm{m}^2}{2\ \mathrm{s}}=40$ V이다.
바로알기 | 자기 선속(Φ)은 도선을 수직으로 통과하는 자기장의 세기(B)와 단면적(A)의 곱이다($\Phi=BA$). 1초일 때 도선은 자기장 영역으로 들어가고 있으며, 이때 종이면에서 수직으로 나오는 방향의 자기장의 세기는 일정하지만 자기장이 통과하는 부분의 면적이 증가하므로 도선을 수직으로 통과하는 자기 선속이 증가한다. 이 변화를 방해하기 위해 도선에는 종이면에 수직으로 들어가는 방향의 자기 선속이 만들어지도록 시계 방향으로 전류가 유도된다. 즉, 1초일 때 도선에 흐르는 유도 전류의 방향은 시계 방향이다.
ㄷ. 3초일 때 종이면에서 수직으로 나오는 방향의 자기 선속이 감소하고, 종이면에 수직으로 들어가는 방향의 자기 선속이 증가하므로 도선에는 시계 반대 방향으로 유도 전류가 흐른다. 5초일 때는 도선이 자기장 영역에서 빠져 나오는 중이므로, 종이면에 수직으로 들어가는 방향의 자기 선속이 감소하기 때문에 도선에는 같은 방향의 자기 선속을 만드는 유도 전류가 시계 방향으로 흐른다. 따라서 도선에 흐르는 유도 전류의 방향은 3초일 때와 5초일 때 서로 반대이다.

18 파동의 진행과 굴절

빈출 자료 보기

151쪽

532 (1) ○ (2) ○ (3) × (4) × (5) ○ (6) ○

532 (1) 주기는 매질의 한 점이 한 번 진동하는 데 걸린 시간이므로 (나)에서 파동의 주기가 4초임을 알 수 있다.
(2) 파장은 위상이 같은 인접한 두 지점 사이의 거리이므로 마루에서 이웃한 마루까지 거리이다. 따라서 (가)에서 파동의 파장이 40 cm임을 알 수 있다.
(5) 파동의 속력 = 진동수 × 파장 = $\dfrac{\text{파장}}{\text{주기}}$이다. 따라서 파동의 속력은 $\dfrac{40\ \mathrm{cm}}{4\ \mathrm{s}}=10$ cm/s이다.
(6) (나)에서 0초일 때 P점의 변위가 10 cm이고, 1초일 때 P점의 변위는 0임을 알 수 있다.
바로알기 | (3) 파동의 진폭은 매질의 변위가 0인 지점부터 변위가 최대인 지점까지의 거리이므로 10 cm이다.
(4) 파동의 진동수는 주기의 역수이므로 $\dfrac{1}{4\ \mathrm{s}}=0.25$ Hz이다.

난이도별 필수 기출

152~157쪽

533 ① 534 ② 535 4 m/s 536 ③
537 ㄱ, ㄹ 538 ① 539 2 : 1 540 2 m 541 ② 542 ④
543 ②, ③ 544 5 m 545 ⑤
546 (1) 0.2초 (2) 20 cm/s 547 ④ 548 해설 참조
549 ⑤ 550 (1) $\lambda_C<\lambda_A<\lambda_B$ (2) $n_C>n_A>n_B$ 551 ③
552 ③ 553 ㄱ, ㄷ, ㅁ 554 ⑤ 555 해설 참조
556 ② 557 ④ 558 ①, ⑥ 559 해설 참조
560 ⑥ 561 ⑤ 562 ④ 563 ②

533 ② 파장은 파동이 한 주기 동안 이동한 거리이다.
③ 진폭은 파동의 중심에서 가장 크게 진동하는 위치까지의 거리이므로, 횡파의 진폭은 마루와 진동 중심 사이의 거리와 같다.
④ 종파는 파동의 진행 방향과 매질의 진동 방향이 서로 나란하고, 횡파는 파동의 진행 방향과 매질의 진동 방향이 서로 수직이다. 횡파의 대표적인 예는 전자기파(빛)이고, 종파의 대표적인 예는 음파(소리)이다.
⑤ 파동이 한 매질에서 다른 매질로 진행할 때 진동수는 변하지 않지만 파장은 변하므로 속력이 변한다.
바로알기 | ① 파동의 진동수는 파원에 의해 결정되므로 매질의 종류에 따라 달라지지 않는다.

534 ㄴ. A 지점은 파동의 가장 높은 곳이므로 마루이고, B 지점은 파동의 가장 낮은 곳이므로 골이다.
바로알기 | ㄱ. 파동의 진행 방향과 매질의 진동 방향이 서로 수직이므로 횡파이다.

ㄷ. 파장은 위상이 같은 인접한 두 지점 사이의 거리이다. A 지점은 마루이고 B 지점은 골이므로 위상이 반대이다. 따라서 A 지점에서 B 지점까지 수평 거리는 파장의 절반이다.

535 용수철의 밀한 곳에서 이웃한 밀한 곳 사이의 거리 0.5 m는 파장이다. 용수철의 한 점이 1초에 8번 진동하므로 진동수는 8 Hz이다. 파동의 속력은 진동수×파장이므로 8 Hz×0.5 m=4 m/s이다.

536 ㄱ. 소리의 속력은 고체에서 가장 빠르고, 그 다음 액체에서가 기체에서보다 빠르며, 기체에서 가장 느리다.
ㄴ. 소리는 대표적인 종파로, 파동의 진행 방향과 매질의 진동 방향이 나란하다.
바로알기 | ㄷ. 공기 중에서 소리의 전파 속력은 공기의 온도가 높을수록 빠르고, 공기의 온도가 낮을수록 느리다.

537 ㄱ. 파동이 굵은 줄에서 가는 줄로 진행해나갈 때 진동수는 변하지 않지만 파장은 커지므로 파동의 속력도 커진다.
ㄹ. 파장은 마루에서 이웃한 마루 또는 골에서 이웃한 골까지 거리이므로 굵은 줄에서보다 가는 줄에서 파장이 더 크다.
바로알기 | ㄴ, ㄷ. 진동수는 파원에 의해서 결정되므로 파동의 진행 과정에서 매질이 달라져도 진동수는 변하지 않는다. 그리고 주기는 진동수의 역수와 같으므로 진동수가 변하지 않으면 주기도 변하지 않는다.

538 (가)의 마루에서 이웃한 골까지의 수평 거리는 파장의 $\frac{1}{2}$이고, (나)의 가장 밀한 곳에서 이웃한 가장 밀한 곳까지의 거리는 파장과 같다.

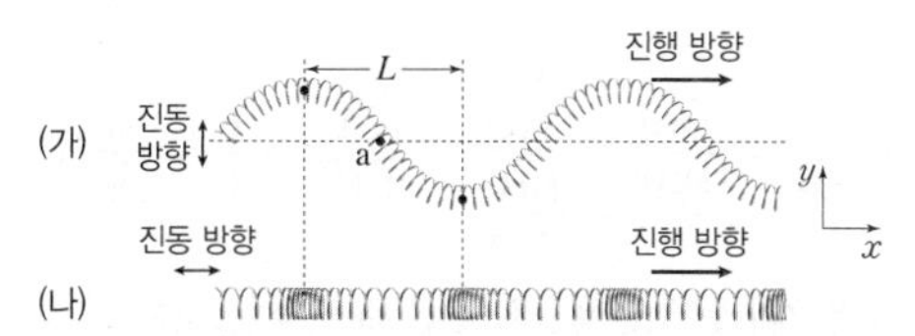

ㄱ. (가)에서 파동의 진행 방향은 $+x$ 방향이므로 그림과 같이 a의 운동 방향은 $+y$ 방향이다.

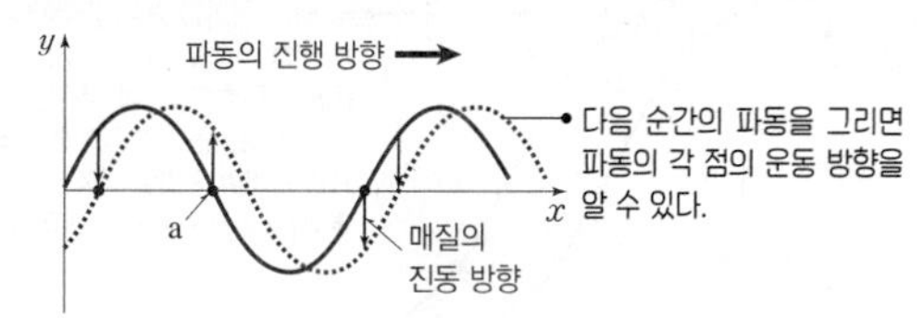

바로알기 | ㄴ. (나)는 파동의 진행 방향과 매질인 용수철의 진동 방향이 나란하므로 종파이다. 전자기파는 (가)와 같이 파동의 진행 방향과 매질의 진동 방향이 수직인 횡파이다.
ㄷ. (가)에서 파동의 파장은 $2L$이고, (나)에서 파동의 파장은 L이다.

539 그래프에서 가로축 눈금 한 칸의 길이를 L이라고 하면 A의 파장은 $2L$, B의 파장은 $4L$이다. 파동의 속력=진동수×파장이고, 두 파동의 속력이 같으므로 $f_A \times 2L = f_B \times 4L$이다. 따라서 $f_A : f_B = 2:1$이다.

540 파동의 속력 $v=5$ m/s이고, 파동의 주기 $T=0.4$ s이므로 $v=\frac{\lambda}{T}=5\text{ m/s}=\frac{\lambda}{0.4\text{ s}}$에서 파장 $\lambda=2$ m이다.

541 ㄷ. (가)에서 가로축 눈금 한 칸의 간격을 L이라고 하면 A, B의 파장은 각각 $2L$, $4L$이다. (나)에서 가로축 눈금 한 칸의 간격을 t_0이라고 하면 A, B의 주기는 각각 $2t_0$, t_0이다. A, B의 속력은 각각 $\frac{2L}{2t_0}=\frac{L}{t_0}$, $\frac{4L}{t_0}$이므로 속력은 A<B이다.

바로알기 | ㄱ. 파장은 변위-위치 그래프에서 알 수 있다. (가)에서 B의 파장은 A의 2배이므로 파장은 A<B이다.
ㄴ. 주기는 변위-시간 그래프에서 알 수 있다. (나)에서 A의 주기는 B의 2배이므로 주기는 A>B이다.

542 ① 마루에서 이웃한 마루까지의 거리와 골에서 이웃한 골까지의 거리가 2 m이므로 파장은 2 m이다.
② 0.1초 동안 파동이 $\frac{1}{4}$회 진동하였으므로 1회 진동하는 데 걸리는 시간은 0.4초이다. 따라서 주기는 0.4초이다.
③ 진폭은 진동 중심에서 변위가 최대인 위치까지의 거리이므로 0.4 m이다.
⑤ 파동의 속력=진동수×파장이므로 2.5 Hz×2 m=5 m/s이다.
다른 해설 ⑤ 파동이 0.1초 동안 0.5 m를 이동하였으므로 속력은 $\frac{0.5\text{ m}}{0.1\text{ s}}=5$ m/s이다.
바로알기 | ④ 주기는 0.4초이고, 진동수는 주기의 역수이므로 $\frac{1}{0.4\text{ s}}=2.5$ Hz이다.

543 ① (나)에서 파동이 1회 진동하는 데 걸린 시간은 4초이다.
④ 진동수는 주기의 역수이므로 $\frac{1}{4\text{ s}}=0.25$ Hz이다.
⑤ (나)에서 P는 0초 직후에 $+y$ 방향으로 운동한다. (가)에서 파동의 진행 방향이 $+x$ 방향일 때, P가 $+y$ 방향으로 운동한다.
⑥ 파동의 속력=진동수×파장이므로 0.25 Hz×4 m=1 m/s이다.
⑦ 파동의 주기가 4초이므로 6초일 때 P의 운동 방향은 2초일 때 P의 운동 방향과 같다. (나)에서 2초일 때 P의 운동 방향은 $-y$ 방향이다.
바로알기 | ② (가)에서 마루에서 이웃한 마루까지의 거리가 4 m이므로 파장은 4 m이다.
③ 진폭은 진동 중심에서 변위가 최대인 위치까지의 거리이므로 5 m이다.

544 P와 Q는 파장의 절반만큼 떨어져 있으므로 P와 Q의 위상은 반대이다. 3초 후 P의 변위가 −5 m이므로 Q의 변위는 5 m이다.

545 ㄱ. P는 1초가 지난 순간부터 4초가 더 지난 후에 변위가 다시 +4 cm가 되었으므로, 한 번 진동하는 데 걸린 시간이 4초이다.
ㄴ. 파동의 주기가 4초이므로 1초에 $\frac{1}{4}$회 진동한다. 파동의 진행 방향이 왼쪽일 때 1초가 지난 순간 P의 변위가 +4 cm이므로 파동의 진행 방향은 왼쪽이다. 파동의 진행 방향이 오른쪽이라면 1초가 지난 후 P의 변위는 −4 cm이다.
ㄷ. 골에서 이웃한 골까지의 거리가 20 cm이므로 파장은 20 cm이고, 진동수는 주기의 역수이므로 $\frac{1}{4\text{ s}}=0.25$ Hz이다. 파동의 속력=진동수×파장이므로 0.25 Hz×20 cm=5 cm/s이다.

546 (1) 파동의 진동수와 주기는 파원에 의해 결정되므로 파동이 다른 매질로 전파되어도 파동의 진동수와 주기는 변하지 않는다. (나)에서 파동이 1회 진동하는 데 걸린 시간이 0.2초이므로 파동의 주기는 0.2초이다. 따라서 B에서도 파동의 주기는 0.2초이다.
(2) (가)에서 마루에서 이웃한 마루까지의 거리가 파장이므로 B에서 파동의 파장은 4 cm이다. (나)에서 파동의 주기가 0.2초이므로 B에서 파동의 진행 속력은 $\frac{4\text{ cm}}{0.2\text{ s}}=20$ cm/s이다.

547 ① 빛이 반사될 때 입사각과 반사각은 같으므로 $\theta=45°$이다.
② A, B의 굴절률을 각각 n_A, n_B라고 하면 굴절률과 입사각, 굴절각의 관계는 굴절 법칙에 따라 $n_A\sin45°=n_B\sin30°$이므로 $n_A<n_B$이다. 따라서 굴절률은 A가 B보다 작다.
③ A, B에서 빛의 속력을 각각 v_A, v_B라고 하면 빛의 입사각과 굴절각, 속력의 관계에 따라 $\dfrac{\sin45°}{\sin30°}=\dfrac{v_A}{v_B}$이므로 $v_A>v_B$이다. 따라서 빛의 속력은 A에서가 B에서보다 크다.
⑤ 빛의 주기와 진동수는 광원에서 정해지므로, 빛이 진행하고 굴절되는 과정에서 빛의 진동수는 변하지 않고 일정하게 유지된다. 따라서 빛의 진동수는 A에서와 B에서가 같다.
바로알기 | ④ 빛의 속력=진동수×파장이다. 빛의 진동수는 A에서와 B에서가 같고, 속력은 A에서가 B에서보다 크므로 빛의 파장은 A에서가 B에서보다 길다.

548 모범 답안 A, B의 굴절률을 각각 n_A, n_B라고 하면 굴절 법칙에 따라 $n_A\sin45°=n_B\sin30°$이다. 매질 A에 대한 매질 B의 상대 굴절률 $n_{AB}=\dfrac{n_B}{n_A}$이므로 $n_{AB}=\dfrac{n_B}{n_A}=\dfrac{\sin45°}{\sin30°}=\sqrt{2}$이다.

549 ① 입사각은 A가 B보다 크다. 입사각과 반사각은 같으므로 반사각도 A가 B보다 크다.
② 굴절률은 Ⅱ가 Ⅰ보다 크므로 A는 입사각보다 굴절각이 작고, C는 입사각보다 굴절각이 크다. A와 C는 입사각이 서로 같으므로 굴절각은 A가 C보다 작다.

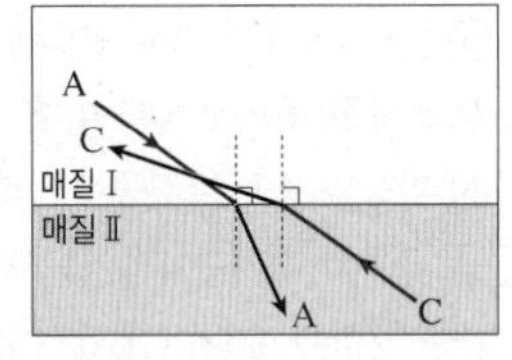

③ Ⅰ, Ⅱ의 굴절률을 각각 n_1, n_2라고 하고, Ⅰ, Ⅱ에서 A의 속력을 각각 v_1, v_2라고 하면 굴절 법칙에 따라 $\dfrac{n_2}{n_1}=\dfrac{v_1}{v_2}$이다. 굴절률은 $n_2>n_1$이므로 $v_1>v_2$이다. 따라서 A의 속력은 Ⅰ에서가 Ⅱ에서보다 빠르다.
④ B의 속력은 Ⅱ에서가 Ⅰ에서보다 느리고, 굴절이 일어나도 파동의 진동수는 변하지 않으므로 파장은 Ⅱ에서가 Ⅰ에서보다 짧다.
바로알기 | ⑤ 단색광의 주기와 진동수는 광원에서 정해지므로 단색광이 진행하고 굴절되는 과정에서 단색광의 진동수는 변하지 않고 일정하게 유지된다. 따라서 C의 진동수는 Ⅰ에서와 Ⅱ에서가 같다.

550 (1) 매질 A, B, C에서 단색광의 속력을 각각 v_A, v_B, v_C라고 하면 굴절 법칙에 따라 (가)에서 $\dfrac{\sin\theta}{v_A}=\dfrac{\sin\theta_1}{v_B}$이고, (나)에서 $\dfrac{\sin\theta}{v_A}=\dfrac{\sin\theta_2}{v_C}$이다. $\dfrac{\sin\theta}{v_A}=\dfrac{\sin\theta_1}{v_B}=\dfrac{\sin\theta_2}{v_C}$에서 $\theta_2<\theta<\theta_1$이므로 $v_C<v_A<v_B$이다. (가)와 (나)에서 동일한 단색광을 사용하므로 진동수는 어느 매질에서든지 같다. 따라서 단색광의 속력은 파장에 비례하므로 단색광의 파장은 $\lambda_C<\lambda_A<\lambda_B$이다.
(2) $n=\dfrac{c}{v}$(c: 진공에서 빛의 속력)이므로 매질의 굴절률 n과 매질에서 단색광의 속력 v는 서로 반비례 관계이다. $v_C<v_A<v_B$이므로 A, B, C의 굴절률은 $n_C>n_A>n_B$이다.

551

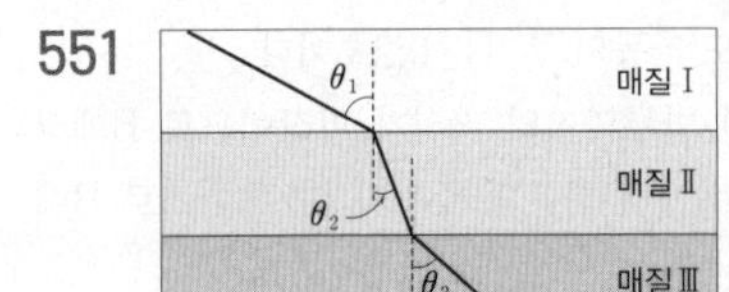

굴절 법칙에 따라 $\dfrac{\sin\theta_1}{v_1}=\dfrac{\sin\theta_2}{v_2}=\dfrac{\sin\theta_3}{v_3}$이고, $\theta_2<\theta_3<\theta_1$이므로 $v_2<v_3<v_1$이다.
➔ 파장은 $\lambda_2<\lambda_3<\lambda_1$이다.

ㄱ. 매질 Ⅰ, Ⅱ, Ⅲ의 굴절률을 n_1, n_2, n_3이라고 하면 굴절 법칙에 따라 단색광이 Ⅰ에서 Ⅱ로 입사할 때 $n_1\sin\theta_1=n_2\sin\theta_2$이고, Ⅱ에서 Ⅲ으로 입사할 때 $n_2\sin\theta_2=n_3\sin\theta_3$이다. $n_1\sin\theta_1=n_2\sin\theta_2=n_3\sin\theta_3$에서 $\theta_2<\theta_3<\theta_1$이므로 $n_2>n_3>n_1$이다. 따라서 굴절률은 Ⅱ>Ⅲ>Ⅰ 순으로 크다.
ㄴ. 단색광이 Ⅰ에서 Ⅱ로 입사할 때 $\dfrac{\sin\theta_1}{\sin\theta_2}=\dfrac{\lambda_1}{\lambda_2}$이고 $\theta_1>\theta_2$이므로 단색광의 파장은 Ⅰ에서가 Ⅱ에서보다 길다.
바로알기 | ㄷ. $n_2>n_3$이고, 매질에서 단색광의 속력은 매질의 굴절률에 반비례하므로 단색광의 속력은 Ⅲ에서가 Ⅱ에서보다 빠르다.

552 ㄱ. 빛이 매질 1에서 매질 2로 입사할 때 입사각이 굴절각보다 큰 것으로 보아 굴절률은 매질 2가 매질 1보다 크다.
ㄴ. $\sin i$와 $\sin r$의 비는 n_1과 n_2의 비와 같으므로 일정하다. 따라서 $\overline{AA'}$의 길이가 증가하면 입사각이 커지고, 입사각이 커지면 굴절각도 커지므로 $\overline{BB'}$의 길이도 증가한다.
바로알기 | ㄷ. $\overline{AO}$와 $\overline{OB}$의 길이는 같고, 빛의 속력은 굴절 법칙에 따라 $\dfrac{v_1}{v_2}=\dfrac{n_2}{n_1}$이므로 매질 1에서가 매질 2에서보다 빠르다. 따라서 빛이 $\overline{AO}$ 구간을 지나는 데 걸리는 시간은 $\overline{OB}$ 구간을 지나는 데 걸리는 시간보다 짧다.

553 매질 1에 대한 매질 2의 상대 굴절률 $n_{12}=\dfrac{n_2}{n_1}$이다. 굴절 법칙에 따라 $\dfrac{n_2}{n_1}=\dfrac{\sin i}{\sin r}=\dfrac{\dfrac{\overline{AA'}}{\overline{AO}}}{\dfrac{\overline{BB'}}{\overline{BO}}}=\dfrac{\overline{AA'}}{\overline{BB'}}=\dfrac{v_1}{v_2}=\dfrac{\lambda_1}{\lambda_2}$이므로 매질 1에 대한 매질 2의 상대 굴절률과 같은 값을 갖는 것은 ㄱ, ㄷ, ㅁ이다.

554

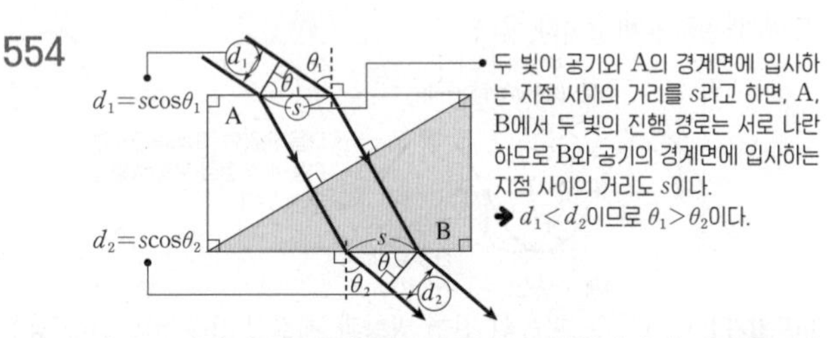

ㄱ. 두 빛이 공기와 A의 경계면에 입사하는 지점 사이의 거리를 s라고 하면, $d_1=s\cos\theta_1$, $d_2=s\cos\theta_2$이다. $d_1<d_2$에서 $s\cos\theta_1<s\cos\theta_2$이므로 $\theta_1>\theta_2$이다.
ㄴ. A에서 굴절각이 θ_1보다 작으므로 A의 굴절률은 공기보다 크다. 따라서 A에서 파장은 λ보다 짧다.
ㄷ. 공기에서 A로 빛이 입사할 때 굴절각을 θ라고 하면 B에서 공기로 빛이 진행할 때 입사각도 θ이다. 공기, A, B의 굴절률을 각각 $n_{공기}$, n_A, n_B라고 하면 굴절 법칙에 따라 공기에서 A로 빛이 입사할 때 $n_{공기}\sin\theta_1=n_A\sin\theta$이고, B에서 공기로 빛이 진행할 때 $n_B\sin\theta=n_{공기}\sin\theta_2$이다. 두 식을 연립하면 $\dfrac{\sin\theta_1}{n_A}=\dfrac{\sin\theta}{n_{공기}}=\dfrac{\sin\theta_2}{n_B}$이므로 $\dfrac{\sin\theta_1}{n_A}=\dfrac{\sin\theta_2}{n_B}$이고, $\theta_1>\theta_2$이므로 $n_A>n_B$이다. 따라서 굴절률은 A가 B보다 크다.

555 삼각형 ABA′와 B′BA′는 $\overline{A'B}$를 공통 빗변으로 하는 직각삼각형이다.

모범 답안 $\angle ABA'=i$, $\angle BA'B'=r$이므로 $\sin i=\frac{\overline{AA'}}{\overline{A'B}}$, $\sin r=\frac{\overline{BB'}}{\overline{A'B}}$이고, $\frac{\sin i}{\sin r}=\frac{\overline{AA'}}{\overline{BB'}}$이다. 이때 $\overline{AA'}=v_1t$이고, $\overline{BB'}=v_2t$이므로 $\frac{\overline{AA'}}{\overline{BB'}}=\frac{v_1}{v_2}$이다. 따라서 $\frac{\sin i}{\sin r}=\frac{\overline{AA'}}{\overline{BB'}}=\frac{v_1}{v_2}$이다.

556

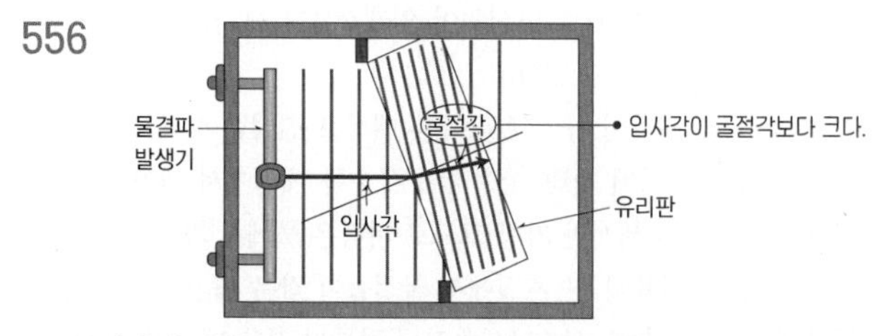

ㄴ. 물결파의 파면 사이의 간격은 물결파의 파장과 같다. 유리판이 놓인 부분에서 물결파의 파면 사이의 간격이 더 좁으므로 물결파의 파장은 물의 깊이가 얕은 곳에서가 깊은 곳에서보다 짧다.

바로알기 | ㄱ. 물결파의 진동수는 어디에서나 일정하고, 유리판이 놓인 부분에서 물결파의 파면 사이의 간격(파장)이 더 좁으므로, 물결파의 속력은 물의 깊이가 얕은 곳에서가 깊은 곳에서보다 느리다.

ㄷ. 물결파의 진행 방향은 물결파의 파면에 수직이므로 입사각이 굴절각보다 크다.

557 ① 파동이 반사될 때 입사파의 파장과 반사파의 파장은 같으므로 A의 파장은 B의 파장과 같은 λ_1이다.

②, ③ 파동이 경계면에서 다른 매질로 투과해 들어가거나 반사되어 나와도 진동수는 변하지 않고 일정하므로 파동의 속력은 파장에 비례한다. 파장은 A가 λ_1이고, C가 λ_2이므로 A의 파장이 C의 파장보다 길다. 따라서 파동의 속력도 A가 C보다 빠르다.

⑤ 매질 Ⅰ, Ⅱ의 굴절률을 각각 n_1, n_2라고 하면 Ⅰ에 대한 Ⅱ의 굴절률 $n_{12}=\frac{n_2}{n_1}=\frac{v_1}{v_2}=\frac{f\lambda_1}{f\lambda_2}=\frac{\lambda_1}{\lambda_2}$이다.

바로알기 | ④ 파동의 속력은 굴절률이 큰 매질에서 느려지므로 굴절률은 Ⅰ보다 Ⅱ가 크다.

558

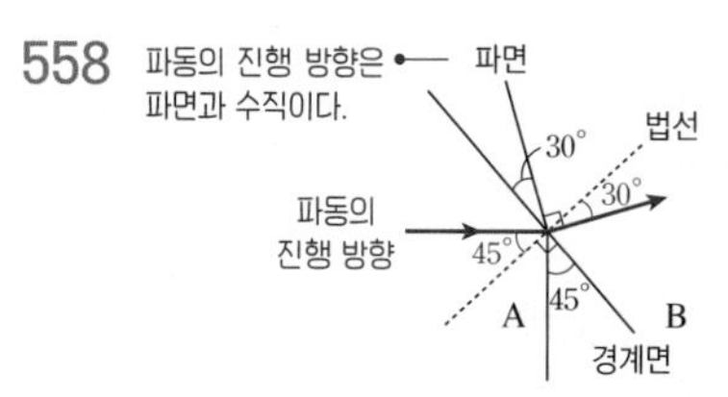

파면이 경계면과 이루는 각의 크기는 파동이 법선과 이루는 각의 크기와 같다.
➔ A, B에서 파면이 경계면과 이루는 각이 각각 45°, 30°이므로 입사각과 굴절각도 각각 45°, 30°이다.

② $\lambda_A>\lambda_B$이므로 물결파의 속력은 A에서가 B에서보다 빠르다. 물결파의 속력은 수심이 깊은 곳에서 더 빠르므로 A는 B보다 수심이 깊다.

③ 입사각은 45°이고 굴절각은 30°이므로 굴절각은 입사각보다 작다.

④ A에 대한 B의 굴절률 $n_{AB}=\frac{n_B}{n_A}=\frac{\sin 45°}{\sin 30°}=\sqrt{2}$이다.

⑤ B의 수심이 깊어지면 A에서 입사각 θ_A는 일정하고 B에서 굴절각 θ_B가 30°보다 커지므로 $\frac{\sin\theta_A}{\sin\theta_B}=\frac{\lambda_A}{\lambda_B}$는 작아진다.

바로알기 | ① 굴절 법칙에 따르면 $\frac{\sin 45°}{\sin 30°}=\frac{v_A}{v_B}=\frac{f\lambda_A}{f\lambda_B}=\frac{\lambda_A}{\lambda_B}$이므로 $\frac{\lambda_A}{\lambda_B}=\sqrt{2}$이다.

⑥ A에서 물결파의 속력을 v_A, B에서 물결파의 속력을 v_B라고 하면 A에 대한 B의 굴절률 $n_{AB}=\sqrt{2}$이므로 $n_{AB}=\frac{n_B}{n_A}=\frac{v_A}{v_B}=\sqrt{2}$에서 $v_A=\sqrt{2}v_B$이다. 따라서 물결파의 속력은 A에서가 B에서의 $\sqrt{2}$배이다.

559 **모범 답안** (가)에서 매질 Ⅰ과 Ⅱ에서 파면이 경계면과 이루는 각은 각각 45°, 30°이므로 입사각과 굴절각도 각각 45°, 30°이다. 굴절 법칙에 따라 $\frac{\sin 45°}{\sin 30°}=\frac{v_1}{v_2}=\frac{\lambda_1}{\lambda_2}$이고, $\lambda_1=4\text{ cm}$이므로 $\lambda_2=\lambda_1\times\frac{\sin 30°}{\sin 45°}=\frac{4}{\sqrt{2}}\text{ cm}$이다. (나)에서 파동의 주기 T는 2초이므로 Ⅱ에서 물결파의 속력은 $\frac{\lambda_2}{T}=\frac{4}{\sqrt{2}}\text{ cm}\times\frac{1}{2\text{ s}}=\sqrt{2}\text{ cm/s}$이다.

560 ① 공기의 온도가 낮을수록 소리의 전파 속력이 느려지므로 공기 중에서 소리는 온도가 낮은 쪽으로 굴절한다. 낮에는 지면으로부터 높이 올라갈수록 기온이 낮아지므로 소리가 위쪽으로 휘어진다.

②, ④ 물속에 있는 물체는 빛의 굴절에 의해 실제 위치보다 수면에 가깝게 관찰된다. 따라서 물속에서 다리는 짧아 보이고, 물체는 실제보다 떠 보인다.

③, ⑤ 볼록 렌즈인 돋보기는 빛을 굴절시켜 관찰 대상을 더 커 보이게 한다. 둥근 어항에 있는 물고기가 실제보다 커 보이는 것도 볼록 렌즈에서 일어나는 빛의 굴절과 같은 원리이다.

바로알기 | ⑥ 잠망경은 반사를 이용하여 빛의 경로를 바꾸는 장치로, 빛의 반사를 이용한 장치이다.

561

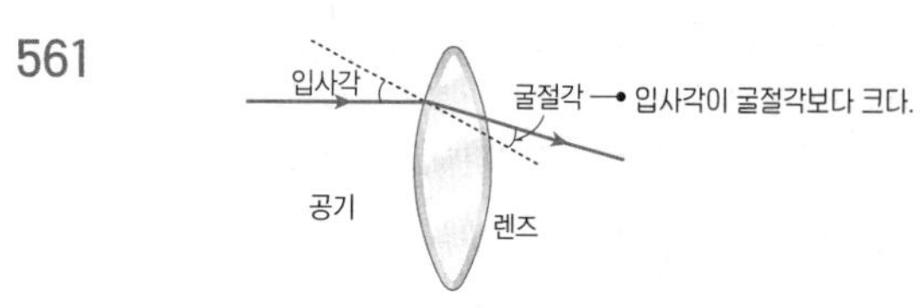

ㄱ. 렌즈의 굴절률은 공기의 굴절률과 다르므로, 빛은 공기와 렌즈의 경계면에서 굴절한다. 빛의 굴절을 이용하여 빛을 모으는 것은 볼록 렌즈이고, 빛을 퍼뜨리는 것은 오목 렌즈이다.

ㄴ. 렌즈의 굴절률은 공기의 굴절률보다 크므로 빛의 속력은 공기에서보다 렌즈에서 더 느리다.

ㄷ. 렌즈의 굴절률이 공기의 굴절률보다 크므로 빛이 공기에서 렌즈로 진행할 때 입사각은 굴절각보다 크다.

562 ① 빛이 물에서 공기로 진행할 때, 물에서의 입사각이 공기에서의 굴절각보다 작으므로 물의 굴절률은 공기의 굴절률보다 크다.

② 액체의 굴절률이 클수록 빛이 액체에서 공기로 진행할 때 더 많이 굴절되므로 연필이 더 큰 각도로 꺾여 보인다.

③ 공기의 온도가 높을수록 공기의 밀도가 작아지므로 빛의 속력이 빨라진다. (나)에서 공기의 온도는 지면에 가까울수록 높으므로 지면에 가까운 공기일수록 빛의 속력이 빨라져 빛이 위쪽으로 휘어진다.

⑤ (가)는 물과 공기의 굴절률 차에 의해, (나)는 공기의 온도에 따른 굴절률 차에 의해 빛의 굴절이 나타난다. 따라서 두 현상 모두 빛의 굴절에 의해 나타나는 현상이다.

바로알기 | ④ 공기의 온도가 높을수록 공기의 밀도가 작아지므로 빛의 속력이 빨라진다. 따라서 빛의 속력은 공기의 온도가 높을수록 빠르다.

563 ㄷ. 공기의 온도가 낮을수록 공기에서 소리의 전파 속력이 느려진다. 따라서 소리의 속력은 차가운 공기에서가 따뜻한 공기에서보다 느리며, 소리는 차가운 공기 쪽으로 굴절한다.

바로알기 | ㄱ, ㄴ. 소리는 기온이 낮은 쪽으로 굴절한다. 낮에는 지면으로부터 높이 올라갈수록 기온이 낮아지므로 소리가 위쪽으로 굴절하고, 밤에는 지면에 가까울수록 기온이 낮아지므로 소리가 아래쪽으로 굴절한다. 따라서 (가)는 밤에, (나)는 낮에 소리가 굴절하는 모습을 나타낸 것이다.

19 전반사

빈출 자료 보기 159쪽

564 (1) ○ (2) × (3) ○ (4) ○ (5) × (6) ○ (7) ×

564 (1) 전반사는 굴절률이 큰 매질에서 굴절률이 작은 매질로 입사할 때 일어날 수 있으므로 $n_1<n_2$이다.
(3) 임계각은 굴절각이 90°일 때의 입사각이다. 따라서 입사각 θ는 임계각이다.
(4) 굴절률이 큰 매질에서 굴절률이 작은 매질로 단색광이 입사할 때, 입사각이 임계각 θ보다 크면 전반사가 일어난다.
(6) 굴절률은 $n_1<n_2$이므로 B가 A보다 굴절률이 큰 매질이다. 전반사는 굴절률이 큰 매질에서 굴절률이 작은 매질로 입사할 때 일어나므로 단색광이 A에서 B로 입사하면 전반사가 일어날 수 없다.
바로알기 | (2) 굴절 법칙에 따라 $n_2\sin\theta=n_1\sin90°$이므로 $\sin\theta=\frac{n_1}{n_2}$이다.
(5) 임계각이 θ_c일 때 $\sin\theta_c=\frac{n_1}{n_2}(n_2>n_1)$이므로 n_1과 n_2의 차가 클수록 $\frac{n_1}{n_2}$은 작아지고, 임계각 θ_c도 작아진다.
(7) 전반사는 속력이 느린 매질에서 속력이 빠른 매질로 빛이 진행할 때 일어난다.

난이도별 필수 기출 160~163쪽

565 ③ 566 ③ 567 $\frac{2}{3}\sqrt{3}$ 568 ② 569 ①
570 ④, ⑥ 571 ① 572 ⑤ 573 해설 참조
574 ③ 575 해설 참조 576 ②
577 A: 코어, B: 클래딩 578 ⑤ 579 ⑤, ⑥
580 ④ 581 ② 582 ③ 583 ③

565 전반사는 빛의 굴절률이 큰 매질에서 굴절률이 작은 매질로 빛이 입사할 때, 매질의 경계면에서 빛이 굴절하지 않고 전부 반사되는 현상이다. 전반사가 일어나기 위해서는 입사각이 임계각보다 커야 한다. 임계각은 굴절각이 90°일 때의 입사각이다.

566 빛이 매질 A에서 매질 B로 진행할 때 빛의 일부가 B로 굴절해 나아갔으므로 전반사가 일어나지 않았다.
ㄱ. 빛이 A에서 B로 입사할 때 입사각이 임계각보다 크면 빛이 매질의 경계면에서 전부 반사되는 전반사가 일어난다. 빛이 θ_1로 입사할 때 전반사가 일어나지 않았으므로 θ_1은 임계각보다 작다.
ㄴ. 빛이 진행할 때 입사각보다 굴절각이 크므로 빛의 속력은 B에서가 A에서보다 빠르다. 진동수는 a와 b가 같으므로 b의 파장이 a의 파장보다 길다.
바로알기 | ㄷ. 빛이 A에서 B로 진행할 때 굴절각이 입사각보다 크므로 A의 굴절률이 B의 굴절률보다 크다.

567 매질 A의 굴절률을 n_A라고 하면 굴절 법칙에 따라 $n_A\sin60°=\sin90°$이므로 $n_A=\frac{1}{\sin60°}=\frac{2}{\sqrt{3}}=\frac{2}{3}\sqrt{3}$이다.

568 ㄷ. 단색광이 공기에서 다이아몬드로 진행할 때 입사각이 굴절각보다 크므로 다이아몬드의 굴절률은 공기의 굴절률보다 크다. 따라서 다이아몬드에서 공기로 단색광이 임계각보다 큰 입사각으로 입사하면 전반사가 일어날 수 있다.
바로알기 | ㄱ. 단색광이 공기에서 다른 매질로 진행할 때 입사각이 동일하므로 굴절 법칙에 따라 굴절각이 클수록 매질에서 파장이 길다. 굴절각의 크기는 물에서가 가장 크므로 파장은 물에서 가장 길다.
ㄴ. 전반사는 굴절률이 큰 매질에서 굴절률이 작은 매질로 입사할 때 일어날 수 있다. (나)에서는 단색광이 굴절률이 작은 매질인 공기에서 굴절률이 큰 매질인 유리로 입사하는 상황이므로 입사각을 충분히 크게 하여도 전반사가 일어날 수 없다.

569 ㄱ. 매질 A, B, C의 굴절률을 각각 n_A, n_B, n_C라고 하면 (가)에서는 입사각보다 굴절각이 작으므로 $n_A<n_B$이고, (나)에서는 전반사가 일어났으므로 $n_C<n_A$이다. 따라서 $n_C<n_B$이다.
ㄴ. (나)에서 단색광을 A에서 C로 입사각 θ로 입사시켰을 때 전반사가 일어났으므로 θ는 임계각보다 크다.
바로알기 | ㄷ. $n_C<n_A<n_B$이고, 매질의 굴절률이 클수록 단색광의 속력은 느리므로, 단색광의 속력은 C에서 가장 빠르고 B에서 가장 느리다.
ㄹ. (나)에서 단색광이 전반사하여 C로 진행하는 단색광이 없으므로 전반사한 단색광의 세기는 입사한 단색광의 세기와 같다.

570 ① 단색광이 A에서 B로 입사할 때 입사각은 θ_1이고 굴절각은 θ_2이다. 입사각이 커지면 굴절각도 커지므로 θ_1이 커지면 θ_2도 커진다.
② 단색광이 A에서 B로 입사할 때 입사각 θ_1이 굴절각 θ_2보다 크므로 B의 굴절률은 A의 굴절률보다 크다.
③ B의 굴절률이 A의 굴절률보다 크므로 단색광의 속력은 A에서가 B에서보다 빠르다.
⑤ 단색광의 전반사는 굴절률이 큰 매질에서 굴절률이 작은 매질로 입사할 때 일어날 수 있으므로, C에서 B로 입사할 때는 전반사가 일어날 수 없다.
바로알기 | ④ 단색광의 진동수는 광원에서 결정되므로, 단색광이 진행하는 매질이 변하여도 단색광의 진동수는 변하지 않고 계속 일정하다.
⑥ A, B, C의 굴절률을 각각 n_A, n_B, n_C라고 하고, 단색광이 B에서 C로 입사할 때의 임계각을 θ_{BC}라고 하면 $n_B\sin\theta_{BC}=n_C\sin90°$이고, 단색광이 A에서 C로 입사할 때의 임계각을 θ_{AC}라고 하면 $n_A\sin\theta_{AC}=n_C\sin90°$이다. $n_A<n_B$이고 $\sin\theta_{BC}=\frac{n_C}{n_B}$, $\sin\theta_{AC}=\frac{n_C}{n_A}$이므로 $\theta_{BC}<\theta_{AC}$이다.

571

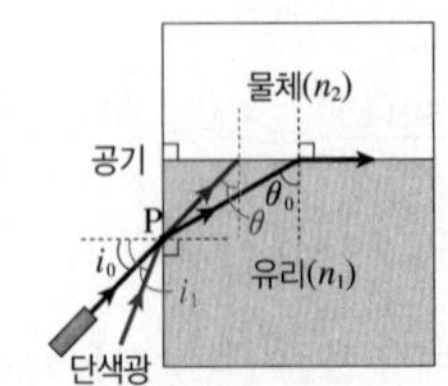

공기에서 유리로 입사할 때 입사각 i_1이 i_0보다 크면 유리와 물체의 경계면에서의 입사각 θ는 θ_0보다 작다.
➔ 유리와 물체의 경계면에서 전반사가 일어나지 않는다.

ㄱ. 단색광이 유리에서 물체로 입사할 때 입사각이 θ_0이고 굴절각이 90°이므로 $n_1\sin\theta_0=n_2\sin90°$이다. 따라서 $\sin\theta_0=\frac{n_2}{n_1}$이다.

바로알기 | ㄴ. 단색광이 유리에서 물체로 입사할 때 임계각 θ_c는 $n_1\sin\theta_c = n_2\sin 90°$에서 $\sin\theta_c = \frac{n_2}{n_1}$이므로 물체의 굴절률 n_2가 작아지면 임계각 θ_c가 θ_0보다 작아진다. 따라서 단색광이 유리에서 물체로 진행할 때 전반사가 일어난다.

ㄷ. 단색광이 공기에서 유리로 입사할 때 입사각이 i_0보다 커지면 유리와 물체의 경계면에서 입사각이 θ_0보다 작아진다. 유리와 물체 사이의 임계각이 θ_0이므로 단색광이 유리에서 물체로 진행할 때 전반사가 일어나지 않는다.

572

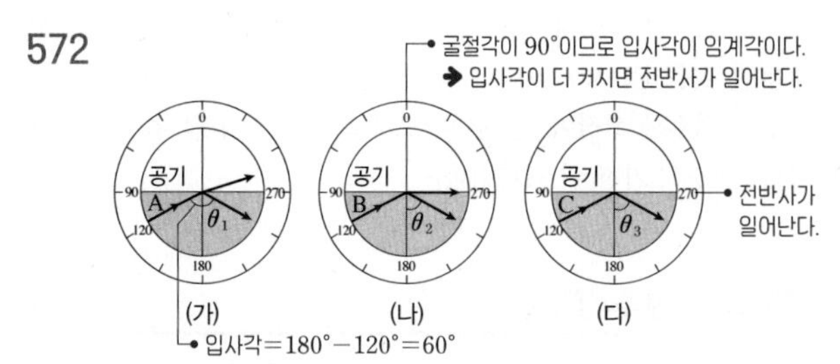

① 입사각은 매질의 경계면에 수직인 선과 파동의 진행 방향이 이루는 각이므로 60°이다.

② (가)~(다)에서 모두 같은 입사각으로 비추었고 반사각은 입사각과 크기가 같으므로 $\theta_1 = \theta_2 = \theta_3 = 60°$이다.

③ (가)에서는 반사와 굴절이 동시에 일어나므로 입사각이 임계각보다 작고, (나)에서는 굴절각이 90°이므로 입사각이 임계각과 같으며, (다)에서는 전반사가 일어났으므로 입사각이 임계각보다 크다. 임계각이 작을수록 공기와 액체의 굴절률 차가 크므로 C의 굴절률>B의 굴절률>A의 굴절률이다.

④ 매질의 굴절률이 클수록 매질에서 단색광의 속력이 작으므로 단색광의 속력은 A에서가 C에서보다 크다.

바로알기 | ⑤ (나)에서 굴절각이 90°이므로 입사각은 임계각과 같다. 전반사는 입사각이 임계각보다 클 때 일어나므로 (나)에서 입사각의 크기를 더 작게 하면 전반사가 일어날 수 없다.

573 빛의 반사와 굴절이 함께 일어날 때는 반사광과 굴절광의 세기가 입사광의 세기보다 약해지지만, 빛이 전반사하면 입사광과 반사광의 세기가 같다. 따라서 전반사를 이용하면 빛의 세기가 약해지지 않고, 빛의 진행 경로를 바꾸거나 빛 신호를 멀리까지 전송할 수 있다.

모범 답안 광통신, 내시경, 쌍안경 등에 이용된다. 전반사를 이용하면 빛의 세기가 약해지지 않고 빛의 진행 경로를 바꿀 수 있으며, 빛 신호를 멀리까지 전송할 수 있다.

574

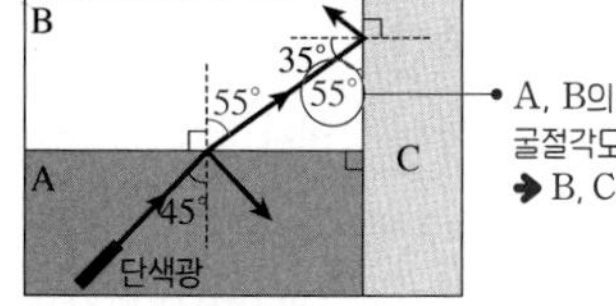

ㄱ. 단색광이 A에서 B로 입사할 때 입사각(45°)보다 굴절각(55°)이 크므로 굴절률은 A가 B보다 크고, B에서 C로 입사할 때 전반사가 일어나므로 굴절률은 B가 C보다 크다. 따라서 A, B, C 중 A의 굴절률이 가장 크다.

ㄷ. 단색광을 A, B의 경계면에 45°보다 작은 각으로 입사시키면 B와 C의 경계에서 입사각이 35°보다 커진다. 입사각이 35°일 때 전반사가 일어났으므로 35°보다 입사각이 큰 경우에도 전반사가 일어난다.

바로알기 | ㄴ. 매질의 굴절률이 클수록 매질에서 단색광의 속력이 느리므로, 단색광의 속력은 B에서가 C에서보다 느리다.

575

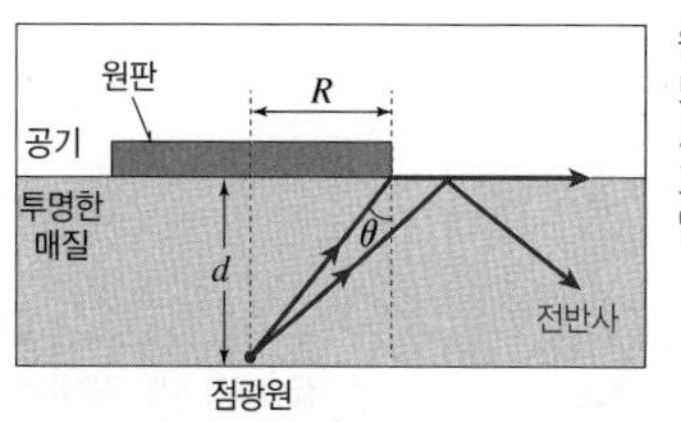

원판이 점광원에서 방출된 빛을 모두 차단하므로 원판의 끝에 입사한 빛은 굴절각 90°로 굴절하고, 원판의 바깥 경계에 입사한 빛은 전반사한다.

모범 답안 R은 빛을 차단할 수 있는 원판의 최소 반지름이므로 원판의 끝에 도달한 빛의 입사각은 임계각과 같다. 따라서 매질의 굴절률이 n일 때 $n\sin\theta = \sin 90°$이므로 $n = \frac{1}{\sin\theta} = \frac{\sqrt{d^2+R^2}}{R}$이다.

576 ㄷ. 공기에서와 액체에서 단색광의 속력을 각각 v_1, v_2라고 하면 단색광이 공기에서 액체로 진행할 때 $\frac{v_1}{v_2} = \frac{\sin i}{\sin r} = \frac{3}{2}$이다. 단색광이 액체에서 공기로 진행할 때 임계각이 θ_c이므로 굴절 법칙에 따라 $\frac{\sin\theta_c}{\sin 90°} = \frac{v_2}{v_1}$이므로 $\frac{\sin\theta_c}{\sin 90°} = \frac{2}{3}$이고 $\sin\theta_c = \frac{2}{3}$이다.

바로알기 | ㄱ. 공기에서와 액체에서 단색광의 파장을 각각 λ_1, λ_2라고 하면 굴절 법칙에 따라 $\frac{\sin i}{\sin r} = \frac{\lambda_1}{\lambda_2}$이다. $\frac{\sin i}{\sin r} = \frac{\overline{AB}}{\overline{CD}}$이고, $\overline{AB}=3$, $\overline{CD}=2$이므로 $\frac{\sin i}{\sin r} = \frac{\lambda_1}{\lambda_2} = \frac{3}{2}$에서 $\lambda_1 = \frac{3}{2}\lambda_2$이다. 따라서 단색광의 파장은 공기에서가 액체에서의 $\frac{3}{2}$배이다.

ㄴ. 입사각에 관계없이 v_1, v_2는 일정하므로 입사각을 더 크게 하여도 굴절 법칙에 따라 $\frac{\sin i}{\sin r} = \frac{\overline{AB}}{\overline{CD}} = \frac{v_1}{v_2}$은 변하지 않는다.

577 광섬유는 중앙의 코어(A)와 이를 감싼 클래딩(B)의 이중 구조로 되어 있다.

578 ㄱ. 광섬유는 코어(A)와 클래딩(B) 사이에서 전반사가 일어나는 것을 이용하여 빛에너지의 손실없이 신호를 멀리까지 보낼 수 있다. 코어(A)는 클래딩(B)보다 굴절률이 큰 물질로 만들어야만 코어 내부에서 전반사가 일어난다.

ㄴ. 빛은 광섬유의 코어(A)와 클래딩(B)의 경계면에서 전반사하면서 진행한다.

ㄷ. A, B의 굴절률을 각각 n_A, n_B라고 하고 임계각을 θ라고 하면, $n_A\sin\theta = n_B\sin 90°$이므로 $\sin\theta = \frac{n_B}{n_A}$이다. 따라서 A와 B의 굴절률을 이용하여 광섬유의 임계각 θ를 구할 수 있다.

579 ①, ⑧ 광통신은 정보가 담긴 빛 신호가 광섬유 내부에서 전반사하는 것을 이용한 통신 방식으로 대용량의 정보를 먼 곳까지 보낼 수 있고, 통신 속도가 빠르다.

② 광통신에서 빛 신호를 멀리 보낼 때는 중간에 광 증폭기를 사용하여 빛 신호를 다시 강하게 한다.

③, ④ 광통신은 전파 교란의 영향을 받지 않아 잡음이 없고, 전기, 전파에 의한 통신에 비해 도청이 어렵다는 장점이 있다.

⑦ 전반사를 이용하므로 빛에너지의 손실이 적다. 구리 도선을 이용하는 경우 전기 저항에 의한 열 발생, 전자기파 방출 등에 의한 에너지 손실이 발생한다.

바로알기 | ⑤ 광통신은 광섬유가 끊어지면 연결하기 어렵다는 단점이 있다.

⑥ 송신기에서는 디지털 전기 신호를 빛 신호로 변환하며, 수신기에서는 반대로 빛 신호를 디지털 전기 신호로 변환한다.

580 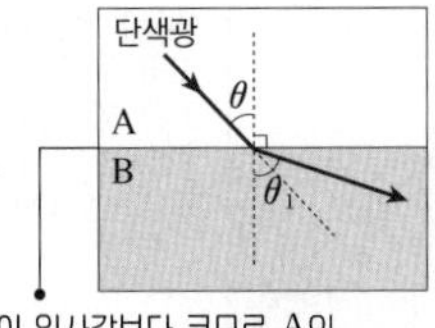

단색광 A C θ θ_2

굴절각이 입사각보다 크므로 A의 굴절률이 B의 굴절률보다 크다.

입사각이 굴절각보다 크므로 C의 굴절률이 A의 굴절률보다 크다.

ㄴ. 광섬유를 만들 때 코어의 굴절률이 클래딩의 굴절률보다 커야 하므로, 클래딩에 B를 사용한 광섬유의 코어로 C를 사용할 수 있다.

ㄷ. 임계각은 굴절각이 90°가 될 때의 입사각이고 $\theta_1 < 90°$이므로 단색광이 A에서 B로 입사할 때 전반사가 일어나는 입사각은 θ보다 크다.

바로알기 | ㄱ. 단색광이 매질 속에서 진행할 때 굴절률이 클수록 단색광의 속력이 느려지므로 단색광의 속력은 C에서가 A에서보다 느리다.

581 ㄷ. 굴절률이 큰 매질에서 굴절률이 작은 매질로 빛이 입사할 때 입사각이 임계각보다 크면 전반사가 일어난다. 광섬유에서 빛이 진행할 때 전반사가 일어나므로 A에서 B로 진행하는 빛의 입사각은 임계각보다 크다.

바로알기 | ㄱ. 광섬유는 중앙의 코어(A)와 이를 감싼 클래딩(B)의 이중 구조로 되어 있다.

ㄴ. 빛이 A 내부에서 전반사하므로 A에서 B로 입사한 빛의 세기는 반사되어 나온 빛의 세기와 같다.

582 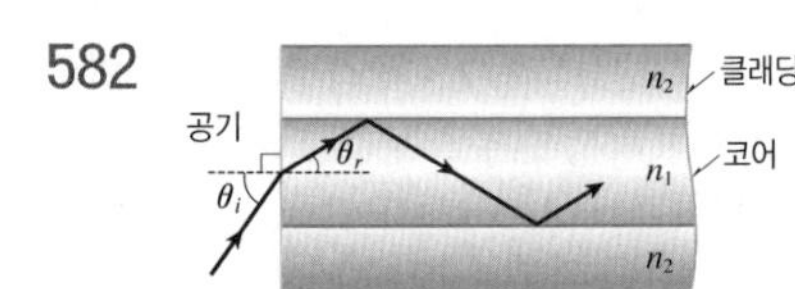

공기에서 코어로 빛이 입사할 때 항상 굴절 법칙을 만족한다.
➡ θ_i가 변해도 $\frac{\sin\theta_i}{\sin\theta_r}$의 값은 일정하다.

ㄱ. 코어와 클래딩의 경계면에서 전반사가 일어나기 위해서는 코어의 굴절률이 클래딩의 굴절률보다 커야 한다. 따라서 $n_1 > n_2$이다.

ㄷ. 코어와 클래딩 사이의 임계각을 θ_c라고 하면 $n_1\sin\theta_c = n_2\sin 90°$이므로 $\sin\theta_c = \frac{n_2}{n_1}$이다. 따라서 n_1보다 굴절률이 큰 물질로 코어를 교체하면 임계각 θ_c는 감소한다.

바로알기 | ㄴ. 굴절 법칙에 따라 $\frac{\sin\theta_i}{\sin\theta_r} = \frac{n_1}{n_{공}}$이므로 $\frac{\sin\theta_i}{\sin\theta_r}$는 일정하다. 따라서 $\frac{\theta_i}{\theta_r}$는 일정하지 않다.

583 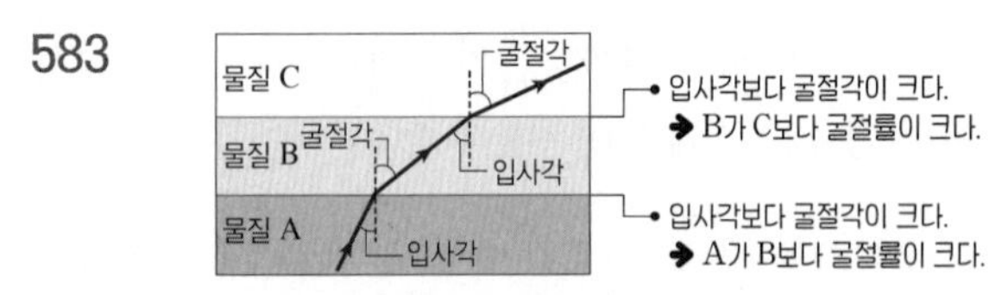

① 광섬유는 코어와 클래딩의 경계면에서 전반사가 일어나는 것을 이용하여 빛에너지의 손실없이 빛 신호를 멀리까지 보낼 수 있다. 따라서 코어는 클래딩보다 굴절률이 큰 물질로 만든다.

② (가)에서 전반사가 일어나므로 입사각 θ는 코어와 클래딩 사이의 임계각보다 크다.

④ 매질의 굴절률이 클수록 매질을 통과하는 빛의 속력이 느리므로 (나)에서 빛의 속력은 A에서 가장 느리다.

⑤ 광섬유에서 코어의 굴절률은 클래딩의 굴절률보다 커야 하므로 B를 클래딩으로 사용한 광섬유에 A를 코어로 사용할 수 있다.

바로알기 | ③ A, B의 경계에서 입사각이 굴절각보다 작으므로 A의 굴절률은 B의 굴절률보다 크고, B, C의 경계에서 입사각이 굴절각보다 작으므로 B의 굴절률은 C의 굴절률보다 크다. 따라서 A의 굴절률은 C의 굴절률보다 크다.

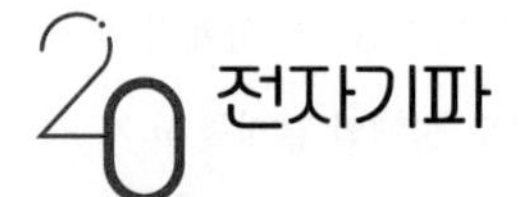

20 전자기파

빈출 자료 보기

165쪽

584 (1) × (2) ○ (3) ○ (4) × (5) ○ (6) ×

584 **바로알기 |** (1) A는 가시광선보다 파장이 짧고 X선보다 파장이 긴 전자기파이므로 자외선이다.

(4) 전자기파는 파장이 짧을수록 진동수가 크므로 전자기파 중 진동수가 가장 큰 것은 감마(γ)선이다.

(6) 파장이 길수록 회절이 잘 일어나므로 회절이 가장 잘 일어나는 전자기파는 파장이 가장 긴 전파이다.

난이도별 필수 기출

166~169쪽

585 ③, ⑦ 586 ④ 587 ⑤ 588 ① 589 ①
590 가시광선 591 감마(γ)선 592 ③ 593 ⑤
594 ② 595 ③ 596 (나) 가시광선, (가) 적외선, (다) 마이크로파 597 ④ 598 ③ 599 ② 600 ④ 601 ④
602 해설 참조 603 (1) 마이크로파 (2) 125 mm

585 ① 전자기파는 전기장과 자기장의 진동 방향에 각각 수직한 방향으로 진행하므로 횡파이다.

② 전자기파는 진공에서 속력이 가장 빠르다. 진공이 아닌 매질에서 전자기파는 속력이 느려진다.

④ 전자기파의 에너지는 진동수가 클수록 크다. 따라서 진동수가 가장 큰 감마(γ)선의 에너지가 가장 크다.

⑤ 파장이 짧을수록 회절이 잘 나타나지 않고, 직진성이 강하다.

⑥ 전자기파는 파장에 따라 에너지, 투과력, 직진성 등과 같은 성질이 다르게 나타난다.

바로알기 | ③ 전자기파는 매질이 없는 진공에서도 공간을 통해 진행할 수 있다.

⑦ 전기장과 자기장의 진동 방향은 서로 수직이고, 전자기파는 각각의 진동 방향에 수직한 방향으로 진행한다.

586 ㄱ. 전자기파는 전기장과 자기장이 서로 수직으로 진동하며, 각각의 진동 방향에 수직한 방향으로 진행하는 파동이다. 전기장이 x축에 나란하게 진동하므로 y축에 나란하게 진동하는 ㉠은 자기장이다.

ㄴ. 전자기파의 파장은 L이고, 진공에서 전자기파의 속력은 c이므로 전자기파의 진동수 f는 $c = fL$에서 $f = \frac{c}{L}$이다.

ㄹ. 물속에서 전자기파의 속력은 진공에서보다 느려지고 진동수는 변하지 않으므로 전자기파의 속력=진동수×파장에서 파장은 진공에서보다 짧아진다. 따라서 전자기파가 물속에서 진행하면 L은 작아진다.

바로알기 | ㄷ. 진공에서 전자기파의 속력은 파장에 관계없이 c로 같다.

587 ① 소리는 매질의 진동으로 전달되는 파동이므로 진공에서는 전달되지 않는다. 전자기파는 진공에서도 공간을 통해 전달된다.

② 진공에서 전자기파의 속력은 약 3×10^8 m/s이고, 공기 중에서 전자기파의 속력은 진공에서의 속력과 거의 같다. 공기 중에서 소리의 속력은 온도에 따라 다르지만 약 331 m/s이다. 따라서 공기 중에서 속력은 전자기파가 소리보다 빠르다.

③ 전자기파와 소리 모두 매질이 달라지면 속력이 변한다.
④ 전자기파와 소리 모두 매질이 달라지면 매질의 경계에서 반사와 굴절이 일어난다. 따라서 전자기파와 소리 모두 파동의 성질을 갖는다.
바로알기 | ⑤ 소리는 매질의 진동 방향과 파동의 진행 방향이 서로 나란한 종파이다.

588 파장이 감마(γ)선보다 길고 자외선보다 짧은 A는 X선이고, 파장이 자외선보다 길고 적외선보다 짧은 B는 가시광선이며, 파장이 적외선보다 길고 라디오파보다 짧은 C는 마이크로파이다.

589 ㄱ. 전자기파는 파장이 짧을수록 진동수가 크므로 X선(A)은 자외선보다 진동수가 크다.
바로알기 | ㄴ. 미생물을 파괴할 수 있는 것은 파장이 짧아서 에너지가 큰 감마(γ)선, X선, 자외선이다. 가시광선(B)은 에너지가 작으므로 미생물을 파괴할 수 없다.
ㄷ. 진공에서 전자기파의 속력은 종류에 관계없이 모두 c로 같다. 따라서 진공에서 속력은 가시광선(B)과 마이크로파(C)가 같다.

590 전자기파 중 사람의 눈으로 직접 볼 수 있는 것은 가시광선이다.

591 전자기파 중에서 진동수와 에너지가 가장 큰 것은 감마(γ)선이다. 감마(γ)선에 노출될 경우 화상, 암 발생, 유전자 변형이 일어나기도 하지만, 감마(γ)선을 적절히 조절하면 강한 투과력과 큰 에너지로 암세포를 파괴할 수 있으므로 암 치료에 이용하기도 한다.

592 미생물을 파괴할 수 있는 살균 기능이 있고, 물체 속에 포함된 형광 물질에 흡수되면 가시광선을 방출하는 것은 자외선이다. 식기 소독기는 자외선의 살균 기능을 이용하고, 형광등이나 위조지폐 감별에는 자외선의 형광 작용을 이용한다.

593 전자기파는 파장이 길수록 회절이 잘 일어난다. 따라서 파장이 긴 전자기파는 장애물 뒤까지 전파될 수 있다. 라디오파는 전자기파 중에서 파장이 가장 길어 방송, 통신에 이용하기 적합하며, 산악지형과 같이 장애물이 많은 곳에서도 신호 수신이 비교적 원활하다.

594 ① 마이크로파는 적외선보다 파장이 길므로 진동수가 작다.
③ 라디오파는 파장이 길어 회절이 잘 일어나므로 장애물 뒤로도 전파된다. 따라서 방송, 무선 통신 등에 이용된다.
④ 햇빛에 포함된 자외선은 피부에서 비타민 D를 생성하는 데 기여하기도 하지만, 피부를 그을리게도 한다.
⑤ 대부분의 물체는 열작용으로 적외선을 방출하므로 적외선을 감지하여 야간에도 촬영할 수 있다. 이러한 장비를 야간 투시경이라고 한다.
⑥ 전자기파는 파장에 따라 굴절되는 정도가 다르므로 햇빛을 프리즘에 통과시키면 빨간색에서 보라색까지 가시광선 영역의 연속 스펙트럼이 나타난다.
바로알기 | ② 열작용을 하여 열선이라고 불리는 것은 적외선이다.

595 ㄴ. 진동수가 작을수록 파장이 길고, 파장이 길수록 회절이 잘 일어난다. A의 진동수가 가장 작으므로 A의 파장이 가장 길고, A가 회절이 가장 잘 일어난다. A는 라디오파이다.
ㄹ. C는 감마(γ)선으로 진동수가 가장 크므로 파장이 가장 짧고, 에너지가 크며, 투과력이 매우 강하다.
바로알기 | ㄱ. 전자기파의 에너지는 진동수가 클수록 크다. 따라서 에너지는 A가 B보다 작다.
ㄷ. 음식물 속의 물 분자를 진동시켜 음식을 데우거나 조리할 때 사용하는 전자레인지에 이용되는 전자기파는 마이크로파이다. B는 자외선이다.

596 (가) 리모컨은 적외선을 이용한다. (나) 빨간색 발광 다이오드(LED)에서 방출하는 빨간색 빛은 눈으로 볼 수 있는 빛이므로 가시광선이다. (다) 무선 랜에 사용되는 전자기파는 마이크로파이다. 따라서 진동수가 큰 것부터 작은 순으로 나열하면 (나) 가시광선, (가) 적외선, (다) 마이크로파이다.

597 A는 파장이 가장 짧은 전자기파이므로 감마(γ)선이다. B는 파장이 적외선보다 짧고 자외선보다 긴 전자기파이므로 가시광선이다. C는 파장이 가장 긴 전자기파이므로 라디오파이다. 암 치료기는 감마(γ)선(A)을, 광학 현미경은 가시광선(B)을, 라디오는 라디오파(C)를 이용한다.

Ⅲ

598 ㄱ. 자외선은 형광 작용을 한다. 지폐에 미리 인쇄된 형광 무늬를 자외선을 이용하여 확인하면 위조지폐 여부를 감별할 수 있다.
ㄴ. 투과력이 강한 X선의 특징은 (나)에서 수하물 검색에 이용할 수 있다. 이러한 특징은 인체 내부의 모습을 촬영할 때도 이용된다.
바로알기 | ㄷ. 파장은 (가)의 자외선이 (나)의 X선보다 길다.

599 ① A는 귀로 들을 수 있는 파동이므로 소리(음파)이다.
③ B는 전자기파 중에서 마이크로파에 해당하며, 전자기파는 매질이 없어도 전파된다.
④ C는 눈에 보이는 파동이므로 가시광선이다.
⑤ 파장은 마이크로파(B)가 가시광선(C)보다 길다.
바로알기 | ② 소리(A)는 매질의 진동으로 전파된다. 전기장과 자기장의 진동으로 전파되는 파동은 전자기파이므로 B와 C이다.

600 ① 열화상 카메라는 물체에서 방출되는 적외선을 측정하여 온도 분포를 영상으로 보여준다. 따라서 A는 적외선이다.
② 보어의 수소 원자 모형에서 양자수가 $n=3$보다 큰 궤도에서 $n=3$인 궤도로 전자가 전이할 때(파셴 계열) 적외선(A)이 방출된다.
③ X선은 투과력이 강해 (나)와 같이 인체 내부의 골격 사진을 찍을 때 이용할 수 있다. 따라서 B는 X선이다.
⑤ 적외선(A)은 X선(B)보다 파장이 길다.
⑥ 전자기파는 진동수가 클수록 에너지가 크다. 마이크로파의 진동수는 적외선(A)과 X선(B)보다 작으므로 A와 B는 마이크로파보다 에너지가 크다.
바로알기 | ④ 속도 측정기에 이용되는 전자기파는 마이크로파이다.

601 (가)는 감마(γ)선, (나)는 마이크로파, (다)는 X선이다.
ㄱ. (가) 감마(γ)선은 방사선 치료에 이용된다.
ㄷ. (다) X선은 투과력이 강해 인체 내부의 사진을 찍거나, 공항에서 수하물 내의 물품을 검색할 때 이용된다.
바로알기 | ㄴ. 전자기파 중에서 감마(γ)선의 진동수가 가장 크다. 따라서 진동수는 (가) 감마(γ)선이 (나) 마이크로파보다 크다.

602 **모범 답안** 식기 소독기에는 자외선이 이용된다. 자외선은 세균의 단백질 합성을 방해하여 살균 작용을 하므로 소독기에 이용할 수 있다.

603 (1) 전자레인지에서 물 분자를 진동시켜 열을 발생시키는 전자기파는 마이크로파이다.
(2) (빛의 속력)=(진동수)×(파장)이므로 3×10^8 m/s$=2.4\times10^9$ Hz ×(파장)이다. 따라서 마이크로파의 파장은 125 mm이다.

21 파동의 간섭

빈출 자료 보기 171쪽

604 (1) ○ (2) ○ (3) × (4) ○ (5) × (6) ×

604 (1), (2) P에서는 골과 골이 만나므로 P는 두 점파원에서 발생한 파동이 같은 위상으로 만나는 지점이다. 따라서 P는 보강 간섭이 일어나는 지점이고, 시간에 따라 수면의 높이가 크게 바뀌는 부분이다.
(4) Q에서는 보강 간섭이 일어나므로 두 파원으로부터 파동의 경로차는 반파장의 짝수 배이다.
바로알기 | (3) Q에서는 마루와 마루가 만나므로 Q는 두 점파원에서 발생한 파동이 같은 위상으로 만나는 지점이다. 따라서 Q에서는 보강 간섭이 일어난다.
(5) P에서는 골과 골이 만나서 보강 간섭이 일어나고, Q에서는 마루와 마루가 만나서 보강 간섭이 일어나므로 수면의 높이는 P에서가 Q에서보다 낮다.
(6) S_1에서 R까지 경로는 2파장이고, S_2에서 R까지 경로는 $\frac{3}{2}$파장이다. 따라서 두 파동의 경로차는 반파장이다.

난이도별 필수 기출 172~177쪽

605 ㉠ 중첩, ㉡ 독립성			606 10 cm		607 ③
608 (1) 2 m/s (2) 2 m			609 ⑤	610 4초	
611 해설 참조		612 ③	613 ⑤	614 ②	615 ③
616 ⑤	617 ①	618 ⑤	619 ①	620 ③	621 ③
622 해설 참조		623 ②	624 (1) 2 m (2) 10개		
625 ②	626 ②	627 ㄴ, ㄷ, ㄹ, ㅁ		628 ④	
629 해설 참조		630 ⑤	631 ⑤		

605 두 파동이 합쳐질 때 만들어진 합성파의 변위는 중첩 원리에 따라 두 파동의 변위의 합과 같다. 두 파동이 만나 중첩되었다가 분리되면 각각의 파동은 다른 파동에 영향을 주지 않고 본래의 파동의 모양을 그대로 유지하면서 진행하는데, 이러한 성질을 파동의 독립성이라고 한다.

606 두 파동이 중첩되었을 때 중첩된 파동의 변위는 중첩 원리에 따라 두 파동의 변위의 합과 같다. 따라서 중첩된 파동의 최대 변위는 6 cm+4 cm=10 cm이다.

607 파동의 독립성에 따라 중첩된 두 파동은 분리된 이후에 다른 파동에 아무런 영향을 미치지 않고 중첩되기 전 파동의 모양을 유지하며 진행한다. 따라서 중첩된 파동이 분리된 후 두 파동의 모습과 진행 방향으로 가장 적절한 것은 ③이다.

608 (1) P, Q의 파장은 4 m이고, 진동수는 0.5 Hz이므로 P, Q의 속력은 파장×진동수=4 m×0.5 Hz=2 m/s이다.
(2) P, Q가 1초에 2 m씩 이동하므로 1초 후 5 m인 지점에서 P, Q의 변위는 각각 1 m, 1 m이다. 따라서 1초 후 5 m인 지점에서 중첩된 파동의 진폭은 1 m+1 m=2 m이다.

609 ㄱ. A, B의 파장은 20 cm로 같다.
ㄴ. 파동의 속력이 v이고 진동수가 f, 파장이 λ일 때 $v=f\lambda$이므로 5 cm/s=f×20 cm에서 A, B의 진동수는 f=0.25 Hz로 같다.
ㄷ. A에서 변위가 +2 cm인 마루와 B에서 변위가 +1 cm인 마루가 중첩되면 합성파의 변위는 최대가 된다. 따라서 A와 B가 중첩된 합성파의 최대 변위는 2 cm+1 cm=3 cm이다.

610

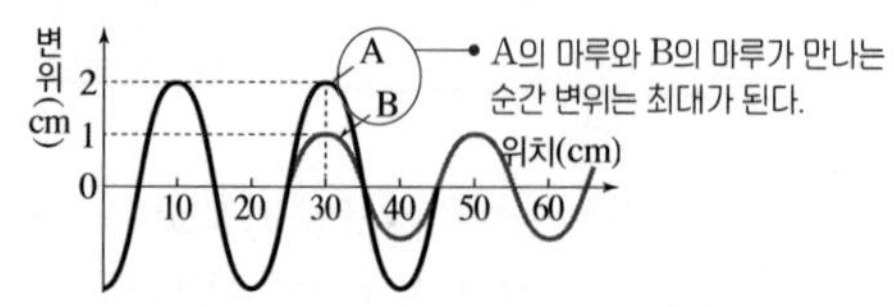

30 cm인 지점의 변위가 최대가 되는 순간은 A와 B가 파장만큼 이동하여 A의 마루와 B의 마루가 중첩되었을 때이다. A와 B가 파장만큼 이동하는 데 걸린 시간은 주기와 같으므로 $\frac{1}{0.25\text{ Hz}}$=4 s이다.

611 파동은 한 주기 동안 한 파장만큼 이동하므로 처음 1초 동안은 x=0인 위치까지 두 파동이 도달하지 않는다. 1초 이후부터 x=0인 위치에서 두 파동이 같은 위상으로 만난다. 따라서 합성파의 진폭은 2 cm이고, 합성파의 주기는 두 파동의 주기와 같은 2초이다.

모범 답안

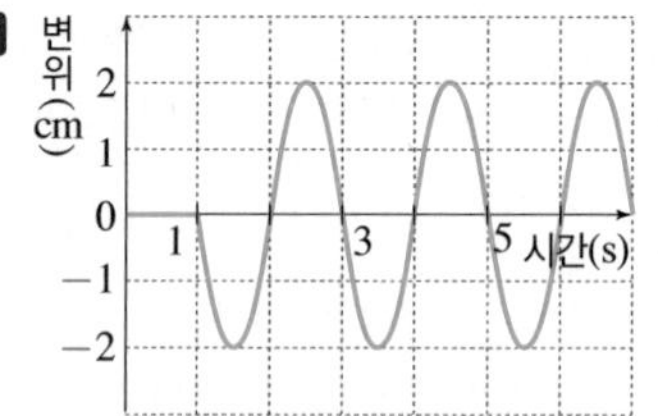

612 ㄱ. 두 파동이 보강 간섭을 하면 간섭하는 두 파동의 변위는 방향이 항상 같으므로 합성파의 진폭은 커진다.
ㄴ. 위상이 서로 반대인 파동이 중첩되면 간섭하는 두 파동의 변위는 방향이 항상 반대이므로 상쇄 간섭이 일어난다.
바로알기 | ㄷ. 한 파동의 골과 다른 파동의 골이 중첩되면 두 파동의 변위는 방향이 같으므로 보강 간섭이 일어난다.

613 ㄱ. (가)에서는 중첩되는 두 파동이 같은 위상으로 만나서 합성파의 진폭이 커지므로 보강 간섭이 일어난다.
ㄴ. (나)에서는 중첩되는 두 파동이 반대 위상으로 만나서 상쇄 간섭이 일어나므로 합성파의 진폭이 0이 된다.
ㄷ. (나)에서와 같이 두 파동의 마루와 골이 만나면 중첩되는 두 파동이 반대 위상으로 만나므로 상쇄 간섭이 일어난다.

614 ㄷ. P, Q의 파장은 4 m로 같다. 두 파동이 중첩된 합성파의 파장은 원래 파동의 파장과 같으므로 P와 Q가 중첩된 합성파의 파장은 4 m이다.
바로알기 | ㄱ. P, Q의 파장은 4 m이고, 진동수는 $\frac{1}{4\text{ s}}$=0.25 Hz이므로 P, Q의 속력은 1 m/s로 같다. 따라서 3초 후 P, Q가 각각 3 m씩 이동하여 a에서 P의 골과 Q의 마루가 만나므로, 3초 후 a에서는 상쇄 간섭이 일어난다.

ㄴ. 5초 후 P, Q가 각각 5 m씩 이동하여, b에서는 P의 골과 Q의 마루가 만나므로 상쇄 간섭이 일어난다. 따라서 5초 후 b의 변위는 0이다.

615 ㄱ. P에서는 두 점파원에서 발생한 두 파동의 골과 골이 만나므로 보강 간섭이 일어난다.

ㄷ. 마루인 실선과 골인 점선 사이의 거리는 반파장과 같으므로 S_1에서 R까지의 거리는 $\frac{3}{2}$파장, S_2에서 R까지의 거리는 2파장이다. 따라서 R에서 두 파동의 경로차는 반파장이다.

바로알기 | ㄴ. 점파원에서 두 파동을 동일한 위상으로 발생시켰고, Q에서 두 점파원으로부터의 거리는 같으므로, Q에서 두 파동은 항상 같은 위상으로 만난다. 따라서 Q에서는 두 파동의 진동수에 관계없이 보강 간섭이 일어난다.

616 ㄱ. S_1과 S_2 사이의 간격은 6 cm이고, 두 점 사이의 거리는 두 물결파 모두 3파장이므로 두 물결파의 파장은 2 cm로 같다.

ㄴ. 점파원에서 두 파동을 동일한 위상으로 발생시켰고, A, C는 두 점파원으로부터의 거리가 같은 점이므로, A, C에서는 보강 간섭이 일어난다. 따라서 중첩된 물결파의 진폭이 커진다.

ㄷ. 마루인 실선과 골인 점선 사이의 거리는 반파장과 같으므로 S_1에서 B까지의 거리는 $\frac{3}{2}$파장이고, S_2에서 B까지의 거리는 2파장이다. 따라서 두 물결파의 파장이 2 cm일 때, B에서 두 물결파의 경로차는 반파장이므로 1 cm이다.

617 ㄱ. Q는 두 점파원에서 발생한 물결파의 마루와 골이 만나는 지점이다. 따라서 두 점파원에서 발생한 물결파가 서로 반대 위상으로 만나므로 Q에서는 상쇄 간섭이 일어난다.

ㄴ. $t=0$일 때 P에서는 두 물결파의 골과 골이 만나므로 보강 간섭이 일어나 수면의 높이가 최저가 되고, Q에서는 마루와 골이 만나므로 상쇄 간섭이 일어나 수면의 높이 변화가 없다. 따라서 $t=0$일 때 수면의 높이는 P에서가 Q에서보다 낮다.

바로알기 | ㄷ. $t=0$일 때 Q에서는 두 물결파의 마루와 골이 만나서 상쇄 간섭이 일어나고, R에서는 마루와 마루가 만나서 보강 간섭이 일어난다. 따라서 중첩된 물결파의 변위는 R에서가 Q에서보다 크다.

ㄹ. $t=0$에서 시간이 $\frac{T}{2}$가 지나면 물결파는 $\frac{\lambda}{2}$만큼 이동한다. $t=0$일 때 R에서 두 물결파는 마루와 마루가 만나므로 $t=\frac{T}{2}$일 때는 R에서 골과 골이 만나고, $t=T$일 때는 R에서 마루와 마루가 만난다. 따라서 R에서 수면의 높이는 $t=\frac{T}{2}$일 때가 $t=T$일 때보다 낮다.

618 ㄴ. 실선과 점선 사이의 거리는 반파장과 같으므로 S_1에서 q까지의 거리는 2λ, S_2에서 q까지의 거리는 $\frac{3}{2}\lambda$이다. 따라서 S_1, S_2에서 q까지의 경로차는 $2\lambda-\frac{3}{2}\lambda=\frac{1}{2}\lambda$이다.

ㄷ. r에서 두 물결파의 경로차는 λ이므로 r에서는 보강 간섭이 일어난다. 따라서 시간이 지남에 따라 r에서는 밝은 무늬와 어두운 무늬가 주기적으로 나타난다.

바로알기 | ㄱ. p에서는 두 물결파의 골과 골이 만나므로 보강 간섭이 일어난다.

619 ㄱ. S_1과 S_2 사이의 거리가 8 m이고, (가)에서 S_1과 S_2 사이의 거리는 2파장이므로 물결파의 파장은 4 m이다. (나)에서 합성파의 주기가 4초이므로 물결파의 주기도 4초이다. 파동은 한 주기 동안 한 파장을 이동하므로 물결파의 속력은 $\frac{\text{파장}}{\text{주기}}=\frac{4\text{ m}}{4\text{ s}}=1\text{ m/s}$이다.

바로알기 | ㄴ. S_1과 S_2로부터 P까지의 거리는 2파장으로 같으므로 경로차는 0이다. S_1로부터 Q까지의 거리는 3파장이고, S_2로부터 Q까지의 거리는 $\frac{3}{2}$파장이므로 경로차는 $\frac{3}{2}$파장이다.

ㄷ. 두 점파원에서 서로 반대의 위상으로 물결파가 발생되었고, P에서 두 점파원으로부터의 경로차가 0이므로 P에서는 상쇄 간섭이 일어난다. Q에서 두 점파원으로부터의 경로차는 $\frac{3}{2}$파장이므로 Q에서는 보강 간섭이 일어난다. 따라서 (나)는 Q의 변위를 시간에 따라 나타낸 것이다.

620 두 점파원으로부터 P까지의 경로차는 2 m이다. 두 점파원에서 같은 위상으로 물결파가 발생되면 경로차가 반파장의 홀수 배일 때 상쇄 간섭이 일어나므로, 물결파 파장을 λ라고 하면 $2\text{ m}=(2n-1)\frac{1}{2}\lambda$ (단, n은 자연수)가 성립한다. 따라서 이 물결파의 파장으로 가능한 값은 4 m, $\frac{4}{3}$ m이다.

621

A 지점에서 스피커와 나란한 방향으로 이동하여 B 지점과 C 지점에서 소리를 들었다.

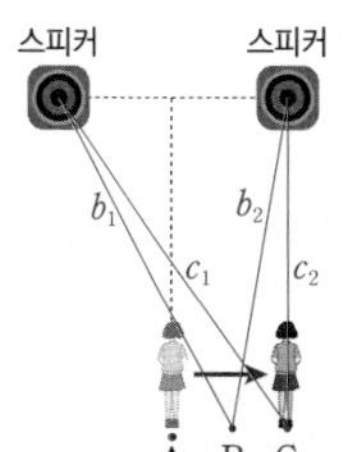

• B 지점에서 경로차: b_1-b_2
• C 지점에서 경로차: c_1-c_2
• $b_1-b_2<c_1-c_2$이다.
➜ A 지점에서 멀어질수록 경로차는 더 커진다.

ㄱ. 두 스피커에서 같은 소리를 발생시키고, 두 스피커에서 A 지점까지의 경로차는 0이므로 A 지점에서는 보강 간섭이 일어난다.

ㄴ. A 지점은 두 스피커로부터의 경로차가 0인 지점이고, A 지점에서 오른쪽으로 이동할수록 경로차가 커진다. 오른쪽으로 이동하면서 경로차가 소리의 반파장이 되는 지점에서 소리를 들으면 상쇄 간섭이 일어난다.

바로알기 | ㄷ. 소리의 진동수를 증가시키면 소리의 파장이 짧아지므로 경로차가 소리의 반파장이 되는 지점이 A 지점에서 더 가까워진다. 따라서 A 지점과 첫 번째 상쇄 간섭이 일어나는 지점 사이의 간격이 가까워진다.

622 **모범 답안** S_1, S_2에서 위상이 같은 소리가 발생하고 B에서 두 번째로 소리가 가장 작게 들렸으므로 경로차는 반파장의 3배이다. 따라서 S_1, S_2로부터 B까지의 경로차는 $\frac{3}{2}\lambda$이다.

623 ① 소리의 속력=진동수×파장이므로 소리의 파장은 $\frac{\text{속력}}{\text{진동수}}=\frac{340\text{ m/s}}{340\text{ Hz}}=1\text{ m}$이다.

③ 두 스피커에서 위상이 같은 소리가 발생하고, P에서 상쇄 간섭이 일어나므로 A, B에서 P까지의 경로차는 반파장의 홀수 배이다.

④ A, B에서 발생하는 소리의 위상이 서로 반대이면 A, B로부터의 경로차가 0인 지점에서는 두 소리가 반대 위상으로 중첩된다. 따라서 경로차가 0인 O에서는 상쇄 간섭이 일어난다.

III

⑤ A, B 사이의 간격을 작게 하면 P와 Q 사이의 지점에서 A, B로부터의 경로차가 더 작아진다. 따라서 P, Q 사이에 보강 간섭하는 지점의 수가 감소한다.

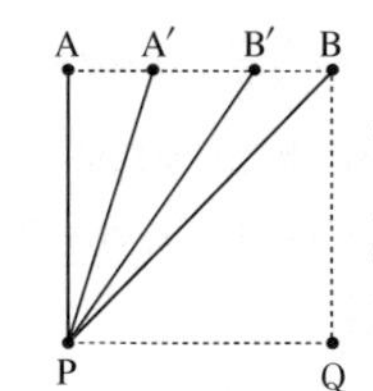

A, B의 위치를 옮겨 A′, B′와 같이 간격을 작게 하면 P에서 두 스피커로부터의 경로차가 작아진다.
➔ P, Q 사이에 경로차가 반파장의 짝수 배가 되는 지점의 수가 감소한다.

⑥ A, B에서 진동수가 170 Hz인 소리를 발생시키면 소리의 파장은 2배가 되므로 P와 Q 사이에 경로차가 소리의 반파장의 짝수 배가 되는 지점의 수는 감소한다. 따라서 P와 Q 사이에 보강 간섭하는 지점의 수가 감소한다.

바로알기 | ② A, B로부터의 경로차는 P와 Q에서가 같고, P에서 상쇄 간섭이 일어나므로 Q에서도 상쇄 간섭이 일어난다.

624

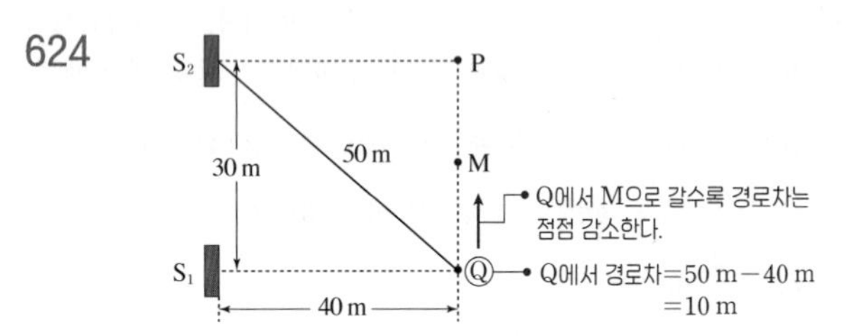

(1) 소리의 속력=진동수×파장이므로 소리의 파장은 $\frac{속력}{진동수}=\frac{340\ m/s}{170\ Hz}=2\ m$이다.

(2) 소리 측정기를 스피커와 동일한 높이로 들고 있으므로 Q에서 소리 측정기와 S_1까지의 거리는 40 m이고, S_2까지의 거리는 $\sqrt{30^2+40^2}$ m =50 m이다. 따라서 Q에서 경로차는 10 m이고, Q에서 M으로 갈수록 경로차는 점점 감소한다. 상쇄 간섭이 일어나는 지점에서 경로차는 반파장의 홀수 배인 1 m, 3 m, 5 m, 7 m, 9 m이므로 $\overline{QM}$에서 상쇄 간섭이 일어나는 지점의 수는 총 5개이다. M을 기준으로 $\overline{PM}$에서 상쇄 간섭이 일어나는 지점의 수도 동일하므로 $\overline{PQ}$에서 상쇄 간섭이 일어나는 지점의 수는 총 10개이다.

625

① O는 밝은 무늬의 중심이므로 O에서는 보강 간섭이 일어난다.

③ P는 첫 번째로 상쇄 간섭이 일어나는 지점이므로 S_1, S_2로부터 P까지의 경로차는 $\frac{1}{2}\lambda$이다.

④ 상쇄 간섭은 단색광이 서로 반대 위상으로 만날 때 일어난다. 따라서 P에서 간섭한 단색광의 위상은 서로 반대이다.

⑤ S_1, S_2로부터 P까지의 경로차는 $\frac{1}{2}\lambda$이다. 단색광의 파장이 $\frac{1}{2}\lambda$가 되면 P까지의 경로차는 반파장의 2배가 되므로 P에서 보강 간섭이 일어난다.

바로알기 | ② 이중 슬릿 사이의 간격 d가 커지면 S_1, S_2로부터 스크린의 각 지점까지의 경로차도 커진다. 따라서 스크린에 나타난 간섭무늬 사이 간격은 작아지므로 O와 P 사이의 간격은 작아진다.

626

ㄴ. (가)의 A는 마루와 마루가, B는 골과 골이 만나고 있으므로 보강 간섭이 일어난다. (나)의 C는 중앙의 밝은 무늬의 중심이므로 보강 간섭이 일어나고, D는 첫 번째 어두운 무늬의 중심이므로 상쇄 간섭이 일어난다.

바로알기 | ㄱ. (가)에서 A에서는 마루와 마루가 만나므로 보강 간섭이 일어난다. 따라서 A는 수면의 높이가 주기적으로 변한다.

ㄷ. (나)에서 단색광의 파장을 λ라고 하면 이중 슬릿으로부터 D까지의 경로차는 $\frac{1}{2}\lambda$이다. 단색광의 진동수가 2배가 되면 단색광의 파장은 $\frac{1}{2}\lambda$가 된다. 따라서 단색광의 진동수만 2배가 되면 D에서의 경로차가 반파장의 2배이므로 D에서는 보강 간섭이 일어난다.

627

ㄴ, ㅁ. 렌즈의 무반사 코팅은 코팅 막에서 반사되는 빛과 렌즈에서 반사되는 빛이 서로 상쇄 간섭을 일으켜 반사되는 빛을 최소로 만드는 원리를 활용한다. 태양 전지는 태양 전지판에서 빛이 많이 반사되면 발전 효율이 떨어지므로 반사 방지막을 코팅하여 태양 전지로 들어오는 빛의 세기가 감소하는 것을 막을 수 있다.

ㄷ. 충격파 쇄석술은 초음파 발생기에서 발생한 초음파를 한 곳에서 보강 간섭이 일어나도록 하여 초음파의 에너지를 집중시켜 몸 안에 결석과 같은 돌을 깨트리는 기술이다. 보강 간섭이 일어나는 지점을 제외한 곳에서는 초음파의 세기가 약하여 다른 곳에 손상을 주지 않는다.

ㄹ. 소음 제거 장치는 소음과 상쇄 간섭을 일으킬 수 있는 소리를 발생시켜서 소음을 없애거나 줄인다.

바로알기 | ㄱ. 광통신의 광섬유는 전반사를 활용한 예이다.

628

렌즈에 얇은 막을 코팅하면 막의 윗면과 아랫면에서 반사하는 빛이 상쇄 간섭을 일으키도록 할 수 있다. 따라서 렌즈에 무반사 코팅을 하여 반사하는 빛의 세기를 감소시키고 투과하는 빛의 세기를 증가시킨다.

629

소음 제거 헤드폰은 소음 채집용 마이크에서 소음을 측정하고, 측정된 소음과 세기가 같고 위상이 반대인 소리를 발생시킨다. 이 소리가 소음과 상쇄 간섭을 일으켜 소음이 제거된다.

모범 답안 소음과 위상이 반대인 파동을 발생시켜 소음과 상쇄 간섭을 하도록 한다.

630

ㄱ. (가) 지폐의 홀로그램은 바라보는 각도에 따라 보강 간섭이 일어나는 빛의 파장을 다르게 한 것이다. 파장이 다르면 서로 다른 색으로 인식하므로 보는 각도에 따라 색이 다르게 보인다.

ㄴ. (나)는 날개 표면의 미세한 구조에 의해 반사된 파란색 빛이 보강 간섭을 하여 색을 나타낸다.

ㄷ. (가)와 (나) 모두 파장에 따라 빛의 간섭이 다르게 나타나기 때문에 일어나는 현상이다.

631

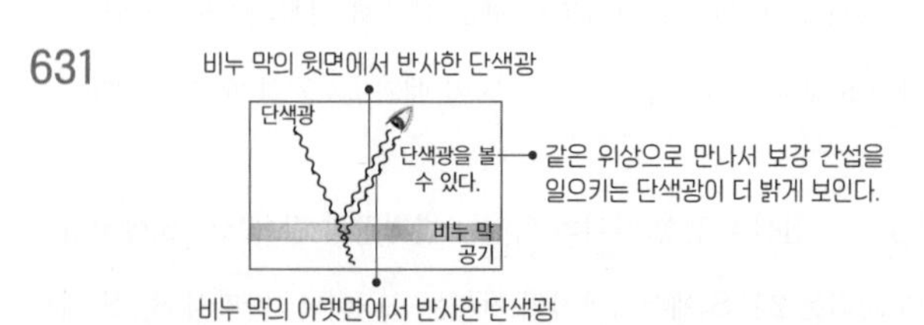

ㄱ. 비누 막의 윗면에서 반사한 단색광과 아랫면에서 반사한 단색광이 간섭을 일으킨다. 이때 보강 간섭을 일으키는 단색광의 색이 더 밝게 관찰된다.

ㄴ. 비누 막의 두께에 따라 경로차가 달라져 보강 간섭이 일어나는 단색광의 파장(진동수)이 달라지므로 여러 가지 색의 무늬가 나타난다.

ㄷ. 비누 막의 윗면에서 반사한 단색광과 아랫면에서 반사한 단색광의 위상이 반대이면 상쇄 간섭이 일어나므로 검게 보인다.

최고 수준 도전 기출 (18~21강)

178~179쪽

632 ④	633 해설 참조	634 ④	635 ⑤	636 ⑤
637 ②	638 ③	639 ①		

632

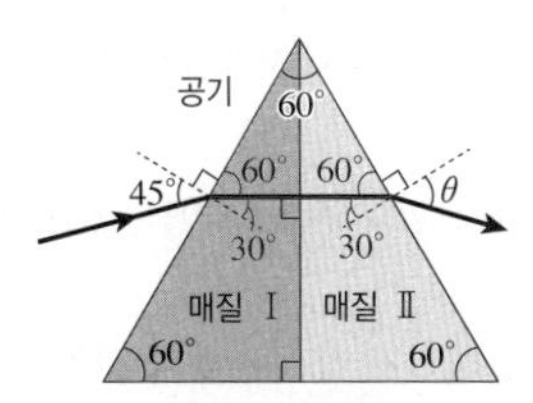

ㄴ. 공기 중에서 Ⅰ에 입사한 단색광의 굴절각은 30°이다. 공기에 대한 Ⅰ의 굴절률을 n이라고 하면 굴절 법칙에 따라 $\sin45°=n\sin30°$이므로 공기에 대한 Ⅰ의 굴절률 $n=\sqrt{2}$이다.

ㄷ. 굴절 법칙에 따라 매질의 굴절률이 클수록 매질에서 단색광의 파장이 짧다. 굴절률은 Ⅰ이 Ⅱ보다 작으므로, 단색광의 파장은 Ⅰ에서가 Ⅱ에서보다 길다.

바로알기 | ㄱ. 공기 중에서 Ⅰ에 입사한 단색광의 굴절각이 30°이므로 Ⅱ에서 공기 중으로 진행하는 단색광의 입사각도 30°이다. 공기에 대한 Ⅱ의 굴절률은 $\sqrt{3}$이므로 $\sqrt{3}\sin30°=\sin\theta$에서 $\sin\theta=\frac{\sqrt{3}}{2}$이고, $\theta=60°$이다.

633

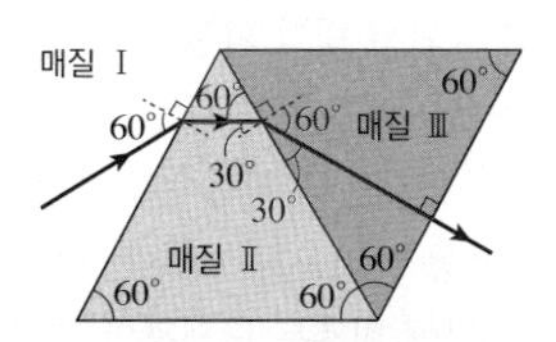

모범 답안 단색광이 Ⅰ에서 Ⅱ로 진행할 때 Ⅱ에서 굴절각은 30°이고, Ⅱ에서 Ⅲ으로 진행할 때 Ⅲ에서 굴절각은 60°이다. $n_1\sin60°=n_2\sin30°$이고, $n_2\sin30°=n_3\sin60°$이므로 $n_1\sin60°=n_3\sin60°$이다. 따라서 Ⅲ에 대한 Ⅰ의 굴절률은 $n_{13}=\frac{n_1}{n_3}=\frac{\sin60°}{\sin60°}=1$이다.

634 매질 Ⅰ, Ⅱ의 굴절률을 각각 n_1, n_2라고 하고, P에서 A의 입사각을 θ_1이라고 하면 $n_2\sin\theta_1=n_1\sin\theta_A$이고, P에서 B의 입사각을 θ_2라고 하면 $n_2\sin\theta_2=n_1\sin\theta_B$이므로 $\sin\theta_A=\frac{n_2}{n_1}\sin\theta_1$이고, $\sin\theta_B=\frac{n_2}{n_1}\sin\theta_2$이다. $\overline{OP}=5d$이므로 $\sin\theta_1=\frac{4}{5}$, $\sin\theta_2=\frac{3}{5}$이다. 따라서 $\frac{\sin\theta_A}{\sin\theta_B}=\frac{\sin\theta_1}{\sin\theta_2}=\frac{4}{3}$이다.

635 ㄴ. 매질의 굴절률이 작을수록 매질에서 단색광의 속력이 빠르다. 굴절률은 A>B>C이므로 C의 굴절률이 가장 작다. 따라서 P의 속력은 C에서가 가장 빠르다.

ㄷ. P가 A에서 C로 입사할 때 입사각은 45°이고 전반사가 일어났다. 전반사는 입사각이 임계각보다 클 때 일어나므로 A와 C 사이의 임계각은 45°보다 작다.

ㄹ. 광섬유에서 코어의 굴절률은 클래딩의 굴절률보다 커야 하므로 굴절률이 C보다 큰 B를 코어로 사용해야 한다.

바로알기 | ㄱ. P가 A에서 B로 입사할 때 굴절각은 입사각보다 크므로 A의 굴절률은 B의 굴절률보다 크다. P가 A에서 B로 입사할 때는 전반사가 일어나지 않았고, P가 같은 입사각 45°로 A에서 C로 입사할 때는 전반사가 일어났으므로 C의 굴절률은 B의 굴절률보다 작다. 따라서 굴절률은 A>B>C이다.

636 ㄱ. 광섬유에서 코어의 굴절률은 클래딩의 굴절률보다 크므로 $n_1>n_2$이다.

ㄴ. 코어와 클래딩 사이의 임계각을 θ_c라고 하면, $\sin\theta_c=\frac{n_2}{n_1}$이므로 $n_1>n_2$일 때 n_1과 n_2의 차가 클수록 θ_c가 작아진다.

ㄷ. 단색광이 코어와 클래딩 사이에 임계각 θ_c로 입사하면, 단색광이 공기에서 코어로 입사할 때 굴절각은 $90°-\theta_c$이다. 공기와 코어 사이에서 굴절 법칙에 따라 $\sin\theta=n_1\sin(90°-\theta_c)$일 때, $\sin(90°-\theta_c)=\cos\theta_c$이고, $\sin^2\theta_c+\cos^2\theta_c=1$이므로 $\sin(90°-\theta_c)=\sqrt{1-\sin^2\theta_c}$이다. 코어와 클래딩 사이에서는 굴절 법칙에 따라 $\sin\theta_c=\frac{n_2}{n_1}$이므로 $\sin\theta=n_1\sin(90°-\theta_c)=n_1\sqrt{1-\frac{n_2^2}{n_1^2}}=\sqrt{n_1^2-n_2^2}$이다. 즉, $\sin\theta=\sqrt{n_1^2-n_2^2}$이면 $\sin\theta_1=\sin\theta_c$이고, θ가 커지면 θ_1이 작아지므로 $\sin\theta>\sqrt{n_1^2-n_2^2}$이면 $\theta_1<\theta_c$이므로 전반사가 일어나지 않는다.

637 $x=3$ m인 지점의 변위가 처음 10 m가 되는 순간은 아래 그림과 같이 두 파동 P, Q가 각각 2.5 m를 이동했을 때이다. ➜ P, Q의 속력$=\frac{2.5\text{ m}}{5\text{ s}}=0.5$ m/s

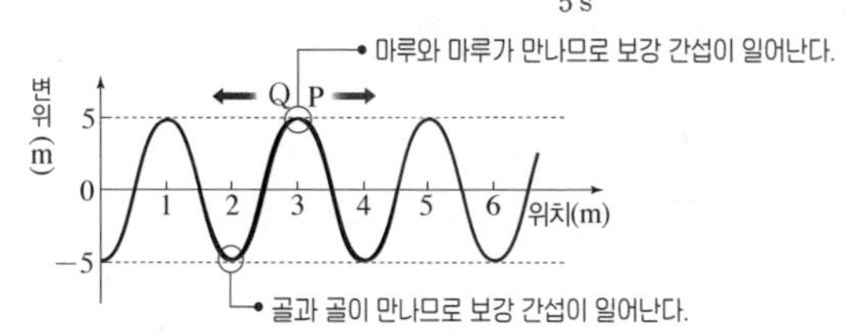

ㄴ. $t=5$초일 때 $x=2$ m인 지점에서는 보강 간섭이 일어나며, 변위는 −10 m이다.

바로알기 | ㄱ. P와 Q는 5초 동안 2.5 m 이동하므로 속력이 0.5 m/s이고, 파장은 2 m이므로 P와 Q의 주기는 $\frac{2\text{ m}}{0.5\text{ m/s}}=4$ s이다.

ㄷ. $t=8$초일 때 P와 Q는 각각 4 m만큼 이동하므로 $x=0$인 지점에서 합성파의 변위는 0이다.

638 ㄱ. 물결파의 속력=진동수×파장이므로 물결파의 파장은 $\frac{\text{물결파의 속력}}{\text{진동수}}=\frac{16\text{ cm/s}}{4\text{ Hz}}=4$ cm이다.

ㄴ. P에서 두 점파원으로부터의 경로차는 2 cm이므로 P에서 경로차는 반파장의 홀수 배이다. 물결파가 점파원에서 반대 위상으로 발생되므로 두 물결파는 P에서 같은 위상으로 만난다. 따라서 P에서는 보강 간섭이 일어난다.

바로알기 | ㄷ. Q는 두 점파원으로부터 경로차가 0인 지점이므로 두 점파원에서 위상이 같은 물결파를 발생시키면 보강 간섭이 일어난다.

639 소리의 파장은 $\frac{340\text{ m/s}}{170\text{ Hz}}=2$ m이다.

ㄱ. A에서 P까지의 거리는 10 m−1 m=9 m이고, B에서 P까지의 거리는 10 m+1 m=11 m이므로 P에서 경로차는 2 m이다. P에서 두 소리의 경로차가 반파장의 2배로, 짝수 배이므로 P에서는 보강 간섭이 일어난다.

바로알기 | ㄴ. Q에서 두 소리의 경로차는 0이므로 Q에서는 보강 간섭이 일어난다. Q, R는 모두 보강 간섭이 일어나는 지점이므로 소리의 세기가 같다.

ㄷ. Q를 제외하고 P에서 Q까지 보강 간섭이 일어나는 지점과 R에서 Q까지 보강 간섭이 일어나는 지점의 수가 같다. 따라서 Q를 포함하면 P에서 R까지 소리가 크게 들리는 지점의 수는 홀수이다.

22 빛의 이중성

빈출 자료 보기 181쪽

640 (1) × (2) ○ (3) ○ (4) ○ (5) ○ (6) × (7) ×

640 (2) B를 P에 비추었을 때 금속박이 벌어진 까닭은 광전 효과에 의해 P에서 광전자가 방출되어 금속판과 금속박이 양(+)전하로 대전되었기 때문이다.
(3) B를 P와 Q에 비추었을 때 P의 금속박은 벌어지고, Q의 금속박은 벌어지지 않았으므로 문턱 진동수는 Q가 P보다 크다.
(4) C를 Q에 비추었을 때 광전자가 방출되었으므로 C의 진동수는 Q의 문턱 진동수보다 크다. P의 문턱 진동수는 Q의 문턱 진동수보다 작으므로 C의 진동수는 P의 문턱 진동수보다 크다. 따라서 C를 P에 비추면 P의 금속박은 벌어지므로 (가)는 ○이다.
(5) Q에 A, B를 비추었을 때는 광전 효과가 일어나지 않았고, C를 비추었을 때만 광전 효과가 일어났으므로 진동수가 가장 큰 단색광은 C이다.
바로알기 | (1) 광전 효과는 빛이 가지는 입자성을 나타내는 현상이다.
(6), (7) 금속판의 문턱 진동수보다 작은 진동수의 빛은 빛의 세기를 세게 하거나 다른 단색광과 함께 비추어도 광전자가 방출되지 않는다. 따라서 금속박이 벌어지지 않는다.

난이도별 필수 기출 182~185쪽

641 ②, ③, ⑤	642 ①	643 ③	644 ②	645 ⑤
646 ③	647 해설 참조	648 ⑤	649 $2E_0$	650 ⑤
651 ①	652 해설 참조	653 ①	654 ③	655 ⑤
656 ②	657 ③	658 ②, ④	659 ③	

641 ① 회절은 파동에서 일어나는 현상이다. 프레넬은 빛에 회절 이론을 적용하여 빛의 파동성을 설명하였다.
④ 하위헌스는 빛의 반사와 굴절을 파동성으로 설명하는 하위헌스의 원리를 통해 빛의 파동설을 주장하였다.
⑥ 맥스웰은 전자기파의 속력이 빛의 속력과 같다는 것을 이론적으로 입증하여 빛은 전자기파라고 주장하였다. 즉, 빛의 파동성을 확립하였다.
⑦ 뉴턴은 빛의 입자설을 주장하며 빛의 속력이 공기 중에서보다 물속에서 더 빠를 것이라고 예상하였다.
바로알기 | ② 영은 간섭무늬 실험 결과를 빛의 파동설에 따라 설명하였다.
③ 광전 효과 실험의 결과는 빛의 파동설로 설명할 수 없으므로 아인슈타인은 빛을 광자(광양자)라는 입자로 해석하여 광전 효과를 설명하였다. 따라서 아인슈타인은 빛의 입자설을 주장하였다.
⑤ 푸코는 물속에서 빛의 속력이 공기 중에서 빛의 속력보다 느리다는 것을 측정하여 뉴턴의 빛의 입자설을 부정하였다.

642 (가)의 홀로그램 이미지는 빛의 간섭을 이용한 것으로 빛의 파동성과 관련이 있고, (나)의 전하 결합 소자(CCD)는 광전 효과를 이용한 것으로 빛의 입자성과 관련이 있다.
ㄱ. 물 위에 뜬 기름막이 다양한 색깔을 보이는 것은 보는 각도에 따라 보강 간섭을 하는 빛의 파장이 다르기 때문이다. 따라서 빛의 파동성과 관련이 있으므로 (가)에서 나타나는 빛의 성질과 관련된 현상이다.
바로알기 | ㄴ. 전하 결합 소자(CCD)는 광전 효과를 이용한 대표적인 장치이다.
ㄷ. 빛은 빛의 이중성에 따라 입자성과 파동성을 모두 가지고 있지만, 입자성과 파동성이 동시에 나타나지는 않는다.

643 ㄱ. 스크린에 생기는 무늬는 이중 슬릿을 통과한 단색광이 서로 간섭하여 밝고 어두운 무늬를 만들어 낸 것이다. 따라서 빛의 성질 중 간섭과 관련 있는 현상이다.
ㄷ. 단색광의 간섭 현상은 빛의 파동성을 나타내는 현상으로, 영은 이중 슬릿에 의한 간섭무늬를 근거로 빛의 파동성을 주장하였다.
바로알기 | ㄴ. 스크린에 무늬가 생기는 것은 빛의 간섭 때문으로, 광전 효과와는 관계가 없다.

644 ㄴ. 광전 효과가 일어나는 문턱 진동수는 금속판의 특성이다. 따라서 금속판의 종류에 따라 문턱 진동수가 다르다.
바로알기 | ㄱ. 광전 효과는 빛의 파동성으로는 설명되지 않는다. 광전 효과는 빛이 가지는 입자성을 보여주는 대표적인 현상이다.
ㄷ. 금속판에 비추는 단색광의 진동수가 클수록 금속판에서 튀어나오는 광전자의 최대 운동 에너지가 커진다. 단색광의 세기는 광자의 수에 비례하므로 금속판에 비추는 단색광의 세기가 셀수록 금속 표면에 충돌하는 광자의 수도 증가한다. 따라서 금속판에 비추는 단색광의 세기가 셀수록 튀어나오는 광전자의 수가 증가한다.

645 ㄱ. 광전 효과 실험을 통해 빛의 입자성을 확인할 수 있다.
ㄴ. 광전자가 방출되어 반대편 극판에 도달하면 회로를 따라 전류가 흐른다. 이때 전류를 전류계로 측정하면 광전자가 방출하였는지 여부와 방출된 광전자의 양을 알 수 있다.
ㄷ. 전원 장치에서 광전관에 역방향 전압을 걸어 주어 전류가 0이 될 때의 전압을 전압계를 이용하여 측정하면 광전자의 최대 운동 에너지를 계산할 수 있다.

개념 보충

광전자의 최대 운동 에너지 계산
전원 장치에서 광전관에 역방향으로 V의 전압을 걸어 주면 전원 장치는 전하량이 e인 광전자에 $-eV$의 일을 한다. 따라서 방출된 광전자가 반대편 극판에 도달하지 못하여 전류가 0이 되는 순간에 전원 장치에서 걸어 준 전압이 V이면, 광전자의 최대 운동 에너지는 eV이다.

646 ㄱ. 금속판에 문턱 진동수보다 진동수가 큰 단색광을 비추면 광전 효과가 일어나 전자가 광전자로 방출된다. A를 금속판에 비추었을 때 금속박이 오므라들었으므로 A에 의해 광전 효과가 일어나 금속판의 전자가 광전자로 방출되었음을 알 수 있다.
ㄷ. 금속판에 비추는 단색광의 진동수가 금속판의 문턱 진동수보다 클 때만 금속판에서 광전자가 방출된다. 금속판에 A를 비추면 광전자가 방출되었고, B를 비추면 광전자가 방출되지 않았으므로 A의 진동수는 금속판의 문턱 진동수보다 크고, B의 진동수는 금속판의 문턱 진동수보다 작다. 따라서 A의 진동수는 B의 진동수보다 크다.

바로알기 | ㄴ. (다)에서 B를 비추었을 때 금속박에 변화가 없었으므로 B의 진동수는 금속판의 문턱 진동수보다 작다. 금속판의 문턱 진동수보다 작은 진동수의 단색광을 금속판에 비출 때에는 단색광의 세기를 세게 하여도 광전자가 방출되지 않는다. 따라서 (라)의 실험 결과 ㉠은 '변화가 없다.'이다.

647 **모범 답안** 광전 효과 실험에서 빛의 진동수에 따라 광전자의 방출 여부가 결정되었으므로 빛을 진동수에 비례하는 에너지를 가진 입자(광자)로 설명할 수 있다. 빛의 파동설에 따르면 빛에너지는 빛의 세기에 비례하므로 빛의 진동수가 작아도 빛을 오랫동안 비추면 광전자가 방출되어야 하지만 광전자가 방출되지 않았다.

648 ① 아인슈타인은 광양자설에서 빛을 불연속적인 에너지 입자인 광양자의 흐름으로 설명하였다.
② 광양자설에 따르면 빛의 세기는 광자의 수에 비례한다. 따라서 밝은 빛일수록 광자의 수가 많다.
③ 플랑크 상수가 h이고 빛의 진동수가 f일 때, 광자 1개의 에너지는 $E=hf$이다. 따라서 광자 1개의 에너지는 빛의 진동수에 비례한다.
④ 금속의 일함수 W는 전자를 금속에서 떼어 내는 데 필요한 최소한의 에너지이다. 따라서 광자의 에너지가 금속의 일함수보다 클 때 광전자가 방출될 수 있다. 금속의 문턱 진동수를 f_0이라고 하면 금속의 일함수 $W=hf_0$이다.
바로알기 | ⑤ 광전 효과로 방출하는 광전자의 최대 운동 에너지 $E_k=hf-hf_0$이다. 광전자의 최대 운동 에너지와 광자의 수는 관계가 없다. 금속에 도달하는 광자의 수가 많을수록 방출되는 광전자의 수가 많아진다.

649 단색광 A, B의 진동수를 각각 $3f$, f라고 할 때 A의 광자 1개가 갖는 에너지는 $E_0=h\times 3f=3hf$이다. B의 광자 6개가 갖는 에너지는 $6\times hf$이므로 $2\times 3hf=2E_0$이다.

650 ㄱ. 단색광의 진동수가 f_0보다 클 때 방출되는 광전자의 최대 운동 에너지가 0보다 크므로 금속판의 문턱 진동수는 f_0이다.
ㄴ. 방출되는 광전자의 최대 운동 에너지 $E_k=hf-W$에서 단색광의 진동수가 문턱 진동수일 때 광전자의 최대 운동 에너지는 0이다. 따라서 $0=hf_0-W$에서 $W=hf_0$이다.
ㄷ. $E_k=hf-W$이므로 진동수가 $2f_0$인 단색광을 금속판에 비추었을 때 광전자의 최대 운동 에너지 $E_k=2hf_0-W$이다. $W=hf_0$이므로 $E_k=2hf_0-W=2W-W=W$이다.

651 ㄱ. 같은 금속판 P에 진동수가 다른 단색광 A, B를 비출 때 P의 일함수는 같다. 단색광의 파장과 진동수는 반비례하므로 단색광의 파장이 A가 B보다 짧으면 진동수는 A가 B보다 크다. 따라서 광자 1개의 에너지는 A가 B보다 크므로 $E_A>E_B$이다.
바로알기 | ㄴ. 금속판 P에 B를 비추었을 때는 광전자가 방출되었으므로 B의 진동수는 P의 문턱 진동수보다 크다. P에 C를 비추었을 때는 광전자가 방출되지 않았으므로 C의 진동수는 P의 문턱 진동수보다 작다. 따라서 진동수는 B가 C보다 크다.
ㄷ. 금속판의 문턱 진동수보다 진동수가 작은 단색광은 아무리 오래 비추어도 금속판에서 광전자가 방출되지 않는다. 따라서 P에 C를 오랫동안 비추어도 광전자가 방출되지 않는다.

652 **모범 답안** 금속판의 일함수를 W라고 하면 방출되는 광전자의 최대 운동 에너지는 (가)에서 $3hf-W$이고, (나)에서 $4hf-W$이다. 방출되는 광전자의 최대 운동 에너지는 (나)에서가 (가)에서의 2배이므로 $2\times(3hf-W)=4hf-W$에서 $W=2hf$이다. 따라서 이 금속판의 문턱 진동수는 $2f$이다.

653 금속판 Y의 일함수를 W_Y라고 하면 A, B를 Y에 비추는 경우 방출되는 광전자의 최대 운동 에너지는 각각 $4E_0=hf-W_Y$, $9E_0=2hf-W_Y$이다. 두 식을 연립하면 $5E_0=hf$이고, $W_Y=E_0$이다. 금속판 X의 일함수를 W_X라고 하면 B를 X에 비추는 경우 방출되는 광전자의 최대 운동 에너지는 $7E_0=2hf-W_X$이고, $2hf=10E_0$이므로 $W_X=3E_0$이다.
ㄱ. X에 A를 비추는 경우 방출되는 광전자의 최대 운동 에너지는 $hf-W_X=5E_0-3E_0=2E_0$이므로 ㉠은 $2E_0$이다.
바로알기 | ㄴ. A와 B를 X에 함께 비추었을 때 방출되는 광전자의 최대 운동 에너지는 진동수가 더 큰 B를 X에 비추었을 때 방출되는 광전자의 최대 운동 에너지와 같으므로 $7E_0$이다.
ㄷ. Y에 진동수가 $3f$인 단색광을 비추면 방출되는 광전자의 최대 운동 에너지는 $3hf-W_Y=15E_0-E_0=14E_0$이다.

654 ㄱ. 일함수가 E_0인 같은 금속판에 단색광 A, B를 비추었을 때 방출되는 광전자의 최대 운동 에너지가 $3E_0$으로 같으므로 A, B의 진동수는 같다. A, B의 진동수를 f_1, C의 진동수를 f_2라고 하면 $3E_0=hf_1-E_0$, $E_0=hf_2-E_0$이므로 $hf_1=4E_0$, $hf_2=2E_0$이다. 따라서 $f_1=2f_2$이므로 단색광의 진동수는 A와 B가 C의 2배이다. 파장은 진동수에 반비례하므로 단색광의 파장은 C가 A와 B의 2배이다.
ㄴ. 금속판에 비추는 단색광의 세기가 셀수록 단위 시간당 방출되는 광전자의 수가 많으므로, 단위 시간당 방출되는 광전자의 수는 B가 A보다 많다.
바로알기 | ㄷ. 단색광을 금속판에 비출 때 방출되는 광전자의 최대 운동 에너지는 단색광의 진동수에만 관계가 있으며, 단색광의 세기와는 관계가 없다. 따라서 C의 세기를 $3I$로 증가시켜도 방출되는 광전자의 최대 운동 에너지는 E_0으로 변함없다.

655 ㄱ. 단색광 A를 P에 비추었을 때 광전자가 방출되었으므로 A의 진동수는 P의 문턱 진동수보다 크다.
ㄴ. 단색광 C를 P에 비추었을 때는 광전자가 방출되지 않았지만 Q에 비추었을 때는 광전자가 방출되었으므로 Q의 일함수는 P의 일함수보다 작다.
ㄷ. 일함수는 P가 Q보다 크고, A를 P에 비추었을 때와 B를 Q에 비추었을 때 방출되는 광전자의 최대 운동 에너지가 서로 같으므로 진동수는 A가 B보다 크다. 따라서 $E_k=hf-W$에서 A를 Q에 비추었을 때 방출되는 광전자의 최대 운동 에너지가 B를 P에 비추었을 때 방출되는 광전자의 최대 운동 에너지보다 크다.

656 ㄴ. 금속판에 비추는 단색광의 진동수가 클수록 방출되는 광전자의 최대 운동 에너지가 크므로 D를 금속판에 비출 때 방출되는 광전자의 최대 운동 에너지가 가장 크다.
바로알기 | ㄱ. 금속판에 B를 비추었을 때 광전자가 방출되지 않았으므로 금속판의 문턱 진동수는 B의 진동수보다 크다. 따라서 B보다 진동수가 작은 A를 금속판에 비추어도 광전자는 방출되지 않는다.

ㄷ. A의 광자는 에너지가 작아 금속판으로부터 전자를 떼어 내지 못하므로, A와 D를 금속판에 동시에 비출 때 방출되는 광전자의 수는 D만 금속판에 비출 때 방출되는 광전자의 수와 같다. 단색광의 세기는 C가 D보다 세므로 1초 동안 방출되는 광전자의 수는 C만 비출 때가 A와 D를 동시에 비출 때보다 크다.

657

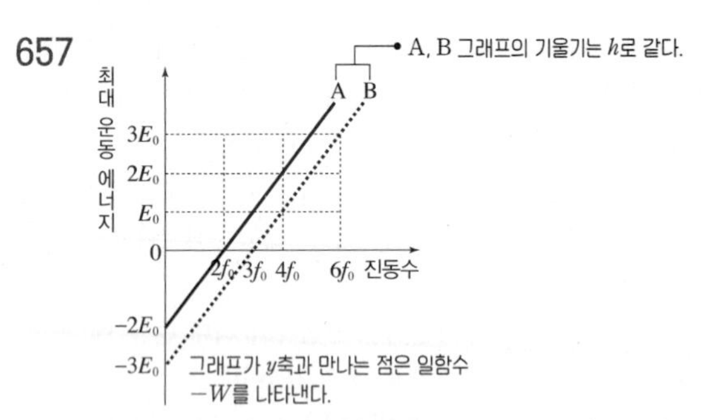

ㄱ. h는 플랑크 상수이고, 일함수가 W인 금속판에 진동수가 f인 단색광을 비추었을 때 방출되는 광전자의 최대 운동 에너지를 E_k라고 하면 $E_k=hf-W$가 성립한다. 따라서 일함수가 다른 금속판 A, B의 최대 운동 에너지－진동수 그래프에서 기울기는 h로 같다.

ㄴ. (나)에서 그래프가 세로축과 만나는 점은 일함수 $-W$를 나타낸다. 따라서 A의 일함수는 $2E_0$, B의 일함수는 $3E_0$이다.

바로알기 | ㄷ. A의 일함수가 $2E_0$이므로 A에 진동수가 f인 단색광을 비추었을 때 방출되는 전자의 최대 운동 에너지는 $hf-2E_0$이다. A에 진동수가 $2f_0$인 단색광을 비추면 방출되는 전자의 최대 운동 에너지는 0이므로 $0=2hf_0-2E_0$에서 $hf_0=E_0$이다. 따라서 A에 진동수가 $6f_0$인 단색광을 비추었을 때 방출되는 전자의 최대 운동 에너지는 $6hf_0-2E_0=6E_0-2E_0=4E_0$이다.

658 ① 전하 결합 소자(CCD)는 광전 효과를 이용하는 대표적인 장치이다.

③ 전하 결합 소자는 소자에서 생성되는 광전자의 수가 빛의 세기에 비례하는 것을 이용한다. 따라서 소자에서 생성되는 광전자의 수를 측정하여 빛의 세기만 측정할 수 있다.

⑤ 전하 결합 소자는 광센서인 광다이오드가 평면적으로 배열되어 있다. 하나의 전하 결합 소자는 수백만 개의 광다이오드로 이루어져 있다.

⑥ 단위 면적당 화소가 많을수록 같은 장면을 더 세밀하게 표현할 수 있어 더 선명한 사진을 찍을 수 있다.

⑦ 전하 결합 소자는 디지털 카메라, CCTV, 내시경 카메라, 차량용 블랙박스와 같이 영상을 디지털 정보로 처리하는 대부분의 장치에 활용된다.

바로알기 | ② 전하 결합 소자는 광전 효과를 이용하므로 빛의 입자성을 이용한다.

④ 전하 결합 소자는 빛 신호를 전기 신호로 변환한다.

659 ㄱ. 화소의 크기가 작을수록 단위 면적당 화소의 수를 크게 할 수 있으므로 고화질의 세밀한 상을 얻을 수 있다.

ㄴ. 광양자설에 따라 광다이오드에서 발생하는 광전자의 수는 빛의 세기에 비례한다.

바로알기 | ㄷ. 전하 결합 소자(CCD)의 광다이오드는 빛의 세기만을 측정할 수 있으므로 색을 구분할 수 없다. 따라서 색 필터를 이용하여 특정 진동수의 빛이 광다이오드를 비추도록 해야 빛의 색을 구별할 수 있다.

23 물질의 이중성

빈출 자료 보기 187쪽

660 (1) ○ (2) × (3) × (4) ○ (5) ×

661 (1) ○ (2) × (3) ○ (4) ○ (5) × (6) ○

660 (4) 전자의 물질파 파장은 운동량에 반비례하므로 전자의 에너지가 커지면 운동량이 커지고, 물질파 파장은 짧아진다. 물질파 파장이 짧아지면 간섭무늬 사이의 간격이 좁아지므로 형광판 간섭무늬의 원도 작아진다.

바로알기 | (2) (나)의 무늬가 X선 회절 무늬와 형태가 같은 것으로 보아 전자도 파동성을 가지고 회절을 일으킨다.

(3) 회절 현상은 파동성을 보여주는 대표적인 현상으로, 이 실험을 통해 전자의 파동성을 알 수 있다.

(5) 전자의 운동량이 작아지면 물질파 파장이 길어지므로 무늬 사이의 간격이 넓어진다.

661 (1) (가)는 전자선이 시료를 투과하여 감지기에 도달하므로 투과 전자 현미경이다.

(3), (4) (나)는 주사 전자 현미경으로 전자선을 시료에 쪼일 때 시료에서 튀어나오는 전자를 측정한다. 따라서 관찰하려는 시료는 전기 전도도가 좋아야 하며, 전기 전도도가 좋지 않은 시료는 금과 같이 전기 전도도가 높은 금속으로 얇게 코팅을 해야 한다.

바로알기 | (2) 시료가 두꺼우면 전자선이 시료를 투과하는 동안 속력이 느려져 전자의 물질파 파장이 길어지므로 분해능이 떨어진다. 따라서 (가)는 시료가 두꺼우면 시료의 모습이 흐리게 나타난다.

(5) 투과 전자 현미경은 시료의 평면 구조를 관찰할 수 있고, 주사 전자 현미경은 시료의 입체 구조를 관찰할 수 있다.

난이도별 필수 기출 188~190쪽

662 ④	663 ③	664 ②	665 ②	666 해설 참조
667 ⑤	668 ①	669 해설 참조		670 ① 671 ④
672 ⑤	673 ④	674 ③, ⑥		675 ④

662 입자의 물질파 파장 $\lambda=\frac{h}{p}$이다. 입자가 A를 지날 때 입자의 운동량이 p_0이고, 물질파 파장은 $5\lambda_0$이므로 $5\lambda_0=\frac{h}{p_0}$에서 $p_0=\frac{h}{5\lambda_0}$이다. 입자가 B를 지날 때 입자의 운동량을 p'라 하면 물질파 파장은 $3\lambda_0$이므로 $3\lambda_0=\frac{h}{p'}$에서 $p'=\frac{h}{3\lambda_0}=\frac{5}{3}p_0$이다.

663 A의 물질파 파장 $6\lambda=\frac{h}{mv_A}$이고, B의 물질파 파장 $\lambda=\frac{h}{2mv_B}$이다. $6\lambda=\frac{h}{mv_A}=\frac{6h}{2mv_B}$이므로 $3v_A=v_B$이다. 따라서 $v_A : v_B=1 : 3$이다.

664 ㄴ. 물질파 파장은 운동량에 반비례한다. A의 운동량은 충돌 후 $2mv$가 충돌 전 $4mv$보다 작으므로 A의 물질파 파장은 충돌 후가 충돌 전보다 길다.

바로알기 | ㄱ. 물질파 파장 $\lambda=\frac{h}{p}$이고, 충돌 후 A, B의 운동량은 크기가 $2mv$로 같으므로 물질파 파장도 서로 같다.

ㄷ. 충돌 전 A의 물질파 파장은 $\frac{h}{4mv}$이고, 충돌 후 B의 물질파 파장은 $\frac{h}{2mv}$이므로 서로 같지 않다.

665 ㄷ. 물질파 파장 $\lambda=\frac{h}{\sqrt{2mE_k}}$이므로 전자를 V의 전압으로 가속시켰을 때 전자의 물질파 파장 $\lambda=\frac{h}{\sqrt{2meV}}$이고, $4V$의 전압으로 가속시켰을 때 물질파 파장을 λ'라고 하면 $\lambda'=\frac{h}{\sqrt{2me\times4V}}$이다. 따라서 $\lambda'=\frac{h}{2\sqrt{2meV}}=\frac{1}{2}\lambda$이다.

바로알기 | ㄱ. 전자의 물질파 파장은 전자의 운동량에 반비례한다. 따라서 전자의 운동량이 클수록 물질파 파장은 짧다.

ㄴ. 전자가 음극판에서 양극판까지 운동하는 동안 전자의 운동량이 증가하므로 전자의 물질파 파장은 점점 짧아진다.

666 **모범 답안** (1) 질량이 m인 입자의 속력이 v일 때, 입자의 운동 에너지 $E_k=\frac{1}{2}mv^2$이고, 입자의 운동량 $p=mv$이므로 $p=\sqrt{2mE_k}$이다. 따라서 $p_A=\sqrt{4m_0E_0}$, $p_B=\sqrt{4m_0E_0}$, $p_C=\sqrt{16m_0E_0}=2\sqrt{4m_0E_0}$이므로 $p_A:p_B:p_C=1:1:2$이다.

(2) $\lambda_A=\frac{h}{p_A}=\frac{h}{\sqrt{4m_0E_0}}$

(3) $p_A:p_B:p_C=1:1:2$이고, 물질파 파장은 입자의 운동량에 반비례하므로 $\lambda_A:\lambda_B:\lambda_C=2:2:1$이다.

667

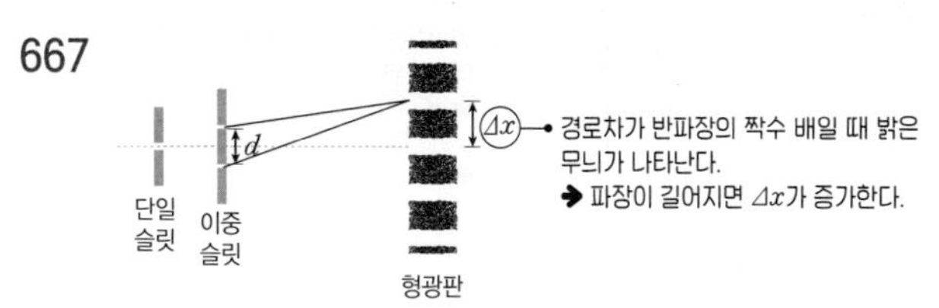

d
Δx
경로차가 반파장의 짝수 배일 때 밝은 무늬가 나타난다.
➔ 파장이 길어지면 Δx가 증가한다.
단일 슬릿
이중 슬릿
형광판

ㄱ. 전하량이 e이고, 질량이 m인 전자를 전압 V로 가속하면 전자의 운동 에너지는 $eV=\frac{1}{2}mv^2$이 된다. 따라서 전자를 가속하는 전압 V를 증가시키면 전자의 속력 v도 증가한다.

ㄴ. 전자의 물질파 파장은 전자의 운동량에 반비례하므로 전자의 속력이 증가하면 물질파 파장은 짧아진다.

ㄷ. 파동의 간섭무늬 사이의 간격 Δx는 파장이 길수록 증가한다. 전자의 운동량이 감소하면 물질파 파장이 길어지므로 Δx는 증가한다.

668 ㄱ. 회절 현상은 파동성을 나타내는 현상이므로 전자선의 회절 실험은 전자선의 파동성을 확인할 수 있는 실험이다.

바로알기 | ㄴ. 물질은 물질파 파장이 길수록 파동성이 잘 나타난다.

ㄷ. 전자선의 속력이 빠를수록 전자선의 물질파 파장이 짧아지므로 회절 무늬 사이의 간격이 좁아진다.

669 야구공의 질량이 150 g=0.15 kg이고 속력이 약 100 km/h =27.8 m/s일 때, 물질파 파장을 계산해 보면 약 1.6×10^{-34} m이다. 가시광선의 파장이 약 4×10^{-7} m~7×10^{-7} m임을 생각해 보면 야구공의 물질파는 관찰하기 매우 어렵다.

모범 답안 (1) 입자의 운동 에너지가 E일 때 물질파 파장 $\lambda=\frac{h}{p}=\frac{h}{\sqrt{2mE}}$이다. 야구공과 전자의 질량을 비교했을 때 야구공의 질량이 전자의 질량보다 크기 때문에 운동 에너지가 같을 때 야구공의 물질파 파장은 전자의 물질파 파장보다 짧다.

(2) 야구공의 물질파 파장을 구하는 식에서 플랑크 상수 h의 값이 매우 작고 야구공의 질량은 크기 때문에 물질파 파장이 매우 짧아 야구공의 파동성을 관찰하기 어렵다.

670 ㄱ. (나)에서 $\theta=50°$일 때, 전자가 많이 검출되는 까닭은 전자의 물질파가 특정 각도에서 보강 간섭을 했기 때문이다.

바로알기 | ㄴ. 간섭 현상은 파동성을 보여주는 현상이므로, 이 실험은 전자가 가지고 있는 파동성을 확인하기 위한 실험이다.

ㄷ. 전자를 가속하는 전압 V를 높일수록 전자의 운동량이 커진다. 전자의 물질파 파장은 운동량에 반비례하므로 전압 V를 높일수록 전자의 물질파 파장은 짧아진다.

개념 보충

데이비슨·거머 실험의 성과

데이비슨과 거머는 실험으로 이웃한 두 결정면에서 반사된 X선이 특정 각도일 때 보강 간섭을 하는 것과 전자선이 반사하여 특정 각도일 때 전자가 많이 검출되는 것을 비교하여 전자선의 파장을 측정하였다. 이렇게 측정한 전자선의 파장과 드브로이 물질파 파장 공식으로 구한 파장이 서로 일치하는 것을 확인하여 물질파 이론이 옳다는 것을 증명하였다.

671 ㄱ, ㄷ. 전자 현미경은 전자선의 파동적 성질을 이용하여 시료를 관찰한다.

ㄹ. 전자선의 물질파 파장은 광학 현미경에 사용되는 빛의 파장보다 훨씬 짧으므로 전자 현미경이 광학 현미경보다 배율과 분해능이 높다.

바로알기 | ㄴ. 전자 현미경은 전자선을 이용하므로 자기렌즈를 사용하여 전자선의 경로를 조절한다.

672 ㄱ. 자기렌즈는 전자가 자기장 속에서 진행 경로가 휘어지는 성질을 이용하여 전자선의 경로를 바꿔 초점을 맞추는 역할을 한다.

ㄴ. 전자선의 물질파 파장은 가시광선의 파장보다 훨씬 짧다. 따라서 전자선을 사용하는 전자 현미경이 가시광선을 사용하는 광학 현미경보다 분해능이 높다.

ㄷ. 전자선을 시료의 한 지점에 쪼일 때 시료에서 튀어나오는 전자를 전자 검출기가 측정한다. 전자선을 쪼이는 위치를 옆으로 옮겨가며 측정을 반복하면 시료 표면의 3차원 형상을 얻을 수 있다.

673 ㄴ. (가)에서 θ가 작을수록 두 광원 사이의 거리가 가까운 것이고, 두 광원 사이가 가까울수록 상이 겹쳐서 하나의 상으로 보일 가능성이 커진다. 분해능은 θ가 어느 정도까지 작아도 2개의 상으로 구분하여 볼 수 있는지를 나타내는 척도이며, 분해능이 높으면 더 작은 θ를 갖는 상도 구분하여 관찰할 수 있다.

ㄷ. 전자의 속력이 클수록 전자의 물질파 파장이 짧아지며, 전자의 물질파 파장이 짧을수록 전자 현미경의 분해능이 높다.

바로알기 | ㄱ. 현미경의 분해능은 사용하는 파동의 파장이 짧을수록 높다.

개념 보충

분해능과 레일리 기준

분해능은 두 광원이 얼마나 뚜렷하게 구분되는지를 나타내는 수치이다. '레일리 기준'은 분해능의 기준을 제시한 것으로, 레일리 기준에 따르면 한 광원의 회절 무늬의 중심에 다른 광원의 회절 무늬의 어두운 부분이 위치할 때가 두 광원을 서로 다른 것으로 구분할 수 있는 기준이다.

674 ① (가) 주사 전자 현미경은 시료 표면의 입체 영상을 볼 수 있고, (나) 투과 전자 현미경은 시료의 평면 구조를 볼 수 있다.
② 전기 전도도가 낮은 시료를 (가) 주사 전자 현미경을 사용하여 관찰할 때는 시료의 표면을 금속으로 얇게 코팅해야 한다. 이는 전기 전도도가 낮으면 시료의 표면에 전하가 모여 관찰을 계속할 수 없기 때문이다.
④ (나) 투과 전자 현미경으로 시료를 관찰할 때 시료가 두꺼우면 전자선이 시료를 통과하는 동안 전자의 속력이 작아지므로 분해능이 떨어진다. 따라서 시료를 얇게 만들수록 뚜렷한 상을 볼 수 있다.
⑤ 일반적으로 분해능은 (나) 투과 전자 현미경이 (가) 주사 전자 현미경보다 좋다.
바로알기 | ③ (나) 투과 전자 현미경은 시료를 통과한 전자선을 감지기로 측정하므로 시료의 내부 구조를 보기에 적합하다.
⑥ 전자 현미경의 분해능은 전자의 물질파 파장이 짧을수록 높아지므로, (가)와 (나)의 분해능을 증가시키기 위해서는 전자의 속력을 증가시켜야 한다.

675 (나)의 분해능이 (가)의 분해능보다 좋게 나타나므로 (가)는 광학 현미경, (나)는 전자 현미경으로 관찰한 모습이다.
ㄴ. (나)의 전자 현미경은 전자선의 파동적 성질을 이용하여 시료를 관찰한다.
ㄷ. (가)의 광학 현미경은 빛을 굴절시킬 수 있는 유리 렌즈를 사용하고, (나)의 전자 현미경은 전자선을 굴절시킬 수 있는 자기렌즈를 사용한다.
바로알기 | ㄱ. 같은 배율에서 (나)가 (가)보다 또렷하게 관찰되므로 분해능은 (나)가 (가)보다 우수하다.

최고 수준 도전 기출 (22~23강)

191쪽

676 ② 677 ② 678 ④ 679 $\sqrt{\dfrac{h}{2m_0(f-f_0)}}$

676 금속구의 문턱 진동수보다 진동수가 큰 단색광을 금속구에 비추면 광전 효과가 일어나 금속구의 전자가 방출되므로 금속구는 양(+)전하로 대전된다.

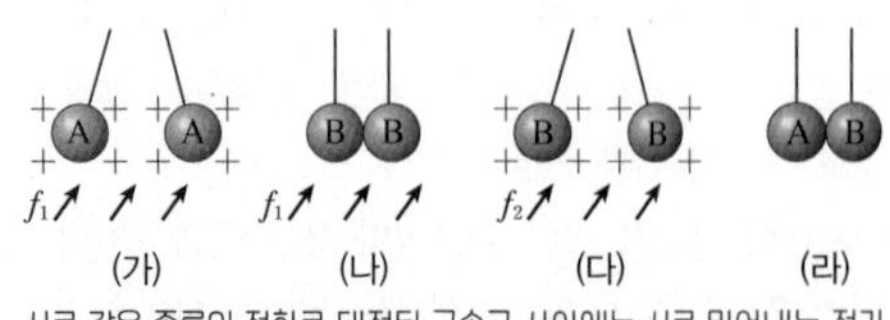

A A B B B B A B
f_1 f_1 f_2
(가) (나) (다) (라)

서로 같은 종류의 전하로 대전된 금속구 사이에는 서로 밀어내는 전기력이 작용하므로 금속구는 서로 멀어지게 된다.

ㄷ. (나)에서 진동수가 f_1인 단색광을 B에 비추었을 때는 광전 효과가 일어나지 않았고, (다)에서 진동수가 f_2인 단색광을 B에 비추었을 때는 광전 효과가 일어났으므로 f_2는 f_1보다 크다. (라)에서 진동수가 f_1인 단색광을 A와 B에 비추면 A에서만 광전자가 방출되지만, 진동수가 f_2인 단색광을 A와 B에 비추면 A와 B 모두에서 광전자가 방출된다. 따라서 (라)에 비춘 단색광의 진동수가 f_1일 때보다 f_2일 때 두 금속구 사이의 간격은 더 벌어진다.

바로알기 | ㄱ. (가)에서 두 금속구가 서로 멀어졌으므로 A의 문턱 진동수는 f_1보다 작다. 따라서 A의 일함수는 hf_1보다 작다.
ㄴ. (가)에서 f_2인 단색광을 비추어도 금속구가 서로 멀어지지만, 단색광의 세기가 모두 같으므로 두 금속구에서 방출된 광전자의 수는 같다. 따라서 금속구 사이 간격도 같다.

677

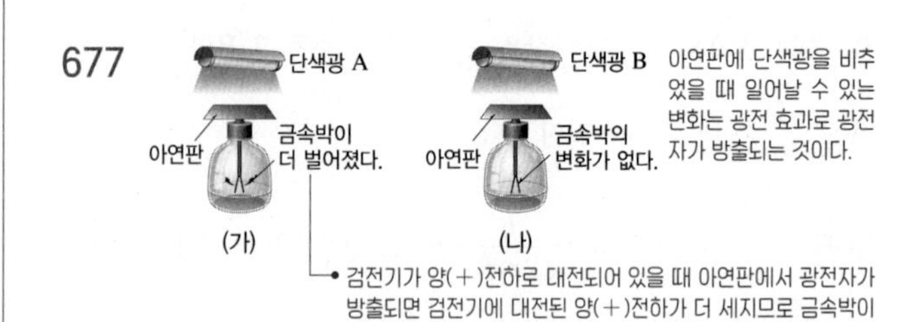

단색광 A
금속박이 더 벌어졌다.
아연판
(가)
단색광 B
금속박의 변화가 없다.
아연판
(나)
아연판에 단색광을 비추었을 때 일어날 수 있는 변화는 광전 효과로 광전자가 방출되는 것이다.
검전기가 양(+)전하로 대전되어 있을 때 아연판에서 광전자가 방출되면 검전기에 대전된 양(+)전하가 더 세지므로 금속박이 더 벌어진다.

ㄷ. (나)에서 금속박의 변화가 없었으므로 단색광 B의 진동수는 아연판의 문턱 진동수보다 작다. 따라서 검전기에 대전된 전하의 종류를 바꾸고 다시 실험해도 광전자는 방출되지 않으므로 실험 결과는 변하지 않는다.
바로알기 | ㄱ. (가)에서 단색광 A를 아연판에 비추었을 때 광전 효과가 일어나면 광전자가 방출된다. 검전기가 음(−)전하로 대전되어 있다면 A를 비추었을 때 검전기에서 광전자가 방출되어 금속박이 오므라들어야 하지만, 금속박이 더 벌어졌으므로 검전기는 양(+)전하로 대전되어 있다.
ㄴ. (나)의 검전기에 B를 더 가까이 비추면 아연판에 비추는 단색광의 세기가 더 세진다. 그러나 광전자의 방출 여부는 아연판에 비추는 단색광의 세기에 관계가 없고 단색광의 진동수에만 관계가 있으므로 검전기에 B를 더 가까이 비추어도 광전자는 방출되지 않는다. 따라서 금속박은 변화가 없다.

678

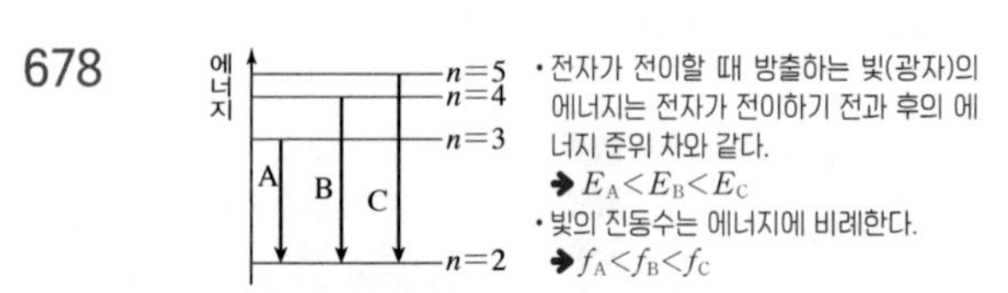

에너지
$n=5$
$n=4$
$n=3$
$n=2$
A B C
• 전자가 전이할 때 방출하는 빛(광자)의 에너지는 전자가 전이하기 전과 후의 에너지 준위 차와 같다.
➔ $E_A < E_B < E_C$
• 빛의 진동수는 에너지에 비례한다.
➔ $f_A < f_B < f_C$

ㄴ. C의 진동수는 B의 진동수보다 크고, 금속판 P에 B를 비추었을 때 광전자가 방출되었으므로 C를 P에 비추면 광전자가 방출된다.
ㄷ. 일함수가 W인 금속판에서 진동수가 f인 빛을 비추었을 때 광전 효과로 방출되는 광전자의 최대 운동 에너지 $E_k = hf - W$이므로, 금속판에 비추는 빛의 진동수가 클수록 방출되는 광전자의 최대 운동 에너지도 크다. 따라서 방출되는 광전자의 최대 운동 에너지는 C를 비추었을 때가 B를 비추었을 때보다 크다.
바로알기 | ㄱ. 금속판의 문턱 진동수보다 작은 진동수의 빛을 금속판에 비추는 경우에는 빛의 세기를 증가시켜도 광전자가 방출되지 않는다. 따라서 P에 A의 세기를 증가시켜 비추어도 광전자가 방출되지 않는다.

679 금속판에서 방출된 광전자의 최대 운동 에너지는 $E_k = hf - hf_0$이다. 광전자의 물질파 파장 $\lambda = \dfrac{h}{p} = \dfrac{h}{\sqrt{2m_0E_k}}$이므로 광전자의 물질파 파장의 최솟값은 광전자의 운동 에너지가 최대일 때의 물질파 파장이다. 따라서 방출된 광전자의 물질파 파장의 최솟값은 $\dfrac{h}{\sqrt{2m_0(hf-hf_0)}}$ $= \sqrt{\dfrac{h}{2m_0(f-f_0)}}$이다.

Memo

Memo